Maya Angelou (1928
Missouri. Zij studeer
zong in nachtclubs en
de Harlem Writers Gui
van Genet. Angelou was betrokken bij de Zwarte
Burgerrechtenbeweging van Martin Luther King.
Zij was in Afrika redactrice bij de *African Review*
en produceerde een tiendelige tv-serie over
Afrikaanse tradities in het Amerikaanse leven.
Ze schreef haar autobiografie en publiceerde
verschillende poëziebundels. Momenteel doceert
Angelou American Studies aan de Universiteit van
Wake Forest, Noord-Carolina. Eerder verscheen
van haar *Zelfs de sterren lijken eenzaam*.

3x Maya Angelou

Ik weet waarom gekooide vogels zingen
Dans om het bestaan
Zingen en swingen

Vertaald door Kathleen Rutten

Rainbow Pocketboeken
Uitgeverij De Geus

Rainbow Pocketboeken® worden uitgegeven door
Uitgeverij Maarten Muntinga bv, Amsterdam

www.rainbow.nl

Een gezamenlijke uitgave van Uitgeverij Maarten Muntinga bv,
Amsterdam en Uitgeverij De Geus, Breda

www.degeus.nl

Oorspronkelijke titel: *I know why the Caged Bird Sings / Gather
Together in My Name / Singin' and Swingin'*
Oorspronkelijke uitgave: Random House Inc., New York
© 1969, 1974 en 1976 Maya Angelou
© 1987, 1988 en 1989 Nederlandse vertaling Kathleen Rutten en
Uitgeverij De Geus bv, Breda
© 1997 omnibus-editie Uitgeverij De Geus bv, Breda
Omslagontwerp: Studio Marlies Visser
Foto voorzijde omslag: Charles Hopkinson
Zetwerk: Stand By, Nieuwegein
Druk: Bercker, Kevelaer
Uitgave in Rainbow Pocketboeken juli 2002
Tweede druk oktober 2002
Alle rechten voorbehouden

ISBN 90 417 0356 X   NUR 311

thea

Inhoud

Ik weet waarom
gekooide vogels zingen

Dit boek is opgedragen aan mijn zoon, Guy Johnson, en aan alle sterke, veelbelovende, zwarte vogels die het lot en de goden tarten en hun lied zingen.

Ik bedank mijn moeder, Vivian Baxter, en mijn broer, Bailey Johnson, die mij aanspoorden om me te herinneren. Ik dank de Harlem Writers Guild voor hun zorg; John O. Killens, die me zei dat ik kon schrijven en Nana Kobina Nketsia IV, die erop stond dat ik schreef. Blijvende dankbaarheid ben ik verschuldigd aan Gerard Purcell voor zijn concrete geloof en aan Tony D'Amato voor zijn begrip. Aan Abbey Lincoln Roach die mijn boek zijn titel gaf. En ten slotte aan mijn redacteur van Random House, Robert Loomis, die me zacht terugduwde naar de verloren jaren.

Sympathy

(...)
I know why the caged bird sings, ah me,
When his wing is bruised and his bosom sore,—
When he beats his bars and he would be free;
It is not a carol of joy or glee,
But a prayer that he sends from his heart's deep core,
But a plea that upward to Heaven he flings—
I know why the caged bird sings!

Paul Lawrence Dunbar

Waarom kijk je mij zo aan?
Ik ben niet gekomen om te blijven...

Niet dat ik het vergeten was, maar ik kon mezelf er gewoon niet toe brengen het te onthouden. Andere dingen waren belangrijker.

'Waarom kijk je mij zo aan?
Ik ben niet gekomen om te blijven...'

Of ik me nu de rest van het gedicht wel of niet kon herinneren deed er niet toe. De waarheid van die regels zat als een kletsnatte, opgefrommelde zakdoek in mijn vuisten en hoe eerder ze het accepteerden, hoe sneller ik mijn handen open kon doen en de lucht mijn handen zou afkoelen.

'Waarom kijk je mij zo aan...?'

De jongens en meisjes van de kinderafdeling van de Methodistisch-Episcopale Kerk voor Kleurlingen zaten te wiebelen en te giechelen om mijn welbekende vergeetachtigheid.

De jurk die ik droeg, was van lavendelkleurige tafzijde en ritselde telkens als ik ademhaalde. Maar nu dat ik lucht naar binnenzoog om schaamte uit te blazen, klonk hij als het crêpepapier achter op lijkwagens.

Toen ik toegekeken had hoe Momma ruches aan de zoom zette en snoezige, kleine plooitjes rond de taille maakte, wist ik al dat ik er als een filmster uit zou zien zodra ik hem aanhad. (Hij was van zijde en dat maakte de afschuwelijke kleur goed.) Ik zou er uitzien als een van die lieve, kleine, blanke meisjes die ieders droom waren van het goede in de wereld. Hij zag er betoverend uit toen hij losjes over de Singer-naaimachine hing en wanneer de mensen mij erin zagen, zouden ze naar me toe komen rennen en zeggen: 'Marguerite [soms was het 'lieve Marguerite'], vergeef ons alsjeblieft, we wisten niet wie je was.' En ik zou edelmoedig antwoorden: 'Nee, dat kon je ook niet weten. Natuurlijk vergeef ik het jullie.'

Alleen al de gedachte daaraan maakte dat ik dagenlang rondliep met engelenstof over mijn gezicht gesprenkeld. Maar in de vroege ochtendzon van Pasen bleek de jurk een gewoon, lelijk, vermaakt, ooit-paarsgeweest afdankertje van een blanke vrouw te zijn. Hij was nog ouwedamesachtig lang ook maar verborg niet mijn dunne benen die ingevet waren met Blue Seal-vaseline en bepoederd met de rode klei van Arkansas. Mijn huid stak als vieze modder af tegen de van ouderdom verbleekte kleur en iedereen in de kerk keek naar mijn dunne benen.

Wat zouden ze opkijken als ik op een dag uit mijn zwarte, lelijke droom ontwaakte en mijn echte haar, dat lang en blond was, de plaats had ingenomen van de pluizige massa die ik van Momma niet mocht ontkroezen. Ze zouden gehypnotiseerd worden door mijn lichtblauwe ogen, na alles wat ze gezegd hadden over 'mijn papa moet wel een Chinese man zijn geweest' (ik dacht dat ze daarmee bedoelden dat hij van porselein was gemaakt, zoals een kopje), omdat mijn ogen zo klein en loensend waren. Dan zouden ze snappen waarom ik nooit een Zuidelijk accent gekregen had, of gewoon plat praatte en waarom ik gedwongen moest worden om varkensstaartjes en -snuiten te eten. Omdat ik eigenlijk blank was en omdat een gemene heks van een stiefmoeder, die vanzelfsprekend jaloers was op mijn schoonheid, mij in een te groot Negermeisje had veranderd met kroezend, zwart haar, brede voeten en een gat tussen haar tanden waar een nr. 2-potlood in paste.

'Waarom kijk je...' De vrouw van de dominee boog zich naar me toe, haar lange, gelige gezicht vol spijt. 'Ik kom je zeggen dat het Pasen is,' fluisterde ze. Ik zei haar, de woorden aan elkaar knopend, 'ikkomjezeggendathetpasenis', zo zacht mogelijk na. De giebers hingen in de lucht als smeltende wolken die wachtten om op mij te gaan regenen. Ik stak twee vingers vlak voor mijn borst omhoog, wat betekende dat ik naar de wc moest en liep op mijn tenen naar de kerkdeur. Gedempt, ergens boven mijn hoofd, hoorde ik dames zeggen: 'De Heer zegene dit kind' en 'God zij geprezen'. Ik hield mijn hoofd omhoog en mijn ogen open maar ik zag niets. Toen ik halverwege het gangpad was, barstte de kerk los in 'Were you there when they crucified my Lord?' en botste ik tegen een voet die uit de kinderbank gestoken werd. Ik struikelde en begon iets te zeggen, of misschien te schreeuwen, maar een groene persimoen, of het kan ook een citroen geweest zijn, kwam klem te zitten tussen mijn benen en kneep. Ik proefde het zuur op mijn tong en voelde het achter in mijn mond. En voordat ik bij de deur was, liep het brandend langs mijn benen en in mijn zondagse sokken. Ik probeerde het op te houden, het terug te persen, dat het maar niet zo snel zou gaan, maar toen ik bij het kerkportaal aankwam, wist ik dat ik het moest laten gaan, anders zou het waarschijnlijk rechtstreeks terug naar mijn hoofd lopen en mijn arme hoofd zou uit elkaar barsten als een watermeloen die gevallen is en al de hersenen en het spuug en de tong en de ogen zouden overal heen rollen. Dus rende ik naar buiten en liet het gaan. Ik rende, plassend en huilend, niet naar achter naar de wc, maar naar huis. Ik zou er zeker slaag voor krijgen en die rotkinderen zouden iets nieuws hebben om me mee te pesten. Maar ik lachte toch, gedeeltelijk vanwege de zoete opluchting, maar de grootste vreugde kwam niet alleen van het verlost zijn van die stomme kerk, maar van de wetenschap dat ik niet zou sterven aan een uit elkaar geklapt hoofd.

Als opgroeien pijnlijk is voor een Zwart meisje in het Zuiden, dan is het feit dat ze zich bewust is van haar misplaatstheid als de roest op het scheermes dat haar op de keel wordt gezet.

Het is een overbodige belediging.

I

Toen ik drie was, en Bailey vier, arriveerden we in het bedompte stadje met kaartjes om onze polsen geknoopt die
'Aan wie dit leest' lieten weten dat wij Marguerite en Bailey Johnson jr. waren, uit Long Beach, Californië, op weg
naar Stamps, Arkansas, p/a Mevr. Annie Henderson.

Onze ouders hadden besloten een eind te maken aan
hun rampzalige huwelijk en Vader had ons naar huis,
naar zijn moeder, gestuurd. Een van de spoorwegem-
ployés had de opdracht gekregen om op ons te letten –
hij stapte de volgende dag in Arizona uit – en onze trein-
kaartjes zaten vastgespeld in de binnenzak van mijn
broers jas.

Ik herinner me niet veel van die tocht maar toen we
aan het traject door het gesegregeerde Zuiden toe waren,
moet het er voor ons beter hebben uitgezien. De Neger-
passagiers, die altijd beladen waren met tassen vol etenswaren, hadden medelijden met 'die arme, moederloze
schatjes' en stopten ons koude gebraden kip en aardappelsalade toe.

Jaren later ontdekte ik dat de Verenigde Staten duizenden malen doorkruist waren door angstige, Zwarte
kinderen die alleen naar hun recentelijk in goeden doen
geraakte ouders in Noordelijke steden reisden, of terug
naar grootmoeders in Zuidelijke stadjes, toen het verste-
delijkte Noorden zijn economische beloften niet na-
kwam.

De inwoners van het stadje reageerden op ons zoals ze voor onze komst op alles wat nieuw was, hadden gereageerd. Wij werden een poos behoedzaam, zonder nieuwsgierigheid, gadegeslagen en toen bleek dat we ongevaarlijk waren (en kinderen), omsloten ze ons zoals een echte moeder het kind van een vreemde omarmt. Warm, maar niet al te intiem.

We woonden met onze grootmoeder en oom achter de Winkel (er werd altijd met een hoofdletter W over gesproken) waarvan zij al vijfentwintig jaar eigenares was.

In het begin van deze eeuw had Momma (we hielden er al gauw mee op haar grootmoeder te noemen) lunches verkocht aan de zagers van de houthandel (oost-Stamps) en de katoenzuiveraars van de katoenfabriek (west-Stamps). Haar knapperige vleespasteien en koele limonade, in combinatie met haar wonderbaarlijke vermogen om op twee plaatsen tegelijk te zijn, vormden de garantie voor haar zakelijk succes. Na als mobiel buffet gefungeerd te hebben, zette ze een kraam op midden tussen de twee financieel interessante punten en gedurende een jaar voorzag ze in de behoeften van de arbeiders. Toen liet ze de Winkel bouwen in het hart van de Negerwijk. In de loop der jaren werd hij het centrum van de wereldlijke activiteiten in de stad. Op zaterdag lieten de kappers hun klanten plaatsnemen in de schaduw van de Winkelveranda en troubadours op hun eindeloze trektochten door het Zuiden leunden tegen de toonbanken en zongen hun droevige liederen van de Brazos, terwijl ze op mondharpen en sigarenkistjesgitaren speelden.

De officiële naam van de Winkel was Wm. Johnson Bazaar. Klanten konden er terecht voor de belangrijkste levensmiddelen, een gevarieerd assortiment gekleurd garen, mengvoer voor de varkens, maïs voor de kippen, pe-

troleum voor de lampen, voor de rijken waren er gloei-
lampen, schoenveters, haarlotion, ballonnen en bloem-
zaden. En wat niet zichtbaar was, kon altijd nog besteld
worden.

Totdat we bekend genoeg waren om bij de Winkel te
horen en hij bij ons, zaten we opgesloten in een kermis-
tent waarvan de spullenbaas voorgoed naar huis was.

Elk jaar zag ik het veld tegenover de Winkel rupsgroen
worden en geleidelijk ijzig wit. Ik wist precies hoelang
het duurde voordat de grote wagens het erf op kwamen
rijden om de katoenplukkers bij het aanbreken van de
dag in te laden en ze naar de overblijfselen van de slavenplantages te brengen.

Gedurende het plukseizoen stond mijn grootmoeder
om vier uur op (ze gebruikte nooit een wekker), dan liet
ze zich krakend op haar knieën zakken en met een slaap-
dronken stem intoneerde ze:

'Onze Vader, dank U dat U mij deze nieuwe dag laat
meemaken. Dank U dat U het bed waarop ik vannacht
lag niet mijn doodsbed hebt laten zijn, noch mijn deken
een lijkwade. Leid mijn voeten deze dag langs het rechte
pad en help me mijn tong in bedwang houden. Zegen
dit huis en allen die erin wonen. Dank U, in naam van
Uw Zoon, Jezus Christus, amen.'

Voordat ze helemaal overeind gekomen was, had ze
onze namen geroepen en bevelen uitgedeeld, haar grote
voeten in eigengemaakte pantoffels gestoken om aan de
andere kant van de kale, geloogde, houten vloer de petroleumlamp aan te steken.

Het lamplicht in de Winkel gaf een zacht, onwezenlijk gevoel aan onze wereld waardoor ik de neiging kreeg
om te fluisteren en op mijn tenen te lopen. De geuren

van uien, sinaasappelen en petroleum hadden zich de hele nacht vermengd en werden niet verstoord totdat de houten lat van de deur werd gehaald en de vroege ochtendlucht zich een weg naar binnen baande, samen met de lichamen van mensen die kilometers gelopen hadden om bij het ophaalpunt te komen.

'Zuster, voor mij twee blikjes sardientjes.'

'Ik ga d'r vandaag zo hard tegenan dat 't lijkt of jij stil staat.'

'Voor mij een stuk kaas en een paar sodacrackers.'

'Voor mij allenig wat van die dikke pindakoeken.'

Dat kwam van een plukker die zijn eigen eten bij zich had. De vettige, bruinpapieren zak stak achter het bovenstuk van zijn werkbroek. Hij zou de zoetigheid als tussendoortje gebruiken, voordat de middagzon de schaft aangaf voor de werkers.

In die milde ochtenden was de Winkel vol gelach, grappen, gepoch en gesnoef. De ene man zou tweehonderd pond katoen plukken, de andere driehonderd. Zelfs de kinderen zwoeren dat ze vijftig en vijfenzeventig dollarcent mee naar huis zouden brengen.

De kampioenplukker van de vorige dag was de held van het ochtendgloren. Als hij voorspelde dat de katoen in het veld van vandaag dun zou zijn en als lijm aan de zaaddozen zou kleven, dan gromden alle toehoorders hartgrondig hun instemming.

Het geluid van lege katoenzakken die over de vloer sleepten en het gemompel van ontwakende mensen werd doorsneden door de kassa waarop we de aankopen van vijf cent aansloegen.

Als de ochtendklanken en -geuren sporen droegen van het bovennatuurlijke dan had de late namiddag alle kenmerken van het gewone Arkansas-bestaan. In het licht van de ondergaande zon waren het eerder de mensen die zich voortsleepten dan hun lege katoenzakken.

Wanneer ze bij de Winkel afgezet werden, klommen de plukkers achter van de vrachtwagens en zakten, tot in de grond teleurgesteld, in elkaar. Hoeveel ze ook geplukt hadden, het was niet genoeg. Hun loon was zelfs niet voldoende om hun schulden aan mijn grootmoeder te betalen, laat staan de duizelingwekkende rekeningen die op hen lagen te wachten in het blanke warenhuis in de binnenstad.

De geluiden van de vroege ochtend hadden plaats gemaakt voor gemopper over handelaren die je afzetten, verzwaarde weegschalen, slangen, schaarse katoen en stoffige rijen. In later jaren zou ik met zo'n razende woede tekeergaan tegen het stereotiepe beeld van de vrolijke, liedjes zingende katoenplukker dat zelfs andere Zwarten mij te kennen gaven dat mijn paranoia gênant was. Maar ik had de vingers gezien waar de gemene, kleine zaaddozen in gesneden hadden en ik was getuige geweest van de ruggen, schouders, armen en benen waarvan te veel gevergd was.

Sommigen van de werkers lieten hun zakken in de Winkel achter om ze de volgende dag weer op te halen, maar een paar moesten ze voor reparaties mee naar huis nemen. Ik huiverde wanneer ik me voorstelde hoe ze bij een petroleumlamp de ruwe stof naaiden met vingers die stijf waren van het werk van die dag. Maar al te gauw zouden ze weer terug moeten lopen naar de Winkel van zuster Henderson, proviand inslaan en weer achter op de vrachtwagens moeten klimmen. Dan werden ze weer geconfronteerd met een nieuwe dag van proberen genoeg te verdienen voor het hele jaar, in de treurige wetenschap dat ze het seizoen zouden beëindigen zoals ze het begonnen waren. Zonder het noodzakelijke geld of krediet om een gezin drie maanden lang van te onderhouden. In de tijd van de katoenpluk werd in de late namiddag de hardheid van het Zwarte Zuidelijke bestaan onthuld, die in de vroege ochtend verdoezeld was geweest door de natuurlijke zegeningen van slaapdronkenheid, vergeetachtigheid en het zachte lamplicht.

2

Toen Bailey zes was en ik een jaar jonger, ratelden we de tafels van vermenigvuldiging af met een snelheid waarmee ik later Chinese kinderen in San Francisco hun telramen zag bedienen. Onze zomergrijze potkachel gloeide rozigrood in de winter en vormde een ernstige disciplinaire bedreiging wanneer we zo dom waren om ons fouten te permitteren.

Oom Willie zat gewoonlijk als een reusachtige zwarte Z (hij was als kind verlamd geraakt) te luisteren naar hoe wij getuigenis aflegden van de deskundigheid van de Lafayette County Training School. Zijn gezicht trok aan de linkerkant naar beneden alsof er een katrol aan zijn ondertanden was bevestigd en zijn linkerhand was maar ietsje groter dan die van Bailey, maar bij de tweede fout of de derde aarzeling greep zijn overgrote rechterhand een van ons bij de kraag en werd de zondaar op hetzelfde moment bruusk naar de kachel toe geduwd die klopte als de duivel z'n zere kies. We hebben ons nooit verbrand, hoewel ik er een keer dicht bij kwam toen ik zo bang was dat ik op de kachel probeerde te springen om maar de mogelijkheid op te heffen dat het een permanente bedreiging zou blijven. Net als de meeste kinderen dacht ik dat, als ik het grootste gevaar vrijwillig onder ogen kon zien en erover kon *zegevieren*, ik er voor altijd macht over zou hebben. Maar in dit geval werd mijn poging tot zelfopoffering verijdeld. Oom Willie hield mijn jurk stevig vast en ik kwam er alleen maar dicht genoeg bij in de buurt om de droge, schone lucht van heet ijzer te ruiken. We leerden de tafels van vermenigvuldiging, niet omdat we het grootse principe ervan begrepen, maar gewoon omdat we de capaciteit ervoor hadden en geen ander alternatief.

De tragedie van kreupelheid lijkt voor kinderen zo onrechtvaardig dat het bestaan ervan hen in verlegenheid brengt. En zij, die zelf nog maar zo kortelings door de natuur zijn gevormd, voelen dat het maar een haartje had gescheeld of ze waren zelf een van haar grollen geweest. In hun opluchting over de rakelingse ontsnapping uiten ze hun emoties in ongeduld en kritiek op de ongelukkige kreupele.

Momma vertelde keer op keer en zonder vertoon van emotie hoe een vrouw, die op oom Willie paste toen hij drie was, hem had laten vallen. Ze scheen geen wrok te koesteren tegen de babysitter, noch tegen haar rechtvaardige God die het ongeluk had laten gebeuren. Ze vond het nodig om degenen die het verhaal al van buiten kenden, steeds opnieuw uit te leggen dat hij 'zo niet geboren was'.

In onze gemeenschap, waar tweearmige, tweebenige, sterke Zwarte mannen op z'n hoogst in staat waren slechts het allernoodzakelijkste bijeen te scharrelen, was oom Willie, met zijn gesteven overhemden, gepoetste schoenen en planken vol etenswaren, de zondebok en het mikpunt van de grappen van mensen met te weinig werk en te weinig geld. Het lot had hem niet alleen invalide gemaakt maar een dubbele barrière op zijn weg gelegd. Hij was ook trots en gevoelig. Daarom kon hij niet doen alsof hij niet gehandicapt was, evenmin kon hij zichzelf wijsmaken dat zijn gebrek mensen geen afkeer inboezemde.

Slechts een keer in al de jaren van trachten niet naar hem te kijken, zag ik hem voor zichzelf en anderen veinzen dat hij niet kreupel was.

Toen ik op een dag thuiskwam van school stond er een donkere auto op ons voorerf. Ik rende naar binnen en zag een onbekende man en vrouw die Dr. Pepper-limonade dronken in de koelte van de Winkel (oom Willie vertelde naderhand dat het onderwijzers waren uit Little Rock). Ik voelde iets vreemds om me heen, alsof er een wekker was afgelopen die niet opgewonden was.

Ik wist dat het niet aan de onbekende mensen lag. Niet regelmatig, maar toch vaak genoeg, weken er reizigers van de hoofdweg af om tabak en frisdrank te kopen in de enige Negerwinkel die Stamps rijk was. Toen ik naar oom Willie keek, besefte ik wat er aan de jaspanden van mijn geest trok. Hij stond rechtop achter de toonbank, hij leunde niet voorover en rustte ook niet op het smalle plankje dat daar voor hem was aangebracht. Rechtop. Zijn ogen leken mij in bedwang te houden met een mengeling van dreigementen en smeekbeden.

Ik begroette de onbekenden plichtmatig en liet mijn blik rondgaan naar zijn wandelstok. Die was nergens te zien. Hij zei: 'Uh... dit dit... dit... uh, mijn nichtje. Ze... uh... komt net uit school.' En tegen het paar: 'U weet... hoe, uh, kinderen zijn... t-t-tegenwoordig... ze spelen de hele dag op school en k-k-kunnen niet wachten tot ze thuis zijn om nog meer te spelen.'

De mensen glimlachten heel vriendelijk.

Hij voegde eraan toe: 'Ga maar buiten sp-spelen, zuster.'

De dame lachte met een zachte Arkansas-stem en zei: 'Wel, weet u, meneer Johnson, ze zeggen dat je maar een keer jong bent. Hebt u zelf kinderen?'

Oom Willie keek me aan met een ongeduld dat ik zelfs niet in zijn gezicht gezien had wanneer hij dertig minuten nodig had om de veters door zijn hoge schoenen te rijgen. 'Ik...ik dacht dat ik gezegd had dat je buiten... buiten kon gaan spelen.'

Voordat ik naar buiten ging, zag ik hem achteruit leunen tegen de planken met Garret-snuiftabak en Prince Albert- en Spark Plug-pruimtabak.

'Nee, Mevrouw... geen k-kinderen en geen vrouw.' Hij probeerde een lachje. 'Ik heb een oude m-m-moeder en de t-twee kinderen van mijn broer om voor te zorgen.'

Ik vond het niet erg dat hij ons gebruikte om zichzelf gunstig te laten uitkomen. Als het erop aankwam, zou ik gedaan hebben alsof ik zijn dochter was als hij dat had gewild. Ik voelde niet alleen geen loyaliteit ten opzichte van mijn eigen vader, ik geloofde ook dat ik als kind van oom Willie veel beter af zou zijn geweest.

Het paar vertrok na een paar minuten en vanachter het huis zag ik hoe de rode auto kippen en stof opjoeg en in de richting van Magnolia verdween.

Oom Willie baande zich langzaam een weg door het lange, halfduistere gangpad tussen de schappen en de toonbank – hand over hand, als een man die uit een droom komt gekropen. Ik hield me stil en keek toe hoe hij van de ene kant zwaaide en tegen de andere botste, totdat hij bij de petroleumtank aangekomen was. Hij stak zijn hand in de donkere holte erachter, nam de stok in zijn sterke vuist en verplaatste zijn gewicht op de houten stut.

Hij dacht dat het hem gelukt was.

Ik zal nooit weten waarom het belangrijk voor hem was dat juist dit paar (hij vertelde later dat hij ze nog nooit eerder had gezien) een beeld van een ongeschonden meneer Johnson mee terugnam naar Little Rock.

Hij moet zijn kreupelheid beu zijn geweest, zoals gevangenen tralies beu worden en de schuldigen hun schuld. De hoge schoenen, de stok, zijn onbeheerste spieren en dikke tong, de minachtende en meewarige blikken die hij moest verduren, hadden hem eenvoudig uitgeput en gedurende een middag, een gedeelte van een middag, wilde hij er niets mee te maken hebben.

Ik begreep het en voelde me op dat moment nauwer met hem verbonden dan ooit tevoren of ooit erna.

Tijdens die jaren in Stamps maakte ik kennis met William Shakespeare en werd verliefd op hem. Hij was mijn eerste blanke liefde. Alhoewel ik genoot van Kipling, Poe, Butler, Thackeray en Henley en hen respecteerde, bewaarde ik mijn jeugdige en loyale hartstocht voor Paul Lawrence Dunbar, Langston Hughes, James Weldon Johnson en de 'Litany at Atlanta' van W.E.B. Du Bois. Maar het was Shakespeare die zei: 'Als het lot en de ogen der mensen u onwelgevallig zijn.' Dat was een toestand waarmee ik me zeer vertrouwd voelde. Maar het was een blanke en om mezelf gerust te stellen, hield ik mezelf voor dat hij tenslotte al zo lang dood was dat het voor niemand nog wat uit kon maken.

Bailey en ik besloten een scène uit *De koopman van Venetië* uit ons hoofd te leren, maar we realiseerden ons dat Momma ons vragen zou stellen over de schrijver en dat we haar zouden moeten vertellen dat Shakespeare blank was en of hij nu dood was of niet, dat zou voor haar geen verschil maken. Dus kozen we in plaats daarvan 'The Creation' van James Weldon Johnson.

3

Het afwegen van een half pond bloem, de schep niet
meegerekend, en die dan stofvrij in de dunne papieren
zak overhevelen, betekende een simpel soort van avontuur voor mij. Ik kreeg er een goed oog voor om te schatten hoe vol de zilverkleurige schep moest zijn met
bloem, mengvoer, meel, suiker of maïs om de weegschaal door te laten slaan naar anderhalf ons of een pond.
Wanneer ik het precies goed had, waren onze waarderende klanten vol bewondering: 'Wat heeft zuster Henderson toch een knappe kleinkinder.' Als de Winkel mij niet
gunstig gezind was, zeiden de scherpziende vrouwen:
'Doe 's wat meer in die zak, kind. Probeer maar niet om
je winst bij mij te halen.'

Dan strafte ik mezelf heimelijk maar vastberaden.
Voor elke foute schatting was de boete geen 'Kiss' in zilverpapier, de zoete, chocoladesnoepjes waar ik het meest
van alles op de wereld van hield, afgezien dan van Bailey.
En misschien ananas in blik. Ik was zo bezeten van ananas dat het me bijna gek maakte. Ik droomde van de tijd
dat ik groot zou zijn en een hele doos voor mezelf alleen
zou kunnen kopen.

Hoewel de exotische blikken met hun siroop-gouden
ringen het hele jaar door op onze planken stonden, kregen wij ze alleen met Kerstmis. Momma gebruikte het
sap om bijna zwarte fruitcake mee te maken. Met de
ananasschijven bedekte ze de bodems van de zware, met

roet aangeslagen ijzeren pannen voor kostelijk Moskovisch gebak. Bailey en ik kregen ieder een plak en ik liep rond met de mijne, er reepjes vanaf trekkend, tot er niets meer van over was dan de geur aan mijn vingers. Ik zou graag geloofd hebben dat mijn verlangen naar ananas zo heilig was dat ik het mezelf niet toestond een blik te stelen (wat mogelijk was) om het alleen in de tuin op te eten. Maar ik weet zeker dat ik het risico overwogen moet hebben dat de geur me zou verraden en dat ik het lef niet had het uit te proberen.

Totdat ik dertien was en Arkansas voorgoed verliet, was ik het liefst in de Winkel. In de ochtenden, wanneer hij verlaten en leeg was, zag hij eruit als een ongeopend pakje van een vreemde. Als de voordeur geopend werd, was het alsof de strik van een onverwacht cadeau werd getrokken. Het licht kwam zacht naar binnen (we keken uit op het noorden) en gleed over de schappen met makreel, zalm, tabak en garen. Het viel vol op een groot vat reuzel en 's zomers was het vet tegen de middag gesmolten tot een dikke soep. Telkens als ik in de namiddag de Winkel inliep, kon ik voelen dat hij moe was. Alleen ik kon de trage hartslag horen van het karwei dat er voor hem half opzat. Maar vlak voor bedtijd, nadat er talloze mensen in en uit waren gelopen, ruzie gemaakt hadden over hun rekeningen, grapjes over de buren, of enkel langs waren gekomen voor een 'Gedag t'samen aan zuster Henderson', keerde de belofte van de magische ochtenden terug naar de Winkel en spreidde zich in een levende golfslag over de familie uit.

Momma opende dozen knapperige crackers en we gingen rond het hakblok achterin de Winkel zitten. Ik sneed uien en Bailey trok twee of drie blikjes sardientjes open en liet het sap van olie en vissersboten over de zijkanten lekken. Dat was ons avondeten. 's Avonds, als we zo alleen bij elkaar zaten, stotterde of beefde oom Willie niet en wees niets erop dat hij een 'gebrek' had. Het leek alsof het vredige einde van de dag ons ervan verzekerde dat het verbond dat God had gesloten met kinderen, Negers en kreupelen, nog steeds van kracht was.

Scheppen maïs naar de kippen gooien en zuur droogvoer mengen met etensresten en vettig afwaswater voor de varkens behoorden tot onze avondklussen. Bailey en ik klotsten langs het schemerige pad naar de varkenshokken en staande op de onderste sporten van het hek goten we het onaantrekkelijke brouwsel uit voor onze dankbare varkens. Ze kliederden met hun zachte, roze snuiten in de dunne spoeling en wroetten en knorden hun tevredenheid. Wij knorden altijd in antwoord, half lachend, half in ernst. We waren ook dankbaar als we de vieste van onze klussen weer volbracht hadden en de kwalijk riekende draf alleen over onze schoenen, sokken, voeten en handen hadden gekregen.

Op een dag toen we nog laat met de varkens bezig waren, hoorde ik een paard op het voorerf (eigenlijk had het oprijlaan moeten heten, behalve dan dat er niets was om ermee op te rijden) en ik rende ernaar toe om te kijken wie er langs was gekomen op een donderdagavond, want zelfs meneer Steward, de zwijgzame, verbitterde man die een rijpaard bezat, rustte dan uit bij zijn warme vuur totdat de ochtend hem naar buiten riep om zijn akker te bebouwen.

De aftandse sheriff zat zwierig schrijlings op zijn paard. Zijn achteloze houding had ten doel zijn autoriteit en macht over zelfs de redeloze dieren te laten blijken. Hoe competent zou hij dan wel niet zijn met

Negers. Het behoefde geen betoog.

Zijn nasale stem hotste in de broze lucht. Vanaf de zijkant van de Winkel hoorden Bailey en ik hem tegen Momma zeggen: 'Annie, zeg tegen Willie dat-ie zich vanavond gedeisd houdt. Een maffe nikker heeft vandaag met een blanke dame gerotzooid. Een paar van de jongens zullen hier straks langs komen.' Zelfs na de trage voortgang van jaren herinner ik me nog het gevoel van angst dat mijn mond vulde met hete, droge lucht en mijn lichaam licht maakte.

De 'jongens'? Die cementen gezichten en ogen vol haat die de kleren van je lijf brandden als ze je in de hoofdstraat van de stad mochten zien slenteren op een zaterdag? Jongens? Het was alsof jeugd hen nooit was overkomen. Jongens? Nee, eerder mannen overdekt met het stof van graven en ouderdom zonder schoonheid of wijsheid. De lelijkheid en verdorvenheid van oude verschrikkingen.

Als ik op de Dag des Oordeels door Petrus geroepen word om getuigenis af te leggen van deze goede daad van de aftandse sheriff, zal ik niet in staat zijn iets ten gunste van hem te zeggen. Zijn overtuiging dat mijn oom en iedere andere Zwarte man bij het bericht van de komende actie van de Klan haastig onder hun huizen zouden kruipen om zich tussen de kippenpoep te verbergen, was te vernederend om aan te horen.

Zonder Momma's dankbetuiging af te wachten, reed hij van het erf weg, erop vertrouwend dat de dingen waren zoals ze moesten zijn en dat hij een nobele landjonker was die de brave horigen beschermde tegen de wetten van het platteland die hijzelf oogluikend toeliet.

Terwijl de grond nog nadreunde van het hoefgeklop van zijn paard, blies Momma de petroleumlampen al uit. Ze sprak oom Willie bedaard maar ernstig toe en riep Bailey en mij de Winkel binnen.

We kregen opdracht om de aardappelen en uien uit de bakken te halen en de tussenschotten eruit te slaan. Daarna, met een ergerlijke en angstaanjagende traagheid, gaf oom Willie mij zijn stok met de rubberdop en boog hij zich voorover om in de nu ruimere, lege bak te klimmen. Het duurde een eeuwigheid voordat hij languit lag en toen bedekten we hem met aardappelen en uien, laag na laag als een stoofschotel. Grootmoeder knielde neer om te bidden in de verduisterde Winkel.

We hebben geluk gehad dat de 'jongens' die avond ons erf niet op kwamen rijden om te eisen dat Momma de Winkel opendeed. Ze zouden oom Willie zeker gevonden hebben en even zeker zouden ze hem gelyncht hebben. De hele nacht lag hij te kreunen alsof hij inderdaad schuldig was aan de een of andere afgrijselijke misdaad. De zwaarmoedige geluiden drongen door de deken van groenten heen en ik stelde me voor hoe zijn mond aan de rechterkant omlaag trok en hoe zijn speeksel in de ogen van de nieuwe aardappelen stroomde om daar als dauwdruppels te wachten op de ochtendwarmte.

4

Waarin verschilt het ene Zuidelijke stadje van het andere, of van een Noordelijk stadje, of van een gehucht, of van een grote stad vol hoge gebouwen? Het antwoord daarop moet de gemeenschappelijke ervaring zijn van de onwetende meerderheid (zij) en de wetende minderheid (jij). Al de onbeantwoorde vragen uit je kinderjaren moeten uiteindelijk naar die stad teruggevoerd en daar beantwoord worden. In die vroege omgeving vinden de eerste ontmoetingen plaats met helden en boemannen, waarden en antipathieën en daar krijgen ze ook hun naam. In later jaren veranderen ze van gezicht, plaats en misschien van ras, tactiek, intensiteit en doelstelling, maar onder al die doordringbare maskers zitten voor altijd de wollenmutsengezichten van je jeugd.

Meneer McElroy, die in het grote, grillige huis naast de Winkel woonde, was erg lang en breed en hoewel het vlees van zijn schouders door de jaren heen wegteerde, waren zijn machtige buik of zijn handen en voeten nog niet aangetast in de tijd dat ik hem meemaakte.

Afgezien van het schoolhoofd en de gastonderwijzers was hij de enige Neger die ik kende die bij elkaar passende colberts en broeken droeg. Toen ik hoorde dat mannenkleren zo te koop waren en kostuums genoemd werden, dacht ik, zo herinner ik me, dat er iemand heel erg slim was geweest, want hierdoor zagen mannen er minder mannelijk, minder bedreigend, uit en een beetje meer als vrouwen.

Meneer McElroy lachte nooit en glimlachte zelden, maar het strekte hem tot eer dat hij graag met oom Willie praatte. Hij ging nooit naar de kerk, wat voor Bailey en mij het bewijs was dat hij ook een zeer moedig mens was. Wat zou het fantastisch zijn om later ook zo te zijn; op het geloof neer te kunnen kijken, vooral als je naast een vrouw als Momma woonde.

Ik sloeg hem met spanning gade, in de verwachting dat hij op ieder moment tot alles in staat was. Nooit werd ik dit moe of werd ik door hem teleurgesteld of ontgoocheld, hoewel ik nu, vanaf de hoge tak van mijn leeftijd omlaag kijkend, kan zien dat hij een heel simpele, oninteressante man was die patentgeneesmiddelen en tonica verkocht aan de minder wereldwijze mensen uit de plaatsen (dorpen) in de omgeving van de metropool die Stamps was.

Momma en hij hadden kennelijk een overeenkomst gesloten. Dit lag voor ons voor de hand omdat hij ons nooit van zijn land afjoeg. In de late zomerzonneschijn zat ik vaak onder de Chinese bessenboom in zijn tuin, omringd door de scherpe geur van het fruit en het kalmerende gezoem van vliegen die van de bessen aten. In zijn driedelig bruin zat hij in een schommelstoel op zijn veranda te wiegen terwijl zijn brede panamahoed de maat knikte bij het gegons van de insecten.

Een groet per dag was alles wat van meneer McElroy verwacht kon worden. Na zijn 'Goeiemorgen, kind', of 'Goeiemiddag, kind', zei hij helemaal niets meer, zelfs niet als ik hem weer tegenkwam op de weg voor zijn huis, of bij de waterput, of als ik hem tegen het lijf liep wanneer ik wegglipte bij het verstoppertje spelen.

Hij bleef een mysterie in mijn jeugd. Een man die zijn eigen land bezat en het grote huis met de vele ramen en de veranda die er aan alle kanten tegenaan kleefde. Een onafhankelijke Zwarte man. Bijna een anachronisme in Stamps.

Bailey was de meest verheven persoon in mijn wereld. Het feit dat hij mijn broer was en dat ik geen zussen had met wie ik hem moest delen, betekende zo'n groot geluk voor mij dat ik alleen daarom al een christelijk leven wilde leiden om God te tonen hoe dankbaar ik was. Ik was groot en schutterig, met spitse ellebogen, terwijl hij klein, gracieus en soepel was. Wanneer onze speelkameraadjes van mij zeiden dat ik de kleur van poep had, prezen ze hem om zijn fluweelzwarte huid. Zijn haar viel in zwarte krullen omlaag, mijn hoofd was bedekt met zwarte staalwol. En toch hield hij van mij.

Wanneer de ouderen onaardige opmerkingen maakten over mijn uiterlijk (mijn familie was zo knap dat het bijna pijnlijk was voor mij), knipoogde Bailey naar mij vanaf de andere kant van de kamer en dan wist ik dat het niet lang zou duren voor hij wraak zou nemen. Hij wachtte tot de oude dames klaar waren met hun overpeinzingen over hoe er toch in vredesnaam iets als ik tot stand had kunnen komen en dan vroeg hij met een stem als afkoelend spekvet: 'Oh, m'frouw Coleman, hoe gaat 't met uw zoon?

Gister kwam ik 'm tegen en hij zag eruit of-ie doodging.'

Ontzet vroegen de dames: 'Doodgaan? Waaraan? Hij mankeert niks.'

En zonder een spier te vertrekken, antwoordde hij met een stem die nog glibberiger klonk: 'Aan de lelijkte.'

Ik hield mijn lach in, beet op mijn tong, knarste met mijn tanden en veegde heel ernstig zelfs de schaduw van een glimlach van mijn gezicht. Maar later, achter het huis bij de walnotenboom, stonden we te gieren van het lachen.

Bailey hoefde nauwelijks bang te zijn dat hij straf kreeg voor zijn consequent schaamteloze gedrag, want hij was de trots van de familie Henderson/Johnson.

Zijn bewegingen, zoals hij later die van een kennis zou omschrijven, werden aangedreven met een geoliede precisie. Voor hem zaten er meer uren in de dag dan ik dacht dat er bestonden. Hij deed zijn klussen, maakte zijn huiswerk, las meer boeken dan ik en deed als de beste mee aan de groepsspelletjes op de zijkant van de heuvel. Hij kon zelfs hardop bidden en uitstekend augurken gappen uit het vat dat onder de fruittoonbank en oom Willies neus stond.

Een keer toen de Winkel vol klanten stond, doopte hij de zeef, die we ook gebruikten om korenwormen uit het meel en de bloem te ziften, in het vat en viste naar twee dikke augurken. Hij ving ze en haakte de zeef aan de zijkant van het vat, waar ze hingen te druipen tot hij klaar voor ze was. Toen de laatste schoolbel klonk, pakte hij de bijna droge augurken uit de zeef, stopte ze in zijn zakken en smeet de zeef achter de sinaasappelen. We renden de Winkel uit. Het was zomer en zijn broek was kort, het sap van de augurken liep in schone stroompjes langs zijn askleurige benen en hij sprong op en neer met ogen die 'Wat vind je daarvan?' lachten. Hij rook naar een vat azijn of als een zure engel.

Wanneer we onze vroege klussen af hadden en oom Willie of Momma op de Winkel paste, waren we vrij om met de andere kinderen te spelen zolang we maar op roepafstand bleven. Bij het verstoppertje spelen was Bailey's stem gemakkelijk te herkennen als hij zong: 'Gisteravond, avond ervoor, vierentwintig rovers aan mijn deur. Wie is er weg? Komen ze d'r in, sla ze met de deegrol boven op hun bol. Wie is er weg?' Bij het spelletje volg-de-leider was hij vanzelfsprekend degene die de gedurfdste en interessantste dingen verzon om te doen. En als hij aan de staart zat bij het slierten, wervelde hij als een tol van het uiteinde weg, draaiend, vallend, lachend, om ten slotte, net voordat mijn hart stilstond, te stoppen en dan was hij weer terug in het spel, nog steeds lachend.

Van alle behoeften (geen enkele is ingebeeld) die een eenzaam kind heeft, is er een die beslist vervuld moet worden, wil er nog hoop, en hoop op heelheid zijn, en dat is de niet tot wankelen te brengen behoefte aan een onwankelbare God. Mijn mooie Zwarte broer was mijn koninkrijk Gods.

In Stamps was het de gewoonte om alles in te maken wat maar ingemaakt kon worden. In de slachttijd, na de eerste vorst, hielpen alle buren elkaar bij het slachten van varkens en zelfs van de rustige, grootogige koeien als ze geen melk meer gaven.

De zendingsdames van de Christelijke Methodistisch-Episcopale Kerk hielpen Momma om van het varkensvlees worst te maken. Ze duwden hun dikke armen tot aan de ellebogen in het gemalen vlees, mengden er grijze salie, die je neus prikkelde, peper en zout doorheen en gaven aan alle gehoorzame kinderen die hout brachten voor het zwart glanzende fornuis lekkere stukjes om te proeven. De mannen hakten grotere stukken van het vlees af en legden die in de rokerij om met de conservering te beginnen. Ze sneden de schenkels van de hammen open met hun dodelijk ogende messen, haalden er een bepaald, rond, onschadelijk bot uit ('het vlees kon er slecht van worden') en wreven zout, grof bruin zout dat eruitzag als fijn grind, in het vlees en het bloed welde naar de oppervlakte.

Het hele jaar door, tot de volgende vorst, haalden we ons eten uit de rokerij, uit het kleine tuintje dat als een bloedverwant naast de Winkel lag, en van de schappen vol blikvoedsel. Op de schappen stond een assortiment dat een hongerig kind het water in de mond deed lopen. Sperziebonen, altijd op precies de goede lengte gebroken, verschillende soorten kool, sappige, rode tomatenjam die pas echt tot zijn recht kwam op dampende, beboterde biscuits en verder worst, bieten, bessen en alle soorten fruit die er in Arkansas gekweekt werden.

Maar op z'n minst twee keer per jaar vond Momma het noodzakelijk dat wij kinderen vers vlees te eten kregen. Dan gaf ze ons geld – centen, stuivers en dubbeltjes die aan Bailey toevertrouwd werden – en stuurde ons naar de stad om lever te kopen. Aangezien de blanken ijskasten hadden, kochten hun slagers vlees van de commerciële slachthuizen in Texarkana en verkochten dit zelfs midden in de zomer aan de welgestelden.

Bij het doorkruisen van de Zwarte wijk van Stamps, die volgens de beperkte maatstaf van mijn jeugd een hele wereld leek, verplichtte de gewoonte ons om met iedereen die we tegenkwamen een praatje te maken en Bailey voelde zich gedwongen om met elk vriendje een paar minuten te blijven spelen. Het was een genot om naar de stad te gaan met geld op zak (Bailey's zakken of de mijne, dat maakte niet uit) en de tijd aan onszelf. Maar het plezier was gauw over als we het blanke gedeelte van de stad bereikten. Nadat we de Do Drop Inn van meneer Willie Williams voorbij waren, de laatste halte voor 'blankenhuizen', moesten we de vijver nog over en de gedurfde stap over de spoorlijn maken. We waren ontdekkingsreizigers die, onbewapend, het territorium van mensen-etende dieren binnentrokken.

In Stamps was de rassenscheiding zo ver doorgevoerd dat de meeste Zwarte kinderen niet echt helemaal zeker wisten hoe blanken eruitzagen. Behalve dan dat ze anders waren en angstaanjagend. Die angst omvatte ook de vijandschap die de machtelozen voelen voor de machtigen, de armen voor de rijken, de arbeiders voor de bazen en de havelozen voor de goedgekleden.

Ik herinner me dat ik maar niet goed kon geloven dat blanken echt echt waren.

Veel van de vrouwen die in hun keukens werkten, waren klant in onze Winkel en wanneer ze de was terugbrachten naar de stad, zetten ze vaak de grote manden op onze veranda neer en trokken een enkel kledingstuk uit de gesteven verzameling om te laten zien hoe sierlijk hun hand van strijken was, of hoe rijk en overvloedig de bezittingen van hun werkgevers waren.

Ik keek naar de kleding die niet tentoongesteld werd. Ik wist, bijvoorbeeld, dat blanke mannen onderbroeken droegen, net zoals oom Willie, en dat daarin een opening zat waar ze hun 'ding' doorheen staken om te plassen en dat de borsten van blanke vrouwen niet ingebouwd waren in hun jurken, zoals sommige mensen zeiden, want ik zag hun beha's in de manden. Maar het lukte me niet om hen als mensen te zien. Mensen waren Mevrouw LaGrone, Mevrouw Hendricks, Momma, dominee Sneed, Lillie B. en Louise en Rex. Blankvolk konden geen mensen zijn, want hun voeten waren te klein, hun huid te wit en doorzichtig en ze liepen niet op de ballen van hun voeten zoals mensen deden – ze liepen op hun hielen zoals paarden.

Mensen waren diegenen die aan mijn kant van de stad

woonden. Ik vond ze niet allemaal even aardig, of eigenlijk mocht ik niemand van hen echt graag, maar het waren mensen. Die anderen, die rare bleke wezens met hun eigenaardige manier van niet-leven, werden niet beschouwd als mensen. Het was blankvolk.

5

'Gij zult niet vuil zijn' en 'Gij zult niet vrijpostig zijn' waren de twee geboden van grootmoeder Henderson waar ons zielenheil volledig van afhing.

In de bitterste winters werden we elke avond gedwongen om onze gezichten, armen, nek, benen en voeten te wassen voor we naar bed gingen. Ze voegde er gewoonlijk aan toe, met het meesmuilende lachje dat onwereldse mensen niet achterwege kunnen laten als ze zich op werelds terrein wagen: 'En was je zover als je kunt en was dan waar je nog kunt.'

Dus gingen we naar de put en wasten ons met het ijskoude, heldere water, smeerden onze benen in met de even ijzige, dikke vaseline en liepen op onze tenen terug naar huis. We veegden het stof van onze voeten en installeerden ons voor huiswerk, maïsbrood, zure melk, gebeden en bed, altijd in die volgorde. Momma had er een handje van om de gewatteerde deken van ons af te trekken nadat we in slaap waren gevallen om onze voeten te inspecteren. Als ze volgens haar niet schoon genoeg waren, pakte ze het rietje (waarvan ze er een achter de slaapkamerdeur bewaarde voor noodgevallen) en maakte de overtreder wakker met een paar goedgeplaatste, brandende vermaningen.

In de buurt van de put was het 's avonds donker en glibberig en de jongens zeiden dat slangen dol waren op water, zodat iedereen die 's avonds water moest putten en daar dan alleen stond om zich te wassen, wist dat mocassinslangen en ratelslangen, pofadders en boa's zich een weg naar de put toe slingerden en er net zouden arriveren als de wassende persoon zeep in haar ogen had. Maar Momma overtuigde ons ervan dat reinheid van de ziel niet alleen met reinheid van het lichaam begint, maar dat vuilheid de aanstichter is van ellende.

Het brutale kind was voor God een gruwel en voor zijn ouders een schande en het kon zijn familie en nageslacht in het verderf storten. Alle volwassenen moesten aangesproken worden met Meneer, Mevrouw, Juffrouw, Tante, Neef, Nicht, Onkel, Oom, Broer, Zuster, Broeder en met duizenden andere benamingen die familieverwantschap aanduidden en de nederigheid van de spreker.

Iedereen die ik kende, respecteerde deze gewoonten, behalve de blanke schooierskinderen.

Een paar van de blanke schooiersgezinnen woonden op land van Momma achter de school. Soms kwam er een stel naar de Winkel, waar ze de hele ruimte vulden, de lucht verdreven en zelfs de vertrouwde geuren veranderden. De kinderen kropen over de schappen en in de bakken met aardappelen en uien terwijl hun schelle stemmen de hele tijd jengelden als sigarenkistjesgitaren.

In mijn Winkel veroorloofden ze zich vrijheden die ik nooit zou durven. Omdat Momma ons verteld had dat hoe minder je tegen blankvolk zei (zelfs tegen blank schooiersvolk) hoe beter, bleven Bailey en ik ernstig en stil in de verschoven lucht staan. Maar als een van die spelende schimmen bij ons in de buurt kwam, kneep ik erin. Deels uit boze frustratie, deels omdat ik niet geloofde in de vleselijke realiteit ervan.

Ze noemden mijn oom bij zijn voornaam en commandeerden hem de Winkel rond. Hij, tot mijn bittere schaamte, gehoorzaamde hen op zijn hinkende, laag-hoog-laag manier.

Ook mijn grootmoeder volgde hun bevelen op, behalve dan dat zij niet onderdanig leek omdat ze op hun wensen vooruit liep.

'Hier is suiker, juf Potter, en bakpoeder. Afgelopen maand hebt u geen soda meegenomen, dat zult u wel nodig hebben.'

Momma richtte zich altijd rechtstreeks tot de volwassenen maar een enkele keer, oh, pijnlijke keer, gaven die groezelige snotmeiden haar antwoord.

'Nei, Annie...' – tegen Momma? Van wie het land was waar zij op woonden? Die meer vergat dan zij ooit zouden leren? Als er enige gerechtigheid bestond op de wereld zou God hen onmiddellijk met stomheid moeten slaan! – 'Doe allenig maar meer sodacrackers en nog wat makreel.'

In ieder geval keken ze haar nooit recht aan, daar heb ik ze althans nooit op betrapt. Niemand met ook maar een greintje opvoeding, zelfs de lompste bootwerker niet, keek ooit recht in het gezicht van een volwassene. Dat zou betekenen dat die persoon probeerde om de woorden eruit te trekken nog voordat ze gevormd waren. Dat deden zelfs de viezige, kleine kinderen niet, maar hun bevelen galmden door de Winkel als de zweepslagen van een kat-met-negen-staarten.

Toen ik ongeveer tien jaar was, waren die sjofele kinderen de oorzaak voor een van de pijnlijkste en verwarrendste dingen die ik ooit met mijn grootmoeder heb meegemaakt.

Op een zomerochtend, nadat ik op het erf de bladeren, kauwgompapiertjes en wikkels van Weense worstjes bij elkaar had geveegd, harkte ik de geelrode aarde aan en maakte er zorgvuldig halve manen in zodat het patroon duidelijk en maskerachtig afstak. Ik zette de hark weg achter de Winkel en toen ik door het huis naar voren liep, vond ik grootmoeder op de veranda in haar grote, brede, witte schort. De schort was zo stijf gesteven dat hij rechtop had kunnen staan. Momma stond het erf te bewonderen, en ik ging naast haar staan. Het zag er echt uit alsof een plat, rossig hoofd met een grof getande kam was geharkt. Momma zei niets, maar ik wist dat het haar beviel. Ze keek naar het huis van het schoolhoofd en naar links naar dat van meneer McElroy. Ze hoopte dat een van die steunpilaren van de gemeenschap het zou zien voordat de bezigheden van die dag het uit zouden wissen. Daarna keek ze naar de hoger gelegen school. Mijn hoofd draaide met het hare mee, dus kregen we ongeveer tegelijkertijd een troep blanke schooierskinderen in het oog die aan kwamen lopen over de heuvel en langs het schoolgebouw omlaag gingen.

Ik keek naar Momma voor advies. Ze slaagde er uitstekend in om vanaf haar middel door te zakken, maar met haar bovenlichaam leek ze naar de top van de eikenboom aan de overkant van de weg te reiken. Toen begon ze een psalm te kermen. Misschien was het geen kermen, maar de melodie was zo traag en de versmaat zo vreemd dat het leek alsof ze kermde. Ze keek me niet meer aan. Toen de kinderen halverwege de heuvel, halverwege de Winkel waren, zei ze zonder zich om te draaien: 'Ga naar binnen, zuster.'

Ik wilde haar smeken: 'Momma, wacht niet op ze. Ga mee naar binnen. Als ze in de Winkel komen, ga dan naar de slaapkamer en laat mij ze helpen. Ze maken me alleen maar bang als jij erbij bent. In m'n eentje kan ik ze wel aan.' Maar natuurlijk kon ik dat niet zeggen, dus ging ik naar binnen en bleef achter de hordeur staan.

Voordat de meisjes bij de veranda waren, hoorde ik hun gelach al knetteren en knallen zoals blokken dennenhout in een fornuis. Ik veronderstel dat mijn levenslange paranoia in die kille, strooptrage minuten geboren is. Ten slotte bleven ze vlak voor Momma stilstaan. Eerst deden ze alsof ze het goed meenden. Toen haakte een van hen haar rechterarm in de kromming van haar linker, duwde haar lippen naar voren en begon te neuriën. Ik realiseerde me dat ze mijn grootmoeder na-aapte. Een ander zei: 'Nei, Helen, zo staase nie. Zo moette doen.' Ze stak haar borst naar voren en sloeg haar armen over elkaar in een bespotting van die vreemde houding die eigen was aan Annie Henderson. Weer een ander lachte: 'Nei, da kunde nie. Je mond steekt nie ver genoeg uit. Zo moet 't.'

Ik dacht aan het geweer achter de deur, maar wist dat ik het nooit recht zou kunnen houden en de .410, ons afgezaagde jachtgeweer dat geladen was en elke oudejaarsavond werd afgevuurd, zat achter slot en grendel in de grote kist en oom Willie had de sleutel aan zijn ketting. Door de met vliegenpoep bespikkelde hordeur kon ik de armen van Momma's schort zien wiegelen door de trillingen van haar geneurie. Maar haar knieën leken vergrendeld alsof ze nooit meer zouden buigen.

Ze zong door. Niet harder dan tevoren, maar ook niet zachter. Niet langzamer en niet sneller.

Het vuil op de katoenen jurken van de meisjes liep door op hun benen, voeten, armen en gezichten alsof ze uit één stuk waren gemaakt. Hun vettige, kleurloze haar hing ongekamd met een grimmige onherroepelijkheid omlaag. Ik ging op mijn knieën zitten om ze beter te kunnen zien, om ze voor altijd in mijn geheugen te prenten. De tranen, die op mijn jurk vielen en daar donkere vlekken achterlieten die me niet verbaasden, maakten het erf wazig en nog onwezenlijker. De wereld had diep ademgehaald en weifelde of hij nog wel door zou draaien.

De meisjes hadden er genoeg van gekregen om Momma na te apen en zonnen op andere middelen om mee te stoken. Eentje keek er scheel, stak haar duimen in haar mondhoeken en zei: 'Kijk 's, Annie.' Grootmoeder neuriede door en de schortlinten trilden. Ik wilde ze een handvol peper in hun gezichten gooien, loog over ze heen smijten, schreeuwen dat ze smerige, gemene boerenhufters waren, maar ik besefte dat ik net zo gevangen zat in de coulissen als de acteurs buiten aan hun rol vastzaten.

Een van de kleinere meisjes deed een soort marionettendansje en haar medeclowns lachten om haar. Maar de grootste, die al bijna een vrouw was, zei iets, zo zacht dat ik het niet kon verstaan. Ze gingen allemaal achteruit, hun ogen gericht op Momma. Een afschuwelijk moment lang dacht ik dat ze een steen naar Momma zouden gooien, die (afgezien van haar schortlinten) zelf versteend leek te zijn. Maar het grote meisje draaide haar de rug toe, boog zich voorover en zette haar handen plat op de grond – ze raapte niets op. Ze verplaatste eenvoudig haar gewicht en ging op haar handen staan.

Haar vuile, blote voeten en lange benen richtten zich recht naar de hemel. Haar jurk viel over haar schouders en ze had geen onderbroek aan. Het gladde schaamhaar vormde een bruine driehoek waar haar benen samen kwamen. Een paar seconden maar hing ze in het vacuüm van die levenloze ochtend, toen wankelde ze en viel terug. De andere meisjes sloegen haar op de rug en klapten in hun handen.

Momma veranderde haar gezang in 'Brood der hemelen, brood der hemelen, voed me tot ik genoeg heb'.

Ik merkte dat ik ook bad. Hoe lang nog zou Momma het uithouden? Welke nieuwe vernedering zouden ze voor haar uitdenken? Zou ik het op kunnen brengen om me er niet mee te bemoeien? Wat wilde Momma echt dat ik deed?

Toen liepen ze van het erf af en vervolgden hun weg naar de stad. Ze knikten met hun hoofd, schudden hun trage achterste en draaiden zich om, een voor een:

'Dag, Annie.'

'Dag, Annie.'

'Dag, Annie.'

Momma draaide haar hoofd niet om, hield haar armen over elkaar geslagen, maar hield op met zingen en zei: 'Dag, juf Helen, dag, juf Ruth, dag, juf Eloise.'

Ik ontplofte. Een zevenklapper van de Vierde Juli ontplofte. Hoe kon Momma hen juf noemen? Die gemene, smerige krengen? Waarom was ze niet de lieflijke, koele Winkel ingegaan toen we ze de heuvel over zagen komen? Wat had ze ermee bewezen? En als ze vies, gemeen en brutaal waren, waarom moest Momma ze dan juf noemen?

Ze bleef nog een hele psalm lang staan, opende toen de hordeur en keek op mij neer terwijl ik daar huilend van woede zat. Ze keek totdat ik opkeek. Haar gezicht was een bruine maan die op mij neerscheen. Ze was prachtig. Er was daar buiten iets gebeurd dat ik niet helemaal kon bevatten, maar ik kon zien dat ze gelukkig was. Toen boog ze zich voorover en raakte me aan zoals de moeders van de kerk 'hun handen op de zieken en gebrekkigen leggen' en ik kalmeerde.

'Ga je gezicht wassen, zuster.' En ze liep naar de toonbank met snoepgoed, 'Glorie, glorie, halleluja, als ik mijn last neerleg' zingend.

Ik gooide het putwater in mijn gezicht en gebruikte de doordeweekse zakdoek om mijn neus in te snuiten. Wat die krachtmeting daar buiten ook geweest was, ik wist dat Momma hem had gewonnen.

Ik nam de hark mee terug naar het voorerf. De onduidelijke voetafdrukken waren gemakkelijk uit te wissen. Ik werkte lang aan mijn nieuwe dessin en legde daarna de hark terug achter het wasbekken. Toen ik de Winkel weer binnenkwam, pakte ik Momma's hand en samen liepen we naar buiten om naar het patroon te kijken.

Het was een groot hart, met een heleboel steeds kleiner wordende harten erin, dat vanaf de buitenste rand tot aan het kleinste hart doorboord was met een pijl. Momma zei: 'Zuster, dat is heel mooi.' Toen draaide ze zich om naar de Winkel en hervatte 'Glorie, glorie, halleluja, als ik mijn last neerleg'.

6

Dominee Howard Thomas was de leidinggevende ouderling van een district in Arkansas waaronder ook Stamps viel. Om de drie maanden bracht hij een bezoek aan onze kerk. Hij logeerde 's zaterdags bij Momma en hield 's zondags een luide, hartstochtelijke preek. Hij inde het geld dat in de voorafgaande maanden was opgehaald, hoorde de verslagen aan van alle kerkelijke groeperingen, schudde de volwassenen de hand en kuste alle kleine kinderen. Daarna vertrok hij weer. (Eerst dacht ik dat hij dan naar de hemel in het westen ging, maar Momma hielp me uit die droom. Hij ging alleen maar naar Texarkana.)

Bailey en ik haatten hem hartgrondig. Hij was lelijk, dik en lachte als een varken met koliek. We konden elkaar laten stikken van het lachen door de dikhuidige predikant na te doen. Vooral Bailey was er goed in. Hij kon dominee Thomas imiteren terwijl oom Willie erbij zat zonder dat hij ooit betrapt werd omdat hij het geluidloos deed. Hij blies zijn wangen op tot ze eruit zagen als natte, bruine kiezels en wiebelde met zijn hoofd van de ene kant naar de andere. Alleen hij en ik wisten het, maar dat was die ouwe dominee Thomas ten voeten uit.

Zijn zwaarlijvigheid was, hoewel walgelijk, op zichzelf niet voldoende reden om zich onze intense haat op de hals te halen. Het feit dat hij nooit de moeite nam om onze namen te onthouden was beledigend, maar die kleinering was evenmin genoeg voor onze hekel aan hem. De misdaad die de balans deed doorslaan en onze haat niet alleen gerechtvaardigd maar ook onontkoombaar maakte, was zijn gedrag aan de etenstafel. Bij iedere zondagse maaltijd at hij de grootste, bruinste en beste stukken van de kip.

Het enige positieve aan zijn bezoeken was het feit dat hij op zaterdagavond altijd laat aankwam, nadat wij al gegeten hadden. Ik vroeg me vaak af of hij geen pogingen deed om ons aan tafel te verrassen. Ik dacht van wel, want als hij de veranda opkwam, glinsterden zijn kleine oogjes altijd in de richting van de eetkamer en de teleurstelling maakte zijn gezicht lang. Onmiddellijk daarna viel er een dun gordijn over zijn gelaatsuitdrukking en lachte hij blaffend: 'Uh, hu, uh, hu, zuster Henderson, ik kom altijd weer opdagen, net als een cent met een gat erin.'

En alsof dit haar wachtwoord was, antwoordde Momma iedere keer: 'Zo is het, ouderling Thomas, dank de gezegende Jezus, kom toch binnen.'

Hij stapte naar binnen door de voordeur, zette zijn Gladstone-valies (zo noemde hij het) op de grond en keek rond naar Bailey en mij. Dan spreidde hij zijn afschuwelijke armen uit en kreunde: 'Laat de kinderen tot mij komen, want zulks is het Koninkrijk der Hemelen.'

Iedere keer liep Bailey op hem toe met uitgestoken hand, bereid tot een mannelijke handdruk, maar de hand werd door dominee Thomas opzij geduwd en mijn broer werd een paar tellen lang omarmd. 'Je bent nog een jongen, vriendje. Onthoud dat. De Heilige Schrift zegt toch: "Toen ik een kind was, sprak ik als een kind, dacht ik als een kind, maar nu ik een man geworden ben, heb ik het kinderlijke afgelegd."' Pas dan opende hij zijn armen en liet Bailey los.

Ik had nooit de moed om naar hem toe te gaan. Ik was heel bang dat, wanneer ik probeerde te zeggen: 'Hallo, dominee Thomas', ik zou stikken omdat wij gezondigd hadden door hem te bespotten. Tenslotte staat er in de bijbel: 'God wordt niet bespot' en de man was een afgezant van God. Tegen mij zei hij altijd: 'Kom, zustertje. Kom en ontvang deze zegen.' Maar ik was zo bang en haatte hem zo erg dat mijn emoties door elkaar begonnen te lopen en dat was genoeg om me aan het huilen te maken. Keer op keer vertelde Momma hem: 'Let maar niet op haar, ouderling Thomas. U weet hoe teerhartig ze is.'

Hij at de restjes van onze maaltijd op en besprak de kerkelijke programma's met oom Willie. Ze praatten over hoe de huidige predikant zijn kudde hoedde, wie er getrouwd waren, wie gestorven en hoeveel kinderen er geboren waren sinds zijn laatste bezoek.

Bailey en ik stonden als schaduwen achterin de Winkel bij de petroleumtank te wachten op de spannende gedeeltes. Maar net als ze aan het laatste schandaal toe waren, stuurde Momma ons naar haar slaapkamer met de waarschuwing om onze les voor de zondagsschool perfect van buiten te leren, anders wisten we wat ons te wachten stond.

We hadden een systeem dat nooit faalde. Ik zat in de grote schommelstoel bij de kachel, af en toe schommelend en met mijn voeten stampend. Ik veranderde steeds van stem, nu eens zacht en meisjesachtig, dan weer maakte ik hem een beetje zwaarder zoals die van Bailey. Ondertussen sloop die terug naar de Winkel. Heel wat keren kwam hij terug gevlogen om op het bed te gaan zitten, met het lesboek open voor zich, net voordat Momma plotseling in de deuropening verscheen.

'Nou, kinder, goed leren hoor. Je weet dat de andere kinder allemaal naar jullie opkijken.' En als ze zich dan weer omdraaide naar de Winkel volgde Bailey haar op de hielen om in het duister te hurken en naar de verboden roddels te luisteren.

Eens hoorde hij dat meneer Coley Washington een meisje uit Lewisville bij zich in huis had. Ik dacht niet dat dat zo erg was, maar Bailey legde uit dat meneer Washington 'het' hoogstwaarschijnlijk 'deed' met haar. Hij zei dat, hoewel 'het' slecht was, praktisch iedereen op de hele wereld het wel met iemand deed, maar dat niemand dat mocht weten. En een keer kwamen we te weten dat een man gedood was door blankvolk en in de vijver gegooid. Bailey zei dat de man z'n dingen eraf gesneden waren en in z'n zakken gestopt en dat hij in z'n hoofd was geschoten, allemaal omdat het blankvolk zei dat hij 'het' met een blanke vrouw gedaan had.

Vanwege het soort nieuws dat we oppikten uit die heimelijke gesprekken, was ik ervan overtuigd dat telkens als dominee Thomas kwam en Momma ons naar de achterkamer stuurde, ze blankvolk en 'het doen' zouden gaan bespreken. Twee onderwerpen waarover ik in het duister tastte.

's Zondagsochtends serveerde Momma een ontbijt dat bedoeld was om ons zoet te houden van halftien 's morgens tot drie uur 's middags. Ze bakte dikke, roze plakken zelfgerookte ham en goot het vet over gesneden, rode tomaten. Er waren gebakken eieren, gebakken aardappelen en uien, gele maïspap en knapperige baars zo hard gebakken dat we ze in onze mond stopten en met graten, vinnen en al opkauwden. Haar 'kattenkopbiscuits' hadden een doorsnede van zeven en een dikte van vijf centimeter. De truc bij het eten van kattenkoppen was er boter op te smeren voordat ze afgekoeld waren – dan waren ze verrukkelijk. Maar als je pech had en ze waren koud geworden, dan kregen ze een kleverigheid die wel iets weghad van een dot uitgekauwde kauwgom.

Elke zondag die dominee Thomas bij ons doorbracht, werd de juistheid van onze bevindingen met de kattenkoppen opnieuw bevestigd. Het lag nogal voor de hand dat hem gevraagd werd de maaltijd te zegenen. We bleven allemaal staan; mijn oom, die zijn stok tegen de muur had gezet, steunde op de tafel. En dan begon dominee Thomas. 'Gezegende Vader, wij danken U deze morgen...' en alsmaar door en door. Na een poosje luisterde ik niet meer tot Bailey mij schopte en ik mijn ogen op een kier zette om te kijken naar wat een maal had beloofd te worden waar iedere zondag trots op kon zijn. En terwijl dominee Thomas doordreunde tegen een God die het, volgens mij, moest vervelen om steeds maar weer hetzelfde aan te horen, zag ik dat het spekvet op de tomaten wit was geworden. De eieren hadden zich van de rand naar het midden van de schaal teruggetrokken, waar ze samenklonterden als kinderen die in de kou zijn blijven staan. En de kattenkoppen waren op zichzelf gaan zitten met dezelfde vastberadenheid als een dikke vrouw die zich in een luie stoel laat zakken. En nog steeds praatte hij door. Toen hij eindelijk ophield, was onze eetlust verdwenen, maar hij deed zich te goed aan het koude eten met een niet-pratend maar niettemin luidruchtig genot.

De kinderafdeling in de Christelijke Methodistisch-Episcopale Kerk bevond zich schuin rechts naast de bank die in beslag genomen werd door die onheilspellende vrouwen die de Moeders van de Kerk genoemd werden. In de jongerenafdeling stonden de banken dicht tegen elkaar en wanneer de benen van een kind niet langer gemakkelijk in de nauwe ruimte pasten, was het een teken dat hij of zij kon verhuizen naar het tussengebied (het midden van de kerk). Bailey en ik mochten alleen bij de andere kinderen zitten tijdens informele samenkomsten, kerkfeesten en dergelijke. Maar op de zondagen dat dominee Thomas preekte, was het regel dat we op de eerste rij plaatsnamen, in wat het zondaarsbankje heette. Ik dacht dat we vooraan moesten zitten omdat Momma trots op ons was, maar Bailey verzekerde me dat ze haar kleinkinderen alleen maar onder de duim en in het oog wilde houden.

Dominee Thomas had als thema een passage uit Deuteronomium genomen en ik werd heen en weer geslingerd tussen de afschuw voor zijn stem en de wil om naar de preek te luisteren. Deuteronomium was mijn favoriete boek in de bijbel. De wetten waren zo absoluut, zo helder neergeschreven dat ik wist dat als een mens waarlijk aan hel en vagevuur en eeuwig branden in de vlammen van de duivel wenste te ontkomen, ze slechts Deuteronomium van buiten hoefde te leren en woord voor woord op te volgen. Ik hield er ook van hoe de woorden van je tong afrolden.

Bailey en ik zaten alleen in de voorste bank, de houten latten drukten hard tegen onze dijen en billen. Ik had wel een klein beetje willen wiebelen, maar elke keer dat ik naar Momma keek, leek ze te dreigen: 'Zit stil of ik breek je botten', dus gehoorzaamde ik aan het woordeloze bevel en bewoog me niet. De kerkdames achter me waren zich aan het opwarmen met een enkel Halleluja, Prijs de Heer en Amen en de predikant was nog niet eens aan het gepeperde gedeelte van de preek toe.

Het beloofde een hete dienst te worden.

Bij het binnenkomen had ik zuster Monroe gezien. Haar gouden kroon glinsterde toen ze haar mond opende om een vriendelijke groet te beantwoorden. Ze woonde nogal afgelegen en kon niet elke zondag naar de kerk komen, dus compenseerde ze de keren van haar afwezigheid door, als ze er wel was, zo hard te schreeuwen dat de hele kerk ervan schudde. Zodra ze was gaan zitten, begaven alle ordebewakers zich naar haar kant van de kerk, want er waren drie vrouwen en soms een of twee mannen voor nodig om haar in toom te houden.

Op een keer, toen ze maanden niet in de kerk was geweest (ze was weg gebleven om een kind te krijgen), kreeg ze de geest. Ze begon te roepen, met haar armen te zwaaien en haar lichaam schokte zo dat de ordebewakers naar haar toe gingen om haar vast te houden. Maar ze rukte zich los en rende naar de kansel. Ze ging voor het altaar staan, schuddend als een pas gevangen forel. 'Preek, zeg ik, preek,' schreeuwde ze naar dominee Taylor. Vanzelfsprekend ging hij door met preken alsof zij daar niet stond te vertellen wat hij moest doen. Toen schreeuwde ze uitermate heftig: 'Ik zei, preek', en stapte het altaar op. De dominee bleef frases in het rond gooien als homerunballen en zuster Monroe deed een snelle uitval om hem vast te grijpen. Een moment lang hing alles en iedereen, behalve dominee Taylor en zuster Monroe, los als kousen aan een waslijn. Toen kreeg ze de dominee te pakken bij zijn mouw en jaspand en wiegde hem heen en weer.

Het pleitte voor onze dominee dat hij geen seconde ophield met ons te onderrichten. De ordedienst begaf zich langs beide gangpaden naar de kansel met een beetje meer haast dan gewoon is in een kerk. Om de waarheid te zeggen, ze snelden de dominee zowat te hulp. Twee van de diakens in hun glimmende zondagse pakken voegden zich bij de dames in het wit op de kansel en elke keer dat ze zuster Monroe los wisten te wurmen van de predikant, haalde hij diep adem om door te gaan met preken en dan greep ze hem weer ergens anders en nog steviger beet. Dominee Taylor hielp zijn redders zoveel mogelijk door telkens als hij de kans kreeg heen en weer te springen. Zijn stem werd op een gegeven moment zo laag dat hij rolde als donder, dan sneed zuster Monroe's gil: 'Preek' door het tumult heen en we vroegen ons allemaal af (ik in ieder geval) of het ooit op zou houden. Zouden ze eindeloos doorgaan of zouden ze het ten slotte moe worden, net als kinderen die zolang blindemannetje spelen dat het niemand nog wat kan schelen wie 'hem' is.

Ik zal nooit te weten komen wat er had kunnen gebeuren, want als bij toverslag verspreidde het pandemonium zich. De geest bezielde diaken Jackson en zuster Willson, voorzitter van de ordedienst, tegelijkertijd. Diaken Jackson, een lange, onopvallende man die ook parttime onderwijzer op de zondagsschool was, gaf een gil als een gevelde boom, helde achterover en stompte dominee Taylor tegen zijn arm. De pijn moet even groot geweest zijn als de verrassing. De rommelende geluiden vielen gedurende een tel stil en dominee Taylor draaide zich verbaasd, met een ruk, om, haalde uit en gaf diaken Jackson een klap. Op hetzelfde moment greep zuster Willson zijn stropdas beet, wikkelde hem een paar maal om haar vuist en stortte zich bovenop de dominee. Er was geen tijd meer om te lachen of te huilen voor ze alle drie op de grond achter het altaar lagen, hun benen als aanmaakhoutjes alle kanten opstekend.

Zuster Monroe, die de oorzaak was van alle opwinding, wandelde van het podium weg, koel en bedaard, en verhief haar keiharde stem in de psalm: 'Ik kwam naar Jezus als ik was, vol zorg, verdriet en pijn, ik vond in Hem een rustplaats en Hij maakte mij blij.'

De dominee maakte gebruik van het feit dat hij toch al op de vloer zat en verzocht de kerk, met een gesmoord stemmetje, om samen met hem te knielen voor het zeggen van een dankgebed. Hij zei dat we bezocht waren door een machtige geest en laat de hele kerk Amen zeggen.

De volgende zondag nam hij zijn lezing uit het achttiende hoofdstuk van het Evangelie volgens Lukas en vertelde kalm, maar ernstig, over de Farizeeërs die op straat baden zodat de mensen onder de indruk zouden raken van hun vroomheid. Ik betwijfel of de boodschap bij iemand overkwam – zeker niet bij diegenen voor wie hij bedoeld was. Maar de raad van diakens stelde hem wel middelen ter beschikking om een nieuw pak aan te schaffen. Het andere was totaal geruïneerd.

Het verhaal over dominee Taylor en zuster Monroe was de voorzitter van de ouderlingen ter ore gekomen, maar ik was er zeker van dat hij haar niet van gezicht kende. Dus maakten mijn interesse in wat deze dienst te bieden had en mijn afkeer van dominee Thomas dat ik hem afzette. Mensen aan- en afzetten was een door mij hoogontwikkelde vaardigheid. Het voorschrift dat gehoorzame kinderen wel gezien, maar niet gehoord mogen worden, beviel mij zo goed dat ik er nog een stapje verder in ging; gehoorzame kinderen zouden niet moeten zien of horen als ze dat zelf niet wilden. Ik legde een handvol aandacht over mijn gezicht en zette de geluiden in de kerk harder.

Zuster Monroe's lont brandde al en ze knetterde ergens rechts achter mij. Ouderling Thomas wierp zich op de preek, vastbesloten denk ik, om de gemeenteleden te geven waar ze voor gekomen waren. Ik zag hoe de ordebewakers aan de linkerkant van de kerk, bij de grote ramen, zich zo discreet als slippendragers in de richting van zuster Monroe's bank begaven. Bailey stootte mijn knie aan. Toen het incident met zuster Monroe, wat we simpelweg steeds 'het incident' noemden, was voorgevallen, waren we te verbaasd geweest om te lachen. Maar nog weken daarna was alles wat ervoor nodig was om ons woeste lachbuien te bezorgen een gefluisterd 'Preek.' Zoals gezegd, hij duwde tegen mijn knie, bedekte zijn mond en fluisterde: 'Ik zeg, preek!'

Ik keek naar Momma, aan de andere kant van het vierkant van vlekkerige planken en de collectetafel, in de hoop dat een blik van haar me veilig aan mijn gezond verstand zou vastnagelen. Maar voor het eerst in mijn herinnering staarde Momma langs mij heen naar zuster Monroe. Ik veronderstel dat ze erop rekende dat ze die emotionele dame wel met een paar strenge blikken tot orde zou kunnen roepen. Maar zuster Monroe's stem had het kritieke punt al bereikt. 'Preek!'

Er klonk wat gedempt gegiechel uit de kinderafdeling en Bailey stootte me opnieuw aan. 'Ik zeg, preek' – op fluistertoon en zuster Monroe echode luider: 'Ik zeg, preek!'

Twee diakens stelden zich uit voorzorg bij broeder Jackson op en twee vastberaden uitziende mannen liepen door het gangpad naar zuster Monroe.

Terwijl de geluiden in de kerk toenamen, beging ouderling Thomas de spijtige vergissing om ook zijn volume te versterken. Toen plotseling, als een zomerbui, brak zuster Monroe door de wolk van mensen heen die haar probeerden te omsingelen en stormde naar voren op de kansel af. Deze keer stopte ze niet maar koerste rechtstreeks naar het altaar en ouderling Thomas, al roepend: 'Preek.'

Hardop zei Bailey: 'Sakkerloot' en 'Verdomme' en 'Ze gaat 'm er van langs geven'.

Maar de eerwaarde Thomas was niet van plan om die mogelijkheid af te wachten, dus toen zuster Monroe van rechts de kansel naderde, begon hij er links vanaf te klimmen. Hij werd niet van zijn stuk gebracht door deze wijziging van standplaats. Hij bleef preken en bewegen. Ten slotte kwam hij tot stilstand, vlak voor de collectetafel en zowat bij ons op schoot en zuster Monroe kwam hem rond het altaar op de hielen achterna, gevolgd door de diakens, ordebewakers, enkele niet-officiële leden en een paar van de grotere kinderen.

Net toen de ouderling zijn mond opende en met roze krullende tong zei: 'Grote God van de Berg Nebo', mepte zuster Monroe hem met haar tas achter op zijn hoofd. Tweemaal. Voordat hij zijn lippen weer op elkaar kon doen, vielen, nee, sprongen zijn tanden eigenlijk uit zijn mond. Het grijnzende boven- en ondergebit lag naast mijn rechterschoen. Het zag er leeg uit en tegelijk alsof het alle leegheid van de hele wereld bevatte. Ik had mijn voet uit kunnen steken en het onder de bank of achter de collectetafel kunnen schoppen.

Zuster Monroe worstelde met zijn jas en de mannen hadden haar nagenoeg opgetild om haar uit het gebouw te verwijderen. Bailey kneep me en zei zonder zijn lippen te bewegen: 'Nou zou ik 'm wel 'ns willen zien eten.'

Ik keek wanhopig naar dominee Thomas. Als hij er maar een beetje bedroefd of verward uit had gezien, dan zou ik het erg voor hem hebben gevonden en zou ik niet hebben kunnen lachen. Mijn medelijden met hem zou me ervan weerhouden hebben. Ik was doodsbenauwd om in de kerk te lachen. Als ik me niet meer kon beheersen, zouden er zeker twee dingen gebeuren. Ik zou zeker in mijn broek plassen en net zo zeker zou ik een pak slaag krijgen. En deze keer zou ik er waarschijnlijk in blijven, want alles was grappig – zuster Monroe en Momma die haar probeerde te bedaren met die dreigende blikken, en Bailey die fluisterde: 'Preek' en ouderling Thomas met zijn lippen die flapten als uitgerekt elastiek.

Maar dominee Thomas rukte zich los uit zuster Monroe's verzwakte greep, trok een extra grote witte zakdoek te voorschijn en spreidde die uit over zijn akelige kleine tanden. Hij stak ze in zijn zak en mummelde: 'Naakt kwam ik in de wereld en naakt zal ik haar verlaten.'

Bailey's lach had zich een weg omhoog gebaand door zijn lijf en ontsnapte door zijn neus met korte, hese snuifgeluiden. Ik probeerde de lach niet langer tegen te houden, ik deed gewoon mijn mond open en liet het geluid gaan. Ik hoorde hoe de eerste gieber boven mijn hoofd de lucht in sprong, over de kansel heen en het raam uit. Momma zei hard: 'Zuster!' Maar de bank was glibberig en ik gleed op de grond. Er zat nog meer gelach in me dat naar buiten wilde. Ik wist niet dat er zoveel van bestond op de wereld. Het drukte tegen al mijn lichaamsopeningen en duwde alles opzij dat op zijn pad kwam. Ik huilde en schreeuwde, liet winden en plaste. Ik zag niet hoe Bailey op de grond terecht kwam, maar toen ik opzij rolde, lag hij ook te schoppen en te gillen. Telkens als we elkaar aankeken, brulden we harder en toen hij iets probeerde te zeggen, overviel de lach hem weer en kon hij alleen 'Ik zeg, preek' uitbrengen. Toen rolde ik tegen oom Willies stok met de rubberdop aan. Mijn blik ging langs de stok omhoog naar zijn goede, bruine hand die op de kromming rustte en verder langs de lange, lange witte mouw naar zijn gezicht. De ene kant trok omlaag, zoals gewoonlijk wanneer hij huilde (hij trok ook omlaag als hij lachte). Hij stotterde: 'Deze keer zal ik je zelf een pak slaag geven.'

Ik weet niet meer hoe we de kerk uit zijn gekomen en in de pastorie ernaast beland zijn, maar in die overgemeubileerde kamer kregen Bailey en ik het pak slaag van ons leven. Tussen de klappen door beval oom Willie ons op te houden met huilen. Ik deed mijn best maar Bailey weigerde mee te werken. Naderhand legde hij uit dat als iemand je slaat, je zo hard mogelijk moet schreeuwen; misschien wordt degene die slaat erdoor in verlegenheid gebracht of misschien komt een medelijdende ziel je te hulp snellen. Onze redder kwam om geen van beide redenen, maar omdat Bailey zo hard gilde en dat wat er nog over was van de dienst verstoorde, kwam de vrouw van de dominee oom Willie vragen of hij ons niet kon kalmeren.

Lachen gaat voor fantasierijke kinderen zo licht over in hysterie dat ik weken daarna nog het gevoel had alsof ik heel erg ziek was geweest. Totdat ik weer helemaal op krachten was gekomen, stond ik op de klippen van de lach en alles wat maar een beetje grappig was, kon me in een wisse dood, ver beneden me, storten.

Telkens als Bailey 'Preek' tegen me zei, sloeg ik hem zo hard als ik kon en begon te huilen.

Momma was drie keer getrouwd geweest: met meneer Johnson, mijn grootvader, die haar rond de eeuwwisseling achter had gelaten met twee zoontjes om groot te brengen; met meneer Henderson, waar ik helemaal niets over wist (Momma gaf nooit rechtstreeks antwoord op vragen, behalve als ze met godsdienst te maken hadden); en ten slotte met meneer Murphy. Hem heb ik een keer vluchtig gezien. Hij kwam op een zaterdagavond door Stamps en grootmoeder droeg mij op om voor hem een kermisbed op te maken. Het was een gedrongen, donkere man met net zo'n jagershoed als die van George Raft. De volgende ochtend wachtte hij in de Winkel tot we van de kerk terugkwamen. Dat was bij mijn weten tevens de eerste zondag dat oom Willie de dienst misliep. Bailey zei dat hij thuis gebleven was om te zorgen dat meneer Murphy ons niet kaal zou stelen. Halverwege de middag vertrok hij weer, na een van Momma's uitgebreide maaltijden. Met zijn hoed achter op zijn hoofd liep hij fluitend de weg af. Ik keek zijn gezette rug na tot hij de bocht bij de grote, witte kerk omgeslagen was.

De mensen zeiden van Momma dat ze een knappe vrouw was en sommigen die haar al van jongsaf kenden, zeiden dat ze vroeger echt mooi was. Ik zag alleen haar sterkte en kracht. Ze stak boven alle andere vrouwen in mijn persoonlijke wereldje uit en haar handen waren zo groot dat ze mijn hoofd van oor tot oor konden omspannen. Haar stem was zacht, maar dat was omdat zij dat zo wilde. In de kerk, wanneer haar verzocht werd om te zingen, leek het alsof ze achter haar kaken de registers opentrok en een enorm, bijna rauw geluid stroomde over de luisteraars uit en bleef trillend in de lucht hangen.

Iedere zondag, als ze haar plaats had ingenomen, kondigde de dominee aan: 'Zuster Henderson zal ons nu voorgaan in een psalm.' En iedere zondag keek ze verbaasd op naar de predikant en vroeg stilzwijgend: 'Ik?' Na zichzelf er even van verzekerd te hebben dat er inderdaad een beroep op haar werd gedaan, legde ze haar handtas neer en vouwde langzaam haar zakdoek op. Deze werd netjes bovenop de tas gelegd, daarna steunde ze op de bank voor haar en duwde zichzelf overeind. Dan opende ze haar mond en het lied sprong eruit alsof het slechts op het juiste moment had gewacht om zich te laten horen. Week in week uit, jaar in jaar uit, veranderde er niets in dit optreden, toch kan ik me niet herinneren dat iemand ooit een opmerking heeft gemaakt over haar oprechtheid of bereidheid om te zingen.

Het was Momma's intentie om Bailey en mij bij te brengen die paden in het leven te volgen die zij en haar generatie en alle Negers voor haar hadden gevolgd en veilig bevonden hadden. Het idee dat je iets tegen blankvolk kon zeggen zonder dat je daarmee levensgevaarlijke risico's liep, stond haar niet aan. En vrijpostig tegen ze praten kon al helemaal niet. In feite kon er zelfs in hun afwezigheid niet al te scherp over hen gesproken worden, tenzij we ze aanduidden als 'Zij'. Als het haar voorgelegd zou zijn en ze had besloten om te antwoorden op de vraag of dat niet laf was, zou ze gezegd hebben dat ze realistisch was. Bood ze 'hun' soms niet jaar na jaar het hoofd? Was zij niet de enige Negervrouw in

Stamps die een keer Mevrouw genoemd was?

Die gebeurtenis was een van de kleine legendes van Stamps geworden. Enkele jaren voordat Bailey en ik in de stad arriveerden, werd een man achtervolgd wegens aanranding van een lid van het blanke vrouwelijke geslacht. In zijn poging te ontsnappen, rende hij naar de Winkel. Momma en oom Willie verstopten hem achter de hang-legkast tot het donker was, gaven hem proviand mee voor de tocht over land en stuurden hem door. Maar hij werd gearresteerd en toen hij tijdens de rechtszitting ondervraagd werd over zijn gangen op de dag van de misdaad, antwoordde hij dat hij zijn toevlucht had gezocht in de Winkel van Mevrouw Henderson, nadat hij gehoord had dat hij gezocht werd.

De rechter liet Mevrouw Henderson dagvaarden en toen Momma verscheen en zei dat zij Mevrouw Henderson was, begonnen de rechter, de parketwachter en andere blanken in het publiek te lachen. De rechter had een reuzenflater geslagen door een Negervrouw Mevrouw te noemen. Maar hij was van Pine Bluff en hoe kon hij weten dat de vrouw die in dit dorp een winkel bezat, ook nog eens een kleurlinge zou blijken te zijn? De blanken amuseerden zich nog lang daarna kostelijk met dit voorval en de Negers dachten dat het een bewijs was van de waardigheid en verhevenheid van mijn grootmoeder.

Stamps, Arkansas was Roetmoppen-Gesel, Georgia; Knoop-Ze-Op, Alabama; Verdwijn-Hier-Voor-De-Zon-Ondergaat-Nikker, Mississippi; of elke andere benaming die even veelbetekenend was. De mensen in Stamps zeiden vroeger dat de blanken van onze stad zo bevooroordeeld waren dat een Neger geen vanille-ijs kon kopen. Behalve op de Vierde Juli. Op andere dagen moest hij genoegen nemen met chocolade-ijs.

Er was een rolgordijn neergelaten tussen de Zwarte gemeenschap en alles wat blank was, maar je kon er genoeg doorheen zien om er angst-bewondering-minachting aan over te houden voor blanke 'zaken' – de auto's van het blankvolk, hun schitterend witte huizen, hun kinderen en vrouwen. Maar bovenal voor hun welstand die het hun toestond te verspillen wat het meest benijdenswaardig was. Ze bezaten zoveel kleren dat ze jurken die nog helemaal goed waren, alleen wat versleten onder de armen, weg konden geven aan de naaiklas van onze school voor de oudere meisjes om op te oefenen.

Hoewel er altijd al vrijgevigheid heeft bestaan in de Negergemeenschap, was er hier eerder sprake van opoffering. Elke keer dat er iets door Zwarte mensen aan andere Zwarten werd gegeven, had de gever het waarschijnlijk zelf net zo hard nodig als de ontvanger. Dit maakte het geven en ontvangen tot een waardevolle uitwisseling.

Ik kon de blanken niet begrijpen, noch waar ze het recht vandaan haalden om zo kwistig met geld om te gaan. Natuurlijk wist ik wel dat God ook blank was, maar niemand had me kunnen laten geloven dat hij bevooroordeeld was. Mijn grootmoeder had meer geld dan al het blanke schooiersvolk. We bezaten land en huizen maar iedere dag kregen Bailey en ik in onze oren geknoopt: 'Wie wat bewaart, heeft wat.'

Momma kocht ieder jaar twee rollen stof voor winter- en zomerkleren. Ze maakte mijn schooljurken, onderjurken, onderbroeken en zakdoeken; Bailey's hemden en onderbroeken; haar eigen schorten, werkjurken en bloezen uit rollen die door Sears and Roebuck naar Stamps verzonden werden. Oom Willie was de enige in de familie die altijd confectiekleding droeg. Iedere dag droeg hij frisse, witte overhemden en gebloemde bretels en zijn speciale schoenen kostten twintig dollar. Ik vond oom Willie schandelijk ijdel, vooral wanneer ik zijn krakend gesteven overhemden moest strijken zonder een kreukje achter te laten.

In de zomer liepen we op blote voeten, behalve op zondag en we leerden om onze schoenen te verzolen als ze 'op waren', zoals Momma het uitdrukte. De crisis moet het blanke deel van Stamps getroffen hebben met de kracht van een tornado, maar ze sijpelde langzaam het Zwarte gebied binnen, als een dief die zijn twijfels heeft. Het land was al twee jaar in de greep van de malaise voordat de Negers in Stamps er iets van merkten. Ik denk dat iedereen in de overtuiging verkeerde dat de crisis, net als alles, iets voor het blankvolk was en dus niets met hen te maken had. Onze mensen hadden van het land geleefd en op de katoenpluk-, schoffel- en hakseizoenen gerekend om de benodigde contanten te verdienen voor de

aanschaf van schoenen, kleren, boeken en licht landbouwgereedschap. Pas toen de eigenaars van de katoenvelden het loon voor een pond katoen verminderden van
tien dollarcent naar acht, zeven en ten slotte vijf cent,
drong het tot de Negergemeenschap door dat de crisis in
ieder geval niet discrimineerde.

Welzijnsinstellingen deelden voedsel uit aan de arme
gezinnen, Zwarte en blanke. Kilo's reuzel, bloem, zout,
poederei en poedermelk. De mensen staakten hun pogingen om varkens te fokken, omdat het te moeilijk was
om aan spoeling te komen die krachtig genoeg was om
als voer te dienen en niemand geld had om mengvoer of
vismeel te kopen.

Momma zat vele avonden langzaam in onze schriften
te cijferen. Ze probeerde een manier te vinden om haar
zaak draaiende te houden nu haar klanten geen geld
meer hadden. Toen ze haar conclusies getrokken had, zei
ze: 'Bailey, ik wil dat jij voor mij een mooi duidelijk bord
maakt. Mooi en netjes. En zuster, jij kan het inkleuren
met je krijtjes. Er moet op komen staan:

I VIJFPONDS BLIK MELKPOEDER IS 50¢ WAARD
I VIJFPONDS BLIK EIPOEDER IS $1,00 WAARD
IO NR. 2 BLIKKEN MAKREEL IS $1,00 WAARD.'

Enzovoort. Momma hield haar winkel draaiende. Onze
klanten hoefden hun kredietwaardige goederen niet eens
mee naar huis te nemen. Ze haalden ze op bij het wel-
zijnsbureau in de stad en leverden ze af bij de Winkel. Als
ze op dat moment geen ruil wilden aangaan, schreven ze
in een van de grote, grijze kasboeken op wat ze te goed
hadden. Wij waren een van de weinige Negerfamilies die
geen bijstand kregen, maar Bailey en ik kenden in de

stad zelf geen andere kinderen die elke dag eipoeder aten en melkpoeder dronken.

De families van onze speelkameraadjes ruilden hun ongewenste etenswaren in voor suiker, petroleum, specerijen, paté, Weense worstjes, pindakaas, sodacrackers, toiletzeep en zelfs groene zeep. We hadden altijd genoeg te eten, maar alletwee haatten we de klonterige melk en de eierpap en soms bleven we in het huis van een van de armere gezinnen hangen voor crackers met pindakaas. Het had lang geduurd voordat Stamps in de crisis geraakt was, maar het duurde minstens even lang voordat het stadje er weer bovenop kwam. De Tweede Wereldoorlog was al lang aan de gang voordat de economie van dat bijna vergeten gehucht merkbaar veranderde.

Een keer kregen we met Kerstmis cadeaus van onze moeder en vader die gescheiden leefden in een hemel die Californië heette. Daar konden ze, zo werd verteld, zoveel sinaasappelen eten als ze maar wilden. En de zon scheen er altijd. Ik wist zeker dat dat niet waar was. Ik kon niet geloven dat onze moeder zou lachen en sinaasappelen zou eten in de zonneschijn zonder haar kinderen. Tot die Kerstmis, toen we de cadeaus kregen, had ik erop vertrouwd dat ze allebei dood waren. Ik kon op elk gewenst moment in huilen uitbarsten door me mijn moeder (ik wist niet precies hoe ze eruitzag) dood in haar kist voor te stellen. Haar haar, dat zwart was, lag uitgespreid op een klein, wit kussentje en haar lichaam was bedekt met een laken. Het gezicht was bruin, leek op een grote O en omdat ik de trekken niet in kon vullen, stempelde ik MOEDER over de O heen en dan liepen de tranen als warme melk over mijn wangen.

Toen kwam die verschrikkelijke kerst met die vreselijke cadeaus. Onze vader had, met die ijdelheid die ik later typerend voor hem zou vinden, een foto van zichzelf opgestuurd. Mijn cadeau van Moeder bestond uit een theeserviesje – een theepotje, vier kopjes en schoteltjes en piepkleine lepeltjes – en een pop met blauwe ogen, roze wangen en geel haar op het hoofd geschilderd. Ik wist niet wat Bailey had gekregen, want toen ik mijn dozen open had gemaakt, liep ik naar het achtererf achter de Chinese bessenboom. Het was een koude dag met een waterheldere lucht. Er lag ijs op de bank maar ik ging toch zitten en huilde. Toen ik opkeek, zag ik Bailey, in zijn ogen wrijvend, van de wc buiten komen. Hij had ook gehuild. Ik wist niet of hij zichzelf ook verteld had dat ze dood waren en nu ruw wakker geschud was door de waarheid, of dat hij zich gewoon eenzaam voelde. De cadeaus openden de deur naar vragen die we geen van beiden wilden stellen. Waarom hadden ze ons weggestuurd? En: wat hadden we verkeerd gedaan? Zo verkeerd? Waarom hadden we, toen we drie en vier waren, kaartjes om onze armen geknoopt gekregen en waren we met de trein van Long Beach, Californië naar Stamps, Arkansas gestuurd met alleen een spoorwegemployé om op ons te letten? (Die bovendien al in Arizona uitstapte.)

Bailey kwam naast me zitten en deze keer maande hij me niet om op te houden met huilen. Dus huilde ik en hij snoof een beetje, maar we zeiden niets tot Momma ons weer naar binnen riep.

Momma stond voor de boom die we versierd hadden met zilveren slingers en mooi gekleurde ballen en zei: 'Jullie kinder zijn de meest ondankbare dinger die ik ooit gezien heb. Denk je dat jullie mama en papa al die moeite hebben gedaan om jullie deze mooie speeldinger te sturen om jullie in de kou te laten zitten huilen?'

Geen van beiden zeiden we iets. Momma vervolgde: 'Zuster, ik weet dat jij teerhartig bent, maar Bailey junior, dan hoef jij nog niet te gaan zitten piepen als een kat allenig omdat je iets van Vivian en Grote Bailey hebt gekregen.' Toen er nog steeds geen woord uit ons kwam, vroeg ze: 'Zal ik tegen de Kerstman zeggen dat-ie deze dinger weer mee terug moet nemen?' Een ellendig gevoel van verscheurdheid overspoelde me. Ik wilde schreeuwen: 'Ja, zeg maar dat hij ze terugbrengt.' Maar ik bewoog me niet.

Naderhand praatten Bailey en ik erover. Hij zei dat als die spullen echt van Moeder afkomstig waren, het misschien betekende dat ze zich klaarmaakte om ons te komen halen. Misschien was ze gewoon kwaad geweest om iets wat wij gedaan hadden, maar nu vergaf ze het ons en zou ons binnenkort over laten komen. De dag na kerst scheurden Bailey en ik het vulsel uit de pop maar hij waarschuwde mij dat ik het theeservies heel moest laten, want ze zou nu elke dag of nacht kunnen arriveren.

9

Een jaar later kwam onze vader onaangekondigd naar Stamps. Het was vreselijk voor Bailey en mij om op een ochtend abrupt oog in oog te staan met de werkelijkheid. Wij, of ik in ieder geval, hadden zulke uitgebreide fantasieën rondom hem en de denkbeeldige moeder opgebouwd dat door de confrontatie met hem in levenden lijve mijn verzinsels aan stukken werden gescheurd alsof er hard aan een papieren slinger werd gerukt. Hij arriveerde bij de Winkel in een schone, grijze auto (hij moest net buiten de stad gestopt zijn om hem af te vegen als voorbereiding op zijn 'plechtige entree'). Bailey, die van dergelijke dingen op de hoogte was, zei dat het een De Soto was. Ik schrok van zijn omvang. Zijn schouders waren zo breed dat ik dacht dat hij maar nauwelijks door de deur zou kunnen. Hij was groter dan iedereen die ik kende en als hij niet dik was en ik wist dat hij dat niet was, dan was hij dikkig. Zijn kleren waren hem ook te klein. Ze waren strakker en wolliger dan gewoon was in Stamps. En hij was oogverblindend knap. Momma riep: 'Bailey, mijn kind. Grote God, Bailey.' En oom Willie stotterde: 'Bu-Bu-Bailey.' Mijn broer zei: 'Sakkerloot en verdomme. Hij is het. Het is onze papa.' En mijn zeven jaar oude wereld viel aan stukken die nooit meer aan elkaar gelijmd zijn.

Zijn stem schalde als een pollepel die tegen een emmer sloeg en hij sprak Engels. Correct Engels zoals het

hoofd van de school en zelfs nog beter. Onze vader be-
sprenkelde zijn zinnen even rijkelijk met *uh's* en *uhuh's*
als dat hij scheve glimlachjes uitdeelde. Zijn lippen trokken niet omlaag, zoals bij oom Willie, maar opzij en zijn
hoofd lag aan de ene of aan de andere kant maar stond
nooit recht op zijn nek. Hij had de houding van iemand
die niet gelooft wat hij hoort of wat hij zelf zegt. Hij was
de eerste cynicus die ik ontmoette. 'Dus uh dit is Papa's
uh kleine man? Jongen, hebben ze je uhuh al verteld dat
je uh op mij lijkt?' Hij had Bailey in zijn ene en mij in
zijn andere arm. 'En Papa's kleine meisje. Jullie zijn uhuh
zoet geweest, niet? Anders uh zou ik het wel uh gehoord
hebben van de Kerstman.' Ik was zo trots op hem dat ik
nauwelijks kon wachten tot de roddel het nieuwtje dat
hij in de stad was, verspreid had. Wat zouden de kinderen verbaasd staan te kijken als ze zagen hoe knap onze
papa was. En dat hij genoeg van ons hield om helemaal
naar Stamps te komen om ons te zien. Iedereen kon uit
zijn manier van praten, zijn auto en zijn kleren opmaken
dat hij rijk was en misschien wel een kasteel had in Californië. (Later hoorde ik dat hij portier was geweest in het
chique Breakers' Hotel in Santa Monica.) Toen kwam de
mogelijkheid bij me op dat ik met hem vergeleken zou
worden en wilde ik niet dat iemand hem zag. Misschien
was hij mijn echte vader niet. Bailey was zonder twijfel
zijn zoon, maar ik was een weeskind dat ze opgepikt hadden om Bailey gezelschap te houden.

Ik werd altijd bang als ik merkte dat hij naar me keek
en ik wenste dat ik in elkaar zou krimpen als Tiny Tim.
Op een dag toen we aan tafel zaten, hield ik de vork in
mijn linkerhand en doorboorde een stuk gebraden kip.
Ik stak het mes tussen twee tanden van de vork, zoals ons
strikt voorgehouden was en begon tegen het bot te za-

gen. Mijn vader lachte een volle rollende lach en ik keek op. Hij imiteerde mij met twee ellebogen die op en neer gingen. 'Gaat Papa's baby vliegen?' Momma lachte en oom Willie ook en zelfs Bailey grinnikte een beetje. Onze vader ging prat op zijn gevoel voor humor.

Drie weken lang stond de Winkel vol mensen die met hem op school hadden gezeten of die over hem hadden gehoord. Het krioelde van nieuwsgierigen en afgunstigen en hij liep, met *uh's* en *uhuh's* smijtend, op en neer te paraderen onder de treurige blikken van oom Willie. Toen zei hij op een dag dat hij terug moest naar Californië. Ik was opgelucht. Mijn wereld zou leger en droger zijn, maar de kwelling van zijn inbreuk op iedere privéseconde zou voorbij zijn. En de onuitgesproken dreiging die sinds zijn komst in de lucht hing, de dreiging dat hij op een dag zou vertrekken, zou verdwijnen. Ik zou me niet langer af hoeven te vragen of ik wel of niet van hem hield, of hoeven te antwoorden op: 'Wil Papa's baby mee naar Californië met Papa?' Bailey had gezegd dat hij mee wilde, maar ik had niets gezegd. Momma was ook opgelucht. Hoewel ze ervan had genoten om speciale gerechten voor hem te bereiden en met haar zoon uit Californië op te scheppen tegen de plattelanders van Arkansas. Maar oom Willie ging gebukt onder de pompeuze druk van onze vader en zoals het een moederkloek betaamt, was Momma bezorgder over haar kreupele nakomeling dan over degene die van het nest weg kon vliegen.

Hij was van plan om ons mee te nemen! Die wetenschap zoemde door mijn dagen en maakte dat ik als een duveltje-in-een-doosje onverwacht opschrok. Iedere dag zag ik kans om naar de vijver te lopen waar de mensen kwamen om op zonnebaars en gestreepte baars te vissen. De uren die ik uitkoos, waren te vroeg of te laat voor de vissers, dus had ik de plek voor mezelf. Ik stond aan de oever van het donkergroene water en mijn gedachten schoten als waterspinnen heen en weer. Nu deze kant op, dan die, dan weer de andere. Moest ik met mijn vader meegaan? Moest ik me in de vijver gooien en, aangezien ik niet kon zwemmen, L.C. achterna gaan, de jongen die de zomer ervoor verdronken was? Moest ik Momma smeken om me bij haar te laten blijven? Ik kon haar zeggen dat ik Bailey's klussen over zou nemen en de mijne erbij zou doen. Zou ik het leven aandurven zonder Bailey? Ik kon niet tot een beslissing komen, dus zei ik een paar bijbelverzen op en ging naar huis.

Momma vermaakte een paar afdankertjes die ingeruild waren door de dienstmeisjes van blanke vrouwen en zat lange avonden in de eetkamer om overgooiers en rokken voor mij te naaien. Ze zag er nogal ongelukkig uit, maar telkens als ik merkte dat ze naar me keek, zei ze, alsof ik al ongehoorzaam was geweest: 'Je moet braaf zijn, hoor. Laat de mensen niet denken dat ik je niet fatsoenlijk heb grootgebracht, hoor.' Ze zou nog meer verbaasd zijn geweest dan ikzelf als ze me in haar armen had genomen en gehuild had omdat ze mij kwijtraakte. Haar wereld was aan alle kanten afgebakend met werk, plicht, geloof en 'haar plaats'. Ik denk niet dat ze ooit heeft beseft dat er een diep koesterende liefde hing over alles wat ze aanraakte. In later jaren heb ik haar eens gevraagd of ze van me hield, maar ze wuifde me weg met: 'God is liefde. Zorg nou maar dat je braaf bent, dan zal Hij wel van je houden.'

Ik zat met Papa's leren koffers en onze kartonnen dozen achterin de auto. Hoewel de raampjes openstonden, hing er een onbeweeglijke geur van gebraden kip en batatenpastei en er was niet genoeg ruimte om me uit te rekken. Elke keer dat hij eraan dacht, vroeg Papa: 'Zit je gemakkelijk daar achter, Papa's baby?' Hij wachtte nooit op mijn antwoord, dat 'Ja, hoor' luidde, maar hervatte meteen zijn conversatie met Bailey. Hij en Bailey vertelden moppen en Bailey lachte de hele tijd, maakte Papa's sigaretten uit en hield zijn hand aan het stuur als Papa zei: 'Kom op, jongen, help 'ns mee om dit geval te besturen.'

Toen ik moe werd van het steeds maar weer door dezelfde stadjes te rijden en het kijken naar huizen die er leeg, klein en onvriendelijk uitzagen, sloot ik mezelf af van alles behalve het kussende geluid van de banden op het wegdek en het gestage gekreun van de motor. Ik ergerde me behoorlijk aan Bailey. Het lag er dik bovenop dat hij een wit voetje wilde halen bij Papa; hij begon zelfs al hetzelfde te lachen, een junior kerstman met zijn 'Ho, ho, ho'.

'Hoe zal het zijn om je moeder te zien? Zul je blij zijn?' vroeg hij aan Bailey, maar het drong door de schuimlaag heen die ik om mijn zintuigen had gepakt. Gingen we naar Haar toe? Ik dacht dat we op weg waren naar Californië. Plotseling werd ik doodsbang. Stel dat ze ons net als hij zou uitlachen? Stel dat ze nu andere kinderen had die wel bij haar woonden? Ik zei: 'Ik wil terug naar Stamps.' Papa lachte: 'Bedoel je dat Papa's baby niet naar St. Louis wil om haar moeder te zien? Ze zal je heus niet opeten.'

Hij keerde zich naar Bailey en ik keek naar de zijkant van zijn gezicht; hij was zo onwerkelijk voor mij dat het leek alsof ik een pop zag praten. 'Bailey junior, vraag 'ns aan je zus waarom ze naar Stamps terug wil.' Hij klonk meer als een blanke man dan als een Neger. Misschien was hij de enige bruine, blanke man van de wereld. Het moest precies mij treffen dat die dan ook net mijn vader was. Maar voor het eerst sinds we uit Stamps waren vertrokken, was ook Bailey stil. Ik vermoedde dat hij ook nadacht over de ontmoeting met Moeder. Hoe kan een achtjarige zoveel angst bevatten? Hij slikt en houdt hem vast achter zijn amandelen, hij spant zijn voeten en klemt de angst tussen zijn tenen, hij knijpt zijn billen samen en duwt hem omhoog achter zijn prostaat.

'Junior, heb je je tong verloren? Wat moet je moeder wel niet denken als ik haar vertel dat haar kinderen haar niet willen zien?' De gedachte dat hij haar dat misschien écht zou vertellen trof Bailey en mij tegelijkertijd. Hij leunde over zijn stoel heen – 'Mij, 't is Moeder Lief. Je weet toch dat je Moeder Lief wilt zien. Niet huilen.' Papa lachte, schudde in zijn stoel en vroeg, aan zichzelf neem ik aan: 'Wat zal ze daarvan zeggen?'

Ik hield op met huilen aangezien het toch niet mogelijk was om naar Stamps en Momma terug te gaan. Van Bailey hoefde ik geen steun te verwachten, dat was me wel duidelijk. Dus besloot ik mijn mond te houden, mijn tranen te drogen en af te wachten wat de ontmoeting met Moeder Lief ons zou brengen.

St. Louis was een nieuw soort heet en een nieuw soort vies. Mijn geheugen bevatten geen beelden van de opeengepakte, met roet beslagen gebouwen. Voor zover ik wist, werden we de Hel binnengereden en was onze vader de duivelse bezorger.

Slechts in uiterste noodgevallen was het mij toegestaan om geheimtaal tegen Bailey te spreken als er volwassenen bij waren, maar die middag moest ik het risico nemen. Ik wist zeker dat we al vijftig keer dezelfde hoek omgeslagen waren. Ik vroeg aan Bailey: 'Enkde ijjee atte itte onzee adervee is of enkde ijjee atte we oerdevont ordenwee?' Bailey zei: 'Mij, we zijn in St. Louis en we gaan naar Moeder Lief. Maak je geen zorgen.' Papa grinnikte en zei: 'Iewee ouzee ulliejee illenwee oerdevonten? Enkde ijjee atte ulliejee de inderenkee van indlee ergbee ijnzee?' Ik dacht dat mijn broer en zijn vriendjes de geheimtaal uitgevonden hadden. Toen ik mijn vader hem hoorde spreken was ik eerder kwaad dan geschrokken. Het was gewoon weer een bewijs van de onbetrouwbaarheid van volwassenen. Nog een voorbeeld van het Grote Mensen Verraad.

Mijn moeder beschrijven zou hetzelfde zijn als schrijven over de pure kracht van een orkaan. Of over de stijgende en dalende kleuren van de regenboog. We werden ontvangen door haar moeder en wachtten op het puntje van onze stoelen in de overgemeubileerde woonkamer (Papa praatte ongedwongen met onze grootmoeder, zoals blankvolk tegen Zwarten praat, zonder verlegenheid of verontschuldigingen). Allebei zagen we op tegen Moeders komst en waren we ongeduldig omdat ze zo laat was. Het is frappant hoeveel waarheid er zit in de twee uitdrukkingen: 'met stomheid geslagen' en 'liefde op het eerste gezicht'. Ik werd letterlijk overrompeld door mijn moeders schoonheid. Haar rode lippen (Momma zei dat het een zonde was om je lippen te stiften) spleten open en lieten regelmatige, witte tanden zien en haar frisse boterkleur was transparant helder. Haar glimlach verbreedde haar mond tot voorbij haar wangen, voorbij haar oren en schijnbaar door de muren heen tot buiten op straat. Ik was met stomheid geslagen. Ik wist meteen waarom ze me weggestuurd had. Ze was te mooi om kinderen te hebben. Ik had nog nooit een vrouw gezien die 'Moeder' genoemd werd en die zo mooi was als zij. Wat Bailey betreft, hij werd onmiddellijk en voor altijd verliefd. Ik zag hoe zijn ogen net als de hare glansden; vergeten waren de verlatenheid en de nachten dat we samen hadden gehuild omdat we 'ongewenste kinderen' waren. Hij was nooit van haar warme zij geweken en had nooit de ijzige wind van de eenzaamheid met mij gedeeld. Ze was zijn Moeder Lief en ik legde me bij zijn toestand neer. Ze hadden samen meer gemeen dan zij en ik, of zelfs dan hij en ik. Ze bezaten alletwee lichamelijke schoonheid en persoonlijkheid, dus het lag voor de hand, dacht ik.

Onze vader vertrok een paar dagen later uit St. Louis naar Californië en ik was er niet blij of bedroefd om. Hij was een vreemde en als hij besloten had om ons bij een vreemde achter te laten was dat een en hetzelfde.

Grootmoeder Baxter was een quarterone of een octarone, in ieder geval was ze bijna blank. Ze was opgegroeid bij een Duitse familie in Cairo, Illinois en was rond de eeuwwisseling naar St. Louis getrokken om verpleegster te worden. Toen ze in het Homer G. Phillipsziekenhuis werkte, leerde ze grootvader Baxter kennen en trouwde met hem. Zij was blank (ze bezat geen uiterlijke kenmerken die ook maar enigszins als Negroïde aangeduid konden worden) en hij was Zwart. Terwijl zij tot aan haar dood met een brouwend Duits accent sprak, had hij het hakkerig brallende taalgebruik van de West-Indiërs.

Ze hadden een gelukkig huwelijk. Een vermaard gezegde van grootvader dat grote trots bij zijn gezin teweegbracht, luidde: 'Ba Jezus, ik leef voor mijn vrouw, mijn kinderen en mijn hond.' Hij deed zijn uiterste best om de waarheid van die stelling aan te tonen door de leden van zijn gezin op hun woord te geloven, zelfs wanneer er bewijzen voor het tegendeel waren.

De Negerwijk van St. Louis had alle kenmerken van een goudzoekersstadje. Het ontduiken van de drooglegging, gokken en hun aanverwante bezigheden werden zo openlijk gepraktizeerd dat het voor mij moeilijk was te geloven dat ze tegen de wet waren. Bailey en ik werden als nieuwkomers snel ingelicht door onze schoolkameraadjes over wie de mannen waren op de straathoeken waar we langs kwamen. Ik was ervan overtuigd dat ze hun namen uit boeken over het Wilde Westen hadden gehaald (Jimmy-met-de-harde-handen, Twee-pistolen, Jantje Soet, Poker-Piet) en om mijn gelijk te bewijzen, hingen ze rond voor de kroegen als onbereden cowboys.

We ontmoetten de lottolopers, gokkers, loterijhouders en whiskyverkopers niet alleen in de schreeuwerige straten maar ook in onze ordelijke woonkamer. Vaak als we uit school kwamen, zaten ze er, met hun hoeden in hun handen, net zoals wij toen we in de grote stad gearriveerd waren. Zwijgend wachtten ze op grootmoeder Baxter.

Haar blanke huid en de pince-nez, die ze met een theatraal gebaar van haar neus nam en los aan de ketting liet bungelen die aan haar jurk was gespeld, waren factoren die haar het nodige respect opleverden. En dan was er ook nog de reputatie van haar zes kwaadaardige kinderen en het feit dat ze districtshoofd was. Dit verleende haar de macht om zelfs boeven van het laagste allooi zonder angst aan te pakken. Ze had invloed bij de politie, dus zaten de mannen in hun poenige pakken met kerkse vormelijkheid te wachten op haar gunsten. Als grootmoeder Baxter de druk van hun gokhuizen afnam, of met een enkel woord aangaf dat de borgsom voor een gearresteerde vriend verlaagd was, wisten ze wat er van hen verwacht werd. Tegen de verkiezingen moesten ze de stemmen uit hun buurt binnenbrengen. Meestal regelde zij verzachtende omstandigheden en altijd brachten zij de stemmen binnen.

In St. Louis maakte ik ook kennis met dun gesneden ham (een delicatesse voor mij), gelatinebonen vermengd met pinda's, sla op brood, Victrola's en familietrouw. In Arkansas, waar we ons vlees zelf rookten, aten we twee centimeter dikke schijven ham als ontbijt, maar in St.

Louis kochten we flinterdunne plakjes in een vreemd ruikende Duitse winkel en aten die op brood. Evenmin als grootmoeder ooit haar Duitse accent kwijtraakte, verloor ze ooit haar voorliefde voor het zware, zwarte, Duitse *Brot* dat we ongesneden kochten. In Stamps werd sla alleen gebruikt als garnering voor aardappel- of koolsalade en pinda's kwamen rauw van het veld en werden op koude avonden op de vloer van de oven geroosterd. De doordringende geur vulde het hele huis en van ons werd altijd verwacht dat we er te veel van aten. Maar zo deden we dat in Stamps. In St. Louis kochten we ze in papieren zakjes vermengd met gelatinebonen, wat betekende dat we zout en zoet door elkaar aten en ik vond het een verrukkelijke traktatie. Het allerbeste wat de grote stad te bieden had.

Toen we voor het eerst naar de Toussaint L'Ouverture School gingen, verbaasde het ons hoe weinig onze medeleerlingen wisten en hoe ongemanierd de onderwijzers waren. We waren alleen onder de indruk van de omvang van het gebouw; zelfs de blanke school in Stamps was niet zo groot.

Maar de leerlingen waren schrikbarend achter. Bailey en ik rekenden op een gevorderd niveau, dankzij ons werk in de Winkel en we konden goed lezen omdat er in Stamps niets anders te doen was geweest. We werden een klas hoger gezet omdat de onderwijzers dachten dat wij, plattelandskinderen, onze klasgenoten een minderwaardigheidsgevoel zouden bezorgen – en dat was ook zo. Bailey kon het niet laten om opmerkingen te maken over de gebrekkige kennis van onze klasgenoten. In de middagpauze ging hij op het grote, grijsbetonnen speelplein midden tussen een groep grotere jongens staan en vroeg: 'Wie was Napoleon Bonaparte?' 'Uit hoeveel voet bestaat een mijl?' Het was Bailey's stijl van zich invechten.

De jongens hadden hem waarschijnlijk stuk voor stuk kunnen verslaan met hun vuisten, maar als ze dat deden zouden ze het de volgende dag toch weer opnieuw tegen hem hebben moeten opnemen en Bailey was nooit een voorstander geweest van eerlijk vechten. Hij bracht mij bij dat ik, als ik in een gevecht terecht kwam, 'meteen naar z'n ballen moest grijpen'. Hij gaf geen antwoord toen ik vroeg: 'En als ik nou 'ns tegen een meisje vecht?'

We hebben een heel jaar op die school gezeten maar het enige wat ik daar gehoord heb wat ik, voor zover ik me herinner, niet al eerder had gehoord, was: 'Het maken van duizend eivormige nullen zal je handschrift verbeteren.'

De onderwijzers waren afstandelijker dan die wij in Stamps hadden gehad en hoewel ze hun leerlingen niet met rietjes sloegen, gaven ze hen wel klappen met een liniaal op hun handpalmen. In Stamps gingen we veel vriendschappelijker met de onderwijzers om, maar dat kwam omdat het import was van de Negercolleges in Arkansas en aangezien we in de stad geen hotels of pensions hadden, moesten ze bij particulieren wonen. Als een onderwijzeres verkering kreeg, of geen post kreeg, of 's avonds alleen op haar kamer zat te huilen, dan bespraken tegen het einde van de week zelfs de kinderen haar zedelijk gedrag, haar eenzaamheid en haar andere gebreken in het algemeen. Het was praktisch onmogelijk om vormelijk te blijven onder de aanslagen van een kleine stad op de privé-sfeer.

De onderwijzers in St. Louis daarentegen hadden de neiging om zich erg verwaand te gedragen en neerbuigend vanaf de imposante hoogte van hun ontwikkeling en blankvolkse articulatie tot hun leerlingen te spreken.

Zij, de vrouwen en de mannen, klonken allemaal als mijn vader met hun *uh's* en *uhuh's*. Ze liepen met hun knieën tegen elkaar en praatten door samengeknepen lippen, alsof ze even bang waren om het geluid naar buiten te laten als om de vervuilde lucht in te ademen die door de luisteraar werd afgegeven.

Gedurende een ontmoedigende winter liepen we om bakstenen muren heen naar school en ademden kolenstof in. We leerden om 'Ja' en 'Nee' te zeggen in plaats van 'Ja, Mevrouw' en 'Nee, Mevrouw'.

Af en toe liet Moeder, die we zelden in huis zagen, ons naar Louie's komen. Louie's was een lange, donkere bar aan het einde van de brug bij onze school en het eigendom van twee Syrische broers.

We gingen achterom naar binnen en het zaagsel, het verschaalde bier, de stoom en het vlees dat stond te koken, gaven me een gevoel alsof ik mottenballen had gegeten. Moeder had mijn haar net zo kort geknipt als het hare en het ontkroesd, dus mijn hoofd voelde gevild aan en mijn nek was zo kaal dat ik me schaamde als er iemand van achter op me afkwam. Het gevolg was dat ik me steeds snel omdraaide alsof ik verwachtte dat er iets ging gebeuren.

In Louie's werden we begroet door Moeders vrienden als 'Bibbies lieve kleinen' en we kregen limonade en gekookte garnalen.

Terwijl we op de onbuigzame houten banken zaten, danste Moeder alleen voor ons op muziek uit de Seeburg. Op die momenten hield ik het meest van haar. Ze leek op een sierlijke vlieger die net boven mijn hoofd zweefde. Als ik gewild had, had ik haar naar me toe kunnen halen door te zeggen dat ik naar de wc moest of door ruzie te maken met Bailey. Hoewel ik geen van tweeën ooit deed, vergrootte die macht mijn liefde voor haar.

De Syrische broers wedijverden om haar aandacht als ze de zwaarmoedige blues zong die Bailey en ik bijna begrepen. Ze hielden hun ogen op haar gericht, zelfs als ze met andere klanten in gesprek waren en ik wist dat ook zij gehypnotiseerd waren door deze wonderschone dame die met haar hele lijf praatte en harder dan iedereen op de hele wereld met haar vingers knipte.

We leerden de Time Step in Louie's. Uit deze basisstep zijn de meeste Amerikaanse Zwarte dansen voortgekomen. Hij bestaat uit een reeks van taps, sprongen en rusten die nauwkeurig luisteren, aanvoelen en coördineren vergen. Daar, in die muffe kroeglucht, werden we voor Moeders vrienden geleid om ons talent te tonen. Bailey leerde het vlot en hij is van ons tweeën altijd de beste danser geweest. Maar ik leerde het ook. Ik benaderde de Time Step met dezelfde vastberadenheid om te winnen als waarmee ik de tafels van vermenigvuldiging had aangepakt. Er was geen oom Willie en geen sissende potkachel maar wel Moeder en haar lachende vrienden en dat kwam op hetzelfde neer. We werden geprezen en kregen meer limonade en garnalen, maar het zou nog jaren duren voordat ik de vreugde en de vrijheid van goed dansen ontdekte.

Moeders broers, de ooms Tutti, Tom en Ira, waren als jongeman bekende figuren in St. Louis. Ze hadden alledrie banen in de stad, waarvan ik nu besef dat het toen geen geringe prestatie was voor een Neger. Hun banen en hun familie onderscheidden hen van anderen, maar ze stonden het meest bekend om hun meedogenloze kwaadaardigheid. Grootvader had hun verteld: 'Ba Jezus, als je ooit in de bak komt voor stelen of zoiets onnozels, laat ik je verrotten. Maar als je opgepakt wordt voor vechten, verkoop ik dit huis met alles d'rop en d'ran om je d'ruit te krijgen!' Door dergelijke stimulansen, die nog verder ondersteund werden door hun opvliegende karakters, was het geen wonder dat ze geduchte individuen werden. Onze jongste oom, Billy, was niet oud genoeg om aan hun strapatsen mee te doen. Een van hun meer roemruchte escapades is een trotse familielegende geworden.

Pat Patterson, een uit de kluiten gewassen man die zelf beschermd werd door het schild van een slechte reputatie, beging de vergissing om mijn moeder uit te schelden op een avond toen ze alleen op stap was. Ze rapporteerde het incident aan haar broers.

Zij gaven een van hun meelopers de opdracht om de straten af te zoeken naar Patterson en te bellen zodra hij was gesignaleerd. Terwijl ze de hele middag zaten te wachten, vulde de woonkamer zich met rook en gemompelde plannen. Van tijd tot tijd kwam grootvader uit de keuken binnenlopen en zei: 'Maak 'm niet dood. Denk eraan dat je 'm niet doodmaakt', om daarna weer terug te gaan naar zijn koffie met grootmoeder.

Ze gingen naar de kroeg waar Patterson aan een tafeltje zat te drinken. Oom Tommy stond bij de uitgang, oom Tutti vatte post bij de deur van de wc en oom Ira, die de oudste was en misschien wel ieders ideaal, liep naar Patterson toe. Het was duidelijk dat ze allemaal gewapend waren met pistolen.

Oom Ira zei tegen mijn moeder: 'Hier, Bibbi. Hier zit die nikker Patterson. Kom en geef 'm op z'n donder.'

Ze kraakte de man zijn hoofd met een politieknuppel tot hij op sterven na dood was. Er volgde geen politieonderzoek op, evenmin was er sprake van sociale afkeuring.

Was grootvader, per slot van rekening, niet de verdediger van hun wilde karakters en was grootmoeder niet een bijna-blanke vrouw die invloed bij de politie had?

Ik geef toe dat ik hun kwaadaardigheid spannend vond. Ze sloegen met hetzelfde gemak blanken en Zwarten in elkaar en konden zo goed met elkaar overweg dat ze nooit de kunst van vrienden maken buiten hun eigen kring hoefden te leren. Mijn moeder was de enige warme, extraverte persoonlijkheid van de broers en zussen. Grootvader werd bedlegerig tijdens ons verblijf daar en zijn kinderen brachten hun vrije tijd door met lachen en roddelen met hem en het tonen van hun liefde.

Oom Tommy, die nors was en net zo op zijn woorden kauwde als mijn grootvader, was mijn favoriet. Hij reeg gewone zinnen aaneen en uit zijn mond klonken ze als de meest godslasterlijke vloeken of als komische poëzie. Hij was een komiek van nature en wachtte nooit op het gelach waarvan hij wist dat het op zijn amusante beweringen moest volgen. Hij was nooit wreed. Hij was kwaadaardig.

Als we aan het handballen waren aan de zijkant van het huis, kwam oom Tommy gewoonlijk op weg naar huis van zijn werk de hoek omlopen. Eerst deed hij of hij ons niet zag, maar dan ving hij met de behendigheid van een kat de bal op en zei: 'Breng je kop waar je kont is en ik neem je op in mijn ploeg.' Wij kinderen zwermden om hem heen maar pas als hij bij de trap was, hees hij zijn arm omhoog en gooide de bal, over de lantaarnpaal heen, naar de sterren.

Vaak zei hij tegen mij: 'Ritie, 't geeft niks dat je niet knap bent. Ik heb zat knappe vrouwen putjes zien scheppen of erger. Jij bent slim. Ik zweer bij God dat ik je liever heb met een goed verstand dan met een lekker kontje.'

Ze pochten vaak op de bindende eigenschappen van het Baxter-bloed. Oom Tommy zei dat zelfs de kinderen dat al beseften voor ze oud genoeg waren om het te leren. Ze haalden herinneringen op aan hoe Bailey mij leerde lopen toen hij minder dan drie was. Ontevreden over mijn struikelgang zou hij gezegd hebben: 'Dit is *mijn* zus. *Ik* moet haar leren lopen.' Ze vertelden me ook hoe ik aan de naam 'Mij' gekomen was. Toen het definitief tot Bailey doorgedrongen was dat ik zijn zuster was, weigerde hij me Marguerite te noemen, maar gaf er de voorkeur aan me elke keer aan te spreken met 'mija zus' en in latere, meer welbespraakte jaren, toen de noodzaak om de benaming af te korten tot 'Mij' over was, werd dit uitgebreid tot 'Maya'.

We woonden een half jaar in het grote huis van onze grootouders in Caroline Street voordat we bij Moeder introkken. Het vertrek uit het huis waar de familie samenkwam, had voor mij totaal geen betekenis. Het was eenvoudig een kleiner patroontje in het grote ontwerp van onze levens. Als andere kinderen niet zo vaak verhuisden, dan betekende dat alleen maar dat onze levens voorbestemd waren om anders te verlopen dan die van alle andere mensen op de wereld. Het nieuwe huis was niet vreemder dan het oude, behalve dan dat we samen waren met Moeder.

Bailey volhardde erin haar Moeder Lief te noemen totdat de intiemere omstandigheden de formaliteit van de uitdrukkingswijze verzachtten tot 'Moelief' en ten slotte tot 'M'lief'. Ik kon mijn vinger niet op haar werkelijkheid leggen. Ze was zo mooi en zo snel dat zelfs wanneer ze net wakker was, haar ogen nog vol slaap, haar haar in de war, ze er, volgens mij, uitzag als de Maagd Maria. Maar welke moeder en dochter begrijpen elkaar of kunnen zelfs maar begrip opbrengen voor elkaars gebrek aan begrip?

Moeder had een plaatsje voor ons gereedgemaakt en wij gingen er dankbaar naar toe. We hadden ieder een eigen kamer met een bed met twee lakens, genoeg te eten en kleren die uit een winkel kwamen. En uiteindelijk hoefde ze het niet te doen. Als we haar op haar zenuwen werkten of ongehoorzaam waren, kon ze ons altijd nog terug sturen naar Stamps. Het gewicht van de waardering en de nooit uitgesproken dreiging dat we teruggestuurd zouden worden naar Momma waren lasten waardoor mijn kinderlijke brein tot gevoelloosheid toe verstopt raakte. Ze noemden me een oud vrouwtje en mopperden op mijn manier van bewegen en praten die leek op koude stroop.

Moeders vriend, meneer Freeman, woonde bij ons, of wij bij hem (ik heb nooit precies geweten hoe het zat). Hij was ook een Zuiderling en groot. Maar een beetje kwabbig. Ik werd in verlegenheid gebracht door zijn borsten wanneer hij rondliep in zijn onderhemd. Ze lagen op zijn borstkas als platte tietjes.

Zelfs als Moeder niet zo'n aantrekkelijke vrouw was geweest, met een lichte huid en steil haar, zou hij nog met haar hebben geboft en dat wist hij. Ze was ontwikkeld, van een bekende familie en tenslotte was ze in St. Louis geboren. Bovendien was ze vrolijk. Ze lachte de hele tijd en maakte grapjes. Hij was dankbaar. Ik denk dat hij veel ouder geweest moet zijn dan zij en zo niet, dan had hij de trage ondergeschiktheid van oude mannen die met jongere vrouwen zijn getrouwd. Hij hield elke beweging die ze maakte in de gaten en als ze de kamer uitging, lieten zijn ogen haar onwillig gaan.

II

Ik had besloten dat St. Louis het buitenland was. Ik zou nooit gewend raken aan het gejaagde geluid van een doorgetrokken wc, aan het verpakte voedsel, de deurbellen en het lawaai van auto's, treinen en bussen dat door de muren dreunde of onder de deuren doorglipte. In mijn gedachten was ik maar voor een paar weken in St. Louis. Zodra ik begrepen had dat ik nog niet thuis was aangekomen, sloop ik weg naar het woud van Robin Hood en de grotten van Alley Oop, waar alle werkelijkheid onwerkelijk was en ook dan nog met de dag veranderde. Ik droeg hetzelfde schild als ik in Stamps had gebruikt: 'Ik ben niet gekomen om te blijven.'

Moeder voorzag bekwaam in ons onderhoud. Ook al hield dat in dat er iemand anders was die ons de voorzieningen verschafte. Hoewel ze verpleegster was, heeft ze dat beroep, zolang wij bij haar waren, nooit uitgeoefend. Meneer Freeman bracht het noodzakelijke binnen en zij verdiende extra geld door het spelen van poker in de gokhuizen. De aangepaste acht-tot-vijf wereld kon haar eenvoudig niet genoeg bekoren en het was pas twintig jaar later dat ik haar voor het eerst in een verpleegstersuniform zag. Meneer Freeman was voorman op het emplacement van de Southern Pacific en kwam soms pas laat thuis, als Moeder al weg was. Hij nam zijn eten van de kachel, waar zij het zorgvuldig afgedekt had met een waarschuwing aan ons om er niet aan te komen en at zwijgend in de keuken, terwijl Bailey en ik gulzig ieder ons eigen 'Street and Smith' sensatieblaadje lazen. Nu we zakgeld kregen, kochten we de geïllustreerde pocketboekjes met de felgekleurde plaatjes. Als Moeder weg was, werden we op een erewoordsysteem gesteld. We moesten eerst ons huiswerk maken, eten en de vaat doen voordat we konden lezen of luisteren naar *The Lone Ranger*, *Crime Busters* of *The Shadow*.

Meneer Freeman bewoog zich gracieus, als een grote bruine beer en sprak zelden tegen ons. Hij wachtte enkel op Moeder en legde zijn hele wezen in het wachten. Hij las nooit de krant, tikte nooit met zijn voet op de maat van de radio. Hij wachtte. Dat was alles.

Wanneer ze thuiskwam voordat wij in bed lagen, zagen we de man tot leven komen. Hij kwam overeind uit de grote stoel als een man die glimlachend wakker wordt. En ik herinnerde me dat ik een paar tellen eerder een portier had horen slaan; dan klonken de signalen van Moeders voetstappen op het trottoir. Als haar sleutel in de deur rammelde, had meneer Freeman zijn gebruikelijke vraag al gesteld: 'Hee, Bibbi, was het naar je zin?'

Zijn vraag bleef in de lucht hangen terwijl zij op hem toesprong om hem vluchtig op zijn mond te kussen. Daarna keerde ze zich met lippenstiftzoenen tot Bailey en mij. 'Hebben jullie je huiswerk nog niet af?' Als we het afhadden en aan het lezen waren – 'Okee, eerst bidden en dan naar bed.' Als we het niet afhadden – 'Dan ga je naar je kamer en maak het af... dan bidden en naar bed.'

Meneer Freemans glimlach werd nooit breder, hij bleef op dezelfde sterkte. Soms ging Moeder op zijn schoot zitten en de grijns op zijn gezicht zag eruit alsof hij daar voor altijd zou blijven.

Vanuit onze kamers konden we het klinken horen van glazen en de radio die harder werd gezet. Ik geloof dat ze op de goede avonden voor hem danste omdat hij het zelf niet kon, want voor ik in slaap viel, hoorde ik vaak het ritmische geschuifel van voeten.

Ik had medelijden met meneer Freeman. Ik had net zo'n medelijden met hem als met een nest hulpeloze biggetjes die in de stal achter ons huis in Arkansas waren geboren. Het hele jaar werden de biggen vetgemest voor de slacht bij de eerste goede vorst en hoewel ik het erg vond van die schattige, kleine wiebeldingen, besefte ik ook hoe lekker ik de verse worst en hoofdkaas zou vinden die alleen hun dood me kon verschaffen.

Vanwege de lugubere verhalen die we lazen, onze levendige fantasie en waarschijnlijk de herinneringen aan ons korte, maar jachtige bestaan hadden Bailey en ik allebei een kwaal – hij een lichamelijke en ik een geestelijke. Hij stotterde en ik zweette me door afgrijselijke nachtmerries heen. Voortdurend werd hem gezegd langzamer te praten, opnieuw te beginnen en wanneer ik een bijzonder slechte nacht had, nam Moeder me bij zich in het grote bed om bij haar en meneer Freeman te slapen.

Door een behoefte aan stabiliteit worden kinderen gemakkelijk gewoontedieren. Na de derde keer in Moeders bed vond ik het heel normaal om daar te slapen.

Op een morgen stond ze vroeg op om een boodschap te doen en ik sliep weer in. Maar ik werd wakker vanwege een druk, een vreemd gevoel op mijn linkerbeen. Het was te zacht om iemands hand te zijn en het was niet de aanraking van dekens. Wat het ook was, in al de jaren dat ik bij Momma had geslapen, had ik deze gewaarwording niet gehad. Het bewoog niet en ik ook niet want ik was te geschrokken. Ik draaide mijn hoofd een beetje naar

links om te zien of meneer Freeman wakker was en opge-
staan, maar zijn ogen waren open en alletwee zijn handen lagen bovenop de dekens. Ik wist, alsof ik het altijd
al geweten had, dat het zijn 'ding' was op mijn been.

Hij zei: 'Blijf maar gewoon liggen, Ritie, ik zal je heus
geen zeer doen.' Ik was niet bang, een beetje ongerust
misschien, maar niet bang. Natuurlijk wist ik dat massa's
mensen 'het' deden en hun 'dingen' gebruikten om de
handeling te volbrengen maar niemand die ik kende,
had het ooit met iemand gedaan. Meneer Freeman trok
me naar zich toe en stopte zijn hand tussen mijn benen.
Hij deed me geen pijn, maar Momma had me in mijn
hoofd geprent: 'Hou je benen bij elkaar en laat niemand
je beurs zien.'

'Nou, ik deed je toch geen zeer? Niet bang zijn.' Hij
gooide de dekens van ons af en zijn 'ding' stond recht
overeind als een bruine korenaar. Hij pakte mijn hand
en zei: 'Voel 'ns.' Het was week en wriemelig als het bin-
nenste van een vers geslachte kip. Toen trok hij me bovenop zijn borst met zijn linkerarm en zijn rechterhand
bewoog zo snel op en neer en zijn hart klopte zo hevig
dat ik bang was dat hij dood zou gaan. In de spookverha-
len stond dat als mensen doodgingen, ze weigerden los te
laten wat ze vasthadden. Ik vroeg me af hoe ik ooit los
zou komen als meneer Freeman stierf terwijl hij mij vasthad. Zouden ze zijn armen moeten breken om mij te bevrijden?

Ten slotte werd hij rustig en toen kwam het fijne gedeelte. Hij hield me zo zacht vast dat ik wilde dat hij me
nooit zou laten gaan. Ik voelde me geborgen. Door de
manier waarop hij me vasthield, wist ik dat hij me nooit
zou laten gaan en me nooit iets akeligs zou laten overkomen. Hij was waarschijnlijk mijn echte vader en einde-

lijk hadden we elkaar gevonden. Maar toen draaide hij zich om, liet mij op een natte plek achter en stond op.

'Ik moet met je praten, Ritie.' Hij trok zijn onderbroek uit die op zijn enkels was gezakt en liep de badkamer in.

Het was waar dat het bed nat was, maar ik wist dat ik geen ongelukje had gehad. Misschien had meneer Freeman een ongelukje gehad toen hij mij vasthield. Hij kwam terug met een glas water en zei op zure toon tegen mij: 'Sta op. Je hebt in bed geplast.' Hij goot het water over de natte plek en het zag er inderdaad uit zoals mijn matras er vaak 's morgens uitzag.

Doordat ik in de strengheid van het Zuiden had geleefd, wist ik wanneer ik mijn mond moest houden bij volwassenen, maar ik wilde hem eigenlijk vragen waarom hij zei dat ik geplast had terwijl ik er zeker van was dat hij dat zelf niet geloofde. Als hij vond dat ik ondeugend was, betekende dat dan dat hij me nooit meer vast zou houden? Of nooit toe zou geven dat hij mijn echte vader was? Ik had ervoor gezorgd dat hij zich voor mij schaamde.

'Ritie, hou je van Bailey?' Hij ging op het bed zitten. Ik kwam, vol hoop, dichterbij. Hij boog zich voorover om zijn sokken aan te doen en zijn rug was zo breed en vriendelijk dat ik mijn hoofd er tegenaan wilde leggen.

'Als je ooit tegen iemand zegt wat wij gedaan hebben, moet ik Bailey doodmaken.'

Wat hadden wij gedaan? Wij? Het was duidelijk dat hij niet mijn bedplassen bedoelde. Ik snapte het niet maar durfde niets te vragen. Het had iets te maken met dat hij mij vastgehouden had. Maar er was ook geen mogelijkheid om het aan Bailey te vragen want dat zou hetzelfde zijn als vertellen wat wij gedaan hadden. Het idee dat hij Bailey dood zou maken, verdoofde me. Toen hij de kamer verlaten had, dacht ik erover om tegen Moeder te vertellen dat ik niet in bed had geplast, maar als ze me vroeg wat er dan was gebeurd, zou ik haar moeten vertellen over hoe meneer Freeman mij vastgehouden had en dat kon niet.

Het was dezelfde oude verwarring. Er bestond een leger van volwassenen van wie ik de motieven en handelingen gewoon niet kon volgen en die geen pogingen deden om de mijne te begrijpen. De vraag of ik meneer Freeman aardig vond of niet, kwam niet ter sprake, ik begreep ook hem eenvoudig niet.

Weken daarna zei hij niets tegen mij behalve de norse hallo's die hij uitsprak zonder mijn richting uit te kijken.

Dit was het eerste geheim dat ik ooit voor Bailey had gehad en soms dacht ik dat hij het van mijn gezicht zou moeten kunnen lezen, maar hij merkte niets.

Ik begon me eenzaam te voelen zonder meneer Freeman en de omknelling van zijn grote armen. Van tevoren had mijn wereld bestaan uit Bailey, eten, Momma, de Winkel, boeken en oom Willie. Nu, voor de eerste keer, hoorde er lichamelijk contact bij.

Ik begon te wachten tot meneer Freeman thuiskwam van de werkplaats, maar als hij binnenkwam, merkte hij me niet op hoewel ik veel gevoel legde in mijn: 'Goeienavond, meneer Freeman.'

Op een avond, toen ik me nergens op kon concentreren, ging ik naar hem toe en klom vlug op zijn schoot. Hij zat weer op Moeder te wachten. Bailey was naar *The Shadow* aan het luisteren en miste me niet. Aanvankelijk zat meneer Freeman heel stil, zonder me vast te houden of iets, toen voelde ik hoe een zachte bobbel onder mijn dij begon te bewegen die tegen me aantrilde en harder werd. Toen trok hij me tegen zijn borst. Hij rook naar kolenstof en smeer en hij was zo dichtbij dat ik mijn gezicht begroef in zijn overhemd en naar zijn hart luisterde dat alleen voor mij sloeg. Alleen ik kon het bonzen horen, alleen ik kon het voelen kloppen tegen mijn gezicht. Hij zei: 'Zit stil, wiebel niet zo.' Maar de hele tijd duwde hij me rond op zijn schoot, toen stond hij plotseling op en ik gleed op de grond. Hij rende naar de badkamer.

Maandenlang zei hij weer niets tegen mij. Ik was gekwetst en voelde me een poos eenzamer dan ooit. Maar toen vergat ik hem en zelfs de herinnering aan hoe hij me teder vastgehouden had, smolt weg in de duisternis net voorbij de grote oogkleppen van de kindertijd.

Ik las meer dan ooit en wenste met heel mijn ziel dat ik als jongen geboren was. Horatio Alger was de beste schrijver van de wereld. Zijn helden waren altijd goed, ze wonnen altijd en waren altijd jongens. De eerste twee deugden had ik nog wel kunnen ontwikkelen, maar een jongen worden zou een stuk moeilijker, zo niet onmogelijk, zijn.

De strippagina's in de zondagsbladen hadden hun invloed op mij en hoewel ik de sterke helden die op het laatst altijd zegevierden, bewonderde, identificeerde ik me met Tiny Tim. Op de wc, waar ik de kranten gewoonlijk mee naar toe nam, was het een heel gedoe om de overbodige pagina's te vinden en ze er tussenuit te vissen zodat ik te weten kon komen hoe hij zijn nieuwste tegenstander weer te slim af zou zijn. Iedere zondag vergoot ik tranen van opluchting als hij ontsnapte aan de boze mannen en weer net zo lief en aardig als altijd te voorschijn kwam uit de ogenschijnlijke nederlaag. De Katzenjammer Kids waren leuk omdat ze de volwassenen voor gek zetten. Maar naar mijn smaak waren ze een beetje al te wijsneuzig.

Toen het lente werd in St. Louis werd ik voor het eerst lid van een bibliotheek en aangezien Bailey en ik uit elkaar leken te groeien, bracht ik de zaterdagen meestal in de bibliotheek door waar ik (ongestoord) de wereld indronk van straatarme schoenpoetsers die, dankzij hun goedheid en volharding, rijke, rijke mannen werden en manden vol lekkernijen aan de armen gaven op feestdagen. De prinsesjes die aangezien werden voor keukenmeisjes en de lang verloren gewaande kinderen aangezien voor zwervertjes kregen meer werkelijkheid voor mij dan ons huis, onze moeder, onze school of meneer Freeman.

Tijdens die maanden zagen we onze grootouders en ooms wel (onze enige tante was naar Californië gegaan om haar fortuin te maken), maar ze stelden meestal dezelfde vraag: 'Zijn jullie braaf geweest?' Waarop maar één antwoord mogelijk was. Zelfs Bailey zou het niet gewaagd hebben om 'Nee' te zeggen.

12

Op een zaterdag laat in de lente, nadat we klaar waren met onze karweitjes (niet te vergelijken met die in Stamps), gingen Bailey en ik naar buiten, hij om te honkballen en ik om naar de bibliotheek te gaan. Toen zei Meneer Freeman tegen mij: 'Ritie, ga 'ns melk halen.'

Gewoonlijk bracht Moeder melk mee, maar die ochtend, toen Bailey en ik de woonkamer opruimden, stond haar slaapkamerdeur open en wisten we dat ze die nacht niet thuisgekomen was.

Hij gaf me geld en ik rende naar de winkel en terug naar huis. Ik zette de melk in de ijskast, draaide me om en was net bij de voordeur toen ik hoorde: 'Ritie.' Hij zat in de grote stoel naast de radio. 'Ritie, kom 'ns hier.' Ik dacht niet aan die keer van het vasthouden totdat ik vlak bij hem was. Zijn broek was open en zijn 'ding' stond uit zichzelf uit zijn broek naar voren.

'Nee, meneer Freeman.' Ik begon achteruit te lopen. Ik wilde dat week-harde ding niet meer aanraken en hij hoefde me ook niet meer vast te houden. Hij greep mijn arm beet en trok me tussen zijn benen. Zijn gezicht was kalm en zag er vriendelijk uit, maar hij glimlachte niet en knipperde niet met zijn ogen. Niets. Hij deed niets, behalve zijn linkerhand uitsteken en de radio aanzetten zonder er naar te kijken. Boven de muziek en het geruis uit zei hij: 'Dit zal je heus niet zo'n zeer doen. Je vond het toch fijn, hè?'

Ik wilde niet toegeven dat ik het inderdaad fijn had gevonden toen hij me vasthield en dat ik hield van zijn geur en van het hevige geklop van zijn hart, dus zei ik niets. En zijn gezicht werd net het gezicht van een van die gemene inboorlingen die het Fantoom altijd in elkaar moest slaan.

Zijn benen knepen in mijn middel. 'Doe je onderbroek uit.' Ik aarzelde om twee redenen; hij had me zo stevig vast dat ik me niet kon bewegen en ik wist zeker dat elk moment mijn moeder, Bailey of de Groene Horzel de deur in zou kunnen trappen om mij te redden.

'Die andere keer was maar een spelletje.' Hij liet me net ver genoeg los om mijn onderbroek naar beneden te rukken en toen trok hij me dichter tegen zich aan. Hij zette de radio hard, te hard, en zei: 'Als je schreeuwt, maak ik je dood. En als je iets zegt, maak ik Bailey dood.' Ik kon merken dat hij meende wat hij zei. Ik kon niet begrijpen waarom hij mijn broer wilde doden. Geen van tweeën hadden we hem iets gedaan. En toen.

Toen was er de pijn. Een breken en binnendringen dat zelfs de zintuigen uit elkaar scheurt. Bij de verkrachting van een achtjarig lichaam is het zaak dat de naald meegeeft omdat de kameel het niet kan. Het kind geeft mee omdat het lichaam daar toe in staat is en de geest van de verkrachter niet.

Ik dacht dat ik dood was – ik werd wakker in een wereld van witte muren en het moest de hemel zijn. Maar meneer Freeman was er en hij was me aan het wassen. Zijn handen beefden, maar hij hield me overeind in de kuip en waste mijn benen. 'Ik wilde je geen zeer doen, Ritie, echt niet. Maar je zegt niets... Denk eraan, tegen niemand.'

Ik voelde me koel en erg schoon en een klein beetje

moe. 'Nee, meneer Freeman, ik zal niets zeggen.' Ik bevond me ergens boven alles. 'Alleen ben ik zo moe dat ik maar een poosje ga slapen, alstublieft.' Ik fluisterde tegen hem. Ik dacht dat als ik hardop sprak, hij misschien bang zou worden en me opnieuw pijn zou doen. Hij droogde me af en gaf me mijn onderbroek. 'Doe aan en ga naar de bibliotheek. Je momma zal zo wel thuiskomen. Je doet maar gewoon.'

Terwijl ik over straat liep, voelde ik het nat in mijn broek en mijn heupen leken uit de kom te schieten. Ik kon niet lang blijven zitten op de harde stoelen van de bibliotheek (ze waren speciaal voor kinderen vervaardigd), dus liep ik langs het onbebouwde stuk grond waar Bailey aan het honkballen was, maar hij was er niet. Ik bleef een poosje staan kijken naar de grote jongens die over het stoffige veldje rondrenden en begon toen naar huis te lopen.

Na twee blokken wist ik dat ik het nooit zou halen. Niet tenzij ik iedere stap telde en op iedere barst stapte. Het begon nog erger te branden tussen mijn benen dan die keer dat ik Sloane's Liniment over mezelf heen had geknoeid. Mijn benen klopten, of liever de binnenkant van mijn dijen klopte, met dezelfde hevigheid als waarmee meneer Freemans hart had gebonsd. Durum... stap... durum... stap... STAP OP DE BARST... durum... stap. Ik liep de trap op, tree voor, tree voor, tree voor tree. Er was niemand in de woonkamer, dus ging ik meteen naar bed, na mijn rood-en-geel gevlekte onderbroek onder de matras te hebben verstopt.

Toen Moeder binnenkwam, zei ze: 'Wel, jongedame, ik geloof dat dit de eerste keer is dat ik je naar bed zie gaan zonder dat ik het hoef te zeggen. Je bent zeker ziek.'

Ik was niet ziek, maar de kuil van mijn maag stond in

brand – hoe kon ik haar dat vertellen? Later kwam Bailey binnen en vroeg wat er aan de hand was. Er was niets dat ik hem kon vertellen. Toen Moeder ons riep om te komen eten en ik antwoordde dat ik geen honger had, legde ze haar koele hand op mijn voorhoofd en wangen. 'Misschien zijn 't de mazelen. Ze zeggen dat die heersen in de buurt.' Ze nam mijn temperatuur op en zei: 'Je hebt een beetje verhoging. Waarschijnlijk heb je het net te pakken.'

Meneer Freeman vulde de hele deuropening. 'Dan moet Bailey daar niet bij haar blijven. Tenzij je een huis vol zieke kinderen wilt.' Ze antwoordde over haar schouder: 'Hij kan ze net zo goed nu krijgen als later. Dan hebben we dat tenminste achter de rug.'

Ze streek langs hem heen alsof hij van katoen was gemaakt. 'Kom, Junior. Haal 'ns wat koele handdoeken en veeg je zusters gezicht af.'

Toen Bailey de kamer uitging, kwam meneer Freeman op het bed toe. Hij leunde voorover, zijn hele gezicht een dreiging die me had kunnen smoren. 'Als je iets zegt...' En opnieuw, zo zacht dat ik het bijna niet verstond – 'Als je iets zegt.' Ik kon de kracht niet opbrengen om hem te antwoorden. Hij moest toch weten dat ik niet van plan was iets te zeggen. Bailey kwam binnen met de handdoeken en meneer Freeman liep weg.

Later maakte Moeder bouillon en ging op de rand van het bed zitten om me te voeden. Het vocht liep als graten door mijn keel. Mijn buik en achterste waren zwaar als koud ijzer maar het leek alsof mijn hoofd verdwenen was en de plaats op mijn schouders was ingenomen door enkel lucht. Bailey las voor uit *The Rover Boys* tot hij slaap kreeg en naar bed ging.

Die nacht werd ik steeds wakker van een ruzie tussen

Moeder en meneer Freeman. Het was niet te verstaan wat ze zeiden, maar ik hoopte wel dat ze hem niet zo kwaad zou maken dat hij ook haar pijn zou doen. Ik wist dat hij er toe in staat was met zijn kille gezicht en zijn lege ogen. Ik hoorde hun stemmen sneller en sneller gaan, de hoge klanken volgden de lagere op de voet. Ik had graag naar binnen willen gaan. Net of ik gewoon naar de wc moest. Alleen maar om mijn gezicht te laten zien, dan hielden ze misschien op, maar mijn benen weigerden dienst. Ik kon de tenen en enkels wel bewegen, maar de knieën waren van hout geworden.

Misschien heb ik geslapen, want het was al gauw morgen en Moeder stond even mooi als altijd aan mijn bed. 'Hoe voel je je, baby?'

'Goed, Moeder.' Een instinctmatig antwoord. 'Waar is Bailey?'

Ze zei dat hij nog sliep maar dat zij de hele nacht geen oog dicht had gedaan. Ze was met tussenpozen in mijn kamer geweest om te zien hoe het met mij ging. Ik vroeg haar waar meneer Freeman was en haar gezicht verkilde toen ze aan haar woede werd herinnerd. 'Hij is weg. Vanmorgen vertrokken. Ik zal je koorts opnemen als ik je tarwepap heb opgezet.'

Kon ik het haar nu vertellen? De vreselijke pijn verzekerde me dat het niet kon. Wat hij bij mij gedaan had en wat ik hem had laten doen, moest wel heel erg slecht zijn als God me nu al zo'n pijn liet lijden. Als meneer Freeman weg was, betekende dat dan dat Bailey geen gevaar meer liep? En als dat zo was, zou hij dan nog van mij houden als ik het hem vertelde?

Nadat Moeder mijn temperatuur opgenomen had, zei ze dat ze een poosje naar bed ging, maar dat we haar wakker moesten maken als ik nog zieker werd. Ze vertelde Bailey dat hij mijn gezicht en armen in de gaten moest houden voor vlekken en als die opkwamen ze in te smeren met kalamijnolie.

Die zondag komt en gaat in mijn herinnering als de zwakke verbinding in een overzees telefoongesprek. Op een bepaald moment zat Bailey mij de *Katzenjammer Kids* voor te lezen en toen, zonder dat de tijd onderbroken werd door slaap, keek Moeder van dichtbij naar mijn gezicht en druppelde er wat soep langs mijn kin en wat in mijn mond en ik verslikte me. Toen was er een dokter die mijn temperatuur opnam en mijn pols vasthield.

'Bailey!' Ik moet het geschreeuwd hebben, want plotseling was hij er en vroeg ik hem om mij te helpen samen weg te lopen naar Californië of Frankrijk of Chicago. Ik wist dat ik doodging en eigenlijk verlangde ik naar de dood, maar ik wilde niet sterven in de buurt van meneer Freeman. Ik wist dat hij zelfs nu niet toe zou staan dat de dood mij kreeg tenzij hij dat wilde.

Moeder zei dat ik gewassen moest worden en de lakens verschoond omdat ik zoveel gezweet had. Maar toen ze probeerden me te verplaatsen, vocht ik en zelfs Bailey kon me niet houden. Toen pakte ze me op in haar armen en de angst nam even af. Bailey begon het bed te verschonen. Toen hij de vuile lakens eraf trok, kwam de onderbroek te voorschijn die ik onder de matras had verstopt. Hij viel aan Moeders voeten.

13

In het ziekenhuis zei Bailey dat ik moest vertellen wie dat
gedaan had anders zou de man een ander klein meisje
pijn doen. Toen ik uitlegde dat ik het niet kon zeggen
omdat de man hem dan dood zou maken, zei Bailey wijs:
'Hij kan me niet doodmaken. Dat laat ik 'm niet doen.'
En natuurlijk geloofde ik hem. Bailey loog nooit tegen
mij. Dus vertelde ik het aan hem.

Bailey zat naast mijn bed te huilen tot ik ook in tranen
uitbarstte. Er zouden vijftien jaar voorbij gaan voor ik
mijn broer weer zag huilen.

Door die oude hersenen te gebruiken waar hij mee geboren was (dat waren zijn woorden later die dag), speelde hij de informatie door aan grootmoeder Baxter, werd
meneer Freeman gearresteerd en werd hem de verschrikkelijke toorn van mijn pistolenzwaaiende ooms bespaard.

Ik had mijn hele leven wel in het ziekenhuis willen
blijven. Moeder bracht bloemen en snoepgoed. Grootmoeder kwam met fruit en mijn ooms klosten rond en
rond mijn bed, snuivend als wilde paarden. Als ze Bailey
naar binnen konden smokkelen, las hij me urenlang
voor.

Het gezegde dat mensen die niets te doen hebben zich
overal mee gaan bemoeien, is niet de enige waarheid.
Opwinding is verslavend en mensen wier leven vol ge-

weld is, vragen zich steeds af waar het volgende 'shot' vandaan zal komen.

De zaal in het gerechtshof was vol. Er stonden zelfs mensen achter de kerkachtige banken achterin. De ventilatoren aan het plafond bewogen met de afstandelijkheid van oude mannen. Grootmoeder Baxters cliënten waren er, vrolijk en luchthartig uitgedost. De gokkers waren er in hun krijtstreeppakken en hun zwaar opgemaakte vrouwen fluisterden met bloedrode monden naar mij dat ik nu net zoveel wist als zij. Ik was acht en volwassen. Zelfs de verpleegsters in het ziekenhuis hadden me verteld dat ik nu nergens meer bang voor hoefde te zijn. 'Het ergste is over voor jou.' Dus legde ik die woorden in al die meesmuilende monden.

Ik zat bij mijn familie (Bailey mocht er niet bij zijn) en zij rustten op hun plaatsen als massieve, kille, grijze grafstenen. Onwrikbaar en voor altijd onbeweeglijk.

De arme meneer Freeman draaide zich om op zijn stoel om met loze dreigementen naar mij te kijken. Hij wist niet dat hij Bailey niet dood kon maken...en Bailey loog niet...tegen mij.

'Wat droeg de verdachte?' Dat was de advocaat van meneer Freeman.

'Dat weet ik niet.'

'Bedoel je te zeggen dat deze man je verkracht heeft en je weet niet wat hij aanhad?' Hij grinnikte alsof ik meneer Freeman had verkracht. 'Weet je wel zeker of je verkracht bent?'

Een geluid schoof door de lucht van de rechtszaal (ik wist zeker dat het gelach was). Ik was blij dat ik van Moeder de marineblauwe jas met koperen knopen had mogen aandoen. Hoewel hij te kort was en het weer typisch St. Louis-warm, was de jas een vriend die ik kon koesteren op deze onbekende, onvriendelijke plaats.

'Was het de eerste keer dat de beklaagde je aanraakte?' De vraag snoerde me de mond. Meneer Freeman had beslist iets gedaan dat erg verkeerd was, maar ik was ervan overtuigd dat ik hem daarbij geholpen had. Ik wilde niet liegen, maar de advocaat gaf me geen kans om na te denken, dus gebruikte ik mijn zwijgen als wijkplaats.

'Heeft de beklaagde geprobeerd je aan te raken voor die keer dat hij, of liever dat jij beweert dat hij je verkracht heeft?'

Ik kon geen ja zeggen, ik kon ze niet vertellen over hoe hij een keer, voor een paar minuten, van me gehouden had en me dicht tegen zich aan had gedrukt, voor hij dacht dat ik in bed had geplast. Mijn ooms zouden me vermoorden en grootmoeder Baxter zou ophouden met praten zoals ze vaak deed als ze kwaad was. En al die mensen in de rechtszaal zouden mij stenigen zoals ze in de bijbel de hoer hadden gestenigd. En Moeder, die dacht dat ik zo'n braaf meisje was, zou zo teleurgesteld zijn. Maar het belangrijkste was Bailey. Ik had een groot geheim voor hem gehad.

'Marguerite, geef antwoord op mijn vraag. Heeft de beklaagde geprobeerd je aan te raken voor die gelegenheid dat hij je, naar jouw zeggen, verkracht heeft?'

Iedereen in de rechtszaal wist dat het antwoord Nee moest zijn. Iedereen, behalve meneer Freeman en ik. Ik keek naar zijn sombere gezicht dat er probeerde uit te zien alsof hij graag wilde dat ik Nee zei. Ik zei Nee.

De leugen klonterde in mijn keel en ik kon geen lucht krijgen. Wat verfoeide ik die man die me liet liegen. Gemene, ouwe, akelige vent. Akelige, ouwe, zwarte vent. De tranen kalmeerden me niet zoals gewoonlijk. Onze advocaat haalde me uit de getuigenbank en bracht me naar mijn moeders armen. Het feit dat ik mijn beoogde doel had bereikt door te liegen, maakte het minder aantrekkelijk voor mij.

Meneer Freeman kreeg een jaar en een dag, maar hij heeft nooit de kans gehad om zijn tijd uit te zitten. Zijn advocaat (of iemand anders) kreeg hem diezelfde middag nog vrij.

In de huiskamer, waar de jaloezieën voor de koelte neergelaten waren, deden Bailey en ik een spelletje monopolie op de vloer. Ik speelde slecht omdat ik erover nadacht hoe ik Bailey zou kunnen vertellen dat ik gelogen had en, wat erger was, een geheim voor hem had gehad. Omdat grootmoeder in de keuken was, deed Bailey open toen er gebeld werd.

Een lange, blonde politieagent vroeg naar Mevrouw Baxter. Hadden ze het ontdekt van die leugen? Misschien kwam die agent me in de gevangenis stoppen omdat ik gezworen had op de bijbel dat alles wat ik zei de waarheid was, de hele waarheid, zo waarlijk helpe mij God Almachtig. De man in onze huiskamer reikte tot aan de hemel en hij was blanker dan het beeld dat ik van God had. Hij had alleen geen baard.

'Mevrouw Baxter, ik vond dat u dit moest weten. Freemans lichaam is levenloos aangetroffen op het terrein achter het slachthuis.'

Zachtjes, alsof ze een kerkprogramma besprak, zei ze: 'Arme man.' Ze veegde haar handen af aan de theedoek en vroeg op dezelfde zachte toon: 'Weten ze wie het heeft gedaan?'

De agent zei: 'Het schijnt dat-ie daar neergelegd is. Volgens sommigen is hij doodgetrapt.'

Grootmoeder kreeg een beetje meer kleur. 'Tom, bedankt voor het vertellen. Arme man. Maar misschien is het wel beter zo. Het *was* een dolle hond. Heb je zin in een glas limonade? Of een biertje?'

Hoewel hij er ongevaarlijk uitzag, wist ik dat hij de verschrikkelijke engel was die mijn zonden bij elkaar optelde.

'Nee, dank u, Mevrouw Baxter. Ik heb dienst. Ik moet terug.'

'Wel, zeg tegen je ma dat ik langs kom om mijn bier op te halen en help haar onthouden dat ze wat zuurkool voor me bewaart.'

En de boekstavende engel verdween. Hij was weg en een man was dood omdat ik gelogen had. Hoe kon dat tegen elkaar opwegen? Eén leugen was toch zeker niet een mensenleven waard? Bailey had het me allemaal uit kunnen leggen, maar ik durfde hem niets te vragen. Het was duidelijk dat ik mijn plaats in de hemel voor goed had verbeurd en dat ik net zo weinig ruggengraat bezat als de pop die ik lang geleden aan stukken had gescheurd. Zelfs Christus had zich van Satan afgewend. Zou Hij zich ook niet van mij afwenden? Ik kon de slechtheid door mijn lichaam voelen stromen en opgekropt wachten om van mijn tong te vliegen zodra ik mijn mond maar even opendeed. Ik klemde mijn tanden op elkaar, ik zou het binnen houden. Als het ontsnapte, zou het de wereld en alle onschuldige mensen dan niet overspoelen?

Grootmoeder Baxter zei: 'Ritie en Junior, jullie hebben niks gehoord. Ik wil niets meer over deze toestand horen en ik wil niet dat de naam van die slechte man ooit nog in mijn huis wordt genoemd. Dat meen ik.' Ze ging terug naar de keuken om ter ere van mij apfelstrudel te maken.

Zelfs Bailey was geschrokken. Hij zat helemaal alleen naar de dood van een man te kijken – een katje dat naar een wolf kijkt. Het niet helemaal begrijpend, maar toch bang.

Tijdens die momenten kwam ik tot de slotsom dat hoewel Bailey van mij hield, hij me niet kon helpen. Ik had mezelf aan de Duivel verkocht en er was geen ontkomen aan. Het enige wat ik kon doen was ophouden met praten tegen mensen, behalve tegen Bailey. Instinctief, of hoe dan ook, besefte ik dat ik hem, omdat ik zoveel van hem hield, nooit pijn zou doen. Maar als ik tegen iemand anders praatte, zou die persoon ook kunnen sterven. Alleen al mijn adem, waarop mijn woorden naar buiten werden gedragen, zou de mensen kunnen vergiftigen en dan zouden ze opkrullen en doodgaan zoals die dikke, zwarte slakken die alleen maar deden alsof.

Ik moest ophouden met praten.

Ik ontdekte dat, om een volmaakte privé-stilte te bereiken, ik me slechts als een bloedzuiger aan geluid hoefde vast te hechten. Ik begon naar alles te luisteren. Waarschijnlijk hoopte ik dat als ik alle geluiden gehoord had, echt gehoord, en ze wegpropte diep in mijn oren, de wereld om mij heen stil zou zijn. Ik liep kamers binnen waar mensen lachten, hun stemmen als stenen tegen de muren ketsend, en ik bleef gewoon kalm staan, te midden van het tumult. En na een paar minuten stroomde de stilte vanuit haar schuilplaats de kamer in omdat ik alle geluiden had opgegeten.

De eerste paar weken accepteerde mijn familie mijn gedrag als de naweeën van een verkrachting en een verblijf in het ziekenhuis. (Noch de term, noch de ervaring werd genoemd in grootmoeders huis waar Bailey en ik opnieuw woonden.) Ze begrepen dat ik met Bailey kon praten maar met niemand anders.

Toen kwam de wijkverpleegster voor het laatst langs en zei de dokter dat ik genezen was. Dat betekende dat ik weer op de stoep hoorde te handballen of me diende te vermaken met de spelletjes die ik gekregen had toen ik ziek was. Toen ik weigerde het kind te zijn dat ze kenden en aanvaardden, vonden ze dat ik onbeschoft was en nukkig omdat ik bleef zwijgen.

Een tijdlang werd ik gestraft omdat ik te verwaand was om te praten en toen kwamen de aframmelingen door elk familielid dat zich toevallig beledigd voelde.

We zaten in de trein terug naar Stamps en deze keer was ik het die Bailey moest troosten. Hij huilde tranen met tuiten in het gangpad van de wagon en perste zijn kleine jongenslijf tegen het raampje voor een laatste glimp van zijn Moeder Lief.

Ik ben nooit te weten gekomen of het Momma was die ons had laten komen of dat de familie in St. Louis gewoon genoeg had gekregen van mijn grimmige aanwezigheid. Er is niets verschrikkelijkers dan een constant somber kind.

Ik maakte me minder druk over de reis dan over het feit dat Bailey ongelukkig was en had niet meer aandacht voor onze eindbestemming dan wanneer ik enkel op weg was geweest naar de wc.

14

De dorheid van Stamps was precies waar ik ongewild en onbewust behoefte aan had. Na het lawaai en de drukte, de vrachtwagens en bussen en de rumoerige familiebijeenkomsten van St. Louis waren de duistere weggetjes en eenzame bungalows, die teruggetrokken op onverharde erven stonden, mij bijzonder welkom.

De berusting van de bewoners hielp mij me te ontspannen. Ze toonden me een tevredenheid gebaseerd op het geloof dat er niets meer voor hen was weggelegd, hoewel ze op veel meer recht hadden. Hun beslissing om genoegen te nemen met de onrechtvaardigheid van het leven was een les voor mij. Mijn intrede in Stamps gaf me het gevoel dat ik over de grenslijnen van de landkaart heenstapte en zonder angst van het uiteinde van de wereld zou vallen. Er kon niets meer gebeuren want in Stamps gebeurde niets.

In deze cocon kroop ik.

Gedurende onbepaalde tijd werden er geen eisen aan mij of aan Bailey gesteld. Per slot van rekening waren we Mevrouw Hendersons kleinkinderen die een betoverende reis helemaal naar het Noorden, naar het fabelachtige St. Louis, hadden gemaakt. Onze vader was een jaar eerder gekomen in een grote, glanzende auto, het Engels van de Koning sprekend met een grootsteeds accent, dus alles wat we hoefden te doen was ons een paar maanden rustig houden en de winst van onze avonturen opstrijken.

Boeren en dienstmeisjes, koks en klusjesmannen, timmermannen en alle kinderen van de stad ondernamen regelmatig pelgrimstochten naar de Winkel. 'Alleen om de reizigers te zien.'

Ze stonden erbij als uitgeknipte bordpapieren figuren en vroegen: 'Wel, hoe was 't in het Noorden?'

'Heb je van die grote gebouwen gezien?'

'Heb je in van die liften gezeten?'

'Was je bang?'

'Blankvolk echt zo anders als ze zeggen?'

Bailey had het op zich genomen om elke vraag te beantwoorden en vanuit een hoekje van zijn levendige fantasie weefde hij voor hen een onderhoudend wandkleed, waarvan ik wist dat het hem net zo onbekend was als mij.

Zoals gewoonlijk sprak hij heel precies. 'Ze hebben in het Noorden gebouwen zo hoog dat je in de winter maandenlang de bovenste verdiepingen niet kunt zien.'

'Vertel de waarheid.'

'Ze hebben watermeloenen twee keer zo groot als een koeienkop en zoeter dan stroop.' Ik herinner me duidelijk zijn geconcentreerde gezicht en de gefascineerde gezichten van zijn toehoorders. 'En als je de zaadjes van de watermeloen kunt tellen voordat-ie opengesneden wordt, kun je vijf triljoen dollar winnen en een nieuwe auto.'

Momma, die Bailey kende, waarschuwde: 'Nou, Ju, pas op dat je niet uitglijdt over een niet-waar.' (Nette mensen zeiden niet 'liegen'.)

'Iedereen draagt nieuwe kleren en heeft de wc binnen. En als je erin valt, word je weggespoeld naar de Mississippirivier. Sommige mensen hebben ijskasten, alleen heten die daar eigenlijk koelplaats of frigidaire. De sneeuw ligt er zo dik dat je er vlak voor de deur in begraven kunt worden en dan word je pas een jaar later teruggevonden. We maakten ijsco's van de sneeuw.' Dat was het enige feit dat ik had kunnen bevestigen. In de winter hadden we sneeuw in een kom gedaan, er melk overheen gegoten, het met suiker bestrooid en het ijs genoemd.

Momma straalde en oom Willie was trots wanneer Bailey de klanten vergastte op onze heldendaden. Wij waren trekpleisters voor de Winkel en voorwerpen van aanbidding voor de stad. Onze reis naar magische oorden was een kleurige vlek op het verder vale stedelijke linnen en onze terugkeer maakte ons nog meer tot een zeer benijdenswaardig soort mensen.

Hoogtepunten in Stamps waren meestal negatief; droogten, overstromingen, lynchpartijen en sterfgevallen.

Bailey speelde in op de behoefte aan verstrooiing van de plattelanders. Vlak na onze terugkeer had hij zich toegelegd op sarcasme, het opgepikt zoals je dat met een steen doet en het als een pruim tabak achter zijn lippen gestopt. De dubbelzinnigheden en gevorkte zinnen gleden over zijn tong om als een rapier in alles te priemen dat toevallig op zijn weg kwam. Maar onze klanten waren over het algemeen zo rechtlijnig in hun denken en spreken dat ze nooit gekwetst werden door zijn aanvallen. Ze begrepen ze niet.

'Bailey junior klinkt net als grote Bailey. Hij heeft een zilveren tong net als z'n papa.'

'Ik heb horen zeggen dat ze daar geen katoen plukken. Waar bestaan de mensen dan van?'

Bailey zei dat de katoen in het Noorden zo hoog groeide dat, als gewone mensen hem probeerde te plukken, ze op ladders moesten gaan staan, dus lieten de katoenboeren de katoen door machines plukken.

Een tijdlang was ik de enige tegen wie Bailey aardig

was. Niet dat hij medelijden met mij had, maar hij voelde dat we in hetzelfde schuitje zaten om verschillende redenen en dat ik zijn frustratie kon begrijpen, net zoals hij mijn teruggetrokkenheid duldde.

Ik ben er nooit achter gekomen of de gebeurtenis in St. Louis aan oom Willie was verteld, maar soms betrapte ik hem erop dat hij naar me keek met een verre blik in zijn grote ogen. Dan stuurde hij me snel om de een of andere boodschap die me uit zijn aanwezigheid verwijderde. Wanneer dat gebeurde, was ik tegelijk opgelucht en beschaamd. Ik wenste zeker geen medelijden van een gehandicapte (dat zou een geval geweest zijn van een lamme die de blinden leidt), evenmin wilde ik dat oom Willie, van wie ik op mijn manier hield, mij zag als zondig en bezoedeld. Als hij dat vond, dan wenste ik het in ieder geval niet te weten.

Geluiden drongen dof tot mij door alsof de mensen door hun zakdoeken praatten, of met hun handen voor hun mond. Kleuren waren ook niet echt, maar vormden eerder een vage verscheidenheid aan pasteltinten die niet zozeer een kleur aanduidden als wel een verbleekte vertrouwdheid. De namen van mensen ontschoten me en ik begon me zorgen te maken over mijn verstand. We waren tenslotte minder dan een jaar weggeweest en klanten, van wie ik eerder de rekeningen had onthouden zonder het kasboek te hoeven raadplegen, waren nu volslagen vreemden.

Behalve Momma en oom Willie aanvaardden de mensen mijn onwil om te praten als een natuurlijk gevolg van een weerspannige terugkeer naar het Zuiden. En als indicatie dat ik terugverlangde naar de goede tijd die we in de grote stad hadden gehad. Bovendien stond ik erom bekend dat ik 'teerhartig' was. Zuidelijke Negers

gebruikten die term in de betekenis van gevoelig en hadden de neiging om iemand met die aandoening te beschouwen als een beetje ziekelijk of van een zwakke gezondheid.

Dus werd er eerder begrip voor getoond dan dat het
mij werd vergeven.

15

Bijna een heel jaar liep ik te soppen rond het huis, de Winkel, de school en de kerk als een oudbakken biscuitje, viezig en oneetbaar. Toen ontmoette, of leerde ik de dame kennen die me mijn eerste reddingslijn toegooide.

Mevrouw Bertha Flowers was de aristocrate van het Zwarte Stamps. Ze had de beheerste elegantie van iemand die er in het koudste weer nog warm uitziet en op de zomerdagen van Arkansas leek het alsof ze een privé-bries bezat die om haar heen wervelde en haar afkoelde. Ze was dun zonder het gespannen uiterlijk van pezige mensen en haar bedrukte, voile jurken en hoeden met bloemen pasten net zo goed bij haar als een denim overall bij een boer. Ze was het antwoord van onze kant op de rijkste blanke vrouw van de stad.

Haar huid was van een warm zwart en als je er een kerfje inmaakte zou je hem kunnen pellen als een pruim, maar niemand zou het in zijn hoofd halen om zo dicht bij Mevrouw Flowers te komen dat haar jurk ervan zou rimpelen, laat staan om een kerfje in haar huid te maken. Ze moedigde familiariteit niet aan. Handschoenen droeg ze ook.

Ik geloof niet dat ik Mevrouw Flowers ooit heb zien lachen maar ze glimlachte vaak. Haar dunne, zwarte lippen verbreedden zich langzaam en lieten kleine, witte tanden zien, vervolgens sloten ze zich weer langzaam en moeiteloos. Als ze haar glimlach op mij liet vallen, wilde ik haar altijd bedanken. De handeling was zo gracieus en alomvattend beminnelijk.

Ze was een van de weinige beschaafde vrouwen die ik ooit ontmoet heb en is gedurende mijn hele leven de maatstaf gebleven voor wat een mens kan zijn.

Momma had een vreemde verhouding met haar. Meestal als ze op de weg voor de Winkel langs kwam, sprak ze Momma aan met die zachte, maar toch verdragende, stem: 'Goedendag, Mevrouw Henderson.' Momma reageerde met: 'Alles goed, zuster Flowers?'

Mevrouw Flowers hoorde niet bij onze kerk, evenmin was ze een van Momma's intimi. Waarom moest ze haar in vredesnaam dan zuster Flowers noemen? Ik wilde uit schaamte mijn gezicht verbergen. Mevrouw Flowers verdiende beter dan zuster genoemd te worden. En Momma liet het werkwoord weg. Waarom vroeg ze niet: *'Gaat* alles goed, *Mevrouw* Flowers?'* Met de onevenwichtige hartstocht van kinderen haatte ik haar dat ze haar onontwikkeldheid voor Mevrouw Flowers ten toon spreidde. Het kwam pas jaren later bij me op dat ze net zo gelijk waren als zusters en slechts gescheiden werden door een formele scholing.

Hoewel ik geschokt was, stoorden de beide vrouwen zich niet in het minst aan wat in mijn ogen een onhoffelijke begroeting was. Mevrouw Flowers vervolgde haar ontspannen gang de heuvel op naar haar kleine bungalow en Momma ging door met het doppen van erwten, of wat het dan ook was wat haar naar de veranda voor het huis had gebracht.

Maar zo en dan kwam Mevrouw Flowers van de weg af naar de Winkel toe en zei Momma tegen mij: 'Zuster, ga maar spelen.' Terwijl ik wegliep, kon ik het begin horen van een vertrouwelijk gesprek, waarbij Momma hardnekkig het verkeerde of helemaal geen werkwoord gebruikte.

'Broeder en zuster Wilcox is toch zekers de gemeenste...' 'Is' Momma? 'Is?' Oh, alsjeblieft geen 'is', Momma, voor twee of meer. Maar ze praatten door en vanaf de zijkant van het huis, waar ik wachtte tot de aarde zou splijten om mij te verzwelgen, hoorde ik hoe de zachte stem van Mevrouw Flowers en de ruwe van mijn grootmoeder zich vermengden en samensmolten. Af en toe onderbroken door gegiechel dat van Mevrouw Flowers afkomstig moest zijn (Momma heeft haar hele leven niet gegiecheld). Dan was ze weg.

Ze trok me aan omdat ze leek op mensen die ik nooit persoonlijk ontmoet had. Zoals de vrouwen in Engelse romans die over de heide (wat dat dan ook mocht zijn) dwaalden met hun trouwe honden die op een eerbiedige afstand rondrenden. Zoals de vrouwen die voor een laaiend vuur in de open haard zaten en onophoudelijk thee dronken van zilveren dienbladen volgeladen met cake en beschuit. Vrouwen die in het 'vrije veld' wandelden en boeken lazen gebonden in marokijnleer en die een dubbele naam met een streepje ertussen bezaten. Ik kan gerust stellen dat zij, gewoon door zichzelf te zijn, maakte dat ik er trots op was Neger te zijn.

Ze gedroeg zich net zo beschaafd als blankvolk in films en boeken en ze was mooier, want niemand van hen had naast die warme kleur kunnen gaan staan zonder er in vergelijking met haar grijs uit te zien.

Gelukkig heb ik haar nooit in het gezelschap van blank schooiersvolk gezien. Want aangezien die de neiging vertoonden om hun blankheid als nivellerend te beschouwen, kon ik ervan op aan dat ik dan had moeten aanhoren hoe ze haar, ordinair, als Bertha aanspraken en mijn beeld van haar zou vergruizeld zijn zoals de onlijmbare Humpty Dumpty.

Op een zomerse namiddag, zo vers in mijn geheugen als zoete melk, kwam ze naar de Winkel om inkopen te doen. Van elke andere Negervrouw van haar gezondheid en leeftijd zou verwacht worden dat ze de papieren zakken in één hand naar huis droeg, maar Momma zei: 'Zuster Flowers, ik zal Bailey deze dinger bij u thuis af laten geven.'

Ze glimlachte die langgerekte glimlach: 'Dank u, Mevrouw Henderson. Maar ik geef de voorkeur aan Marguerite.' Mijn naam was prachtig zoals zij hem uitsprak. 'Ik was toch al van plan om eens met haar te praten.' Ze keken elkaar aan met de blik van volwassenen onder elkaar.

Momma zei: 'Nou, dat is goed dan. Zuster, ga een andere jurk aandoen. Je gaat naar zuster Flowers.'

De hang-legkast was een doolhof. Wat moest ik, in vredesnaam, aandoen om naar het huis van Mevrouw Flowers te gaan? Ik wist dat ik geen zondagse jurk aan moest trekken. Dat zou heiligschennis kunnen zijn. En zeker geen werkjurk, want ik had al een schone aan. Vanzelfsprekend koos ik toen een schooljurk. Die was netjes zonder de suggestie te wekken dat naar het huis van Mevrouw Flowers gaan hetzelfde was als een kerkdienst bijwonen.

Ik durfde weer de Winkel in te gaan.

'Wat zie je d'r mooi uit.' Deze keer had ik eens de juiste keuze gemaakt.

'Mevrouw Henderson, u maakt bijna alle kleren van de kinderen zelf, niet?'

'Jazekers. Kleren uit de winkel zijn maar amper de draad waard waar ze mee gestikt zijn.'

'Ik moet zeggen dat u prachtig werk levert, zo netjes. Die jurk ziet er professioneel uit.'

Momma genoot van de complimenten die ze zelden kreeg. Aangezien iedereen die wij kenden (behalve Mevrouw Flowers, natuurlijk) vakkundig kon naaien, werd er nauwelijks lof uitgedeeld voor het algemeen beoefende ambacht.

'Ik probeer, met hulp van de Heer, om de binnenkant net zo af te werken als ik dat met de buitenkant doet. Kom 'ns hier, zuster.'

Ik had de kraag dichtgeknoopt en de ceintuur als bij een schort van achter gestrikt. Momma zei dat ik me om moest draaien. Met een hand trok ze aan de linten van de ceintuur zodat ze losvielen aan beide kanten van mijn middel. Toen gingen haar grote handen naar mijn nek en haalde de knopen door de lussen. Ik was doodsbenauwd. Wat gebeurde er?

'Doe 'ns uit, zuster.' Ze had haar handen aan de zoom van de jurk.

'Ik hoef de binnenkant niet te zien, Mevrouw Henderson. Ik kan zo zien...' Maar de jurk zat al boven mijn hoofd en mijn armen bleven in de mouwen steken. Momma zei: 'Zo gaat 't wel. Kijk 'ns, zuster Flowers, ik stik de naden dubbel rond de armsgaten.' Door de stof heen zag ik een wazige schaduw naderbij komen. 'Dan is 't steviger. Kinder tegeswoordig scheuren nog wel uit kleren van ijzer, zo wild als die zijn.'

'Dat is vakwerk, Mevrouw Henderson. Daar kunt u trots op zijn. Je kunt je jurk nu weer aantrekken, Marguerite.'

'Nee, hoor. Trots is een zonde. En de Heilige Schrift zegt dat die voor de val komt.'

'Dat is waar. Zo staat het in de bijbel. Het is goed om dat te onthouden.'

Ik wilde ze geen van beiden aankijken. Momma had er niet bij stilgestaan dat, als ik mijn jurk uittrok in bijzijn van Mevrouw Flowers, ik hartstikke dood zou blijven. Als ik geweigerd had, zou ze gedacht hebben dat ik probeerde om 'vrouwelijk' te doen en dat zou haar misschien aan St. Louis hebben herinnerd. Mevrouw Flowers had wel in de gaten gehad dat ik me zou generen en dat was nog erger. Ik pakte de boodschappen op en ging naar buiten om in de hete zon te wachten. Het zou passend zijn als ik een zonnesteek opliep en stierf voor ze naar buiten kwamen. Gewoon dood neergevallen op de hellende veranda.

Er liep een smal pad langs de keiweg en Mevrouw Flowers liep voor mij uit, zich met zwaaiende armen een weg zoekend over de stenen.

Zonder haar hoofd om te draaien, zei ze tegen mij: 'Ik heb gehoord dat je werk op school erg goed is, Marguerite, maar ook dat het allemaal geschreven is. De onderwijzers zeggen dat ze moeite hebben je aan het praten te krijgen in de klas.' We passeerden de driehoekige boerderij links van ons en het pad werd zo breed dat we naast elkaar konden lopen. Ik bleef achter in de afzonderlijke niet gestelde en niet te beantwoorden vragen.

'Kom 'ns naast me lopen, Marguerite.' Ik zou niet hebben kunnen weigeren zelfs als ik dat had gewild. Ze sprak mijn naam zo precies uit. Of liever, ze sprak elk woord zo helder uit dat ik ervan overtuigd was dat een buitenlander die geen Engels kende haar nog wel begrepen zou hebben.

'Niemand zal je dwingen om te praten – waarschijnlijk zal niemand dat kunnen. Maar onthoud dat een mens via taal communiceert met zijn medemens en door taal alleen onderscheidt hij zich van de lagere diersoorten.' Dat was een volkomen nieuw idee voor mij en ik had tijd nodig om erover na te denken.

'Je grootmoeder zegt dat je veel leest. Bij elke gelegenheid die je krijgt. Dat is goed maar niet goed genoeg. Woorden betekenen meer dan wat er op papier wordt gezet. De menselijke stem is noodzakelijk om ze te bezielen met de nuances van een diepere betekenis.'

Ik prentte het gedeelte over de menselijke stem die woorden bezielde, in mijn geheugen. Het leek zo waar en zo poëtisch.

Ze zei dat ze me een paar boeken zou geven en dat ik ze niet alleen moest lezen, maar dat ik ze hardop moest lezen. Ze raadde me aan om een zin op zoveel mogelijk verschillende manieren te laten klinken.

'Ik aanvaard geen enkel excuus als je me een boek terugbrengt dat slecht behandeld is.' Mijn voorstellingsvermogen schrok terug voor de straf die ik zou verdienen als ik inderdaad een boek van Mevrouw Flowers zou mishandelen. De dood zou te mild en te kortstondig zijn.

De geuren in haar huis verrasten me. Op de een of andere manier had ik Mevrouw Flowers nooit geassocieerd met voedsel of eten of elke andere gewone ervaring van gewone mensen. Er moet ook een wc buiten zijn geweest maar mijn geest heeft die niet geregistreerd.

Het zoete aroma van vanille was ons tegemoet gekomen toen ze de deur opende.

'Ik heb vanmorgen theekoekjes gemaakt. Weet je, ik was van plan om je uit te nodigen voor koekjes en limonade zodat we samen wat konden babbelen. De limonade staat in de ijskast.'

Het sprak eigenlijk vanzelf dat Mevrouw Flowers ijs had op een gewone dag, in tegenstelling tot de meeste gezinnen in onze stad die alleen een paar keer in de zomer laat op zaterdag ijs kochten voor de houten ijsmachines.

Ze nam de zakken van mij over en verdween door de keukendeur. Ik keek de kamer rond die ik zelfs in mijn wildste fantasieën niet gedacht had ooit te zullen zien. Bruine foto's loerden of dreigden vanaf de muren en de witte, pas gewassen gordijnen duwden tegen zichzelf en tegen de wind. Ik wilde de hele kamer opslokken en hem meenemen naar Bailey die me zou helpen hem te analyseren en ervan te genieten.

'Ga zitten, Marguerite. Daar bij de tafel.' Ze had een schaal bedekt met een theedoek in haar handen. Hoewel ze me waarschuwde dat ze al een poos geen poging meer had gedaan om iets zoets te bakken, twijfelde ik er niet aan dat de koekjes, zoals alles wat met haar te maken had, volmaakt zouden zijn.

Het waren platte, ronde wafels, lichtbruin aan de randen en botergeel in het midden. Samen met de koude limonade vormden ze een dieet waar je een kinderleven lang genoeg aan zou hebben. Mijn goede manieren niet vergetend, nam ik kleine hapjes van de rand. Ze zei dat ze ze speciaal voor mij had gemaakt en in de keuken had ze er nog meer die ik mee kon nemen voor mijn broertje. Dus propte ik een heel koekje in mijn mond, de scherpe kruimels schraapten langs de binnenkant van mijn kaken en als ik ze niet had hoeven doorslikken zou het een droom geweest zijn die werkelijkheid werd.

Terwijl ik at, begon ze aan de eerste van wat we later 'mijn levenslessen' zouden noemen. Ze zei dat ik onwetendheid nooit mocht tolereren, maar begrip moest tonen voor ongeletterdheid. Dat sommige mensen, hoewel ze niet in staat waren om naar school te gaan, meer ontwikkeld en zelfs intelligenter waren dan professoren aan een universiteit. Ze spoorde me aan om goed te luisteren naar wat plattelanders boerenslimheid noemen. Dat met die simpele gezegdes de collectieve wijsheid van generaties wordt verwoord.

Toen ik de koekjes ophad, veegde ze de tafel af en pakte een klein, dik boek uit de boekenkast. Ik had *Twee steden* gelezen en vond het voldoen aan de eisen die ik aan een romantisch verhaal stelde. Ze sloeg de eerste bladzijde op en voor het eerst van mijn leven hoorde ik poëzie.

'Het was de beste der tijden, het was de slechtste der tijden...' Haar stem gleed in de woorden en boog zich erover en erdoor. Ze zong haast. Ik wilde de bladzijden zien. Waren het dezelfde als die ik gelezen had? Of stonden er muzieknoten in lijnen op het papier als in een psalmboek? De klanken vielen als een waterval zacht omlaag. Ik wist door het luisteren naar talloze predikanten dat ze aan het einde van haar lezing gekomen was, maar ik had geen woord gehoord, niet echt gehoord om het te kunnen begrijpen.

'Wat vind je daarvan?'

Het drong tot me door dat ze een reactie verwachtte. Ik had nog steeds de zoete smaak van vanille op mijn tong en haar lezen was als een mirakel in mijn oren. Ik moest iets zeggen.

Ik zei: 'Ja, Mevrouw.' Het was het minste wat ik kon doen, maar het was ook het meeste.

'En nog iets. Neem deze gedichtenbundel mee en leer er een van uit je hoofd voor mij. De volgende keer dat je op bezoek komt wil ik dat je het voor me opzegt.'

Ik heb vaak getracht om door de wereldwijsheid van de jaren heen te zoeken naar de betovering die ik zo moeiteloos vond in die geschenken. De essentie is me ontgaan maar de uitstraling ervan is gebleven. Toegelaten, nee, uitgenodigd te worden in het persoonlijk leven van vreemden, om te delen in hun vreugden en angsten, was een kans om de bittere alsem van het Zuiden in te ruilen voor een beker mede met Beowulf of een kroes hete thee met melk met Olivier Twist. Wanneer ik hardop zei: 'Wat ik nu doe, is veel, veel beter, dan alles wat ik ooit heb gedaan...' sprongen tranen van liefde in mijn ogen over mijn eigen onbaatzuchtigheid.

Op die eerste dag rende ik de heuvel af de weg op (er kwamen maar weinig auto's langs), maar was ik verstandig genoeg om mijn rennen in te houden voordat ik bij de Winkel aankwam.

Iemand vond mij aardig en wat een verschil was dat. Ik werd gerespecteerd, niet als het kleinkind van Mevrouw Henderson, maar gewoon als Marguerite Johnson.

Kinderlogica vraagt niet om bewijzen (alle conclusies zijn absoluut). Ik vroeg me niet af waarom Mevrouw Flowers mij had uitverkoren voor haar aandacht, evenmin kwam het bij me op dat Momma haar wel eens gevraagd zou kunnen hebben om met mij te praten. Het enige wat me interesseerde was dat ze theekoekjes had gemaakt voor *mij* en *mij* had voorgelezen uit haar favoriete boek. Dat was bewijs genoeg dat ze me aardig vond.

Momma en Bailey zaten in de Winkel te wachten. Hij zei: 'Mij, wat heeft ze je gegeven?' Hij had de boeken gezien, maar de papieren zak met zijn koekjes hield ik in mijn armen verborgen achter de boeken.

Momma zei: 'Zuster, ik weet dat je je als een dametje hebt gedragen. Dat doet mijn hart goed dat fatsoenlijke mensen zoveel met jullie ophebben. God weet dat ik m'n best probeer te doen maar tegeswoordig...' Haar stem

stierf weg. 'Ga naar binnen en trek een andere jurk aan.'
In de slaapkamer wachtte me het genot om Bailey zijn
koekjes in ontvangst te zien nemen. Ik zei: 'Om de waarheid te zeggen, Bailey, Mevrouw Flowers heeft me koekjes meegegeven voor jou.'

Momma schreeuwde: 'Wat zei je daar, zuster? Jij, zuster, wat zei je?' Vlammende woede knetterde in haar
stem.

Bailey zei: 'Ze zei dat Mevrouw Flowers koekjes voor
mij...'

'Ik had 't niet tegen jou, Ju.' Ik hoorde zware voetstappen over de vloer naar onze slaapkamer komen. 'Zuster,
heb je me gehoord, wat zei je daar?' Ze zwol op in de
deuropening.

Bailey zei: 'Momma.' Zijn stem kalmerend – 'Momma, ze...'

'Hou jij je mond, Ju. Ik praat tegen je zuster.'

Ik had geen idee tegen welke heilige koe ik was aangebotst, maar het was beter om erachter te komen dan als
een draadje boven een open vuur te hangen. Ik herhaalde: 'Ik zei: "Bailey, om de waarheid te zeggen, Mevrouw
Flowers heeft me..."'

'Dat is wat ik dacht dat je zei. Vooruit, doe je jurk uit.
Ik haal een rietje.'

Eerst dacht ik dat ze het niet meende. Misschien was
het een wat ruw uitgevallen grap die zou eindigen met
'Weet je zeker dat er niks voor mij bij is?' Maar even later
was ze terug in de kamer met een lange, touwige perzik-
twijg waarvan het sap bitter rook omdat hij was losge-
rukt. Ze zei: 'Op je knieën. Bailey junior, jij ook.'

We knielden alledrie terwijl ze begon: 'Onze Vader,
Gij kent de beproevingen van Uw nederige dienares.
Met Uw hulp heb ik twee grote jongens opgevoed. Vaak

waren er dagen bij dat ik dacht dat ik niet verder kon, maar U hebt mij de kracht gegeven om mijn weg helder te zien. Heer, zie neer op mijn bedrukt gemoed vandaag. Ik probeer de kinder van mijn zoon op te voeden in de weg die ze moeten gaan, maar, oh Heer, de Duivel doet van alle kanten z'n best om mij tegen te houden. Nooit had ik gedacht dat ik bij mijn leven moest horen dat er gevloekt werd onder dit dak wat ik probeer gewijd te houden aan de verheerlijking van God. En godslasterlijke taal uit de mond van kinder nog wel. Maar Gij hebt gezegd, in de laatste dagen zal broer tegen broer opstaan en kinder tegen ouders. Dan zal er geknars zijn van tanden en gescheur van vlees. Vader, vergeef dit kind, ik smeek u op gebogen knieën.'

Ik huilde nu hard. Momma's stem was tot een schreeuw gestegen en ik besefte dat het zeer ernstig was, welk vergrijp ik ook begaan mocht hebben. Ze had zelfs de Winkel onbewaakt achtergelaten om mijn geval aan God voor te leggen. Toen ze klaar was, huilden we allemaal. Ze trok me met een hand naar zich toe en gaf me een paar tikken met de twijg. De schok over mijn zonde en de emotionele uitbarsting van het gebed hadden haar uitgeput.

Momma wilde niet meteen praten, maar later die avond kwam ik erachter dat de overtreding lag in het gebruik van de uitdrukking 'om de waarheid te zeggen'. Momma legde uit dat 'Jezus de Weg, de Waarheid en het Licht is' en iedereen die 'om de waarheid' zegt, zegt eigenlijk 'om de godverdomme' en de naam van de Heer werd in haar huis niet ijdel gebruikt.

Toen Bailey de woorden probeerde te verklaren met: 'Als blankvolk "om de waarheid te zeggen" gebruikt, bedoelen ze wat ik eigenlijk wil zeggen', herinnerde Momma ons eraan dat 'blankvolk in 't algemeen erg los in de mond was en hun woorden waren een gruwel voor Christus'.

16

Onlangs vroeg een blanke vrouw uit Texas, die zichzelf haastig zou omschrijven als liberaal, mij naar mijn geboortestad. Toen ik haar vertelde dat mijn grootmoeder eigenares was geweest van het enige Negerwarenhuis in Stamps sinds de eeuwwisseling, riep ze uit: 'Oh, maar dan werd je zeker ook voorbereid op je eerste societybal.' Lachwekkend en zelfs belachelijk. Maar Negermeisjes in de kleine Zuidelijke stadjes, of ze nu straatarm waren of net een paar van de eerste levensbehoeften hadden om aan te knabbelen, kregen net zo'n uitgebreide en niet ter zake doende voorbereiding op de volwassenheid als de welgestelde blanke meisjes op de foto's in tijdschriften. Ik moet toegeven dat de training niet hetzelfde was. Terwijl blanke meisjes leerden walsen en hoe ze elegant moesten zitten met een theekopje balancerend op hun knieën, sukkelden wij achteraan en kregen de midden-Victoriaanse waarden bijgebracht met zeer weinig geld om er ons aan te buiten te gaan. (Kom kijken hoe Edna Lomax het geld, dat ze verdiend heeft met het plukken van katoen, uitgeeft aan vijf bollen écru frivolitégaren. Haar vingers zullen het werk zeker in de knoop laten raken en ze zal de steken keer op keer opnieuw moeten doen. Maar dat weet ze als ze het garen koopt.) Er werd van ons verwacht dat we borduurden en ik had kistenvol kleurige theedoeken, kussenslopen en lopers op mijn naam staan. Ik werd de kunst van haken en frivolité machtig en er lag een levenslange voorraad sierlijke kanten kleedjes die nooit gebruikt zouden worden in kastladen met sachets ertussen. Het was niet meer dan vanzelfsprekend dat alle meisjes konden strijken en wassen, maar de fijnere kneepjes van het huishouden, zoals tafeldekken met echt zilver, braden in de oven en groente koken zonder vlees, moesten we elders leren. Gewoonlijk was dat aan de bron van die gebruiken. Toen ik tien was, werd in de keuken van een blanke vrouw de laatste hand aan mijn opvoeding gelegd.

Mevrouw Viola Cullinan was een mollige vrouw die een huis met drie slaapkamers bewoonde ergens achter het postkantoor. Ze was uitzonderlijk onaantrekkelijk behalve als ze glimlachte, dan verdwenen de lijnen rond haar ogen en mond die haar een permanent ongewassen aanzien gaven en leek haar gezicht op het masker van een ondeugende kabouter. Ze bewaarde haar glimlach meestal voor laat in de middag als haar vriendinnen langs kwamen en juffrouw Glorie, de kokkin, hun koele drankjes serveerde op de afgesloten veranda.

De precisie in haar huis was onmenselijk. Dit glas stond hier en alleen hier. Dat kopje had zijn plaats en het was een daad van brutale opstandigheid om het ergens anders neer te zetten. Om twaalf uur werd de tafel gedekt. Om 12 uur 15 zat Mevrouw aan voor het middagmaal (of haar echtgenoot er nu wel of niet was). Om 12 uur 16 diende juffrouw Glorie het eten op.

Het kostte me een week om het verschil te leren tussen een slabord, een ontbijtbord en een dessertbord.

Mevrouw Cullinan hield de tradities van haar welgestelde ouders in ere. Ze was van Virginia. Juffrouw Glorie, die afstamde van slaven die voor de Cullinans hadden gewerkt, vertelde me haar geschiedenis. Ze was beneden haar stand getrouwd (volgens juffrouw Glorie). De familie van haar echtgenoot had nog niet zo lang geld en wat ze hadden 'was ook niks bezonders'.

Zo lelijk als zij was, dacht ik bij mezelf, had ze geboft dat ze een man had kunnen krijgen, boven of beneden haar stand. Maar juffrouw Glorie stond niet toe dat ik iets ten nadele van haar mevrouw zei. Ze had echter veel geduld met me wat betreft het huishoudelijke werk. Ze legde me het servies uit, het tafelzilver en de personeelsbellen.

De grote, ronde kom waar de soep in werd opgediend, was geen soepkom maar een terrine. Er waren bokalen, sorbetglazen, ijsglazen, wijnglazen, groenglazen koffiekopjes met bijpassende schoteltjes en waterglazen. Ik had een glas om uit te drinken en het stond, samen met dat van juffrouw Glorie, op een plank apart van de andere. Soeplepels, juskom, botermessen, slabestek en voorsnijschaal vormden aanvullingen op mijn woordenschat en vertegenwoordigden, in feite, een nieuwe taal. Ik werd gefascineerd door het nieuwe, door de fladderige Mevrouw Cullinan en haar Alice in Wonderland-huis.

Het beeld van haar echtgenoot is onscherp in mijn geheugen. Ik gooide hem op een hoop met al de andere blanke mannen die ik ooit had gezien en getracht had niet te zien.

Toen we op een avond op weg naar huis waren, vertelde juffrouw Glorie me dat Mevrouw Cullinan geen kinderen kon krijgen. Ze zei dat haar botten te fijn waren. Het was moeilijk om je botten voor te stellen onder al die lagen vet. Juffrouw Glorie vertelde verder dat de dokter al haar damesorganen weggenomen had. Ik redeneerde dat bij de organen van een varken de longen, het hart en de lever hoorden, dus als Mevrouw Cullinan rondliep zonder die onontbeerlijke zaken dan verklaarde dat waarom ze alcohol dronk uit flessen zonder etiket. Zo bleef ze gebalsemd.

Toen ik het erover had met Bailey, was hij het met me eens maar hij bracht me er ook van op de hoogte dat meneer Cullinan twee dochters had bij een kleurlinge en dat ik ze heel goed kende. Hij voegde eraan toe dat de meisjes het evenbeeld van hun vader waren. Ik kon me niet herinneren hoe hij eruitzag, hoewel ik maar een paar uur eerder bij hem was weggegaan maar ik dacht aan de meisjes Coleman. Die hadden een erg lichte huid en leken bepaald niet op hun moeder (niemand had het ooit over meneer Coleman).

Mijn medelijden met Mevrouw Cullinan snelde de volgende ochtend voor mij uit als de grijns van de Cheshire kat. Die meisjes, die haar dochters hadden kunnen zijn, waren schoonheden. Ze hoefden hun haar niet te ontkroezen. Zelfs als ze door de regen overvallen werden, bleven hun vlechten als getemde slangen recht omlaag hangen. Hun monden waren fraai gewelfde, pruilende boogjes. Mevrouw Cullinan wist niet wat ze miste. Of misschien wist ze het wel. Arme Mevrouw Cullinan.

Weken aan een stuk arriveerde ik vroeg, vertrok laat en deed mijn uiterste best om haar onvruchtbaarheid goed te maken. Als ze zelf kinderen had gehad, had ze mij niet hoeven vragen om duizend en één boodschappen over te brengen van haar achterdeur naar de achterdeur van haar vriendinnen. Arme, ouwe Mevrouw Cullinan.

Toen, op een avond, zei juffrouw Glorie me dat ik de dames op de veranda moest bedienen. Nadat ik het blad neergezet had en me omdraaide om naar de keuken te gaan, vroeg een van de vrouwen: 'Hoe heet je, meisje?'

Het was die met het gespikkelde gezicht. Mevrouw Cullinan zei: 'Ze zegt niet veel. Ze heet Margaret.'

'Is ze stom?'

'Nee. Wat ik ervan begrepen heb, is dat ze praat als ze wil, maar meestal is ze zo stil als een muisje. Is het niet zo, Margaret?'

Ik glimlachte naar haar. Arm mens. Geen organen en zelfs niet bekwaam om mijn naam goed uit te spreken.

'Maar het is een lief, klein ding.'

'Nou, dat kan wel zijn, maar de naam is te lang. Ik zou die moeite niet nemen. Als ik jou was, zou ik haar Mary noemen.'

Ik liep ziedend de keuken in. Dat afschuwelijke mens zou nooit de kans krijgen mij Mary te noemen, want zelfs als ik stierf van de honger zou ik niet voor haar gaan werken. Ik besloot dat ik nog niet op haar zou plassen al stond haar hart in brand. Van de veranda drong gegiechel door tot de pannen van juffrouw Glorie. Ik vroeg me af wat ze te lachen hadden.

Blankvolk was zo vreemd. Zouden ze het over mij hebben? Iedereen wist dat ze meer aan elkaar hingen dan Negers deden. Het kon zijn dat Mevrouw Cullinan vrienden had in St. Louis die gehoord hadden van een meisje uit Stamps dat voor de rechter had moeten komen en dat ze dat aan haar hadden geschreven. Misschien wist ze van meneer Freeman.

Mijn lunch zat voor de tweede keer in mijn mond en ik liep naar buiten om mezelf ervan te verlossen op het bed met wonderbloemen. Juffrouw Glorie dacht dat ik misschien iets onder de leden had en stuurde me naar huis. Momma moest me maar een kruidenthee geven en zij zou het uitleggen aan haar mevrouw.

Voor ik bij de vijver was, realiseerde ik me hoe dwaas

ik me gedroeg. Natuurlijk wist Mevrouw Cullinan van niets. Anders had ze me de twee jurken niet gegeven die Momma vermaakt had en zou ze me zeker niet 'lief, klein ding' genoemd hebben. Mijn maag was helemaal in orde en ik zei niets tegen Momma.

Die avond besloot ik een gedicht te schrijven over hoe het is om blank, dik en zonder kinderen te zijn. Het zou een tragische ballade worden. Ik moest haar zorgvuldig observeren om de essentie van haar eenzaamheid en pijn vast te leggen.

Uitgerekend de volgende dag noemde ze me bij de verkeerde naam. Juffrouw Glorie en ik waren de afwas van de lunch aan het doen toen Mevrouw Cullinan in de deuropening verscheen. 'Mary?'

Juffrouw Glorie vroeg: 'Wie?'

Mevrouw Cullinan, die een beetje in elkaar zakte, wist het en ik wist het. 'Ik wil dat Mary naar Mevrouw Randall gaat om haar wat soep te brengen. Ze voelt zich al een paar dagen niet goed.'

Het gezicht van juffrouw Glorie was een mirakel om te zien. 'U bedoelt Margaret, Mevrouw. Ze heet Margaret.'

'Dat is te lang. Van nu af aan is het Mary. Warm die soep van gisteravond maar op en doe hem in de porseleinen terrine. En Mary, wil je er wel voorzichtig mee zijn?'

Iedereen die ik kende, had er een helse schrik voor om 'buiten zijn naam genoemd te worden'. Het was een gevaarlijke praktijk om Negers een naam te geven die ook maar enigszins als beledigend opgevat zou kunnen worden, vanwege het feit dat ze eeuwenlang bestempeld waren als nikkers, zwartjes, roetmoppen, kanaken, kraaien, schoenpoetsers en spoken.

Een vluchtige seconde speet het juffrouw Glorie voor mij.

Toen overhandigde ze me de hete terrine en zei: 'Geeft niks. Daar moet je niks om geven. Stokken en stenen breken je benen, maar woorden... Weet je, ik werk al twintig jaar voor haar.'

Ze hield de achterdeur voor me open. 'Twintig jaar. Ik was niet veel groter als jou. Eigenlijk heet ik Halleluja. Zo had Ma mij genoemd, maar mijn mevrouw maakte er 'Glorie' van en zo is 't gebleven. Ik vind 't ook mooier.'

Ik was al op het paadje dat achter de huizen langsliep toen juffrouw Glorie riep: 'En 't is korter ook.'

Een paar tellen lang was het een dubbeltje op z'n kant of ik zou lachen (stel je voor dat je Halleluja heette) of huilen (stel je voor dat je toeliet dat zo'n blank mens je naam voor haar eigen gemak veranderde). Mijn kwaadheid bewaarde me voor de ene of de andere uitbarsting. Ik moest stoppen met dat werk, maar het probleem was hoe ik dat aan moest pakken. Momma zou niet toestaan dat ik er zomaar mee stopte.

'Ze is een schat. Die vrouw is echt een schat,' zei het dienstmeisje van Mevrouw Randall terwijl ze de soep van me aannam en ik vroeg me af wat voor naam zij vroeger had en naar welke ze nu luisterde.

Een hele week keek ik Mevrouw Cullinan recht in haar gezicht als ze me Mary noemde. Ze negeerde mijn late komen en vroege weggaan. Juffrouw Glorie was een beetje geïrriteerd omdat ik eigeel op de borden begon te laten zitten en het zilver maar halfhartig poetste. Ik hoopte dat ze zich zou beklagen bij onze bazin maar dat deed ze niet.

Toen kwam Bailey met de oplossing voor mijn dilemma. Hij liet me de inhoud van de kast beschrijven en op welke speciale borden ze het meest gesteld was. Haar favoriete stukken waren een ovenschaal in de vorm van een vis en de groenglazen koffiekopjes. Ik onthield zijn instructies en op de volgende dag dat juffrouw Glorie de was aan het ophangen was en ik weer de opdracht had gekregen om die ouwe wijven op de veranda te bedienen, liet ik het lege dienblad vallen. Toen ik Mevrouw Cullinan 'Mary!' hoorde schreeuwen, stond ik klaar met de ovenschaal en twee van de groenglazen kopjes. Op het moment dat ze door de keukendeur kwam, liet ik ze op de tegelvloer vallen.

Ik heb nooit precies aan Bailey kunnen beschrijven wat er toen gebeurde, want elke keer dat ik aan het gedeelte toekwam dat ze op de grond viel en haar lelijke gezicht opschroefde om te gaan huilen, barstten we in lachen uit. Ze waggelde zowaar over de vloer in het rond, raapte scherven van de kopjes op en huilde:

'Oh, Momma. Oh, lievegot. Momma's porselein uit Virginia. Oh, Momma, ik zo'n spijt.'

Juffrouw Glorie kwam uit de tuin aangerend en de vrouwen van de veranda verdrongen elkaar. Juffrouw Glorie was haast net zo ontroostbaar als haar mevrouw. 'Willu zeggen dat ze ons Virginia-servies heeft stukgemaakt? Hoe moet dat nou?'

Mevrouw Cullinan huilde harder: 'Die lompe nikker. Die kleine, lompe, zwarte nikker.'

De ouwe spikkelkop leunde voorover en vroeg: 'Wie heeft 't gedaan, Viola? Was 't Mary? Wie heeft 't gedaan?'

Alles gebeurde zo snel dat ik me niet kan herinneren of haar handeling voorafging aan haar woorden, maar wel weet ik dat Mevrouw Cullinan zei: 'Ze heet Margaret, godverdomme, ze heet Margaret!' En ze smeet een stuk van de gebroken schaal naar mij. Het kon door de hysterie zijn dat ze haar doel miste, maar het vliegende aardewerk trof juffrouw Glorie precies boven haar oor en ze begon te gillen.

Ik liet de voordeur wijd open staan zodat alle buren het konden horen.

Op één punt had Mevrouw Cullinan gelijk. Mijn naam was geen Mary.

17

De weekdagen draaiden rond op een rad van gelijkheid. Ze werden zo gestaag en onvermijdelijk zichzelf dat iedere dag het origineel leek te zijn van de ruwe schets van gisteren. Maar de zaterdagen braken altijd uit het sjabloon en durfden anders te zijn.

Boeren trokken de stad in met hun vrouwen en kinderen die om hen heen waaierden. Aan hun plankstijve kaki broeken en hemden was de onverdroten zorg te zien van een plichtsgetrouwe dochter of vrouw. Vaak hielden ze stil bij de Winkel om biljetten te wisselen, zodat ze rinkelende munten aan hun kinderen konden geven die trilden van verlangen om de stad in te gaan. De jonge kinderen namen het hun ouders openlijk kwalijk dat ze in de Winkel bleven treuzelen en dan riep oom Willie ze naar binnen en deelde brokken zoete pindakoeken onder hen uit die gebroken waren tijdens het transport. Ze schrokten het snoepgoed naar binnen en stonden weer buiten, het poederachtige stof van de weg opschoppend en zich ongerust afvragend of er nou nog wel genoeg tijd overbleef om de stad in te gaan.

Bailey speelde landje-veroveren met de oudere jongens rond de Chinese bessenboom en Momma en oom Willie luisterden naar het laatste nieuws van de boeren over het land. Ik zag mezelf als iets dat in de Winkel zweefde, een stofdeeltje gevangen in een bundel zonlicht. Heen en weer getrokken door de geringste verschuiving van de lucht, maar nooit vrij vallend in de aanlokkelijke duisternis.

In de warme zomermaanden begonnen we de ochtend met ons snel te wassen met onverwarmd putwater. Het sop werd over een stukje grond naast de keukendeur gegooid. Dat werd de aastuin genoemd (Bailey fokte wormen). Na het gebed bestond het ontbijt in de zomer meestal uit droge graanvlokken en verse melk. Dan volgden de karweitjes (op zaterdag kwamen die van door de week er nog bij) – de vloeren moesten geschrobd, de erven aangeharkt, onze schoenen gepoetst voor zondag (die van oom Willie moesten glimmen) en de klanten geholpen die ook met zaterdagse haast, buiten adem, binnenkwamen.

Terugblikkend door de jaren heen verbaast het me dat zaterdag mijn favoriete dag van de week was. Welke pleziertjes zouden er tussen de waaierribbels van eindeloze taken kunnen zijn geperst? Het talent van kinderen om vol te houden komt voort uit hun onbekendheid met alternatieven.

Na onze terugtocht uit St. Louis gaf Momma ons zakgeld. Aangezien ze zich zelden inliet met geld, behalve om het te innen en de bijdrage aan de kerk te betalen, veronderstelde ik dat de wekelijkse tien cent bedoeld waren om ons te laten weten dat zelfs zij besefte dat er een verandering over ons gekomen was en dat deze nieuwe onvertrouwdheid haar ertoe bracht ons met een zekere vreemdheid te behandelen.

Meestal gaf ik mijn geld aan Bailey die praktisch iedere zaterdag naar de film ging. Hij bracht 'Street and Smith' cowboyboeken voor mij mee.

Op een zaterdag kwam Bailey niet op tijd terug uit de Rialto. Momma was al begonnen met het opwarmen van water voor het zaterdagse bad en alle avondkarweitjes zaten er op. Oom Willie zat in de schemering op de veranda iets te mompelen of misschien te zingen en een sigaret uit een pakje te roken. Het was tamelijk laat. Moeders hadden hun kinderen binnen geroepen van de groepsspelletjes en wegstervende klanken van 'Ha... ha... je hebt me niet gekregen' hingen nog in de lucht en dreven de Winkel in.

Oom Willie zei: 'Zuster, steek de lampen maar aan.' 's Zaterdags gebruikten we elektrisch licht zodat klanten die op het laatste moment nog hun zondagse inkopen kwamen doen vanaf de heuvel konden zien of de Winkel open was. Momma had me niet gevraagd de lampen aan te doen omdat ze niet wilde geloven dat de avond al was gevallen en Bailey nog steeds buiten was in het goddeloze donker.

Haar ongerustheid bleek duidelijk uit haar gejaagde bewegingen in de keuken en uit haar angstige ogen die eenzaamheid uitstraalden. Zwarte vrouwen die zonen, kleinzonen en neven opvoedden in het Zuiden zaten met de strengen van hun hart aan een strop vast. Elke doorbreking van de routine kon de voorbode zijn van voor hen onverdraaglijk nieuws. Dit is er de oorzaak van dat Zwarten uit het Zuiden tot op de huidige generatie tot de aartsconservatieven van Amerika gerekend kunnen worden.

Zoals de meeste mensen met zelfmedelijden had ik maar weinig compassie met de ongerustheid van mijn verwanten. Als er echt iets met Bailey was gebeurd, had oom Willie nog steeds Momma en Momma de Winkel. En bovendien waren we hun eigen kinderen niet. Maar ik zou de grootste verliezer zijn als Bailey dood werd teruggevonden. Want hij was alles waar ik aanspraak op kon maken, zo niet alles wat ik bezat.

Het badwater stond te stomen op het fornuis en Momma schrobde de keukentafel voor de zoveelste keer.

'Momma,' riep oom Willie en ze schrok op. 'Momma.' Ik wachtte in het heldere lamplicht van de Winkel, jaloers dat er iemand langs was gekomen om deze vreemden iets over mijn broer mee te delen en ik de laatste zou zijn die het hoorde.

'Momma, waarom gaan jij en zuster hem niet tegemoet?'

Bij mijn weten was Bailey's naam de laatste uren niet gevallen maar we wisten allemaal wie hij bedoelde.

Natuurlijk. Waarom was dat niet bij mij opgekomen? Ik wilde meteen weg. Momma zei: 'Wacht even, dametje. Haal je trui en breng me mijn sjaal.'

Het was donkerder op de weg dan ik verwacht had. Momma zwaaide de lichtboog van de zaklantaarn over het pad, over het onkruid en de griezelige boomstammen. De nacht werd plotseling een vijandelijk gebied en ik wist dat als mijn broer in dit land was verdwaald, hij voorgoed verloren was. Hij was elf en erg slim, dat moest ik hem nageven, maar uiteindelijk was hij zo klein. De Blauwbaarden en tijgers en Rippers waren in staat hem op te eten voor hij om hulp kon roepen.

Momma zei dat ik de lantaarn vast moest houden en pakte mijn hand beet. Haar stem kwam van een hoge heuvel boven mij en in het donker werd mijn hand omsloten door de hare. Ik voelde een golf van liefde voor haar. Ze zei niets – niet: 'Maak je niet ongerust' of 'Nou niet teerhartig worden'. Slechts de zachte druk van haar ruwe hand bracht haar eigen bezorgdheid en geruststelling aan mij over.

We passeerden huizen die ik in het daglicht goed kende, maar die ik me in het zwartachtige duister niet voor de geest kon halen.

'Avond, juf Jenkins.' Ze liep en trok mij mee.

'Zuster Henderson? Is er iets?' Dat kwam van een silhouet donkerder dan de nacht.

'Nee hoor, d'r is niks. De Heer zij gezegend.' Tegen de tijd dat ze uitgesproken was, hadden we de verontruste buren al ver achter ons gelaten.

De Do Drop Inn van meneer Willie Williams stond met donzig rode lampen helder verlicht in de verte en de visgeur van de vijver omringde ons. Momma's hand kneep harder en liet los en ik zag de kleine gedaante voortsjokken, vermoeid en ouwemannetjesachtig. Met zijn handen in zijn zakken en gebogen hoofd liep hij als een man die achter een doodskist aan een heuvel opploetert.

'Bailey.' Het sprong eruit toen Momma 'Ju' zei en ik begon te rennen, maar haar hand greep de mijne opnieuw vast en werd een bankschroef. Ik trok maar zij rukte me terug naar haar zij. 'We lopen net zoals we gelopen hebben, jongedame.' Er was geen kans om Bailey te waarschuwen dat hij gevaarlijk laat was, dat iedereen zich ongerust had gemaakt en dat hij een goeie, of beter, een geweldige smoes moest verzinnen.

Momma zei: 'Bailey junior', en hij keek zonder verbazing op.

'Je weet dat het avond is en je komt nu pas op huis aan?'

'Ja.' Hij was leeg. Waar was zijn alibi?

'Wat heb je gedaan?'

'Niets.'

'Is dat alles wat je te zeggen hebt?'

'Ja.'

'Goed, jongeman. We zien wel verder als je thuis bent.'

Ze liet me gaan en ik deed een greep naar Bailey's hand maar hij trok hem terug. Ik zei: 'Hee, Bail', in de hoop dat hij zich zou herinneren dat ik zijn zus was en zijn enige vriend, maar hij gromde iets als 'Laat me met rust'.

Momma knipte de zaklantaarn niet aan op de terugweg, evenmin gaf ze antwoord op de vragende Goeienavonden die om ons heen zweefden toen we langs de duistere huizen kwamen.

Ik was in de war en bang. Hij zou een pak slaag krijgen en misschien had hij iets verschrikkelijks gedaan. Als hij niet tegen mij kon praten, moest het wel erg zijn. Maar hij had niet de houding van iemand die op is van uitgelatenheid. Hij leek alleen maar bedroefd. Ik wist niet wat ik moest denken.

Oom Willie zei: 'Je denkt dat je al heel wat bent, hè? Kon je niet thuiskomen? Moet je je grootmoeder de stuipen op het lijf jagen?' Bailey was zo ver weg dat hij de angst te boven was. Oom Willie had een leren riem in zijn goede hand, maar Bailey merkte het niet op of het kon hem niets schelen. 'Deze keer neem ik je zelf onder handen.' Onze oom had ons een keer eerder een pak slaag gegeven en dat was alleen met de twijg van een perzikboom geweest, dus misschien zou hij mijn broer nu wel doodslaan. Ik gilde en greep naar de riem, maar Momma hield me tegen. 'Nou, juffie, niks geen gedoe of wil je soms wat van hetzelfde? Hij heeft een lesje nodig. Kom jij maar mee voor je bad.'

Vanuit de keuken hoorde ik de riem neerkomen, droog en raspend op blote huid. Oom Willie hijgde naar adem maar Bailey gaf geen kik. Ik was te bang om met water te spetteren of zelfs maar te huilen en daarmee misschien Bailey's gesmeek om hulp te overstemmen, maar de smeekbeden kwamen niet en eindelijk was de aframmeling voorbij.

Ik lag een eeuwigheid met open ogen te wachten op zacht gehuil of gefluister uit de kamer ernaast ten teken dat hij nog leefde. Vlak voor ik uitgeput in slaap viel, hoorde ik Bailey: 'Ik ga slapen, ik ben moe. Ik sluit mijn beide oogjes toe. Here, houdt ook deze nacht, over mij getrouw de wacht.'

Mijn laatste herinnering aan die nacht was de vraag: waarom zegt hij het kindergebed op? We zeiden al jaren het 'Onze Vader, die in de hemelen zijt'.

Dagenlang was de Winkel een vreemd land en waren wij pas gearriveerde immigranten. Bailey praatte, glimlachte of verontschuldigde zich niet. Zijn ogen stonden zo wezenloos dat het leek of zijn ziel was weggevlogen en wanneer ik tijdens de maaltijden probeerde om hem de beste stukken vlees te geven en de grootste porties van het toetje wees hij ze van de hand.

Toen, op een avond bij het varkenshok, zei hij zonder inleiding: 'Ik heb Moeder Lief gezien.'

Als hij het zei, moest het wel waar zijn. Hij zou niet liegen tegen mij. Ik geloof niet dat ik hem gevraagd heb waar of wanneer dan.

'In de film.' Hij legde zijn hoofd op het houten hek. 'Ze was het niet echt. Het was een vrouw die Kay Francis heet. Dat is een blanke filmster die precies op Moeder Lief lijkt.'

Het was niet moeilijk te geloven dat een blanke filmster op onze moeder leek en dat Bailey haar had gezien. Hij vertelde dat er elke week een andere film draaide, maar als er een nieuwe naar Stamps kwam met Kay Francis, zou hij me dat laten weten en dan zouden we er samen naartoe gaan. Hij beloofde zelfs om naast me te blijven zitten.

De vorige zaterdag was hij lang gebleven om de film nog een keer te zien. Ik begreep het en ik begreep ook waarom hij dat niet aan Momma of oom Willie kon vertellen. Het was onze moeder en ze behoorde ons toe. We praatten nooit met iemand over haar omdat we simpelweg niet genoeg van haar bezaten om te delen.

We moesten bijna twee maanden wachten voordat Kay Francis naar Stamps terugkwam. Bailey's stemming was merkbaar opgewekter geworden, maar hij leefde in een staat van verwachting die hem nerveuzer maakte dan gewoonlijk. Toen hij me vertelde dat de film draaide, lieten we ons van onze beste kant zien en waren we de voorbeeldige kinderen die grootmoeder verdiende en zoals ze wenste te geloven dat we waren.

Het was een vrolijke, lichte komedie en Kay Francis droeg witte, zijden bloezen met lange mouwen en grote manchetknopen. Haar slaapkamer was een en al satijn en vazen met bloemen en haar kamermeisje, dat Zwart was, liep rond onder het uitroepen van 'Herejeetje, juffie', de hele tijd. Er was ook een Negerchauffeur die met zijn ogen rolde en op zijn hoofd krabde en ik vroeg me af hoe ze, in vredesnaam, haar prachtige auto's aan zo'n idioot toe konden vertrouwen.

Het blankvolk in de zaal lachte elke paar minuten, het afgedankte gegrinnik naar de Negers in het kraaiennest opgooiend. Het geluid kerfde een onzekere seconde in onze lucht, voordat de bezetters van het balkon het aanvaardden en het samen met hun eigen bulderende gelach omlaag stuurden om het tegen de wanden van de bioscoop te laten ketsen.

Ik lachte ook maar niet om de hatelijke grappen die

tegen mijn volk werden gemaakt. Ik lachte omdat, behalve dat ze blank was, de grote filmster sprekend op mijn moeder leek. Behalve dat ze in een groot herenhuis woonde met massa's bedienden, leefde ze net als mijn moeder. En het was grappig om te bedenken dat het blankvolk niet wist dat de vrouw die ze adoreerden mijn moeders tweeling had kunnen zijn, behalve dat zij blank was en mijn moeder mooier. Veel mooier

De filmster maakte me gelukkig. Het was een buitengewoon geluk om in staat te zijn je geld op te sparen en je moeder te kunnen gaan zien elke keer als je dat wenste. Ik kwam de bioscoop uitgesprongen alsof ik onverwacht een cadeau had gekregen. Maar Bailey liet zijn hoofd weer hangen. (Ik moest hem smeken om niet voor de volgende voorstelling te blijven.) Onderweg naar huis hield hij stil bij de spoorlijn en wachtte op de goederentrein van die avond. Net voor die de overweg bereikte, stormde hij naar voren en rende over de rails.

Ik bleef hysterisch achter aan de andere kant. Misschien maalden de reusachtige wielen zijn botten tot bloederige pulp. Misschien had hij geprobeerd op een dichte wagon te springen, was hij in de vijver gegooid en verdronken. Of erger nog, misschien had hij de trein gehaald en was voorgoed verdwenen.

Toen de trein gepasseerd was, duwde hij zichzelf weg van de paal waartegen hij had geleund, schold mij uit om het kabaal dat ik had geschopt en zei: 'Laten we naar huis gaan.'

Een jaar later sprong hij echt op een goederentrein, maar vanwege zijn jeugdigheid en de ondoorgrondelijke wegen van het lot haalde hij het niet tot Californië en zijn Moeder Lief – hij bleef steken in Baton Rouge, Louisiana, twee weken lang.

18

Er was weer een dag voorbij. In de zachte schemering spuwde de katoenvrachtwagen de plukkers uit en ronkte het erf af met een geluid als de scheet van een reus. De werkers stapten een paar tellen in cirkels rond alsof ze zich plotseling op onbekend terrein bevonden. Hun geesten waren doorgezakt.

In de Winkel waren de gezichten van de mannen het pijnlijkst om naar te kijken, maar het leek of ik geen keus had. Wanneer ze probeerden te glimlachen en de vermoeidheid van zich af te schudden alsof het niets was, deed het lichaam geen poging om de geest te helpen bij het ophouden van de schijn. Hun schouders hingen omlaag, zelfs terwijl ze lachten en wanneer ze hun handen met een vertoon van zwierigheid op hun heupen zetten, gleden de palmen langs hun dijen alsof hun broeken in de boenwas stonden.

'Avond, zuster Henderson. Wel, we zijn terug bij het begin, hè?'

'Ja, broeder Stewart. Terug waar u begon, de Heer zij gezegend.' Ook de kleinste verrichting was voor Momma niet vanzelfsprekend. Mensen wier geschiedenis en toekomst iedere dag met de ondergang werden bedreigd, waren van mening dat het slechts te danken was aan goddelijke interventie dat ze überhaupt in leven bleven. Het is interessant dat het armzaligste leven, het poverste bestaan, toegeschreven wordt aan Gods wil, maar dat als mensen in betere doen raken, als hun levensstandaard en levensstijl beginnen te stijgen op de materiële ladder, God met evenredige snelheid op de ladder van verant- woordelijkheid daalt.

'Da's precies wie de eer toekomt. Jazeker. Onze Lieve Heer.'

Hun werkbroeken en hemden leken expres gescheurd en de katoenpluizen en het stof in hun haren gaven hun het uiterlijk van mensen die in de afgelopen paar uur grijs waren geworden.

De voeten van de vrouwen waren zo gezwollen dat ze de afgedankte mannenschoenen die ze droegen, opvul- den en ze wasten hun armen aan de put om het vuil en de splinters die bij de pluk van die dag hoorden, los te we- ken.

Ik vond ze allemaal verachtelijk omdat ze zich als os- sen lieten afbeulen en nog beschamender was het dat ze deden alsof de zaken niet zo beroerd waren als ze waren. Wanneer ze te zwaar op de gedeeltelijk glazen snoep- toonbank leunden, wilde ik ze bits toevoegen rechtop te gaan staan en 'de houding van een man aan te nemen', maar Momma zou me een klap verkocht hebben als ik mijn mond open had gedaan. Ze negeerde het kraken van de toonbank onder hun gewicht, liep rond om hun bestellingen uit te voeren en hield het gesprek gaande. 'Gaat u zo meteen het eten opzetten, zuster Williams?'

'God zij dank niet. D'r is genoeg over van gister om mee toe te komen. We gaan op huis aan om ons op te knappen voor de evangelisatie.'

Gingen ze naar de kerk in die nevel van vermoeid- heid? Gingen ze niet naar huis om die gemartelde botten op een veren bed neer te vlijen? De gedachte kwam bij me op dat mijn volk misschien een ras van masochisten was en dat het niet alleen ons lot was om het schraalste, primitiefste leven te leiden, maar dat we het zo ook goed vonden.

'Ik weet wat u bedoelt, zuster Williams. De ziel moet gevoed worden net als het lichaam. Ik neem de kinder ook mee, zo God het belieft. De Heilige Schrift zegt: "Breng een kind op de weg die het moet gaan en het zal er niet vanaf wijken."'

'Dat staat er. Da's precies wat er staat.'

De canvas tent was opgezet op een vlak stuk in het midden van een veld bij de spoorlijn. De aarde was bedekt met een zijdeachtige laag gedroogd gras en katoenstengels. Vouwstoelen waren in de nog rulle grond vastgestoken en een groot houten kruis hing aan de middenbalk achterin de tent. Vanachter de preekstoel naar de toegangsflap waren elektrische lampen gespannen die naar buiten toe doorliepen op palen van ruw hout van twee bij vier duim.

Vanuit het donker zagen de zwaaiende lampen er eenzaam en doelloos uit. Niet alsof ze daar hingen om licht te verschaffen of iets anders zinvols. En de tent, die wazig glanzende, driedimensionale A, was zo vreemd aan het katoenveld dat hij op had kunnen stijgen om voor mijn ogen weg te vliegen.

Mensen, plotseling zichtbaar in het lamplicht, stroomden naar de tijdelijke kerk. In de stemmen van de volwassenen klonk de ernstige intentie van hun zending door. Ze begroetten elkaar gedempt.

'Avond, zuster, alles goed?'

'De Heer zij gezegend, als we maar binnenkomen.'

Hun gedachten waren gericht op de komende ontmoeting van ziel tot ziel met God. Er was geen tijd om zich over te geven aan menselijke beslommeringen of persoonlijke vragen.

'Onze Lieve Heer heeft me nog een dag gegeven en ik ben dankbaar.' Daar was niets persoonlijks aan. De eer was aan God en er bestond geen illusie over een verschuiving van de Centrale Plaats of dat die minder werd dan Zichzelf.

De tieners genoten evenveel van deze evangelisaties als de volwassenen. Zij gebruikten de nacht buiten de bijeenkomsten om het spel van vrijage te spelen. De voorbijgaande aard van een opvouwbare kerk verhoogde de frivoliteit en hun ogen schitterden en twinkelden. De meisjes giechelden zilveren druppeltjes in het schemerdonker terwijl de jongens poseerden en paradeerden en deden alsof ze niets in de gaten hadden. De bijna volgroeide meisjes droegen hun rokken zo strak als de zeden toelieten en de jongens hadden hun haar glad tegen het hoofd geplakt met Moroline-haarolie en water.

Maar voor kleine kinderen was het idee dat God geprezen werd in een tent, op z'n zachtst gezegd, verwarrend. Op de een of andere manier leek het godslasterlijk. De lampen die in de hoogte slap omlaag hingen, de zachte grond eronder en de canvas muur, die zwak naar binnen en naar buiten waaierde als wangen die vol lucht zijn geblazen, deden denken aan een jaarmarkt. Het gepor en gestoot en de knipoogjes van de grotere kinderen hoorden al helemaal niet thuis in een kerk. Maar de spanning van de ouderen – hun verwachting die als een dikke deken zwaar over de menigte hing – was het meest verbijsterende van alles.

Zou de zachtmoedige Jezus de moeite nemen om in deze vergankelijke omgeving binnen te treden? Het altaar wiebelde en dreigde om te kieperen en de collectetafel hing scheef. Een poot was gezwicht voor het mulle zand. Zou God de Vader het Zijn Enige Zoon toestaan om zich onder dit volk van katoenplukkers en dienstbodes, wasvrouwen en klusjesmannen te begeven? Ik wist dat Hij Zijn geest op zondag naar de kerk stuurde, maar per slot van rekening was dat een kerk en de mensen hadden de hele zaterdag gehad om de mantel van arbeid en de huid van wanhoop van zich af te laten zakken.

Iedereen woonde de evangelisatiebijeenkomsten bij. Leden van de dikdoenerige Doopsgezinde Kerk van de Berg Sion, de Afrikaanse Methodistisch-Episcopale Sion en het gewone werkvolk van de Christelijke Methodistisch-Episcopale Kerk. Deze samenkomsten waren de enige keer in het jaar dat al deze brave dorpsmensen zich vermengden met de aanhangers van de Kerk van God in Christus. De laatsten werden met de nodige argwaan bekeken omdat het er zo luidruchtig en rauw aan toeging tijdens hun diensten. Hun verklaring dat De Heilige Schrift zegt: Verheug u luide in de Heer en wees opgetogen van blijdschap, deed niets af aan de geringschatting van hun medechristenen. Hun kerk stond ver van de andere, maar op zondag was tot op een halve mijl te horen hoe ze zongen en dansten, soms tot ze er voor dood bij neervielen. De leden van de andere gemeenten vroegen zich af of de Heilige Donderprekers wel in de hemel kwamen na al dat geschreeuw. Waarmee gesuggereerd werd dat ze hun hemel al hier op aarde hadden.

Dit was hun jaarlijkse evangelisatie.

Mevrouw Duncan, een kleine vrouw met een vogelgezichtje, opende de dienst. 'Ik weet dat ik getuig voor de Heer...Ik weet dat ik getuig voor de Heer, ik weet dat ik getuig...'

Haar stem, een benige vinger, prikte hoog in de lucht

en de kerk respondeerde. Ergens vooraan klonk het rinkelende geluid van een tamboerijn. Twee slagen op 'weet', twee op 'dat ik' en twee aan het eind van 'getuig'.

Andere stemmen vielen Mevrouw Duncan, die nagenoeg krijste, bij. Ze dromden erom heen en maakten de toon iets verteerbaarder. Handgeklap klikte in de nok en verstevigde de maat. Toen het lied zijn hoogtepunt bereikte in volume en hartstocht, stond een lange, magere man, die de hele tijd geknield achter het altaar had gezeten, op en zong een paar maten met het publiek mee. Hij strekte zijn armen uit en greep het spreekgestoelte beet. De zangers hadden enige tijd nodig om hun niveau van vervoering te verlaten, maar de predikant hield vastberaden stand, tot het lied afliep als het speelgoedje van een kind en stil in het gangpad bleef liggen.

'Amen.' Hij keek het publiek aan.

'Zo is 't, amen.' Bijna iedereen viel hem bij.

'Ik zeg, laat de kerk "amen" zeggen.'

Iedereen zei : 'Amen.'

'Dank de Heer. Dank de Heer.'

'Zo is 't, dank de Heer. Ja, Heer. Amen.'

'Broeder Bishop zal ons nu voorgaan in gebed.'

Een andere lange, bruine man met een vierkante bril op liep vanaf de eerste rij naar het altaar. De predikant knielde rechts en broeder Bishop links.

'Onze Vader,' zong hij, 'Gij, die mijn voeten uit slik en leem haalde...'

De kerk kreunde: 'Amen.'

'Gij, die mijn ziel redde. Een zekere dag. Zie, Lieve Heer. Zie neer op ons, uw kinderen in nood.'

De kerk smeekte: 'Zie neer, Heer.'

'Geef ons kracht als wij gebroken zijn... Zegen de zieken en gebrekkigen...'

Het was het gewone gebed. Alleen zijn stem maakte het tot iets nieuws. Na iedere twee woorden snakte hij naar adem en sleepte de lucht over zijn stembanden waarbij hij een geluid produceerde als een omgekeerde grom. 'Gij die' – grom – 'mijn ziel' – snak – 'redde een zekere' – adem in – 'dag' – hum.

Toen barstte de gemeente, voorgegaan door Mevrouw Duncan, uit in 'Lieve Heer, neem mijn hand, leid mij voort, langs het pad'. Het werd sneller gezongen dan gebruikelijk was in de C.M.E. Kerk, maar in dit tempo werkte het. De melodie kreeg iets blijs waardoor de betekenis van de droevige tekst veranderde. 'Als het donker wordt en de avond valt en mijn leven nadert zijn eind...'

Er sprak een overgave uit die suggereerde dat, ondanks alles, het ook een tijd was van grote vreugde.

De serieuze jubelaars hadden zich al bekend gemaakt en hun waaiers (kartonnen reclames voor Texarkana's grootste Neger-begrafenisonderneming) en witte kanten zakdoeken zwaaiden hoog door de lucht. In hun donkere handen zagen ze eruit als kleine vliegers zonder houten latwerk.

De lange predikant stond weer bij het altaar. Hij wachtte tot het lied en het gejuich bedaarden.

Hij zei: 'Amen. Glorie.'

De kerk liet zich langzaam uit het lied glijden. 'Amen. Glorie.'

Hij wachtte nog steeds terwijl de laatste noten in de lucht hingen, bovenop elkaar gestapeld. 'Bij de rivier sta ik...' 'Ik sta, leid mijn voeten...' 'Leid mijn voeten, neem mijn hand.' Gezongen als de laatste ronde van de kring. Toen daalde de rust neer.

De bijbellezing was uit Mattheüs, vijfentwintigste hoofdstuk, vers dertig tot en met zesenveertig.

Het thema van zijn preek was 'De geringsten van deze'.

Na de verzen gelezen te hebben, onder begeleiding van een paar amens, zei hij: 'De eerste brief aan de Korinthiërs vertelt me "Al spreek ik met de tongen van engelen en mensen: als ik de liefde niet heb, ben ik als niets. Al geef ik al mijn kleren aan de armen, als ik de liefde niet heb, ben ik als niets. Al geef ik mijn lichaam prijs aan het vuur: als ik de liefde niet heb, baat het mij niets. Verbrand, zeg ik, als ik de liefde niet heb, baat het niets." Ik moet mezelf afvragen: wat is dit dan voor iets, die liefde? Als goede daden geen liefde zijn...'

De kerk stemde snel in: 'Zo is 't, Heer.'

'... als mijn vlees en bloed geven geen liefde is?'

'Ja, Heer.'

'Ik moet mezelf afvragen: wat is die liefde waar ze zoveel over praten?'

Ik had een predikant nog nooit eerder zo snel op de kern van de preek horen toespringen. De intensiteit van het geroezemoes nam al toe in de kerk en bij degenen die wisten wat er ging komen, puilden de ogen uit van verwachting. Momma zat boomstamstil maar haar zakdoek zat als een prop in haar hand en alleen het hoekje dat ik had geborduurd, stak eruit.

'Zoals ik het begrijp, snoeft liefde niet over zichzelf. Is niet opgeblazen.' Hij blies zichzelf op met een teug lucht om ons een beeld te geven van wat liefde niet was. 'Liefde gaat niet rond, zeggende: Ik geef je voedsel en ik geef je kleren en daarvoor hoor je me rechtens te bedanken.'

De gemeente wist over wie hij het had en gaf uiting aan haar instemming met zijn analyse. 'Dat is de waarheid, Heer.'

'Liefde zegt niet: Omdat ik je werk geef, moet je je

knieën voor mij buigen.' De kerk deinde bij elke zin. 'Ze zegt niet: Omdat ik je betaal wat je toekomt, moet jij mij meester noemen. Ze vraagt niet dat ik mezelf verneder en kleineer. Dat is niet wat liefde is.'

Vooraan rechts zaten meneer en mevrouw Stewart die een paar uur tevoren, verslagen door de rijen katoenplanten, ineengeschrompeld op ons erf hadden gestaan. Nu zaten ze op het puntje van hun krakkemikkige stoelen en van hun gezichten straalde zielsverrukking. Dat gemene blankvolk zou zijn verdiende loon gaan krijgen. Was dat niet wat de predikant zei en waren het niet Gods eigen woorden die hij aanhaalde? Ze waren opgekikkerd door de hoop op wraak en de belofte van gerechtigheid.

'Aaah. Raaah. Ik zei...Liefde. Woeoe, de Liefde. Hoeft niks voor zichzelf. Die hoeft geen ploegbaas te zijn... Waah... Die hoeft geen opzichter te zijn... Waah... Die hoeft geen voorman te zijn... Waah... Die... Ik heb 't over Liefde... Die hoeft niet... Oh, Heer... Sta mij bij, deze avond... Die hoeft niet gevleid en met stroop ingesmeerd te worden...'

De historische vleiers en stroopsmeerders van Amerika schuifelden opgelucht en gelukkig in de provisorische kerk. Gerustgesteld dat, alhoewel ze de laagstgeborenen van de laaggeborenen waren, zij tenminste niet zonder liefde waren en dat op die 'Grootse Morgen van de Verrijzenis, Jezus de schapen (zij) van de bokken (het blankvolk) zou scheiden'.

'Liefde is simpel.' De kerk was het er luidruchtig mee eens.

'Liefde is arm.' Hij had het over ons.

'Liefde is eenvoudig.' Ik dacht, dat klopt zo ongeveer wel. Simpel en eenvoudig.

'Liefde is...Oh, oh, oh, Liefde. Waar ben je? Woe... Liefde... Hum.'

Er zakte een stoel in elkaar en het geluid van versplinterend hout spleet de lucht achterin de kerk.

'Ik roep je en je geeft geen antwoord. Woeoe, oh, Liefde.'

Een andere kreet weerklonk voor mij en een grote vrouw plofte voorover, haar armen boven haar hoofd geheven als een gegadigde voor de doop. De emotionele uitbarsting was besmettelijk. Gilletjes knalden door de ruimte als vuurwerk op de Vierde Juli.

De stem van de predikant was een slinger. Hij zwaaide naar links en beneden en rechts en beneden en links en... 'Hoe kun je zeggen dat je mijn broeder bent en mij haten? Is dat liefde? Hoe kun je zeggen dat je mijn zuster bent en mij verachten? Moet dat liefde voorstellen? Hoe kun je zeggen dat je mijn vriend bent en mij misbruiken en onbillijk beschimpen? Is dat liefde? Oh, mijn kinderen, ik ben hier vanavond gekomen...'

De kerk slingerde aan het uiteinde van zijn zinnen. Benadrukkend. Bevestigend. 'Kom hier, Heer.'

'... om jullie te vertellen je harten te openen en de liefde te laten heersen. Vergeef je vijanden in Zijn Naam. Toon de liefde waar Jezus over sprak tegen deze zieke, ouwe wereld. Die heeft de liefdevolle gever nodig.' Zijn stem daalde en de explosies werden minder en kalmer.

'En nu herhaal ik de woorden van de Apostel Paulus: Thans blijven echter geloof, hoop en liefde, deze drie; maar de grootste daarvan is liefde.'

De gemeente loeide van tevredenheid. Zelfs al waren zij de verschoppelingen van de maatschappij, straks zouden ze engelen zijn in een witmarmeren hemel en aan de rechterhand van Jezus, de Zoon van God, zitten. De Heer beminde de armen en haatte degenen die ruim bedeeld waren in de wereld. Had Hij niet Zelf gezegd dat het gemakkelijker was voor een kameel om door het oog van een naald te gaan dan voor een rijke man om in de hemel te komen? Ze waren ervan overtuigd dat zij de enige bewoners zouden worden van dat land van melk en honing, afgezien natuurlijk van een paar blankelui, zoals John Brown waarvan de geschiedenisboeken zeiden dat hij sowieso gek was. Alles wat Negers in het algemeen en de aanwezigen op de evangelisatiebijeenkomst in het bijzonder hadden te doen, was het hoofd bieden aan dit leven vol getob en zorgen, want er wachtte hun een zalig verblijf in het verre hiernamaals.

'En straks, als die morgen komt, als al de heiligen van God zich thuis vergaderen, zullen we het verhaal vertellen van hoe wij zegevierden en we zullen het beter begrijpen, straks.'

Een paar mensen die flauwgevallen waren, werden in de zijpaden bijgebracht toen de evangelist de deuren opende van de kerk. Boven de klanken van 'Dank U, Jezus' uit, zette hij het couplet in van een hymne:

> 'Ik kwam naar Jezus als ik was
> Vol zorg, verdriet en pijn
> Ik vond in Hem een rustplaats
> En Hij maakte mij blij.'

De oudere dames pakten de hymne op en deelden hem in hechte harmonie. Het gezoem van de menigte begon op dat van vermoeide bijen te lijken die onrustig naar huis verlangen.

'Al diegenen die mijn stem horen en die zonder geestelijk tehuis zijn, wier harten belast en zwaar beladen zijn, laat hen komen. Kom voor het te laat is. Ik vraag niet dat ze zich aansluiten bij de Kerk van God in Christus. Nee. Ik ben Gods dienaar en in deze evangelisatie willen we de dwalende zielen naar Hem toe leiden. Dus als u zich vanavond aansluit, zegt u dan bij welke kerk u wilt horen en wij dragen u over aan een vertegenwoordiger van dat kerklichaam. Wil er een diaken van de volgende kerken naar voren komen?'

Dit was een revolutionaire daad. Niemand had ooit eerder meegemaakt dat een predikant leden wierf voor een andere kerk. Het was onze eerste blik op liefde onder predikers. Mannen van de A.M.E., A.M.E.S., de Doopsgezinde en C.M.E. kerken liepen naar voren en kozen hun positie een paar passen van elkaar af. Bekeerde zondaars stroomden door de gangpaden om de evangelist de hand te schudden en bleven naast hem staan of werden doorgestuurd naar een van de mannen in de rij. Meer dan twintig mensen werden die avond gered.

Er was bijna net zoveel opschudding over het redden van de zondaars als dat er tijdens de bevredigend melodieuze preek was geweest.

De Moeders van de Kerk, oude dames met witte kanten schijven op hun dunner wordende haar gespeld, hielden een eigen dienst. Ze liepen om de nieuwe bekeerlingen heen, zingend:

'Volgend jaar om deze tijd
Heb ik mij misschien gevlijd,
Op een verlaten kerkhof,
Oh, Heer, hoe lang nog?'

Toen de collecte was opgehaald en de laatste hymne ter ere van God was gezongen, vroeg de evangelist aan alle aanwezigen om hun zielen opnieuw aan God te wijden en van de Liefde hun levenswerk te maken. Daarna liet hij ons gaan.

Buiten en op weg naar huis speelden de mensen met hun betovering zoals kinderen in zandtaartjes prikken, onwillig om zichzelf te vertellen dat het spel voorbij is.

'De Heer raakte hem aan vanavond, hè?'

'Da's zeker. Raakte hem aan met een machtig vuur.'

'De Heer zij gezegend. Ik ben blij dat ik gered ben.'

'Da's de waarheid. Het maakt een groot verschil.'

'Ik wou dat die mensen waar ik voor werk die preek 'ns hadden kunnen horen. Ze weten niet wat ze boven d'r hoofd hebben hangen.'

'De bijbel zegt: Hij die kan horen, laat 'm horen. Hij die 't niet kan, moet zich schamen.'

Ze koesterden zich in de deugdzaamheid van de armen en de uitverkorenheid van de onderdrukten. Laat het blankvolk zijn geld houden, zijn macht en segregatie, zijn sarcasme en grote huizen en scholen en gazons als karpetten, zijn boeken en bovenal – bovenal – laat het zijn blankheid houden. Het was beter om zachtmoedig en nederig te zijn, bespuugd en beschimpt voor deze korte tijd, dan voor de eeuwigheid te branden in helse vuren. Niemand van hen zou toegegeven hebben dat zij, mensen vol christelijke naastenliefde, zich erop verheugden hun onderdrukkers voor eeuwig te zien draaien aan het spit van de Duivel boven de vlammen van hel en vagevuur.

Maar zo stond het in de bijbel en in de bijbel stonden geen fouten. 'Staat d'r ook niet ergens dat "voor hier een woord van verandert, zullen hemel en aarde wegvallen"? Die lui krijgen wat ze verdienen.'

Toen de grootste groep gelovigen bij de korte brug over de vijver aankwam, overvielen hen de rafelige klanken van honkytonk muziek. Een barrelhouseblues werd boven het gestamp van voeten op een houten vloer uit geschreeuwd. Miss Grace, de vrouw van plezier, ontving haar gebruikelijke zaterdagavondklanten. Licht en lawaai schetterden uit het grote, witte huis. De mensen binnen hadden hun eigen ellende voor een poosje opzij gezet.

Toen ze vlak langs de herrie liepen, lieten de godvruchtige mensen het hoofd hangen en het gesprek stokte. De werkelijkheid begon haar eentonige slakkengang terug in hun denken. Tenslotte waren zij behoeftig en hongerig, veracht en berooid en hadden over de hele wereld de zondaars het heft in handen. Hoe lang nog, barmhartige Vader? Hoe lang nog?

Iemand die niet bekend was met de muziek zou geen onderscheid hebben kunnen maken tussen de liederen die een paar minuten geleden waren gezongen en deze waarop werd gedanst in dat uitbundige huis bij de spoorbaan. Allemaal stelden ze dezelfde vraag. Hoe lang nog, oh, God? Hoe lang nog?

19

Elke centimeter ruimte werd in beslag genomen, maar de mensen bleven zich langs de muren van de Winkel naar binnen wurmen. Oom Willie had de knop van de radio tot aan het achterste streepje gedraaid zodat de jongeren op de veranda geen woord hoefden te missen. De vrouwen zaten op keukenstoelen, eetkamerstoelen, krukken en omgekeerde houten kistjes. Kleine kinderen en baby's rustten op iedere beschikbare schoot en de mannen leunden tegen de schappen of tegen elkaar.

Stralen van vrolijkheid schoten door de onrustige stemming heen als bliksem die opflitst aan een zwarte hemel.

'Ik maak me niks druk om deze wedstrijd. Joe hakt die armoedzaaier in de pan of 't open seizoen is.'

'Hij gaat 'm kloppen tot die blanke gozer om z'n moeder roept.'

Ten slotte hielden het gepraat en de meezingdeuntjes over spoorwegarbeiders op en de westrijd begon.

'Een snelle directe op 't hoofd.' In de Winkel gromden de mensen. 'Een linkse op 't hoofd en een rechtse en nog een linkse.' Een van de luisteraars kakelde als een kip en werd tot stilte gemaand.

'Ze hebben elkaar in een klem. Louis probeert zich eruit te vechten.'

Een bittere komiek op de veranda zei: 'Ik wed dat die blanke 't nou niks erg vindt om die nikker in z'n armen te hebben.'

'De scheidsrechter komt ertussen om ze uit elkaar te halen maar Louis heeft de uitdager eindelijk weggeduwd en het is een uppercut op de kin. De uitdager laat los, nu gaat hij achteruit. Louis raakt hem met een korte linkse op de kaak.'

Een golf van geprevelde instemming stroomde de deuren uit en het erf op.

'Nog een linkse en nog een. Louis bewaart die machtige rechtse...' Het gemompel in de Winkel was uitgegroeid tot licht geraas dat doorbroken werd door de galm van een bel en de verslaggever die zei: 'Dat is de bel voor de derde ronde, dames en heren.'

Terwijl ik me een weg de Winkel in baande, vroeg ik me af of de verslaggever stil had gestaan bij het feit dat alle Negers van de hele wereld, die zwetend en biddend vastgenageld zaten aan hun 'master's voice', door hem werden aangesproken als 'dames en heren'.

Er werd maar een paar maal geroepen om R.C.Cola, Dr. Pepper en Hire's gazeuse. Het echte festijn zou pas na de wedstrijd beginnen. Dan zouden zelfs de oude, godvrezende dames, die hun kinderen bijbrachten dat ze, net zoals zij dat zelf trachtten te praktizeren, de andere wang toe moesten keren, limonade kopen en als de zege van de Bruine Bom bijzonder bloederig was, zouden ze ook pindakoekjes en 'Baby Ruths' bestellen.

Bailey en ik legden de munten bovenop de kassa. Oom Willie stond niet toe dat we de aankopen aansloegen tijdens een wedstrijd. Het maakte te veel herrie en zou de sfeer kunnen bederven. Toen de gong klonk voor de volgende ronde drongen we ons door de bijna geheiligde stilte heen naar de drom kinderen buiten.

'Hij heeft Louis in de touwen en nu geeft hij hem een linkse tegen het lichaam en een rechtse op de ribben.

Nog een rechtse op het lichaam, het ziet eruit of die laag was... Ja, dames en heren, de scheidsrechter geeft een teken maar de uitdager laat de slagen op Louis regenen. Nog een op het lichaam en het lijkt erop dat Louis neergaat.'

Mijn ras kreunde. Het was ons volk dat viel. Het was weer een lynchpartij, weer een Zwarte man opgehangen aan een boom. Weer een vrouw in een hinderlaag gelokt en verkracht. Een Zwarte jongen gegeseld en verminkt. Het waren de honden op het spoor van een man die door slijmerige moerassen vluchtte. Het was een blanke vrouw die haar dienstmeisje een klap gaf omdat ze iets vergeten had.

De mannen in de Winkel gingen los van de muur in de houding staan. Vrouwen grepen de baby's op hun schoot gretig vast terwijl op de veranda het geschuifel en de glimlachjes, het geflirt en geknijp van een paar minuten eerder stopten. Dit zou het einde van de wereld kunnen betekenen. Als Joe verloor, waren wij terug in de slavernij en baatte hulp niet meer. Het zou allemaal waar zijn, de beschuldigingen dat wij latere vormen van de menselijke soort waren. Maar een beetje hoger dan apen. Waar, dat we dom waren en lelijk en lui en smerig en, wat het ellendigste en ergste van alles was, dat God Zelf ons haatte en ons voorbeschikt had om houthakkers en waterdragers te zijn, voor altijd en eeuwig, tot in de eeuwen der eeuwen.

We ademden niet. We hoopten niet. We wachtten.

'Hij is los van de touwen, dames en heren. Hij gaat naar het midden van de ring.' Er was geen tijd om opgelucht te zijn. Het ergste kon nog steeds gebeuren.

'En nu lijkt het of Joe kwaad is. Hij geeft Carnera een linkse hoekstoot op het hoofd en een rechtse op het hoofd. Een linkse directe op het lichaam en nog een linkse op het hoofd. En links haaks en rechts op het hoofd. Het rechteroog van de uitdager bloedt en het lijkt of hij zijn afweer niet op kan houden. Louis dringt door elke afweer heen. De scheidsrechter komt naar voren maar Louis geeft een linkse op het lichaam en het is de uppercut op de kin en de uitdager valt. Hij ligt op de mat, dames en heren.'

Baby's gleden op de vloer toen vrouwen opstonden en mannen bogen zich naar de radio toe.

'Hier is de scheidsrechter. Hij telt. Een, twee, drie, vier, vijf, zes, zeven... Probeert de uitdager weer overeind te komen?'

Alle mannen in de Winkel riepen: 'NEE.'

'... acht, negen, tien.' Er klonken een paar geluiden uit het publiek maar ze leken zichzelf, ondanks een geweldige druk, in te houden.

'Het gevecht is voorbij, dames en heren. We gaan met de microfoon naar de scheidsrechter toe... Hier is hij. Hij heeft de hand van de Bruine Bom vast, hij houdt hem omhoog... Hier is hij.'

Toen overspoelde ons de stem, schor en vertrouwd – 'De winnaar en nog altijd wereldkampioen zwaargewicht... Joe Louis.'

Wereldkampioen. Een Zwarte jongen. De zoon van een Zwarte moeder. Hij was de sterkste man ter wereld. De mensen dronken Coca-Cola als nectar en aten snoepgoed als met Kerstmis. Sommigen van de mannen gingen naar de achterkant van de Winkel waar ze 'witte bliksem' in hun limonadeflesjes goten en een paar van de grotere jongens liepen hen achterna. Degenen die niet weggejaagd werden, kwamen terug, hun adem als trotse rokers voor zich uitblazend.

Het zou een uur of langer duren voordat de mensen uit de Winkel vertrokken om op huis aan te gaan. Degenen die te ver weg woonden, hadden regelingen getroffen om in de stad te overnachten. Het zou niet aangaan voor een Zwarte man en zijn gezin om op een verlaten landweg verrast te worden, op een avond dat Joe Louis had bewezen dat wij het sterkste volk van de wereld waren.

20

Akke Bakke, Sode Cracke
Akke Bakke Bou
Akke Bakke, Sode Cracke
En ik hou van jou.

De klanken van het krijgertje spelen weerkaatsten tussen de bomen terwijl de bovenste takken wuifden in contrapuntische ritmen. Ik lag op een moment van groen gras en schoof het kinderspel mijn gezichtsveld binnen. De meisjes renden wild in het rond, nu hier, dan daar, nooit hier, nooit geweest, ze leken niet meer richting te hebben dan een uit elkaar gespat ei. Maar het was een algemeen bekend, hoewel zelden verwoord feit dat alle bewegingen goed waren en volgens een groter plan verliepen. Ik richtte een podium op voor mijn geestesoog en keek verwonderd omlaag naar het resultaat van 'Akke Bakke'. De vrolijke picknickjurken stoven, stopten en schoten als prachtige libellen over een donkere poel. De jongens, zwarte zweepslagen in het zonlicht, sprongen achter de bomen waar hun meisjes heengevlucht waren, halfverborgen en trillend in de schaduw.

De zomerpicknick-visbarbecue op de open plek bij de vijver was het belangrijkste openluchtevenement van het jaar. Iedereen was er. Alle kerken waren vertegenwoordigd, evenals de sociale groeperingen (Elks*, Ster van het Oosten, Vrijmetselaars, Ridders van Columbus, Dochters van Pythia), de hoger opgeleiden (Negerleraren van Lafayette County) waren er en al de opgewonden kinderen.

Muzikanten brachten sigarenkistjesgitaren mee, mondharmonica's, mondharpen, kammen gewikkeld in vloeipapier en zelfs badkuipbassen.

De hoeveelheid en verscheidenheid aan voedsel zouden op het menu van een Romeinse epicurist niet hebben misstaan. Pannen met gebraden kip, afgedekt met theedoeken, stonden onder de banken naast een berg aardappelsalade volgepropt met hardgekookte eieren. Hele roestrode Boulogne-worsten waren omwikkeld met kaasdoek. Zelfingemaakte uien en groenten in het zuur en gebakken boerenspek, geurend naar kruidnagel en ananas, dongen om de voorrang. Onze vaste klanten hadden koude watermeloen besteld, dus hadden Bailey en ik het groengestreepte fruit in de Coca-Cola-krat gestouwd en alle bakken met ijs gevuld, ook de grote, zwarte ketel waar Momma het wasgoed in kookte. Nu lagen ook die te zweten in de onbezorgde middaglucht.

De zomerpicknick gaf de dames een kans om met hun bakkunsten te pronken. In de barbecuekuil sputterden kippen en krabbetjes in hun eigen vet en in een saus waarvan het recept binnen de familie werd gehouden als betrof het een scandaleuze affaire. Maar in het oecumenische licht van de zomerpicknick kon iedere ware bakartieste haar prijs blootstellen aan de verrukking en de kritiek van de stad. Sinaasappelbiscuitgebak en donkerbruin druipende hoopjes Hershey-chocolade stonden zij aan zij naast ijswitte kokosnoten en lichtbruine

* Een Elk is lid van de Benevolent and Protective Order of Elks of the World.

karamelbrokken. Cakes, waar van alles evenveel inzat, zakten in door hun eigen gewicht aan boter en de kleine kinderen konden het net zo min weerstaan om van de suikerglazuur te likken als hun moeders er onderuit konden om hen op hun kleverige vingers te tikken.

Ervaren vissers en weekendamateurs zaten op boomstammen langs de vijver. Ze haalden tegenstribbelende baarzen en zilverbaarzen op uit het snelle water. De vangst werd ontschubt en schoongemaakt door elkaar afwisselende ploegen jonge meisjes. Bedrijvige vrouwen in gesteven schorten zoutten de vissen, rolden ze in maïsmeel en lieten ze in de frituurpannen vallen die stonden te schudden met kokend vet.

In een hoek van de open plek was een gospelgroep aan het repeteren. Hun harmony, als haringen zo hecht samengepakt, dreef over de muziek van de countryzangers heen en smolt samen met de versjes van de kringspelletjes die de kleine kinderen speelden.

'Jongens, laat die bal op geen van mijn taarten vallen, of anders zal ik me 'ns op jullie laten vallen.'

'Ja, Mevrouw.' En er veranderde niets. De jongens bleven tegen de tennisbal slaan met paaltjes die ze uit een afrastering hadden gerukt, ze bleven gaten in de grond lopen en tegen iedereen opbotsen.

Ik had iets te lezen mee willen nemen, maar Momma zei dat, als ik geen zin had om met de andere kinderen te spelen, ik me nuttig kon maken door vis schoon te maken, water te halen uit de dichtstbijzijnde put, of hout voor de barbecue.

Ik kwam toevallig op een afgelegen plek terecht. Bordjes met pijlen rond de barbecuekuil verwezen MANNEN, VROUWEN en KINDEREN naar vervaagde paadjes die sinds het vorig jaar bijna dichtgegroeid waren. Me eeuwenoud en erg wijs voelend met mijn tien jaar, kon ik het me niet permitteren om door kleine kinderen gezien te worden terwijl ik op mijn hurken achter een boom zat. Maar ik had ook de moed niet om de pijl te volgen die de weg aanwees voor VROUWEN. Als ik daar door een volwassene werd betrapt, zou ze misschien denken dat ik 'vrouwelijk' deed en het doorvertellen aan Momma en ik wist wat ik van haar kon verwachten. Dus toen ik aandrang voelde om mijn behoefte te doen, sloeg ik een andere richting in. Eenmaal achter de muur van platanen belandde ik op een open plek, tien maal zo klein als die van de picknick en koel en rustig. Nadat ik gedaan had wat ik moest doen, vond ik een zitplaats tussen twee uitstekende wortels van een walnotenboom en leunde achterover tegen de stam. Zo zou de Hemel eruitzien voor degenen die hem verdienden. Misschien Californië ook wel. Toen ik omhoog keek naar de onregelmatige cirkel lucht kreeg ik het gevoel dat ik wel eens in een blauwe wolk ver weg zou kunnen vallen. De kinderstemmen en de vette geur van voedsel dat op open vuren werd gekookt, waren de haken die ik net op tijd greep om mezelf te redden.

Gras piepte en ik schrok op omdat ik ontdekt was. Louise Kendricks wandelde mijn bosje binnen. Ik wist niet dat ook zij de vrolijkheid was ontvlucht. We waren van dezelfde leeftijd en zij woonde met haar moeder in een nette, kleine bungalow achter de school. Haar nichtjes, die tot dezelfde leeftijdsgroep behoorden, waren rijker en lichter van kleur, maar heimelijk vond ik dat Louise, na Mevrouw Flowers, van alle vrouwelijke inwoners van Stamps het knapste was.

'Waarom zit je hier zo helemaal alleen, Marguerite?' Ze beschuldigde niet, ze vroeg om informatie. Ik zei dat ik naar de lucht zat te kijken. Ze vroeg: 'Waarvoor?' Op zo'n vraag was duidelijk geen antwoord mogelijk, dus gaf ik er geen. Louise deed me denken aan Jane Eyre. Haar moeder leefde in behoeftige omstandigheden, maar ze was verfijnd en hoewel ze als dienstmeisje werkte, besloot ik dat ze een gouvernante moest zijn en zo noemde ik haar ook voor mezelf en tegen Bailey. (Wie kan een romantisch dromende tienjarige bijbrengen om de dingen bij hun ware naam te noemen?) Mevrouw Kendricks kon niet erg oud geweest zijn, maar voor mij was iedereen die ouder was dan achttien volwassen en gradaties vielen er niet in aan te brengen. Als ze dan bediend moesten worden en gekoesterd met beleefdheid, moesten ze ook in dezelfde categorie blijven van gelijkogenden, gelijkklinkenden en gelijkzijnden. Louise was een eenzaam meisje, hoewel ze genoeg speelkameraadjes had en graag meedeed aan de kringspelletjes op het schoolplein.

Over haar gezicht, dat lang was en de kleur had van donkerbruine chocolade, lag een dunne laag droefenis, even licht maar even permanent als het doorkijkgaas over een doodskist. En haar ogen, die ik van alles aan haar het mooist vond, bewogen snel heen en weer, alsof wat ze zochten haar net een tel eerder was ontgaan.

Ze was dichterbij gekomen en het licht viel, gespikkeld door de bomen, in vloeibare vlekken op haar gezicht en vlechten. Ik had het niet eerder opgemerkt maar ze leek precies op Bailey. Haar haar was 'goed' – meer recht dan kroezend – en haar trekken bezaten de regelmatigheid van voorwerpen die door een zorgvuldige hand op hun plaats zijn gezet.

Ze keek omhoog – 'Nou, van hieraf kun je niet veel lucht zien.' Ze ging zitten op een armlengte afstand van mij. Ze vond twee blootliggende wortels en legde haar dunne polsen erop alsof ze in een luie stoel zat. Langzaam leunde ze achterover tegen de boom. Ik sloot mijn ogen en overdacht de noodzaak om een andere plek te zoeken en de onwaarschijnlijkheid dat er nog een zou zijn met alle kwaliteiten die deze bezat. Er klonk een klein gilletje en voor ik mijn ogen kon openen, had Louise mijn hand gegrepen. 'Ik viel' – ze schudde haar lange vlechten – 'Ik viel in de lucht.'

Ik vond haar aardig omdat ze in staat was in de lucht te vallen en het toe te geven. Ik stelde voor: 'Laten we het samen proberen. Maar bij vijf moeten we rechtop gaan zitten.' Louise vroeg: 'Zullen we handen vasthouden? Voor 't geval dat.' Dat wilde ik wel. Als een van ons echt mocht vallen, kon de ander haar eruit trekken.

Nadat we een paar keer bijna de eeuwigheid in getuimeld waren (we wisten allebei wat het was), lachten we omdat we met dood en vernietiging hadden gespeeld en ontkomen waren.

Louise zei: 'Laten we tollen en naar die ouwe lucht kijken.' We legden onze handen in elkaar in het midden van de open plek en begonnen rond te draaien. Eerst heel langzaam. We tilden onze kinnen op en keken recht in de flard van verleidelijk blauw. Sneller, een klein beetje sneller maar, toen sneller en nog sneller. Ja, we vielen. De eeuwigheid had het toch nog gewonnen. We konden niet ophouden met tollen en vallen tot ik uit haar greep werd gerukt door de hebberige zwaartekracht en aan mijn lot werd overgeleverd hier beneden – nee, boven, niet beneden. Ik ontdekte dat ik veilig en duizelig aan de voet van de plataan lag. Louise was op haar knieën aan de andere kant van het bosje terecht gekomen.

Dat was toch zeker het moment om te gaan lachen.

We hadden verloren maar we waren niets kwijt. Eerst giechelden we en kropen brooddronken naar elkaar toe, toen lachten we hardop en luidruchtig. We klopten elkaar op de rug en schouders en lachten nog meer. We hadden iets voor gek of voor leugenaar gezet en sloeg dat niet alles?

Door samen met mij de uitdaging van het onbekende te durven aangaan, werd ze mijn eerste vriendin. We brachten eentonige uren door met onszelf de Tuttaal aan te leren. Weet (wak eh eh tut) je (juk eh) wat (wuk ah tut). Aangezien alle andere kinderen de gewone geheimtaal spraken, waren wij superieur, want Tut was moeilijk om te spreken en nog moeilijker om te begrijpen. Eindelijk begon ik door te krijgen waar meisjes om giechelden. Als Louise een paar zinnen in de onbegrijpelijke Tuttaal tegen mij had gerateld, lachte ze. En natuurlijk lachte ik dan ook. Of liever, ik grinnikte zonder er iets van te snappen. Ik geloof dat ze zelf ook maar half begreep wat ze zei, maar per slot van rekening horen meisjes te giechelen en na drie jaar een vrouw geweest te zijn stond ik op het punt een meisje te worden.

Op school gaf een meisje dat ik nauwelijks kende en waarmee ik zelden sprak, me op een dag een briefje. Aan de ingewikkelde manier waarop het was gevouwen, was te zien dat het een liefdesbrief was. Ik wist zeker dat ze de verkeerde voor had maar ze hield aan. Toen ik het papier lospeuterde, gaf ik aan mezelf toe dat ik bang was. Stel dat het iemand was die leuk wilde zijn? Stel dat er een afschuwelijk beest op stond met het woord JIJ er overheen geschreven? Soms deden kinderen dat omdat ze vonden dat ik verwaand was. Gelukkig kreeg ik toestemming om naar de wc te gaan – een buitenkarwei – en in het kwalijk riekende duister las ik:

Lieve vriendin, M.J.
De tijden zijn zwaar en vrienden schaars
Met veel plezier schrijf ik je deze brief
Wil jij mijn valentijn zijn?
Tommy Valdon

Ik pijnigde mijn hersens. Wie? Wie was Tommy Valdon? Ten slotte kwam er een gezicht uit mijn geheugen bovendrijven. Het was de knappe, bruine jongen die aan de andere kant van de vijver woonde. Zodra ik erachter was wie het was, begon ik te twijfelen. Waarom? Waarom ik? Was het een grapje? Maar als het de Tommy was die ik me herinnerde, was hij een ernstige jongen en een goede leerling. Nou goed, dan was het geen grapje. Oké, wat voor vieze, gemene plannetjes koesterde hij? Mijn vragen struikelden over elkaar heen, een leger dat zich terugtrekt. Snel, graaf je in. Dek je flanken. Laat de vijand geen bres erin slaan. Wat deed een valentijn eigenlijk?

Ik wilde het papier net in het stinkende gat gooien toen ik aan Louise dacht. Ik kon het aan haar laten zien. Ik vouwde het papier op zoals het oorspronkelijk had gezeten en ging terug naar de klas. Er was geen tijd tussen de middag, want ik moest vlug naar de Winkel om klanten te helpen. Het briefje zat in mijn sok en elke keer dat Momma naar me keek, was ik bang dat er zich in haar kerkelijke blik misschien röntgenstralen hadden ontwikkeld en dat ze het briefje niet alleen kon zien en de boodschap kon lezen, maar dat ze hem ook zou interpreteren. Ik voelde mezelf omlaag glijden langs een steile helling van schuld en voor de tweede maal vernietigde ik het briefje bijna, maar er was geen gelegenheid voor. De bel ging en Bailey en ik renden om het hardst naar school en ik vergat het briefje. Maar een ernstige zaak is ernstig en moet afgehandeld worden. Na school wachtte ik op Louise. Ze stond te praten en te lachen met een groepje meisjes. Maar toen ik haar ons teken gaf (twee zwaaien van de linkerhand), zei ze de meisjes gedag en kwam naar me toe op de weg. Ik gaf haar geen kans te vragen wat ik op mijn hart had (haar geliefkoosde vraag); ik overhandigde haar eenvoudig het briefje. Toen ze de vouwen herkende, glimlachte ze niet meer. We bevonden ons in diepe wateren. Ze opende de brief en las hem twee keer hardop. 'Nou, wat denk je ervan?'

Ik zei: 'Wat ik denk? Dat vraag ik net aan jou. Wat moet ik ervan denken?'

'Zo te zien vraagt hij of je zijn valentijn wilt zijn.'

'Ik kan wel lezen, Louise. Maar wat betekent dat?'

'Oh, je weet wel. Zijn valentijn. Zijn liefje.'

Daar was dat gehate woord weer. Dat verraderlijke woord dat je aangaapte als een vulkaan.

'Nou, dat wil ik niet. Dat wil ik zeer beslist niet. Nooit meer.'

'Ben je dan al 'ns zijn valentijn geweest? Wat bedoel je met nooit meer?'

Ik kon niet liegen tegen mijn vriendin maar ik was ook niet van plan om oude spoken uit de kast te halen.

'Nou, dan geef je hem toch geen antwoord, dan is 't gelijk afgelopen.' Het luchtte me een beetje op dat zij dacht dat het zo snel uit de weg geruimd kon worden. Terwijl we de heuvel afliepen, snipperden we het papier in duizend stukjes en gaven ze prijs aan de wind.

Twee dagen later kwam er een mentor mijn klas binnen. Ze sprak zacht met juffrouw Williams, onze onderwijzeres. Juffrouw Williams zei: 'Jongens en meisjes, ik denk dat jullie wel weten dat het morgen Valentijnsdag is, zo genoemd naar Sint Valentijn, die martelaar, die in

Rome rond 270 na Christus is gestorven. De dag wordt gevierd door het uitwisselen van blijken van genegenheid en kaarten. De kinderen van de achtste klas hebben de hunne al af en de mentor treedt op als postbode. Tijdens het laatste uur van vandaag krijgen jullie karton, lint en rood vloeipapier zodat jullie je presentjes kunnen maken. Lijm en schaar liggen hier op de werktafel. En sta dan nu op als ik je naam roep.'

Ze zat al een poosje in de gekleurde enveloppen te rommelen en namen af te roepen voor ik het in de gaten had. Ik had zitten denken aan de openlijke uitnodiging van gisteren en de prompte wijze waarop Louise en ik het hadden afgehandeld.

Wij die geroepen werden om valentijnskaarten in ontvangst te nemen, geneerden ons maar een klein beetje meer dan degenen die bleven zitten en toekeken hoe juffrouw Williams elke enveloppe opende. 'Helen Gray.' Helen Gray, een lang sloom meisje uit Louisville, kromp in elkaar. 'Lieve valentijn' – juffrouw Williams begon het slecht rijmende, kinderachtige geleuter voor te lezen. Ik kookte van schaamte en afwachting, maar vond toch tijd om me te ergeren aan de onnozele gedichten die ik in mijn slaap nog wel had kunnen verbeteren.

'Marge-je-riet Ann Johnson. Lieve hemel, dit lijkt meer op een brief dan een valentijn: "Lieve vriendin, ik heb je een brief geschreven en heb gezien dat je hem met je vriendin, juffrouw L., hebt verscheurd. Ik geloof niet dat je mijn gevoelens met opzet wilde kwetsen, dus of je nu antwoordt of niet, je zult altijd mijn valentijn zijn. Tv."'

'Jongens en meisjes', juffrouw Williams meesmuilde en vervolgde op haar gemak, zonder ons toestemming te geven te gaan zitten, 'alhoewel jullie pas in de zevende klas zitten, weet ik zeker dat jullie niet zo aanmatigend zouden zijn om een brief met initialen te ondertekenen. Maar hier is een jongen uit de achtste klas die op het punt staat de school te verlaten – bla, bla, bloe, bla. Jullie kunnen je valentijnskaarten en brieven hier ophalen als je de klas uitgaat.'

Het was een aardige brief en Tommy kon prachtig schrijven. Het speet me dat ik de eerste verscheurd had. Zijn bewering, dat of ik hem nu wel of niet antwoordde niet van invloed zou zijn op zijn genegenheid, stelde me gerust. Hij kon niet uit zijn op je-weet-wel als hij zoiets zei. Ik zei tegen Louise dat ik de volgende keer dat hij in de Winkel kwam extra aardig tegen hem zou zijn. Maar jammer genoeg was de situatie zo fantastisch voor mij dat ik, elke keer dat ik Tommy zag, wegsmolt in een zalig gegiechel en niet in staat was een fatsoenlijke zin uit te brengen. Na een tijdje verwaardigde hij me met geen enkele blik meer.

21

Bailey stak takken in de grond achter het huis en hing er een versleten deken overheen om een tent te maken. Het moest zijn kapitein Wonderschuilhut voorstellen. Daar initieerde hij meisjes in de mysteriën van het seksleven. Eén voor één leidde hij de geïmponeerden, de nieuwsgierigen en de avontuurlijken de grijze schaduwen binnen, na uitgelegd te hebben dat ze Mama en Papa gingen spelen. Mij werd de rol van kind en wachtpost toebedeeld. De meisjes kregen het bevel hun jurken omhoog te doen en dan ging hij bovenop ze liggen en wiegelde met zijn heupen.

Soms moest ik de flap optillen (ons teken dat er een volwassene in de buurt was) en dus zag ik hun hopeloze gewurm terwijl ze gewoon doorpraatten over school en de film.

Hij was al zes maanden met dit spel bezig toen hij Joyce ontmoette. Ze was een meisje van buiten en ongeveer vier jaar ouder dan Bailey (hij was nog net geen elf toen ze elkaar leerden kennen). Haar ouders waren gestorven en zij was, evenals haar broers en zussen, bij verwanten ondergebracht. Joyce was naar Stamps gekomen om bij een tante te gaan wonen die weduwe was en nog armer dan de allerarmsten van de stad. Voor haar leeftijd was Joyce lichamelijk al behoorlijk ontwikkeld. Haar borsten waren niet, zoals bij de andere meisjes van haar leeftijd, van die kleine, harde knobbels; ze vulden de bovenkant van haar korte, krappe jurken. Ze liep heel stijf, alsof ze een lading hout tussen haar benen meedroeg. Ik vond haar ordinair, maar Bailey zei dat ze geinig was en dat hij vadertje en moedertje met haar wilde spelen.

Op die speciale manier die vrouwen eigen is, wist Joyce dat ze een verovering had gemaakt en ze speelde het klaar om laat in de middag en zaterdags de hele dag bij de Winkel te blijven rondhangen. Ze deed boodschappen voor Momma als we het te druk hadden in de Winkel en zweette overvloedig. Als ze terugkwam, na van de heuvel afgerend te zijn, plakte haar dunne jurk vaak tegen haar lichaam en wendde Bailey zijn blik pas van haar af als haar kleren opgedroogd waren.

Momma gaf haar pakjes met etenswaren mee voor haar tante en op zaterdag gaf oom Willie haar soms een dubbeltje voor de film.

In de paasweek mochten we niet naar de bioscoop (Momma zei dat we allemaal een offer moesten brengen om onze zielen te reinigen) en Bailey en Joyce besloten dat we met ons drieën vadertje en moedertje zouden gaan spelen. Zoals gewoonlijk moest ik het kind zijn.

Hij zette de tent op en Joyce kroop het eerst naar binnen. Bailey zei dat ik buiten moest blijven en met mijn babypop moest spelen, toen ging hij naar binnen en de flap viel dicht.

'Nou, doe je je broek niet open?' De stem van Joyce klonk gedempt.

'Nee. Jij moet gewoon je jurk omhoog doen.'

Er kwamen ritselende geluiden uit de tent en de zijkanten stonden bol, alsof ze probeerden op te staan.

Bailey vroeg: 'Wat doe je nou?'

'Ik doe mijn onderbroek uit.'

'Waarvoor?'

'We kunnen het niet doen als ik mijn onderbroek aanheb.'

'Waarom niet?'

'Hoe kun je d'r dan bij?'

Stilte. Mijn arme broertje wist niet wat ze bedoelde. Maar ik wel. Ik lichtte de flap op en zei: 'Joyce, ik wil niet dat je dat met mijn broer doet.' Ze gaf bijna een gil, maar zei toch zacht: 'Margaret, doe die deur dicht.' Bailey voegde eraan toe: 'Ja. Doe dicht. Jij moet met onze baby spelen.' Ik geloofde dat hij naar het ziekenhuis zou moeten als hij haar dat met zich liet doen, dus waarschuwde ik hem: 'Bailey, als je haar dat laat doen met jou, zal je d'r spijt van krijgen.' Maar hij dreigde dat als ik de deur niet dichtdeed, hij een hele maand niets tegen me zou zeggen, dus liet ik het uiteinde van de deken vallen en ging voor de tent op het gras zitten.

Joyce stak haar hoofd naar buiten en zei met een suikerzoete, blanke-vrouw-in-de-film stem: 'Kind, ga jij 'ns wat hout halen. Papa en ik gaan 'n vuur maken en dan bak ik pannenkoeken voor je.' Toen veranderde haar stem alsof ze me een klap wou geven. 'Vooruit, ga weg.'

Naderhand vertelde Bailey me dat Joyce haren op haar ding had en dat ze die gekregen had omdat ze 'het' met zoveel jongens had gedaan. Ze had zelfs haar onder haar armen. Onder alletwee. Hij was zeer trots op haar prestaties.

Naarmate hun liefdesaffaire vorderde, stal hij meer uit de Winkel. We hadden altijd al snoep weggenomen, een paar stuivers en, natuurlijk, de zure bommen, maar Bailey, die nu genoodzaakt was om de vraatzuchtige honger van Joyce te stillen, stal blikjes sardines, vettige Poolse worst, kaas en zelfs de dure blikjes roze zalm die onze familie zich zelden kon veroorloven. Rond deze tijd verslapte ook de bereidheid van Joyce om klusjes te doen. Ze klaagde dat ze zich niet zo goed voelde. Maar aangezien ze nu wat geld had, hing ze nog steeds bij de Winkel rond, terwijl ze Planters-pinda's at en Dr. Pepper-limonade dronk.

Momma joeg haar een paar maal weg. 'Zei je niet dat je niet goed was, Joyce? Kon je niet beter naar huis gaan en je tante wat voor je laten doen?'

'Ja, Mevrouw.' Onwillig ging ze van de veranda af en met haar stijve benen liep ze de heuvel op en verdween uit het zicht.

Ik geloof dat ze Bailey's eerste liefde buiten de familie was. Voor hem was zij de moeder die hem net zo dichtbij liet komen als in zijn dromen en de zuster die niet humeurig en teruggetrokken, huilerig en teerhartig was. Het enige wat hij hoefde te doen, was in de toevoer van eten blijven voorzien, dan hield zij de stroom van genegenheid gaande. Het maakte voor hem geen verschil dat ze bijna een vrouw was, of misschien was het juist dat verschil wat haar zo aantrekkelijk maakte.

Ze was er gedurende een paar maanden, waarna ze op dezelfde manier als ze was gekomen, vanuit de leegte, weer in het niets verdween. Er deden geen geruchten over haar de ronde, er waren geen aanwijzigen waar ze naar toe was gegaan. Ik merkte de verandering bij Bailey op voordat ik ontdekte dat ze weg was. Hij had nergens meer belangstelling voor. Hij liep maar wat te piekeren en je kon gerust zeggen dat hij 'bleek' werd. Momma zag het en zei dat hij zich niet lekker voelde vanwege de wisseling van de seizoenen (het was bijna herfst), dus ging ze het bos in om bepaalde bladeren te zoeken, maakte thee voor hem en dwong hem die, na een lepelvol zwavel en melasse, op te drinken. Het feit dat hij niet tegenstribbelde, niet probeerde om zich uit het slikken van het medicijn te kletsen, toonde zonder een zweem van twijfel aan dat hij erg ziek was.

Ik had een hekel aan Joyce gehad toen ze hem in haar greep had, maar toen ze weg was, haatte ik haar. Ik miste de verdraagzaamheid die ze hem had gebracht (hij was bijna nooit meer sarcastisch of hield de plattelanders voor de gek) en hij was weer begonnen me zijn geheimen te vertellen. Maar nu ze er niet meer was, evenaarde hij me in zwijgzaamheid. Hij sloot zichzelf af als een vijver die een steen opslokt. Er was geen spoor meer van te zien dat hij ooit opengebloeid was en toen ik haar naam noemde, reageerde hij met 'Joyce wie?'

Maanden later, toen Momma de tante van Joyce aan het helpen was, zei ze: ''t Is waar, Mevrouw Goodman, in het leven komt gewoon 't een na 't ander.'

Mevrouw Goodman leunde op de rode Coca-Colakrat. 'Da's de heilige waarheid, zuster Henderson.' Ze nipte van het dure drankje.

'Dingen veranderen zo rap dat 't draait voor je ogen.' Dat was Momma's manier om een conversatie op gang te brengen. Ik hield me muisstil zodat ik de roddel kon horen en hem aan Bailey door kon brieven.

'Neem nou uw kleine Joyce. De hele tijd was ze bij de Winkel te vinden. Toen ging ze ineens in rook op. We hebben al maanden geen huid of haar van d'r gezien.'

'Nee, 't is een schande om te zeggen...hoe ze d'r vandoor is gegaan.' Ze ging op een keukenstoel zitten. Momma ontdekte mij in het halfdonker. 'Zuster, de Heer houdt niet van kleine potjes met grote oren. Als je niks te doen hebt, weet ik wel wat voor je.'

De waarheid zou me door de keukendeur heen moeten bereiken.

''t Is niet veel wat ik bezit, zuster Henderson, maar ik gaf dat kind alles wat ik had.'

Momma zei dat ze wilde weten dat 't de waarheid was. Ze weigerde 'wedden' te zeggen.

'En na alles wat ik gedaan heb, loopt ze weg met iemand van 't spoor, zo'n spoorman. Ze was losbandig net als d'r mama vroeger. U weet toch dat ze zeggen hoe 't in het bloed zit?'

Momma vroeg: 'Hoe heeft de slang d'r verleid?'

'Nou, begrijp me goed, zuster Henderson, ik reken 't u niet aan, ik weet u ben een Godvrezend mens. Maar 't schijnt dat ze 'm hier heb leren kennen.'

Momma was van de wijs gebracht. Zulke toestanden in de Winkel? Ze vroeg: 'In de Winkel?'

'Ja, Mevrouw. Weet u nog dat dat stel van de Elks hier waren voor hun honkbalwedstrijd?' (Momma moest het nog weten, want ik wist het ook nog.) 'Nou, 't schijnt dat-ie d'r eentje van was. Ze liet een piepkort briefje achter. Ze zei dat de mensen in Stamps d'r eigen beter vonden als haar en dat ze maar één vriend had gemaakt en dat was uw kleinzoon. Ze zei dat ze naar Dallas, Texas ging om met die spoorman te trouwen.'

Momma zei: 'Goeie Heer.'

Mevrouw Goodman zei: 'Weet u, zuster Henderson, ze is niet lang genoeg bij me geweest om echt aan d'r gewend te raken, maar ik mis d'r toch. Ze kon heel lief zijn als ze wilde.' Momma troostte haar met: 'Wel, we moeten ons richten naar wat de bijbel zegt. En die zegt: De Heer heeft gegeven en de Heer heeft genomen.'

Mevrouw Goodman viel haar bij en ze beëindigden de zin samen: 'Gezegend is de naam van de Heer.'

Ik weet niet hoe lang Bailey het al wist van Joyce, maar toen ik, later die avond, het gesprek op haar probeerde te brengen, zei hij: 'Joyce? Die heeft nou iemand om 't de hele tijd mee te doen.' En dat was de laatste keer dat haar naam werd genoemd.

22

De wind waaide over het dak en roffelde tegen de dakspanen. Hij floot scherp onder de dichte deur door. De schoorsteen produceerde angstaanjagende protestgeluiden toen de aanhoudende vlagen erin doordrongen.

Een mijl verderop denderde de oude 'Kansas City Kate' (de zeer vereerde trein die veel te gewichtig was om in Stamps te stoppen) midden door de stad, blies haar waarschuwende *woewoe* en vervolgde, zonder om te kijken, haar weg naar een onbekende, lokkende bestemming.

Er was storm op komst en het was een volmaakte avond om *Jane Eyre* te herlezen. Bailey was klaar met zijn karweitjes en zat al achter de kachel met Mark Twain. Het was mijn beurt om de Winkel af te sluiten en mijn boek, dat ik half uit had, lag op de snoeptoonbank. Omdat het slecht weer zou worden, wist ik zeker dat oom Willie er mee in zou stemmen en me zelfs aan zou sporen om vroeg te sluiten (een besparing op de elektriciteit) en me bij de rest van de familie in Momma's slaapkamer te voegen die als onze huiskamer fungeerde. Er zouden maar weinig mensen op pad zijn in dit weer dat dreigde om te slaan in een tornado (want hoewel er wind stond, was de hemel net zo helder en rustig als op een zomerochtend). Momma was het er mee eens dat ik net zo goed kon sluiten en ik ging naar de veranda, deed de luiken dicht, schoof de houten balk voor de deur en draaide het licht uit.

In de keuken, waar Momma als avondmaal maïsbrood bakte voor bij de groentesoep, rammelden de
pannen en de knusse geluiden en geuren beschermden
mij terwijl ik las over Jane Eyre in dat kille Engelse landhuis van een nog killere Engelse heer. Oom Willie was
verdiept in de *Almanak*, zijn avondlectuur, en mijn broer
zat ver weg op een vlot op de Mississippi.

Ik hoorde het gerammel aan de achterdeur het eerst.
Gerammel en geklop. Geklop en gerammel. Maar om-
dat ik vreesde dat het misschien de krankzinnige vrouw
in de toren was, wilde ik er geen aandacht aan schenken.
Toen hoorde oom Willie het en riep Bailey weg van
Huck Finn om de grendel weg te schuiven.

Door het gat van de deur viel de maneschijn met koude stralen naar binnen en wedijverde met ons schaarse
lamplicht. Allemaal wachtten we – ik bang en gespannen – want er was geen mens te zien. Slechts de wind
kwam binnen, worstelend met de zwakke vlam van de
petroleumlamp. Duwend en stotend tegen de huiselijke
warmte van onze potkachel. Oom Willie dacht dat het
de storm was geweest en zei Bailey dat hij de deur weer
dicht moest doen. Maar net voordat hij de ruwe, houten
plank op zijn plaats kon schuiven, klonk er een stem
door de kier; de stem hijgde piepend: 'Zuster Henderson? Broeder Willie?'

Bailey had de deur toch weer bijna dicht toen oom
Willie vroeg: 'Wie is daar?' en het verkleumde gezicht
van meneer George Taylor vanuit de grijsheid opdoem-
de. Hij verzekerde zichzelf ervan dat we nog niet naar
bed waren en dat hij welkom was. Toen Momma hem
zag, nodigde ze hem uit om mee te blijven eten en zei dat
ik een paar bataten in de as moest stoppen om het
avondmaal wat uit te breiden. Die arme broeder Taylor

had, sinds hij in de zomer zijn vrouw had begraven, overal in de stad meegegeten. Misschien was het te wijten aan het feit dat ik in mijn romantische fase zat, of misschien omdat kinderen een ingebouwd overlevingsmechanisme hebben, maar ik vreesde dat hij uit was op een huwelijk met Momma en bij ons in wilde trekken.

Oom Willie wiegde de *Almanak* op zijn in tweeën gedeelde schoot. 'U bent altijd welkom hier, broeder Taylor, altijd. Maar dit is een slechte avond. Hier staat' – met zijn lamme hand klopte hij op de *Almanak* – 'dat er op twaalf november een storm over Stamps komt vanuit het oosten. Een zware nacht.' Meneer Taylor was na zijn binnenkomst op precies dezelfde plek blijven staan, als iemand die het te koud heeft om zelfs maar zijn lichaam dichter bij het vuur te brengen. Zijn nek was gebogen en het rode schijnsel speelde over de glanzende huid van zijn haarloze hoofd. Maar zijn ogen boeiden mij met een ongewone aantrekkingskracht. Ze lagen diep in zijn kleine gezicht en overheersten zijn gelaatstrekken volledig door hun rondheid en het leek alsof ze omlijnd waren met een zwart potlood, waardoor hij er uilig uitzag. En toen hij mijn strakke blik op zich gericht voelde, bewoog hij zijn hoofd nauwelijks, maar zijn ogen zwenkten en kwamen op mij terecht. Als er in zijn blik minachting of neerbuigendheid had gelegen, of een van die andere alledaagse emoties die volwassenen ten opzichte van kinderen vertonen, zou ik zonder moeite weer naar mijn boek zijn teruggekeerd. Maar zijn ogen straalden een waterig niets uit – een leegte die volkomen onverdraaglijk was. Ik zag een glazigheid die anders alleen te zien is bij nieuw marmer of als de dop van een fles in een blok ijs vastzit. Zijn blik ging zo snel aan mij voorbij dat het bijna mogelijk was te denken dat ik me de uitwisseling maar had verbeeld.

'Maar, zoals ik zei, wees welkom. We kunnen altijd plaats maken onder dit dak.' Oom Willie scheen niet te merken dat alles wat hij zei aan meneer Taylor voorbij ging. Momma bracht de soep binnen, nam de ketel van de kachel en zette de dampende pan op het vuur. Oom Willie vervolgde: 'Momma, ik vertel broeder Taylor net dat hij hier altijd welkom is.' Momma zei: 'Dat is zo, broeder Taylor. U moet niet in dat eenzame huis blijven zitten treuren. De Heer heeft gegeven en de Heer heeft genomen.'

Ik weet niet of het Momma's aanwezigheid was of de pruttelende soep op de kachel, maar meneer Taylor leek aanmerkelijk opgefleurd. Hij schokte met zijn schouders alsof hij een ergerlijke aanraking van zich afschudde en probeerde een glimlach, die mislukte. 'Zuster Henderson, ik ben zeer erkentelijk...ik bedoel, ik weet niet wat ik zou moeten als iedereen niet... ik bedoel, u weet niet wat 't voor mij betekent dat ik kan... wel, ik bedoel dat ik dankbaar ben.' Bij elke weifeling schoot zijn hoofd naar voren als dat van een schildpad uit zijn schild, maar zijn ogen bewogen niet.

Momma, altijd slecht op haar gemak bij een openlijk vertoon van emoties die niet van religieuze oorsprong waren, zei dat ik met haar mee moest komen om het brood en de kommen binnen te brengen. Zij droeg het eten en ik kwam achter haar aan met de petroleumlamp. Het nieuwe licht verleende een griezelig scherpe dimensie aan de kamer. Bailey zat nog steeds gebogen over zijn boek, als een Zwarte gebochelde dwerg. Zijn ogen volgden zijn vinger op de bladzijde. Oom Willie en meneer Taylor waren verstard als mensen in een boek over de geschiedenis van de Amerikaanse Neger.

'Nou, vooruit broeder Taylor.' Momma drong een

kom soep aan hem op. 'U mag dan misschien geen honger hebben, maar neem dit voor de voedzaamheid.' In haar stem lag de milde zorg van een gezond iemand die tegen een invalide spreekt en haar simpele woorden waren in roerende overeenstemming met zijn: 'Ik ben dankbaar.' Bailey maakte zich los uit zijn concentratie en stond op om zijn handen te wassen.

'Willie, zeg het gebed.' Momma zette Bailey's kom neer en boog haar hoofd. Tijdens het dankgebed stond Bailey in de deuropening, als een toonbeeld van gehoorzaamheid, maar ik wist dat zijn gedachten bij Tom Sawyer en Jim waren, zoals de mijne bij Jane Eyre en meneer Rochester zouden zijn als de glinsterende ogen van die verdroogde, oude meneer Taylor er niet waren geweest.

Onze gast nam plichtmatig een paar lepels van de soep, beet een halve cirkel in het brood en zette zijn kom toen op de vloer. Iets in het vuur trok zijn aandacht terwijl wij luidruchtig dooraten.

Toen ze zijn teruggetrokkenheid opmerkte, zei Momma: ''t Is niet goed dat u 't zich zo aantrekt, ik weet wel dat jullie alles bij mekaar een hele tijd...'

Oom Willie zei: 'Veertig jaar.'

'... maar 't is al zes maanden geleden dat ze naar d'r rustplaats is gegaan... en u moet vertrouwen hebben. Hij geeft ons nooit meer dan we kunnen dragen.' Haar woorden monterden meneer Taylor op. Hij pakte zijn kom weer op en schraapte met zijn lepel door de dikke soep.

Momma zag dat ze wat contact had gemaakt, dus ging ze door: 'Jullie hebben heel wat goeie dingen gehad. Daar moet u dankbaar voor zijn. 't Is allenig jammer dat jullie samen geen kinder hadden.'

Als ik mijn hoofd omlaag had gehad, zou ik de metamorfose in meneer Taylor gemist hebben. Het was geen verandering die geleidelijk kwam maar eerder, zo leek het mij, ineens. Zijn kom stond weer met een bons op de vloer en met zijn bovenlichaam leunde hij naar Momma toe. Maar in zijn gezicht was de verandering het meest opvallend. De bruine oppervlakte leek donkerder te worden van leven, alsof een innerlijke onrust onder zijn dunne huid opvlamde. De open mond, waarin lange tanden te zien waren, was een duistere kamer gemeubileerd met een paar witte stoelen.

'Kinder.' Hij pruimde het woord rond in zijn lege mond. 'Ja, kinder.' Bailey (net als ik), gewend om zo aangesproken te worden, keek hem vol verwachting aan.

'Dat is wat zij wilde.' Zijn ogen waren bezield en spanden zich in om uit de kassen te springen die hen gevangen hielden. 'Dat is wat zij zei. Kinder.'

De lucht werd zwaarder en dik. Een groter huis was op ons dak neergezet en duwde ons onmerkbaar de grond in.

Momma vroeg met haar nette-mensenstem: 'Wie zei wat, broeder Taylor?' Ze wist het antwoord. We wisten allemaal het antwoord.

'Florida.' Zijn kleine, gerimpelde handen balden zich tot vuisten, strekten zich en balden zich weer.

'Gisteravond zei ze 't nog.'

Bailey en ik keken elkaar aan en ik schoof mijn stoel dichter naar hem toe. 'Ze zei: "Ik wil kinder hebben."' Toen hij zijn toch al hoge stem op een wat hij dacht vrouwelijke hoogte bracht, of in ieder geval die van juf Florida, zijn vrouw, flitste het geluid, zigzaggend als bliksem, door de kamer.

Oom Willie hield op met eten en keek hem met iets van medelijden aan. 'Misschien droomde u wel, broeder

Taylor. 't Zou een droom kunnen zijn.'

Momma stemde sussend in. 'Dat is waar. Weet u, pas nog lazen de kinder me iets voor. 't Ging over dat mensen als ze denken aan iets net voor ze in slaap vallen, ze daarover dromen.'

Meneer Taylor duwde zichzelf overeind. ''t Was niks geen droom. Ik was net zo wakker als ik nou ben.' Hij was boos en de spanning versterkte zijn dunne masker van kracht.

'Ik zal 'ns vertellen wat er gebeurde.'

Oh, Heer, een spookverhaal. Ik haatte en vreesde de lange winteravonden als late klanten naar de Winkel kwamen om rond de kachel gezeten pinda's te roosteren en elkaar de loef af te steken met lugubere verhalen over spoken en geesten, bansjies en ju-ju, voodoo en andere tegennatuurlijke verhalen. Maar een echt verhaal dat een echt mens was overkomen en gisteravond nog. Daar zou ik zeker niet tegen kunnen. Ik stond op en liep naar het raam.

De begrafenis van Mevrouw Florida Taylor volgde pal op onze eindexamens. Bailey, Louise en ik hadden goede punten behaald en we waren tevreden over onszelf en elkaar. De gouden zomer lag voor ons met beloften van picknicks en visbarbecues, bramenspeurtochten en spelletjes croquet tot het donker werd. Mijn gevoel van welzijn kon alleen maar doorbroken worden door een persoonlijk verlies. Ik had de gezusters Brontë ontmoet, was van ze gaan houden en had 'If' van Kipling vervangen door 'Invictus'. Mijn vriendschap met Louise had zich verstevigd door bal- en hinkelspelletjes en diepe en duistere bekentenissen die vaak uitgewisseld werden na herhaaldelijke 'Zweer dat je 't niet verder vertelt'. Ik sprak nooit over St. Louis met haar en was zo'n beetje gaan geloven dat die nachtmerrie en alle ermee gepaard gaande schuld en angst mij niet echt waren overkomen. Het was een akelig, klein meisje dat geen band met mij had, jaren en jaren geleden, overkomen.

Aanvankelijk trof me het nieuws dat Mevrouw Taylor dood was niet als een bijzonder nieuwsachtig soort bericht. Zoals dat bij kinderen gaat, dacht ik dat ze, aangezien ze al erg oud was, nog maar één ding kon doen en dat was doodgaan. Ze was een niet onaardige vrouw, die vanwege haar ouderdom met trippelpasjes liep en met haar kleine handen als zwakke klauwtjes graag een jonge huid aanraakte. Iedere keer dat ze naar de Winkel kwam, moest ik naar haar toekomen en dan krabbelde ze met haar gele nagels over mijn wangen. 'Wat heb je toch een mooie kleur.' Het was een uitzonderlijk compliment in een wereld waarin slechts zelden zulke prijzende woorden werden gesproken en het woog op tegen de aanraking van de dorre vingers.

'Jij gaat naar de begrafenis, zuster.' Het was geen vraag die Momma stelde.

Momma zei: 'Je gaat, want zuster Taylor had zoveel met je op dat ze je haar gele broche heeft nagelaten.' (Ze wilde niet 'gouden' zeggen omdat hij dat niet was.) 'Ze zei tegen broeder Taylor: "Ik wil dat zuster Hendersons kleinkind mijn gouden broche krijgt." Dus je moet ernaartoe.'

Ik had een paar keer eerder achter een doodskist aangelopen die van de kerk de heuvel op naar het kerkhof werd gebracht, maar omdat Momma zei dat ik teerhartig was, had ik nooit een rouwdienst hoeven bijwonen. Op elfjarige leeftijd is de dood eerder onwezenlijk dan angstaanjagend. Het leek mij zonde van een plezierige middag om in de kerk te zitten voor een onnozele, oude broche die niet eens van goud was en bovendien te ouwelijk voor mij om te dragen. Maar als Momma zei dat ik er naar toe moest, dan stond het vast dat ik er zou zijn.

In de voorste banken zaten de rouwdragers gehuld in de somberheid van blauw kamgaren en zwarte crêpe jurken. Een dodenpsalm zocht zich traag, maar effectief, een weg door de kerk. Hij daalde neer in het hart van elke opgewekte gedachte en drukte op iedere vrolijke herinnering. Hij verbrijzelde het lichte en hoopvolle: 'Aan de overkant van de Jordaan, is vrede voor de vermoeiden, daar is vrede voor mij.' De onvermijdelijke bestemming van alle levende wezens leek zeer nabij. Ik had er nooit over nagedacht dat woorden en uidrukkingen als doodgaan, de dood, doodzijn, heengegaan, ook maar in de verste verte iets met mij te maken zouden kunnen hebben.

Maar op die drukkende dag, beklemmend zonder verlichting, werd mijn eigen sterfelijkheid aan mij overgebracht door het trage tij van de verdoemenis.

Zodra het treurige lied afgelopen was, stond de dominee bij het altaar en stak een preek af die me in mijn toestand maar weinig troost bood. Het thema was 'Gij zijt mijn goede en trouwe dienaar die mij zeer behaagt'. Zijn stem vlocht zich door de sombere dampen die de lijkzang had achtergelaten. Op monotone toon waarschuwde hij de toehoorders dat 'deze dag uw laatste kan zijn' en de beste verzekering tegen sterven in zonde was 'het goed maken met God', zodat Hij op de beslissende dag zou zeggen: 'Gij zijt mijn goede en trouwe dienaar die mij zeer behaagt.'

Nadat hij ons de schrik voor het kille graf op het lijf had gejaagd, kwam hij te spreken over Mevrouw Taylor:

'Een godvruchtige vrouw die aan de armen gaf, voor de zieken zorgde, aan de kerk schonk en in het algemeen een leven vol goedertierenheid leidde.' Op dit punt begon hij direct tegen de kist te praten, die ik bij het binnenkomen wel had zien staan maar daarna angstvallig had gemeden.

'Toen ik honger had, hebt gij mij te eten gegeven. Toen ik dorstig was, hebt gij mij te drinken gegeven. Ik was ziek en gij hebt mij bezocht. Ik was in de gevangenis en gij hebt mij niet verlaten. Voorwaar: al wat gij gedaan hebt voor een dezer geringsten, hebt gij voor Mij gedaan.' Hij sprong van de verhoging af en liep naar de met grijs fluweel bedekte kist toe. Gebiedend rukte hij de grijze doek van de openstaande klep weg en tuurde omlaag in het mysterie.

'Slaap, gij, genadige ziel, tot Christus u tot zich roept in Zijn stralende hemel.'

Hij bleef zich direct tot de dode vrouw richten en ik wenste bijna dat ze op zou staan en hem, beledigd door zijn grove benadering, van repliek zou dienen. Meneer Taylor slaakte een kreet. Hij kwam plotseling overeind en strekte zijn armen uit naar de dominee, de kist en het lijk van zijn vrouw. Een volle minuut bleef hij wankelend, met zijn rug naar de kerk toe, staan terwijl de leerzame woorden, rijk aan beloften, vol van waarschuwingen, door de ruimte tuimelden. Momma en een paar andere dames vingen hem net op tijd op en brachten hem terug naar de bank waar hij meteen slap, als een lappen Broer Konijn-pop, in elkaar zakte.

Meneer Taylor en de hogere kerkenraadsleden waren de eersten die achter elkaar rond de baar liepen om de overledene vaarwel te wuiven en een glimp op te vangen van wat alle mensen te wachten staat. Toen, met zware stappen, die nog logger werden door de schuld die de levenden voelen als ze de doden aanschouwen, marcheerde het volwassen deel van de gemeente naar de kist en terug naar hun plaatsen. Op hun gezichten waarop, voor ze de kist bereikten, hun bezorgdheid te lezen was, viel op de terugweg langs het andere gangpad te zien dat hun angstige vermoedens voor eens en altijd bevestigd waren. Hen gadeslaan was een beetje hetzelfde als door een raam gluren waarvan het gordijn niet helemaal is dichtgetrokken. Hoewel ik het ook niet probeerde, was het onmogelijk om hun rol in het drama niet te registreren.

En toen stak een in het zwart geklede ordebewaakster een houterige hand uit naar de rijen met kinderen. Er werd wat onwillig heen en weer geschuifeld, maar ten slotte ging een veertienjarige jongen ons voor en ik durfde niet achter te blijven, hoezeer ik het ook verafschuwde om naar de dode Mevrouw Taylor te moeten kijken. In het gangpad vermengde het gekreun en geschreeuw zich met de misselijkmakende geur van in zomers weer gedragen zwarte, wollen kleren en die van verwelkende groene bladeren en gele bloemen. Ik kon niet onderscheiden of ik het krampachtige geluid van verdriet rook of de weeïge lucht van de dood hoorde.

Het zou gemakkelijker geweest zijn om haar door het gaas heen te zien maar, in plaats daarvan, keek ik neer op het naakte gezicht dat plotseling zo leeg en boosaardig leek. Het kende geheimen die ik nooit wilde delen. De wangen waren tot aan de oren teruggevallen en een zorgzame begrafenisondernemer had lippenstift op de zwarte mond gedaan. De geur van verval was zoetig en indringend. Hij tastte naar leven met een hunkering die begerig en weerzinwekkend was. Maar het was hypnotiserend. Ik wilde doorlopen, maar mijn schoenen bleven op de vloer kleven en ik moest me aan de zijkant van de kist vasthouden om overeind te blijven. Toen de bewegende rij onverwacht tot stilstand kwam, botsten de kinderen tegen elkaar aan en gefluister waarvan de bedoeling duidelijk was, bereikte mijn oren.

'Doorlopen, zuster, doorlopen.' Het was Momma. Haar stem trok aan mijn wil en iemand duwde me van achteren en ik werd bevrijd. Onmiddellijk gaf ik mezelf over aan de onverbiddelijkheid van de dood. De verandering die hij in Mevrouw Taylor teweeg had gebracht, toonde aan dat aan zijn kracht geen weerstand kon worden geboden. Haar hoge stem, die de lucht in de Winkel openbrak, was voor altijd tot zwijgen gebracht en het ronde, bruine gezicht was leeggelopen en platgeslagen als een hoop koeiendrek.

De kist werd met paard en wagen naar het kerkhof gebracht en de hele weg wisselde ik van gedachten met de engelen des doods en stelde hun vragen over de keuze van het tijdstip, de plaats en de persoon.

Voor het eerst kreeg het begrafenisritueel betekenis voor mij.

'Gij zijt stof en tot stof zult ge wederkeren.' Het was zeker dat Mevrouw Taylor terugkeerde naar de aarde die haar had voortgebracht. En eigenlijk, toen ik erover nadacht, moest ik tot de conclusie komen dat ze eruit had gezien als een modderpop zoals ze op het witte satijn van haar fluwelen kist had gelegen. Een modderpop die door creatieve kinderhanden op een regenachtige dag wordt geboetseerd en spoedig daarna weer wordt opgenomen door de losse grond.

De herinnering aan die makabere ceremonie was zo reëel voor mij geweest dat het me verbaasde toen ik Momma en oom Willie zag zitten eten bij de kachel. Geen van beiden waren ze verontrust of deinsden ze terug, alsof ze beseften dat een man moet zeggen wat hij te zeggen heeft. Maar ik wilde er niet naar luisteren en de wind, die mijn kant koos, bedreigde de Chinese bessenboom buiten bij de achterdeur.

'Gisteravond, toen ik mijn gebeden gezegd had, ging ik op bed liggen. Hetzelfde, weet u, als waarin zij is gestorven.' Oh, hield hij zijn mond nou maar. Momma zei: 'Zuster, ga zitten en eet je soep op. Op zo'n kouwe avond moet je iets warms in je buik hebben. Ga verder, broeder Taylor, alstublieft.' Ik ging zo dicht mogelijk bij Bailey zitten.

'Nou, iets zei me dat ik m'n ogen open moest doen.'

'Wat voor iets?' vroeg Momma zonder haar lepel neer te leggen. 'Ja,' verklaarde oom Willie, 'iets kan goed zijn en iets kan slecht zijn.'

'Nou, dat wist ik niet zeker, dus ik dacht, ik kan ze beter maar opendoen, want 't had, wel, 't een of 't ander kunnen wezen. Ik doe m'n ogen open en ik zie ineens een klein baby-engeltje. 't Was net zo dik en rond als een boterballetje en 't lachte en ogen had 't, zo blauw, zo blauw.'

Oom Willie vroeg: 'Een baby-engeltje?'

'Jazekers en 't lachte recht in m'n gezicht. Toen hoorde ik zo'n lange kreun, "aaah". Wel, 't is net wat u zegt, zuster Henderson, we waren meer dan veertig jaar samen. Ik ken Florida d'r stem. Ik was niet gelijk bang. Ik riep: "Florida?" Toen lachte die engel nog harder en de kreun werd ook harder.'

Ik zette mijn kom neer en kroop dichter tegen Bailey aan. Mevrouw Taylor was een heel aardige vrouw geweest die de hele tijd glimlachte en geduldig was. Het enige wat me stoorde en ergerde als ze in de Winkel kwam, was haar stem geweest. Zoals mensen doen die bijna doof zijn, schreeuwde ze omdat ze maar half hoorde wat ze zelf zei en gedeeltelijk omdat ze hoopte dat de luisteraar op dezelfde wijze zou antwoorden. Dat was toen ze nog leefde. De gedachte, dat die stem uit het graf vanuit het kerkhof helemaal de heuvel af zou komen om boven mijn hoofd te blijven hangen, was genoeg om mijn haar kaarsrecht te maken.

'Jazekers.' Hij keek naar de kachel en de rode gloed viel op zijn gezicht. Het leek alsof er een vuur binnenin zijn hoofd brandde. 'Eerst riep ik: "Florida, Florida. Wat wil je nou?" En die duivelse engel bleef almaar zo hard lachen.' Meneer Taylor probeerde zelf te lachen maar hij slaagde er slechts in om angstig te kijken. '"Ik wil..." Toen zei ze dat: "Ik wil."' Hij liet zijn stem klinken als de wind, als de wind tenminste bronchiale longontsteking zou hebben. Hij piepte: '"Ik wil ki-in-der hebben."'

Bailey en ik kwamen elkaar halverwege de tochtige vloer tegen.

Momma zei: 'Nou, nou, broeder Taylor, 't kan zijn dat u droomde. U weet wat ze zeggen, waar je mee te bed gaat in je gedachten...'

'Nee hoor, zuster Henderson, ik was net zo klaarwakker als ik nou ben.'

'Hebt u haar te zien gekregen?' Oom Willie had een dromerige uitdrukking op zijn gezicht.

'Nee, Willie, alles wat ik zag was dat dikke, witte baby-engeltje. Maar ik kan me niet vergissen in die stem..."Ik wil kinder hebben."'

De koude wind had mijn voeten en ruggengraat bevroren en toen meneer Taylor haar stem nabootste, was mijn bloed verkild.

Momma zei: 'Zuster, breng de lange vork 'ns om de bataten d'ruit te halen.'

'Watblief?' Ze kon toch zeker niet de lange vork bedoelen die – een miljoen doodenge mijlen ver weg – achter de keukenkachel aan de muur hing?

'Ik zei, ga de vork halen. Straks verbranden de bataten.'

Ik ontwarde mijn benen uit de greep van de angst en viel bijna bovenop de kachel. Momma zei: 'Dat kind zou nog over 't patroon in een kleed struikelen. Ga verder, broeder Taylor, zei ze nog meer?'

Als dat zo was, wilde ik het niet horen, maar ik had ook niet veel zin om de verlichte kamer te verlaten waar mijn familie rond het gezellige vuur zat.

'Nou, ze zei nog een paar keer "aaah" en toen begon die engel van 't plafond af te lopen. Ik zeg u, ik was zowat stijf van schrik.'

Ik was bij de niemandsoceaan van duisternis aangekomen. Het was geen zware beslissing. Ik wist dat het een marteling zou zijn om door het diepe zwart van oom Willies slaapkamer te gaan, maar het zou minder erg zijn dan blijven luisteren naar het demonische verhaal. En ik kon me ook niet veroorloven me het ongenoegen van Momma op de hals te halen. Als ze boos op me was, liet ze me aan de rand van het bed slapen en ik wist dat ik het die nacht nodig zou hebben om dicht tegen haar aan te kruipen.

Ik deed een stap de duisternis in en het gevoel dat ik daarmee de werkelijkheid achterliet, maakte dat ik bijna in paniek raakte. De gedachte kwam bij me op dat ik misschien wel nooit meer terug in het licht zou komen. Snel zocht ik de deur die naar het vertrouwde leidde, maar toen ik hem opende, greep het afschuwelijke verhaal naar me en probeerde mijn oren te pakken. Ik deed de deur weer dicht.

Uiteraard geloofde ik in spoken en geesten en 'vreemde wezens'. Als je opgevoed bent door een superreligieuze Zuidelijke Negergrootmoeder, zou het abnormaal geweest zijn als je niet bijgelovig was.

De tocht naar de keuken en terug kon niet langer geduurd hebben dan twee minuten, maar in die tijd doolde ik over drassige kerkhoven, klom over stoffige grafstenen en ontsnapte ik aan zwermen nachtzwarte katten.

Terug in de familiekring viel het me op hoezeer de buik van de roodgloeiende kachel op het oog van een éénogige reus leek.

''t Deed me denken aan toen mijn papa stierf. We zijn heel dik met mekaar, weet u.' Meneer Taylor had zichzelf onder de hypnose van de griezelige wereld van gruwelen gebracht. Ik doorbrak zijn overpeinzingen over vroeger. 'Momma, hier is de vork.' Bailey was op zijn zij achter de kachel gaan liggen en zijn ogen glansden. Hij was meer gefascineerd door de morbide belangstelling van meneer Taylor voor zijn eigen verhaal dan door de inhoud ervan.

Momma legde haar hand op mijn arm en zei: 'Je trilt helemaal, zuster. Wat is er?' Mijn huid rimpelde nog na van de angstige ervaring.

Oom Willie lachte en zei: 'Misschien had ze schrik om naar de keuken te gaan.'

Zijn hoge lachje kon mij niet voor de gek houden. Iedereen voelde zich onbehaaglijk wanneer het onbekende wenkte.

'Nee, 't sta vast. Ik heb nog nooit niks zo helder gezien als dat engeltje.' Zijn kaken kauwden automatisch op de al papperige bataten. ''t Lachte alleen maar of 't de grootste lol had. Wat denkt u dat 't betekent, zuster Henderson?'

Momma leunde achterover in haar schommelstoel, een flauwe glimlach op haar gezicht. 'Als 't zeker is dat u niet aan het dromen was, broeder Taylor...'

'Ik was net zo klaarwakker als ik...' hij werd opnieuw kwaad, 'als ik nou ben.'

'... misschien betekent 't dat zuster Florida wil dat u met de kinder in de kerk gaat werken.'

'Da's wat ik altijd tegen Florida zei, mensen laten je d'r nooit geen speld tussen krijgen...'

'Kan zijn dat ze u probeert te vertellen...'

'Ik ben niet gek, hoor. Mijn verstand is nog net zo goed als dat 't was.'

'... om een klas in de zondagsschool te nemen...'

'Dertig jaar geleden. Als ik zeg dat ik wakker was toen ik dat dikke engeltje zag, dan zouden mensen dat...'

'De zondagsschool heeft onderwijzers nodig. De Heer weet dat 't waar is.'

'... moeten geloven als ik dat zeg.'

Hun opmerkingen en reacties waren als de slagen in een pingpongspel waarbij het balletje steeds juist over het net scheerde terug naar de tegenstander. Wat ze zeiden had geen inhoud meer, alleen het spel zelf bleef over. De uitwisseling verliep met de afgemeten zekerheid van een quadrille en hing als de maandagse was te wapperen in de wind – nu eens naar het oosten, dan weer naar het westen klapperend, met als enige bedoeling het vocht uit de stof te striemen.

Binnen een paar minuten was de roes van onheil verdwenen alsof hij er nooit geweest was en zat Momma meneer Taylor te adviseren om een van de jongens van Jenkins aan te nemen om op de boerderij te helpen. Oom Willie zat te knikkebollen bij het vuur en Bailey was teruggevlucht naar de koelbloedige avonturen van

Huckleberry Finn. De verandering in de kamer was opvallend. De schaduwen, die uitgerekt en duister boven het bed in de hoek hadden gehangen, waren weg, of bleken niet meer te zijn dan de donkere silhouetten van vertrouwde stoelen en dergelijke. Het lamplicht dat tegen het plafond opgesprongen was, brandde weer regelmatig en leek op konijntjes in plaats van leeuwen, op ezeltjes in plaats van monsters.

Ik dekte een kermisbed voor meneer Taylor in oom Willies kamer en kroop zowat onder Momma die, dat besefte ik voor het eerst, zo goed en rechtvaardig was dat ze de aanstormende geesten kon bevelen als Jezus de zee: 'Vrede en wees kalm.'

23

De kinderen van Stamps beefden zichtbaar van verwachting. Hoewel sommige volwassenen ook opgewonden waren, stond het vast dat alle jongere inwoners aangestoken waren door de diploma-epidemie. Grote groepen jongens en meisjes, zowel van de lagere als van de middelbare school, zouden hun getuigschrift krijgen. Zelfs degenen die nog jaren moesten wachten op hun eigen glorieuze bevrijding, deden hun best om te helpen met de voorbereidingen als een soort proefdraaien voor die dag. De jongere leerlingen die de opengevallen plaatsen in de klassen gingen bezetten, moesten traditiegetrouw hun talenten voor leiderschap en organisatie laten zien. Ze paradeerden door de school en over het schoolterrein en zetten de lagere klassen onder druk. Hun autoriteit was zo nieuw voor hen dat, als de druk die ze uitoefenden soms wat te zwaar werd, het door de vingers gezien moest worden. Per slot van rekening kon het geen kwaad voor een meisje uit de zesde klas om een vriendinnetje te hebben in de achtste, of voor een jongen uit de tiende om maatjes te zijn met een leerling uit de twaalfde. Dus werd het allemaal getolereerd in die geest van wederzijds begrip. Maar de eindexamenklassen zelf waren de aristocraten. Als reizigers die met hun gedachten bij een exotische bestemming zijn, werden de schoolverlaters opvallend vergeetachtig. Ze kwamen naar school zonder boeken en schriften en zelfs zonder potloden. Vrijwilligers sloofden zich uit om het ontbrekende materiaal aan te vullen. Als het geaccepteerd werd, kon er voor de werkwilligen soms wel, soms niet een bedankje af en voor de rituelen, voorafgaande aan de diploma-uitreiking, maakte het geen enkel verschil. Zelfs de leraren ontzagen de nu rustige en rijpere laatstejaars en als ze hen al niet als gelijken aanspraken, dan toch minstens als wezens die maar net een trapje lager stonden dan zijzelf. Nadat de schooltoetsen waren teruggegeven en de cijfers bekendgemaakt, wist de hele school, die fungeerde als een uitgebreide familie, wie er goed doorheen was gekomen, wie de uitblinkers waren en welke zielenpieten er gezakt waren.

In tegenstelling tot de blanke middelbare school onderscheidde de Lafayette County Training School zich niet door het bezit van een gazon, heggen, een tennisbaan of klimop op de muren. De twee gebouwen (de voornaamste lokalen, de lagere school en de afdeling huishoudkunde) stonden op een zandheuvel zonder afbakening tussen het eigen terrein en dat van de aangrenzende boerderijen. Links van de school lag een groot stuk land dat afwisselend werd gebruikt als honkbal- en basketbalveld. Roestige ringen aan wankele palen vormden de permanente speluitrusting, hoewel knuppels en ballen van de gymleraar geleend konden worden, tenminste, als de lener daartoe bevoegd geacht werd en het veld leeg was.

Over dit keiige terrein, dat onderbroken werd door een paar hoge, schaduwrijke persimoenbomen, wandelde de eindexamenklas. De meisjes liepen vaak hand in hand en namen niet langer de moeite om met de jongere scholieren te praten. Ze hadden iets droefgeestigs over zich alsof ze niet langer thuis waren in deze oude wereld en naar een hoger doel op weg waren. De jongens daarentegen waren juist wel vriendelijker en hartelijker geworden. Een onmiskenbaar verschil met het gesloten gedrag dat ze vertoond hadden toen ze voor hun eindexamen studeerden. Het leek alsof ze nu toch niet bereid waren om de oude school, de vertrouwde paadjes en klaslokalen op te geven. Slechts een klein percentage zou doorgaan naar een college – een van de L & T (landbouw en technische) scholen in het Zuiden, waar Negerjongeren opgeleid werden tot timmerman, boer, klusjesman, metselaar, dienstbode, kokkin en kinderverpleegster. De toekomst woog zwaar op hun schouders en maakte hen blind voor de collectieve vreugde die het bestaan van de jongens en meisjes in de laatste klas van de lagere school beheerste.

Ouders die het konden betalen, hadden nieuwe schoenen en confectiekleding voor zichzelf besteld bij Sears and Roebuck of Montgomery Ward. En ze gaven de beste naaisters opdracht om de loshangende afstudeergewaden te maken en tweedehands broeken te vermaken die voor de gewichtige gebeurtenis tot een militaire gladheid zouden worden geperst.

En of het gewichtig was. Er zou blankvolk aanwezig zijn bij de ceremonie. Twee of drie zouden er spreken over God, vaderland en de Zuidelijke manier van leven en Mevrouw Parsons, de vrouw van de directeur, zou de promotiemars spelen terwijl de jongere eindexamenkandidaten door het middenpad defileerden om vlak voor het podium plaats te nemen. De afgestudeerden van de middelbare school zouden in de lege lokalen wachten tot ze hun dramatische entree konden maken.

In de Winkel was ik iemand van belang. Het jarig Jetje. Het middelpunt. Bailey was het jaar tevoren geslaagd, hoewel hij daarvoor alle pleziertjes opzij had moeten zetten om de tijd in te halen die hij verloren had in Baton Rouge.

De meisjes van mijn klas zouden allemaal botergele piquéjurken dragen en Momma stortte zich echt op de mijne. Ze smokte piepkleine, gekruiste plooitjes in de schouders en rimpelde de rest van het lijfje. Haar donkere vingers doken in en uit de citroenkleurige stof, terwijl ze opgewerkte madeliefjes borduurde rond de zoom. Ze vond haar werk pas echt af toen ze ook nog boordjes aan de pofmouwen en een puntkraagje had gehaakt.

Ik zou er prachtig uitzien. Een wandelend voorbeeld van alle verschillende stijlen van fijn handwerk en ik zat er niet over in dat ik pas twaalf was en geen grotere prestatie had geleverd dan mijn diploma halen voor de achtste klas. Bovendien bezaten veel van de onderwijzers aan de Negerscholen in Arkansas alleen dat diploma en waren ze toch bevoegd om wijsheid door te geven.

De dagen waren langer geworden en duidelijker waarneembaar. Het fletse beige van voorheen had plaats gemaakt voor sterke en krachtige kleuren. Ik begon de kleren van mijn klasgenoten te zien, de tint van hun huid en het stuifmeel dat van wilgenkatjes wegwaaide. Wolken die traag langs de hemel dreven, waren zaken van groot belang voor mij. Hun vluchtige vormen zouden een boodschap kunnen bevatten die ik in mijn nieuw gevonden geluk en met een beetje meer tijd weldra zou ontcijferen. Gedurende die periode keek ik zo angstvallig naar de hemelboog dat ik constant kramp in mijn nek had. Ik glimlachte veel vaker en mijn kaken deden pijn van deze ongewone activiteit. Ik veronderstel dat ik me door die twee lichamelijk pijnlijke plekken onbehaaglijk had kunnen voelen, maar dat was niet zo. Als lid van de winnende ploeg (de eindexamenklas van 1940) had ik alle onplezierige sensaties mijlenver achter me gelaten. En ik koerste op de vrijheid van het open veld af.

Mijn jeugd en de sociale goedkeuring sloten zich bij mij aan en samen hielden we de herinneringen aan kleineringen en beledigingen tegen. De wind op onze snelle tocht gaf een andere uitdrukking aan mijn gezicht. Tranen die ik vergoten had, werden eerst tot modder vermalen en toen tot stof. Jaren van teruggetrokkenheid werden terzijde geschoven en achtergelaten als de hangende strengen van een woekerplant.

Door mijn werk alleen had ik een van de hoogste plaatsen verworven en mijn naam zou als een van de eerste afgeroepen worden bij de diploma-uitreiking. Zowel op het bord in het klaslokaal als op het prikbord in de aula stonden blauwe, witte en rode sterren. Geen verzuim, geen te laat komen en mijn schoolwerk behoorde tot het beste van het jaar. Ik kon de inleiding op de Grondwet nog sneller opzeggen dan Bailey. We hadden vaak de tijd opgenomen: 'WijhetvolkvandeVerenigdeStatenteneindeeenvolmaakter eenheidtevormen...' Ik kende de presidenten van de Verenigde Staten van Washington tot Roosevelt uit mijn hoofd, in chronologische zowel als alfabetische volgorde.

Mijn haar beviel me ook. Geleidelijk aan was de zwarte massa langer en dikker geworden, zodat het ten slotte in vlechten bleef zitten en ik mezelf niet langer hoefde te scalperen wanneer ik het probeerde te kammen.

Louise en ik hadden net zo lang op de opgaven geoefend tot we doodmoe waren. Henry Reed zou namens onze klas de afscheidsrede houden. Hij was een kleine, zeer donkere jongen met halfgeloken ogen, een lange, brede neus en een vreemd gevormd hoofd. Ik bewonderde hem al jaren, omdat hij en ik elk schooljaar wedijverden om de beste cijfers. Meestal won hij van mij, maar in plaats van teleurgesteld te zijn, was ik er blij om dat wij samen de hoogste plaatsen deelden. Zoals zoveel Zwarte kinderen in het Zuiden, woonde hij bij zijn grootmoeder die net zo streng was als Momma en net zo lief als in haar macht lag. Hij was hoffelijk en wellevend en sprak met zachte stem tegen ouderen, maar op het schoolplein deed hij bij voorkeur mee aan de meest wilde spelletjes. Ik keek tegen hem op. Iedereen, dacht ik, die bang of saai genoeg was, kon beleefd zijn. Maar om bij zowel volwassenen als bij kinderen op topniveau te kunnen functioneren, was bewonderenswaardig.

Zijn afscheidsrede was getiteld: 'Zijn of niet zijn.' De onbuigzame leraar van de tiende klas had hem geholpen bij het schrijven ervan. Hij had maandenlang gewerkt aan de dramatische accenten.

De weken voor de diploma-uitreiking waren vervuld van een onstuimige activiteit. Een groepje kleine kinderen zou verkleed als boterbloemen, madeliefjes en konijntjes een toneelstukje opvoeren. Door het hele gebouw heen was te horen hoe ze hun huppelsprongetjes en liedjes, die klonken als zilveren belletjes, instudeerden. De grotere meisjes (geen schoolverlaters, natuurlijk) hadden de opdracht gekregen om de versnaperingen voor het feest te verzorgen. Er hing een pittige geur van gember, kaneel, nootmuskaat en chocolade rond het huishoudkundegebouw terwijl de aankomende kokkinnen proefexemplaren maakten voor zichzelf en de leraressen.

In elke hoek van de werkplaats werd vers hout met bijlen en zagen gespleten door de jongens van de houtbewerkingsklas die decorstukken voor het toneel maakten. Alleen de eindexamenkandidaten namen niet deel aan de algemene bedrijvigheid. Wij waren vrij om in de bibliotheek achter in het gebouw te zitten of, heel nonchalant natuurlijk, een blik te werpen op de maatregelen die voor onze plechtigheid werden getroffen.

Zelfs de dominee hield de zondag van tevoren een preek over de diploma-uitreiking. Zijn thema was: 'Laat uw licht zo schijnen dat de mensen uw goede werken zullen zien en uw Vader, die in de Hemel is, zullen prijzen.' Hoewel de preek ogenschijnlijk aan ons gericht was, nam hij de gelegenheid te baat om tot de afvalligen, gokkers en nietsnutten in het algemeen te spreken. Maar aangezien hij onze namen aan het begin van de dienst had afgeroepen, lieten we ons vermurwen.

Onder Negers was het traditie om cadeautjes te geven aan kinderen die gewoon maar van de ene naar de andere klas overgingen. Hoeveel belangrijker was het dan niet als iemand als beste van de klas van school af kwam. Oom Willie en Momma hadden voor mij een Mickey Mouse-horloge, net als dat van Bailey, besteld. Van Louise kreeg ik vier geborduurde zakdoeken. (Ik gaf haar drie gehaakte kleedjes.) Mevrouw Sneed, de vrouw van de dominee, maakte voor mij een onderrok die ik naar de diploma-uitreiking kon dragen en bijna alle klanten gaven me vijf cent en soms zelfs tien cent, met de instructie om 'hogerop te blijven klimmen', of een andere aansporing.

Tot mijn verbazing brak de grote dag eindelijk aan en voor ik er erg in had, stond ik naast mijn bed. Ik gooide de achterdeur open om de dag duidelijk te zien, maar Momma zei: 'Zuster, kom bij die deur weg en doe je kamerjas aan.'

Ik hoopte dat de herinnering aan die ochtend me altijd bij zou blijven. Het zonlicht zelf was jong en de dag had nog niets van die hardnekkige bezadigdheid die hij een paar uur later zou krijgen. In mijn kamerjas en op blote voeten, onder het mom dat ik naar mijn nieuwe bonen ging kijken, gaf ik mezelf op het achtererf over aan de aangename warmte en dankte ik God dat, wat voor slechts ik ook in mijn leven had gedaan, Hij me toch deze dag liet meemaken. Ergens had ik in mijn fatalisme verwacht dat ik, per ongeluk, zou sterven en nooit de kans zou krijgen om de trap in de aula op te lopen en bevallig mijn zuur verdiende diploma in ontvangst te nemen. Uit de mildheid van Zijn hart had God me respijt verleend.

Bailey kwam naar buiten in zijn kamerjas en gaf me een doos verpakt in kerstpapier. Hij vertelde dat hij er maandenlang voor had gespaard. Het voelde aan als een doos bonbons, maar ik wist dat Bailey geen geld zou sparen om snoep te kopen omdat we alles wat we maar konden wensen, vlak voor onze neus hadden staan.

Hij was zelf net zo trots op zijn cadeau als ik. Het was een in zacht leer gebonden exemplaar van een verzameling gedichten van Edgar Allen Poe, of 'Eap' zoals Bailey en ik hem noemden. Ik sloeg 'Annabel Lee' op en we liepen op en neer tussen de groentebedden terwijl we, met het koele zand tussen onze tenen, de prachtige, treurige versregels opzeiden.

Momma maakte een zondags ontbijt klaar, hoewel het pas vrijdag was. Toen we het dankgebed gezegd hadden, deed ik mijn ogen open en zag het horloge op mijn bord liggen. Het was een droom van een dag. Alles liep gesmeerd en zat mij mee. Ik hoefde nergens voor vermaand of berispt te worden. Tegen de avond was ik te zenuwachtig om nog een karweitje op te knappen, dus bood Bailey aan om alles te doen voor hij in bad ging.

We hadden al dagen van tevoren een bord gemaakt voor de Winkel en toen we de lampen uitdeden, hing

Momma het karton aan de deurknop. Met duidelijke letters stond erop: – GESLOTEN DIPLOMA-UITREIKING.

Mijn jurk paste me precies en iedereen zei dat ik er als een zonnestraaltje uitzag. Op de heuvel, op weg naar de school, bleef Bailey achter bij oom Willie, die mompelde: 'Loop maar door, Ju.' Hij wilde dat Bailey vooraan bij ons ging lopen omdat hij zich ervoor schaamde dat hij maar zo langzaam vooruit kwam. Bailey zei dat hij de dames samen voor zou laten gaan en de mannen zouden de rij sluiten. We lachten allemaal, fijntjes.

Kleine kinderen kwamen vanuit het donker als vuurvliegjes voorbij gestoven. Hun crêpe papieren jurkjes en vlindervleugels waren niet gemaakt om mee te rennen en we konden er meer dan een, met een droog geluid, horen scheuren en het spijtige 'oh oh' dat erop volgde.

De school schitterde zonder vrolijkheid. Vanaf de voet van de heuvel leken de ramen kil en onvriendelijk. Een gevoel dat het een onzalig tijdstip was, bekroop me en als Momma me niet bij de hand had genomen, zou ik me terug hebben laten drijven naar Bailey en oom Willie en misschien nog wel verder weg. Ze maakte een paar flauwe grapjes over mijn koudwatervrees en trok me mee naar het voor mij nu vreemde gebouw.

Toen we bij de stoep stonden, kwam mijn zelfvertrouwen terug. Daar stonden mijn mede 'afgestudeerden' van de laatste klas. Met achterover geborsteld haar, ingevette benen, in nieuwe jurken en geperste broeken, met schone zakdoeken en kleine handtasjes, allemaal zelf gemaakt. Oh, het was tot in de puntjes zoals we eruitzagen. Ik ging naar mijn kameraadjes toe en zag niet eens meer dat mijn familie naar binnen ging om een plaatsje te zoeken in de volle aula.

De schoolband zette een mars in en alle klassen defileerden naar binnen zoals we gerepeteerd hadden. We bleven, volgens opdracht, voor onze stoelen staan en op een teken van de koordirigent gingen we zitten. We zaten net toen de band het volkslied begon te spelen. We stonden weer op, zongen het lied en daarna zeiden we de eed van trouw. Een kort moment bleven we nog staan totdat de dirigent en de directeur ons, een beetje wanhopig vond ik, een teken gaven weer plaats te nemen. Dat bevel was zo ongewoon dat onze zorgvuldig ingestudeerde en gladlopende menselijke machine uit zijn balans raakte. Een volle minuut lang tastten we naar onze stoelen en botsten we onhandig tegen elkaar aan. Onder druk veranderen gewoonten of roesten juist vast en in die toestand van nerveuze spanning hadden we op het punt gestaan om het gewone patroon van samenkomst te volgen: het Amerikaanse volkslied, dan de eed van trouw en daarna het lied dat door alle Zwarte mensen die ik kende, het Negervolkslied werd genoemd. En dat alles op dezelfde toon, met dezelfde mate aan hartstocht en meestal steunend op dezelfde voet.

Toen ik ten slotte mijn plaats weer had gevonden, werd ik overmand door angstige vermoedens dat er nog ergere dingen gingen komen. Er zou iets gebeuren dat niet van tevoren geoefend en gepland was en wij zouden voor gek worden gezet. Ik herinner me duidelijk mijn nauwkeurige keuze van het voornaamwoord. Het was 'wij', de eindklas, de eenheid, waar ik me toen om bekommerde.

De directeur verwelkomde de 'ouders en vrienden' en vroeg de doopsgezinde dominee ons voor te gaan in gebed. Zijn openingsgebed was kort en krachtig en even dacht ik dat we terug op de directe weg van de juiste gang van zaken zaten. Maar toen de directeur terugkeerde naar het podium, klonk zijn stem anders. Geluiden hadden altijd een grote invloed op mij en de stem van de directeur was een van mijn favorieten. Tijdens de schoolsamenkomsten loeide hij zwakjes en versmolt met zijn gehoor. Ik was niet van plan geweest om naar hem te luisteren, maar mijn nieuwsgierigheid was geprikkeld en ik ging rechtzitten om hem mijn aandacht te geven.

Hij had het over Booker T. Washington, 'wijlen onze grote leider', die zei dat wij zo hecht verbonden konden zijn als de vingers aan een hand, enz... Vervolgens zei hij iets vaags over vriendschap en de vriendschap van goedwillende mensen voor diegenen die minder fortuinlijk zijn dan zijzelf. En daarmee werd zijn stem zo dun dat hij bijna wegstierf. Als een rivier die zich vernauwt tot een beek en dan tot een druppelend stroompje. Maar hij schraapte zijn keel en zei: 'Onze spreker van vanavond, die ook een vriend van ons is, is uit Texarkana gekomen om de promotietoespraak te houden, maar omdat de treinen zo onregelmatig rijden, zal het, zoals dat heet, slechts een "bliksembezoek" zijn.' Hij zei dat wij daar begrip voor hadden en de man wilden laten weten dat we zeer dankbaar waren voor de tijd die hij voor ons vrijmaakte en toen zei hij nog iets over hoe wij altijd bereid waren ons aan te passen aan het programma van iemand anders en zonder verdere omhaal: 'Hier is meneer Edward Donleavy.'

Niet één maar twee blanke mannen kwamen door de deur aan de zijkant van het toneel. De kleinste van de twee liep naar het spreekgestoelte toe en de grootste liep naar de middelste stoel en ging zitten. Maar die plaats was voor de directeur bestemd. De verdreven heer wipte een paar adempauzes lang in het rond voordat de doopsgezinde dominee zijn stoel aan hem afstond en met meer

waardigheid dan de situatie waard was van het toneel afliep.

Donleavy keek zijn gehoor eenmaal aan (bij nader inzien, weet ik zeker dat hij zichzelf er alleen maar van wilde overtuigen dat we er echt waren), zette zijn bril recht
en begon van een bundel papier te lezen.

Hij was verheugd 'hier te zijn en te zien dat het werk
net als in de andere scholen voortging'.

Na het eerste 'Amen' uit het publiek wenste ik die
zondaar een onmiddellijke dood toe door te stikken in
het woord. Maar er begonnen Amens en Jazekers in de
ruimte te vallen als regen door een gescheurde paraplu.

Hij vertelde ons van de fantastische veranderingen die
de kinderen van Stamps te wachten stonden. Aan de
Centrale School (uiteraard was de blanke school Cen-
traal) waren al verbeteringen toegezegd waarvan in de
herfst gebruik gemaakt zou kunnen worden. Een bekend kunstenaar uit Little Rock zou hun tekenles komen geven. Ze zouden de nieuwste microscopen en
scheikunde-uitrustingen krijgen voor hun laboratori-
um. Meneer Donleavy liet ons niet lang in het duister
tasten over wie er voor deze verbeteringen op de Centrale Middelbare School had gezorgd. Ook wij werden niet
vergeten in het algemene verbeteringsplan dat hij in gedachten had.

Hij zei dat hij mensen op zeer hoog niveau erop gewezen had dat een van de voorhoede rugby-tackelers op het
Arkansas College voor Agrarisch en Technisch Onderwijs van die goede, oude Lafayette County Training
School kwam. Nu waren er al minder Amens te horen.
De paar die er doorheen braken, bleven dof en met de
logheid van de gewoonte in de lucht hangen.

Hij ging door met ons te prijzen. Hij vertelde vervolgens hoe hij gesnoefd had dat 'een van de beste basketbalspelers op Fisk zijn eerste bal hier op de Lafayette County Training School door de ring had gekregen'.

De blanke kinderen zouden de kans krijgen om Galileo's, Madame Curie's, Edison's en Gauguin's te worden en onze jongens (de meisjes kwamen er al helemaal niet aan te pas) moesten zich inspannen om in de voetsporen van Jesse Owens en Joe Louis te treden.

Owens en de Bruine Bom waren grote helden in onze wereld, maar welke onderwijsambtenaar in het blanke godenrijk van Little Rock had het recht om uit te maken dat die twee onze enige helden mochten zijn? Wie bepaalde dat als Henry Reed een wetenschapper wilde worden, hij net als George Washington Carver als schoenpoetser moest werken om een miserabele microscoop te kunnen kopen? Het was duidelijk dat Bailey altijd te klein zou blijven om een atleet te worden, dus welke stoffelijke engel, gevestigd in welk provinciehuis, had bepaald dat als mijn broer advocaat wilde worden, hij eerst voor zijn huid moest boeten door katoen te plukken, maïs te schoffelen en twintig jaar lang een schriftelijke avondcursus te volgen?

De man zijn dode woorden vielen als bakstenen in de aula en te veel ervan sloegen neer in mijn buik. Omdat mijn goede manieren mij tegenhielden, kon ik niet achterom kijken, maar links en rechts van mij liet de trotse eindklas van 1940 het hoofd hangen. Alle meisjes in mijn rij hadden iets nieuws bedacht voor hun zakdoeken. Sommigen vouwden het kleine vierkante lapje tot een liefdesknoop, sommigen tot een driehoek, maar de meesten maakten er een prop van om hem vervolgens weer glad te strijken op hun gele schoten.

Op het podium werd de aloude tragedie opnieuw opgevoerd. Meneer Parsons zat onbeweeglijk als het afgekeurde model van een beeldhouwer. Zijn grote, zwaargebouwde lichaam leek verstoken van wil of gewilligheid en zijn ogen zeiden dat hij het gebeuren niet langer volgde. De andere leraren bestudeerden de vlag (die rechts op het toneel gedrapeerd hing), of hun aantekeningen, of de ramen die uitkeken op ons nu beroemde sportveld.

De eindexamentijd, die geheimzinnige, magische tijd vol van franjes, cadeautjes, felicitaties en diploma's was, nog voor mijn naam was afgeroepen, voor mij voorbij. De prestaties telden niet. De nauwkeurige landkaarten, getekend in drie verschillende kleuren inkt, het leren spellen van tienlettergrepige woorden, het van buiten leren van de volledige *De schending van Lucrece* – alles was voor niets geweest. Donleavy had ons ontmaskerd.

Wij waren dienstbodes en boeren, klusjesmannen en wasvrouwen en alle hogere ambities die wij koesterden, waren te absurd en te aanmatigend.

Maar dan wenste ik ook dat Gabriel Prosser en Nat Turner al het blankvolk in hun bed hadden vermoord, dat Abraham Lincoln doodgeschoten was voor de ondertekening van de Emancipatie-proclamatie, dat Harriët Tubman was gestorven aan die klap op haar hoofd en Christoffel Columbus vergaan met de Santa Maria.

Het was afschuwelijk om Neger te zijn en geen controle over je eigen leven te hebben. Het was onmenselijk om jong te zijn en al getraind om stil te zitten luisteren naar beschuldigingen die tegen je kleur werden geuit, zonder de kans te krijgen jezelf te verdedigen. We zouden allemaal dood moeten zijn. Ik bedacht dat ik zou willen dat we allemaal dood bovenop elkaar lagen. Een piramide van vlees met de blanken onderaan als de brede basis, daar bovenop de indianen met hun onnozele strijdbijlen, tipi's, wigwams en verdragen en dan de Negers met hun zwabbers, recepten, katoenzakken en hun spirituals die uit hun monden staken. De Hollandse kinderen zouden allemaal over hun klompen moeten struikelen en hun nek breken. De Fransen zouden moeten stikken in de Aankoop van Louisiana (1830) terwijl zijderupsen alle Chinezen met hun stomme vlechten zouden moeten opvreten. Als soort waren we een verschrikking. Allemaal.

Donleavy, die zich kandidaat had gesteld voor de verkiezingen, verzekerde onze ouders ervan dat wij, als hij zou winnen, konden rekenen op het enige verharde sportveld voor kleurlingen in dat deel van Arkansas. En ook – hij keek niet op bij het gebrom van instemming – zat het er zeker in dat we wat nieuw materiaal zouden krijgen voor het huishoudkundegebouw en de werkplaats.

Hij was klaar en aangezien het niet nodig was om er verder nog iets anders aan toe te voegen dan de meest plichtmatige dank u's, knikte hij naar de mannen op het toneel en de lange, blanke man, die niet eens was voorgesteld, liep samen met hem naar de deur. Ze vertrokken met een houding dat ze nu naar iets toegingen dat echt belangrijk was. (De diploma-uitreiking op de Lafayette County Training School was niet meer dan een aanloopje geweest.)

De lelijkheid die ze achterlieten, was tastbaar. Een onwelkome gast die weigerde weg te gaan. Het koor werd bijeengeroepen en zong een moderne bewerking van 'Voorwaarts, Christensoldaten', met nieuwe woorden die betrekking hadden op schoolverlaters die hun plek in de wereld zochten. Maar het werkte niet. Elouise, de dochter van de doopsgezinde dominee, declameerde 'Invictus' en ik had kunnen huilen om de misplaatstheid van 'Ik ben heer over mijn bestemming, ik heb mijn lot in eigen hand'.

Mijn naam had zijn vertrouwde klank verloren en ze moesten me aanstoten voor ik naar voren liep om mijn diploma in ontvangst te nemen. Al mijn voorbereidingen waren in het niets verdwenen. Ik marcheerde niet naar het toneel toe als een zegevierende amazone en keek niet het publiek in voor Bailey's goedkeurende knikje. Marguerite Johnson, ik hoorde de naam opnieuw, mijn punten werden voorgelezen, er klonken waarderende geluiden uit het publiek en ik nam, volgens afspraak, mijn plaats op het toneel in.

Ik dacht aan kleuren waar ik een hekel aan had: écru, paarsbruin, lavendelblauw, beige en zwart.

Rondom mij werd er geritseld en geschuifeld en toen begon Henry Reed aan zijn afscheidsrede 'Zijn of niet zijn'. Had hij het blankvolk dan niet gehoord? Wij konden niet *zijn*, dus was de vraag tijdsverspilling. Henry's stem klonk helder en krachtig. Ik durfde niet naar hem te kijken. Had hij de boodschap niet begrepen? Er was geen 'eedler voor de geest' voor Negers, want de wereld was van mening dat wij geen geest hadden en dat lieten ze ons weten. 'Kwaadaardig lot'? Nou, dat was een mop. Als de ceremonie afgelopen was, moest ik Henry Reed toch een paar dingen vertellen. Tenminste, als het me dan nog wat kon schelen. Niet 'moeilijkheid', Henry, maar 'vernietiging'. 'Ah, daar zit de vernietiging.' Van ons.

Henry bewees dat hij een goed kenner was van de voordrachtskunst. Zijn stem steeg met het tij van beloften en daalde met de stroom van waarschuwingen. De leraar Engels had hem geholpen een preek te creëren die op vleugels door de monoloog van Hamlet heen werd gedragen. Een man te zijn, een doener, een bouwer, een leider ofwel een instrument, een flauwe grap, een pletter van stinkende, giftige paddestoelen. Het verwonderde me dat Henry in staat was de rede te houden alsof wij een keus hadden.

Ik had staan luisteren en zwijgend, met gesloten ogen, elke zin weerlegd; toen volgde er een stilte die in een bijeenkomst aankondigt dat er iets gaat gebeuren dat niet gepland is. Ik keek op en zag hoe Henry Reed, de conservatieve, de correcte, de beste van de klas, het publiek de rug toekeerde, zich naar ons (de trotse eindklas van 1940) toewendde en, bijna sprekend, zong:

> Lift ev'ry voice and sing
> Till earth and heaven ring
> Ring with the harmonies of Liberty...*

Het was het gedicht van James Weldon Johnson. Het was de muziek van J. Rosamond Johnson. Het was het Negervolkslied. We zongen het uit gewoonte.

Onze moeders en vaders stonden in de donkere aula en zongen de hoopgevende hymne mee. Een kleuterleidster leidde de kleine kinderen het toneel op en de boterbloempjes, madeliefjes en konijntjes markeerden de pas en probeerden te volgen:

> Stony the road we trod
> Bitter the chastening rod
> Felt in the days when hope, unborn, had died.
> Yet with a steady beat
> Have not our weary feet
> Come to the place for which our fathers sighed?

Ieder kind dat ik kende, had dat lied samen met het ABC en 'Ik weet dat Jezus van mij houdt' geleerd. Maar persoonlijk had ik het nog nooit eerder gehoord. Ik had nog nooit naar de woorden geluisterd, ondanks de ontelbare malen dat ik ze gezongen had. Ik had nooit gedacht dat ze iets met mij te maken hadden.

Maar de woorden van Patrick Henry hadden daarentegen zo'n indruk op mij gemaakt, dat ik in staat was mijn rug te rechten en bevend te zeggen: 'Ik weet niet welke weg anderen zullen kiezen, maar wat mij betreft, geef mij de vrijheid of geef mij de dood.'

En nu hoorde ik voor de eerste keer echt:

We have come over a way that with tears
has been watered,
We have come, treading our path through
the blood of the slaughtered.

* Het Negervolkslied van James W. Johnson luidt in vertaling:

Verhef uw stemmen en laat klinken
tot de aarde en hemel schallen
Schallen van Vrijheidsharmonieën...

Stenig was het pad
Bitter de kastijding
In deze dagen toen hoop, ongeboren stierf.
Maar met vaste tred
Hebben niet onze vermoeide voeten
de plaats bereikt waar onze vaders naar smachten?

We zijn een weg gegaan
die nat is van tranen,
Wij hebben ons een weg gebaand
door het bloed van de doden.

Terwijl de echo's van het lied nog trillend in de lucht hingen, boog Henry Reed zijn hoofd, zei: 'Dank u' en liep terug naar zijn plaats in de rij. De tranen die bij velen over het gezicht waren gegleden, werden niet weggeveegd.

We waren er weer bovenop gekomen. Zoals altijd weer. We hadden het overleefd. De diepten waren ijzig en duister geweest, maar nu sprak een heldere zon tot onze zielen. Ik was niet langer enkel een lid van de trotse eindklas van 1940; ik was een trots lid van het wonderbaarlijke, prachtige Negerras.

Oh, bekende en onbekende Zwarte dichters, hoe vaak heeft jullie bij opbod verkochte pijn ons geen kracht gegeven? Wie zal de eenzame nachten tellen die minder eenzaam werden door jullie verzen of de lege pannen die minder tragisch werden door jullie verhalen?

Als wij een volk waren geweest met een neiging tot het onthullen van geheimen, hadden we misschien monumenten opgericht en offers gebracht ter nagedachtenis van onze dichters, maar de slavernij heeft ons van die zwakte genezen. Misschien volstaat het om te zeggen dat onze overleving direct verband houdt met de toewijding van onze dichters (daarbij horen ook de prekers, de muzikanten en blueszangers).

24

De Engelbewaarder van de snoeptoonbank had mij ten langen leste gevonden en eiste nu een martelende penitentie voor al de gestolen Milky Ways, Marsen en Hershey-chocoladerepen met amandelen. Twee kiezen waren verrot tot op het tandvlees. De pijn was niet meer te bestrijden met fijngemaakte aspirine en kruidnagelolie. Er was maar één ding dat me kon helpen, dus bad ik vurig dat ze me onder het huis zouden laten zitten terwijl het gebouw in elkaar stortte, bovenop mijn linkerkaak. Aangezien er geen Negertandarts in Stamps was en ook geen dokter wat dat betreft, had Momma eerdere aanvallen van kiespijn behandeld door ze eruit te trekken (een draad werd om de kies gebonden en het andere uiteinde om haar vuist gewikkeld), met pijnstillers en met gebeden. In dit speciale geval bleken de pillen niet te werken, waren de kiezen te ver afgebrokkeld om een draadje erom te binden en werden de gebeden genegeerd omdat de Engel die de balans opmaakte, hun doorgang versperde.

Een paar dagen en nachten leefde ik met die verblindende pijn en speelde ik niet alleen met de gedachte om maar in de put te springen, maar overwoog ik serieus het te doen. Toen besloot Momma dat ik naar de tandarts moest. De dichtsbijzijnde Negertandarts woonde in Texarkana, op een afstand van vijfentwintig mijl, en ik was ervan overtuigd dat ik al dood zou zijn voordat we halverwege waren. Momma zei dat we naar dr. Lincoln gingen, hier in Stamps, hij zou voor mij zorgen. Ze zei dat ze nog een gunst van hem te goed had.

Ik wist dat er onder het blankvolk in de stad wel meer waren van wie ze iets te goed had. Bailey en ik hadden de boeken gezien waarin stond dat ze, gedurende de crisis, aan Zwarten evengoed als aan blanken geld had geleend. Maar ik kon me dr. Lincolns naam niet meteen herinneren en ik had ook nooit gehoord dat er een Neger als patiënt naar hem toe was gegaan. Maar Momma zei dat we gingen en zette water op de kachel voor ons bad. Ik was nog nooit bij een dokter geweest, dus vertelde ze me dat ik me na het bad (wat goed zou zijn voor mijn mond) helemaal moest verschonen in fris gesteven en gestreken kleren. De pijn reageerde niet op het bad en toen wist ik dat ik heviger leed dan iemand ooit geleden had.

Voordat we uit de Winkel vertrokken, beval ze me mijn tanden te poetsen en daarna mijn mond met Listerine te spoelen. Het idee dat ik mijn samengeklemde kaken moest openen, verergerde de pijn, maar toen ze uitlegde dat als je naar de dokter gaat, je jezelf helemaal schoon moest maken en vooral dat gedeelte dat onderzocht gaat worden, raapte ik al mijn moed bij elkaar en ontgrendelde mijn tanden. De koude lucht in mijn mond en het gestoot tegen mijn kiezen verdreef dat beetje wat er nog over was van mijn verstandelijke vermogens. Ik was verstijfd van pijn en mijn familie moest me bijna vastbinden om de tandenborstel los te maken. Met veel moeite kregen ze me op weg naar de tandarts. Momma sprak tegen alle voorbijgangers, maar bleef niet staan voor een praatje. Over haar schouder legde ze uit dat we naar de dokter gingen en dat ze op de terugweg 'tijd had voor koetjes en kalfjes'.

Totdat we bij de vijver kwamen, was de pijn mijn wereld, een aura die me als een stralenkrans van een meter omgaf. Toen we de brug overstaken, drongen brokstukken van mijn gezond verstand naar voren. Ik moest ophouden met kreunen en rechtop gaan lopen. De witte handdoek die onder mijn kin door bovenop mijn hoofd was vastgeknoopt, moest in orde worden gebracht. Als je doodging, moest het in stijl gebeuren wanneer het plaats vond in het blanke gedeelte van de stad.

Aan de andere kant van de brug leek de pijn af te nemen alsof een blanke bries van het blankvolk afwaaide en alles in hun omgeving temperde, mijn kaak inclus. De grindweg was gelijkmatiger, de stenen kleiner en de boomtakken hingen over het pad heen en bedekten ons bijna. Hoewel de pijn niet echt minder werd, hypnotiseerden de vertrouwde en toch vreemde beelden mij zodanig dat ik het ging geloven.

Mijn hoofd bleef kloppen met de ritmische hardnekkigheid van een grote trom, maar hoe kon een kiespijn voorbijgaan aan het cachot, het gezang van de gevangenen horen, hun blues en gelach en er niet door veranderd worden? Hoe konden een of twee, of zelfs een mondvol ontstoken tandwortels een karrenvracht blanke schooierskinderen tegenkomen, hun idiote arrogantie verdragen en zich daaardoor niet minder gewichtig voelen?

Achter het gebouw waarin de tandarts zijn praktijk had, liep een smal pad dat gebruikt werd door het personeel en die leveranciers die aan de slager en aan het enige restaurant in Stamps leverden. Momma en ik volgden het pad tot aan de achtertrap die naar de praktijk van dr. Lincoln leidde. De zon scheen helder en verleende de dag een harde realiteit toen we de trap op klommen naar de eerste verdieping.

Momma klopte op de achterdeur en een jong, blank

meisje deed open en keek ons verbaasd aan. Momma zei dat ze tandarts Lincoln wilde spreken en zeg maar dat het Annie is. Het meisje deed de deur weer stevig dicht. Nu was de vernedering om Momma zichzelf te horen beschrijven tegen dat jonge, blanke meisje alsof ze geen achternaam had, gelijk aan de lichamelijke pijn. Het leek verschrikkelijk onrechtvaardig om kiespijn en hoofdpijn te hebben en tegelijkertijd de zware last van het Zwart-zijn te moeten dragen.

Het was altijd nog mogelijk dat de kiezen tot rust zouden komen of er vanzelf uit zouden vallen. Maar Momma zei dat we zouden wachten. Meer dan een uur leunden we in het verblindende zonlicht tegen de gammele balustrade op de achterveranda van de tandarts.

Toen opende hij de deur en keek naar Momma. 'Wel, Annie, wat kan ik voor je doen?'

Hij zag de handdoek om mijn kaak niet en merkte mijn gezwollen gezicht niet op.

Momma zei: 'Tandarts Lincoln. Het gaat om mijn kleinkind hier. Ze heeft twee rotte kiezen die d'r gek maken.'

Ze pauzeerde om hem de kans te geven de waarheid van haar bewering te onderkennen. Hij gaf geen commentaar, niet door woorden en niet door zijn gezichtsuitdrukking.

'Ze heeft die kiespijn nou al haast vier dagen en vandaag zei ik: "Jongedame, jij gaat naar de tandarts." '

'Annie?'

'Ja, tandarts Lincoln.'

Hij koos zijn woorden zoals mensen naar schelpen zoeken. 'Annie, je weet dat ik geen negers, geen kleurlingen behandel.'

'Dat weet ik, tandarts Lincoln. Maar dit hier is allenig

maar mijn kleinkind en ze zal u verders geen last bezorgen...'

'Annie, iedereen heeft een beleid. In deze wereld moet je een beleid hebben. Nou, mijn beleid is dat ik geen kleurlingen behandel.'

De zon had de olie uit Momma's huid gebakken en de vaseline in haar haar gesmolten. Ze glom vettig toen ze wegleunde uit de schaduw van de tandarts.

'Tandarts Lincoln, mij lijkt dat u best iets voor haar kunt doen, ze is nog maar een klein ding. En mij lijkt dat ik nog 't een en ander van u te goed heb.'

Hij werd een beetje rood. 'Te goed of niks te goed. 't Geld is allemaal terugbetaald en daarmee is 't afgelopen. Sorry, Annie.' Hij had zijn hand op de deurknop. 'Sorry.' Zijn stem klonk iets vriendelijker bij het tweede 'Sorry', alsof het hem echt speet.

Momma zei: 'Ik zou niet zo aandringen voor mezelf, maar ik kan geen Nee accepteren. Niet voor mijn kleinkind. Toen u bij mij kwam om 't geld te lenen, hoefde u niet te smeken. U vroeg 't en ik leende 't. Nou, dat was ook mijn beleid niet. Ik ben geen geldschieter, maar u dreigde dit pand kwijt te raken en ik probeerde te helpen.'

''t Is terugbetaald en door te schreeuwen, verander je me toch niet van gedachten. Mijn beleid...' Hij liet de deur los en deed een stap naar Momma toe. We dromden met z'n drieën samen op de kleine overloop. 'Annie, mijn beleid is dat ik m'n hand nog liever in een hondenbek steek dan in een nikker z'n mond.'

Zonder mij eenmaal aan te kijken, draaide hij zich om en verdween door de deur in de koelte erachter. Een paar minuten lang trok Momma zich terug in zichzelf. Ik vergat alles om me heen, behalve haar gezicht dat bijna nieuw voor me was. Ze boog zich voorover, pakte de deurknop beet en met haar alledaagse, zachte stem zei ze: 'Zuster, ga maar naar beneden. Wacht daar op me. Ik kom er zo aan.'

Ik wist dat het zelfs onder de meest gewone omstandigheden geen zin had om Momma tegen te spreken. Dus liep ik de steile trap af, bang om om te kijken en bang het niet te doen. Toen de deur dichtsloeg, draaide ik me om en ze was weg.

Momma liep die kamer in alsof hij van haar was. Met één hand schoof ze die onnozele, domme verpleegster opzij en schreed de praktijk van de tandarts binnen. Hij zat in zijn stoel zijn gemene instrumenten te slijpen en zijn medicijnen extra bijtend te maken. Haar ogen vlamden als gloeiende kolen en haar armen waren tweemaal zo lang geworden. Hij keek op, net voordat ze hem bij de kraag van zijn witte jas greep.

'Sta op als je met een dame spreekt, jij verachtelijke ploert.' Haar tong was dunner geworden en de woorden rolden er goed gearticuleerd af. Zo gearticuleerd en scherp als lichte donderslagen.

De tandarts had geen andere keus dan stram in de houding te springen. Een ogenblik later liet hij zijn hoofd hangen en zijn stem klonk nederig. 'Ja, mevrouw Henderson.'

'Jij schelm, vind je dat je je als een heer hebt gedragen door zo tegen mij te spreken in het bijzijn van mijn kleindochter?' Ze schudde hem niet heen en weer, alhoewel ze de kracht daartoe bezat. Ze hield hem enkel overeind.

'Nee, mevrouw Henderson.'

'Nee, mevrouw Henderson, wat?' Toen schudde ze hem wel een klein beetje, maar omdat ze zo sterk was, bungelden zijn hoofd en armen slap aan de uiteinden van zijn li-

chaam. Hij stotterde veel erger dan oom Willie. 'Nee, mevrouw Henderson, het spijt me.'

Momma liet hem even de kracht van haar walging voelen en slingerde hem terug in zijn tandartsstoel. 'Voor spijt koop ik niks en jij moet wel de spijtigste tandarts zijn die ik ooit onder ogen heb gekregen.' (Ze kon het zich veroorloven om terug te vallen in gewone spreektaal omdat ze het Engels op zo'n welsprekende manier beheerste.)

'Ik heb je niet gevraagd je verontschuldigingen aan te bieden waar Marguerite bij was omdat ik niet wens dat zij mijn macht kent, maar ik beveel je nu en bij deze. Verlaat Stamps voor zonsondergang.'

'Maar mevrouw Henderson, ik kan mijn uitrusting...' Hij beefde nu heel erg.

'Dat brengt me bij mijn tweede bevel. Je zult nooit meer als tandarts werken. Nooit! In de volgende stad waar je komt te wonen, zul je een vegetariër zijn die zorgt voor honden met schurft, katten met cholera en koeien met epizoötie. Is dat duidelijk?'

Het speeksel liep langs zijn kin en de tranen stonden in zijn ogen. 'Ja, mevrouw. Dank u wel dat u me niet vermoordt. Dank u, mevrouw Henderson.'

Momma liet zichzelf van haar hoogte van drie meter met twee meter lange armen ineenkrimpen en zei: 'Niks te danken, jij geboefte, ik zou nog geen moord verspillen aan iemand van jouw slag.'

Op weg naar buiten wuifde ze met haar zakdoek naar de verpleegster en veranderde haar in een oranje zak met kippenvoer.

Momma zag er moe uit toen ze de trap afkwam. Maar wie zou er niet moe zijn als hij meegemaakt had wat zij had moeten meemaken. Ze ging dicht bij me staan en schikte de handdoek onder mijn kaak (ik was de kiespijn vergeten; ik was me er alleen van bewust dat haar handen voorzichtig waren om de pijn niet op te wekken). Ze nam me bij de hand. Haar stem was onveranderd. 'Kom, zuster.'

Ik dacht dat we naar huis gingen waar ze een mengsel zou brouwen dat de pijn zou verdrijven en me misschien ook wel nieuwe kiezen zou geven. Nieuwe kiezen die van de ene dag op de andere uit mijn tandvlees zouden groeien. Ze liep met me naar de drogist, dat was in de tegenovergestelde richting van de Winkel. 'We gaan naar tandarts Baker in Texarkana.'

Nu was ik toch blij dat ik in bad was geweest en Mum-deodorant en Casmere Bouquet talkpoeder op had gedaan. Het was een fantastische verrassing. Mijn kiespijn was bedaard tot een doffe pijn, Momma had die slechte blanke man laten verdwijnen en we gingen een uitstapje naar Texarkana maken, alleen wij tweeën.

In de Greyhoundbus nam ze plaats bij het gangpad en ik ging naast haar zitten. Ik was heel trots dat ik haar kleindochter was en ervan overtuigd dat iets van haar toverkracht over mij was uitgestraald. Ze vroeg of ik bang was. Ik schudde alleen mijn hoofd en leunde tegen haar koele, bruine bovenarm. Het was onmogelijk dat een tandarts, en zeker niet een Negertandarts, mij nog pijn zou durven doen. Niet als Momma erbij was. Over de tocht zelf valt niets te vertellen, behalve dat ze haar arm om me heen sloeg, wat zeer ongebruikelijk was voor Momma.

De tandarts liet me het medicijn en de naald zien waarmee hij me zou verdoven, maar als hij dat niet had gedaan, had het me ook niets uitgemaakt. Momma stond vlak achter hem. Ze had haar armen over elkaar geslagen en hield al zijn bewegingen in de gaten. De kiezen werden getrokken en Momma kocht een ijsje voor mij aan het zijraam van een drogisterij. De tocht terug naar Stamps verliep rustig, behalve dat ik moest spugen in een heel klein leeg snuifdoosje dat ze voor me gekocht had en dat ging moeilijk omdat de bus zo hobbelde en schokte op de landweggetjes.

Thuis kreeg ik een warme zoutoplossing en toen ik mijn mond had gespoeld, liet ik aan Bailey de lege gaten zien waar gestold bloed in zat als de vulling in een pasteikorst. Hij zei dat ik heel moedig was en dat was voor mij het juiste moment om hem over onze confrontatie met die hufterige tandarts te vertellen en over Momma's ongelofelijke krachten.

Ik moest toegeven dat ik het gesprek niet had gehoord, maar wat zou ze anders gezegd kunnen hebben dan wat ik zei dat ze gezegd had? Wat zou ze anders hebben kunnen doen? Hij stemde een beetje lauw in met mijn analyse en ik stoof vrolijk (tenslotte was ik ziek geweest) de Winkel in. Momma was bezig met ons avondeten en oom Willie leunde tegen de deurpost. Ze gaf hem haar versie.

'Tandarts Lincoln deed heel uit de hoogte. Zei dat-ie nog liever z'n hand in een hondenbek zou steken. En toen ik zei dat ik nog een gunst van hem te goed had, schoof-ie dat opzij als een bolletje katoen. Nou, toen heb ik zuster naar beneden gestuurd en ben naar binnen gegaan. Ik was nog nooit in zijn praktijk geweest, maar ik vond de deur naar waar hij tanden uittrekt en hij en de verpleegster zaten daar met de koppen bij mekaar. Ik bleef gewoon staan tot-ie me zag.' Pats boem dreunden de pannen op het fornuis. 'Hij sprong op of-ie op 'n speld zat. Hij zei: "Annie, ik heb je toch gezegd dat ik niet in 'n nikker z'n mond wil zitten." Ik zei: "Iemand moet 't toch doen" en hij zei: "Ga dan met haar naar Texarkana naar de kleurlingentandarts" en toen zei ik: "Als u me mijn geld teruggeeft, zou ik 't kunnen betalen." Hij zei: "Het is allemaal terugbetaald." Ik zei dat alles behalve de rente betaald was. Hij zei: "D'r was geen rente." Ik zei: "Die is er nou wel. Ik reken tien dollar als volledige afbetaling." Weet je, Willie, 't was niet goed dat ik dat deed, want ik had 'm dat geld geleend zonder erbij na te denken. Hij zei tegen dat brutale ding van een verpleegster van 'm dat ze mij tien dollar moest geven en me een kwitantie voor "volledig afbetaald" moest laten tekenen. Ze gaf 't aan mij en ik tekende. Hoewel hij dus eigenlijk al alles teruggegeven had, vond ik dat als hij zo lelijk deed, hij er ook voor kon betalen.'

Momma en haar zoon lachten en lachten om de kwaadaardigheid van de blanke man en om haar eigen zondige vergelding.

Maar ik gaf verreweg de voorkeur aan mijn versie.

25

Hoewel ik Momma kende, besefte ik dat ik Momma nooit zou kennen. Haar uit de Afrikaanse rimboe afkomstige geslotenheid en argwaan waren verergerd door de slavernij en vonden in de eeuwen van gedane en verbroken beloften een bevestiging. Zwarte Amerikanen hebben een gezegde dat Momma's behoedzaamheid karakteriseert. 'Als je een Neger vraagt waar hij is geweest, zal hij je vertellen waar hij naar toe gaat.' Om deze belangrijke informatie te begrijpen, is het noodzakelijk te weten wie deze tactiek gebruikt en voor wie ze is bedoeld. Als je iemand die niet op de hoogte is een gedeelte van de waarheid vertelt (het antwoord moet waarheid bevatten), zal hij tevreden denken dat zijn vraag beantwoord is. Als je iemand die wel op de hoogte is (iemand die zelf gebruik maakte van deze strategie) een antwoord geeft dat waar is, maar dat slechts zijdelings of helemaal niet op de vraag terugslaat, zal hij weten dat de informatie die hij zoekt, vertrouwelijk van aard is en hem niet grif gegeven zal worden. Zodoende worden rechtstreekse ontkenningen, leugens en onthullingen over persoonlijke zaken vermeden.

Op een dag kondigde Momma aan dat ze ons naar Californië zou brengen. Haar verklaring daarvoor luidde dat wij groter werden, dat het beter voor ons was als we bij onze ouders waren, dat oom Willie, per slot van rekening, gehandicapt was en dat zijzelf oud werd. Allemaal waar, maar toch bevredigde geen van deze waarheden onze behoefte aan De Waarheid. De Winkel en de kamers erachter veranderden in een 'vertrek-werkplaats'. Momma zat voortdurend achter de naaimachine om kleren te maken en te vermaken voor gebruik in Californië. De buren brachten uit hun kisten lappen stof die tientallen jaren tussen dikke lagen mottenballen waren bewaard (ik weet zeker dat ik het enige meisje in Californië was dat naar school ging in rokken van gemoireerde zijde, bloezen van gelig satijn, jurken van satijncrêpe en ondergoed van crêpe de Chine).

Wat de ware oorzaak, De Waarheid, ook geweest moge zijn om ons naar Californië terug te brengen, ik zal altijd geloven dat deze voornamelijk te vinden was in een incident waarin Bailey de hoofdrol speelde. Bailey had de gewoonte aangenomen om Claude Rains, Herbert Marshall en George McReady na te doen. Ik vond het helemaal niet vreemd dat een jongen van dertien met een Engelsachtig accent sprak in dat achtergebleven Zuidelijke stadje dat Stamps was. Tot zijn helden behoorden ook D'Artagnan en de graaf van Monte Christo en hij imiteerde wat in zijn ogen hun waaghalzige bravoure was.

Op een middag, een paar weken voordat Momma haar plan onthulde om ons mee naar het Westen te nemen, kwam Bailey trillend de Winkel binnen. Zijn kleine gezicht was niet langer zwart maar een vaal, kleurloos grijs. Zoals onze gewoonte was als we de Winkel binnenkwamen, ging hij achter de snoeptoonbank staan en leunde op de kassa. Oom Willie had hem voor een boodschap naar de blanke wijk gestuurd en eiste een verklaring waarom Bailey zo lang was weggebleven. Na een kort moment kreeg onze oom in de gaten dat er iets niet in orde was en omdat hij voelde dat hij hier niet tegen opgewassen was, riep hij Momma uit de keuken.

'Wat is er aan de hand, Bailey junior?'

Hij zei niets. Toen ik hem zag, wist ik dat het geen zin had hem iets te vragen zolang hij in die toestand verkeerde. Het betekende dat hij iets gezien of gehoord had dat zó afschuwelijk en angstaanjagend was dat het hem bijgevolg verlamde. Toen we nog kleiner waren, had hij eens uitgelegd dat als de zaken slecht gingen, zijn ziel gewoon achter zijn hart kroop, zich daar opkrulde en in slaap viel. Wanneer hij wakker werd, was het verschrikkelijke verdwenen. Sinds we *De val van het Huis Usher* hadden gelezen, hadden we elkaar plechtig beloofd dat we geen van tweeën zouden toestaan dat de ander begraven werd, voordat we er 'absoluut en volkomen zeker' (zijn favoriete uitdrukking) van waren dat de ander dood was. Ik had ook moeten zweren dat als zijn ziel sliep, ik nooit zou proberen haar wakker te maken, want dan zou zijn ziel door de schok misschien wel voor altijd kunnen inslapen. Dus liet ik hem met rust en na een poosje liet Momma hem ook alleen.

Ik hielp de klanten, liep om hem heen, leunde over hem heen en zoals ik al vermoedde, reageerde hij niet. Toen de betovering geleidelijk minder werd, vroeg hij aan oom Willie wat kleurlingen de blanken toch ooit hadden aangedaan. Oom Willie, die niet iemand was om dingen uit te leggen, want hij leek op Momma, zei weinig, behalve dat 'Kleurlingen nog geen haar van het blankvolk gekrenkt hadden'. Momma voegde eraan toe dat sommige mensen zeiden dat het blankvolk naar Afrika was gekomen (uit haar mond klonk dat als de naam van een verborgen vallei op de maan) om kleurlingen te stelen en er slaven van te maken, maar niemand geloofde echt dat dat waar was. Het viel niet te verklaren wat er 'rampen en tijden' geleden was gebeurd, maar nu hadden ze in ieder geval de overhand. Maar ze hadden hun tijd bijna gehad. Had Mozes de kinderen van Israël niet uit de bloedige handen van de farao naar het Beloofde Land toe geleid? Had de Heer de Hebreeuwse kinderen niet beschermd in de brandende oven en had de Heer Daniël niet verlost? We hoefden slechts onze hoop op de Heer te vestigen.

Bailey zei dat hij een man, een kleurling, had gezien die door niemand was verlost. Hij was dood. (Als het nieuws niet zo belangrijk was geweest, zou Momma ons de volle laag van een van haar religieuze uitbarstingen hebben gegeven. Bailey was bijna godslasterlijk.) Hij zei: 'Die man was dood en verrot. Hij stonk niet, hij was verrot.'

'Ju, let op je woorden,' beval Momma.

'Wie, wie was 't?' vroeg oom Willie.

Bailey was net groot genoeg om over de kassa heen te kunnen kijken. Hij vertelde: 'Toen ik langs het cachot kwam, hadden een paar mannen hem net uit de vijver opgehaald. Hij was in een laken gerold net als een mummie. Toen kwam er een blanke man aan die het laken eraftrok. De man lag op z'n rug, maar die blanke stak z'n voet uit en rolde hem op z'n buik.'

Hij keerde zich naar mij. 'Mij, hij had helemaal geen kleur. Hij was opgezwollen als een bal.' (Wij waren al maanden in een debat verwikkeld. Bailey zei dat er niet zoiets bestond als kleurloosheid en ik redeneerde dat als kleur bestond, er ook het tegenovergestelde van moest zijn en nu gaf hij toe dat het inderdaad mogelijk was. Maar ik voelde me niet goed bij deze overwinning.) 'De andere kleurlingen gingen achteruit en ik ook, maar die blanke bleef omlaag staan kijken en grijnzen. Oom Willie, waarom haten ze ons toch zo?'

Oom Willie mompelde: 'Ze haten ons niet echt. Ze kennen ons niet eens. Hoe kunnen ze ons dan haten? De meeste tijd zijn ze gewoon bang.'

Momma vroeg of Bailey de man herkend had, maar hij was nog in de greep van de gebeurtenis.

'Meneer Bubba zei tegen mij dat ik te jong was om zoiets te zien en dat ik 'm naar huis moest smeren, maar ik moest erbij blijven. Toen riep die blanke dat we dichterbij moesten komen. Hij zei: "Oké, jongens, leg 'm maar in 't cachot en als de sheriff langs komt, zal die z'n mensen wel waarschuwen. Over deze nikker hier hoeft niemand zich meer druk te maken. Die gaat nergens anders meer naar toe." Toen pakten de mannen het laken bij de punten beet, maar omdat niemand vlakbij die man wilde komen, hielden ze het laken alleen aan de uiteinden vast en hij rolde er bijna vanaf op de grond. Toen riep die blanke mij om ook mee te helpen.'

Momma barstte uit: 'Wie was dat?' Ze verduidelijkte zichzelf: 'Wie was die blanke?'

Bailey kon niet loskomen van zijn afgrijzen. 'Ik pakte een kant van het laken beet en liep recht 't cachot in met de anderen. Ik liep 't cachot in met een verrotte, dooie Neger.' Zijn stem klonk stokoud van schrik. Zijn ogen puilden letterlijk uit.

'Die blanke deed net of hij ons allemaal daar op wilde sluiten, maar meneer Bubba zei: 'Oh, meneer Jim. Wij hebben 't niet gedaan. Wij hebben niks gedaan.' Toen lachte die blanke en zei dat wij, jongens, niet tegen een grapje konden en hij deed de deur weer open.' Hij zuchtte van opluchting. 'Pff, wat was ik blij toen ik weer buiten was. In 't cachot schreeuwden de gevangenen allemaal dat ze daar geen dooie nikker wilden hebben. Datie 't zou laten stinken. Ze noemden die blanke "Baas". Ze zeiden: "Baas, we hebben toch zeker niks gedaan dat zo erg was dat u nog een nikker bij ons opsluit en dan nog een dooie ook." En toen lachten ze. Ze lachten allemaal alsof 't iets leuks was.' Bailey praatte zo snel dat hij vergat te stotteren, hij vergat op zijn hoofd te krabben en zijn nagels met zijn tanden schoon te maken. Hij was ver weg in het mysterie, gevangen in het raadsel dat Zwarte jongeren in het Zuiden beginnen te ontwarren, *proberen* te ontwarren, vanaf hun zevende tot aan hun dood. De humorloze puzzel van ongelijkheid en haat. Door zijn ervaring werden vragen opgeroepen van waardigheid en waarden, van agressieve ondergeschiktheid en agressieve arrogantie. Zou oom Willie, een Zwarte man uit het Zuiden en gehandicapt bovendien, de vragen die wel gesteld, maar niet uitgesproken werden ooit kunnen beantwoorden? Zou Momma, die de gewoonten van de blanken en de listen van de Zwarten kende, proberen haar kleinzoon een antwoord te geven terwijl zijn leven er juist van afhing dat hij het raadsel niet echt zou doorgronden? Zeer zeker niet.

Ze reageerden beiden op hun eigen karakteristieke manier. Oom Willie zei iets in de trant van dat hij niet wist waar het naar toe moest met de wereld en Momma bad: 'God hebbe zijn ziel, de arme man.' Ik weet zeker dat ze diezelfde avond de details voor onze reis naar Californië begon samen te voegen.

Ons vervoer was gedurende een paar weken Momma's grootste zorg. Met een spoorwegbeambte had ze geregeld dat hij voor een pasje zou zorgen in ruil voor etenswaren. Met het pasje kon ze alleen korting krijgen op haar kaartje en zelfs daarvoor moest toestemming verkregen worden, dus bleven wij in het onzekere, totdat blanken die wij nooit zouden zien, in kantoren waar wij nooit zouden komen, het pasje tekenden, afstempelden en het terug naar Momma stuurden. Mijn kaartje moest met 'klinkende munt' worden betaald. De onverwachte belasting op de vernikkelde kassa bracht onze financiële stabiliteit uit zijn evenwicht. Momma besloot dat Bailey niet met ons meekon, omdat het pasje binnen een bepaalde tijd gebruikt moest worden, maar dat hij ons na ongeveer een maand achterna zou komen, als de lopende rekeningen waren betaald. Hoewel onze moeder nu in San Francisco woonde, moet Momma het verstandiger hebben gevonden om eerst naar onze vader in Los Angeles te gaan. Ze dicteerde mij brieven, waarin beiden ervan op de hoogte werden gesteld dat we eraan kwamen.

En we kwamen eraan, het viel alleen niet te zeggen wanneer. Onze kleren waren gewassen, gestreken en ingepakt, dus droegen we een roerloze tijd lang die dingen die niet goed genoeg waren om te schitteren onder de zon van Californië. Buren, die de complicaties van reizen begrepen, kwamen duizend en één keer gedag zeggen.

'Nou, als ik u niet meer zie voor 't kaartje d'r is, zuster Henderson, goeie reis en kom maar gauw weer terug.' Een vriendin van Momma, die weduwe was, zou voor oom Willie zorgen (koken, wassen, schoonmaken en gezelschap houden) en nadat ons vertrek talloze keren uitgesteld was, vertrokken we ten slotte uit Stamps. Mijn verdriet over het vertrek was beperkt tot somberheid over het feit dat ik een maand lang van Bailey gescheiden zou zijn (we waren nog nooit eerder van elkaar weg geweest), over de veronderstelde eenzaamheid van oom

Willie (hij hield zich goed, hoewel hij op zijn vijfender-
tigste nog nooit gescheiden was geweest van zijn moeder) en over het verlies van Louise, mijn eerste vriendin.
Mevrouw Flowers zou ik niet missen, want zij had mij
haar geheime formule gegeven waarmee ik een djinn op
kon roepen die me voor de rest van mijn leven zou dienen: boeken.

26

De intensiteit waarmee jonge mensen leven, vereist dat ze zich zo vaak mogelijk voor indrukken afsluiten. Ik dacht niet echt aan de confrontatie met Moeder tot op de laatste dag van onze reis. Ik was 'op weg naar Californië'. Op weg naar sinaasappelen, zonneschijn, filmsterren, aardbevingen en (realiseerde ik me ten slotte) naar Moeder. Mijn oude schuldgevoel kwam terug als een vriend die ik lang had moeten missen. Ik vroeg me af of de naam van meneer Freeman genoemd zou worden, of dat er van mij verwacht werd dat ik zelf iets over die toestand zou zeggen. Ik kon het onmogelijk aan Momma vragen en Bailey was een miljoen mijl ver weg.

De kwellende twijfel maakte de pluche zittingen hard en de gekookte eieren zuur en toen ik naar Momma keek, leek ze te groot, te zwart en erg ouderwets. Alles wat ik zag, sloot zich van mij af. De stadjes waar niemand wuifde en de andere passagiers in de trein, waarmee ik een soort van familieverwantschap had weten te bereiken, werden weer vreemden voor mij.

Ik was net zo onvoorbereid om mijn moeder te ontmoeten als een zondaar onwillig is om te sterven. En maar al te gauw stond ze voor me, kleiner dan ze in mijn geheugen was, maar schitterender dan elke herinnering. Ze droeg een licht, geelbruin suède mantelpak met bijpassende schoenen, een mannelijke hoed met een veer in de band en ze streelde mijn gezicht met gehandschoende handen. Afgezien van haar gestifte lippen, witte tanden en glanzend zwarte ogen was het alsof ze zojuist in een beige bad was ondergedompeld. Mijn beeld van Moeder en Momma die elkaar omhelsden op het perron, is donker bewaard gebleven onder de deklaag van mijn toenmalige verlegenheid en huidige volwassenheid. Moeder was een dartel kuiken dat rond de grote, stevige, donkere kip tripte. De geluiden die ze voortbrachten hadden een rijke, innerlijke harmonie. Momma's diepe, trage stem lag onder mijn moeders snelle getjirp en gekwetter als keien onder stromend water.

De jongere vrouw kuste en lachte en rende rond om onze jassen bij elkaar te zoeken en onze bagage te laten versjouwen. Moeiteloos handelde ze die bijzaken af waar een plattelander een halve dag voor nodig gehad zou hebben. Opnieuw was ik met stomheid geslagen door haar wonderbaarlijkheid en zolang als mijn trance duurde, werd de angst die me bij de keel dreigde te grijpen, op een afstand gehouden.

We betrokken een appartement, waar ik op een sofa sliep die 's avonds omgetoverd werd tot een groot, comfortabel bed. Moeder bleef lang genoeg in Los Angeles om ons te helpen acclimatiseren, daarna keerde ze terug naar San Francisco om woonruimte te zoeken voor haar abrupt uitgebreide gezin.

Momma, Bailey (hij arriveerde een maand later) en ik bleven ongeveer zes maanden in Los Angeles wonen, terwijl er intussen voorzieningen getroffen werden voor een permanente woon- en verblijfplaats voor ons. Af en toe kwam Papa Bailey op bezoek met boodschappentassen vol fruit. Hij straalde als een zonnegod die zijn milddadig verwarmende licht over zijn in somberheid gehulde onderdanen laat schijnen.

Omdat ik in de ban was van de schepping van mijn eigen wereld, gingen er jaren voorbij voordat ik nadacht over Momma's opmerkelijke aanpassing aan dat onbekende leven. Een oude Negervrouw uit het Zuiden, die haar leven doorgebracht had onder de linkerborst van haar gemeenschap, leerde onderhandelen met blanke huisbazen, Mexicaanse buren en onbekende Negers. Ze deed boodschappen in supermarkten groter dan de stad waar ze vandaan kwam. Ze ging om met accenten die haar vals in de oren moeten hebben geklonken. Zij, die nooit verder dan vijftig mijl van haar geboortestad was geweest, leerde het doolhof van straten met Spaanse namen doorkruisen in het mysterie dat Los Angeles is.

De vrienden die ze er maakte, waren van hetzelfde soort als die ze altijd gemaakt had. 's Zondags in de namiddag, voor de avonddienst in de kerk, kwamen er oude vrouwen, die getrouwe kopieën waren van haarzelf, naar het appartement om de restjes van het middagmaal te delen en godsdienstige gesprekken te voeren over een Stralend Hiernamaals.

Toen de regelingen voor onze verhuizing naar het noorden rond waren, maakte ze het verpletterende nieuws bekend dat ze terugging naar Arkansas. Haar taak was volbracht. Oom Willie had haar nodig. Wij waren eindelijk bij onze eigen ouders. In ieder geval bevonden hij en wij ons in dezelfde situatie.

Er volgden mistige dagen van onwetendheid voor Bailey en mij. Het was allemaal goed en wel om te zeggen dat wij bij onze ouders zouden zijn, maar wie waren dat eigenlijk? Zouden ze strenger zijn ten opzichte van onze streken dan zij was? Dat zou erg zijn. Of toegeeflijker? Dat zou nog erger zijn. Zouden we dat rappe taaltje leren spreken? Ik betwijfelde het en ik betwijfelde nog sterker of ik er ooit achter zou komen waar ze zo vaak en zo hard om lachten.

Ik zou zelfs bereid geweest zijn om zonder Bailey mee naar Stamps terug te gaan. Maar Momma vertrok zonder mij naar Arkansas met haar onwankelbaarheid als katoen om zich heen gebundeld.

Moeder reed ons naar San Francisco over de grote, witte autoweg waarvan het me niet verbaasd zou hebben als hij nooit opgehouden was. Ze praatte onophoudelijk en wees ons de interessante punten aan. Toen we langs Capistrano kwamen, zong ze een populair liedje dat ik op de radio had gehoord: 'Als de zwaluwen terugkeren naar Capistrano.'

Ze spande een lijn van amusante verhalen als bont wasgoed langs de weg en probeerde ons voor zich in te nemen. Maar dat ze zichzelf was, en onze moeder, was al zo afdoende dat het een beetje verwarrend was om haar haar goede energie te zien verspillen.

De grote auto gehoorzaamde aan haar ene hand aan het stuur en ze trok zo hard aan haar Lucky Strike dat haar wangen naar binnen gezogen werden en valleien in haar gezicht maakten. Er was niets dat magischer had kunnen zijn dan dat we haar ten slotte gevonden hadden en haar helemaal voor onszelf alleen hadden in de afgesloten wereld van een rijdende auto.

Hoewel we alle twee verrukt waren, merkte zowel Bailey als ik haar nervositeit op. De wetenschap dat wij de macht bezaten om deze godin van haar stuk te brengen, maakte dat wij elkaar met een samenzweerderige glimlach aankeken. Ze werd er ook menselijker door.

We brachten een paar sjofele maanden door in een appartement in Oakland. Er was een badkuip in de keuken en het lag zo dichtbij de Southern Pacific Mole dat de hele woning schudde als er een trein aankwam of vertrok. In veel opzichten was het een herhaling van St. Louis; grootmoeder Baxter, met haar pince-nez en kaarsrechte houding, resideerde – samen met de ooms Tommy en Billy – opnieuw bij ons, alhoewel de machtige Baxter-clan moeilijke tijden beleefde sinds de dood van grootvader Baxter een paar jaar terug.

Wij gingen naar school en geen van de familieleden stelde vragen over de productie of kwaliteit van ons werk. We gingen naar een speelplaats waar een basketbal- en een voetbalveld was en waar pingpongtafels stonden, overdekt door luifels. En 's zondags gingen we naar de film in plaats van naar de kerk.

Ik sliep bij grootmoeder Baxter die aan chronische bronchitis leed en zwaar rookte. Overdag maakte ze haar half opgerookte sigaretten uit om ze in een asbak naast haar bed te bewaren. 's Nachts, als ze hoestend wakker werd, tastte ze in het donker naar een peuk (ze noemde ze 'Willies') en na de flits van een lucifer rookte ze de versterkende tabak totdat haar geïrriteerde keel verdoofd was door de nicotine. Gedurende de eerste paar weken dat ik bij haar sliep, werd ik wakker van het schuddende bed en de geur van tabak, maar al gauw was ik eraan gewend en sliep ik vredig de hele nacht door. Op een avond, na gewoon naar bed te zijn gegaan, werd ik wakker van een andersoortig geschud. In het licht, dat gedempt door het rolgordijn viel, zag ik mijn moeder op haar knieën naast mijn bed zitten. Ze bracht haar gezicht vlakbij mijn oor.

'Ritie,' fluisterde ze, 'Ritie. Kom, maar wees heel stil.' Toen stond ze geruisloos op en ging de kamer uit. Gehoorzaam, maar in een nevel van vragen, volgde ik haar. Door de half open keukendeur zag ik in het licht Bailey's, in pyjamabroek gestoken, benen over de rand van de afgedekte badkuip bungelen. De klok op de eetkamertafel wees half drie aan. Ik was nog nooit zo laat op geweest.

Ik keek Bailey vragend aan en hij gaf me een schaapachtige blik als antwoord. Meteen wist ik dat er niets was om bang voor te zijn. Toen ging ik in gedachten de catalogus van belangrijke datums na. Er was niemand jarig, het was geen één april of Halloween, maar iets moest het toch zijn.

Moeder sloot de keukendeur en zei dat ik naast Bailey moest gaan zitten. Ze zette haar handen in haar zij en vertelde ons dat we uitgenodigd waren voor een feestje.

Moest ze ons daar midden in de nacht voor wakker maken? We zeiden geen van beiden iets.

Ze vervolgde: 'Ik geef een feestje en jullie zijn mijn vereerde en enige gasten.'

Ze opende de oven, haalde er een schaal met haar knapperige, bruine biscuitjes uit en wees op een pan met chocolademelk die achter op het fornuis stond. Er zat niets anders op dan te lachen om onze mooie, wilde moeder. Toen Bailey en ik begonnen te lachen, lachte ze met ons mee, behalve dat ze haar vinger voor haar mond hield om ons tot kalmte te manen.

We werden vormelijk bediend en ze verontschuldigde zich dat er geen orkest was om voor ons te spelen, maar ze zei dat zij ter vervanging voor ons zou zingen. Ze zong en danste de Time Step, de Snake Hips en de Suzy Q. Welk kind zou een moeder kunnen weerstaan die vrijuit en vaak lacht, vooral als het verstand van het kind rijp genoeg is om de betekenis van de grap te begrijpen?

Moeders schoonheid verleende haar macht en haar macht verleende haar een onverschrokken eerlijkheid. Toen wij haar vroegen wat voor werk ze deed, nam ze ons mee naar de Zevende Straat in Oakland, waar stoffige bars en sigarenwinkels broederlijk naast winkels lagen die gebruikt werden om vaak zeer emotionele kerkdiensten in te houden. Ze wees ons Raincoat's Pinochle Parlor aan en het opzichtige café van Slim Jenkins. Sommige avonden speelde ze pinochle om geld of leidde een pokerspel bij Mother Smith of ging naar Slim om wat te drinken. Ze vertelde ons dat ze nog nooit iemand had opgelicht en dat ze dat ook niet van plan was. Haar werk was net zo eerlijk als dat van de dikke Mevrouw Walker (een dienstbode) die naast ons woonde en 'het betaalde een verdomd stuk beter'. Ze weigerde om voor wie dan ook de boel af te soppen of iemands keukensloof te zijn. Onze Lieve Heer had haar uitgerust met verstand en het was haar bedoeling dat te gebruiken om haar moeder en haar kinderen te onderhouden. Ze hoefde er niet bij te zeggen 'en ondertussen ook wat lol te hebben'.

De mensen op straat waren oprecht blij haar te zien. 'Hee, baby. Hoe staan de zaken?'

'Rustig aan, baby, alles is rustig.'

'Hoe gaat 't, schoonheid?'

'Met winnen moet ik nog beginnen.' (Uitgesproken met een lach die de inhoud van wat ze zei weersprak.)

'Alles goed, momma?'

'Ach, ze zeggen dat 't blankvolk nog steeds bovenaan staat.' (Uitgesproken alsof het misschien toch niet helemaal waar was.)

Met humor en fantasie voorzag ze bekwaam in ons onderhoud. Van tijd tot tijd nam ze ons mee naar Chinese restaurants of Italiaanse pizza-eethuisjes. We maakten kennis met Hongaarse goulash en Ierse stoofschotel. Door middel van voedsel leerden we dat er nog andere mensen waren in de wereld.

Ondanks haar jovialiteit kende Vivian Baxter geen genade. In Oakland hadden ze in die tijd een gezegde dat, ook al bezigde ze het zelf niet, haar houding karakteriseerde. Dat gezegde luidde: 'Sympathie staat naast stront in het woordenboek en ik kan niet eens lezen.' Haar opvliegendheid was in de loop der jaren niet verminderd en wanneer een licht ontvlambaar karakter niet getemperd wordt door momenten van compassie, is de kans groot dat er melodrama's opgevoerd worden. In elke uitbarsting was mijn moeder *eerlijk*. Ze had de onpartijdigheid van de natuur en hetzelfde gebrek aan toegeeflijkheid en barmhartigheid.

Voordat wij uit Arkansas arriveerden, deed zich een incident voor waardoor de voornaamste daders in de gevangenis en het ziekenhuis belandden. Moeder had een handelspartner (die misschien iets meer was dan alleen maar dat) met wie ze samen een restaurant annex gokhuis runde. De partner weigerde, volgens Moeder, zijn deel van de verantwoordelijkheid te dragen en toen ze hem daarmee confronteerde, reageerde hij hooghartig en bazig en, wat onvergeeflijk was, noemde haar een teef. Nu wist iedereen dat niemand in haar bijzijn vloekte, laat staan haar uitvloekte, hoewel zijzelf net zo overvloedig vloekte als dat ze lachte. Moeder onderdrukte een spontane reactie, misschien terwille van de zakelijke relatie. Ze vertelde haar partner: 'Als ik dan een teef ben, zal ik je eens laten zien wat een echte teef is.' In zijn onbezonnenheid luchtte de man zijn gemoed door er nog een 'teef' aan toe te voegen – en toen schoot Moeder op hem. Ze had al moeilijkheden verwacht toen ze besloot om eens met hem te praten en had dus als voorzorg een kleine .32 in de grote zak van haar rok gestopt.

Met een kogel in zijn lijf struikelde de partner naar haar toe, in plaats van weg van haar, en ze zei dat ze geen reden had om weg te lopen, aangezien ze van plan geweest was hem neer te schieten (let wel: neerschieten, niet doden), dus schoot ze nog een keer op hem. Het moet voor hen alletwee een krankzinnige situatie zijn geweest. Het leek haar of elk schot dat ze afvuurde, hem voorwaarts dreef, het tegenovergestelde van wat ze wenste; en voor hem was het zo dat hoe dichter hij bij haar kwam, hoe meer ze op hem schoot. Ze hield stand totdat hij bij haar was, beide armen om haar nek sloeg en haar mee op de grond trok. Naderhand vertelde ze dat de politie hem los had moeten maken voordat hij naar de ambulance vervoerd kon worden. En de dag erna, toen ze op borgtocht vrijgelaten was, keek ze in de spiegel en zag dat ze 'blauwe ogen tot aan hier had'. Toen hij zijn armen om haar heen sloeg, moet hij haar daar geraakt hebben. Ze kreeg gemakkelijk blauwe plekken.

De partner overleefde de twee kogels en hoewel hun partnerschap ontbonden werd, behielden ze toch bewondering voor elkaar. Hij was weliswaar neergeschoten, maar ze had hem eerlijk gewaarschuwd. En hij had de kracht gehad haar twee blauwe ogen te bezorgen en het toch te overleven. Bewonderenswaardige eigenschappen.

De Tweede Wereldoorlog begon op een zondagmiddag toen ik op weg was naar de bioscoop. Mensen op straat riepen: 'Het is oorlog. We hebben de oorlog verklaard aan Japan.'

Ik rende de hele weg terug naar huis. Ik was er niet al te zeker van of ik niet gebombardeerd zou worden voordat ik bij Bailey en Moeder aankwam. Grootmoeder Baxter suste mijn angst door te verklaren dat Amerika niet gebombardeerd zou worden zolang Franklin Delano Roosevelt president was. Hij was, per slot van rekening, een politicus voor politici en wist wat hij deed.

Niet lang daarna trouwde Moeder met Papa Clidell, die voor mij de eerste vader werd die ik zou kennen. Hij was een succesvol zakenman en samen met hem en Moeder verhuisden we naar San Francisco. Oom Tommy, oom Billy en grootmoeder Baxter bleven achter in het grote huis in Oakland.

27

Gedurende de eerste twee maanden van de Tweede Wereldoorlog onderging het Fillmore district, ofwel de Westelijke Uitbreiding, een zichtbare revolutie. Aan de buitenkant leek het volkomen vredig en bijna in tegenspraak met de term 'revolutie'. De Jakamoto Zeevismarkt veranderde geruisloos in Sammy's Schoenpoetssalon en Sigarenwinkel. Jasjigira's IJzerwaren werd 'Le Salon de Beauté' van mejuffrouw Clorinda Jackson. De Japanse winkels, die hun waren sleten aan de tweede generatie Japanners, werden overgenomen door ondernemende Negerzakenmensen en in minder dan een jaar werden ze het permanente tweede huis voor Zwarten die pas uit het Zuiden aangekomen waren. Waar eens de geuren van tempura, rauwe vis en *tsja* hadden overheerst, hing nu de lucht van varkensdarmen, bladgroente en varkenskluiven.

De Aziatische bevolking slonk waar ik bij stond. Ik was niet in staat om Japanners te onderscheiden van Chinezen en had ook geen echt verschil ontdekt in de nationale oorsprong van zulke klanken als tsjin en tsjang of moto en kano.

Terwijl de Japanners verdwenen, geruisloos en zonder protest, arriveerden de Negers met hun luidruchtige jukeboxen, hun pas geventileerde wrok en hun opluchting over de ontsnapping aan de ketenen van het Zuiden. De Japanse wijk werd binnen een paar maanden het Harlem van San Francisco.

Iemand die niet op de hoogte is van de verschillende factoren waaruit onderdrukking bestaat, zou misschien medeleven verwacht hebben van de Neger-nieuwkomers voor de verdreven Japanners. Vooral gezien het feit dat zij (de Zwarten) zelf eeuwenlang in concentratiekampachtige omstandigheden hadden moeten leven op de slavenplantages en later in de deelpachtershutjes. Maar het gevoel van wederzijdse verwantschap ontbrak.

De Zwarte nieuwkomer was van de uitgedroogde landbouwgronden van Georgia en Mississippi gehaald door scouts die arbeiders wierven voor de oorlogsindustrie. De kans om in een flatgebouw van drie of vier verdiepingen te wonen (dat ogenblikkelijk verpauperde) en een loonstrookje te krijgen van twee of drie cijfers, was te mooi om waar te zijn. Voor het eerst kon hij zichzelf zien als een Baas, een Verkwister. Hij werd in staat gesteld om anderen voor zich te laten werken, dat wil zeggen, het personeel van de stomerij, taxichauffeurs, serveersters, enz.. De scheepswerven en munitiefabrieken, die door de oorlog tot grote bloei waren gebracht, lieten hem weten dat hij nodig was en zelfs gewaardeerd werd. Voor hem een volslagen onbekende maar toch zeer aangename positie om in te verkeren. Hoe kon van deze man verwacht worden dat hij een deel van zijn nieuwe en duizelingwekkende belangrijkheid besteedde aan zorg voor een ras waarvan hij niet eens geweten had dat het bestond?

Een andere oorzaak voor deze onverschilligheid ten opzichte van de verwijdering van de Japanners was subtieler maar werd dieper gevoeld. De Japanners waren geen blanken. Hun ogen, taal en gebruiken waren in tegenspraak met een blanke huid en bewezen aan hun donkere opvolgers dat, aangezien ze niet gevreesd hoefden te worden, er ook geen rekening met hen gehouden hoefde te worden. Dit oordeel kwam onbewust tot stand.

Geen enkel lid van mijn familie en geen van de vrienden van de familie sprak ooit over de afwezige Japanners. Het was alsof de huizen waar wij ingetrokken waren, nooit van hen waren geweest en alsof zij er nooit hadden gewoond. Van de Poststraat, waar ons huis was, gleed de heuvel langzaam naar beneden naar Fillmore, de markt die het hart vormde van ons district. Voordat de straat zijn eindbestemming bereikte, waren er in de twee korte huizenblokken twee vierentwintiguurs-restaurants gevestigd, twee biljartlokalen, vier Chinese restaurants, twee gokhuizen, plus de nodige snelbuffetten, schoenpoetswinkels, schoonheidssalons, kappers en tenminste vier kerken. Om een volledig beeld te krijgen van de onophoudelijke bedrijvigheid in de Negerwijk van San Francisco tijdens de oorlog, hoeft men alleen maar te weten dat de hierboven beschreven huizenblokken zijstraten waren die zichzelf vele malen herhaalden in een gebied dat acht tot tien huizenblokken in het vierkant omvatte.

De sfeer van collectieve desoriëntatie, de onbestendigheid van het leven in oorlogstijd en de onbeholpenheid van de later aangekomenen, droegen ertoe bij dat mijn eigen gevoel van niet erbij te horen verdween. In San Francisco zag ik mezelf voor het eerst als ergens deel van uitmakend. Ik identificeerde me niet met de nieuwkomers, noch met de zeldzame Zwarte nakomelingen van de in San Francisco geboren Negers, noch met de blanken of zelfs de Aziaten, maar wel met de tijden en de stad. Ik begreep de arrogantie van de jonge zeelui die als plunderende bendes door de straten marcheerden en ieder meisje benaderden alsof ze in het beste geval een prostituee was en in het slechtste een agente van de asmogendheden, die erop uit was om de vs de oorlog te laten verliezen. De ondertoon van angst dat San Francisco gebombardeerd zou worden, die aangewakkerd werd door het wekelijkse luchtalarm en de burgerbeschermingsoefeningen op school, versterkte mijn gevoel van erbij te horen. Had ik niet altijd al, altijd en eeuwig al, gedacht dat het leven een groot risico vormde voor de levenden?

En de stad in oorlogstijd gedroeg zich als een intelligente vrouw die belaagd werd. Wat ze voor haar eigen bescherming wel moest afstaan, gaf ze en intussen bracht ze die dingen die binnen haar bereik lagen, in veiligheid. De stad vertegenwoordigde voor mij het idee van hoe ik als volwassene zou willen zijn. Vriendelijk maar nooit dweperig, gereserveerd maar niet ijzig of afstandelijk, gedistingeerd zonder die afschuwelijke stijfheid.

Voor de mensen van San Francisco was 'de stad die wist hoe het moest', de baai, de mist, het Sir Francis Drake Hotel, de Top o'the Mark, Chinatown, het Sunset District, enzovoort, enzoverder, enzoblank. Voor mij, een dertienjarig Zwart meisje dat achtergebleven was omdat ze was opgegroeid in het Zuiden met zijn Zwarte Zuidelijke manier van leven, was de stad een toestand van schoonheid en vrijheid. De mist was niet slechts de condens van de baai die tussen de heuvels bleef hangen, maar een milde ademtocht van anonimiteit die de schuwe reiziger omhulde en beschermde. Ik werd onverschrokken en bevrijd van mijn angsten, bedwelmd door de materiële realiteit van San Francisco. Veilig in de beschutting van mijn arrogantie wist ik zeker dat niemand onpartijdiger van de stad hield dan ik. Ik wandelde rond de Mark Hopkins en tuurde naar de Top o'the Mark, maar (misschien was het een geval van zure druiven) ik was meer onder de indruk van het uitzicht vanaf de heuvel op Oakland, dan van het hoog oprijzende gebouw of de in bont gehulde bezoekers. Weken nadat de stad en ik tot een vergelijk waren gekomen over mijn erbij horen, liep ik de bezienswaardigheden af en vond ik ze nietszeggend en on-San Francisco-achtig. De marineofficieren met hun goedgeklede vrouwen en schone, blanke baby's bevonden zich in een andere ruimte als ik. De goed geconserveerde, oude vrouwen in hun auto's met chauffeur en de blonde meisjes met hun schoenen van geitenleer en kasjmier truien mochten dan misschien wel inwoners van San Francisco zijn, maar ze waren op zijn hoogst het verguldsel op de lijst van mijn portret van de stad.

Trots en Vooroordeel schreden achter elkaar aan over de prachtige heuvels. De autochtonen van San Francisco, die de stad als hun bezit beschouwden, moesten het hoofd bieden aan een toevloed van mensen die niet bestond uit met ontzag en respect vervulde toeristen, maar uit rauwe onvervalste provincialen. Ze werden ook gedwongen te leven met een oppervlakkig schuldgevoel dat zijn oorzaak vond in de behandeling van hun voormalige, tweede generatie Japanse schoolkameraden.

Blanke analfabeten uit het Zuiden brachten vanuit de heuvels van Arkansas en de moerassen van Georgia hun vooroordelen ongeschonden mee naar het Westen. De Zwarte ex-boeren hadden hun angst en achterdocht jegens de blanken die de geschiedenis hen door schade en schande had bijgebracht evenmin achtergelaten. Deze twee groepen waren genoodzaakt zij aan zij in de wapenfabrieken te werken en hun wederzijdse gevoelens van wrok etterden en braken door als steenpuisten op het aangezicht van de stad.

De inwoners van San Francisco zouden op de Golden Gate Bridge hebben gezworen dat het hart van hun 'stad met airconditioning' vrij was van racisme. Maar helaas was niets minder waar.

Er deed een verhaal de ronde over een blanke matrone uit San Francisco die in de tram geweigerd had om naast een Neger te gaan zitten, zelfs nadat hij speciaal voor haar had plaatsgemaakt. Haar verklaring luidde dat ze niet naast iemand wilde zitten die zich onttrok aan de dienstplicht en die ook nog een Neger was. Ze voegde eraan toe dat hij op zijn minst kon vechten voor zijn land, zoals haar zoon deed op Iwo Jima. Het verhaal vertelde dat de man zijn lichaam van het raam afwendde en haar een lege mouw liet zien. Rustig en met grote waardigheid zei hij: 'Vraag dan aan uw zoon of hij eens rondkijkt naar mijn arm die ik daar achter heb moeten laten.'

28

Hoewel ik goede punten haalde (ik was na mijn aankomst uit Stamps twee semesters vooruit gezet), lukte het mij niet om te wennen op de middelbare school. Het was een instituut voor meisjes vlak bij ons huis en de jongedames waren sneller, brutaler, gemener en meer bevooroordeeld dan iedereen die ik tegengekomen was op de Lafayette County Training School. Veel van de Negermeisjes kwamen, net als ik, recht uit het Zuiden, maar ze waren bekend, althans dat beweerden ze, met het uitgaanscentrum van Big D (Dallas) of met dat van T Town (Tulsa, Oklahoma) en hun beweringen werden in ieder geval gestaafd door hun taalgebruik. Ze stapten rond met een air van onoverwinnelijkheid en samen met sommigen van de Mexicaanse leerlingen, die messen in hun hoog opgekamde haren verborgen, speelden ze absoluut de baas over alle blanke meisjes en ook over die Zwarte en Mexicaanse leerlingen die geen schild van onverschrokkenheid bezaten. Gelukkig werd ik overgeplaatst naar de George Washington High School.

De mooie gebouwen lagen op een zacht glooiende heuvel in de betere blanke woonwijk, op een afstand van ongeveer zestig blokken van de Negerbuurt. Tijdens het eerste semester was ik een van de drie Zwarte leerlingen in de hele school en in die selecte atmosfeer groeide de liefde voor mijn volk. 's Morgens, wanneer de tram mijn getto doorkruiste, onderging ik een mengeling van ontzetting en angst. Ik wist dat we maar al te gauw de mij vertrouwde omgeving zouden verlaten en de Zwarten, die in de tram zaten als ik opstapte, zouden allemaal verdwenen zijn en ik zou alleen staan tegenover de veertig blokken van nette straten, gladgeschoren gazons, witte huizen en welgestelde kinderen.

's Avonds, op weg naar huis, waren mijn gevoelens blijdschap, hoop en opluchting bij het zien van de eerste borden waarop stond BARBECUE of DO DROP INN of HOME COOKING of bij de eerste bruine gezichten op straat. Daaraan herkende ik mijn eigen territorium weer.

Op school zelf stelde het me teleur dat ik niet alleen niet de meest briljante leerling was, ik kwam er zelfs niet bij in de buurt. De blanke kinderen beschikten over een grotere woordenschat dan ik en wat veel erger was, ze waren minder bang in de klas. Ze aarzelden nooit om hun hand op steken als de leraar een vraag stelde; zelfs wanneer ze ernaast zaten, zaten ze er strijdlustig naast, terwijl ik zeker moest zijn van al mijn feiten voordat ik de aandacht op mezelf durfde te vestigen.

De George Washington High School was de eerste echte school die ik bezocht. Maar mijn hele verblijf daar zou verloren tijd zijn geweest als ik niet één briljante lerares had gehad. Juffrouw Kirwin behoorde tot het zeldzame soort pedagogen die verliefd zijn op informatie. Ik zal er altijd van overtuigd blijven dat haar liefde voor het onderwijs niet zozeer voortkwam uit het feit dat ze graag met leerlingen omging, maar eerder uit haar verlangen om zich ervan te verzekeren dat sommige van de dingen die zij wist, in vergaarbakken terecht zouden komen zodat ze opnieuw uitgewisseld konden worden.

Zij en haar ongetrouwde zuster waren meer dan twintig jaar werkzaam in het onderwijs van de stad San Francisco. Mijn juffrouw Kirwin was een grote, blozende, weelderige dame met haar dat zo grijs was als een slagschip. Ze gaf maatschappijleer. In haar klas waren aan het eind van een semester onze boeken nog net zo ongebruikt en de bladzijden nog net zo ongekreukt als toen ze aan ons uitgedeeld waren. De leerlingen van juffrouw Kirwin werden zelden of nooit gesommeerd om hun studieboeken open te slaan.

Iedere klas werd door haar begroet met: 'Goedendag, dames en heren.' Ik had een volwassene nog nooit met zoveel respect tegen tieners horen spreken. (Meestal denken volwassenen dat een schijn van beleefdheid al afbreuk doet aan hun gezag.) 'In de *Chronicle* van vandaag stond een artikel over de mijnindustrie in Noord- en Zuid-Carolina [of een ander niet direct voor de hand liggend onderwerp]. Ik ben ervan overtuigd dat jullie dat artikel allemaal gelezen hebben. Ik zou hier graag van iemand iets meer over willen horen.'

Na twee weken in haar klas, las ik, samen met alle andere opgewonden leerlingen, de plaatselijke kranten, *Time Magazine*, *Life* en alles wat ik maar te pakken kon krijgen. Juffrouw Kirwin bewees Bailey's gelijk. Hij had eens tegen me gezegd dat 'alle kennis besteedbare valuta is, afhankelijk van de markt'.

Er waren geen favoriete leerlingen. Geen lievelingetjes van de leraar. Wanneer ze tijdens een bepaald uur bijzonder tevreden was over een leerling, kon hij niet rekenen op een speciale behandeling in het lesuur van de volgende dag en dat gold evengoed voor het omgekeerde. Iedere dag begon ze met een schone lei en gedroeg ze zich alsof die van ons ook schoon was. Ze was terughoudend maar streng in haar oordeel en had geen tijd voor leeghoofden.

Ze was stimulerend in plaats van intimiderend. Terwijl sommige leraren hun uiterste best deden om aardig tegen mij te zijn – mij 'liberaal' tegemoet te treden – en anderen mij compleet negeerden, leek het juffrouw Kirwin nooit opgevallen te zijn dat ik Zwart was en bijgevolg anders. Ik was juffrouw Johnson en als ik het antwoord wist op een vraag die ze gesteld had, kreeg ik nooit meer van haar te horen dan het woord 'Juist' en dat was wat ze tegen iedere andere leerling zei die het goede antwoord had gegeven.

Jaren later, toen ik terug was in San Francisco, zocht ik haar een paar maal in haar lokaal op. Ze herinnerde zich altijd dat ik juffrouw Johnson was die een goed verstand had en er iets mee zou moeten doen. Ze moedigde me tijdens die bezoekjes nooit aan om te blijven treuzelen en dralen bij haar lessenaar. Ze gedroeg zich alsof ik nog wel meer bezoeken had om af te leggen. Ik heb me vaak afgevraagd of ze besefte dat zij de enige lerares was die ik me herinnerde.

Ik ben nooit te weten gekomen waarom ik een beurs kreeg voor de California Labor School. Het was een instituut voor volwassenen en vele jaren later kwam ik erachter dat het op de 'House Un-American Activities' lijst van subversieve organisaties stond. Op mijn veertiende aanvaardde ik een beurs en het jaar daarop kreeg ik hem opnieuw. 's Avonds volgde ik lessen in drama en dans, samen met blanke en Zwarte volwassenen. Ik had alleen maar drama gekozen omdat ik de monoloog van Hamlet, die begint met 'Zijn of niet zijn' zo mooi vond. Ik had nog nooit een toneelstuk gezien en associeerde films niet met het theater. De enige keren dat ik de monoloog daadwerkelijk had gehoord, waren de keren dat ik hem melodramatisch voor mezelf declameerde. Voor de spiegel.

Het viel niet mee om mijn voorkeur voor het overdreven gebaar en de geëmotioneerde stem te beteugelen. Wanneer Bailey en ik samen gedichten lazen, klonk hij als een woeste Basil Rathbone en ik als een uitzinnige Bette Davis. Op de California Labor School scheidde een krachtdadige en scherpzinnige lerares mij snel en zonder plichtplegingen van melodrama.

Ze liet mij zes maanden lang pantomime doen.

Bailey en Moeder moedigden mij aan om dansles te nemen en hij vertrouwde me toe dat mijn benen dikker en mijn heupen breder zouden worden door de oefeningen. Meer aansporing had ik niet nodig.

Mijn verlegenheid om me, gekleed in een zwarte maillot, door een grote, lege ruimte te bewegen, was snel over. Natuurlijk dacht ik in het begin dat iedereen naar mijn komkommervormige lijf met knobbels in plaats van knieën, knobbels in plaats van ellebogen en, helaas, knobbels in plaats van borsten zou staren. Maar eigenlijk merkten ze me niet eens op en toen de lerares over de vloer zweefde om te eindigen in een arabesk, kreeg ik de smaak te pakken. Ik wilde ook leren me zo te bewegen. Ik wilde leren om, in haar woorden, 'ruimte in te nemen'. Mijn dagen draaiden om de lessen van juffrouw Kirwin, het avondeten met Bailey en Moeder, en drama en dans.

Tijdens die periode van mijn leven was mijn loyaliteit over een bont gezelschap verdeeld. Momma met haar ernstige vastberadenheid, Mevrouw Flowers en haar boeken, Bailey met zijn liefde, mijn moeder en haar vrolijkheid, juffrouw Kirwin en haar informatie en mijn avondlessen in drama en dans.

29

Ons huis had veertien kamers en was typisch voor het
San Francisco van na de aardbeving. Een reeks van huurders, die allemaal hun verschillende accenten, persoonlijkheden en gerechten meebrachten, volgden elkaar op.
Havenarbeiders, die de trap op kwamen gestommeld
(we sliepen allemaal op de derde verdieping, behalve
Moeder en Papa Clidell) met hun laarzen met ijzerbeslag
en veiligheidshelmen, maakten plaats voor zwaar bepoe-
derde prostituees, die door hun make-up heen giechelden en hun pruiken aan de deurknoppen hingen. Met
een echtpaar (alletwee met een universitaire opleiding)
had ik lange, volwassen gesprekken in de grote keuken
beneden. Totdat de man opgeroepen werd voor het leger. Toen veranderde de vrouw, die zo charmant was geweest en zo gemakkelijk had geglimlacht, in een stille
schaduw die onregelmatig langs de muren kroop. Ook
woonde er ongeveer een jaar lang een ouder echtpaar bij
ons. Ze hadden een restaurant, maar verder hadden ze
niets dat een tiener kon boeien of interesseren, behalve
dan dat de man oom Jim heette en de vrouw tante Boy.
Dat heb ik nooit gesnapt.

Wanneer kracht samengaat met tederheid, vormen ze
samen een onverslaanbare combinatie, zoals intelligentie met behoeften als die tenminste niet afgestompt zijn
door formeel onderwijs. Ik was bereid om Papa Clidell te
accepteren als nog een gezichtsloze naam die toegevoegd

werd aan Moeders lijst van veroveringen. Ik had mezelf er door de jaren heen zo goed in getraind om belangstelling, of op zijn minst aandacht, te tonen terwijl mijn gedachten onbelemmerd van het ene onderwerp naar het andere oversprongen, dat ik in zijn huis had kunnen wonen zonder hem echt te zien en zonder dat hij daar iets van zou merken. Maar zijn karakter vroeg om bewondering en bracht die ook bij mij teweeg. Het was een eenvoudige man zonder minderwaardigheidscomplex over zijn gebrek aan opleiding en, wat nog meer verbaasde, zonder meerderwaardigheidscomplex omdat hij geslaagd was in weerwil van dit gebrek. Hij zei vaak: 'In m'n hele leven heb ik drie jaar op school gezeten. In Slaten, Texas, waren de tijden hard en ik moest mijn papa helpen op de boerderij.'

Er lag geen beschuldiging verborgen onder deze simpele verklaring, evenmin schepte hij op wanneer hij zei: 'Als ik 't nou een beetje beter heb, is dat omdat ik iedereen fatsoenlijk behandel.'

Hij bezat flatgebouwen en later ook biljartlokalen en stond erom bekend dat hij tot die zeldzame soort van 'mannen van eer' behoorde. Hij leed niet, zoals zovele 'eerlijke mensen' aan die walgelijke zelfgenoegzaamheid waardoor hun deugd zijn waarde verliest. Hij kende de kaarten en de harten van mensen. Dus tijdens de periode dat Moeder ons kennis liet maken met een aantal essentiële zaken in het leven, zoals persoonlijke hygiëne, de juiste lichaamshouding, tafelmanieren, goede restaurants en het geven van fooien, leerde Papa Clidell mij pokeren, eenentwintigen, toepen, zwikken en het bieden van manches. Hij droeg dure maatkostuums en een grote, gele, diamanten dasspeld. Afgezien van die speld kleedde hij zich conservatief en met zorg en bezat hij die

onbewust ijdele houding van een man met een vast in-
komen. Bij toeval leek ik op hem en wanneer hij, Moeder en ik samen over straat liepen, zeiden zijn vrienden
vaak tegen hem: 'Clidell, dat moet je dochter zijn. Dat
zul je niet kunnen ontkennen.'

Bij die woorden lachte hij trots, want hij had zelf
nooit kinderen gehad. Vanwege zijn laat gewekte, maar
intens vaderlijke gevoelens, werd ik aan de kleurrijkste
figuren uit de Zwarte onderwereld voorgesteld. Op een
middag werd ik onze eetkamer, die vol rook hing, bin-
nengeroepen om kennis te maken met Dwarse Jimmy,
Krek Zwart, Koele Clyde, Krappe Jas en Rood Been. Papa Clidell legde uit dat zij de meest succesvolle zwendelaars waren van de hele wereld en dat zij mij zouden vertellen over hoe zij te werk gingen, zodat ik nooit
'iemands prooi' zou worden.

Om te beginnen waarschuwde een van de mannen
me: 'D'r is nog nooit geen prooi geweest die niet iets
voor niets wilde hebben.' Daarna vertelden ze me om
beurten over hun trucs, hoe ze hun slachtoffers (prooi-
en) kozen onder de welgestelde, bekrompen blanken en
hoe ze elke keer de vooroordelen van de slachtoffers tegen hen wisten te gebruiken.

Sommige van de verhalen waren komisch, een paar
waren er meelijwekkend, maar allemaal vond ik ze vermakelijk en schonken ze mij voldoening, want de Zwarte, de zwendelaar die zich het onnozelst kon voordoen,
won het altijd van de machtige, arrogante blanke.

Het verhaal van meneer Rood Been is me bijgebleven
als een favoriet deuntje.

'Alles wat tegen je werkt, kan ook voor je werken als je
eenmaal het Principe van de Omkering doorhebt.

D'r was een blanke hufter in Tulsa die zoveel Negers

had afgezet dat hij een Neger-afzetterbedrijf kon beginnen. Vanzelf dacht-ie dat Zwarte huid stomme idioot betekende. Krek Zwart en ik gingen naar Tulsa om hem na te trekken en hij bleek de perfecte prooi te zijn. Zijn mama was zeker geschrokken van een indianenslachting in Afrika. Zijn hekel aan Negers was maar een klein beetje groter dan zijn verachting voor indianen. En bovendien was hij hebberig.

Zwart en ik bestudeerden hem en we besloten dat hij het waard was om onze zaak voor op te zetten. Dat betekent dat we bereid waren om er als voorbereiding een paar duizend dollar tegen aan te gooien. We haalden een blanke jongen uit New York, een goeie zwendelartiest, en lieten hem een kantoor openen in Tulsa. Hij moest zich voordoen als een makelaar in onroerend goed uit het Noorden die probeerde waardevol land in Oklahoma op te kopen. We onderzochten een stuk land vlakbij Tulsa waar een tolbrug overheen liep. Vroeger hoorde 't bij een indianenreservaat, maar het was overgenomen door de staat.

Krek Zwart werd opgezet als de lokker en ik zou de onnozele zijn. Nadat onze vriend uit New York een secretaresse aangenomen had en kaartjes had laten drukken, benaderde Zwart de prooi met een voorstel. Hij vertelde hem dat hij gehoord had dat onze prooi de enige blanke was die door kleurlingen vertrouwd kon worden. Hij noemde de namen van een paar arme stumpers die door die oplichter getild waren. Zo zie je maar weer hoe het blankvolk bedrogen kan worden door zijn eigen bedrog. De prooi geloofde Zwart.

Zwart vertelde de man over een vriend van hem die half Indiaans, half kleurling was, en hoe de een of andere blanke makelaar uit het Noorden ontdekt had dat die alleeneigenaar was van een waardevol stuk land en dat de Noorderling het wilde kopen. Eerst deed de man alsof hij lont rook, maar hij slikte 't voorstel zo gulzig naar binnen dat al gauw bleek dat 't nikkergeld op z'n bovenlip was wat-ie dacht te ruiken.

Hij vroeg naar de ligging van het land maar Zwart poeierde hem af. Hij zei tegen z'n hufter dat hij alleen maar zeker wilde weten of hij interesse had. De prooi gaf toe dat 't hem wel interesseerde, dus zei Zwart dat hij 't aan zijn vriend zou doorgeven en dan zouden ze contact met hem opnemen. Ongeveer drie weken lang zag Zwart de prooi in auto's en in steegjes, maar hij bleef 'm afpoeieren, totdat die blanke zowat gek was van spanning en hebberigheid en toen liet Zwart, zogenaamd per ongeluk, de naam vallen van die makelaar uit het Noorden die het land wilde kopen. Van toen af aan wisten we dat we de grote vis aan de haak hadden en dat we hem alleen nog maar hoefden op te halen.

Wij verwachtten dat hij zou proberen contact op te nemen met onze zaak en dat deed hij ook. De hufter ging naar ons kantoor, d'r op rekenend dat hij, vanwege z'n blank-zijn, Spots, onze blanke jongen, aan zijn kant zou hebben. Maar Spots weigerde te praten over de transactie, hij zei alleen dat het land grondig onderzocht was door de grootste makelaar in onroerend goed van het Zuiden en dat als onze prooi geen stennis zou maken, hij er persoonlijk voor zou zorgen dat er een aardig bedragje voor hem over zou schieten. Al te opvallende vragen over de rechtmatige eigenaar van het land zou de staat alarmeren en die zou er zeker een wet doordrukken om de verkoop tegen te houden. Spots vertelde de prooi dat hij hem op de hoogte zou houden. De prooi kwam drie of vier keer voor niks terug naar de zaak en toen, net voordat we wisten dat hij zou breken, nam Zwart mij mee om hem te ontmoeten. Die sukkel was zo blij als een mietje in een jongenskamp. Je zou haast denken dat ik met mijn nek in een strop zat en hij op 't punt stond een vuurtje te stoken onder mijn voeten. Ik heb nog nooit iemand met zoveel plezier getild.

Maar goed, ik deed dus eerst alsof ik schrik had, maar Krek Zwart vertelde me dat dit nou net een blanke was die te vertrouwen was door onze mensen. Ik zei dat ik geeneen blanke vertrouwde, want alles wat ze wilden, was een legitieme kans om een Zwarte te doden en zijn vrouw in bed te krijgen. (Het spijt me, Clidell.) De prooi verzekerde me dat hij de enige blanke was die er niet zo over dacht. Sommigen van zijn beste vrienden waren kleurlingen. En in feite, als ik 't soms nog niet wist, was de vrouw die hem had grootgebracht een kleurlinge en tot op de dag van vandaag gaat hij nog bij haar op bezoek. Ik liet me overtuigen en toen begon de prooi af te geven op Noordelijke blanken. Hij vertelde me dat ze in het Noorden Negers dwongen om op straat te slapen en dat ze daar de wc's met hun handen schoon moesten maken en nog ergere dingen. Ik was geschokt en zei: "Maar dan wil ik mijn land niet verkopen aan die blanke die er vijfenzeventigduizend dollar voor heeft geboden." Krek Zwart zei: "Ik zou niet weten wat ik met al dat geld moest doen." En ik zei dat ik alleen maar genoeg geld wilde hebben om een huis te kopen voor mijn oude moedertje, om een zaak te kopen en om één keer naar Harlem te gaan. De prooi vroeg hoeveel dat zou kosten en ik zei dat ik dacht dat ik met vijftigduizend dollar toe zou komen.

De prooi zei dat een Neger z'n leven niet veilig was met zoveel geld. Dat 't blankvolk zou proberen 't van hem af te pakken. Ik zei dat ik dat wel wist maar dat ik, op z'n minst, veertigduizend dollar moest hebben. Hij stemde toe. We schudden elkaar de hand. Ik zei dat 't mijn hart goed deed om mee te maken dat een stukje van "ons land" aan de neus van zo'n gemene Yankee voorbij ging. We spraken af voor de volgende ochtend, ik tekende de akte in zijn auto en hij gaf me de contanten.

Zwart en ik hadden de meeste van onze spullen in een hotel in Hot Springs, Arkansas gelaten. Toen de transactie rond was, liepen we naar onze auto en reden de staatsgrens over.

En dat was alles.'

Toen hij klaar was, regende het meer verhalen die triomfantelijk op de schouders van ons gelach door de kamer werden gedragen.

Normaal gesproken hadden de vertellers van deze verhalen, geboren als Zwarte mannen voor de eeuwwisseling, tot nutteloos gruis vermalen moeten zijn. In plaats daarvan maakten ze gebruik van hun intelligentie om de deur van de afwijzing open te wrikken en vergaarden ze niet alleen rijkdom, maar namen ze nog wraak op de koop toe.

Het was onmogelijk voor mij om hen als misdadigers te zien, of iets anders dan trots te zijn op hun verrichtingen.

De behoeften van een gemeenschap zijn bepalend voor de morele code en in de Zwarte getto's van Amerika is die man een held aan wie alleen de kruimels van 's lands tafel aangeboden worden, maar die door vindingrijkheid en moed in staat is voor zichzelf een lucullusmaal aan te richten. Daarom wordt de conciërge, die één kamer bewoont maar wel met een hemelsblauwe Cadillac pronkt, niet uitgelachen maar bewonderd en wordt de huisbediende, die schoenen van veertig dollar koopt, niet bekritiseerd maar gewaardeerd. We beseffen dat zij al hun mentale en fysieke krachten hebben aangewend. Met elk beetje individuele winst wordt de winst van de groep aangevuld.

Verhalen over wetsovertredingen worden in het Zwarte denken op een ander soort weegschaal gewogen dan in het blanke. Kleine vergrijpen brengen de gemeenschap in verlegenheid en veel mensen vragen zich treurig af waarom Negers niet vaker banken beroven, kapitaal verduisteren en gebruik maken van smeergeld in de vakbonden. 'Wij zijn de slachtoffers van een wereldwijde, allesomvattende diefstal. Het leven vraagt om evenwicht. Dus het geeft niet als wij nu een beetje stelen.' Deze overtuiging is vooral aantrekkelijk voor iemand die niet in staat is om op legale wijze met zijn medeburgers te concurreren.

Mijn opleiding en die van mijn Zwarte lotgenoten was heel anders dan die van onze blanke schoolkameraden. In de klas leerden we allemaal voltooide deelwoorden, maar op straat en thuis leerden de Zwarten om de -en van het meervoud weg te laten en de achtervoegsels van werkwoorden in de verleden tijd. We waren bedacht op de kloof die schrijftaal scheidt van spreektaal. We leerden om van de ene taal in de andere te glijden, zonder dat we er bewust moeite voor hoefden te doen. Op school zouden we misschien op een bepaalde situatie reageren met: 'Dat is niet ongebruikelijk.' Maar op straat zeiden we van dezelfde situatie moeiteloos: 'Zo zijn 't nou eenmaal soms.'

30

Net als mijn rijkere, blanke klasgenoten zou ik op vakantie gaan. Papa Bailey had me uitgenodigd om de zomer bij hem in Zuid-Californië door te brengen en ik was zenuwachtig van opwinding. Gezien het air van superioriteit eigen aan onze vader, verwachtte ik heimelijk dat hij in een landhuis omgeven door landerijen woonde en bediend werd door personeel in livrei.

Moeder was me behulpzaam bij de aanschaf van zomerkleren. Met de hooghartigheid die ingezetenen van San Francisco ten toon spreiden ten aanzien van mensen die in een warmer klimaat wonen, verklaarde ze dat ik alleen maar een hoop korte broeken, driekwart broeken, sandalen en bloezen nodig had, want 'in het zuiden van Californië dragen ze nauwelijks iets anders'.

Papa Bailey had een vriendin met wie ik een paar maanden eerder een briefwisseling was begonnen en zij zou me van de trein afhalen. We waren overeengekomen dat we als herkenningsteken ieder een witte anjer zouden dragen. De bediende van de slaapwagon bewaarde hem voor me in de ijskast van de restauratie totdat we in het kleine, hete stadje aankwamen.

Op het perron gleed mijn blik langs de blanken en zocht tussen de Negers die afwachtend op en neer liepen. Geen van de mannen was zo groot als Papa en er waren ook geen echt betoverende dames bij (ik had uitgemaakt dat, gezien zijn eerste keuze, al zijn volgende vrouwen ook opvallend mooi moesten zijn). Ik zag wel een jong meisje dat een witte bloem droeg, maar zette haar als onaannemelijk van me af. Het perron liep leeg, terwijl wij keer op keer langs elkaar heen wandelden. Ten slotte hield ze me staande met een ongelovig: 'Marguerite?' Haar stem sloeg over van een volwassen soort schrik. Het was dus toch geen jong meisje. En ook ik werd overvallen door ongeloof.

Ze zei: 'Ik ben Dolores Stockland.'

Verbijsterd, maar proberend mijn goede manieren niet te vergeten, zei ik: 'Hallo. Ik heet Marguerite.'

Papa's vriendin? Ik schatte dat ze vooraan in de twintig was. Haar kraakheldere, seersucker mantelpak, schoenen met hoge hakken en handschoenen zeiden me dat ze correct en serieus was. Ze was van gemiddelde lengte, maar had het ongevormde lichaam van een meisje en ik dacht bij mezelf dat, als ze zich voorgenomen had om met onze vader te trouwen, de ontdekking dat ze er dan een stiefdochter bij zou krijgen van bijna één meter tachtig, die niet eens mooi was, ontstellend voor haar moest zijn. (Naderhand kwam ik erachter dat Papa Bailey haar had verteld dat zijn kinderen acht en negen jaar oud waren en reuze schattig. Ze had het zo nodig om in hem te geloven dat ze in staat was het voor de hand liggende te negeren, zelfs al correspondeerden wij in de tijd dat ik dol was op meerlettergrepige woorden en ondoorzichtige zinnen.)

Ik was nog een schakel in de lange keten van teleurstellingen. Papa had beloofd met haar te trouwen, maar hij bleef het uitstellen totdat hij ten slotte trouwde met een vrouw die Alberta heette, en die ook zo'n kleine, vrekkige vrouw uit het Zuiden was. Toen ik Dolores leerde kennen, had ze al de allures van de Zwarte bourgeoisie, maar zonder de materiële basis om de maniertjes te schragen. In plaats van dat hij eigenaar was van een landhuis met personeel, woonde Papa in een caravanpark in de buitenwijk van een stad, die op zijn beurt weer de buitenwijk van een stad was. Dolores leefde daar met hem samen en poetste de woning tot hij zo ordentelijk was als een doodskist. Kunstbloemen rustten wasachtig in glazen vazen. Ze had een hechte relatie met haar wasmachine en strijkplank. Haar kapper kon rekenen op haar absolute trouw en stiptheid. Als er geen inbreuk van buitenaf op werd gepleegd, zou haar leven, in één woord, volmaakt zijn geweest. Maar toen kwam ik langs.

Ze deed haar uiterste best om iets van me te maken dat ze redelijkerwijs kon accepteren. Haar eerste poging, die jammerlijk mislukte, betrof mijn aandacht voor details. Ze vroeg, vleide en beval me ten slotte om mijn kamer schoon te houden. Ik werd in mijn bereidheid daartoe gehinderd door het feit dat ik geen flauw benul had hoe ik dat aan moest pakken en door mijn stuntelige onhandigheid met kleine voorwerpen. De ladenkast in mijn kamer stond vol porseleinen blanke vrouwtjes met parasolletjes, hondjes, dikbuikige cupidootjes en glazen beesten in alle soorten en maten. Nadat ik het bed opgemaakt, de kamer aangeveegd en mijn kleren opgehangen had, hield ik, als ik al niet vergat om de snuisterijen af te stoffen, er steevast eentje te stijf vast en brak er een of twee benen af, of te los en liet het aan zielige stukjes vallen.

Papa liep voortdurend rond met een ondoorgrondelijk en geamuseerd gezicht. Hij leek een werkelijk duivels genoegen te beleven aan ons onbehagen. Het leed geen twijfel dat Dolores haar buitenmaatse minnaar adoreerde en zijn spreektrant (Papa Bailey sprak nooit, hij oreerde), doorspekt met *uh's* en *uhuh's,* moet haar tot enige troost zijn geweest in hun minder-dan-kleinburgerlijke woning. Hij werkte in de keuken van een marineziekenhuis, maar ze vertelden alle twee dat hij medisch diëtist was voor de Amerikaanse marine. Hun ijskast lag altijd vol met pas verworven stukken ham, halve braadstukken en kwart kippen. Papa was een uitstekende kok. Tijdens de Eerste Wereldoorlog had hij in Frankrijk gezeten en hij had ook als portier voor het exclusieve Breakers' Hotel gewerkt. Het resultaat daarvan was dat hij vaak Europese diners bereidde. Regelmatig schotelde hij ons 'coq au vin', eersteklas ribbetjes 'au jus' en 'côtelette Milanaise' met garnituur voor. Maar zijn specialiteit was Mexicaans eten. Iedere week ging hij de grens over om kruiden en andere levensmiddelen te halen die onze tafel sierden als 'pollo en salsa verde' en 'enchilada con carne'.

Als Dolores een beetje minder afstandelijk was geweest en een beetje meer met haar beide benen op de grond had gestaan, zou ze ontdekt hebben dat die ingrediënten volop in haar eigen stad te krijgen waren en dat Papa helemaal niet naar Mexico hoefde te gaan om voorraad in te slaan. Maar ze zou nog liever doodvallen dan bij een van de smoezelige Mexicaanse mercados een blik naar binnen te werpen, laat staan dat ze ooit een stap in de stank ervan zou zetten. Bovendien klonk het chic om te kunnen zeggen: 'Mijn man, meneer Johnson de marinediëtist, is naar Mexico gegaan om wat spullen voor het diner te halen.' Dat valt wel goed bij andere chique lui die naar de blanke buurt gaan om artisjokken te kopen.

Papa sprak vloeiend Spaans en omdat ik het een jaar lang op school had gehad, waren we in staat om enigszins te converseren. Ik geloof dat het vermogen om een vreemde taal te spreken mijn enige eigenschap was die indruk maakte op Dolores. Haar mond was te strak en haar tong te onbeweeglijk om zich aan de vreemde klanken te wagen. Maar ik moest toegeven dat haar Engels, net als alles aan haar, absoluut volmaakt was.

Wekenlang probeerden we onze krachten op elkaar uit terwijl Papa figuurlijk van een afstand toekeek, zonder te juichen of te joelen maar zich kostelijk amuserend. Hij vroeg me een keer of ik 'uh mijn moeder uhuh aardig vond'. Ik dacht dat hij mijn moeder bedoelde, dus antwoordde ik ja, ze was mooi, vrolijk en heel lief. Hij zei dat hij het niet over Vivian had, maar Dolores bedoelde. Toen legde ik uit dat ik haar niet aardig vond, want ze was gierig, bekrompen en ze stelde zich vreselijk aan. Hij lachte en toen ik eraan toevoegde dat ze mij ook niet aardig vond, omdat ik zo groot was en verwaand en niet schoon genoeg naar haar zin, lachte hij nog harder en zei iets als: 'Nou ja, zo is 't leven.'

Op een avond kondigde hij aan dat hij de volgende dag naar Mexico zou gaan om eten voor het weekend te kopen. Er was niets ongewoons aan zijn mededeling totdat hij erbij zei dat hij mij mee zou nemen. Hij vulde de geschokte stilte op met de informatie dat een tochtje naar Mexico mij de kans zou geven mijn Spaans te oefenen.

Het zwijgen van Dolores zou veroorzaakt kunnen zijn door jaloezie, maar dat van mij kwam voort uit pure verbazing. Mijn vader had bepaald nooit laten blijken dat hij trots op me was en had me maar zeer weinig genegenheid betoond. Hij had me niet meegenomen naar zijn vrienden of naar de paar bezienswaardigheden die Zuid-Californië rijk was. Het was ongelofelijk dat ik nu wel meegenomen zou worden voor zoiets exotisch als een tochtje naar Mexico. Nou ja, redeneerde ik snel, ik verdiende het. Per slot van rekening was ik zijn dochter en mijn vakantie voldeed bij lange na niet aan de verwachtingen die ik van een vakantie had. Als ik bezworen had dat ik het prettig zou vinden als Dolores ook meeging, was ons misschien een vertoon van geweld met een bijna tragische afloop bespaard gebleven. Maar in mijn jonge brein was geen plaats voor iets anders dan mezelf en mijn voorstellingsvermogen sidderde bij het vooruitzicht van een ontmoeting met sombreros, rancheros, tortillas en Pancho Villa. We brachten de avond rustig door. Dolores verstelde haar volmaakte ondergoed en ik deed alsof ik een boek las. Papa luisterde naar de radio met een glas in zijn hand en sloeg de vertoning, waarvan ik nu weet dat hij deerniswekkend was, gade.

De volgende ochtend vertrokken we voor het buitenlandse avontuur. De onverharde wegen van Mexico vervulden al mijn verlangens naar het ongewone. Slechts een paar mijl buiten Californië met zijn gladde autowegen en, voor mij, hoge gebouwen, hobbelden we al door grindstraten, die qua primitiviteit hadden kunnen wedijveren met de slechtste paden in Arkansas en kon het landschap bogen op adobehutten en huisjes met muren van golfplaten. Magere, vieze honden slopen rond de huizen en onschuldig naakte, of bijna naakte, kinderen speelden met afgedankte rubberbanden. De ene helft van de bevolking leek op Tyrone Power en Dolores del Rio en de andere helft op Akim Tamiroff en Katina Paxinou, alleen wat dikker en ouder misschien. Papa gaf geen verklaring toen we door het grensstadje reden en koers zetten naar het binnenland. Hoewel ik verbaasd was, weigerde ik mijn nieuwsgierigheid te bevredigen door hem vragen te stellen. Na een paar mijl werden we tegengehouden door een bewaker in uniform. Hij en Papa begroetten elkaar als bekenden en Papa stapte uit. Hij stak zijn hand in het zijvak van het portier en haalde er een fles drank uit die hij meenam naar het houten gebouwtje van de bewaker. Ze lachten en praten meer dan een half uur terwijl ik in de auto zat en probeerde de gedempte klanken te vertalen. Ten slotte kwamen ze naar buiten en wandelden naar de auto toe. Papa had nog steeds de fles vast die nu half leeg was. Hij vroeg aan de bewaker of hij geen zin had om met mij te trouwen. Hun Spaans was veel onsamenhangender dan mijn schoolse variant, maar ik begreep het toch. Mijn vader voegde er als extra aansporing het feit aan toe dat ik pas vijftien was. Meteen boog de bewaker zich voorover en streelde mijn wang. Ik veronderstelde dat hij eerst gevonden had dat ik oud was en nog lelijk ook, maar dat nu de wetenschap dat ik waarschijnlijk ongebruikt was me wel aantrekkelijk maakte. Hij zei tegen Papa dat hij met me zou trouwen en dat we samen 'veel baby's' zouden krijgen. Mijn vader vond die belofte een van de grappigste dingen die hij gehoord had sinds we van huis waren vertrokken. (Hij had luidruchtig gelachen toen Dolores mijn groet niet beantwoordde en ik had uitgelegd, toen we wegreden, dat ze het niet gehoord had.) De bewaker werd niet ontmoedigd door mijn pogingen om zijn grijpende handen te ontwijken en ik zou me achter het stuur gewurmd hebben als Papa het portier niet had geopend en was ingestapt. Na de nodige *adios*-en, *bonitas* en *espositas* startte Papa de auto en vervolgden we onze stoffige weg.

Aan de borden zag ik dat we richting Ensenada reden. Tijdens die mijlen over kronkelweggetjes langs de steile bergwand was ik bang dat ik Amerika met zijn beschaving, zijn Engels en zijn brede straten nooit meer terug zou zien. Hij nipte aan de fles en zong fragmenten van

Mexicaanse liedjes, terwijl we langs de slingerende bergweg omhoog klommen. Ons einddoel bleek uiteindelijk toch niet de stad Ensenada te zijn, maar lag ongeveer vijf mijl buiten de stadsgrens. We stopten op het onverharde erf van een cantina, waar half aangeklede kinderen achter vals uitziende kippen aanrenden. Het geluid van de auto bracht een paar vrouwen naar de deur van het gammele gebouw, maar het weerhield noch de slonzige kinderen, noch de schriele kippen van hun doelbewuste bezigheden.

Een vrouwenstem riep uit: 'Beelie, Beelie.' En plotseling verdrong zich een troep vrouwen in de deuropening en stroomde het erf op. Papa zei dat ik uit moest stappen en we liepen de vrouwen tegemoet. Hij legde snel uit dat ik zijn dochter was, wat een onbedaarlijk gelach teweegbracht. We werden een langwerpige ruimte met aan een kant een bar ingedreven. Tafeltjes stonden scheef op een vloer van losse planken. Het plafond trok mijn aandacht en hield die vast. Papieren slingers in alle mogelijke kleuren wuifden in de bijna roerloze lucht heen en weer en terwijl ik keek, vielen er een paar op de grond. Niemand leek het op te merken, en als het wel werd opgemerkt dan was het duidelijk niet belangrijk dat hun hemel in elkaar stortte. Er zaten een paar mannen op krukken aan de bar en ze begroetten mijn vader met de ongedwongenheid van oude bekenden. Ik werd rondgeleid en iedereen kreeg mijn naam en leeftijd te horen. Mijn formele, middelbare-schoolse *Cómo está usted?* werd ontvangen alsof niemand ooit iets charmanters had kunnen bedenken. Mensen klopten me op de rug, schudden Papa de hand en spraken een ratelend Spaans dat ik niet kon volgen. Beelie was de held van de dag en terwijl hij ontdooide onder de ongeremde blijken van genegenheid, zag ik hem van een nieuwe kant. Zijn spottende glimlach verdween en hij praatte niet langer zo geaffecteerd (het zou ook moeilijk zijn geweest om *uh's* tussen het rappe Spaans in te klemmen.)

Het leek nauwelijks voorstelbaar dat hij een eenzame figuur was die aanhoudend probeerde om in flessen, onder de rokken van vrouwen, in kerkelijke activiteiten en in hoogdravende beschrijvingen van het werk dat hij deed, zijn eigen 'persoonlijke stek' te vinden, die voor zijn geboorte al verloren en sindsdien nog niet teruggevonden was. Op dat moment werd mij duidelijk dat hij nooit thuis had gehoord in Stamps en nog minder bij de traag bewegende, traag denkende familie Johnson. Het was ook om gek van te worden om met hoge aspiraties tussen de katoenvelden geboren te zijn.

Ik heb Papa nooit zo ontspannen gezien als in die Mexicaanse bar. Het was niet nodig om komedie te spelen voor die Mexicaanse boerenmensen. Zoals hij was, gewoon zichzelf, was hij voldoende imposant voor hen. Hij was een Amerikaan. Hij was Zwart. Hij sprak vloeiend Spaans. Hij had geld en kon tequila drinken als de beste. Bij de vrouwen viel hij ook in de smaak. Hij was groot, knap en gul.

Het was het feest van een heiligedag. Iemand stopte geld in de jukebox en alle klanten kregen een drankje aangeboden. Ik kreeg een warme Coca-Cola. De platenmachine spuide muziek en hoge tenorstemmen zongen afwisselend vast en onvast, vast en onvast voor de vurige rancheros. De mannen dansten eerst alleen en toen samen en zo nu en dan deed er een vrouw mee aan het rituele voetengestamp. Ik werd gevraagd om te dansen. Ik aarzelde, want ik was er niet zeker van of ik de passen kon volgen, maar Papa knikte en spoorde me aan het te proberen. Ik amuseerde me zo goed dat er een uur voorbij ging zonder dat ik er erg in had. Een jonge man leerde me hoe je een plakker op het plafond moest krijgen. Eerst moet alle suiker uit een stuk Mexicaanse kauwgom gekauwd worden, dan overhandigt de barkeeper een paar stroken papier aan de gegadigde, die er een spreekwoord of een sentimentele opmerking op schrijft. Daarna neemt hij de zachte kauwgom uit zijn mond en plakt die op het uiteinde van de slinger. Hij kiest een stukje uit op het plafond dat nog niet zo vol hangt en richt op die plek. Terwijl hij gooit, geeft hij een bloedstollende schreeuw die op een wildepaardenrodeo niet zou hebben misstaan. Na een paar pieperige missers, liet ik mijn reserve varen en scheurde mijn amandelen los met een gil waarvoor Zapata zich niet zou hebben geschaamd. Ik was gelukkig, Papa was trots en mijn nieuwe vrienden waren aardig. Een vrouw bracht *chicharrones* (in het Zuiden worden die 'cracklings' genoemd) in een vettige krant. Ik at van de uitgebakken stukjes zwoerd, danste, schreeuwde en dronk de extra-zoete, kleverige Coca-Cola met wat voor mij dichter dan ooit grensde aan uitgelatenheid. Toen er nieuwe feestgangers binnenkwamen, werd ik voorgesteld als 'la niña de Beelie' en meteen in hun midden genomen. De middagzon faalde in zijn pogingen om de ruimte door het ene raam te verlichten en het gedrang van de lichamen smolt samen met de geuren en de geluiden en omringde ons met een aromatische en kunstmatige schemering. Ik realiseerde me dat ik mijn vader al een poos niet had gezien. *Dónde está mi padre?* vroeg ik aan mijn danspartner. Mijn formele Spaans moet in de oren van de 'paisano' net zo pretentieus hebben geklonken als 'Waarheen is mijn gebieder gevaren?' voor een half geletterde bewoner van het Ozarkgebergte.

In ieder geval volgde er een brullend gelach op en een onstuimige omhelzing, maar geen antwoord. Toen de dans afgelopen was, baande ik me zo onopvallend mogelijk een weg door de drom mensen. Een nevel van paniek verstikte me bijna. Binnen was hij niet. Had hij iets afgesproken met die bewaker bij de bergpas? Ik achtte hem ertoe in staat. Ze hadden alcohol in mijn Cola gedaan. Die zekerheid maakte mijn knieën bibberig en de dansende paren vervaagden voor mijn ogen. Papa was verdwenen. Hij was waarschijnlijk al op weg naar huis met het geld waar hij mij voor verkwanseld had in zijn zak. Ik moest bij de deur zien te komen die mijlen en bergen ver weg leek. Mensen hielden me tegen met: *Dónde vas?* Mijn antwoord was zoiets stijfs en dubbelzinnigs als: *Yo voy por ventilarme,* ofwel: 'Ik ga mezelf luchten.' Geen wonder dat ik zo'n succes had.

Vanuit de deuropening zag ik Papa's Hudson in zijn eenzame glorie staan. Hij had me dus toch niet in de steek gelaten. Dat betekende natuurlijk ook dat ik niet bedwelmd was. Ik knapte onmiddellijk op. Niemand kwam me achterna toen ik het erf opstapte, waar de late middagzon de scherpte van de dag had verzacht. Ik besloot om in zijn auto op hem te wachten, aangezien hij toch niet ver weg kon zijn. Ik wist dat hij bij een vrouw was en toen ik er langer over nadacht, was het gemakkelijk om te bedenken welke van de vrolijke 'señoritas' hij had meegenomen. Er was een kleine, sierlijke vrouw met knalrode lippen geweest, die zich begerig aan hem had vastgeklampt toen we aankwamen. Op het moment zelf had ik er niet bij stilgestaan en was me enkel haar vreugde opgevallen. In de auto speelde ik in gedachten de scène opnieuw na. Zij was de eerste geweest die naar hem toe holde en toen had hij ook snel gezegd: 'Dit is mijn dochter' en: 'Ze spreekt Spaans.' Als Dolores dit wist, zou ze onder die dikke laag aanstellerij in elkaar krimpen en behoedzaam doodgaan. De gedachte aan haar vernedering hield me lange tijd gezelschap, maar mijn plezierige mijmeringen over wraak werden verstoord door het geluid van muziek, gelach en Cisco Kid-kreten. Uiteindelijk zou het donker worden en Papa zat waarschijnlijk in een van die houten huisjes, buiten mijn bereik. Terwijl ik de mogelijkheid overwoog dat ik de hele nacht alleen in de auto zou moeten zitten, werd ik langzaam bekropen door een onaangename angst. Het was een angst die vaag verwant was aan mijn eerdere gevoel van paniek. Ik werd niet helemaal overmand door ontzetting, maar hij kroop door mijn geest als een trage verlamming. Ik kon de raampjes dichtdoen en de portieren afsluiten. Ik kon op de vloer van de auto gaan liggen en mezelf klein en onzichtbaar maken. Onmogelijk! Ik probeerde de golf van angst tegen te houden. Waarom was ik bang van de Mexicanen? Ze waren toch aardig voor mij geweest en mijn vader zou toch niet toestaan dat zijn dochter slecht werd behandeld? Nee, toch? Of wel? Hoe kon hij mij in die vulgaire bar achterlaten en er met die vrouw vandoorgaan? Kon het hem iets schelen wat er met mij gebeurde? Geen snars, besloot ik en zette de sluisdeuren open voor de hysterie. Toen de tranen eenmaal begonnen te vallen, was er geen houden meer aan. Ik zou dus toch aan mijn einde komen op een onverhard erf in Mexico. De bijzondere persoonlijkheid die ik was, de intelligente geest die God en ik samen hadden gecreëerd, zou uit dit leven heengaan zonder erkenning verkregen of een bijdrage geleverd te hebben. Hoe meedogenloos was het lot en hoe hulpeloos dit arme, Zwarte meisje.

Ik ontwaarde zijn schaduw in het bijna duister en stond op het punt uit de auto te springen en naar hem toe te rennen, toen ik zag dat hij voortgeduwd werd door de kleine vrouw, die ik al eerder had gezien, en een man. Hij waggelde en slingerde, maar ze hielden hem stevig vast en leidden zijn onvaste stappen naar de deur van de cantina. Als hij eenmaal binnen was, zouden we misschien nooit wegkomen. Ik stapte uit en liep naar ze toe. Ik vroeg aan Papa of hij niet liever wat uit wilde rusten in de auto. Zijn blik werd scherp genoeg om me te herkennen en hij antwoordde dat dat precies was wat hij wilde; hij was een beetje moe en zou graag even uitrusten voordat we op huis aangingen. Hij gaf zijn wensen in het Spaans door aan zijn vrienden en ze loodsten hem naar de auto. Toen ik het voorportier opendeed, zei hij, nee, hij wilde een poosje op de achterbank liggen. We kregen hem de auto in en probeerden om een comfortabele positie te vinden voor zijn lange benen. Hij begon al te snurken toen we nog aan het sjorren waren. Het klonk als het begin van een lange, diepe slaap en als een waarschuwing dat we de nacht toch door zouden moeten brengen in de auto, in Mexico.

Ik dacht net zo snel na als de man en vrouw tegen mij lachten en brabbelden in onverstaanbaar Spaans. Ik had nog nooit eerder zelf autogereden, maar ik had goed toegekeken en van mijn moeder werd beweerd dat ze de beste chauffeur was van San Francisco. Althans, dat beweerde *zij*. Ik was buitengewoon intelligent en bezat een goede motoriek. Natuurlijk kon ik autorijden. Idioten en gekken reden in auto's, waarom dan niet de briljante Marguerite Johnson? Ik vroeg aan de Mexicaanse man of hij de auto wilde keren, opnieuw in mijn voortreffelijke middelbareschool-Spaans en het duurde ongeveer vijf-

tien minuten voordat hij me begreep. De man moet gevraagd hebben of ik kon rijden, maar ik kende het werkwoord rijden niet in het Spaans, dus herhaalde ik steeds
maar *Si, si* en *Gracias* totdat hij instapte en de auto met
zijn neus in de richting van de weg zette. Uit zijn volgende handeling bleek dat hij begreep hoe de vork in de steel
zat. Hij liet de motor aanstaan. Ik zette mijn voeten op
het gaspedaal en de koppeling, wrikte aan de versnelling-
spook en tilde beide voeten op. Met een onheilspellend
gebrul sprongen we van het erf af. Toen we de weg op-
schokten, sloeg de motor bijna af en ik trapte weer met
beide voeten op het gaspedaal en de koppeling. We kwamen niet vooruit en maakten een vreselijk kabaal, maar
de motor bleef lopen. Toen kreeg ik door dat om vooruit
te komen ik mijn voeten van beide pedalen af moest halen en als ik dat abrupt deed, de auto begon te schokken
als iemand met de sint-vitusdans. Met dat volledige in-
zicht in het voortbewegingsprincipe van een motor reed
ik langs de berghelling omlaag in de richting van Calexico, zo'n vijftig mijl verderop. Het is onbegrijpelijk waarom er door mijn levendige fantasie en geneigdheid tot
angst geen gruwelbeelden opgeroepen werden van bloederige ongelukken op een *risco de Mexico*. De enige verklaring die ik daarvoor heb, is dat al mijn zintuigen geconcentreerd waren op het besturen van de bokkende
wagen.

Toen het helemaal donker werd, tastte ik langs de
knoppen, eraan draaiend en trekkend, totdat ik het licht
had gevonden. De auto minderde vaart omdat ik, terwijl
ik zat te zoeken, vergat om op de pedalen te trappen en
de motor borrelde, de wagen steigerde en stond stil. Een
stommelend geluid achterin zei me dat Papa van de bank
was gevallen (dat had ik tijdens de afgelopen mijlen al

verwacht). Ik trok de handrem aan en overwoog zorgvuldig welke stappen ik vervolgens moest ondernemen. Het had geen zin om het aan Papa te vragen. Als een val op de vloer hem niet wakker maakte, zou ik daar ook niet toe in staat zijn. Het was niet waarschijnlijk dat er nog een auto langs zou komen – ik had geen enkel gemotoriseerd voertuig gezien sinds we eerder op de dag het huis van de bewaker waren gepasseerd. We gingen heuvelafwaarts, dus met een beetje geluk, zo redeneerde ik, zouden we helemaal naar Calexico kunnen freewheelen – of tenminste tot aan de bewaker. Ik wachtte met het afzetten van de handrem totdat ik de juiste formule had gevonden waarmee ik hem kon benaderen. Ik zou de auto stoppen als we bij het gebouwtje aankwamen en mijn hooghartige houding aannemen. Ik zou hem aanspreken als de boerenkinkel die hij was. Ik zou hem opdracht geven de wagen te starten, hem uit Papa's jaszak een fooi geven van een kwart, of misschien wel een hele dollar en vervolgens doorrijden.

Toen mijn plannen vaste vorm hadden gekregen, zette ik de handrem af en we begonnen de helling af te rollen. Onderwijl drukte ik pompend de koppeling en het gaspedaal in, in de hoop dat we daardoor sneller zouden gaan en wonder boven wonder sloeg de motor weer aan. Op de heuvel werd de Hudson wild. Hij rebelleerde en zou bij zijn poging mij uit het zadel te werpen, tot ondergang van ons allemaal, over de rand van de berg gesprongen zijn, als ik de teugels een seconde had laten vieren. De uitdaging stimuleerde me. Ik, Marguerite, was verwikkeld in een strijd met de natuurkrachten. Terwijl ik aan het stuur trok en het gaspedaal tot op de vloer intrapte, was ik Mexico, nacht en eenzaamheid, mijn jeugdige onervarenheid, Bailey Johnson sr., de dood, mijn onzekerheid en zelfs de zwaartekracht de baas.

Na wat een uitdaging van duizend-en-een-nacht leek, werd de berg vlakker en begonnen we lichtjes te passeren die aan beide kanten van de weg verspreid lagen. Wat er daarna nog mocht gebeuren, ik had gewonnen. De auto ging langzamer rijden, alsof hij getemd was en het gelaten opgaf. Ik pompte nog harder en we naderden eindelijk het huisje van de bewaker. Het zou niet nodig zijn om de bewaker aan te spreken want de motor liep, maar ik moest wachten tot hij in de auto gekeken had en me het teken gaf dat ik door kon rijden. Hij was in gesprek verwikkeld met de mensen in een auto die naar de berg gekeerd stond die ik net overwonnen had. Het licht van het huisje scheen op hem terwijl hij voorover gebogen stond en zijn bovenlichaam werd bijna helemaal opgeslokt door het raampje. Ik hield de wagen in onmiddellijke gereedheid voor de volgende etappe van onze reis. Toen de bewaker overeind kwam, zag ik dat het niet dezelfde man was als van het vervelende incident van die ochtend. Die ontdekking verraste mij nogal en toen hij bruusk salueerde en *'Pasa'* baste, zette ik de handrem af, trapte de pedalen in en liet ze iets te abrupt opkomen. Mijn voornemen werd door de auto verijdeld. Hij sprong niet alleen naar voren, maar ook naar links en in een uitbarsting van woede dreef hij zichzelf in de zijkant van de auto die net wegreed. Het geraas van langs elkaar schrapend metaal werd onmiddellijk gevolgd door een kanonnade van Spaans die van alle kanten op me af werd gevuurd. En weer was ik, vreemd genoeg, niet bang. Ik vroeg me een aantal dingen, in deze volgorde, af: was ik gewond, was er iemand anders gewond, zou ik naar de gevangenis gaan en, als laatste, was Papa wakker geworden? Ik kon de eerste en de laatste vraag prompt beantwoorden. Ik was zo opgekikkerd door de stroom adrenaline in mijn hersenen toen we van de berg afdenderden, dat ik me nog nooit zo goed had gevoeld en het gesnurk van mijn vader klonk boven de kakofonie van protesten buiten mijn raampje uit. Ik stapte uit met de bedoeling om naar de *policías* te vragen, maar de bewaker was me voor. Hij zei een paar woorden, die als kralen aaneen geregen waren, maar eentje ervan was policías. Toen de mensen uit de andere auto kwamen gekropen, probeerde ik mijn zelfbeheersing terug te krijgen en zei luid en overdreven beleefd: *'Gracias, señor.'* Het gezin van ongeveer acht mensen van alle leeftijden en afmetingen liep om mij heen, opgewonden pratend en mij taxerend alsof ik een standbeeld in een stadspark was en zij een zwerm duiven. Eentje zei er: *'Joven',* bedoelend dat ik jong was. Ik probeerde uit te vinden wie er zo intelligent was. Ik zou me tot hem of haar richten, maar ze renden zo snel heen en weer dat het onmogelijk was om erachter te komen wie het gezegd had. Toen opperde een ander: *'Borracho'.* Nou zal ik ongetwijfeld gestonken hebben als een tequilastokerij, aangezien Papa die drank met een luidruchtig geronk had uitgeademd en ik de raampjes dicht had gehouden tegen de koude avondlucht. Maar het lag niet op mijn weg om hun dat uit te leggen, zelfs als ik dat had gekund. En dat kon ik niet. Iemand kreeg het idee om in de auto te kijken en we schrokken allemaal op van een kreet. Mensen – het leken er wel honderden – dromden samen voor de raampjes en er klonken meer kreten. Even dacht ik dat er toch iets ergs was gebeurd. Misschien met die botsing... En ik drong ook naar het raampje om te kijken, maar toen herinnerde ik me weer het ritmische gesnurk en wandelde bedaard weg. De bewaker moet gedacht hebben dat hij hier met een zwaar misdrijf te maken had. Hij maakte gebaren en stootte klanken uit als: 'Houd haar in de gaten' of 'Verlies haar niet uit het oog'. Het gezin kwam weer om me heen staan, deze keer niet zo dichtbij, maar wel met een dreigender houding. Toen het me lukte om er de ene begrijpelijke vraag *'Quién es?'* uit te pikken, antwoordde ik droog en zo onverschillig mogelijk: *'Mi padre.'* Omdat het een volk is van nauwe familiebanden en wekelijks een heiligedag, kregen ze plotseling de situatie door. Ik was een arm, klein meisje dat voor haar dronken vader zorgde die te lang op het feest was blijven hangen. *Probecita.*

De bewaker, de vader en een paar van de kleinere kinderen ondernamen het herculische karwei om mijn vader wakker te maken. Ik keek koeltjes toe terwijl de rest van de groep achter om mij en hun behoorlijk gedeukte auto draaide. De twee mannen schudden, sjorden en trokken terwijl de kinderen op mijn vaders borstkas op en neer sprongen. Volgens mij was het aan de inspanningen van de kinderen te danken dat hun pogingen succes hadden. Bailey Johnson sr. werd wakker in het Spaans. *'Qué tiene? Qué pasa? Qué quiere?'* Ieder ander mens zou gevraagd hebben: 'Waar ben ik?' Dit was klaarblijkelijk een gewone Mexicaanse ervaring. Toen ik zag dat hij tamelijk helder was, liep ik naar de auto, duwde kalm de mensen opzij en zei uit de zelfvoldane hoogte van iemand die met succes een gluiperige berg heeft bedwongen: 'Papa, er is een ongeluk gebeurd.' Stukje bij beetje herkende hij mij en werd weer mijn vader van voor het Mexicaanse feest.

'Een ongeluk, hè? Uh, wiens schuld was 't? De jouwe, Marguerite? Was uh jij 't?'

Het zou zinloos geweest zijn om hem te vertellen hoe

ik zijn auto de baas was geworden en er bijna vijftig mijl mee had gereden. Ik verwachtte zijn goedkeuring niet en had hem nu zelfs niet meer nodig.

'Ja, Papa, ik ben tegen een auto aangebotst.'

Hij zat nog steeds niet helemaal rechtop en kon dus niet zien waar we waren. Maar vanaf de vloer, waar hij bleef liggen alsof dat voor hem de meest logische plaats was, zei hij: 'In het handschoenenkastje. De verzekeringspapieren. Pak ze en uh geef ze aan de politie en kom dan terug.'

De bewaker stak zijn hoofd door de andere deur naar binnen voordat ik een vernietigend, maar beleefd antwoord kon bedenken. Hij vroeg Papa uit de auto te komen. Zonder uit het veld geslagen te zijn, reikte Papa naar het handschoenenkastje en pakte er de opgevouwen papieren en de halflege fles drank uit die hij daar eerder opgeborgen had. Hij gaf de bewaker een van zijn gemaakte glimlachjes en bracht zijn benen een voor een buiten de auto. Toen hij eenmaal op de grond stond, torende hij boven de boze mensen uit. Snel nam hij zijn positie en de situatie in ogenschouw en sloeg toen zijn arm om de schouders van de andere chauffeur. Vriendelijk, zonder een spoortje van hooghartigheid, boog hij zich voorover om met de bewaker te spreken en de drie mannen verdwenen samen in het huisje. Binnen luttele minuten klonken er lachsalvo's uit het hok en was de crisis voorbij, maar ook het plezier.

Papa schudde alle mannen de hand, streelde de kinderen en glimlachte innemend tegen de vrouwen. Vervolgens liet hij zich, zonder nog naar de beschadigde auto's te kijken, achter het stuur zakken. Hij riep dat ik in moest stappen en alsof hij niet nog een half uur geleden hulpeloos beschonken was geweest, reed hij feilloos naar huis. Hij zei dat hij niet geweten had dat ik kon rijden en wat vond ik van zijn auto? Ik was kwaad dat hij zo snel weer bij zijn positieven was en teleurgesteld dat hij niet besefte wat een enorme prestatie ik had geleverd. Dus antwoordde ik ja op zowel de vaststelling als de vraag. Voordat we bij de grens waren, draaide hij het raampje open en de frisse lucht was, hoewel welkom, ook onbehaaglijk koud. Hij zei dat zijn jasje op de achterbank lag en dat ik het aan moest doen. In een teruggetrokken, ijzige stilte reden we de stad in.

31

Het leek of Dolores sinds de avond tevoren niet van haar plaats was geweken. Haar houding was zo eender dat ik me nauwelijks voor kon stellen dat ze intussen geslapen en ontbeten had, of zelfs maar haar hand naar haar onwrikbare kapsel had gebracht. Papa zei speels: 'Hallo, meid', en liep naar de badkamer. Ik begroette haar met: 'Hallo, Dolores' (we hadden allang alle schijn van familieverwantschap laten varen). Ze reageerde kort, maar beleefd en reeg haar aandacht door het oog van haar naald. Ze was nu, met veel omzichtigheid, snoezige keukengordijntjes aan het maken, die weldra gesteven weerstand zouden bieden aan de wind. Omdat ik niets meer te zeggen had, ging ik naar mijn kamer. Binnen een paar minuten ontstond er een woordenwisseling in het woongedeelte, die zo duidelijk hoorbaar was voor mij dat het leek alsof de tussenmuren van katoenen lakens waren gemaakt.

'Bailey, je hebt je kinderen tussen ons laten komen.'

'Meid, je bent overgevoelig. De kinderen, uh, mijn kinderen kunnen niet tussen ons komen, tenzij jij dat laat gebeuren.'

'Hoe kan ik dat tegenhouden?' – ze huilde – 'Zij doen het.' Toen zei ze: 'Je hebt je jasje aan je dochter gegeven.'

'Moest ik haar dan laten doodvriezen? Zou je dat gewild hebben, meid?' Hij lachte. 'Dat zou je inderdaad, niet?'

'Bailey, je weet dat ik je kinderen aardig wilde vinden, maar ze...' Ze kon zichzelf er niet toe brengen om ons te beschrijven.

'Waarom zeg je, verdomme, niet wat je bedoelt? Je bent een aanstellerige trut. Dat zei Marguerite ook al en ze had gelijk.'

Ik huiverde bij de gedachte dat die onthulling boven-op de ijsberg van haat voor mij zou worden gestapeld.

'Marguerite kan naar de duivel lopen, Bailey Johnson. Ik trouw met jou. Ik wil niet met je kinderen trouwen.'

'Dat is dan des te erger voor jou, jij stomme geit. Ik ga 'n eindje om. Goeienavond.'

De voordeur sloeg dicht. Dolores huilde zachtjes en smoorde het zielige gejammer met gesnuif en delicaat gesnuit in haar zakdoek.

In mijn kamer vond ik dat mijn vader gemeen en wreed was. Hij had zijn Mexicaanse pleziertje gehad en was nog niet eens in staat om een beetje vriendelijk te zijn tegen de vrouw die, zich kwijtend van haar huis-vrouwelijke plichten, geduldig had gewacht. Ik was er-van overtuigd dat ze wist dat hij gedronken had en dat ze gemerkt moest hebben dat we, hoewel we meer dan twaalf uur weg waren geweest, niet één tortilla mee terug hadden gebracht.

Ik had medelijden met haar en voelde me zelfs een beetje schuldig. Ik had ook plezier gehad. Ik had chi-charrones gegeten, terwijl zij hier waarschijnlijk zat te bidden voor zijn behouden thuiskomst. Ik had een auto en een berg overwonnen, terwijl zij zat te piekeren over mijn vaders trouw. Deze bejegening was volstrekt onbil-lijk en onvriendelijk, dus besloot ik om haar te gaan troosten. Het idee van zonder onderscheid des persoons vertroosting te bieden, of juister gezegd, haar te bieden aan iemand die ik eigenlijk niet aardig vond, verrukte mij. Ik was fundamenteel goed. Ik was onbegrepen, onbemind zelfs, maar toch rechtvaardig en zelfs meer dan dat. Ik was barmhartig. Ik stond in het midden van de kamer maar Dolores keek niet eens op. Ze haalde de draad door de gebloemde stof alsof ze de gescheurde stukken van haar leven aan elkaar zat te naaien. Ik zei met mijn Florence Nightingale-stem: 'Dolores, het was niet mijn bedoeling om tussen jou en Papa te komen. Ik hoop dat je me gelooft.' Zo, dat was gebeurd. Mijn goede daad woog op tegen de rest van de dag.

Met haar hoofd nog steeds gebogen zei ze: 'Niemand had het tegen jou, Marguerite. Het is onbehoorlijk om de gesprekken van anderen af te luisteren.'

Ze was toch zeker niet zo stom om te denken dat deze papierdunne wanden van marmer waren gemaakt? Ik liet een zweempje van vrijpostigheid in mijn stem doorklinken. 'Ik heb nog nooit in mijn leven anderen afgeluisterd. Iemand die doof is, zou jullie nog wel hebben kunnen horen. Ik vond dat ik je moest zeggen dat ik geen zin heb om tussen jou en mijn vader te komen. Dat is alles.'

Mijn missie was mislukt en geslaagd. Zij weigerde om de vrede te herstellen, maar ik had mezelf in een gunstig en christelijk daglicht gesteld. Ik draaide me om.

'Nee, dat is niet alles.' Ze keek op. Haar gezicht was opgezet en haar ogen waren dik en rood. 'Waarom ga je niet terug naar je moeder? Als je d'r een hebt.' Haar stem klonk zo beheerst dat het was alsof ze me vertelde een pan rijst te gaan koken. Als ik er een had? Nou, dat zou ik haar laten weten.

'Ik heb er een en ze is heel wat beter dan jij en knapper ook en intelligenter en...'

'En' – haar stem werd vlijmscherp – 'ze is een hoer.' Als ik ouder was geweest, of mijn moeder langer had gehad, of meer begrip had gehad voor Dolores' frustratie, was mijn reactie misschien niet zo heftig geweest. Ik weet dat deze verschrikkelijke beschuldiging mij niet zozeer raakte in mijn kinderlijke liefde, maar eerder in de basis van mijn nieuwe bestaan. Als er maar een greintje waarheid zat in die aanval, zou ik niet bij Moeder kunnen blijven wonen en dat wilde ik juist zo graag.

Ik liep op Dolores toe, woedend om die bedreiging. 'Daarvoor kan je een klap krijgen, jij stomme, ouwe trut,' waarschuwde ik en gaf haar een klap. Ze sprong als een vlo op uit de stoel en voordat ik achteruit kon gaan, had ze haar armen om me heen geslagen. Haar haar zat onder mijn kin en ze wikkelde haar armen, twee of drie keer leek het wel, om mijn middel. Ik moest met alle kracht die ik in me had, tegen haar schouders duwen om me te bevrijden uit haar octopusgreep. Geen van beiden gaven we een kik, totdat ik haar eindelijk terug op de bank schoof. Toen begon ze te krijsen. De stomme, ouwe idioot. Wat verwachtte ze dan als ze mijn moeder een hoer noemde? Ik liep het huis uit. Buiten op het trapje voelde ik iets nats op mijn arm en toen ik omlaag keek, zag ik dat het bloed was. Haar kreten zeilden nog steeds door de avondlucht als keilstenen op het water, maar ik bloedde wel. Ik drukte mijn arm tegen mijn middel en er zat vers bloed aan toen ik hem wegtrok. Ik was echt gewond. Voordat ik het helemaal kon bevatten en het voldoende tot me doorgedrongen was om er iets aan te doen, opende Dolores, nog steeds schreeuwend, de deur. Toen ze me in het oog kreeg, kwam ze, in plaats van de deur weer dicht te slaan, als een krankzinnige de trap af-rend. Ik zag dat ze een hamer in haar hand had en zonder me af te vragen of ik in staat was die van haar af te pakken, vluchtte ik. Voor de tweede maal op een dag stond Papa's auto op een erf gereed als de schuilplaats bij uitstek. Ik sprong erin, draaide de raampjes omhoog en sloot de deur af. Dolores vloog, gillend als een bansjie, haar gezicht vertrokken van razernij, om de wagen heen.

Papa Bailey en de buren waar hij op bezoek was, kwamen op het geschreeuw af en dromden om haar heen. Ze riep dat ik haar aangevallen had en haar had willen vermoorden en dat Bailey er beter aan deed mij niet weer in huis te halen. Ik zat in de auto en voelde het bloed omlaag naar mijn billen glijden terwijl de anderen haar kalmeerden en haar woede susten. Mijn vader gebaarde dat ik het raampje open moest doen en toen ik het omlaag gedraaid had, zei hij dat hij Dolores naar binnen zou brengen, maar dat ik in de auto moest blijven. Hij zou terug komen om voor mij te zorgen.

De gebeurtenissen van die dag krioelden over me heen en bemoeilijkten mijn ademhaling. Na alle onbetwistbare zeges van die dag zou mijn leven op een nare manier aflopen. Als Papa tenminste lang binnen bleef, want ik was te bang om naar de deur te gaan en naar hem te vragen en bovendien stond mijn vrouwelijke opvoeding het mij niet toe om twee stappen te zetten met bloed op mijn jurk. Zoals ik altijd al gevreesd, nee, geweten had, zouden al de beproevingen voor niets zijn geweest. (De angst voor zinloosheid teisterde mij mijn hele leven al.) Opwinding, ongerustheid, opluchting en woede hadden mij van mijn mobiliteit beroofd. Ik wachtte tot het lot, de trekker aan de touwtjes, over mijn bewegingen zou beschikken.

Een paar minuten later kwam mijn vader de trap af en sloeg met een boze klap het portier dicht. Hij zat in een hoek vol bloed en ik zei niets. Hij moet hebben zitten piekeren over wat hij met mij aan moest toen hij de nattigheid aan zijn broek voelde.

'Wat voor de duivel is dit?' Hij hees zich op een heup en veegde over zijn broek. Zijn hand zag rood in het schijnsel van de verandalamp. 'Wat is dit, Marguerite?'

Ik antwoordde met een koelheid waar hij trots op had kunnen zijn: 'Ik ben gewond.'

'Wat bedoel je, gewond?'

Het duurde maar een kostelijke minuut, maar voor een keer was ik erin geslaagd om mijn vader van zijn stuk te brengen.

'Gewond.' Het was zo zalig dat ik het niet erg vond om leeg te bloeden op de geruite stoelkussens.

'Wanneer? Wie heeft je verwond?'

Zelfs op een kritiek moment weigerde Papa eenvoudig 'Door wie?' te zeggen.

'Dolores.' Uit de spaarzaamheid van mijn woorden bleek mijn minachting voor hen allemaal.

'Hoe erg is 't?'

Ik had hem er graag aan herinnerd dat ik geen dokter was en derhalve slecht toegerust om een grondig onderzoek te verrichten, maar door brutaliteit zou ik mijn voorsprong hebben verloren.

'Dat weet ik niet.'

Hij zette de auto soepel in de versnelling en jaloers realiseerde ik me dat, alhoewel ik in zijn auto had gereden, ik niet kon rijden.

Ik dacht dat we op weg waren naar een eerste hulppost en dus maakte ik sereen plannen voor mijn dood en testament. Terwijl ik langzaam weg zou glijden in de onvergankelijke nacht des tijds, zou ik tegen de dokter zeggen: 'De bewegende vinger schrijft en gaat, geschreven

hebbende, verder...' en mijn ziel zou mij gracieus ont-
vlieden. Bailey zou mijn boeken krijgen, mijn Lester
Youngplaten en mijn liefde vanuit het hiernamaals. Ik
had mezelf versuft aan de vergetelheid overgegeven toen
de auto stilhield.

Papa zei: 'Oké, meid, uhuh, kom mee.'

We stonden op een onbekende oprit en nog voordat
ik was uitgestapt, was hij de trap al opgeklommen van
een boerderijachtig huis, typisch voor Zuid-Californië.
De deurbel klingelde en hij wenkte me om de trap op te
komen. Toen de deur openging, gaf hij me een teken
buiten te blijven staan. Tenslotte stond ik te druppen en
ik kon zien dat de woonkamer een vast tapijt had. Papa
ging naar binnen maar liet de deur op een kier staan en
een paar minuten later riep een vrouw me fluisterend
vanf de zijkant van het huis. Ik liep achter haar aan een
speelkamer in en ze vroeg bezorgd waar ik gewond was.
Ze was kalm en naar het leek oprecht bezorgd. Ik trok
mijn jurk uit en we keken samen naar het open vlees in
mijn zij. Ze was even blij als ik teleurgesteld was dat de
wond aan de randen al was gestold. Ze waste de snee met
hamamelis en verbond me stevig met extra-lange pleisters. Daarna gingen we naar de woonkamer. Papa schudde de man waarmee hij had zitten praten de hand, bedankte mijn eerstehulpverpleegster en we vertrokken.

In de auto legde hij uit dat het echtpaar vrienden van
hem waren en dat hij de vrouw had gevraagd of ze naar
mij wilde kijken. Hij vertelde dat hij haar gezegd had dat
als de wond niet al te diep was, hij haar dankbaar zou zijn
als zij hem behandelde. Anders zou hij mij naar een ziekenhuis moeten brengen. Kon ik me het schandaal voorstellen als de mensen erachter zouden komen dat zijn,
Bailey Johnsons, dochter door zijn vriendin was gesto-

ken? Per slot van rekening was hij een Vrijmetselaar, een Elk, een marinediëtist en de eerste Negerdiaken van de Lutherse kerk. Geen enkele Neger zou nog met opgeheven hoofd door de stad kunnen gaan als onze tegenspoed algemeen bekend werd. Terwijl de dame (ik ben haar naam nooit te weten gekomen) mijn wond verbond, had hij opgebeld naar andere vrienden en had geregeld dat ik die nacht bij hen kon blijven. Ik werd ontvangen in een andere vreemde caravan in weer een ander caravanpark, waar ik een nachthemd kreeg en een bed. Papa zei dat hij me de volgende dag tegen de middag zou komen opzoeken.

Ik kroop in bed en sliep alsof mijn doodsverlangen waarheid was geworden. 's Ochtends baarde noch de lege en onbekende omgeving, noch het stijve gevoel in mijn zij mij zorgen. Ik maakte en at een uitgebreid ontbijt en ging met een glanzend tijdschrift zitten wachten op Papa.

Op de leeftijd van vijftien jaar had het leven mij onomstotelijk bijgebracht dat overgave, op de juiste moment, net zo eervol was als weerstand, vooral als je geen keuze had.

Toen mijn vader arriveerde, met een jasje over het gestreepte katoenen uniform gegooid dat hij als marinediëtist moest dragen, vroeg hij hoe ik me voelde, gaf me anderhalve dollar en een zoen en zei dat hij laat die avond langs zou komen. Zoals gewoonlijk lachte hij. Zenuwachtig?

Weer alleen stelde ik me voor hoe de eigenaars terug zouden keren en mij in hun huis zouden aantreffen. En ik realiseerde me dat ik me niet eens kon herinneren hoe ze eruitzagen. Hoe zou ik hun minachting of medelijden kunnen verdragen? Als ik verdween, zou Papa, om maar niet te spreken van Dolores, opgelucht zijn. Ik aarzelde bijna te lang. Had ik het lef om zelfmoord te plegen? Als ik in de oceaan sprong, zou ik dan helemaal opgezwollen boven komen drijven net als de man die Bailey in Stamps had gezien? De gedachte aan mijn broer maakte dat ik weifelde. Wat zou hij doen? Ik wachtte geduldig en nog eens geduldig en toen beval hij me te vertrekken. Maar maak er geen einde aan. Dat kan je altijd nog doen als het er echt slecht voorstaat.

Ik maakte een paar knobbelige boterhammen met tonijn en augurken, stak een voorraad pleisters in mijn zak, telde mijn geld (ik bezat meer dan drie dollar, plus wat Mexicaanse munten) en liep naar buiten. Toen ik de deur hoorde dichtslaan wist ik dat de beslissing vorm had gekregen. Ik had geen sleutel en niets op de wereld had me ertoe kunnen brengen om daar te gaan staan wachten totdat Papa's vrienden terugkwamen en mij vol medelijden weer binnen lieten.

Nu dat ik vrij buiten stond, begon ik aan mijn toekomst te denken. De voor de hand liggende oplossing voor mijn dakloosheid hield me maar kort bezig. Ik kon terug gaan naar Moeder, maar dat kon ik niet. Het zou me nooit lukken om de snee in mijn zij voor haar te verbergen. Ze was te opmerkzaam om de korstige pleisters en mijn voorzichtigheid met de wond niet te zien. En als ik er niet in slaagde om de wond verborgen te houden zou er zeker een gewelddadige scène op volgen. Ik dacht aan die arme meneer Freeman en het schuldgevoel dat groeven in mijn hart had getrokken, knaagde, zelfs na al die jaren nog, als een parasiet aan mijn brein.

32

Ik bracht de dag door met doelloos door de straten van het uitgaanscentrum te zwerven. De rumoerige lunaparken met hun troepen ginnegappende matrozen en kinderen en hun kansspelen waren verleidelijk, maar toen ik er door eentje heengelopen was, was het me duidelijk dat ik alleen maar meer kansen kon winnen en geen geld. Ik ging naar de bibliotheek en spendeerde een deel van mijn dag aan het lezen van sciencefiction en in de marmeren toiletten verwisselde ik het verband.

In een vlakke straat kwam ik langs een autokerkhof dat vol stond met de wrakken van oude auto's. De dode karkassen waren op de een of andere manier zo onuitnodigend dat ik besloot ze te inspecteren. Terwijl ik me een weg zocht tussen de afgedankte producten kwam er ineens een tijdelijke oplossing bij me op. Ik zou een schone, of redelijk schone, auto uitzoeken en er de nacht in doorbrengen. Met het optimisme van de onwetendheid dacht ik dat er zich de volgende ochtend vast wel een aangenamere oplossing zou aandienen. Mijn blik viel op een hoge, grijze wagen vlak bij de omheining. De kussens waren niet gescheurd en hoewel hij geen wielen of velgen had, stond hij recht op zijn spatborden. Het idee van bijna in de open lucht te slapen, versterkte mijn gevoel van vrijheid. Ik was een losgelaten vlieger die op een zacht windje voortzweefde met als enige anker mijn eigen wil. Nadat ik mijn keus op deze auto had laten vallen, klom ik naar binnen, at de boterhammen met tonijn op en zocht de vloer af naar gaten. De angst dat er ratten naar binnen zouden kruipen die van mijn neus zouden eten terwijl ik sliep (daar waren onlangs een paar gevallen van vermeld in de kranten), verontrustte me meer dan de schimmige rompen op het autokerkhof of de snel vallende duisternis. Maar mijn grijze keus leek ratdicht te zijn en ik liet het idee om nog een ommetje te maken varen en besloot stil te blijven zitten wachten op de slaap.

Mijn wagen was een eiland en het autokerkhof de zee, ik zat er helemaal alleen en lekker warm. Het vasteland lag hier maar een beslissing vandaan. Toen de avond een feit werd, flitsten de lantaarns aan en de lichten van passerende auto's doorboorden tastend mijn vierkante wereld. Ik telde de koplampen, zei mijn gebeden en sliep in.

De helderheid van de ochtend haalde me uit mijn slaap en om mij heen was alles vreemd. Ik was omlaag gegleden op de stoel en had de hele nacht in een onbevallige houding gelegen. Terwijl ik met mijn lichaam worstelde om een rechtstandige houding te bereiken, zag ik een collage van Neger-, Mexicaanse en blanke gezichten buiten de raampjes. Ze lachten en hun lippen maakten de bewegingen van praters, maar de klanken drongen niet tot mijn schuilplaats door. Er straalde zoveel nieuwsgierigheid van hun gezichten dat ik besefte dat ze niet zomaar weg zouden gaan voordat ze wisten wie ik was. Dus deed ik het portier open, bereid om hen om het even wat te vertellen (desnoods de waarheid), als ze me dan maar met rust zouden laten.

De raampjes en mijn slaapdronkenheid hadden hun gezichten vervormd. Eerst dacht ik dat het volwassenen moesten zijn, of inwoners van Brobdingnag op zijn minst. Maar toen ik buiten stond, ontdekte ik dat er maar eentje groter was dan ik en dat ik hooguit een paar jaar jonger was dan elk van hen. Ze vroegen hoe ik heette, waar ik vandaan kwam en hoe ik op het autokerkhof terecht was gekomen. Ze aanvaardden mijn verklaring dat ik uit San Francisco kwam, dat ik Marguerite heette, maar Maya genoemd werd en dat ik gewoon geen ander onderdak had. Met een edelmoedig gebaar heette de lange jongen, die vertelde dat hij Bootsie was, mij welkom en zei dat ik kon blijven zolang ik hun reglement in acht nam: twee mensen van verschillend geslacht sliepen niet samen. In feite had iedereen, tenzij het regende, zijn eigen privé-slaapgelegenheid. Maar aangezien sommige van de auto's lekten, waren ze door slecht weer wel gedwongen om bij elkaar te slapen. Er werd niet gestolen, niet vanwege morele bezwaren, maar omdat een misdaad de politie naar het autokerkhof zou leiden; en aangezien iedereen minderjarig was, zouden ze naar alle waarschijnlijkheid naar pleeggezinnen worden gestuurd of naar de kinderrechter. Iedereen deed wel iets. De meeste meisjes verzamelden flessen en werkten in het weekend in eettenten. De jongens maaiden gazons, veegden biljartlokalen aan en deden boodschappen voor kleine Negerwinkeltjes. Al het geld werd beheerd door Bootsie en was voor gemeenschappelijk gebruik.

Gedurende mijn verblijf van een maand op het autokerkhof leerde ik autorijden (de oudere broer van een van de jongens bezat een auto waar wel beweging in zat), vloeken en dansen. Lee Arthur was de enige jongen die met de groep optrok maar wel thuis bij zijn moeder woonde. Mevrouw Arthur werkte 's avonds, dus gingen op vrijdag alle meisjes naar zijn huis om een bad te nemen. We deden onze was in een wasserette, maar wat gestreken moest worden, namen we mee naar Lee's huis en de strijkklus werd, zoals alles, gedeeld.

's Zaterdagsavonds deden we mee aan de jitterbug-wedstrijd in de Silver Slipper, of we nu konden dansen of niet. De prijzen waren aanlokkelijk (25 dollar voor het eerste paar, 10 dollar voor het tweede en 5 dollar voor het derde) en Bootsie redeneerde dat als we allemaal meededen, we ook meer kansen hadden. Juan, de Mexicaanse jongen, was mijn partner en hoewel hij niet beter kon dansen dan ik, waren we een sensatie op de dansvloer. Hij was erg klein met een dikke bos steil, zwart haar dat om zijn hoofd heen zwiepte als hij ronddraaide en ik was mager, zwart en boomlang. Tijdens mijn laatste weekend op het autokerkhof wonnen we inderdaad de tweede prijs. De dans die we uitvoerden, zou nooit herhaald of beschreven kunnen worden, behalve dan dat de geestdrift waarmee we elkaar op het kleine dansvloertje in het rond smeten, te vergelijken was met het vuur van een eerlijke worstelwedstrijd en man tegen man gevechten.

Na verloop van een maand was mijn denkwijze zo veranderd dat ik mezelf nog maar nauwelijks herkende. De onvoorwaardelijke acceptatie door mijn gelijken had de onzekerheid, die mij zo vertrouwd was, verdreven. Het was vreemd dat deze dakloze kinderen, het aangespoelde slik van de oorlogswaanzin, in staat waren mij in te wijden in de broederschap der mensen. Na een speurtocht naar ongebroken flessen om ze te verkopen met een blank meisje uit Missouri, een Mexicaans meisje uit Los Angeles en een Zwart meisje uit Oklahoma, zou ik mezelf nooit meer zo absoluut buitengesloten voelen van het territorium van de menselijke soort. Het ontbreken van kritiek in onze ad hoc gemeenschap oefende invloed op mij uit en gaf aan de rest van mijn leven een toon van tolerantie.

Ik belde Moeder op (haar stem herinnerde mij aan een andere wereld) en vroeg haar om mij over te laten komen. Toen ze zei dat ze een kaartje voor het vliegtuig naar Papa op zou sturen, legde ik uit dat het simpeler was om het geld aan de luchtvaartmaatschappij over te maken, dan kon ik daar mijn kaartje afhalen. Met de natuurlijke gratie, die kenmerkend voor Moeder was als ze een grootmoedig gebaar kon maken, stemde ze toe.

Door het onbelemmerde leven dat wij leidden, was ik gaan geloven dat mijn nieuwe vrienden weinig demonstratief zouden reageren op mijn vertrek. Ik had gelijk. Nadat ik mijn kaartje had opgehaald, kondigde ik nogal terloops aan dat ik de volgende dag zou vertrekken. Mijn mededeling werd met op zijn minst dezelfde mate van onverschilligheid ontvangen (alleen was het van hen geen pose) en iedereen wenste me het beste. Ik wilde geen afscheid nemen van het autokerkhof of van mijn auto, dus bracht ik de laatste nacht door in een nachtbioscoop. Een meisje, van wie de naam en het gezicht door de jaren heen vervaagd zijn, gaf me een 'eeuwigdurende vriendschapsring' en van Juan kreeg ik een zwarte, kanten zakdoek voor het geval ik soms eens naar de kerk wilde gaan.

Ik arriveerde in San Francisco, magerder dan ik normaal al was, tamelijk onverzorgd en zonder bagage. Moeder wierp een blik op mij en zei: 'Was het rantsoen bij je vader zo karig? Je kunt maar beter iets eten dan komt er wat vlees op al die botten.' Ze ging eraan staan, zoals zij het noemde, en al gauw zat ik aan een gedekte tafel met schalen vol eten dat speciaal voor mij was gekookt.

Ik was weer thuis. En mijn moeder was een echte da-me. Dolores was een dwaas en, wat belangrijker was, een leugenaarster.

33

Het huis leek kleiner en stiller na mijn reis naar het zuiden en van de glamour van San Francisco was de oorspronkelijke glans aan de randen dof geworden. Van de gezichten van de volwassenen straalde niet langer wijsheid uit. Ik kwam tot de slotsom dat ik iets van mijn jeugd op had gegeven in ruil voor kennis, maar dat ik meer gewonnen had dan dat ik was kwijtgeraakt.

Bailey was ook veel ouder geworden. Er waren bij hem zelfs nog meer jaren bijgekomen dan bij mij. Tijdens die zomer waarin onze jeugd teloorging, was hij bevriend geraakt met een groep gladde straatjongens. Zijn taalgebruik was veranderd. Hij smeet voortdurend platte uitdrukkingen door zijn zinnen zoals een ander kroketten in het vet gooit. Als hij al blij was mij te zien dan gedroeg hij zich daar niet naar. Toen ik een poging deed om hem te vertellen over mijn voor- en tegenspoed, reageerde hij met zo'n achteloze onverschilligheid dat het verhaal in mijn keel stokte. Zijn nieuwe kameraden hingen rond in de huiskamer en gangen in hun zootsuits* met hun breedgerande hoeden en lange kettingen die als slangen van hun broekriemen omlaag kronkelden. Ze dronken stiekem pruimenbrandewijn en vertelden vieze

---

* Een zootsuit is een pak van opvallende snit, met een breedgeschouderd jasje tot op de dij en een broek met smal toelopende pijpen.

moppen. Alhoewel ik nergens spijt van had, hield ik mezelf treurig voor dat opgroeien niet zo'n pijnloos proces was als ik eerst gedacht had.

Er was één gebied waarop mijn broer en ik elkaar wel vonden. Ik had de kunst te pakken gekregen van dansen in het openbaar. Alle lessen van Moeder, die zelf zo moeiteloos danste, hadden niet onmiddellijk vrucht afgeworpen. Maar met mijn nieuwe en zuurverdiende zelfvertrouwen was ik in staat mezelf over te geven aan het ritme en liet ik mijn bewegingen er volledig door leiden.

Moeder liet ons naar de dansavonden van de 'big bands' gaan in de volgepakte stadsgehoorzaal. We dansten de jitterbug op Count Basie, de Lindy en de Big Apple op Cab Calloway en de Half Time Texas Hop op Duke Ellington. Binnen een paar maanden stonden die geinige Bailey en zijn lange zus bekend als de dansende dwazen (wat een accurate beschrijving was).

Ofschoon ik mijn leven had geriskeerd (niet met opzet) om haar te verdedigen, waren Moeders reputatie, goede naam en maatschappelijk imago niet langer mijn eerste zorg. Het was niet zo dat ik minder van haar hield, maar eerder dat ik me minder druk maakte om alles en iedereen. Vaak bedacht ik hoe eentonig het leven was wanneer je al de verrassingen die het in petto had al gezien had. In twee maanden tijd was ik blasé geworden.

Moeder en Bailey zaten verstrikt in een oedipale kluwen. Geen van tweeën konden ze zonder of met de ander leven; maar de restricties van het geweten, de maatschappij, de moraliteit en de zedelijkheid schreven een scheiding voor. Onder het een of ander onbenullige voorwendsel beval Moeder Bailey het huis te verlaten. Onder een al even onbenullig voorwendsel schikte hij zich daarin. Bailey was zestien, klein voor zijn leeftijd, pienter voor alle leeftijden en hopeloos verliefd op Moeder Lief. Haar helden waren haar vrienden en haar vrienden waren zware jongens in de gangsterwereld. Ze droegen Chesterfield-jassen van tweehonderd dollar, Buschschoenen van vijftig dollar per paar en Knox-hoeden. Hun overhemden waren voorzien van een monogram en hun vingernagels verzorgd door een manicure. Hoe zou een jongen van zestien ooit kunnen concurreren met zulke dominerende rivalen? Hij deed wat hij moest doen. Hij verwierf zich een verlepte, blanke prostituee, een diamanten ring voor aan zijn pink en een Harristweedjas met raglanmouwen. Hij beschouwde zijn nieuwe bezittingen niet bewust als een Sesam, open u tot de grot der acceptatie van Moeder Lief. En zij had er geen idee van dat haar voorkeuren hem tot zulke buitensporigheden aanzetten.

Vanuit de coulissen hoorde en zag ik hoe de tragische pavane zich gestaag naar een climax toe bewoog. Tussenbeide komen, of zelfs de gedachte eraan, was onmogelijk. Het zou gemakkelijker zijn om een zonsopgang of een orkaan te blokkeren. Hoewel Moeder een mooie vrouw was die van alle mannen de schatting van eerbetoon vorderde, was ze ook een moeder en wel 'een verdomd goede'. Ze was niet van plan om een zoon van haar te laten uitbuiten door een afgetakelde, blanke hoer die zijn jeugd wilde uitmelken en hem zou verpesten voor latere jaren. Om de donder niet.

Wat Bailey betreft, hij was haar zoon en zij zijn moeder. Hij was niet van zins om zelfs voor de mooiste vrouw ter wereld te buigen. Het feit dat die toevallig zijn moeder was, deed niets af aan zijn vastberadenheid.

Vertrekken? Oh, prima hoor. Morgen? Wat is er verkeerd aan vandaag? Vandaag? Waarom niet meteen? Maar geen van beiden kon het initiatief nemen totdat ze alle afgemeten passen hadden gezet.

Gedurende die weken van bittere strijd zat ik er hulpeloos en verbijsterd bij. Het was ons niet toegestaan om te vloeken of zelfs maar openlijk sarcastisch te zijn, maar Bailey draaide zijn woorden om zijn tong heen en spuwde ze als druppels aluin over Moeder uit. Zij had haar 'ing bings' (hartstochtelijke uitbarstingen die gegarandeerd de borst van de sterkste man onthaarden), waarover ze naderhand (alleen tegen mij) beminnelijk haar spijt betuigde.

Ik stond buiten hun macht/liefdestrijd. Misschien zou het juister zijn om te stellen dat, aangezien ze geen van beiden publiek nodig hadden, ik aan de zijlijn werd vergeten.

Het had wel iets weg van Zwitserland tijdens de Tweede Wereldoorlog. Om mij heen ontploften bommen, werden zielen gekweld en terwijl de hoop stierf, stond ik machteloos binnen de grenzen van een opgelegde neutraliteit. De confrontatie die de verlichting bracht, vond zonder aankondiging plaats op een gewone avond. Het was na elven en ik had mijn deur op een kier laten staan in de hoop dat ik Moeder weg zou horen gaan of het gekraak van Bailey zou horen die de trap opsloop.

De platenspeler op de eerste verdieping gaf op volle sterkte Lonnie Johnson door die zong: 'Morgenavond, weet je dan nog wat je vanavond zei?' Glazen rinkelden en stemmen botsten tegen elkaar op. Het was een feestje dat daar beneden opflakkerde en Bailey had Moeders avondklok van elf uur getrotseerd. Als hij binnen was voor middernacht, zou ze er misschien genoegen mee nemen om hem een paar maal in zijn gezicht te slaan met haar striemende woorden.

Twaalf uur kwam en was meteen weer voorbij en ik ging overeind zitten in bed om mijn kaarten uit te leggen voor het eerste van vele spelletjes patience.

'Bailey.'

De wijzers van mijn horloge gaven de oneven v van één uur aan.

'Ja, Moeder Lief?' En garde. Zijn stem stootte zoet-zuur toe en hij benadrukte het 'Lief'.

'Ik neem aan dat je nu een man bent... Zet die plaat zachter.' Het laatste werd tegen de feestvierders geroepen.

'Ik ben uw zoon, Moeder Lief.' Een snelle parade.

'Is het elf uur, Bailey?' Dat was een schijnbeweging om de tegenstander te verrassen.

'Het is na enen, Moeder Lief.' Hij had de strijd aangebonden en vanaf dat moment zouden de aanvallen rechtstreeks moeten zijn.

'Clidell is de enige man hier in huis en als jij vindt dat je al zoveel man bent...' Haar stem knalde als een scheermes op een aanzetriem.

'Ik vertrek nu, Moeder Lief.' De respectvolle toon intensifieerde de inhoud van zijn mededeling. Met een bloedeloze genadestoot had hij haar onder het vizier geraakt.

Nu ze geen afweer meer had, bleef haar niets anders over dan zich halsoverkop in de tunnel van haar woede te storten.

'Laat dan, godverdomme, je hielen klakken.' En haar hielen klakten over het linoleum van de hal terwijl Bailey de trap op tapdanste naar zijn kamer.

Wanneer de regen eindelijk valt en een lucht van laaghangende, okerkleurige wolken wegspoelt, worden wij, die geen controle hadden over het verschijnsel, gedwongen tot het voelen van opluchting. Het is een bijna occulte sensatie; het feit dat men getuige is van het einde van de wereld, maakt plaats voor tastbare zaken. Zelfs al zijn de gevoelens die erop volgen ongewoon, ze zijn in ieder geval niet langer onbegrijpelijk.

Bailey liep van huis weg. Om één uur 's ochtends liep mijn kleine broertje, die me tijdens de eenzame dagen van mijn verblijf in de onderwereld beschermd had tegen kobolden, dwergen, boze kabouters en duivels, van huis weg.

Ik had al die tijd de onvermijdelijke afloop geweten en ook dat ik niet in zijn knapzak vol pijn zou durven rommelen, zelfs niet met het aanbod om hem te helpen dragen.

Tegen beter weten in ging ik naar zijn kamer en trof hem aan terwijl hij zijn goed verzorgde kleren in een kussensloop smeet. Zijn volwassenheid bracht me van mijn stuk. In zijn kleine gezicht, dat samengebald leek als een vuist, zag ik geen spoor meer van mijn broer en toen ik, niet wetend wat ik anders moest zeggen, vroeg of ik kon helpen, antwoordde hij: 'Laat me, verdomme, met rust.'

Ik leunde tegen de deurpost om hem mijn fysieke aanwezigheid te laten voelen, maar zei niets meer.

'Ze wil toch dat ik ga? Nou, ik zal hier zo snel wegwezen dat de vlammen uit de lucht slaan. Dat noemt zichzelf een moeder?

Ha! Wat een gezeik. Mij ziet ze niet meer terug. Ik sla me er wel doorheen. Ik sla me er altijd doorheen.'

Op een bepaald moment zag hij dat ik nog steeds in de deuropening stond en zijn bewustzijn verruimde zich om plaats te maken voor onze relatie.

'Maya, als je mee wilt, schiet dan op. Ik zal wel voor je zorgen.'

Hij wachtte mijn antwoord niet af, maar hervatte snel weer het gesprek met zijn eigen ziel. 'Zij zal me niet missen en ik zal haar missen als kiespijn. Zij en iedereen kan de moord stikken.'

Hij propte als laatste zijn schoenen bovenop zijn overhemden, stropdassen en sokken. Toen herinnerde hij zich mij weer.

'Maya, jij mag mijn boeken hebben.'

Mijn tranen waren niet voor Bailey of Moeder, zelfs niet voor mezelf, maar voor de hulpeloosheid van stervelingen die leven omdat ze door het Leven geduld worden. Om deze bittere afloop te vermijden, zouden we allemaal opnieuw geboren moeten worden en dan met de wetenschap van alternatieven. Maar zelfs dan?

Bailey tilde het bultige kussensloop op en liep langs mij heen naar de trap. Toen de voordeur dichtsloeg, maakte de platenspeler beneden zich van het huis meester en waarschuwde Nat King Cole de wereld om 'zich op te richten en rechtuit te gaan vliegen'. Alsof dat kon, alsof mensen een keuze hadden.

De volgende ochtend waren Moeders ogen rood en haar gezicht opgezwollen, maar ze glimlachte haar 'alles is alles' glimlach en draaide rond in compacte maankringetjes terwijl ze het ontbijt klaarmaakte, over zaken praatte en de hoek waar ze zich bevond verlichtte. Niemand zei iets over Bailey's afwezigheid alsof de dingen waren zoals ze zouden moeten zijn en altijd al zo geweest waren.

Het huis smeulde van de onuitgesproken gedachten en ik moest naar mijn kamer gaan om adem te halen. Ik dacht dat ik wist waar hij de vorige avond naar toe was gegaan en besloot hem op te gaan zoeken en hem mijn steun aan te bieden. 's Middags ging ik naar een huis met erkerramen dat vanachter het glas in groene en oranje letters trots liet weten dat het KAMERS had. Een vrouw van onbestemde leeftijd boven de dertig opende de deur toen ik aanbelde en vertelde me dat Bailey Johnson boven was.

Zijn ogen waren net zo rood als die van Moeder waren geweest, maar zijn gezicht had iets van de strakheid van de avond tevoren verloren. Op bijna vormelijke wijze werd ik een kamer binnengelaten waarin een bed stond met een schone chenille sprei, een gemakkelijke stoel, een gaskachel en een tafel.

Hij begon te praten om de ongewone situatie waarin we ons bevonden te verdoezelen.

'Aardige kamer, hè? 't Is tegenwoordig moeilijk om aan kamers te komen. Met de oorlog en zo... Betty woont hier [dat was de blanke prostituée] en zij heeft deze kamer voor me geregeld... Weet je, Maya, 't is beter zo... Ik bedoel, ik ben een man en ik moet op mezelf zijn...'

Ik was razend dat hij niet tierde en zijn lot of Moeder vervloekte of zich, op zijn minst, gedroeg alsof hij misdeeld was.

'Nou' – ik vond dat ik er dan maar een begin mee moest maken – 'als Moeder een echte moeder was, zou ze niet...'

Hij onderbrak me, zijn kleine, zwarte hand geheven alsof ik zijn palm moest lezen. 'Wacht even, Maya, ze had gelijk. In het leven van iedere man is er een tijdstip...'

'Bailey, je bent pas zestien.'

'Chronologisch gezien wel, ja, maar ik ben al jaren

geen zestien meer. In ieder geval komt er voor iedere man een tijd dat hij zich los moet maken van de leiband en zelfstandig in het leven moet staan... Zoals ik al zei tegen Moeder Lief, ben ik...'

'Wanneer heb je Moeder gesproken...?'

'Vanmorgen en ik zei tegen Moeder Lief...'

'Heb je haar opgebeld?'

'Ja, en ze is hier geweest. We hadden een heel vruchtbare discussie' – hij koos zijn woorden met de nauwkeurigheid van een onderwijzer op de zondagsschool – 'Ze begrijpt het volkomen. Er komt een tijd in het leven van iedere man dat hij van de veilige kade weg moet varen naar de zee van het fortuin... In ieder geval gaat ze nu met een vriend van haar in Oakland een plaats voor mij regelen op de Southern Pacific. Het is maar een begin, Maya. Ik begin als kelner in de restauratiewagen en dan word ik steward en als ik daar alles van weet, ga ik van daaruit verder... De toekomst ziet er goed uit. De Zwarte man is nog niet eens begonnen met de echte stormloop tegen de vesting. En ik zal me uit de naad werken.'

In zijn kamer hing de lucht van gekookt vet, Lysol en ouderdom, maar op zijn gezicht las ik het geloof in de oorspronkelijkheid van zijn woorden en ik had het hart niet, noch het vermogen, om hem met zijn neus op de kwalijk riekende werkelijkheid van dit leven en deze tijden te drukken.

In de kamer ernaast gingen hoeren als eerste liggen en stonden als laatste op. Beneden ging men zich op 24-uursbasis te buiten aan kipmaaltijden en gokken. Matrozen en soldaten op hun onheilsweg naar de oorlog braken ramen en kraakten sloten in een omtrek van hele huizenblokken, in de hoop dat ze hun spoor op een gebouw of in het geheugen van een slachtoffer zouden ach-

terlaten. Een kans op vereeuwiging. Bailey was gebiologeerd door zijn beslissing en verdoofd door zijn jeugdigheid. Als ik hem een advies had kunnen geven zou het
niet door zijn ongelukkige pantser heen gedrongen zijn.
En, helaas, had ik geen enkel advies voor hem.

'Ik ben je zus en als ik iets kan doen, zal ik het doen.'

'Maya, maak je geen zorgen om mij. Meer hoef je niet
te doen. Maak je geen zorgen. Met mij is alles okido.'

Ik ging weg uit zijn kamer omdat, enkel en alleen omdat we alles gezegd hadden wat we konden zeggen. Wat
onuitgesproken bleef, duwde ruw tegen de gedachten
die wij niet onder woorden wisten te brengen en vulde
de kamer met onbehagen.

34

Naderhand had mijn kamer de levendigheid van een kerker en de aantrekkingskracht van een graftombe. Ik zou er onmogelijk kunnen blijven, maar er weggaan trok me al evenmin aan. Weglopen van huis zou een anticlimax zijn na Mexico en een saai verhaal opleveren na mijn maand op het autokerkhof. Maar de behoefte aan verandering walste een pad midden door mijn brein.

Ik had het. De oplossing kwam bij me op met de onverwachtheid van een botsing. Ik zou gaan werken. Het zou niet moeilijk zijn om Moeder over te halen; per slot van rekening was ik op school een jaar vooruit en was Moeder een overtuigd aanhangster van onafhankelijkheid. In feite zou ze aangenaam verrast zijn door mijn ondernemingslust, dat ik toch zoveel van haar weghad. (Ze sprak graag over zichzelf als een authentieke 'doe-het-zelf-vrouw'.)

Toen ik er eenmaal voor gekozen had om te gaan werken, hoefde ik alleen nog maar uit te maken voor welke baan ik het meest geschikt was. Mijn intellectuele trots had me ervan weerhouden om op school typen, steno of archiefwerk te kiezen, dus was kantoorwerk uitgesloten. Voor de wapenfabrieken en scheepswerven had je een geboortebewijs nodig en het mijne zou onthullen dat ik pas vijftien was en derhalve onbekwaam om te werken. Dus waren de goedbetaalde banen in de oorlogsindustrie ook uitgesloten. Op de trams hadden vrouwen de plaats van de mannen ingenomen als conducteur en bestuurder en het idee om de heuvels van San Francisco op en af te zweven in een donkerblauw uniform en een geldtas aan mijn riem sprak tot mijn verbeelding.

Moeder nam het net zo luchtig op als ik verwacht had. De wereld veranderde zo snel, er werd zoveel geld omgezet, er stierven zoveel mensen in Guam en Duitsland dat hele horden onbekenden van de ene dag op de andere je beste vrienden werden. Het leven was goedkoop en de dood helemaal gratis. Waar zou ze de tijd vandaan hebben moeten halen om over mijn academische carrière na te denken?

Op haar vraag wat ik van plan was te gaan doen, antwoordde ik dat ik op de trams zou gaan werken. Ze deed mijn voorstel af met: 'Ze accepteren geen kleurlingen op de trams.'

Ik zou graag aanspraak gemaakt hebben op een onmiddellijke woede, gevolgd door een nobele vastberadenheid om deze restrictieve traditie te doorbreken. Maar de waarheid is dat mijn eerste reactie er een van teleurstelling was. Ik had me al een voorstelling gevormd van hoe ik, gekleed in een gaaf blauw serge pak, mijn geldtas zwierig zwaaiend aan mijn middel, opgewekt naar de reizigers zou lachen en hun werkdagen op zou vrolijken.

Van teleurstelling klom ik geleidelijk aan de emotionele ladder op naar hooghartige verontwaardiging en ten slotte naar die staat van koppigheid waarin de geest vergrendeld is als de kaken van een furieuze buldog.

Ik moest en zou op de trams werken en een blauw serge pak dragen. Moeder steunde me met een van haar bondige terzijdes: 'Dat is wat je wilt doen? D'r gaat niks boven een poging dan een mislukking. Laat ze zien wat

je in je hebt. Ik heb je al zo vaak gezegd, kan niet is 'tzelf-
de als wil niet. Ze liggen allebei op het kerkhof.'

Vertaald betekende dat dat er niets was wat je niet kon
en dat er niets behoorde te zijn wat een mens niet wilde.
Het was de meest positieve aansporing die ik maar had
kunnen krijgen.

In het kantoor van de Market Street Railway Company
was de receptioniste even verbaasd om mij daar te zien
als ik verbaasd was bij de ontdekking dat het interieur ar-
moedig en de inrichting sjofel was. Op de een of andere
manier had ik geboende oppervlakten en met tapijten
beklede vloeren verwacht. Als ik geen weerstand had
ontmoet zou ik er misschien van afgezien hebben om
voor zo'n armzalig uitziend bedrijf te gaan werken. Maar
zoals het er nu voor stond, legde ik uit dat ik kwam solliciteren. Ze vroeg me of ik door een bureau was gestuurd
en toen ik antwoordde dat ik dat niet was, vertelde ze me
dat ze alleen sollicitanten van bureaus aannamen.

In de ochtendbladen hadden advertenties gestaan
voor conductrices en wagenbestuursters en ik wees haar
daarop. Ze keek me aan met een gezicht vol verwondering dat ik het, met mijn wantrouwige aard, niet wenste
te accepteren.

'Ik kom solliciteren naar de baan die vanochtend in
de *Chronicle* geadverteerd stond en ik zou graag de personeelschef spreken.' Terwijl ik haar vanuit de hoogte
toesprak en de ruimte rondkeek alsof ik een oliebron in
mijn eigen achtertuintje had, prikten er miljoenen hete
naalden onder mijn oksels. Ze zag haar uitweg en dook
erop af.

'Hij is er niet. Hij is vandaag afwezig. U zou morgen
terug kunnen komen en als hij er is, zult u hem zeker
kunnen spreken.'

Ze draaide haar stoel rond op zijn roestige schroeven en daarmee werd ik verondersteld in te rukken.

'Zou ik zijn naam mogen weten?'

Ze draaide zich half om en deed alsof ze verrast was mij daar nog te zien.

'Zijn naam? Wie z'n naam?'

'Van uw personeelschef.'

'De personeelschef? Oh, dat is meneer Cooper, maar ik weet niet zeker of hij er morgen is. Hij is... oh, maar u kunt 't proberen.'

'Dank u.'

'Niets te danken.'

En ik liep de muffe kamer uit, de nog muffere hal in. Op straat zag ik in dat de receptioniste en ik getrouw de bekende, afgezaagde stappen hadden gezet, alhoewel ik zo'n situatie nog nooit eerder had meegemaakt en zij, waarschijnlijk, evenmin. We waren net een stel acteurs die, ofschoon ze het stuk uit hun hoofd kennen, toch in staat waren om steeds opnieuw te huilen bij de oude tragedie en spontaan te lachen om de komische fragmenten.

Die miserabele, kleine confrontatie had net zo min met mij, met de mij in mij, te maken als met die onnozele receptioniste. Dit incident was een terugkerende droom, jaren geleden verzonnen door stomme blanken en hij kwam eeuwig terug om ons allemaal te kwellen. Die secretaresse en ik waren als Hamlet en Laertes in de slotscène waarin, vanwege het kwaad dat de ene voorouder de andere had aangedaan, we gedoemd waren om te duelleren tot de dood erop volgde. En bovendien moet het stuk toch ergens ophouden.

Ik ging nog een stapje verder dan die receptioniste vergeven. Ik accepteerde haar als medeslachtoffer van dezelfde poppenspeler.

In de tram deed ik mijn geld in het bakje en de conductrice keek naar mij met de geijkte harde blik vol blanke minachting. 'Doorlopen, alstublieft, wilt u naar achteren doorlopen.' Ze klopte op haar geldtas.

Haar Zuidelijke, nasale accent sneed door mijn overpeinzingen en ik overzag mijn gedachtegang nog eens grondig. Leugens, allemaal comfortabele leugens. De receptioniste was niet onschuldig en ik evenmin. Die hele schertsvertoning die we hadden opgevoerd in die smerige wachtkamer, had rechtstreeks met mij, Zwart, en met haar, blank, te maken.

Ik weigerde door te lopen in de tram en bleef boos op de richel naar de conductrice staan staren. Mijn geest schreeuwde zo heftig dat mijn aderen ervan opzwollen en mijn mond verstrakte tot een pruimedant.

IK ZOU DIE BAAN KRIJGEN. IK ZOU CONDUCTRICE WORDEN EN EEN VOLLE GELDTAS AAN MIJN RIEM ZWAAIEN. DAT ZOU IK.

De volgende drie weken waren een honingraat van vastbeslotenheid met openingen waar de dagen in- en uitgleden. De Negerorganisaties waar ik om steun aanklopte, kaatsten mij heen en weer als een shuttle op een badmintonveld. Waarom stond ik erop om speciaal die baan te krijgen? Er waren vacatures te over die bijna het dubbele betaalden. De lagere bestuursleden die bereid waren naar me te luisteren, vonden dat ik gek was. En misschien was ik dat ook wel.

Het centrum van San Francisco werd vreemd en koud voor mij en de straten, waar ik met een persoonlijke vertrouwdheid van had gehouden, veranderden in onbekende wegen die boosaardig en opzettelijk kronkelden. Oude gebouwen, die achter hun rococogevels mijn herinneringen aan de Forty-Niners, Diamond Lil, Robert

Service, Sutter en Jack London bewaarden, werden toen imposante bouwwerken die zich venijnig aaneensloten om mij buiten te houden. Mijn tochten naar het tramkantoor hadden de frequentie van iemand met een salaris. De strijd breidde zich uit. Ik was niet langer in conflict met alleen de Market Street Railway, maar ook met de marmeren hal van het gebouw waarin de kantoren, liften en hun operateurs waren gehuisvest.

Tijdens deze periode van spanning zetten Moeder en ik onze eerste schreden op de lange weg naar wederzijdse, volwassen bewondering. Ze vroeg nooit om een verslag en ik gaf haar nooit de bijzonderheden. Maar iedere ochtend maakte ze het ontbijt voor me klaar en gaf me geld voor de tram en mijn lunch alsof ik naar mijn werk ging. Ze begreep de perversiteit van het leven, dat de strijd zelf een bron van vreugde is. Dat het mij niet te doen was om persoonlijke glorie was haar duidelijk en dat ik elke mogelijkheid moest uitbuiten voordat ik het opgaf, lag ook voor de hand.

Toen ik op een ochtend op het punt stond te vertrekken, zei ze: 'Het leven geeft je precies wat je erin stopt. Leg je met hart en ziel toe op alles wat je doet en zeg je gebeden op, daarna kun je afwachten.' Een andere keer herinnerde ze me eraan dat: 'Help uzelf, zo helpe u God.' Ze beschikte over een voorraad aforismen die ze al naar gelang de gelegenheid ten beste gaf. En hoewel clichés me de keel uithingen, verleende haar intonatie er vreemd genoeg iets nieuws aan en stemden ze me, in ieder geval voor een poosje, tot nadenken. Toen mij naderhand werd gevraagd hoe ik die baan heb gekregen, kon ik het nooit precies navertellen. Ik weet alleen nog dat ik op een dag, die ergerlijk veel leek op de voorafgaande dagen, in het Railway-kantoor zat te wachten, ogenschijnlijk op een sollicitatiegesprek. De receptioniste riep me naar haar bureau en schoof een stapel papieren naar me toe. Het waren sollicitatieformulieren. Ze zei dat ze in drievoud moesten worden ingevuld. Ik had maar weinig tijd om me af te vragen of ik nu gewonnen had of niet, want de standaardvragen wezen me op de noodzaak om behendig te liegen. Hoe oud was ik? Wat waren mijn vorige banen, vanaf de laatste teruggaand tot de eerste. Hoeveel had ik verdiend en waarom had ik mijn betrekking verlaten? Geef twee referenties (geen familie).

Aan een zijtafeltje weefden mijn geest en ik een web van halve waarheden en hele leugens. Ik hield mijn gezicht uitdrukkingsloos (een oude truc) en schreef snel de fabel op van Marguerite Johnson, leeftijd negentien jaar, voormalig gezelchapsdame en chauffeuse voor Mevrouw Annie Henderson (een Blanke Dame) in Stamps, Arkansas.

Ik moest bloedonderzoeken ondergaan, psychotechnische testen, motorische testen en Rorschachtesten en toen, op een goddelijke dag, was ik als eerste Neger aangenomen op de trams van San Francisco.

Moeder gaf me geld om mijn blauw serge pak te laten maken en ik leerde om werknemerspapieren in te vullen, met de geldtas om te gaan en overstapkaartjes te knippen. De tijd was volgepakt en Ten Langen Leste schommelde ik achterop de gammele wagen, beminnelijk glimlachend en mijn passagiers overhalend dat ze moesten 'doorlopen naar achteren, alstublieft'.

Een heel semester lang slingerden en vlogen de trams en ik de steile heuvels van San Francisco op en af. Mijn behoefte aan de sponzig-beschermende eigenschappen van het Zwarte getto werd iets minder terwijl ik me bellend een weg baande door Market Street met zijn honkytonk tehuizen voor dakloze matrozen, langs de rust van het Golden Gate-park en de afgesloten, onbewoond uitziende woningen van het Sunset District.

Mijn werktijden waren zo lukraak ingedeeld dat het niet moeilijk was te geloven dat mijn meerderen dat met opzet hadden gedaan. Toen ik daarover mijn argwaan tegen Moeder uitte, zei ze: 'Maak je geen zorgen. Je vraagt om wat je wilt en je betaalt voor wat je krijgt. En ik zal je laten zien dat 't niks kost om dubbelop te pakken.'

Ze bleef op om mij naar de remise te rijden om half vier 's morgens, of om me op te halen wanneer ik net voor zonsopgang afgelost werd. Haar bewustzijn van de risico's van het leven overtuigde haar ervan dat, hoewel het veilig voor mij was om met het openbaar vervoer te reizen, ze 'niet van plan was haar baby aan een taxichauffeur toe te vertrouwen'.

Toen in het voorjaar de lessen weer begonnen, hernieuwde ik mijn betrokkenheid bij het formele onderwijs. Ik was zoveel verstandiger en ouder geworden, zoveel onafhankelijker met een bankrekening en kleren die ik zelf gekocht had, dat ik er zeker van was dat ik de magische formule geleerd en verdiend had die mij deel zou laten uitmaken van het vrolijke leven dat mijn leeftijdgenoten leidden.

Geen sprake van. Binnen een paar weken besefte ik dat mijn schoolkameraden en ik ons op lijnrecht tegenovergestelde wegen bevonden. Zij waren bezorgd en opgewonden over de komende rugbywedstrijden, maar ik was in mijn directe verleden in een auto langs een donkere, onbekende Mexicaanse berg omlaag gestoven. Hun voornaamste interesse ging ernaar uit wie voorzitter van de leerlingenvereniging zou worden en wanneer de beugels van hun tanden werden verwijderd; terwijl ik me herinnerde hoe ik een maand lang in een autowrak had geslapen en in de grillige ochtenduren als conductrice op een tram had gestaan.

Zonder dat ik het gewild had, was ik van onwetendheid van mijn onwetendheid overgestapt naar bewustzijn van mijn bewustzijn. En het ergste van dat bewustzijn was dat ik niet wist waarvan ik me bewust was. Ik wist dat ik maar weinig wist, maar ik was er zeker van dat de dingen die ik nog te leren had, me niet bijgebracht zouden worden op de George Washington High School.

Ik begon uit de lessen weg te blijven om in het Golden Gate-park te wandelen of langs de glanzende toonbanken te slenteren van het Emporium Warenhuis. Toen Moeder ontdekte dat ik spijbelde, zei ze me dat, als ik eens een dag niet naar school wilde gaan, als er toch geen proefwerken werden gegeven en mijn schoolwerk voldoende was, ik haar dat alleen maar hoefde mee te delen, dan kon ik thuis blijven. Ze zei dat ze niet opgebeld wenste te worden door een of andere blanke vrouw die haar iets vertelde over haar kind waar zij niet van op de hoogte was. En ze wilde niet in de positie worden gebracht van te moeten liegen tegen een blanke vrouw omdat ik niet vrouw genoeg was om mijn mond open te doen. Daarmee kwam er een eind aan mijn gespijbel, maar niets leek de schooldagen te verlichten die voor mij lang en somber waren geworden.

Alleen gelaten te worden op het strakke koord van jeugdig niet-weten is de verschrikkelijke schoonheid ondergaan van volledige vrijheid en de dreiging van eeuwige besluiteloosheid. Maar weinigen komen heelhuids door hun tienerjaren heen. De meesten geven zich over aan de vage, maar moordende druk van de volwassen aanpassing. Het lijkt gemakkelijker om te sterven en de conflicten te vermijden dan een voortdurende strijd te leveren tegen de overmacht van de bezadigdheid.

Tot voor kort werd het door iedere generatie meer opportuun gevonden om schuld te bekennen aan de aanklacht van jong en onwetend te zijn en was het gemakkelijker de straf te aanvaarden die uitgedeeld werd door de oudere generatie (die zelf luttele jaren eerder dezelfde misdaad had bekend). Het gebod om op te groeien was uiteindelijk draaglijker dan de gezichtsloze gruwelen van wankele wilskracht waaruit je jeugd bestond.

De stralende uren, waarin jongeren tegen de ondergaande zon rebelleerden, maakten plaats voor perioden van vierentwintig uur die 'dagen' heetten en die zowel namen als nummers hadden.

De Zwarte vrouw wordt in haar prille jaren door al die gewone natuurkrachten belaagd en tegelijkertijd wordt zij overvallen door het driezijdig kruisvuur van mannelijke vooroordelen, onlogische blanke haat en Zwart gebrek aan macht.

Het feit dat volwassen Amerikaanse Negervrouwen zulke geduchte persoonlijkheden zijn, stuit vaak op verbazing, afkeuring en zelfs agressiviteit. Zelden wordt het aanvaard als het onvermijdelijke resultaat van een strijd die gewonnen is door vechters en die, zo niet geestdriftige acceptatie, dan toch respect verdient.

35

De bron van eenzaamheid vormde mijn kennismaking met de lesbische liefde en met wat ik beschouwde als pornografie. Maandenlang was dit boek een genot zowel als een bedreiging voor mij. Het stond mij een blik toe op de mysterieuze wereld van de perversie. Het prikkelde mijn libido, maar ik hield mezelf voor dat het leerzaam was omdat het me op de hoogte bracht van de problemen van perverse mensen. Ik wist zeker dat niemand die ik kende, pervers was. Natuurlijk hoorden daar de jolige nichten niet bij die soms bij ons logeerden en dan kolossale maaltijden van acht gangen kookten terwijl de transpiratie sporen trok over hun opgemaakte gezichten. Omdat ze door iedereen geaccepteerd werden en, wat belangrijker was, omdat ze zichzelf accepteerden, wist ik dat hun gelach echt was en hun leven een vrolijke komedie, die slechts onderbroken werd door een wisseling van kostuums en het bijwerken van de schmink.

Maar echte abnormalen, de 'vrouwen verliefd op vrouwen', fascineerden me hoewel ze ook het uiterste vergden van mijn voorstellingsvermogen. Ze werden, volgens het boek, verstoten door hun families, met de nek aangekeken door hun vrienden en verbannen uit elke maatschappij. Deze bittere straf werd hun opgelegd vanwege een lichamelijke afwijking waarover ze geen controle hadden.

Nadat ik voor de derde keer *De bron van eenzaamheid*

had gelezen, bloedde mijn hart voor die onderdrukte, onbegrepen lesbiënnes. Ik dacht dat 'lesbiënne' een synoniem was voor hermafrodiet en wanneer ik niet wezenlijk leed om hun meelijwekkende toestand, piekerde ik erover hoe ze de simpelere lichamelijke behoeften oplosten. Konden ze kiezen welk orgaan ze wilden gebruiken en zo ja, wisselden ze dan af of hadden ze een voorkeur? Of ik probeerde me voor te stellen hoe twee hermafrodieten de liefde bedreven en hoe langer ik erover nadacht, hoe verwarrender het voor me werd. Het kwam mij voor dat, wanneer je het dubbele had van wat andere mensen hadden en het tweedubbele waar gewone mensen alleen maar het dubbele van hadden, de zaak zo ingewikkeld werd dat je het idee van de liefde bedrijven maar helemaal op zou geven.

Gedurende deze periode van bespiegeling viel het mij op hoe zwaar mijn eigen stem was geworden. Hij dreunde en bromde twee of drie hele tonen lager dan de stemmen van mijn schoolkameraden. Mijn handen en voeten waren ook verre van vrouwelijk en sierlijk. Koel onderzocht ik mijn lichaam in de spiegel. Voor iemand van zestien jaar waren mijn borsten akelig onontwikkeld. Zelfs de meest welwillende criticus zou ze alleen maar onderhuidse zwellingen hebben kunnen noemen. Vanaf mijn ribbenkast naar mijn knieën liep een rechte lijn die zelfs niet door een golving onderbroken werd. Meisjes die jonger waren dan ik gingen er prat op dat ze zich moesten scheren onder hun armen, maar mijn oksels waren net zo glad als mijn gezicht. En er groeide ook iets vreemds aan mijn lichaam dat elke verklaring tartte. Het zag eruit alsof het totaal geen nut had.

Toen begon onder mijn dekens de vraag te broeien: hoe ontdekte je of je lesbisch was? Wat waren de symptomen? De openbare bibliotheek verschafte informatie – en dan nog jammelijk onvolledig – over de volgroeide lesbiënne, maar over het ontwikkelingsproces was niets te vinden. Ik ontdekte wel dat het verschil tussen een hermafrodiet en een lesbiënne eruit bestond dat een hermafrodiet 'zo geboren was'. Het was onmogelijk om vast te stellen of lesbiënnes geleidelijk aan ontkiemden of dat ze openbarstten met een onverwachtheid die henzelf met ontzetting en de maatschappij met afschuw vervulde.

Ik zat te knagen aan de onbevredigende boeken en aan mijn eigen niet voorhanden kennis zonder een kruimeltje rust of begrip te vinden. En ondertussen weigerde mijn stem om in de hogere registers te blijven waar ik hem bewust in toonzette en moest ik mijn schoenen kopen op de afdeling 'gerief voor oudere dames'.

Ik vroeg het aan Moeder.

Op een avond toen Papa Clidell naar de club was, ging ik naast Moeders bed zitten. Zoals gewoonlijk werd ze ineens en helemaal wakker. (Vivian Baxter gaapte en rekte zich nooit uit. Of ze sliep, of ze was wakker.)

'Moeder, ik moet met u praten...' Het zou zo ongeveer mijn dood betekenen om het haar te vragen, want zou er daardoor geen verdenking op mijn eigen normaliteit komen te rusten? Ik kende haar goed genoeg om te weten dat, als ik bijna om het even wat voor misdaad had gepleegd en haar de waarheid vertelde, ze me niet alleen niet zou verstoten, maar me ook nog zou beschermen. Maar stel dat ik nou echt lesbisch aan het worden was, hoe zou ze dan reageren? En Bailey was er ook nog om rekening mee te houden.

'Vraag 't en geef me een sigaret.' Haar kalmte kon me niet voor de gek houden. Ze zei vaak dat haar sleutel tot het leven was dat ze 'het beste ervan hoopte, voorbereid was op het ergste, dan kwam alles ertussenin niet als een verrassing'. Maar dat was allemaal goed en wel voor de meeste dingen, maar als nou haar enige dochter eens...

Ze schoof op en klopte op het bed. 'Vooruit kindje, kom in bed. Straks ben je bevroren voordat je je vraag eruit hebt gekregen.'

Het was beter om nog even te blijven waar ik was.

'Moeder...mijn beurs...'

'Ritie, bedoel je je vagina? Hou nou eens op met die Zuidelijke termen te gebruiken. D'r is niets verkeerd aan het woord "vagina". Het is een klinische beschrijving. Maar wat is ermee aan de hand?'

De rook verzamelde zich onder de lamp naast het bed en dreef toen vrij de kamer in. Ik had spijt als haren op mijn hoofd dat ik er met haar over was begonnen.

'Nou?...Nou? Heb je soms platjes?'

Omdat ik niet wist wat dat waren, werd ik in verwarring gebracht. Ik dacht dat ik ze misschien wel had en het zou niet voor me pleiten als ik zei dat ik ze niet had. Aan de andere kant had ik ze misschien niet en stel dat ik loog en zei dat ik ze wel had?

'Dat weet ik niet, Moeder.'

'Jeukt 't? Jeukt je vagina?' Ze steunde op haar elleboog en drukte haar sigaret uit.

'Nee, Moeder.'

'Dan heb je geen platjes. Als je ze wel had, zou je 't de hele wereld laten weten.'

Ik voelde geen spijt of opluchting dat ik ze niet had, maar knoopte in mijn oren dat ik, de volgende keer dat ik in de bibliotheek kwam, 'platjes' op moest zoeken.

Ze keek me aandachtig aan en alleen iemand die haar gezicht goed kende, zou gezien hebben dat de spieren zich ontspanden en dit uitgelegd hebben als een teken van bezorgdheid.

'Je hebt toch geen geslachtsziekte, hè?'

De vraag werd niet serieus gesteld, maar Moeder kennende was ik geschokt bij het idee alleen al. 'Maar, Moeder, natuurlijk niet. Hoe kunt u zoiets denken?' Ik stond op het punt om naar mijn kamer te gaan en alleen met mijn probleem te worstelen.

'Ga zitten, Ritie. Geef me nog 'ns een sigaret.' Een ogenblik zag het ernaar uit alsof ze van plan was te gaan lachen. Dat zou de doorslag geven. Als ze lachte, zou ik haar nooit meer iets vertellen. Haar lachen zou het gemakkelijker maken om mijn maatschappelijke isolatie en de menselijke grilligheid te aanvaarden. Maar ze glimlachte niet eens. Ze inhaleerde alleen de rook en hield hem vast met bolle wangen voordat ze hem weer uitblies.

'Moeder, er groeit iets op mijn vagina.'

Zo, het was eruit. Nou zou ik gauw genoeg weten of ik haar ex-dochter zou worden of dat ze me in een ziekenhuis zou laten opnemen voor een operatie.

'Waar op je vagina, Marguerite?'

Oh, oh. Dat zag er slecht uit. Niet 'Ritie' of 'Maya' of 'kindje'. Maar Marguerite.

'Aan alletwee de kanten. Binnenin.' Ik kon het niet over mijn lippen krijgen om te zeggen dat het vlezige flappen huid waren die daaronder sinds maanden al groeiden. Dat zou ze uit me moeten trekken.

'Ritie, geef me de grote *Webster* 'ns aan en haal ook een flesje bier.'

Plotseling was het niet zo heel ernstig meer. Ik was weer 'Ritie' en ze vroeg gewoon om bier. Als het zo afschuwelijk was als ik gedacht had, zou ze om whisky met water gevraagd hebben. Ik bracht haar het enorme woordenboek dat ze als verjaardagscadeau voor Papa Clidell had gekocht en legde het op bed neer. De matras zakte aan een kant in onder het gewicht en Moeder draaide aan de lamp om hem op het boek te laten schijnen.

Toen ik terugkwam uit de keuken en een glas bier voor haar inschonk zoals ze Bailey en mij had geleerd dat bier geschonken moest worden, klopte ze op het bed.

'Ga zitten, kindje. Lees dit 'ns.' Haar vingers leidden mijn blik naar VULVA. Ik begon te lezen. Ze zei: 'Lees 't eens hardop.'

Het was allemaal heel duidelijk en het klonk normaal. Ze dronk van het bier terwijl ik las en toen ik klaar was, verklaarde ze het in alledaagse termen. De opluchting maakte de tranen los en ze rolden zacht en nat over mijn gezicht.

Moeder schoot overeind en sloeg haar armen om mij heen.

'Dat is niets om je druk over te maken, kindje. Dat overkomt iedere vrouw. Het is alleen maar de menselijke natuur.'

Toen was het in orde om me van die zware, zware last te bevrijden. Ik huilde in de kromming van mijn arm. 'Ik dacht dat ik misschien wel lesbisch aan 't worden was.'

Haar hand hield op mijn schouder te strelen en ze leunde van me weg.

'Lesbisch? Hoe kom je daar in vredesnaam bij?'

'Die dingen die op mijn... vagina groeien en mijn stem is veel te zwaar en mijn voeten zijn zo groot en ik heb geen heupen of borsten of zo. En mijn benen zijn zo dun.'

Toen lachte ze wel. Ik wist meteen dat ze niet om mij

lachte. Of beter gezegd, ze lachte wel om mij, maar dat was omdat iets in mij haar beviel. De lach verslikte zich op zijn weg naar buiten even in de rook, maar barstte ten slotte helemaal los. Ik moest ook een beetje lachen, hoewel ik het eigenlijk niet leuk vond. Maar als je ziet dat iemand anders ergens plezier om heeft, is het kleinzielig om niet je begrip voor hun plezier te tonen.

Toen ze klaar was met haar gelach, legde ze het salvo voor salvo neer en keerde zich, haar ogen afvegend, naar mij toe.

'Lang geleden al heb ik geregeld dat ik een jongen en een meisje zou krijgen. Bailey is mijn jongen en jij bent mijn meisje. Die Man daarboven, Die maakt geen fouten. Hij heeft jou aan mij gegeven om mijn meisje te zijn en dat is precies wat je bent. En was nou je gezicht, drink een glas melk en ga terug naar bed.'

Ik deed wat ze gezegd had, maar ik ontdekte al snel dat mijn nieuwe zelfvertrouwen niet groot genoeg was om het gat te vullen dat het oude onbehagen had achtergelaten. Het rammelde los in mijn brein rond als een stuiver in een tinnen beker. Ik koesterde het zorgvuldig, maar twee weken later bleek het volkomen waardeloos te zijn.

Een van mijn klasgenootjes, van wie de moeder voor haarzelf en haar dochter kamers huurde in een tehuis voor vrouwen, was 's avonds te laat teruggekomen en stond voor een gesloten deur. Ze belde mij op om te vragen of ze bij ons kon slapen. Moeder stemde toe, op voorwaarde dat ze haar moeder vanuit ons huis zou bellen.

Toen ze arriveerde, kwam ik uit bed en we gingen samen naar de keuken boven om warme chocola te maken. In mijn kamer wisselden we gemene roddels uit over onze vriendinnen, giechelden om jongens en klaagden over

school en de saaiheid van het leven. Doordat het zo ongewoon was dat er iemand bij mij in bed sliep (ik had
nog nooit bij iemand anders dan bij mijn twee grootmoeders geslapen) en door het frivole gelach middenin
de nacht, zag ik de gebruikelijke wellevendheid over het
hoofd. Mijn vriendin moest me eraan herinneren dat ze
niets had om in te slapen. Ik gaf haar een van mijn nacht-
hemden en keek zonder nieuwsgierigheid of belangstelling toe hoe ze haar kleren uittrok. In de eerste stadia van
ontkleding was ik me helemaal niet bewust van haar lichaam. En toen zag ik in een fractie van een oogopslag
haar borsten. Ik was perplex.

Ze hadden de vorm van lichtbruine namaakborsten
uit een kwartjesbazaar, maar ze waren echt. Alle naakt-
schilderijen die ik in museums had gezien werden erdoor
tot leven gewekt. Ze waren, in één woord, prachtig. Er
lag een universum tussen wat zij had en wat ik had. Zij
was een vrouw.

Mijn nachthemd was te strak voor haar en veel te lang
en toen ze wilde lachen om haar komische uiterlijk, be-
merkte ik dat mijn gevoel voor humor mij in de steek
had gelaten zonder de belofte dat het terug zou keren.

Als ik ouder was geweest dan zou ik hebben kunnen
bedenken dat het zowel een esthetisch gevoel voor
schoonheid als de pure emotie van jaloezie was die mij
raakten. Maar die mogelijkheden kwamen niet bij me
op toen ik ze het hardst nodig had. Het enige wat ik wist,
was dat ik geraakt werd door de aanblik van de borsten
van een vrouw. Dus waren al de rustige en terloopse
woorden van Moeders verklaring, een paar weken terug,
en de klinische termen van Noah Webster niet in staat
om het feit te veranderen dat er op een fundamentele
manier iets met mij niet in orde was.

Halsoverkop buitelde ik dieper weg in het hol van de ellendigheid. Na een grondig zelfonderzoek, in het licht van alles wat ik gelezen en gehoord had over mannelijke vrouwen en potten, kwam ik tot de conclusie dat ik geen enkele van de onmiskenbare eigenschappen bezat – ik droeg geen broeken, had geen brede schouders, was niet gek op sport, liep niet als een man en verlangde er zelfs niet naar een vrouw aan te raken. Ik wilde een vrouw zijn, maar dat scheen een wereld te zijn waartoe me voor eeuwig de toegang was ontzegd.

Wat ik nodig had was een vriendje. Een vriendje zou mijn positie voor iedereen en bovenal voor mezelf duidelijk maken. Wanneer ik geaccepteerd werd door een vriendje zou ik dat vreemde en exotische land van vrouwelijke tierelantijntjes binnen kunnen treden.

In mijn kennissenkring bevonden zich geen afnemers. Begrijpelijkerwijs werden de jongens van mijn leeftijd en maatschappelijke klasse aangetrokken door meisjes met een gelige of lichtbruine huid, haren op hun benen, regelmatige dunne lippen en haar dat 'omlaag hing als de manen van een paard'. Maar zelfs van de meisjes die zo gewild waren, werd gevraagd om 'het te geven of te vertellen waar het is'. Een populair liedje in die tijd herinnerde hen eraan dat: 'Als je niet kunt lachen en ja zeggen, huil dan niet en zeg geen nee.' Wanneer van de mooie meisjes al verwacht werd dat ze hun leven opofferden om 'erbij te horen', wat kon een onaantrekkelijk meisje dan nog doen? Zij, die langs de ronddraaiende maar nooit veranderende periferie van het leven gleed, moest bereid zijn om de hele dag en misschien nacht een 'maatje' te zijn. Er werd alleen een beroep op haar vrijgevigheid gedaan als de mooie meisjes niet beschikbaar waren.

Ik geloof dat de meeste lelijke meisjes deugdzaam zijn omdat de gelegenheid om iets anders te zijn dan dat zich maar zo zelden voordoet. Dat ze zichzelf omgeven met een aura van onbereikbaarheid (waarvoor ze na een poosje de eer opstrijken) is voornamelijk een afweermechanisme.

In mijn specifieke geval kon ik me niet verbergen achter een gordijn van vrijwillige deugdzaamheid. Ik werd verpletterd door twee onverbiddelijke krachten; het angstige vermoeden dat ik misschien niet normaal was en mijn pas ontwaakte seksuele lusten.

Ik besloot de zaak zelf ter hand te nemen. (Een ongelukkige maar wel correcte formulering.)

Voorbij ons huis, een eindje verder de heuvel op en aan dezelfde kant van de straat woonden twee knappe broers. Het waren veruit de meest begerenswaardige jongemannen van de buurt. Als ik me dan toch aan seks ging wagen, zag ik niet in waarom ik mijn experiment niet met het beste materiaal uit zou voeren. Ik verwachtte niet echt dat ik een van de broers op permanente basis zou weten te boeien, maar als ik er een tijdelijk aan de haak wist te slaan, zou ik misschien in staat zijn om aan de relatie een iets duurzamere vorm te geven.

Ik ontwierp een verleidingsplan met verrassing als mijn openingszet. Toen ik op een avond de heuvel opliep, lijdend aan die vage jeugdmalaise (er was gewoon niets te doen), wandelde de broer die ik uitgekozen had rechtstreeks in mijn val.

'Hallo, Marguerite.' Hij liep me bijna voorbij.

Ik bracht het plan in werking. 'Hee.' Ik hakte de knoop door: 'Heb je zin om geslachtsgemeenschap met mij te hebben?' Het liep volgens opzet. Zijn mond hing open als een tuinhekje. Ik was in het voordeel dus buitte ik het uit.

'Neem me maar ergens mee naar toe.'

Zijn reactie was niet erg verfijnd, maar ik moet eerlijk toegeven dat ik hem ook weinig kans bood om hoffelijk te zijn.

Hij vroeg: 'Je bedoelt dat je me wat van dat gaat geven?'

Ik verzekerde hem dat dat precies was wat ik hem ging geven. Zelfs terwijl we deze scène opvoerden, was ik me ervan bewust dat er geen evenwicht in zijn normen zat. Hij dacht dat ik hem iets gaf, maar in feite was het mijn bedoeling om iets van hem af te nemen. Door zijn knappe uiterlijk en populariteit was hij zo buitensporig over het paard getild dat het hem blind maakte voor die mogelijkheid.

We gingen naar de gemeubileerde kamer van een van zijn vrienden die, omdat hij de situatie onmiddellijk doorhad, zijn jas pakte en ons alleen liet. De verleide draaide snel het licht uit. Ik had het liever aangelaten, maar ik wilde niet nog agressiever lijken dan ik al was geweest. Als dat tenminste mogelijk was.

Ik was eerder opgewonden dan nerveus, hoopvol in plaats van bang. Ik had er niet over nagedacht hoe lichamelijk een daad van verleiding zou zijn. Ik had gevoelvolle tongzoenen verwacht en zacht gestreel. Maar er was niets romantisch aan de knie die mijn benen uit elkaar duwde, noch in het gewrijf van behaarde huid tegen mijn borst.

Zonder dat er iets van een uitwisseling van tederheden aan te pas kwam, ging de tijd voorbij met moeizaam getast, getrek, gesjor en geruk.

Er werd geen woord gesproken.

Mijn partner liet weten dat het hoogtepunt van onze ervaring bereikt was door abrupt op te staan en mijn voornaamste zorg was snel thuis te komen. Misschien had hij het gevoel dat hij gebruikt was of misschien was zijn onverschilligheid een teken dat ik minder dan bevredigend was geweest. Om geen van twee kon ik me druk maken.

Buiten op straat gingen we uit elkaar met weinig meer dan: 'Oké, tot ziens.'

Dankzij meneer Freeman, negen jaar eerder, had ik geen pijn geleden bij de penetratie en omdat er geen sprake was van romantische betrokkenheid, hadden we geen van beiden het gevoel dat er veel was gebeurd.

Thuis overzag ik de mislukking en probeerde mijn nieuwe positie te evalueren. Ik was met een man naar bed geweest. Een man was met mij naar bed geweest. Niet alleen had ik er geen genot bij ondervonden, maar mijn normaliteit was voor mij nog steeds een vraag.

Waar was het rozegeur-en-maneschijn gevoel? Was er iets zo mis met mij dat ik niet kon delen in een gevoel dat dichters vers na vers deed spuien, dat maakte dat Richard Arlen de woestenij van de noordpool trotseerde en dat Veronica Lake de gehele vrije wereld liet verraden?

Er was kennelijk geen verklaring voor mijn persoonlijke kwaal, maar aangezien ik een product (is 'slachtoffer' een beter woord?) was van de Zuidelijke Negeropvoeding, besloot ik dat ik het 'straks allemaal wel beter zou begrijpen'. En viel in slaap.

Ik dacht nauwelijks meer aan die vreemde en vreemd lege avond totdat ik drie weken later ontdekte dat ik zwanger was.

36

Het einde van de wereld was gekomen en ik was de enige die het wist. De mensen liepen over straat alsof de trottoirs niet allemaal onder hun voeten vergruizeld waren. Ze deden alsof ze in- en uitademden terwijl ik de hele tijd wist dat de lucht door een monstrueuze inhalatie van God Zelf was weggezogen. Alleen ik stikte in die nachtmerrie.

Het beetje genoegen dat ik in staat was te ontlenen aan het feit dat ik, als ik een kind kon krijgen, dus blijkbaar niet lesbisch was, werd in een piepklein hoekje van mijn geest geduwd door het massale binnendringen van angst, schuld en afkeer van mezelf.

Tijdenlang, zo leek het, had ik mezelf in mijn benarde omstandigheden beschouwd als het ongelukkige, misdeelde slachtoffer van het lot en de wraakgodinnen. Maar deze keer moest ik het feit onder ogen zien dat ik me deze nieuwe catastrofe zelf op de hals had gehaald. Hoe kon ik de verantwoordelijkheid afschuiven op die onschuldige man die ik ertoe verleid had met mij naar bed te gaan? Om volstrekt oneerlijk te kunnen zijn moet een mens een van deze twee eigenschappen hebben: of hij is gewetenloos ambitieus, of hij is onverstoorbaar egocentrisch. Hij moet geloven dat het gerechtvaardigd is om voor het bereiken van zijn doel alles en iedereen opzij te schuiven, of dat hij het middelpunt is van niet alleen zijn eigen wereld, maar ook van de werelden die anderen bewonen. Ik bezat noch de ene noch de andere eigenschap, dus tilde ik de last van een zwangerschap op mijn zestiende op mijn eigen schouders waar hij thuishoorde. Ik moet toegeven dat mijn knieën knikten onder het gewicht.

Uiteindelijk stuurde ik een brief aan Bailey die dienst had genomen bij de koopvaardij. Hij schreef terug en waarschuwde me om het niet aan Moeder te vertellen. We wisten allebei dat ze een fel tegenstandster van abortus was en dat ze me waarschijnlijk van school zou halen. Bailey wees me erop dat als ik van school ging voordat ik mijn einddiploma had gehaald, mijn kans om terug te keren zo goed als verkeken zou zijn.

De eerste drie maanden, toen ik probeerde te wennen aan het feit dat ik zwanger was (tot een paar weken voor de bevalling associeerde ik zwanger zijn niet echt met de mogelijkheid dat ik een kind zou krijgen), waren een wazige periode waarin de dagen net onder het wateroppervlak leken te liggen zonder ooit helemaal boven te komen.

Gelukkig voor mij zat Moeder als een spin in het web van haar eigen leven. Zoals gewoonlijk nam ze me waar vanuit een hoek van haar bestaan. Zolang ik gezond was, kleren aan mijn lijf had en lachte, vond ze het niet nodig om haar aandacht op mij te richten. Haar voornaamste zorg was, zoals altijd, het leven te leiden dat haar gegeven was en ze verwachtte van haar kinderen dat die hetzelfde deden. En dat zonder al te veel heisa.

Onder haar onkritische blikken werd ik molliger, werd mijn bruine huid gladder en sloten de poriën zich als pannenkoeken die in een pan zonder boter worden gebakken. En nog steeds had ze niets in de gaten. Een paar jaar eerder had ik een code ingesteld waarvan ik nooit afweek. Ik loog niet. Daar werd onder verstaan dat ik niet loog omdat ik te trots was om betrapt te worden en daardoor gedwongen toe te geven dat ik tot minder dan verheven daden in staat was. Moeder moet hebben geconcludeerd dat aangezien ik me te goed voelde om openlijk te liegen, ik ook te goed was voor misleiding. Ze was misleid.

Mijn hele houding was erop geconcentreerd om te doen alsof ik dat argeloze schoolmeisje was dat niets vervelenders aan haar hoofd had dan tussentijdse examens. En vreemd genoeg kreeg ik bijna de essentie van tienerwispelturigheid te pakken terwijl ik die rol speelde. Behalve dat er momenten waren dat ik voor mezelf niet kon ontkennen dat er iets zeer gewichtigs in mijn lichaam plaatsvond.

's Morgens wist ik nooit of ik uit de tram zou moeten springen, net voor de warme golf van misselijkheid mij dreigde te overspoelen. Op de vaste grond, weg van het deinende voertuig en van de handen overdekt met de geur van pas genuttigde ontbijten, vond ik mijn evenwicht terug en wachtte ik op de volgende tram.

De school kreeg zijn verloren betovering terug. Voor de eerste keer sinds Stamps werd informatie weer opwindend omwille van de informatie. Ik begroef mezelf in grotten vol feiten en de logische oplossingen van de wiskunde waren een bron van genot.

Ik schrijf mijn nieuwe reacties (alhoewel ik toentertijd niet besefte dat ik er iets van opstak) toe aan het feit dat ik me, gedurende wat toch zeker een kritieke fase moet zijn geweest, niet door hopeloosheid mee liet slepen. Het leven had wel iets van een lopende band. Het ging door, onopgejaagd en onopjagend, en mijn enige gedachte was overeind te blijven en mijn geheim samen met mijn evenwicht te bewaren.

Halverwege mijn zwangerschap kwam Bailey naar huis en hij bracht een armband van zilverdraad voor me mee uit Zuid-Amerika, *Look Homeward, Angel* van Thomas Wolfe en een massa nieuwe, vieze moppen.

Toen ik bijna zes maanden was, vertrok Moeder uit San Francisco naar Alaska. Ze zou daar een nachtclub openen en was van plan er drie of vier maanden te blijven totdat de zaak draaide. Papa Clidell zou voor mij zorgen, maar ik werd min of meer aan mijn eigen lot en aan de onvaste blik van onze vrouwelijke huurders overgelaten.

Moeder werd door een heel gezelschap vrolijk en uitbundig uitgezwaaid (hoeveel Negers waren er per slot van rekening in Alaska?), maar ik voelde me een verraadster omdat ik haar weg liet gaan zonder haar te laten weten dat ze binnenkort een grootmoeder zou zijn.

Twee dagen na de overwinningsdag stond ik samen met de klas van de San Francisco Summer School op de Mission High School om mijn diploma in ontvangst te nemen. Die avond, in de schoot van het nu dierbare ouderlijke huis, onthulde ik mijn verschrikkelijke geheim en liet met een moedig gebaar een briefje achter op Papa Clidells bed. Er stond op: *Lieve ouders, het spijt me dat ik de familie deze schande aandoe, maar ik ben zwanger. Marguerite.*

De verwarring die erop volgde, toen ik mijn stiefvader uitlegde dat ik drie weken later zou bevallen, deed denken aan een komedie van Molière. Behalve dat het pas jaren naderhand grappig was. Papa Clidell vertelde aan Moeder dat ik 'drie weken in verwachting' was. Moeder, die me voor het eerst als een vrouw zag, zei verontwaardigd: 'Ze is heel wat meer dan drie weken.' Ze accepteerden alletwee dat ik verder was dan hun aanvankelijk was verteld, maar konden nauwelijks geloven dat ik al acht maanden en een week in verwachting was zonder dat ze er iets van hadden gemerkt.

Moeder vroeg: 'Wie is de jongen?' Ik vertelde het haar. Ze kon hem zich nog vaag voor de geest halen.

'Wil je met hem trouwen?'

'Nee.'

'Wil hij met jou trouwen?' De verwekker was tijdens mijn vierde maand opgehouden tegen mij te spreken.

'Nee.'

'Nou, dat is dan dat. 't Heeft geen zin om drie levens te ruïneren.' Er was geen sprake van een openlijke of subtiele veroordeling. Ze was Vivian Baxter Jackson. Het beste ervan hopend, voorbereid op het ergste en niet verrast door alles ertussenin.

Papa Clidell verzekerde me dat ik me nergens ongerust over hoefde te maken. Dat 'vrouwen al zwanger geworden zijn sinds Eva van die appel at'. Hij stuurde een van zijn serveersters naar I. Magnin om positiejurken te kopen. De volgende twee weken vloog ik als een wervelwind door de stad heen, naar de dokter voor vitamine-injecties en pillen, om kleren te kopen voor de baby en om, afgezien van de schaarse ogenblikken dat ik alleen was, te genieten van de op handen zijnde blijde gebeurtenis.

Na een korte bevalling zonder al te veel pijn (ik concludeerde daaruit dat barensweeën zwaar overschat werden), werd mijn zoon geboren. Net zoals ik dankbaarheid in mijn geest verwarde met liefde, zo haalde ik bezit en moederschap door elkaar. Ik had een baby. Hij was mooi en hij was van mij. Helemaal van mij. Niemand had hem voor mij gekocht. Niemand had mij geholpen om die misselijke, grauwe maanden door te komen. Ik had weliswaar hulp gehad bij de ontvangenis van het kind, maar niemand kon ontkennen dat het een onbevlekte zwangerschap was geweest.

Helemaal mijn bezit en ik was bang om hem aan te raken. Thuis uit het ziekenhuis zat ik urenlang naast zijn wieg en absorbeerde zijn mysterieuze volmaaktheid. Zijn handen en voeten waren zo sierlijk dat ze bijna onaf leken. Moeder verzorgde hem met het gemak en de achteloze vanzelfsprekendheid van een kinderverpleegster, maar ik was doodsbang dat ik gedwongen zou worden zijn luiers te verschonen. Stond ik niet bekend om mijn onhandigheid? Stel dat ik hem uit mijn handen liet glippen of mijn vingers op die kloppende plek bovenop zijn hoofd legde?

Op een avond kwam Moeder naar mijn bed en bracht me mijn drie weken oude baby. Ze trok de dekens weg, zei me op te staan en hem vast te houden terwijl zij een rubberen zeiltje in mijn bed legde. Ze verklaarde dat hij bij mij ging slapen.

Ik smeekte tevergeefs. Ik zou me zeker omdraaien en hem dooddrukken of anders zijn fragiele botten breken. Ze wilde er niet van horen en na een paar minuten lag de mooie, gouden baby op zijn rug in het midden van het bed naar mij te lachen.

Ik lag verstijfd van angst aan het randje en zwoer dat ik de hele nacht geen oog dicht zou doen. Maar de eet-slaaproutine, waarmee ik in het ziekenhuis was begonnen en die ik onder Moeders dictatoriale bevel had aangehouden, kreeg de overhand, ik dommelde in.

Er werd zachtjes aan mijn schouder geschud. Moeder fluisterde: 'Maya, wakker worden. Maar beweeg je niet.'

Ik wist meteen dat het wakker worden met de baby te

maken had. Ik verstrakte. 'Ik ben wakker.'

Ze deed het licht aan en zei: 'Kijk 'ns naar de baby.' Mijn angst was zo sterk dat ik me niet kon bewegen om naar het midden van het bed te kijken. Ze zei weer: 'Kijk 'ns naar de baby.' Ik hoorde geen treurigheid in haar stem en dat hielp om de boeien van de angst te verbreken. De baby lag niet langer middenin het bed. Eerst dacht ik dat hij zich bewogen had. Maar bij nader onderzoek ontdekte ik dat ik op mijn buik lag met mijn arm in een rechte hoek gebogen. Onder de tent van dekens, die omhoog gehouden werd door mijn elleboog en onderarm, lag de baby tegen mijn zij aan te slapen.

Moeder fluisterde: 'Zie je wel, je hoeft er niet over na te denken of je het wel goed doet. Als je voor 't goeie bestemd bent, doe je het zonder nadenken.'

Ze deed het licht uit en ik streelde zachtjes het lichaam van mijn zoon en viel weer in slaap.

Dans om het bestaan

Dit boek is opgedragen aan mijn bloedeigen broer, Bailey Johnson, en aan de andere, echte broeders die mij aanspoorden vermetel genoeg te zijn om dagelijks mijn eigen leven te verzinnen:

James Baldwin
Kwesi Brew
David Du Bois
Samuel Floyd
John O. Killens
Vagabond King
Leo Maitland
Vusumzi Make
Julian Mayfield
Max Roach

In het bijzonder dank ik mijn vriendin Dolly McPherson.

Het was een 'kom in wat je aanhebt' en 'iedereen is welkom' feest. Als je je eigen fles meebrengt, wordt er verwacht dat je hem deelt; als je niets meebrengt, is het ook goed, dan deelt iemand anders wel met jou. Het was victorie en broederschap. Iedereen was een held. Hadden we niet allemaal meegedaan om *der Gruber* en die dikke Italiaan hun vet te geven en de kleine, rijstetende Tojo op zijn nummer te zetten?

Zwarte mannen uit het Zuiden, die nog nooit gereedschap in handen hadden gehad dat ingewikkelder was dan een ploeg, hadden geleerd om draaibanken, boor- en lasapparaten te bedienen en hadden hun contingent aan oorlogsmaterieel geproduceerd. Vrouwen die alleen het uniform van de dienstbode en de kindermeisjesjurken hadden gekend, trokken ongemakkelijke mannenbroeken aan, zetten veiligheidshelmen op en lieten de scheepsbouwloodsen gonzen. Zelfs de kinderen hadden oud papier opgehaald en op advies van ouderen die zich de Eerste Wereldoorlog herinnerden, het zilverpapier van sigaretten en kauwgom tot ballen gerold zo groot als je hoofd. Oh, het was me een tijd.

Soldaten, matrozen en de paar zwarte mariniers, net terug van het begraven van de doden op de zandstranden van de Stille Zuidzee, stonden met een trotse blik in hun oorlogswijze ogen rond te kijken. Zwarthandelaars hadden zich in talloze clandestiene bochten gewrongen om de gemeenschap van suiker, sigaretten, voedselbonnen en boter te voorzien. Prostituees namen niet eens de tijd om hun schoenen van vijfenzeventig dollar uit te trekken voor hun klanten van twintig dollar. Iedereen had deelgenomen aan de oorlogsinspanning.

En ten slotte was het de moeite meer dan waard geweest. Wij hadden gewonnen. Pooiers stapten uit hun glanzende auto's en liepen, slechts een beetje onwennig door de ongewone lichaamsbeweging, door de straten van San Francisco. Gokkers vergaten hun gevoelige vingers en schudden schoenpoetsers de hand. Vanaf de kansels klonk het 'zie je wel' van predikanten die wisten dat God aan de goede kant stond en dat Hij de rechtvaardigen niet in de steek liet, of hun nazaten om hun brood zou laten bedelen. Schoonheidsspecialistes maakten een praatje met de arbeidsters van de scheepswerven, die op hun beurt een gesprek aanknoopten met de dames van lichte zeden. En iedereen had een milde, bereid-tot-glimlachen glimlach op zijn gezicht.

Ik bedacht dat, als er in een oorlog geen doden zouden vallen, ik er elk jaar wel een wilde meemaken. Het had iets feestelijks.

Door alle opofferingen hadden we de overwinning behaald en nu brak de goede tijd aan. Het lag voor de hand dat, als we meer geld verdiend hadden dan we vanwege de oorlogsrantsoenering hadden kunnen uitgeven, de zaken pas echt zouden aantrekken als de beperkende bepalingen werden opgeheven.

Het was niet nodig over rassendiscriminatie te praten. Hadden we niet allemaal, zwart en blank, zojuist de overgebleven joden aan de hel van de concentratiekampen ontrukt? Rassendiscriminatie was dood en begraven. Een vergissing, begaan door een jong land. Iets om te vergeven, zoals je het een vriend vergaf die in dronkenschap iets onplezierigs had gedaan.

Tijdens de crisis hadden zwarten in één maand vaak meer geld verdiend dan ze in hun hele leven bij elkaar hadden gezien. Zwarte mannen waren niet langer gedwongen hun vrouwen te verlaten omdat ze niet in staat waren een gezin te onderhouden. Ze maakten gebruik van het openbaar vervoer op basis van de regel: die het eerst komt, het eerst zit. En vaker wel dan niet werden ze met meneer of mevrouw aangesproken op hun werk of door winkelbediendes.

Twee maanden na de wapenstilstand begonnen de wapenfabrieken dicht te gaan, in te krimpen en werknemers te ontslaan. Sommigen van de arbeiders kregen tickets aangeboden terug naar het Zuiden. Terug naar de muilezels die ze, aan een boom gebonden, op die ouwe, Boer Krelis-keuterboerderij hadden laten staan. Zinloos. Hun verruimde blikveld kon nooit meer binnen die enge grenzen worden geplooid. Ze waren vrij, of althans dichter bij de vrijheid dan ooit tevoren en ze weigerden een stap terug te doen.

De militaire helden van een paar maanden eerder, die uit het leger ontslagen waren in 'de stad die weet hoe', kon je nu op straathoeken in het getto zien rondhangen als wasgoed dat vergeten is op het hek van een achtertuin. Geleidelijk degenereerden hun eens gesteven kaki uniformen. Een ETO-jasje*, met medailles maar zonder strepen, werd met een uit-de-mode zootbroek gedragen. Keurige legerbroeken met symmetrisch aangebrachte plooien werden bekroond door schreeuwerige bontge-

---

* Het ETO-jasje is gevechtstenue, waarbij ETO staat voor European Theatre of Operations: bestemd voor de oorlog in Europa.

kleurde hawaïaanse hemden. De schoenen bleven over. Alleen de schoenen. Het leger had die schoenen gemaakt om lang mee te gaan. En, mijn God, dat deden ze.

Zo overleefden we een grootschalige oorlog. De vraag in de getto's was: kunnen we ons door een kleinschalige vrede heen slaan?

Ik was zeventien, erg oud, beschamend jong, ik had een zoon van twee maanden en woonde nog steeds bij mijn moeder en stiefvader. Ze boden me de kans om mijn baby bij hen te laten en terug naar school te gaan. Dat weigerde ik. Op de eerste plaats, zo redeneerde ik met de deugdzame ernst van de jeugd, was ik niet papamenm Clidell Jacksons eigen dochter, en mijn kind was slechts zijn kleinkind zolang de verbintenis tussen papa en moeder standhield, en tegen die tijd had ik vele zwakke schakels in de keten van hun huwelijk gezien. Op de tweede plaats overwoog ik dat, alhoewel ik moeders kind was, ze mij tot mijn dertiende bij anderen had achtergelaten en waarom zou ze zich verantwoordelijker voelen voor mijn kind dan voor een van haarzelf. Dat waren de stukjes waaruit de opperhuid van mijn weigering bestond, maar de kern ervan was pijnlijker, vaster en meer waar. Een structureel schuldgevoel was mijn boezemvriend, mijn bedgenoot die ik de rug had toegekeerd. Mijn dagelijkse metgezel wiens hand ik niet vast wilde houden. De christelijke leer die in mijn oren had gedreund in het kleine stadje in Arkansas, werd niet overstemd door het grootsteedse kabaal.

Mijn zoon had geen vader – dus wat maakte dat van mij? Volgens de bijbel werden bastaarden niet tot de gemeenschap der rechtvaardigen toegelaten. Zo zat dat. Ik zou een baan zoeken, een kamer voor mezelf en mijn mooie zoon mee de wijde wereld in nemen. En misschien, zo dacht ik, zou ik wel naar een andere stad verhuizen en van naam veranderen.

Tijdens die maanden dat ik met mijn toekomst en die van mijn zoon worstelde, begon het grote huis waar we woonden, af te sterven. Werkeloze huurders pakten hun herinneringen onder in hun sombere koffers voor ze er hun teleurstellingen bovenop vouwden en vertrokken plotseling uit San Francisco naar Los Angeles, Chicago, Detroit, waar 'ze zeggen' dat de banen voor het opscheppen lagen. De harde klappen van de voordeur waren minder vaak te horen en de keuken boven, waar de huurders hun maaltijden bereidden, verspreidde steeds minder vaak de exotische aroma's die mij erheen hadden doen snellen om te proeven.

De gokkers en prostituees, de zwarthandelaars en winkeldieven, al die zuigvissen die zich dik hadden gegeten aan de onderbuik van de oorlog, waren de laatsten om de nood te voelen. Zij hadden grote sommen geld vergaard die nooit bij een bank terechtkwamen, maar als manzieke vrouwen binnen hun eigen groep circuleerden, en vanwege de aard van hun bezigheden waren ze gewend aan de trouweloosheid van Vrouwe Fortuna en de wispelturigheid van het leven. Het speet me om de danseressen te zien gaan – die betoverende vrouwen, maar een paar jaar ouder dan ik zelf, die kilo's Max Factor Nr. 31 en valse wimpers droegen en uit hun mondhoeken praatten, hun stemmen lispelend langs de sigaretten die eeuwig tussen hun lippen bungelden. Ze hadden vaak hun passen in de keuken beneden ingestudeerd. Het B.S.-chorus. Timesteps, slides, flashes en breaks, terwijl ze de hele tijd rookten. Ik was er zo goed als zeker van dat je om een chorusdanseres te zijn, moest roken.

Mijn moeder zou zelfs met de meest rekbare toepassing van een verlangende fantasie niet meegaand genoemd kunnen worden. Gulhartig wel, inschikkelijk nooit. Edelmoedig ja, toegeeflijk nooit. In haar wereld dopten de mensen die zij accepteerde hun eigen boontjes, ze droegen zelf hun steentje bij, zetten hun schouders eronder en duwden uit alle macht. En hier woonde ik in haar huis en weigerde terug naar school te gaan. Ik dacht zelfs niet aan trouwen (ik moet toegeven dat niemand me vroeg) en werkte niet. Op geen enkel moment raadde ze me aan werk te zoeken. Tenminste, niet met zoveel woorden. Maar de spanning van de avonden die ze aan de pinochle-tafel doorbracht en de verantwoordelijkheid voor de enorme sommen geld die in haar slaapkamerkast werden bewaard, vergden hun tol van haar toch al licht ontvlambare karakter.

In vroeger en vrijer dagen zou ik misschien alleen haar prikkelbaarheid hebben opgemerkt en geregistreerd, maar nu voedde mijn schuldgevoel, dat ik als een rauw ei met me ronddroeg, mijn paranoia en ik raakte ervan overtuigd dat ik iedereen tot last was. Telkens als mijn baby huilde, rende ik naar hem toe om hem te verschonen, te voeden, te knuffelen, om hem, in feite, de mond te snoeren. Mijn jeugdigheid en sidderende zelftwijfel maakten me onrechtvaardig ten opzichte van die vitale vrouw. Haar mooie kleinkind was een bron van vreugde voor haar en zoals meestal het geval is bij egocentrische mensen, beschouwde ze al zijn goede eigenschappen als een reflectie van die van haarzelf. Hij had mooie handen... 'Nou, kijk maar naar de mijne.' Zijn voeten waren kaarsrecht met een hoge wreef; die van haar ook. Ze ergerde zich niet aan mij; net zoals ze altijd had gedaan, speelde ze met de kaarten die het leven haar had toebedeeld. En ze speelde meesterlijk.

De mengeling van arrogantie en onzekerheid is net zo explosief als het veel versjacherde mengsel van alcohol en benzine. Het verschil is dat er in het eerste geval sprake is van een langdurig innerlijk verbrandingsproces, dat gewoonlijk eindigt in een zelfvernietigende implosie.

Ik zou het huis uitgaan, een baan zoeken en de hele wereld (de vader van mijn zoon) laten zien dat ik opgewassen was tegen mijn trots en uitsteeg boven mijn pretenties.

I

Ik voelde me diep gekrenkt. Een onnozele blanke vrouw, die waarschijnlijk zelf nog op haar tenen telde, keek me recht aan en zei dat ik niet geslaagd was. Het examen was door debielen samengesteld voor idioten. Vanzelfsprekend had ik het, zonder er verder nog bij na te denken, opgevat als een koud kunstje.

VERANDER DE VOLGORDE VAN DEZE LETTERS:
  AKT – ART – AZT

Oké, kat. rat. zat. En verder?

Ze stond achter haar make-up, keurige kapsel en gemanicuurde nagels, haar ladenvol geurige angoratruien en jaren van blanke stupiditeit en zei dat ik niet geslaagd was.

'De telefoonmaatschappij spendeert duizenden dollars aan de opleiding van telefonistes. We kunnen het eenvoudig niet riskeren om iemand aan te nemen die zulke lage cijfers heeft behaald. Het spijt me.'

Het speet haar? Ik was perplex. In mijn verbluftheid overwoog ik of ik, in mijn buitensporige intellectuele eigendunk, de test misschien niet al te licht had opgevat. Misschien waren die opmerkingen van dat autoritaire kreng wel mijn verdiende loon.

'Zou ik het opnieuw mogen doen?' Het deed pijn om het te vragen.

'Nee, het spijt me.' Als ze nog een keer zei dat het haar speet, zou ik haar bij haar spijtige schouders pakken en een baan uit haar schudden.

'Maar er is wel een vacature' – het kon zijn dat ze mijn onuitgesproken dreigement aanvoelde – 'voor een hulpserveerster in de kantine.'

'Wat moet een hulpserveerster doen?' Ik was er niet zeker van of ik dat wel aankon.

'Dat zal de keukenjongen je wel vertellen.'

Nadat ik de formulieren had ingevuld en een dokter me onbesmet had verklaard, meldde ik me bij de kantine. Daar bracht de jongen, die een grootvader was, me op de hoogte. 'Je haalt de borden op, veegt de tafels af, zorgt dat de peper- en zoutvaatjes schoon zijn en hier is je uniform.'

De grove witte jurk en schort waren gesteven met beton en ze waren te lang. Terwijl de zoom van de jurk tegen mijn kuiten schuurde, stond ik bij de muur te wachten tot de tafels leeg waren. Veel van de telefonistes in opleiding hadden bij mij in de klas gezeten. Nu stonden ze bij de volgeladen tafels te wachten tot ik, of een van de andere stompzinnige hulpserveersters, de gebruikte borden had opgeruimd zodat ze hun bladen konden neerzetten.

Ik hield het een week uit en had zo'n hekel aan het salaris dat ik alles opmaakte op de middag dat ik mijn ontslag nam.

'Kun je creools koken?'

Ik keek de vrouw aan en loog terwijl de boter op mijn hoofd smolt. 'Ja, natuurlijk. Dat is het enige wat ik kan koken.'

Bij het Creoolse Café had een opschepperig bord voor het raam gestaan: KOK GEVRAAGD. Vijfenzeventig Dollar Per Week. Zodra ik het had gezien, wist ik dat ik creools kon koken. Wat dat dan ook mocht zijn.

De wanhoop om iemand te vinden, moet de eigenares blind hebben gemaakt voor mijn leeftijd, of misschien lag het aan het feit dat ik bijna 1,80 meter lang was en een air had dat in tegenspraak was met mijn zeventien jaar. Ze ondervroeg me niet over recepten en menu's, maar haar lange, bruine gezicht hing in rimpels omlaag en twijfel zweefde achter haar vragen aan.

'Kun je op maandag beginnen?'

'Met alle plezier.'

'Je weet dat het zes dagen per week is. Op zondag zijn we gesloten.'

'Dat komt goed uit. Ik wil graag naar de kerk op zondag.' Het is afschuwelijk om te bedenken dat de duivel me die leugen ingaf, maar hij viel er ineens uit en had de uitwerking van dollarbiljetten. Argwaan en twijfel vlogen van haar gezicht weg en ze glimlachte. Haar tanden waren allemaal even groot en stonden als een halfrond, wit staketsel in haar mond.

'Nou, ik geloof dat we wel overweg zullen kunnen. Je bent goed christelijk, daar hou ik van. Ja zeker.'

Ik had die baan zo hard nodig dat ik mijn ontkenning inslikte.

'Hoe laat op maandag?' De Heer zij gezegend!

'Je moet om vijf uur hier zijn.'

Vijf uur 's ochtends. Die akelige straten voordat het rapaille was gaan slapen met andermans dromen als kussen. Voordat de trams, van binnen verlicht als deftige huizen in de mist, begonnen te ratelen. Vijf uur!

'Goed, ik zal er zijn, maandagmorgen, vijf uur.'

'Jij kookt de maaltijden en zet ze op de stomer. Je hoeft niet voor 't snelbuffet te zorgen. Dat doe ik.'

Mevrouw Dupree was een korte, gedrongen vrouw van ongeveer vijftig jaar. Haar haar was van zichzelf steil en zwaar. Waarschijnlijk was ze Cajun-indiaans, Afrikaans en blank en natuurlijk, Neger.

'En hoe heet je?'

'Rita.' Marguerite klonk te plechtig en Maya te rijk. 'Rita' klonk naar donker opflitsende ogen, Spaanse pepers en creoolse avonden met tokkelende gitaren. 'Rita Johnson.'

'Dat is een heel mooie naam.' Vervolgens, zoals sommigen doen om hun gevoel voor familiariteit te tonen, verkleinde ze de naam meteen. 'Ik zal je Riet noemen. Goed?'

Goed, vanzelf. Ik had een baan. Vijfenzeventig dollar per week. Dus was ik Riet. Riet, patat friet en wegwezen. Allriet. Het enige wat me nu nog te doen stond was leren koken.

Ik vroeg aan de oude papa Ford of hij mij wilde leren koken. Hij was al een volwassen man toen de twintigste
eeuw geboren werd en was bij een groot gezin van broers
en zussen in Terre Haute, Indiana (dat hij steeds de
Oostkust noemde), weggegaan om te ontdekken wat de
wereld een 'knappe kleurling zonder onderwijs in zijn
hoofd, maar met een fortuin aan diefstal in zijn hart' te
bieden had. Hij was met circussen meegetrokken, 'oli-
fantenstront scheppend'. Daarna had hij in vrachttrei-
nen gedobbeld en koch gespeeld in achterkamertjes en
barakken in alle Noordelijke staten.

'Ik ben nooit in Knoop-Ze-Op geweest. Die armoed-
zaaiers in het Zuiden zouden me vermoord hebben. Zo
knap als ik was, had ik altijd de blanke vrouwen achter
me aan. Blanke jongens hebben een knappe nikker nooit
kunnen uitstaan.'

In 1943, toen ik hem voor het eerst ontmoette, was
zijn knappe uiterlijk zo broos geworden als het geheugen
van een oude man en de teleurstelling zat zo vast op zijn
gezicht als een indiaan op een paard. Zijn handen waren
versleten. Die gokvingers waren dik geworden tijdens de
crisis en het enige, eerlijke werk dat hij ooit had gedaan,
dat van timmerman, had zijn 'goudmijntjes' nog ruwer
gemaakt. Moeder redde hem van een baan als veger in
een pinochle-salon en nam hem mee naar huis om bij
ons te komen wonen.

Hij sorteerde en telde het linnengoed als de auto van de wasserij het kwam ophalen en terugbrengen en deelde met tegenzin schone lakens uit aan de huurders. Hij kookte kolossale en verrukkelijke maaltijden als moeder het druk had en zat in de hoge keuken koffie met hele potten tegelijk te drinken.

Papa Ford hield van mijn moeder (zoals bijna iedereen deed) met een kinderlijke verering. Hij ging daarin zover dat hij zijn profane tong in toom hield als zij in de buurt was, wetende dat ze geen gevloek verdroeg, tenzij zij degene was die vloekte.

'Allejezus, waarom wil je in zo'n stomme keuken werken?'

'Papa, het betaalt vijfenzeventig dollar per week.'

'Met je handen in dat verrekte sop.' Zijn gezicht rimpelde van afkeer.

'Papa, ik ben aangenomen om te koken, niet om af te wassen.'

'Kleurlingenvrouwen koken al zo lang, ik dacht dat je 't onderhand wel zat moest zijn.'

'Als u me nou alleen maar vertelt...'

'Nou heb je zo lang op school gezeten. Waarvoor zoek je, verdomme, geen baan waar je naar toe kunt als iemand die er een beetje uitziet?'

Ik probeerde het over een andere boeg te gooien. 'Waarschijnlijk zou ik 't toch nooit leren om creools te koken. Het is veel te ingewikkeld.'

'Allejezus. 't Is niks anders als uien, paprika's en knoflook. Als je dat overal instopt, heb je creools eten. Je kunt toch rijst koken, hè?'

'Ja.' Ik kon rijst koken tot iedere korrel afzonderlijk overeind stond.

'Meer is 't niet. Die Georgia-kaffers kunnen niet zonder hun moeraszaad.' Hij kakelde om zijn eigen grapje en riep toen weer een frons te voorschijn. 'Maar 't bevalt me niks dat je, verdomme, als kok gaat werken. Ga trouwen, dan hoef je voor niemand anders dan je eigen gezin te koken. Allejezus.'

4

Het Creoolse Café wasemde van de uiendamp, knoflookstoom, tomatenmist en paprikanevel. Ik kookte en zweette te midden van de doordringende geuren en vond het geweldig om er te zijn. Eindelijk bezat ik de autoriteit waar ik altijd naar verlangd had. Mevrouw Dupree stelde het menu van de dag samen en liet een briefje voor me achter op de stomer waarop haar gastronomische beslissingen stonden. Maar ik, Rita de chefkok, besliste hoeveel knoflook er bij de gebraden koteletten à la Creole ging en met hoeveel laurierblaadjes de gestoomde Shreveport-trijp werd gekruid. Meer dan een maand was ik in de mysteriën van de keuken verdiept met de afwachting van een alchemist die op het punt staat de geheime eigenschappen van goud te ontdekken.

Een oude, verweerde blanke vrouw, die moeder had gevonden, paste op de baby terwijl ik werkte. Aanvankelijk had ik het er niet zo op gehad om hem aan haar toe te vertrouwen, maar moeder wees me erop dat ze voor haar blanke, zwarte en Filippijnse kinderen allemaal even goed zorgde. Ik veronderstelde dat haar hoge leeftijd haar over de grenzen van rassenonderscheid heen had getild. Iemand die zo lang had geleefd, had vast elk onbenut moment nodig om na te denken over de dood en het leven na de dood. Ze kon zich de kostbare tijd eenvoudig niet veroorloven om zich met vooroordelen bezig te houden. De grootste compensatie voor de kwaal van de jeugd is de volstrekte onwetendheid ten aanzien van de ernst van de aandoening.

Pas toen het mysterie afgesleten was tot een laag van gewoonheid, begon ik de klanten op te merken. Ze bestonden voornamelijk uit creolen uit Louisiana met een lichte huid en glad haar, die een Frans patois spraken dat maar een klein beetje minder gecompliceerd was dan de inhoud van mijn pannen en even pikant. Ik vond het passend en helemaal niet vreemd dat ze mijn gerechten lekker vonden. Ik volgde papa Fords instructies losjes op en voegde er mijn eigen artistieke toetsen aan toe.

Onze klanten hadden niet de gewoonte om te eten, te betalen en te vertrekken. Ze zaten op de hoge, rugloze krukken en wisselden roddels uit of deelden de geduldige filosofie van het zwarte Zuiden.

'Hou je gemak, gladjanus, je kunt nog een heel eind uitglijden.'

Met de tolerantie van eeuwen gaven ze en namen ze advies aan.

'Hou je gemak, maar hou het.'

Een grote, rossige man, waarvan ik de naam nooit te weten ben gekomen, leunde met zijn ellebogen op de bar met twaalf krukken en vertelde verhalen over het havenkwartier van San Francisco: 'Ze hebben daar werfratten die een man resoluut te lijf gaan.'

'Nee?' wilde een stem geloven.

'Ik zag pas nog een keer op een avond hoe een van die stomme beesten zo'n blanke armoedzaaier met z'n rug tegen een vrachtkist aan had staan. Als ik en twee andere mannen, kleurlingen' — uiteraard — 'er niet waren geweest, was-ie zo z'n strot ingeschoten om een rondje over z'n lever te maken.'

Bij de stomer vermengde het zachte geluid van zwart

gepraat, de schrillere klanken van gelach en het geschuifel van voeten op de tegelvloer zich met de geurige dampen en ik was tevreden.

5

Ik had een kamer gehuurd (met gebruik van keuken) in een hoog, imposant, San Francisco-Victoriaans gebouw en had mijn eerste meubilair gekocht, plus een chenille bedsprei. God, hij zag eruit als een veld vol kleine sneeuwroosjes. Ik had een prachtig kind, dat lachte als het me zag, werk dat ik goed deed, een oppas die ik vertrouwde en ik was jong en zo gek als een wagenwiel. Dat betekende toch zeker dat ik het ging maken.

Op een mistige avond op mijn vrije dag, had ik mijn zoon opgehaald en droeg hem naar huis door de vertrouwde straten met het achteloze gemak van een oude moeder. Hij dommelde in de kromming van mijn arm en ik dacht aan een warm maal, de radio en een avond van lezen. Twee voormalige klasgenotes kwamen mij de heuvel op tegemoet. Ze behoorden tot het zeldzame soort van in San Francisco geboren Zwarten. Ik voelde me beschermd door mijn rijpheid en dacht er niet aan om me nog verder te wapenen. Ik had het pijlvrije vest van de volwassen zelfverzekerdheid aan, dus liet ik ze ontspannen dichterbij komen.

'Laat ons de baby eens zien... Ik hoor dat 't een schatje is.' Ze was dik met kleine, begerige oogjes en stond bekend om haar beperkte, maar vechtlustige geest. Haar vriendin, Lily, was zelfs als tiener al te ouwelijk om te leren en te verveeld voor wijsheid.

'Ja, ze zeggen dat je een mooi kind hebt gemaakt.'

Ik tilde een slip van de lichte deken op, die over het gezichtje van mijn zoon lag en draaide me zo dat ze mijn glorie konden zien.

'Mijn God, is dat van jou?' Het gezicht van de dikke spleet open in een gekwetste grijns.

Haar sombere vriendin dreunde monotoon: 'Jezus, hij lijkt wel blank. Hij zou voor blank door kunnen gaan.' Haar woorden dreven mijn wolk van bewonderende verwondering binnen. Ik huiverde omdat ze zoiets verschrikkelijks over mijn baby kon zeggen, maar had de moed niet om mijn prijs toe te dekken en weg te wandelen. Ik stond verstomd, geslagen in mijn verstomdheid.

De korte lachte een krakende lach en porde een punt ervan tussen mijn ribben. 'Hij heeft een klein neusje en dunne lippen.' Haar verbazing was om razend van te worden. 'Zolang je leeft en problemen zich ophopen, zou je de man die je zo'n kind heeft gegeven moeten betalen. Een kraai heeft een duif gebaard. Het vogelrijk zal versteld staan.'

Er komt een punt in je woede dat je futloos wordt. Bewegingloos. Ik verstijfde, zoals de vrouw van Lot verstijfd moet zijn toen ze een laatste glimp opving van de concentratie van het kwaad.

'En hoe heet hij? "Godzijdank"?'

Ik had hem daar kunnen laten liggen, met dekentjes en al, voor iemand met meer gratie, stijl en schoonheid. Omdat ik prat ging op mijn zelfbeheersing, kon ik die meiden mijn gevoelens niet laten zien, dus dekte ik mijn kind toe en zette koers naar huis. Zonder gedag te zeggen, liet ik ze staan alsof ik van plan was van de rand van de wereld af te lopen. In mijn kamer legde ik mijn vijf maanden van erbij horen op de chenille bedsprei en ging naast hem zitten om zijn volmaaktheid te bekijken. Zijn kleine hoofdje was precies rond en het zachte haar krulde op in zwarte golfjes. Zijn armpjes en beentjes waren wonderen van molligheid en zijn lijfje was zo recht als een blik tussen twee verliefden. Maar het was zijn gezicht waar ik mee te maken had.

Ik moest toegeven dat zijn lippen dun waren en in fijne lijnen onder een klein neusje door liepen. Maar hij was een baby en naarmate hij groter werd, zou hij over deze abnormaliteiten heen groeien, werkelijker worden en mijn standaardtrekken aannemen. Zijn ogen bogen, zelfs als ze dicht waren, omhoog naar zijn kloppende slapen. Hij leek op een baby-boeddha. Vervolgens inspecteerde ik zijn haarinplant. Die was tot in details hetzelfde als de mijne. Dat zou niet vergroeien of veranderen en het bewees dat hij onmiskenbaar van mij was.

6

Boterkleurig, honingbruin, citroen- en olijfhuid. Chocolade en pruimblauw, perziken-met-room. Room. Nootmuskaat. Kaneel. Ik vroeg me af waarom onze mensen onze huidskleuren beschreven in termen van lekkere dingen om te eten. Toen werd Gods mooiste mannelijke exemplaar klant in mijn restaurant.

Hij ging naast de creolen met hun lichte huid zitten en zij werden iel en bleek en vervaagden. Zijn donkerbruine huid glansde en het weerkaatsende licht maakte het moeilijk voor mij om mijn ogen op mijn pannen vol mysterie gericht te houden. Zijn stem tegen de serveerster was als een duim die onder mijn oksel priemde. Ik verfoeide het als hij er was, want zijn aanwezigheid maakte me zenuwachtig, maar ik haatte het als hij wegging en kon nauwelijks wachten tot hij terugkwam.

De serveerster en mevrouw Dupree noemden hem 'Curly', maar ik vond dat wie hem ook die naam had gegeven maar weinig fantasie had gehad. Toen hij de beslagen deur van het restaurant opende, was het stellig de wederkomst van Christus.

Zijn tafelmanieren bevielen me. Hij at kieskeurig en langzaam, alsof het hem echt interesseerde wat hij in zijn mond stopte. Hij lachte naar mij, maar de nerveuze grimas die ik hem teruggaf, kon in de verste verte niet worden betiteld als een glimlach. Hij was vriendelijk tegen de andere klanten, de serveerster en mij, want hij kwam altijd alleen. Ik vroeg me af waarom hij geen vriendinnen had. Iedere vrouw zou er een lieve duit voor over hebben om met hem uit te gaan, of naar hem toe te kunnen hollen om met hem te gaan zitten praten. Het kwam niet bij me op dat hij belang in mij zou stellen en als hij dat wel deed, zou het alleen zijn om me te plagen.

'Riet.' Daar had je het al. Ik deed alsof ik hem niet had gehoord.

'Riet. Je hoort me. Kom 'ns hier.'

Ik heb gezien hoe loopse teven zich zijwaarts over de grond kronkelen, verleidend en verlokkend. Ik zou graag hebben kunnen vertellen dat ik heel ongedwongen naar hem toeliep. Maar helaas. Ik hulde mezelf in bestudeerde onverschilligheid en liet mijn stem op neerbuigende toon naar buiten schuifelen.

'Had je het tegen mij?'

'Kom hier, ik bijt niet.' Ik keek neer op zijn verzoek en gaf me gewonnen. Van een afstand was hij al knap geweest, maar van dichtbij was hij volmaakt. Zijn ogen waren diepzwart met traag luikende oogleden. Zijn bovenlip welfde over witte tanden, die middenvoor samen werden gehouden door een glimpje geelkleurig goud.

'Hoelang kan jij al zo koken?'

'Mijn hele leven al.' Ik kon de leugen met moeite over mijn lippen krijgen.

'Getrouwd?'

'Nee.'

'Pas maar op, straks komt er hier iemand die je kidnapt.'

'Dank je.' Waarom deed hij dat niet? Natuurlijk zou hij me neer moeten slaan, me vastbinden en knevelen, maar ik zou niets liever hebben gewild.

'Heb je zin in een soda?'

'Nee, dank je.' Ik draaide me om en ging terug naar de stomer terwijl zweet op mijn bovenlip en onder mijn armen prikkelde. Ik wenste hem weg, maar voelde zijn ogen in mijn rug. Ik had zoveel jaren doorgebracht met andere mensen te zijn dan mezelf, dat ik doorging met roeren, mengen en gaspitten hoger en lager draaien alsof niet elke zenuw van mijn lichaam aan de derde kruk bij de eetbar vastzat.

De deur ging open en dicht en ik draaide me om om naar zijn verdwijnende rug te kijken, maar het was een andere klant die was vertrokken. Automatisch zocht ik naar hem en ontmoette zijn ogen die me ernstig aankeken. De vlammen sloegen me uit omdat ik mezelf had verraden.

Hij wenkte me dichterbij.

'Hoe laat ben je vrij?'

'Eén uur.'

'Zal ik je thuisbrengen?'

'Meestal ga ik dan naar mijn baby toe.'

'Heb jij een baby? Heeft iemand je die soms voor Kerstmis gegeven? Een babypop. Hoe oud ben je?'

'Negentien.' Soms was ik twintig, soms achttien. Afhankelijk van mijn stemming.

'Negentien, maar bijna zeventien.' Zijn glimlach was niet spottend. Alleen een tikkeltje toegeeflijk.

'Oké. Dan breng ik je naar je baby.'

Hij bestuurde zijn Pontiac uit 1941 ogenschijnlijk zonder erbij na te denken. Ik zat in een hoek tegen de deur aangeperst en probeerde wanhopig om niet naar hem te kijken.

'Waar is de papa van de baby?'

'Dat weet ik niet.'

'Hij wilde zeker niet met je trouwen, hè?' Zijn stem werd hard bij de vraag.

'Ik wilde niet met hem trouwen.' Gedeeltelijk waar.

'Nou, wat mij betreft is het een smerige schoft en hij zou een trap voor z'n kont moeten hebben.' Op dat moment begon ik van hem te houden.

Ik ging verzitten om naar hem te kijken. Mijn engel der wrake. Mijn moeder en broer hadden het zo druk gehad om ondersteunend te zijn, dat ze geen van beiden stil hadden gestaan bij de mogelijkheid dat ik misschien ook wraak had gewild. Ik geloof niet dat het eerder bij mezelf was opgekomen. Nu stroomde de woede als een injectie door mijn lichaam en maakte me warm en opgewonden. Het was waar, het was een smerige schoft. Hij had me de kans moeten geven zijn aanzoek af te slaan. De herinnering aan hoe ik zelf weloverwogen mijn enige seksuele ontmoeting had gearrangeerd, vloog uit mijn hoofd weg de vergetelheid in. Mijn persoonlijke redenen en agressieve tactiek werden voor het gemak uitgewist. Zelfmedelijden is in het beginstadium zo knus als een donzen matras. Pas als het verhardt, wordt het oncomfortabel.

Curly stond in het midden van de huiskamer van de oppas en zei alle moederlijke dingen: 'Wat een mooie baby... Hij lijkt op jou... Hij zal wel groot worden... Kijk 'ns naar die voeten.'

Terug in de auto kwam het niet bij me op om tegen te stribbelen toen hij zei dat we naar zijn hotel gingen. Ik wilde doen wat hij wilde, dus zei ik niets.

Toen we door de foyer van het hotel liepen, voelde ik de eerste roerselen van onwil. Wacht eens even. Wat deed ik hier eigenlijk? Wat dacht hij dat ik was? Hij had niet eens gezegd dat hij van me hield. Waar was de muziek die zacht behoorde te spelen als hij mijn oorlelletje kuste?

Hij voelde mijn aarzeling, nam me bij de hand en loodste me door de met tapijten beklede gang. Zijn aanraking en zelfvertrouwen verdreven mijn twijfels. Het was duidelijk dat ik niet meer terug kon.

'Maak 't je gemakkelijk.'

Hij trok zijn jas uit en ik ging vlug in de enige leunstoel zitten. Op de ladenkast, tussen speelkaarten en toiletartikelen in, stond een fles whisky.

'Zou ik iets te drinken kunnen krijgen?' Ik had nog nooit iets sterkers gedronken dan Dubonnet.

'Nee, jij niet. Maar ik wel.' Hij schonk de drank in een glas dat hij van de wastafel pakte. Water klotste en hij slokte het naar binnen. Even later stond hij naast me. Ik wilde naar hem opkijken, maar mijn hoofd weigerde dienst.

'Kom hier, Riet. Sta op.' Ik wilde opstaan, maar mijn spieren vertoonden verschijnselen van atrofie. Ik wilde niet dat hij dacht dat ik mannen opgeilde om ze dan in de kou te laten staan. Maar mijn lichaam gehoorzaamde niet.

Hij boog zich voorover, pakte allebei mijn handen en trok me overeind. Hij sloeg zijn armen om me heen.

'Je bent bijna net zo groot als ik. Ik houd van lange meisjes.' Toen kuste hij me zacht. En langzaam. Toen hij ophield, was mijn lichaam zijn eigen gang gegaan. Mijn hart bonkte en mijn knieën waren vergrendeld. Ik schaamde me omdat ik zo trilde.

'Kom eens mee naar het bed.' Geduldig trok hij me weg van de stoel.

We gingen samen op het bed zitten en ik kon hem nauwelijks zien, hoewel hij een ademhaling van me af zat. Hij omvatte mijn gezicht in zijn grote, donkere handen.

'Ik weet dat je bang bent. Dat is normaal. Je bent jong. Maar we gaan er een feest van maken. Zo moet je het zien. Als een liefdesfeest.'

De voorafgaande keren dat ik met seks in aanraking was gekomen, waren niet meer geweest dan dat. Aanrakingen. De ene keer was het een gewelddadige geweest. De andere een onverschillige. Maar nu bevond ik me in de handen en armen van een tedere man.

Hij streelde me en lachte. Hij kuste me tot het me duizelde en maakte me aan het lachen. Hij onderbrak zijn hartstocht om een grapje te maken en op het moment dat ik reageerde, hervatte hij zijn liefkozingen.

Naderhand lag ik in zijn armen en huilde.

'Ben je gelukkig?' Het goud in zijn mond twinkelde als een sterretje.

Ik was zo gelukkig dat ik de volgende dag naar een juwelier ging en een onyx-ring met een diamantscherfje voor hem kocht. Op rekening van mijn stiefvader.

7

Liefde was waar ik op had gewacht. Ik had volwassen dingen gedaan uit kinderlijke onwetendheid of jeugdige overmoed, maar nu begon ik rijper te worden. Ik begon te genieten van mijn lichaam omdat het me zoveel genot verschafte. Voor het eerst winkelde ik met zorg voor mezelf. Ik gaf me veel moeite om precies de goede kleren te vinden, in plaats van het eerste het beste van het rek te kopen. Maar helaas was mijn smaak net zo nieuw als mijn belangstelling. Op een keer toen Curly me mee uit eten zou nemen, kocht ik een chique jurk van gele crêpe, bedrukt met zwarte rozen, zwarte popperige schoenen, waarvan de bandjes zeker twee centimeter diep in mijn enkels sneden en een zwarte strohoed met een onflatteus brede rand. Ik spelde een tuiltje gele rozenknopjes op mijn boezem en was klaar voor de strijd.

Hij vroeg me alleen of ik de corsage af wilde doen.

Aan het begin van onze verhouding had Curly gezegd dat hij een vriendin had, die op een scheepswerf in San Diego werkte en dat haar baan binnenkort zou aflopen. Dan zouden ze naar New Orleans teruggaan om te trouwen. Ik had die informatie haastig opgeslagen in dat ontoegankelijke gebied van de geest waar ook de herinneringen aan pijn en andere onplezierigheden zijn weggestopt. Voorlopig hoefde ik me er niet druk om te maken en dat deed ik dan ook niet.

Hij zou bij de Marine weggaan en had nog maar een

paar maanden voor de boeg voordat hij eervol ontslag zou krijgen. De Zuidelijke opvoeding en de verschrikkingen van de oorlog deden hem veel ouder lijken dan zijn eenendertig jaar.

Wij namen mijn zoon mee voor lange wandelingen in de parken en wanneer mensen ons complimenten gaven over ons kind, aanvaardde hij die en speelde de trotse vader. In het pretpark bij het strand gingen we in het reuzenrad en de achtbaan en deden onszelf te goed aan stroopsoldaatjes. Laat in de middag brachten we de baby terug naar de oppas en gingen dan naar zijn hotel voor nog een, of twee, of drie liefdesfeesten. Ik wenste dat het nooit op zou houden. Ik kocht dingen voor hem. Een horloge (hij had er al een), een sportjasje (te klein), nog een ring en betaalde er zelf voor. Ik luisterde niet naar zijn bezwaren. Ik kocht geen dingen, ik kocht tijd.

Op een dag bracht hij me na mijn werk naar de oppas. Hij zat met de baby op schoot. Zijn zwijgen had me iets moeten vertellen. Misschien deed het dat ook, maar opnieuw wilde ik het niet weten. We vertrokken in een ernstige stemming. Hij zei alleen: 'Ik wil ook zo'n jongen hebben. Net zo een.'

Aangezien we niet in de richting van het hotel reden, vroeg ik waar we naar toe gingen.

'Ik breng je naar huis.'

'Waarom?'

Geen antwoord.

Hij vond een parkeerplaats halverwege mijn straat. De lantaarns gingen net aan en een zachte mist temperde de wereld. Hij stak zijn arm naar achteren en pakte twee grote dozen van de achterbank. Hij overhandigde ze aan mij en zei: 'Geef me een zoen.'

Ik probeerde te lachen, net te doen of de zoen in ruil

was voor de cadeaus, maar de lach was vals. Hij kuste me vluchtig en keek me lang aan.

'Riet. Mijn vriendin is hier en vanavond vertrek ik uit het hotel.'

Ik huilde niet, omdat ik niet kon denken.

'Je zult nog eens een fantastische vrouw zijn voor een man. Ik meen het. Dit is voor jou en de baby. Ik vind het heel erg om afscheid te nemen, maar het moet.'

Waarschijnlijk zei hij meer, maar alles wat ik er nog van weet, is dat ik van de auto naar de voordeur liep. Uit alle macht proberend de golven van woede in mijn maag tot bedaren te brengen. Proberend rechtop te lopen met de onhandige dozen in mijn handen. Ik moest ze neerzetten om de sleutel te zoeken die ik door de macht der gewoonte in het slot wist te krijgen. Ik stapte de hal in zonder dat ik hem de auto hoorde starten.

Omdat hij niet had gelogen, was het mij niet toegestaan woede te voelen. Omdat hij mij met geduld en tederheid had leren liefhebben, kon ik geen gebruik maken van haat om de pijn te verzachten. Ik moest het verdragen.

Ik ben er met het verglijden van de jaren zeker van geworden dat hij van me hield. Misschien omdat hij in mij het onbeminde, verwaarloosde kind zag dat ik was. Misschien had hij medelijden met de jonge moeder en haar kind zonder vader en had daarom besloten om ons allebei twee maanden lang te geven wat we nodig hadden. Ik weet het niet. Ik weet alleen zeker dat hij om de een of andere reden van mij hield en dat hij een goed mens was.

Het verlies van een eerste, prille liefde is zo pijnlijk dat het grenst aan het belachelijke. Zelfs ik schaamde me over mezelf. Weken nadat Charles was vertrokken, strompelde ik, functionerend binnen het vertrouwde, door de straten van San Francisco. De lieflijke stad vervaagde in mijn mist. Wat ik ook met het eten deed, het bleef oninteressant. Muziek vooral werkte op mijn zenuwen, want alle emotionele teksten waren duidelijk voor mij alleen geschreven:

Gonna take a sentimental journey
gonna set my heart at ease...

Charles had die reis ondernomen en mij alleen achtergelaten. Ik was één grote, emotionele open wond. Om gevoelsmatig door elkaar geschud te worden, was niet nieuw voor mij, maar wel de intensiteit en de reden ervan. De nieuwe pijn en verwarring waren fysiek. Mijn lichaam was gewekt en gevoed en plotseling had ik ontdekt dat ik een geweldige eetlust had. Mijn aangeboren geslotenheid en aangeleerde terughoudendheid weerhielden mij ervan om andere bevrediging te zoeken, zelfs als ik die had kunnen vinden.

Ik begon af te vallen, wat ik me met mijn lengte en magerheid slecht kon veroorloven. De uitbarsting van energie die me naar schoonheidssalons en modezaken had gedreven, was nu net zo afwezig als mijn verdwenen minnaar. Op achttienjarige leeftijd slaagde ik erin om er verlopen, om niet te zeggen vervallen, uit te zien.

Opnieuw was mijn broer, Bailey, mijn redder, een rol die hij in mijn vroege jeugd meestal had vervuld. Hij was terug in de stad na een paar maanden op een munitieschip te hebben gewerkt en kwam me opzoeken in het restaurant.

'Mij.* Wat is er in godsnaam met jou gebeurd?' Mijn

* 'Mij' is Bailey's bijnaam voor Maya. Zie p. 87.

uiterlijk scheen hem eerder kwaad dan bezorgd te maken. Ik stelde hem aan mijn werkgeefster voor. Ze zei: 'Je broer. Hij is nogal klein, is 't niet? Ik bedoel om een broer van jou te zijn?'

Bailey bedankte haar poeslief en zwiepte alleen het staartje van zijn sarcasme in haar gezicht. Ze merkte het niet eens.

'Ik vroeg wat er met je aan de hand is. Ben je ziek geweest?' Ik hield de tranen tegen, die ik in mijn broers handen wilde gieten.

'Nee. Het gaat best met me.'

Destijds dacht ik dat het nobel was om je beproevingen stilzwijgend te dragen. Maar ook weer niet zo stil dat anderen niet in de gaten hadden dat je ze droeg.

'Hoe laat ben je klaar?'

'Eén uur. Morgen ben ik vrij, dus ik ga straks de baby halen.'

'Ik kom straks terug om je erheen te brengen. Dan kunnen we praten.'

Hij wendde zich tot mevrouw Dupree. 'En u ook goedendag, mevrouw.' Bailey deed die kleine dingen met zoveel zwier dat hij de graaf van Monte Christo had kunnen zijn, of Cyrano die afscheid nam van de mooie Roxanne.

Toen hij weg was, plooide mevrouw Dupree haar lippen tot een grijns. 'Wat een droppie is dat.'

Ik ging in de weer met mijn pannen. Als ze dacht dat ik het leuk zou vinden dat ze mijn grote broer met een stuk snoepgoed vergeleek, dan vergiste ze zich toch.

De baby kroop rond over de vloer van mijn kamer toen ik Bailey over mijn geweldige liefdesverhouding vertelde. Over de pijn bij de ontdekking van pijn. Hij knikte vol begrip, maar zei niets.

Ik dacht dat, zolang ik zijn aandacht had, ik er net zo goed mijn andere verdriet aan toe kon voegen. Ik vertelde hem dat ik me geïsoleerder voelde dan in Stamps, Arkansas, omdat mijn voormalige klasgenotes me uitlachten.

Hij zei: 'Hij klinkt als een aardige kerel' en 'Ik denk dat het tijd is dat je uit San Francisco weggaat. Je zou Los Angeles kunnen proberen, of San Diego.'

'Maar ik weet niet waar ik dan moet wonen. Of hoe ik werk moet vinden.' Alhoewel ik ongelukkig was in San Francisco, boezemde de gedachte aan elke andere stad mij angst in. Ik stelde me Los Angeles voor en het was een uitgestrekte, grijze zee zonder schip of lichtbaken.

'Ik kan Guy hier toch niet zomaar weghalen. Hij is gewend aan de vrouw die op hem past.'

'Maar dat is zijn moeder niet.'

'Ik heb hier een goeie baan.'

'Maar je bent toch zeker niet van plan om van het koken van creools eten je levenswerk te maken.'

Daar had ik nog niet over nagedacht. 'Ik heb een fijne kamer hier. Vind je hem niet mooi?'

Hij keek me recht aan, me dwingend om mijn tranen onder ogen te zien. 'Nou, Mij, als je tevreden bent met je ongeluk, geniet er dan van, maar vraag niet om mijn medelijden. Stort je er helemaal in, zwelg erin, neem de tijd om alle nuances ervan te proeven, maar reken niet op mijn sympathie.'

Hij kende mij te goed. Het was waar. Ik genoot van de rol van afgewezen minnares. Verlaten, maar moedig volhoudend. Ik zag mezelf als de heldin die eenzaam in het gedempt gele schijnsel van een straatlantaarn staat te wachten en te wachten. Als de mist op komt zetten, begint het te regenen, zo zacht dat het haar niet doorweekt.

Maar net hard genoeg om haar te laten rillen in haar witte regenjas (waarvan ze de kraag omhoog heeft gezet). Oh, hij kende mij te goed.

'Als je hier rond wilt blijven hangen met een gezicht als de dood van pierlala, dan is dat jouw zaak. Er bestaan rechten waarvan niemand het recht heeft om ze van je af te pakken. Dit is er een van. Maar wat wil je nou doen?'

Die avond besloot ik naar Los Angeles te gaan. Eerst dacht ik erover om nog een maand te blijven werken en zoveel mogelijk geld te sparen. Maar Bailey zei: 'Als je besluit om iets te veranderen, moet je je op de golf van de beslissing mee laten voeren.' Hij beloofde me tweehonderd dollar te geven zodra zijn schip uitbetaalde en stelde voor om mijn bazin te laten weten dat ik een week later zou vertrekken.

Ik had nog nooit tweehonderd dollar voor mezelf gehad. Het klonk alsof je er zowat een jaar van rond zou kunnen komen. Het vooruitzicht van een reis naar Los Angeles gaf me mijn jeugd terug. Mijn moeder hoorde mijn plannen zonder verbazing aan. 'Je bent een vrouw nu. Je bent verstandig genoeg om zelf te beslissen.' Ze had er geen flauw benul van dat ik niet alleen geen vrouw was, maar ook niet dat wat voor mijn verstand doorging, een dierlijk instinct was. Net als een boom of een rivier reageerde ik slechts op de wind en het getij.

Misschien zou ze dat wel gezien hebben als haar eigen verstand niet beneveld werd door een mislukkend huwelijk en door het slinken van de enorme geldbedragen die ze had genoten en waarvan ze vond dat die haar toekwamen. Diamanten schitterden nog steeds aan haar vingers en ze was een wekelijkse klant in de duurste schoenenwinkel van de stad, maar haar mooie gezicht had zijn opsmuk van zorgeloosheid verloren en haar glimlach deed me niet langer denken aan het aanbreken van de dag.

'Wees het beste in alles wat je onderneemt. Als je een hoer wilt zijn, dan is dat jouw keuze. Wees een verdomd goeie. Maak je nergens goedkoop vanaf. Alles wat de moeite waard is om te hebben, is de moeite waard om voor te werken.'

Het was haar versie van de rede van Polonius tegen Laertes. Met die wijsheid op zak zou ik eropuit trekken om mijn toekomst te kopen.

8

De Los Angeles Union Railway Terminal was een wonder van Spaans-moorse glorie. De hoofdwachtkamer was enorm en het plafond welfde zich een weg omhoog naar de wolken. Er stonden lange, gebogen banken in donkerhouten pracht en buiten de ronde deuren wuifden palmbomen langs lieflijke lanen. Op alle muren waren blauwe en gele tegels in vrolijke en exotische patronen ingelegd.

Tussen de uitstappende mensen waren de inwoners van San Francisco er zo uit te halen. De vrouwen van San Francisco droegen altijd, maar dan ook altijd, handschoenen. Elegante, korte witte voor overdag en voor 's avonds lange zwarte of witte glacé-handschoenen. De Zuid-Californiërs en andere toeristen waren veel nonchalanter gekleed. De mannen pronkten met gebloemde overhemden en de vrouwen kuierden rond, of hingen lui in de imponerende banken, in katoenen jurken die in San Francisco door hadden kunnen gaan voor ochtendjassen.

Omdat ik uit De Stad kwam, had ik me voor de reis gekleed. Een gevalletje van zwarte crêpe dat trok en plooide, plisseerde en rimpelde met een geheel eigen perversiteit. Volgens mijn maatstaven was het duur geweest en gekleed genoeg voor een huwelijksreceptie. Mijn korte, witte handschoenen hadden hun vroege ochtendfrisheid verloren tijdens de tien uur durende reis en Guy, wiens omvang zijn energie evenaarde, had de jurk tot een nieuwe symmetrie gemangeld, gekreukt en gefrommeld. Hij was nog geen jaar, maar hij hield er zo zijn eigen opvattingen op na. Hij wilde beslist omlaag klimmen en naar die glimlachende vreemde aan de andere kant van het gangpad toe en meteen weer op mijn schoot zitten en aan de broche van bergkristal plukken, die het licht weerkaatste op de kraag van mijn jurk.

Ondanks de gekreukte jurk en ondanks het make-upkoffertje, dat tot stinkens toe vol zat met vuile luiers, stapte ik, als een toonbeeld van beheerste waardigheid, met mijn zoon uit de trein. Ik had meer dan tweehonderd dollar in prikkende tien dollarbiljetten opgerold in mijn beha zitten, nog eens zeventig dollar in mijn handtas en twee koffers vol met serieus uitgezochte kleren. Los Angeles zou weten dat ik er was.

Mijn tante nam de telefoon op.

'Ritie, waar ben je?'

'We staan op het station.'

'Wie wij?'

Net zoals de rest van de familie had ze wel over mijn zwangerschap gehoord, maar nog niet het resultaat ervan gezien.

'Mijn zoon en ik.'

Een lichte aarzeling, toen zei ze: 'Neem een taxi en kom hierheen. Ik betaal wel.' Haar stem klonk niet direct overgelukkig omdat ze van mij hoorde, maar de Baxters stonden er nou eenmaal om bekend dat ze nooit hun emoties lieten blijken, behalve als het gewelddadige waren.

De Wilshire Boulevard was breed en glanzend. Grote gebouwen stonden achter piepkleine gazonnetjes in een beslotenheid die sprak van geld, kalme stemmen en blankvolk.

Het huis aan Federal Avenue straalde degelijkheid uit. Het was een model van burgelijke vormelijkheid. Een solide gebouw van twee verdiepingen met drie slaapkamers, goed, duurzaam meubilair en merklappen aan de muur met de aansporing 'Zegen Dit Huis' en de waarschuwing 'Hoogmoed komt voor de val'.

De clan was bij elkaar gekomen, kennelijk gebeld door mijn tante, om de nieuwe aanwinst in de familie te inspecteren en mij het profijt van hun gezamenlijke wijsheid te gunnen. Mijn oom Tommy zat, zoals gewoonlijk, wijdbeens en gromde: 'Hee, Ritie. Ik zie dat je een baby hebt.'

Ik had Guy, die babbelde, wees en lachte, in mijn armen, dus de strekking van zijn vaststelling zat hem niet in de woorden. Daarmee begroette hij mij eenvoudig en zei hij dat, alhoewel ik een kind had gekregen zonder het voordeel van een huwelijk, hij in ieder geval niet van plan was om mij of de baby te negeren.

Mijn familie sprak zo zijn eigen mysterieuze taal. De echtgenoten en echtgenotes van mijn bloedverwanten gaven mijn zoon aan elkaar door alsof ze erover dachten om hem aan hun collectie toe te voegen. Ze deden zijn sokjes uit en trokken aan zijn tenen.

'Hij heeft goeie voeten.'

'Uhuh. Een hoge wreef.'

Een tante ging met haar hand over zijn hoofd en was tevreden. 'Zijn hoofd is rond.'

'Oh, heeft-ie een rond hoofd?'

'Dat heeft-ie zeker.'

'Dat is goed dan.'

'Uhuh.'

Deze eigenschap was meer dan een symbool van schoonheid. Het was een indicatie van de kracht van de bloedlijn. Alle Baxters hadden een rond hoofd.

'Hij lijkt veel op Bibbi, niet?' Mijn moeder werd door de familie 'Bibbi' genoemd. Guy ging weer de kring rond.

'Dat doet-ie zeker.'

'Ja. Ik zie precies Bibbi hier.'

'Maar... hij is nogal licht, is 't niet?'

'Dat is-ie zeker.'

Allemaal spraken ze zonder emotie, behalve mijn tante Leah. Haar kinderstem steeg en daalde als muziek die op een broze rietfluit wordt gespeeld.

'Ritie, je bent een vrouw nu. En een moeder ook nog. Van nu af aan moet je voor twee personen denken. Je zult werk moeten zoeken...'

'Ik heb als kokkin gewerkt.' Ze moest niet denken dat ik gekomen was om door hen onderhouden te worden.

'... en leren je geld te sparen.'

Tommy's vrouw, Sarah, wikkelde mijn zoon met zorg in zijn dekentje en gaf hem terug aan mij. Tante Leah stond op ten teken dat de inspectie voorbij was. 'Hoe laat gaat je trein? Charlie kan je wel naar het station brengen.'

Het duizelde me. Had ik de indruk gegeven dat ik op doorreis was? Hadden ze iets gezegd dat ik gemist had? 'Over een paar uur. Ik moet eens opstappen.'

We schudden elkaar allemaal de hand. Hun opluchting was tastbaar. Ik bleek tenslotte toch een echte Baxter te zijn die het spel volgens de regels speelde. Ik was onafhankelijk. Ik verwachtte niets en als het mij werd gevraagd, zou ik zelfs een kreupele krab nog geen kruk geven.

Tom vroeg: 'Heb je geld nodig, Riet?'

'Nee, bedankt. Ik heb geld.' Het enige wat ik nodig had, was wegwezen uit dat bedompte huis.

Behalve mijn overleden oom Tuttie, hadden mijn ooms en tantes geen van allen kinderen en ze waren niet in staat te beseffen dat een moeder van achttien ook een meisje van achttien was. Ze vormden een hechte groep van vechters die geen geduld konden opbrengen voor zwakheid en slechts minachting voor verliezers.

Omdat ik het product was van een Hollywood-opvoeding en mijn eigen romantische ideeën, was ik gekwetst omdat ze mij en mijn kind niet in hun armen sloten. Op het witte doek zouden ze om mij gestreden hebben. De winnaar zou me geïnstalleerd hebben in een schattig, klein huisje met rode jasmijn en rozen in de voortuin. Ik zou altijd snoezige schortjes dragen en mijn zoon zou in de jeugddivisie honkballen. Mijn man zou thuiskomen (hij leek op Curly) en zijn pijp roken in de studeerkamer terwijl ik koekjes bakte voor de padvindersmiddag.

Ik was gekwetst omdat hier niets van uit zou komen. Maar slechts gedeeltelijk. Ik was ook trots op hen. Ik prees mezelf gelukkig omdat ik absoluut de kwaadaardigste, onhartelijkste en krankzinnigste familie ter wereld bezat.

Oom Charlie, de man van tante Leah, zei nooit veel en op weg naar het station verbrak hij de stilte maar een paar keer.

'Dat is echt een mooie baby die je daar hebt.'

'Dank u.'

'Ben je op weg naar San Diego?'

Ik veronderstelde van wel.

'Nou, je vader woont daar. Dan ben je niet alleen.'

Mijn vader, die zijn tijd doorbracht met tequila drinken in Mexico en zich in San Diego beter voordoen dan hij was, zou me nog koeler ontvangen dan zojuist was gebeurd. Ik zou helemaal alleen zijn. Ik bedacht hoe geweldig dat zou zijn. Ik zou beslist eens opgenomen worden in de familielegenden. Op een dag, als ze in besloten kring bijeen zaten en verhalen ophaalden van de ruzies en vetes, de hoogmoed en vooringenomenheid van de Baxters, zou mijn naam een van de meest illustere zijn. Ik zou een kluizenaar worden, mezelf van de wereld afsluiten en alleen mijn zoon en ik zouden overblijven.

Ik had een sappig melodrama geschreven waarin ik de hoofdrol speelde. Meelijwekkend, schrijnend, verlaten. Ik zag al voor me hoe ik uit de coulissen zou komen zweven als een klein martelaresje. Maar het toeval wilde dat het leven mij het scenario uit handen nam en de show stal.

9

'Zit je in het leven?'

De grote, zwarte vrouw had net zo goed Russisch kunnen spreken. Ze zat met haar rug naar het raam toe en het zonlicht gleed over haar schouders en vormde een plasje in haar schoot.

'Pardon?'

'Het leven. Ontvang je klanten?'

Het kamermeisje in het hotel had me het adres van deze vrouw gegeven en gezegd dat ze op kinderen paste. 'Vraag maar naar moeder Cleo.'

Ze had me niet gevraagd te gaan zitten, dus bleef ik middenin de rommelige kamer staan met de baby rustend tegen mijn schouder.

'Nee, zeker niet.' Hoe kon ze zoiets vragen?

'Nou, je ziet er anders wel uit als een publieke vrouw. Je gezicht en alles.'

'Nou, ik kan u verzekeren dat ik geen hoer ben. Ik heb als chef-kok gewerkt.' Hoe de nederigen macht verwerven. Die ouwe, Creoolse Keuken zou haar rug rechten als ze wist dat ze eens een chef-kok had gehad, in plaats van een gewone huis-tuin-en-keukenhulp.

'Wel.' Ze keek me aan op een manier alsof ze heel snel in de gaten zou hebben of ik loog of niet.

'Hoe komt 't dan dat je zoveel poeder en lippenstift op hebt?' Die ochtend had ik een complete cosmetica-uitrusting aangeschaft en er meer dan een uur aan besteed om mijn gezicht tot een masker te pleisteren met Max Factor Pancake Nr. 31. Ik vond niet echt dat ik moeder Cleo een verklaring schuldig was, maar aan de andere kant kon ik het me ook niet veroorloven om onbeleefd te zijn. Ik had een oppas nodig.

'Misschien heb ik te veel opgedaan.'

'Waar werk je?'

Het was een kruisverhoor. Ze had wel lef. Dacht ze soms dat haar de voorrechten van een moeder toekwamen omdat ze toevallig moeder Cleo werd genoemd?

'Bij de Hi Hat Club vragen ze een serveerster. Daar ga ik op solliciteren.' De make-up was bedoeld om me ouder te laten lijken. Misschien was het resultaat alleen maar dat ik er ordinair mee uitzag.

'Dat is een goeie baan. De fooien kunnen dat echt een goeie baan maken. Laat me de baby eens zien.'

Ze kwam vlotter overeind dan ik had verwacht. Toen ze haar handen uitstrekte, kwam er een wolk talkpoeder vrij. Ze pakte de baby aan en schikte hem in de kromming van haar arm. 'Wat een mooi kindje. Hij slaapt nog, hè?'

Voor mijn ogen onderging moeder Cleo een gedaanteverwisseling. Ze was niet langer de lelijke, dikke menseneetster die mij vanuit haar diepe stoel bedreigde. Toen ze neerkeek op de baby, werd ze het prototype van een moeder. Haar gezicht werd zachter en haar stem snorde. Ze ging met haar korte, dikke vingers langs zijn muts en trok hem af.

'Normaal neem ik ze niet zo jong. Te veel problemen. Maar hij is een schatje, niet?'

'Nou ja, weet u...'

'Je hoort dat niet van je eigen te zeggen, maar 't is waar. En jij bent bijna te jong om een baby te hebben. Je familie heeft je zeker buitengezet, hè?'

Ze had gezien dat ik geen trouwring droeg. Ik besloot haar te laten denken dat ik geen thuis had. Toen dacht ik: 'Ik laat haar niets denken. Ik heb echt geen thuis.'

'Nou, ik zal je een handje helpen. Ik zal hem houden en ik zal je minder rekenen dan de blanke vrouwen.' Ik was geschokt dat ze voor blanke kinderen zorgde. 'D'r zijn zat blanke vrouwen die hun baby's liever bij mij brengen dan bij hun eigenste moeder. Veel d'rvan komen uit het Zuiden en ze vinden 't wel een leuk idee dat ze nog steeds een "mammy" voor hun eigenste kinderen hebben. Zie je 't al voor je? Van die kleine snotneuzen, die, straks als ze groot zijn, kunnen zeggen dat ze een zwarte kinderjuf hebben gehad, hu?' Ze trok rimpels van afkeer in haar gezicht. 'Maar ik hou gewoon van kinderen en ik laat hun moeders betalen. Ze betalen goed. Kan me niet schelen hoeveel ik om die wurmen van ze geef, als ze niet betalen, gaan ze d'r uit.'

Ik stemde in met haar voorwaarden en betaalde voor de eerste week. Voordat ik weg was, worstelde de baby zich wakker in haar armen. Ze begon hem te wiegen, maar het suste hem niet. Zijn grote, zwarte ogen namen het vreemde gezicht op en begonnen naar mij te zoeken. Er ontsnapte hem een klein kreetje voordat hij mij in de gaten kreeg. Toen hij zich ervan vergewist had dat ik er echt was, zette hij het pas goed op een brullen, uit boosheid dat ik hem door een onbekende vast liet houden en ook een beetje bang misschien dat ik hem had weggegeven.

'Laat 'm huilen.' Moeder Cleo verhoogde het tempo van haar gewieg en geschommel. 'Hij moet er toch aan wennen.'

'Laat me hem nog even vasthouden.' Ik kon zijn eenzaamheid niet verdragen. Ik nam het zachte bundeltje in mijn armen, kuste hem, streelde zijn ruggetje en hij kalmeerde meteen, zoals een stortbui abrupt op kan houden.

'Je bent te zacht. Dat doen ze allemaal tot ze aan mij gewend zijn.' Ze kwam bij me staan en strekte haar armen uit. 'Geef 'm maar aan mij en ga achter die baan aan. Ik zal 'm wel eten geven. Heb je luiers meegebracht?'

Ik knikte naar de tas die ik naast de deur had gezet.

'Zoet maar, kindje, zoet maar, kindje, zoet maar.' Ze begon zachtjes te neuriën. Ik gaf haar de baby die onmiddellijk begon te huilen.

'Ga nou. 't Komt wel goed met hem.'

Hij schreeuwde harder, zijn geschreeuw spleet de lucht open. Ze verzon een liedje zonder woorden. Zijn kreten waren bliksemschichten die de donkere wolk van haar muziek doorkliefden. Ik deed de deur dicht.

De nachtclub bevond zich op de de hoek van een straat. Het was een gebouw van twee verdiepingen waarvan de paars gepleisterde voorgevel met glittertjes was besprenkeld. Binnen in de schemerige, vierkante ruimte liep een bar met een vage boog van de ingang naar een klein dansvloertje achterin. Minuscule, ronde tafeltjes met stoelen stonden tegen elkaar aangeklemd en het schijnsel van rode lampen versterkte het halfduister. Er hing bijna te veel sfeer in de Hi Hat Club. Muziek streed schallend en trillend met de stemmen van klanten om heerschappij van de lucht. De strijd bleef onbeslist, behalve toen de jukebox, tijdens een pauze tussen twee platen, een paar seconden geluidloos tegen de muur stond te flikkeren met zijn groene, rode en gele lampen als een boosaardige robot in een film van Flash Gordon.

De clientèle bestond voornamelijk uit onderwereldfiguren, hoewel er hier en daar ook jonge matrozen tussen zaten. Iedereen drong, schoof heen en weer en hief zijn glas of ging harder spreken in de benauwde lucht die rook naar Lysol, parfum, lichamen, sigaretten en verschaald bier. De vrouwen waren toonbeelden van vormelijkheid. Ze zaten preuts aan de bar, hun rokken onder zich gestopt, hun stemmen levendig of helemaal stilgevallen. Op straat waren ze zo leeftijdloos geweest als hun beroep, maar in de buurt van de poserende, vleiende mannen werden het zedige meisjes. Katjes die sponnen omdat ze geaaid werden. Ik sloeg ze gade en begreep het. Ik zag het aan en benijdde hen. Zij hadden een man voor zichzelf. Natuurlijk hadden ze die gekocht. Ze stelden hun lichamen ter beschikking en vergooiden hun waardigheid op bergen kapotjes vol geil. Maar ze hadden een man.

's Avonds laat zigzagden winkeldieven en inbrekers tussen het nachtvolk door, handelend, marchanderend, contacten leggend en opdrachten aanvaardend.

'Ik heb twee Roos Brothers-pakken. Achtenveertig. Zwart. Nikkerbruin met een krijtstreepje. Volgens 't kaartje honderdnegentig dollar... Ze zijn allebei van jou, voor honderdvijftig.'

'Gelmanschoenen. Jurken van I. Magnin. Je vrouwtje zal ze binnenhalen in die kleren. Voor jou, vier jurken voor tweehonderd.'

Afhankelijk van de opbrengst van die avond en de stemming van de minnaar, ontvingen de dieven geld van de pooiers dat ze gekregen hadden van de meisjes die het verdiend hadden door als eerste te gaan liggen en als laatste op te staan.

De serveersters waren, en bloc, het minst interessant van het vaste publiek van de club. Voor het merendeel waren het degelijk getrouwde vrouwen die zich tussen de kleurrijke stamgasten door bewogen als slakken tussen vlinders. De mannen toonden geen belangstelling voor hen, waardoor ik begon te geloven dat deugd het best wordt bewaard in een poel van verderf.

Ik was jonger, maar niet interessanter dan mijn collega's, dus gooiden de knappe mannen me met hen op één hoop en negeerden ons allemaal. Ik kreeg geen kans om ze te laten merken hoe schrander ik was, want intelligentie wordt overgebracht door taal en ik kende de hunne nog niet. Ik maakte uit hun gebrek aan belangstelling op dat voor hen slimme vrouwen prostituee waren en de stomme serveerster. Andere categorieën bestonden er niet.

Meer dan een maand maakte ik asbakken schoon, bracht ik drankjes rond en gaf ik mijn oren de kost. Mijn fooien waren goed, want ik was snel en had een goed geheugen.

'Whisky en melk voor u, meneer?'

'Dat klopt, meisje. Dat heb je goed onthouden.' Hoewel hij me nooit zag staan, liet hij een fooi van een dollar achter.

Tijdens mijn eerste week in San Diego had moeder Cleo me verteld dat ze een kamer te huur had. 'Ik zie dat je een goed meisje bent als je elke dag je baby op komt zoeken enzo, dus mijn man en ik, wij kunnen je hier bij ons laten wonen. De kamer is vijftien dollar per week. D'r staat een nieuw slaapkamerameublement en als je een zeiltje in bed legt, kan de baby bij jou slapen.' En zo werd ik kamerbewoonster in het huis van meneer Henry en mevrouw Cleo Jenkins.

Mijn leven nam een gematigd tempo aan. Ik vond een studio voor moderne dans, waar een langharige, blanke vrouw les gaf aan een mengelmoesje van Marine-vrouwen. Mijn werk begon om zes uur (halfzes om de tafeltjes op te stellen, wisselgeld te halen en mijn blad met servetten en lucifers te ordenen) en eindigde om twee uur. Ik kon meerijden met een serveerster die elke nacht opgehaald werd door haar man. Ik sliep uit tot de middag, maakte mijn ontbijt klaar en speelde met mijn kind.

Hij amuseerde mij. Ik kon hem niet als een persoon beschouwen. Als een echte persoon. Hij was mijn baby, zoiets als een mooie, levende pop die mijn eigendom was. Ik was zelf te ongevormd om hem als een echt mens te kunnen zien. Ik hield van hem. Hij was schattig. Hij lachte veel, hij kirde en hij was van mij.

II

Ik begon uit te kijken naar twee vrouwen die iedere avond kwamen. Ze liepen allebei tegen de dertig en los van elkaar vielen ze nauwelijks op. Johnnie Mae was mager, groter dan gemiddeld en had een donkerbruine huidkleur. Haar lange kaak hing omlaag waardoor ze er, zelfs als ze lachte, bedroefd uitzag. Ze droeg fuchsiarode lippenstift die vaak roze vegen op haar lange, witte tanden achterliet. Beatrice was zo goedgevuld dat ze bijna rijp leek. Ze was klein, met een gelige huid en haar rol scheen die van aangeefster voor Johnnie Mae's flauwe, maar luidruchtige grappen te zijn.

Het feit dat de pooiers en souteneurs hen niet lastig vielen, getuigde van de tolerantie die in de zwarte gemeenschap heerste voor mensen die verkozen een leven te leiden dat afweek van de norm. Hoewel ze overduidelijk geen zussen waren, kleedden ze zich identiek en spraken nooit met iemand anders dan met elkaar en mij.

'Goedenavond, dames. Tweemaal Tom Collins, neem ik aan.' Ik was een democrate en iedere dame kreeg van mij dezelfde behandeling.

'Avond, Rita. Dat klopt.' In hun vrije tijd moesten ze voor de spiegel hebben geoefend. Ze klonken hetzelfde en zelfs de uitdrukkingen op het gezicht van de een werden weerkaatst op dat van de ander.

'Ze laten je vanavond wel lopen, hè?' De vraag behoefde niet echt een antwoord. Mijn blad stond altijd vol drankjes, vuile asbakken of lege glazen.

'Wanneer kom je eens bij ons langs?' Ze glimlachten tegen elkaar en wierpen toen insinuerende blikken op mij.

'Wel, ik werk de hele tijd, weet je.'

'Ja, maar je hebt toch wel een vrije dag. Je zegt dat je hier geen vrienden hebt.'

'Ik zal erover nadenken. Dat is dan twee dollar, alsjeblieft.'

Lesbische vrouwen fascineerden me nog steeds, hoewel ik niet langer een milde drang voelde om hen te beschermen. Toen ik vijftien was, had ik me ongeveer een jaar lang bezig gehouden met de grove onrechtvaardigheid waarmee de maatschappij hermafrodieten bejegende. Ik maakte me druk om de benarde positie van lesbiënnes in de tijd dat ik werd verteerd door de angst dat ik er misschien zelf de kiemen van meedroeg. Hun betekenis voor mij was afgenomen toen ik ervan overtuigd raakte dat ik zelf niet zo was.

'Johnnie Mae heeft gisteren iets leuks voor je gekocht.'

'Echt waar.'

'Het is een verrassing voor je verjaardag.'

'Maar je weet helemaal niet wanneer ik jarig ben.'

'Daarom is 't net een verrassing.' Ze lachten elkaars lach en ik werd gedwongen om mee te doen. De klanten aan de andere tafeltjes vroegen mijn aandacht, maar de twee vrouwen bleven in mijn gedachten hangen terwijl ik door de ruimte cirkelde. Ze waren niet angstaanjagend, ze waren komisch.

'We halen een fles Dubonnet' – Beatrice sprak het uit als doe bonnut – 'voor jou en ik zal koken. Zondag ben je vrij. Kom langs en ik braad een zondagse vogel.'

'Met ham erbij.'

'Alleen voor ons drieën? Kip en ham?' Dat was nogal wat eten.

'Nikkerham. Watermeloen.' Hun gelach botste krakend tegen elkaar in de lucht boven het tafeltje.

'Op zondag ga ik met mijn baby wandelen.'

Daar dachten ze over na terwijl ik de andere klanten bediende.

'Breng hem maar mee.'

'Ik zal erover nadenken.'

Bij de bar krulde een gezette serveerster, die me nog nooit bij haar thuis had uitgenodigd, haar bovenlip.

'Kijk maar uit.' Ze wierp een vijandige blik in de richting van Johnnie Mae's tafeltje.

'Waarom?' Ik wilde het haar horen zeggen.

'Die vrouwen. Weet je wat dat zijn?' Haar stem daalde onheilspellend.

'Wat?'

'Lollepotten.' Ze meesmuilde haar tevredenheid over het uitspreken van het woord.

'Oh, is 't heus?' Ik liet geen verbazing doorklinken in mijn stem.

'Je weet toch wat lollepotten zijn, hè?' Op haar gezicht was te lezen hoe haar tong genoot van de woorden.

'Lollen die potten?' Een moment was ze er niet zeker van of ik haar voor de gek hield.

'Die vallen op vrouwen.'

'Oh, is dat alles? Dat geeft niet dan. Ik ben er niet bang van. Ze zullen me niet opeten.' Ik liet mijn blad op de bar achter en beende rechtstreeks naar het tafeltje toe.

'Luister 'ns. Ik ben niet... niet lesbisch en ik wil het ook niet zijn. Geeft dat niet?'

Hun gezichten sloten zich af. Johnnie Mae vroeg: 'Geeft wat niet?'

Plotseling schaamde ik me. 'Ik bedoel, ik wil graag bij jullie langskomen, zondag. Maar... ik bedoel, ik wil dat jullie weten dat... ik zo niet ben.'

Ze zwegen, als opwindspeelgoed waarvan het mechaniek is gebroken. Ik wenste dat ik mijn woorden terug kon nemen om ze heel in te slikken.

'Ik zou graag jullie adres hebben.' Ik stak mijn potlood uit. Johnnie Mae pakte het aan en gaf het aan Beatrice.

'Hoe laat op zondag?' Ik moest de stilte met iets opvullen. Beatrice schreef.

'Twee uur. Als we uit de kerk terug zijn,' zei Johnnie Mae en overhandigde me het papiertje.

'Okidoki. Tot ziens dan.' Ik wilde luchthartig doen, een grapje maken, iets zeggen dat de treurigheid zou verdrijven, maar er kwam niets bij me op. Ik haalde mijn blad op en ging weer aan het werk.

12

In de wijk waar op zaterdagavond de boemelaars gingen stappen, waren de zondagmiddagen gereserveerd voor de godvruchtigen. Ze vulden de straten in dichte drommen en op sommige gezichten waren nog de stralende sporen van het recente contact met God de Vader te zien. De meesten hielden een kletspraatje, wisselden vertrouwelijkheden uit, inspecteerden de zondagse kerkkleren van anderen en maakten zich los uit de menigte om op huis aan te gaan.

Opgroeien, verantwoordelijkheid dragen, vooruit moeten denken en de houding van een volwassene aannemen had ook zijn goede kanten voor mij. En waar ik elke week dankbaar voor was, was de vrijheid om uit te kunnen slapen. (Op de een of andere manier was het bed die ochtend sensueler dan op doordeweekse dagen.) Ik hield van de roerende liederen en stemde van harte in met de passieverhalen van de predikers, maar om drie uur of meer schouder aan schouder in een deinende menigte van vreemden geklemd te staan, deed niets voor mijn ziel.

Ik laveerde tussen de kerkgangers door, mijn oren gespitst voor:

'Dominee sprak goed vandaag.'

'Nou en of, kind. Vandaag had hij het echt.'

'Dominee sprak recht tot mijn ziel vanmorgen.'

'God zegen je. Tegen de mijne ook.'

'Het is iets geweldigs om het huis van de Heer binnen te gaan.'

'Zo is het.'

De klanken waren als sierlijke linten die voor mij alleen waaierden. Ik begreep ze allemaal. Ik was een met die mensenmassa. Het feit dat ik in het Zuiden was opgegroeid, dat ik als zwarte was geboren, betekende dat ik voor de rest van mijn leven lid was van de schaar der rechtschapenen en het zou blijven, of ik nu ooit nog naar de kerk ging of niet.

Het kleine, witte huis stond midden in een zanderig tuintje. Een paar rozenstruiken probeerden tevergeefs langs een ijzeren hekje omhoog te klimmen. Johnnie Mae deed open en aan haar strakke glimlach kon ik zien dat mijn botte opmerking van een paar avonden eerder misschien wel was vergeven, maar niet vergeten. Beatrice kwam van achter uit het huis en ging naast Johnnie Mae staan. Ze praatten alletwee tegelijk.

'Je bent er. We dachten dat je niet meer zou komen. We zijn net terug uit de kerk. We hebben ons net omgekleed.' Ze hadden dezelfde witte T-shirts en driekwartbroeken aan.

In Zuidelijke steden gingen de mensen die mijn grootmoeder 'werelds' noemde, op zaterdagavond uit terwijl de 'godvruchtigen' op zondag gasten ontvingen of werden ontvangen in koele huiskamers. Zwarte mensen brachten die gewoonte, samen met hun zachte dialect en niet vergeten recepten, mee naar het Noorden. Aangezien mijn gastvrouwen en ik uit het Zuiden kwamen, verwachtte ik dat ik aan een volgeladen tafel zou aanzitten, overdreven complimenten uitdelend terwijl zij mij volstopten met 'nog een schepje'.

'Kom binnen. Ga zitten. Hopelijk sterf je niet van de honger. Ik begin net met koken.' Ze waren even zenuwachtig als ik was. Ik ging de piepkleine kamer binnen en voelde me onmiddellijk te groot.

'We dachten dat je de baby mee zou brengen.'

'Hij slaapt. Ik ga bijtijds terug om met hem te wandelen.' Het zou mijn excuus zijn om weg te komen.

'Nou, wat vind je van ons huis?' Ik had nog geen kans gehad om rond te kijken. Ik zag dat de muren kaal waren en dat er nergens boeken stonden, maar meubilair hadden ze genoeg. Een zware, gestoffeerde, roestkleurige sofa duwde zijn bijpassende stoel in een hoek. Twee grote crapauds stonden pompeus tegen de andere muur. Op twee bijzettafeltjes stonden kleine schemerlampjes van transparant glas en witte kapjes met strookjes. Dingen zogen alle lucht op.

'Kom, dan laat ik je de rest zien voor je gaat zitten.' Johnnie Mae's trots voerde ons de slaapkamer binnen terwijl Beatrice terugging naar de keuken.

'Heb je ooit in een rond bed geslapen?' Dat had ik niet en ik had er ook nog nooit een gezien. Het leek niet aanlokkelijk, hoewel het bedekt was met een blauw satijnen sprei die precies over de rondingen paste.

'Als Beatrice in de bloei staat, slaapt ze hier.' Ik liep achter haar aan een kloostercel in. Een smal bed en een oud kastje waren de enige meubelstukken in de kamer. Geen lampjes en geen kanten kleedjes.

'In de bloei?' Ik was eerder slecht op mijn gemak dan nieuwsgierig.

Johnnie Mae zei: 'Als ze haar maandstonden heeft. Die heb ik niet meer. Ik ben geopereerd. Als zij niet zo bang was voor ziekenhuizen, zou ze 't ook laten doen.'

'Geopereerd?' Ik was jong en ik was ook naïef.

'Mijn eileiders en al dat spul is weggehaald. Bé zou 't ook moeten laten doen. Ik bedoel, van mij zal ze toch geen kinderen krijgen.' Ze stootte me aan en knipoogde. Ik moet terug hebben geknipoogd. Ik weet het niet. Maar ik was met mijn gedachten bij de stommiteit waardoor ik in deze hachelijke situatie was beland. Bij die grote, edelmoedige, ruimdenkende geest waardoor ik nu vastzat aan twee lesbiënnes met een klef gevoel voor humor.

'Het is mooi. Jullie huis is echt heel mooi. Ik bedoel, het weerspiegelt jullie smaak en persoonlijkheden. Ik zeg altijd, als je een vrouw, ik bedoel een mens, wilt leren kennen, moet je naar hun huis gaan. Daaraan kan je zien...' Ik wist dat woorden, ondanks het aloude gezegde, nooit tekortschoten. En door mijn vele lezen had ik woorden te over. Ik kon, en vaak deed ik het ook voor mezelf en mijn baby, hele passages opzeggen van Shakespeare, gedichten van Paul Lawrence Dunbar, *If* van Kipling, Countee Cullen, Langston Hughes, *Hiawatha* van Longfellow, Arna Bontemps. Ik had toch zeker wel genoeg woorden om één moment van onbehagen te verdoezelen. Als het moest, had ik er genoeg om uren mee op te vullen.

Terug op de prikkerige sofa, bood Johnnie Mae me een Dubonnet aan. Ik hield het glas met de dikke, zoete wijn als bescherming in mijn hand. Ervan uitgaande dat ze me niet zo gauw zou bespringen als de kans bestond dat ik de wijn over haar meubilair zou morsen, hield ik het glas voor me als een schild.

'Beatrice, kom 'ns hier. Je zit toch niet aan dat fornuis vastgebonden, wel?' Ze keek me aan en trok haar zware wenkbrauwen op. Johnnie Mae had de ergerlijke gewoonte om van iedereen met wie ze sprak een samenzweerder te maken. Alsof ik begreep wat ze bedoelde, trok ik mijn wenkbrauwen ook op. Beatrice kwam de kamer binnen, haar gezicht besproeid met zweetdruppeltjes.

'Nou, schat, je wilt toch zeker geen zwarte kip, hè?' Beatrice plaagde en flirtte.

'Als die kip iets zwarter wordt dan jij, zal ik je voor je luie reet moeten geven.' Ze waren een komisch duo. Als ik die uitwisseling in de club had gehoord, zou ik met hen hebben meegelachen, maar op mijn hoede, op het puntje van mijn stoel in hun volgepropte kamer, kon ik er niets grappigs aan ontdekken. Ik lachte.

'Kom hier, jij lief ding.' Beatrice gehoorzaamde en bleef als een mollig, klein meisje voor Johnnie Mae staan.

'Buk 'ns.' Johnnie Mae hief haar gezicht op en de lippen van de twee vrouwen ontmoetten elkaar. Ik keek toe en zag hoe hun tongen naar binnen en naar buiten kronkelden. Behalve in de film had ik zelfs mannen en vrouwen elkaar nog nooit hartstochtelijk zien kussen. Ze maakten zich los en keken met een geoefend gebaar naar mij. Een moment vond ik het beschamend om betrapt te worden terwijl ik keek, maar het volgende realiseerde ik me dat het precies was wat ze wilden. Zelfs nadat ik hun verteld had dat ik geen belang stelde in lesbische liefde, dachten ze nog dat de aanblik van vrouwen die elkaar kusten, mij op zou winden.

Ik verafschuwde hun stommiteit, maar nog meer verafschuwde ik het om onderschat te worden. Voor mijn part konden ze zich poedelnaakt uitkleden en de Sassy Sue dansen en dan nog zou ik met mijn benen over elkaar blijven zitten nippen aan mijn Dubonnet.

Beatrice lachte over haar schouder toen ze terugliep

naar de keuken. Johnnie Mae keek me aan en probeerde me met een wellustige blik bij haar waardering te betrekken.

'Beatrice kan een haas nog wel een jachthond laten omhelzen.' Ze knorde als een varken.

Omdat lachen het veiligste tijdverdrijf leek in dat huis, lachte ik en vroeg: 'Waar werk je? Ik bedoel jullie?'

'Hierzo. Plat op ons rug.' Die vrouw geneerde zich nergens voor. 'We hebben alletwee een keer per week een klant voor de hele nacht. Dat komt neer op tweehonderd dollar. Daar kunnen we goed van rondkomen.' Ze wees op de sofa en de stoelen. 'Zoals je kunt zien.'

Lesbische prostituees! Zouden ze vrouwen als klant hebben? Ik brandde van nieuwsgierigheid. Hoe pikten ze ze op? Ik had nog nooit gehoord van vrouwen die op andere vrouwen tippelden, maar ze zouden toch zeker niet met mannen naar bed gaan? Ik zocht naar een manier om de vraag te stellen.

Johnnie Mae keek de kamer rond, haar ogen telden en koesterden de vele meubelstukken. Toen haar hoofd de halve cirkel rond was gegaan, kwam ik weer terug in haar blikveld.

'We zullen moeten verhuizen, denk je niet?' Dat was een absurde vraag. Niet alleen had ik er niet over nagedacht, het kon me ook niets schelen. En als ik wel de kans had gehad erover na te denken, zou ik gevonden hebben dat het maar goed was ook.

'De huisbaas moet ons niet. Hij zegt dat hij diaken in de kerk is. Maar waar het echt om gaat, is dat zijn zoon een nicht is. Hij loopt rond in vrouwenkleren, dus kan die ouwe klootzak homoseksuelen niet uitstaan.' Ze grijnsde gelukkig bij de gedachte aan het ongeluk van die oude man. 'Ik heb dat ook tegen die ouwe klootzak gezegd.' Ze haalde haar schouders op over het noodlot. 'We zullen wel iets anders vinden, maar ik heb helemaal geen zin om te verhuizen. Ik bedoel, we hebben dit huis zelf opgeschilderd.' De muren in de woonkamer hadden de kleur van gele erwten. 'We noemen dit ons witte-broodshuisje. Beatrice heeft de rozen geplant.'

Ik voelde dat er van mij verwacht werd dat ik iets zei. Zoiets als: 'Ik leef oprecht met jullie mee.' Om de een of andere reden dacht ik op dat moment aan Curly en speet het me echt voor de twee vrouwen.

'Nikkers maken me onpasselijk. En van nikkerman-nen word ik helemaal ziek.' Misschien dacht ze daarbij aan haar huisbaas, maar het leek alsof ze mijn gedachten had gelezen en de brutaliteit bezat om Curly te bedoelen. Ze zou mijn medeleven sowieso verloren hebben. Ik haatte het woord 'nikker' en had nooit geloofd dat het een uiting van genegenheid was, ongeacht wie het woord bezigde.

'Vertel me eens over jezelf. We zijn eigenlijk wel be-nieuwd. Hoe komt het dat je als serveerster werkt? Je spreekt zo'n mooi Engels, je hebt vast een diploma.'

'Ja, dat heb ik ook.' Van schrik schoot mijn stem uit.

'Je bedoelt dat je middelbare school hebt?'

'Ja.'

'En je werkt als serveerster?'

'Wel, ik kan niet typen of steno of...'

'Je lijkt op Beatrice.' Ze riep: 'Beatrice, kom hier.' Ik was bang dat ik een herhaling van dat gekus zou moeten aanzien.

Beatrice stond in de deuropening van de woonkamer. 'Wat heb je op je hart?'

Johnnie Mae had geen tijd voor grapjes. 'Bé, Rita is net als jij. Ze heeft middelbare school.'

Beatrice, die wist dat dat niet zo'n grandioze prestatie was, vroeg: 'Echt? En je hebt een diploma?'

Johnnie Mae antwoordde voor mij: 'Tuurlijk heeft ze dat. En ze werkt als serveerster.' Ik begon het uit te leggen, maar ze onderbrak me. 'Beatrice was bij de Milva, ze was korporaal.' Het viel nauwelijks te geloven dat al dat zachte vlees in een legeruniform had gezeten. 'En toen ze eruit kwam, is ze uit werken gegaan. Daar hebben we elkaar leren kennen. Bij zo'n rijke, ouwe vrouw in huis. Bé was kokkin en ik huishoudster. Ik hoefde Bé maar een keer aan te kijken en sindsdien heb ik haar in huis gehouden.'

Pauze voor schallend gelach.

13

'Laten we wat weed nemen voor we gaan eten.' Johnnie gaf een bevel, het was geen uitnodiging. Ze wendde zich tot mij.

'Hou je van weed?'

'Ja, ik rook.' De waarheid was dat ik al meer dan een jaar sigaretten rookte, maar nog nooit marihuana had geprobeerd. Maar aangezien ik het onvervalste lef bezat om met mijn benen over elkaar geslagen in een lesbisch appartement wijn te zitten drinken, dacht ik dat ik ook wel bestand zou zijn tegen een beetje weed. Bovendien was ik erop voorbereid om alles wat ze me verder nog aanboden af te slaan, dus had ik niet het gevoel dat ik zomaar nee kon zeggen tegen wat stuff.

Beatrice zette een blikje Prince Albert-tabak met vloeitjes op tafel.

'Wil jij draaien?' Het was Johnnie Mae's manier van hoffelijk zijn.

'Nee, dank je, daar ben ik niet zo goed in.' Ik had, sinds ik vijf jaar eerder uit het Zuiden was vertrokken, geen losse tabak en vloeitjes meer gezien. Mijn broer en ik hadden voor mijn oom bultige sigaretten gedraaid op een handmachientje wanneer zijn pakjes leeg waren.

Ze pakte de vloeitjes en begon behendig de marihuana te schiften. Ik deed mijn best om niet al te nieuwsgierig te lijken toen de tabaksvlokken in het gevouwen vloeitje vielen.

'Zou ik gebruik kunnen maken van het toilet?'

'Tuurlijk, je weet waar het is.'

Ik praatte tegen de spiegel in de badkamer. 'Er is niets om bang voor te zijn. Je komt hier wel uit. Kom je niet altijd overal uit? Marihuana is niet verslavend. Duizenden mensen roken het. Indianen en Mexicanen en die zijn er ook niet gek van geworden. Was gewoon je handen' – die klam waren – 'en ga terug naar de kamer. Hou je kalm. Kalm.'

Ik inhaleerde de rook net zo nonchalant alsof de kleine, bruine sigaret in mijn hand van het gewone, commerciële soort was.

'Nee. Nee. Dat is zonde van het spul. Geef hier.' Ze trok aan de sigaret met het geluid van mensen die thee van een schoteltje slobberen.

'Maar ik vind 't fijner op mijn manier.' Koppig tot de laatste snik.

'Probeer 't nou eens zo.' Weer klonk het rochelende geluid.

'Goed dan.' Ik opende mijn keel en hield mijn tong omlaag, zodat de rook in zijn doorgang van mijn lippen naar mijn keel geen hinder zou ondervinden. Hij schuurde langs mijn amandelen, brandde in mijn neus als Spaanse pepers en ik verslikte me. Terwijl ik hoestte en kokhalsde, lachten die stomme wijven. Ze zouden daar gewoon blijven zitten met die duffe rimpels in hun gezicht terwijl ik stikte. Zouden ze niets voor me doen? Nee. Beatrice redde de joint en zoog de rook naar binnen, haar al dikke wangen opblazend tot ze bijna klapten. Intussen was haar liefje druk bezig een andere verzengende vuurstok te rollen.

Voordat de hoest ophield mij te teisteren, had ik al besloten dat ik het ze betaald zou zetten. Ze waren lesbisch, wat al zondig genoeg was, maar het waren bovendien onattente, stomme trutten. Ik reikte weer naar de marihuana.

Het was het beste eten dat ik ooit had geproefd. Elke hap was een ervaring van opperste verrukking. Ik ging op in een roes van sensueel genot. Ik genoot niet alleen van de smaak, maar ook van het gevoel van voedsel in mijn mond, van de geuren en van het geluid van mijn malende kaken.

'Ze kickt erop. Dat is al de derde keer dat ze opschept.'

Ik keek op en zag dat de twee vrouwen mij lachend aankeken. Hun gezichten leken voornamelijk uit tanden te bestaan. Witte tanden die achter donkere lippen wiebelden. Ze waren beschamend lelijk, maar het had ook iets komisch. Ze hadden geen idee dat ze er zo vreemd uitzagen. Ik lachte om hun onnozelheid en zij, waarschijnlijk in de veronderstelling dat ze om de mijne lachten, vielen me bij. Toen me weer te binnen schoot hoe ze bereid geweest waren mij te laten stikken en hoe ik gezworen had het ze betaald te zetten, rolden de tranen over mijn wangen. Dat was pas echt komisch. Zij wisten niet wat ik dacht en ik wist niet welke vorm mijn wraak zou aannemen.

'En nou wil ik wat muziek horen.' Als bij toverslag waren we terug in de sombere woonkamer. Johnnie Mae legde platen op de pick-up. Ze keerde zich naar mij toen de eerste plaat begon te spelen. 'Je zei dat je dansles had. Laat eens wat zien.' De stem van Lil Green klaagde droevig:

'In the dark, in the dark, I get such a thrill,
when you press your fingertips on my lils.'

Ik kon niet uitleggen dat ik niet solo op zulke muziek danste. In de studio deed ik rek- en strekoefeningen, pliés en relevés op Prokofjev, Tsjaikovski en Stravinski.

Het was heel normaal dat van een kind, of zelfs van een volwassene, in samenkomsten werd gevraagd iets op te voeren. Van degenen die talent hadden, werd verwacht dat ze die gave deelden. Aan de zanger werd gevraagd 'zing eens een liedje voor ons' en aan iemand met een goed geheugen 'zeg eens een gedicht op'! In mijn moeders huis had ik vaak moeten laten zien wat ik op dansles had geleerd. De pluche stoelen werden opzij geschoven en ik danste in de vrijgekomen ruimte in de huiskamer. Onhoorbaar neuriënd sprong ik dan rechtstreeks van de eerste positie naar een wankele arabesk. En moeders gasten zetten hun whiskysoda's neer en applaudisseerden.

Ik besloot om voor mijn gastvrouwen te dansen. De muziek daalde en zwierde, trekkend en duwend. Ik liet mijn lichaam rusten op de klanken en draaide en boog in de kleine kamer. De gedaanten en vormen smolten samen, totdat ik het gevoel had dat ik me in een houtskooltekening of in een sepia-aquarel bevond.

Toen de plaat afgelopen was, stond ik stil. De twee vrouwen zaten op de sofa. Ernstig gestemd.

'Dat was goed, hè schat?'

'Dat was 't zeker.'

'Dans met Beatrice. Ik heb geen bezwaar. Vooruit, Beatrice, dans met Rita.'

Weer klonk het als een commando. Het laatste in de wereld wat ik wilde, was dansen met een andere vrouw. Johnnie Mae kwam overeind, zette Lil Green opnieuw op en Beatrice kwam dicht bij me staan. Ze sloeg haar arm om mijn middel en pakte mijn linkerhand beet alsof we gingen walsen. Het was verpletterend. Ze was niet alleen dik en zacht en een hoofd kleiner dan ik, ze wreef ook met haar grote borsten tegen mijn buik. Ze stak haar dij tussen mijn benen en we waggelden de kamer rond. Dat was het toppunt. Ik zou mijn gal uitspuwen over die stompzinnige, hitsige, ouwe heksen. Ze konden me niet zomaar ongestraft beledigen.

'Goed zo, Beatrice en nu achterover.' De vrouw deed een ingewikkelde pas, boog zich achterover en trok mij mee. Bijna tuimelde ik omver. Gelukkig was de plaat, na wat wel duizend uur leek, afgelopen en kon ik weer gaan zitten op de sofa.

'Jullie zijn een mooi paar. Beatrice kan goed dansen, hè? Kom hier, baby, geef me een zoen.'

Ik stond op om plaats te maken voor Beatrice.

'Nee. Blijf maar zitten.' Ze omstrengelde Beatrice die een wulps onderdanige uitdrukking op haar gezicht had.

'Ik moet weer naar het toilet.' Laat de mentale machine zijn werk doen. In de badkamer ontkiemde een idee. Het waren hoeren. Waarom zou ik ze dan niet aanmoedigen in het beroep dat ze hadden gekozen? Ik had begrepen dat hoeren nooit genoeg geld hadden en aangezien zij er zo weinig van hadden, kleedde ik mijn pasgeboren idee zorgvuldig aan en nam het mee terug naar de woonkamer. Ik vroeg of de muziek wat zachter mocht omdat ik wilde praten.

'Rita wil praten.' Ze maakten zich los uit hun omhelzing. De vunzige wijven.

'Ik heb net bedacht dat ik jullie zou kunnen helpen om dit huis te houden. Jullie vinden het zo fijn hier en je hebt het zo gezellig gemaakt, dat 't zonde zou zijn als je 't kwijtraakt.'

Ze waren het bijna huilerig met me eens.

'Als ik het nou eens huur, dan zouden jullie hier kunnen blijven wonen.'

'Je bedoelt, dat jij de huur betaalt en wij betalen jou terug.'

'Nee, ik huur het en ik laat de elektriciteit en het gas op mijn naam zetten. Ik betaal alles. En dan ontvangen jullie hier drie of vier avonden per week klanten.'

Het onnozele stemmetje van Beatrice jammerde: 'Wil je dan van ons huisje een hoerenkast maken?'

Nou ja, er woonden hoeren in en het had wel iets van een kast. 'Besef je wel, dat als de zaak goed loopt, je zelf een huis kunt kopen en het net zo in kunt richten als dit?' Dat zouden ze nog doen ook.

'Waar halen we de klanten vandaan?' De eeuwig praktische Johnnie Mae.

'Via blanke taxichauffeurs die we commissie betalen.' Mijn brein ratelde voort als de trein naar Santa Fé. Toeterend en fluitend. 'We zouden de uren aan hen kunnen doorgeven, zoiets als tussen tien en twee. En als het twintig dollar per klant is, krijgen zij er vijf van en wij delen de rest. Zevenvijftig voor jullie. Zevenvijftig voor mij.'

'We willen geen hoeren zijn. Ik bedoel niet de hele tijd.' Die ouwe, dikke Beatrice scheet al in haar broek. Wat had ze uitgespookt toen ze bij de Milva zat? Jonge meisjes verleid?

'Vier dagen per week klanten is niet de hele tijd', zei ik. 'En bovendien kun je er, als je het goed aanpakt, na zes maanden mee ophouden. Een huisje voor jezelf zoeken. Je zou zelfs een groter kunnen kopen.' En er nog meer rommel in proppen.

Johnnie Mae keek me argwanend aan. 'Wanneer heb je dat allemaal uitgeknobbeld?'

'Nou, ik wilde al langer iets voor mezelf beginnen.

Dus heb ik geld gespaard. Ik had iets als een hamburgertent in gedachten, maar dit huis is zo perfect.' En zij ook. 'Weet je, als we alledrie sparen, zouden we over een jaar een restaurant kunnen openen. Met Beatrice als kok en jij en ik als bedrijfsleiders.'

Ik drong tot hen door. 'Ik had een zaakje hogerop aan de kust. Een onderneming van drie meiden, maar ik moest ermee ophouden.' Op hun gezichten stond bewondering en een beetje angst te lezen. Ze kregen meer dan waar ze op gerekend hadden.

Johnnie Mae, die niet wilde geloven wat ze al geloofde, vroeg: 'Waarom werk je als serveerster?'

Moest ik ze vertellen dat ik dat deed om te kunnen eten en in het onderhoud van mijn zoon te voorzien, zodat ze me op die ongemakkelijke sofa konden gooien en verkrachten? 'Ik had dekking nodig. De politie zat achter me aan.'

'De politie!' Ze schreeuwden alletwee. Zoals zoveel zwakke mensen wilden ze de koe wel uitmelken, als ze de lucht van stront maar niet hoefden te ruiken. Ik zag meteen dat ik te ver was gegaan.

'Niet achter mij persoonlijk. Achter een van mijn meiden, maar ik wilde een dekmantel voor mezelf.'

Beatrice zei: 'Je bent nogal jong om al in de penose te zitten.'

'Ik heb al 't een en ander gezien, baby.' Ik rolde met mijn ogen om verre en mysterieuze oorden aan te duiden. 'Nou, hoe klinkt 't? Als we zeggen op woensdag, donderdag, vrijdag en zaterdag, dan ben je vrij om op zondag naar de kerk te gaan en...'

'We zullen het er eerst nog over moeten hebben.'

'Morgen ben ik vrij, dan kan ik alles regelen. D'r gaat niks boven het heden.'

'We hebben maar twee slaapkamers. Waar moet jij dan werken?'

Ik schreeuwde bijna tegen de lange vrouw. Ik, klanten ontvangen? Wat dacht ze wel dat ik was? 'Ik blijf in de bar werken. Ik kan beter geen aandacht trekken, begrijp je. Maar je zult niet alleen zijn. Ik zorg wel dat er iemand is voor de bewaking. Laat dat maar aan mij over.'

Ik nam een pompeus zakelijke houding aan, wat nooit moeilijk was voor mij, als dochter van mijn vader. 'Als je me een blocnote geeft, zal ik het adres van de huisbaas noteren.'

'Beatrice, haal 'ns papier.'

Ik ging aan tafel zitten, schoof de etensborden en kruimels opzij en Johnnie Mae dicteerde.

'Wat is jullie adres ook al weer?'

Ze gaf het mij en ik schreef het over op kleine strookjes papier.

'Wat doe je nu?' Johnnie Mae was niet intelligent, maar ze was nog altijd te slim om alles voor zoete koek te slikken. Ik prentte mezelf in dat ik dat beter in gedachten kon houden.

'Als ik hier straks weg ga, zal ik beginnen met klanten te werven,' zei ik. 'Over een paar weken zijn we duizendairs.'

'Wat?'

'Dat is een stap verwijderd van miljonairs. Laten we erop drinken.' Beatrice schonk in. Bij de eerste slok draaide alles om me heen. De drank maakte in mijn hersenen contact met het spul. Een fractie van een seconde was ik nuchter en had ik helder voor ogen wat ik had gedaan, toen was ik, godzijdank, weer high. En een autoriteit die de zaak in handen had. Ik nam afscheid, zinspeelde nog een keer op het fantastische eten en de fantastische toekomst die voor ons was weggelegd en wandelde het huis uit.

Ik was er zeker van dat mijn harteloosheid ten opzichte van die twee vrouwen voortkwam uit een natuurlijke behoefte aan wraak. Na al mijn snotterige sentimentaliteit voor de onbegrepenen had niemand me ervan kunnen overtuigen dat het eigenlijk alleen maar de afkeer van de maatschappij voor 'die andersgeaarden' was, die ik uitdroeg. Maar de ironie ervan trof me voordat ik bij het 30 centimeter hoge tuinhekje aankwam dat het trottoir van het voortuintje scheidde. Het resultaat van mijn succesvolle verijdeling van een verleidingspoging was dat ik nu met twee hoeren en een hoerenkast zat opgescheept. En ik was pas achttien.

14

'Goedenavond, chauffeur.'

'Jèè.'

'Zijn er genoeg huizen van ontucht om het marine-personeel ter wille te zijn?'

'Wááát?'

'Ik weet dat u over het algemeen vier dollar per klant van twintig dollar ontvangt (dat wist ik niet, ik vermoedde het), maar als u, donderdagavond na tien uur, klanten naar dit adres brengt, zal uw vergoeding de somma van vijf dollar per hoofd bedragen.'

Je moest voorzichtig zijn als je met blanken sprak en vooral als het blanke mannen waren. Mijn moeder zei dat een blanke man maar naar je tanden hoeft te kijken en hij denkt al dat het je ondergoed is wat hij ziet.

Binnen een paar gespannen jaren was ik erin geslaagd om op elk vlak, raciaal, cultureel en intellectueel, een snob te worden. Ik was een madam, maar vond mezelf moreel boven de hoeren staan. Ik was een serveerster, maar geloofde dat ik intelligenter was dan de clientèle die ik bediende. Ik was een eenzame, ongehuwde moeder, maar dacht dat ik vrijer was dan de getrouwde vrouwen die ik tegenkwam.

Hank was de grillige uitsmijter van de club. Grillig, omdat hij soms niet op kwam dagen en soms, als zijn verslaving hem in de greep had, smeet hij mensen de stoep op die niet meer gedaan hadden dan hem ergeren. Maandelijks bracht hij een paar nachten door in de nor om te ontnuchteren, maar wanneer hij vrijkwam, werd hij altijd weer aangenomen. De andere serveersters gaven bedekt te kennen dat Hank wel eens privé-klussen opknapte voor de baas. Ik voor mezelf geloofde dat de man bang was van Hank en terecht, want hij was volstrekt onberekenbaar. Hij kon in een vreemde eigenschappen van grote waarde ontdekken, of hij kon een intense haat ontwikkelen voor iemands huidkleur.

Hij had mij bij mijn aankomst min of meer geadopteerd en bij de eerste de beste gelegenheid sprak ik hem aan. 'Hank, ik wil weten of jij voor mij een oogje in het zeil kunt houden.'

In een andere eeuw zou dat gezicht een slavenhouder zo'n angst hebben ingeboezemd, dat hij zich gedwongen zou hebben gevoeld om die brede rug te geselen en die grote handen te boeien.

'Jè, zusje. Wat is er aan de hand?'

'Je kent toch die twee les... die potten die hier vaak komen, hè?'

'Ze hebben toch niet aan jou gezeten, hè?'

'Oh, nee.' Integendeel. 'Ze hebben mij gevraagd of ik hen wil helpen met een zaak. Een hoerenkast, om precies te zijn. Woensdag tot en met zaterdag. En jij bent de enige die ik kan vertrouwen om mijn aandeel in de gaten te houden. Ik had in gedachten om je een derde van mijn opbrengst te betalen.'

Zijn mond hing open. 'Ga je zelf pezen?'

'Ik niet. Ik blijf gewoon hier werken, maar zij wel. Zou jij het huis voor me kunnen beheren? Uitkijken naar de politie en een oogje houden op het geld?'

Na mezelf vaak herhaald te hebben, stemde hij toe. Ik

creëerde een ingewikkeld systeem van bonnen die aan de taxichauffeurs en aan de vrouwen zouden worden uitgedeeld. Rond halfdrie 's ochtends moest Hank het verandalicht uitdoen, ten teken dat de kust veilig was en dan zou ik binnenkomen om de arbeiders te betalen.

Ik had een vage angst dat een plotselinge stijging van mijn bankrekening de zedenpolitie op mijn spoor zou zetten. Het was niet direct de politie waar ik bang van was, aangezien ik zelf geen klanten had, maar ik was doodsbenauwd voor de uitwerking die een politieonderzoek op moeder Cleo zou hebben. Ze zou mij en de baby het huis uitgooien, na me herhaaldelijk tot in de diepten van de hel verwenst te hebben. Natuurlijk waren er andere huizen om in te wonen en als het geld zich op verborgen plaatsen ging ophopen, kon ik me iedereen als oppas veroorloven. Maar de waarheid was dat ik het echtpaar Jenkins aardig vond en het was belangrijk wat ze van me dachten. Hun huis en gewoonten deden me denken aan de grootmoeder die me had opgevoed en die ik aanbad. Ik wilde hen niet grieven. Toen mijn illegale onderneming zijn hoogtepunt bereikte, sloot ik me aan bij hun kerk en stond ik in het koor de oude liederen met veel gevoel mee te zingen.

Op een middag merkte moeder Cleo op: 'Ik weet iets.' En ze glimlachte sluw. Paniek overviel me.

'Wat?'

'Je bent iets aan het doen.' Ze zong de beschuldiging als schoolkinderen die dreigen dat ze het zullen verklappen.

'Wat? Ik ben niets aan het doen.' De leugen lag klaar op mijn tong.

'Je hebt een vriend.'

Hoe kwam ze daar nou bij? Maar hoe fout ze het ook

had, ik zag dat ze niet kwaad was en dat het veiliger zou zijn om weer te liegen.

Ik vroeg: 'Hoe weet u dat?' Verheugd, nu dat ze me betrapt had.

'Omdat je later thuis bent dan anders. Ik slaap maar licht. Meneer Henry kan slapen tot sint-juttemis, maar omdat ik voor kinderen zorg, slaap ik licht. Ik hoor iedere voetstap. Anders kwam je rond halfdrie thuis. Nu is 't soms wel halfvier. Heb ik gelijk?'

'Ja.'

'En? Is 't een nette jongen? Hij werkt bij jou, hè?'

'Hoe weet u dat allemaal, moeder Cleo?'

'Omdat niemand anders iedere nacht op zou kunnen blijven tot jij vrij bent. Als je wilt, kan hij je hier op komen zoeken.'

Ik schrok.

'Niet 's nachts. Maar overdag vind ik 't best.'

Dat klonk al beter. Met al die onverwachte dingen die er gebeurden, zou het me zeer teleurstellen om de normen van moeder Cleo te zien afglijden.

Gedurende tweeënhalve maand bevond ik me afwisselend op de hoeken van een stilistische driehoek. Vol grootspraak (in aanwezigheid van de vrouwen), bescheiden en gedienstig (op de club), en daarnaast vroeg ik me voortdurend af wat ik met al het geld aanmoest.

Ik kocht een auto die een model was van Detroitse genialiteit. Een lichtgroene Chrysler cabriolet, bouwjaar 1939. Hij had houten portieren en een glanzend gepoetst, houten dashboard. De hendels en knoppen waren van hetzelfde materiaal als de handvatten van ouderwets bestek. Ik maakte een tuigje van riemen en bond mijn zoon, die al begon te lopen, er stevig mee vast. We reden de eentonige straten van San Diego rond in mijn schitterende triomfwagen. Ik had hem contant betaald uit een kastla vol geld.

Moeder Cleo vroeg behoedzaam: 'En hoe heb je in 's hemelsnaam...?'

Ik had mijn antwoord klaar. 'Van mijn vriend gekregen.'

'En hoe kwam hij eraan? Gestolen?'

'Oh, nee. Hij heeft hem contant betaald.'

'Waarom komt hij niet langs?'

'Hij is het van plan. Ik heb hem al uitgenodigd.' In feite had ik overwogen om Hank te vragen of hij zich wilde uitgeven voor mijn hardwerkende vriend, maar ik was tot de conclusie gekomen dat hij het nooit tot een goed einde zou kunnen brengen.

'Hoor 'ns, hij is toch niet getrouwd, hè?' Ze deinsde van me terug, alsof ik drager was van een afgrijselijke ziekte.

'Nee, hoor. Hij is niet eens gescheiden. Ik bedoel, hij is nooit getrouwd geweest.'

Geleidelijk kalmeerde ze, toen werd haar gezicht harder. 'Het is toch geen blanke, hè? Een blanke komt er hier niet in.'

Ik moest lachen. Onder alle klanten die kwamen en gingen in mijn etablissement, had ik er zelfs niet een gezien. 'Nee, moeder Cleo, hij heeft zelfs geen lichte huid.'

Onwillig glimlachte ze. 'Een ding waar ik niks van moet hebben, is vrouwen die met getrouwde mannen rotzooien. En een ander is gerotzooi met blanke mannen. Het eerste daar houdt de bijbel niet van en van het tweede de wet niet.'

Haar tijd was beter besteed geweest als ze zich had bekommerd om mijn gebrek aan moraal, in plaats van om

418

mijn seksuele verhoudingen. Sinds ik in San Diego was gearriveerd, had ik geen enkele bekoring door de onzichtbare weduwendracht waarin ik me had gehuld, laten dringen. Mijn geliefde was dood, mijn geliefde was verdwenen, getrouwd met zo'n stomme werfarbeidster en hij woonde in de van muskieten vergeven moerassen van Louisiana. Sterf lang en blijf dood, mijn liefste.

15

Gedurende deze periode dat mijn leven melodramatisch rond intrige en bedrog scharnierde, ontdekte ik de Russische schrijvers. Een boek trok mijn aandacht. Niet vanwege een schuldgevoel omdat ik geld opstreek, afkomstig van de bezigheden van prostituees, maar vanwege het volmaakte evenwicht in de titel. Voor zover ik had kunnen concluderen, bestond het leven uit een reeks van tegenstellingen: zwart/wit, op/neer, leven/dood, rijk/arm, liefde/haat, vrolijk/bedroefd en dat zonder verzachtingen er tussenin. Het sprak vanzelf; Misdaad/Straf.

In Dostojevski's wereld met zijn overvloed aan neerslachtigheid had ik altijd al gewoond. De vreugdeloze, lichtloze interieurs, de complexe gedachtegang van de personages en hun loodzware gemoedsgesteldheid waren mij zo vertrouwd als eenzaamheid.

Ik liep gehuld in Russische nevelen door de zonovergoten straten van Californië. Ik werd verliefd op de gebroeders Karamazov en snakte naar een kop thee uit de samovar met de geile, oude vader. Vervolgens werd Gorki mijn favoriet. Hij was het zwartgalligst, het somberst, het wanhopigst. De boeken konden me niet lang genoeg duren. Ik wenste alle schrijvers weer in leven, manuscripten producerend voor mijn verslaving. Ik begon aan de toneelstukken van Tsjechov en Toergenjev, maar keerde 's avonds laat, nadat ik de buit had binnengehaald, altijd terug naar Maxim Gorki en zijn duistere, onrechtvaardige wereld.

Mijn danslerares, die zelf nauwelijks aandacht voor haar uiterlijk had, ging zeer bizar gekleed. Haar lange, donkere rok viel in plooien tot net boven haar enkels. De bloezen die ze droeg, waren van het Mexicaanse genre en lieten haar magere schouders vrij. Strengen kleurige kralen en leren sandalen complementeerden haar kostuums. Ze zag er excentriek genoeg uit om bewondering te oogsten. Ik kopieerde haar kleding en wanneer ik niet de witte bloes en zwarte rok van het serveerstersuniform droeg, spookte ik rond in de bibliotheken, een groot, mager zwart meisje in te lange rokken en señoritabloezen, die sexy hadden kunnen zijn als ik er het figuur en/of de houding voor had gehad. Wat helaas niet het geval was.

Bij nader inzien verbaast het me dat niemand me voldoende doorzag om me onmiddellijk naar de dichtstbijzijnde psychiatrische inrichting af te voeren. Dat dat niet gebeurde, was niet zozeer te danken aan het feit dat ik een goed actrice was als wel omdat ik, zoals mijn hele leven al, omgeven was door vreemden. Die wereld van serveerster, droomster, madam en moeder had eindeloos door kunnen gaan als het leven niet een van zijn onverwachte verrassingen voor mij in petto had gehad.

Ik had voor mijn hoerenhuisje langs de weg geen regels ingesteld, afgezien van één; geen afspraken voor de hele nacht, ongeacht hoe aanlokkelijk ze waren. Ik wilde het geld zonder namen, de lusten zonder de lasten. Ik wilde niet dat er nog klanten in huis waren als ik aankwam, vandaar ook het signaal van Hank.

Op een avond zat ik in een taxi in de donkere straat te wachten (ik nam mijn eigen auto nooit mee naar het bordeel) tot het licht op de veranda uitging. Samen met de chauffeur, die ook klanten wierf, ging ik het huis in.

Ik stond middenin de kleine woonkamer waarin een lucht hing van Lysol, sigaretten en wierook, omringd door de chauffeur, de vrouwen, Hank en het meubilair dat ons elk moment uit het vertrek dreigde te verdringen. Beatrice en Johnnie Mae smoorden iedere aspiratie die ik mocht koesteren om dingen te bezitten, in de kiem. Nu dat ze geld hadden, kwamen hun kooplustige temperamenten pas goed tot hun recht. De totale opvulling van de woonkamer vond zo gestaag plaats, dat het leek alsof het bestaande meubilair 's nachts kleinere en zelfs grotere kopieën van zichzelf baarde. Hank overhandigde me het sigarenkistje met geld.

'Verdomme. Zet die klereradio uit tot we de zaken hebben afgehandeld. Ik kan geen flikker verstaan.' Ik had me toegelegd op vloeken om mijn imago af te ronden. De twee vrouwen hadden geen belangstelling meer voor mij, behalve misschien om mijn arrogantie te haten en me mijn gezag te benijden. Ik kon me er niet druk om maken.

Ik was nog niet klaar met het innen van hun bonnen en stond op het punt me naar de taxichauffeur om te draaien toen een dronken, half geklede, blanke zeeman door de slaapkamerdeur kwam gestruikeld. Hij had alleen zijn blauwe matrozenbloes aan. Er viel een korte stilte toen de vrouwen en Hank mij aankeken. Ik werd gebiologeerd door de naaktheid van de man en kon mijn ogen niet van zijn witte, zachte, omlaag bungelende penis afhouden.

Beatrice rende naar hem toe. 'Schatje, ik heb je toch gezegd dat je in...'

'Wat gebeurt hier? Wie zijn dit allemaal?' Zijn accent was van de monding van de Mississippi en hij was zo naakt en blank en lelijk en dronken en onsmakelijk als ik me maar voor kon stellen.

Beatrice loodste hem terug de slaapkamer in. In die paar minuten werd ik weer een kind. Ik werd verteerd door een blinde woede. Die gemene, stiekeme wijven – ik had ze toch gezegd dat het huis leeg moest zijn voordat ik arriveerde. Waarschijnlijk hadden ze hier elke nacht klanten gehad en ik had ze geen enkele vraag gesteld. Ik had in de gevangenis kunnen belanden, of nog erger. Na alles wat ik voor ze had gedaan, hadden ze zo weinig dankbaarheid in hun hoerige harten dat ze het lef hadden mij bloot te stellen aan de aanblik van de penis van een blanke man.

Ik draaide me om naar Hank. Hij kwam log naar me toe en zei: 'Rita, ik zweer bij God dat ik dacht dat ze allemaal weg waren.'

Johnnie Mae liet wat van haar jaloezie blijken. 'Ik zie daar zelf niet zoveel kwaad in. Jij komt hier iedere nacht geld ophalen alsof je iemands pooier bent. Maar je voelt je te goed om zelf te pezen. En dan zet je die grote, lompe klootzak hier neer om ons de hele tijd in de gaten te houden. Nou, je kunt mijn zwarte reet likken.'

Haar grofheid verbaasde me niet. Niets had me nog kunnen verbazen. De chauffeur stond als verlamd door het incident. Ik gaf het sigarenkistje aan Hank. 'Hank, wil je een hoerenkast met hoeren en al hebben? Je hebt er zojuist een gekregen.' Ik wendde me tot de vrouwen, al mijn gekwetste waardigheid om me heen bundelend. 'En, dames, jullie hebben in het begin al besloten dat je me op de een of andere manier zou verneuken. En kijk nou eens. Wie heeft wie verneukt?'

De stem van Beatrice werd bijtend scherp en schoot door de kamer als een zwaaiend scheermes. 'Als jij er niet was geweest, zouden we nou nog net zo leven als we altijd hebben gedaan.'

'Ja, op straat, of terug in de keuken van een of andere blanke vrouw.'

Johnnie Mae zwol op alsof ze meer lucht had opgezogen dan ze uit kon blazen. 'Pas, godverdomme, op je woorden als je het tegen haar hebt, jij teef met je dikke neus.'

Het werd tijd om te vertrekken. Die leugenachtige heidenen zouden het niet beneden hun waardigheid achten om mij aan te vallen. En na alles wat ik voor ze had gedaan.

'Hank, als je dit huis wilt hebben, het is helemaal van jou.' En als laatste trap na voor de verraadsters: 'Dankzij mij zijn jullie in ieder geval beter af dan tevoren. Je hebt nou genoeg tweedehands meubilair om je eigen liefdadigheidsbazaar te beginnen.' En tegen de taxichauffeur: 'Wilt u mij, alstublieft, naar huis brengen.'

Ik rechtte mijn rug, sloot mezelf af van de kwalijke reuk in mijn huidige omgeving en liep naar de deur. Johnnie Mae was zo woedend dat ze me achterna kwam. Ik bereikte de deur op het moment dat ze haar hand naar mij uitstak. Ik zette er een beetje meer vaart in, zonder de indruk te willen wekken dat ik wegrende en ontsnapte naar buiten net toen zij en de chauffeur tegen elkaar opbotsten in de deuropening. Hij maakte zichzelf haastig los, doodsbenauwd om tussen twee oproerige volksstammen bekneld te raken. Johnnie Mae, gedwarsboomd omdat ik al bij het trottoir stond, schreeuwde door het stille donker: 'Jij, teef! Denk je soms dat de politie niet zal willen weten hoe je aan die auto komt. Je kunt er maar beter niet meer in rijden. Ik stuur de zedenpolitie achter je reet aan.'

Ik weet niet hoe ik erin geslaagd ben om door te lopen naar de taxi. Haar dreigement en het geluid van haar gekrijs hadden me net zo zeker in mijn hart geraakt als ze de nacht hadden doorboord. Het kreng zou de politie op mijn spoor zetten en ik zou mijn auto kwijtraken, naar de gevangenis gaan en ik zou eruit gezet worden bij moeder Cleo. Ik zat achterin de taxi toen een verlammende gedachte als een giftige slang door mijn geest kronkelde. Misschien zouden ze me uit de ouderlijke macht ontzetten en zou mijn zoon een voogdijkind worden. Dat kwam voor. Ik begon te zweten in de koele ochtendlucht. De kliertjes in mijn oksels openden en sloten zich met een geprik van duizenden naalden.

'Breng me, alstublieft, naar huis en het spijt me van die afschuwelijke scène.' De angst zat nog naast de chauffeur op de voorbank en hij verloor geen tijd om me bij mijn bestemming af te leveren. Ik betaalde hem, gaf een royale fooi en overstelpte hem met lovende woorden voor zijn betrouwbaarheid, beleefdheid en gebrek aan vrijpostigheid. Ik denk dat hij er geen woord van verstond en voordat ik bij de voordeur was, verdwenen zijn achterlichten knipperend om de hoek.

Tijdens mijn aanvallen van exotische koopwoede had ik er niet aan gedacht om tassen aan te schaffen om mijn nieuwe aanwinsten in te pakken. Ik stapelde hoopjes kleren van mij en van mijn zoon in de koffers die Bailey me in San Francisco had gegeven. Ik had besloten dat mijn zoon en ik er bij het aanbreken van de dag vandoor zouden gaan. Als de politie me zou pakken, zouden ze me pakken op het station of in de trein, en niet als een tam konijn passief wachtend tot ik werd gearresteerd. Toen ik zoveel als mogelijk was in de koffers had gepropt, ging ik zitten om te lezen tot de dageraad.

Vanaf mijn kinderjaren had ik vaak gelezen tot het grijze licht mijn kamer binnendrong, maar in die nacht van spanning leek het alsof de slaap een verbond had gesloten met mijn vijanden en vastbesloten was om mij samen met hen te overmeesteren en in te maken. Ik probeerde in de stoel te zitten en met gekruiste benen op bed. Een klop op de deur maakte me wakker. Het was moeder Cleo.

'Rita, je hebt je licht weer aangelaten. Je zult bij moeten passen voor de elektriciteit. Je hebt geen benul hoeveel het kost...' Ze liep weg van de deur en haar woorden dreven weg in de gang. Ik kwam overeind en controleerde opnieuw mijn bagage, mijn geld en mijn verhaal.

'Moeder Cleo, mijn moeder is ziek in San Francisco. Gisteravond belde ze me op de club, dus ik moet naar huis.' Ik was haar nagelopen in de keuken. Ze zette haar kopje neer en keek me met zoveel medeleven aan dat ik bijna wenste dat het geen leugen was.

'Och, arm ding. 't Is toch niet erg met haar, hè?'

'Oh, nee. 't Is niet ernstig.' Ik wilde haar bezorgdheid wegnemen.

'Nou, dan zul je niet lang wegblijven. Laat je de baby hier?'

'Oh, nee. Ze wil hem graag zien. En om de waarheid te zeggen' – alsof ik dat kon – 'het zal wel een poos duren voordat ik terugkom.'

'Ach, nee toch. Ik ben je als familie gaan zien.'

'Moeder Cleo, ik ben u erg dankbaar voor alles wat u voor ons hebt gedaan. En ik wilde u dit geven.' Ik legde vijftig dollar op tafel. 'Het is een cadeautje van mijn vriend.'

Ze straalde en ik zag de tranen in haar ogen opwellen.

'Daar moet u niet om huilen. We komen nog wel een keer terug. Zou u de baby kunnen wassen terwijl ik een bad neem, dan kunnen we daarna vertrekken.'

Haar laatste woorden, toen zij en meneer Henry mij de auto hielpen inladen, waren symbolisch voor mijn acteertalent en succesvolle bedrog.

'Je bent precies wat ik in een dochter zou willen. Je bent knap en netjes en eerlijk. Daar hou ik het meest van. Je leidt een christelijk leven. Hou dat vol zo. God zegen jou en het kind. En je moeder.'

Ik scheurde door de ochtendlijke straten alsof de helhonden mijn ziel kwamen halen. De baby reageerde met een oorverdovend gekrijs toen ik de bochten op twee wielen nam. Mijn 'Stil, kindje' en 'Rustig nou maar, kindje' had net zo goed onhoorbaar gefluister kunnen zijn. Hij voelde mijn paniek en leek de wereld te willen laten weten dat hij net zo bang was als zijn moeder.

Bij het station veegde ik het stuur schoon en gespte de baby los. Ik liet de auto achter bij een bord verboden te parkeren en, voor zover ik weet, staat hij daar nu nog.

Ik rende weg met mijn zoon op mijn heup en met pure angst in mijn hart. Mijn algemene bestemming was het kleine dorp in Arkansas waar ik was opgegroeid. Maar het specifieke einddoel van mijn reis was de beschermende omhelzing van mevrouw Annie Henderson, de grootmoeder die me had opgevoed. Momma, zoals we haar noemden, was een weloverwogen traagsprekende, rechtzinnige vrouw. En bovenal bezat ze waar het mij op dat moment het meest aan ontbrak. Moed.

16

Er bestaat in de Amerikaanse fantasie een zeer geliefd gebied waar bleek-blanke vrouwen eeuwig tussen paarse magnoliabomen door zweven en blanke mannen met zachte handen blaadjes blauwe regen van de romige schouders van hun geliefden strijken. Harmonieuze, zwarte muziek waaiert als parfum door deze edele lucht en niets van een bedreigende aard dringt er binnen.

Maar het Zuiden waar ik naar terugkeerde, was vleselijk reëel en gezwollen-buiken-arm. Het gehucht Stamps in Arkansas bestond al honderden jaren van de opbrengst van katoenplantages en, tot de Eerste Wereldoorlog, van een knarsende houtzagerij. Het plaatsje werd in tweeën gedeeld door een spoorlijn, de snelstromende Rode Rivier en rassenvooroordelen. De blanken woonden in het hoger gelegen gedeelte (heuvel was er een te groot woord voor) en de zwarten in wat sinds de slaventijd bekend stond als 'Het Kwartier'.

Nadat onze ouders gescheiden waren, haalde onze vader ons weg bij moeder, bond kaartjes met onze identiteit en bestemming om onze polsen en stuurde ons alleen met de trein naar zijn moeder in het Zuiden. Ik was drie en mijn broer vier toen we voor het eerst in Stamps arriveerden. Grootmoeder Henderson nam ons op, vroeg God om hulp en legde zich toe op de taak om ons volgens Zijn weg op te voeden. Ze had rond de eeuwwisseling een regionaal winkeltje opgezet en wij brachten de crisisjaren door met helpen in de Winkel, het leren van bijbelverzen en kerkliederen en het ontvangen van haar weinig demonstratieve liefde.

We hadden een goed leven. Er was wat te eten, er viel wat te lachen en we hadden de kalme kracht van Momma om op te leunen. Tijdens de Tweede Wereldoorlog trokken de strijdkrachten de jeugd, zwart en blank, uit het stadje aan en de oorlogsindustrie in het Noorden lokte de rest van de bevolking die gezond en kloek was, weg. Maar weinig of geen van de zwarten en arme blanken keerden terug om hun erfdeel van angst en armoede op te eisen. Oude mannen en vrouwen en jonge kinderen bleven achter om de lapjes grond te bebouwen, de winkels, die aan de enige verharde straatweg lagen, te beheren en de lang aanvaarde levenswijze voort te zetten.

In mijn herinnering is Stamps een plaats vol licht, schaduw, klanken en verrukkelijke aroma's. De geur van aarde was prikkelend gekruid met de lucht van koemest, van de gelige zuurheid van vijvers en rivieren en van de grote pannen met groenten, bonen en gerookt varkensvlees, die uren stonden te pruttelen. Bloemen voegden er hun doordringende aroma aan toe, maar bovenal was de atmosfeer doortrokken van de reuk van oude angsten, haat en schuld.

In dit hete, klamme landschap kletterden de emotionele uitbarstingen met de woestheid van een botsing tussen geharnaste ridders. Totdat ik op mijn dertiende naar Californië verhuisde, had ik het stadje gekend en was het niet nodig geweest het te onderzoeken. Het bestaan ervan was voor mij vanzelfsprekend en nu, vijf jaar later, keerde ik terug in de verwachting er hetzelfde schild van anonimiteit aan te treffen dat me als kind vertrouwd was geweest.

Net als andere zwarte kinderen in de kleine stadjes in het Zuiden had ik de totale tegenstelling tussen de rassen aanvaard als een psychologische wollen deken. Blanken bestonden, dat werd door niemand ontkend, maar ze waren niet aanwezig in mijn dagelijks leven. In feite gingen er in mijn jeugd vaak maanden voorbij waarin ik alleen maar een glimp opving van het magere, hongerige blanke schooiersvolk (deelpachters), dat een treuriger en armzaliger leven leidde dan de zwarten die ik kende. Ik had geen idee dat ik de bescherming van mijn kinderjaren ontgroeid was, tot ik weer in Stamps aankwam.

Momma nam mijn zoon in haar ene arm en sloeg de andere om mij heen. Eén zalig, zoet moment hield ze ons vast. 'God de Almachtige zij geprezen dat je weer veilig thuis bent.' Ze liep al van me weg om haar tranen voor zichzelf te houden.

'Je bent een heel dametje geworden. Da's zeker.' Mijn oom Willie keek me met zijn rustige ogen onderzoekend aan en reikte naar de baby. 'Laat 'ns zien wat je daar hebt.'

Hoewel hij als klein kind kreupel was geworden, sprak niemand ooit over zijn gebrek. De rechterkant van zijn lichaam was ernstig verlamd geraakt, maar zijn linkerarm en hand waren groot en sterk. Ik legde de baby in de kromming van zijn goede arm.

'Hallo, baby. Hallo. Wat is hij lief, hè?' De woorden kwamen slepend over zijn tong en stijve lippen. 'Hier, neem hem maar terug.' Zijn gezonde spieren waren te krachtig voor een éénjarige kronkelaar.

Momma riep vanuit de keuken: 'Zuster, ik heb iets te eten gemaakt voor je.'

We waren in de Winkel; in dit bastion was ik groot geworden. Bij het zien van de volgeladen planken waar de Weense worstjes, Brown Plug-pruimtabak, zalm, makreel en sardines allemaal nog op hun oude plek stonden, smolt mijn hart en de tranen stonden klaar achter mijn oogleden. Maar in de keuken, waar Momma haar rijzige gestalte dubbel boog om de koeken uit de houtoven te halen en de vertrouwde gerechten op de bekende schalen te schikken, werd mijn zelfbeheersing weggevaagd, de tranen rolden langs mijn gezicht en spatten op het dekentje van de baby. De heuvels van San Francisco, de palmbomen van San Diego, prostitutie en lesbiënnes, de keeltoeknijpende pijn van Curly's vertrek, alles verdween in het land van dat-kan-nooit-gebeurd-zijn. Ik was thuis.

'Waarom huil je nou?' Momma wilde me niet aankijken uit angst dat mijn tranen haar ook aan het huilen zouden maken. 'Geef 't kind maar hier en ga je handen wassen. Ik zal een suikerspeen voor hem maken. Jij kunt de tafel dekken. Ik neem aan dat je nog weet waar alles staat.'

De baby liet zich zonder protest door haar overpakken en ze praatte tegen hem zonder het gekir waar de meeste mensen in vervallen tegen kleine kinderen. 'Man. Gewoon een kleine man ben je. Ik zal je Man noemen en dat is dat.'

Momma en oom Willie waren niet veranderd. Zij sprak nog steeds zacht en haar stem had iets zangerigs.

'Lieve help, Zuster. Je komt hier binnenstappen alsof je de papa van de wereld bent.'

Christus en de kerk waren nog steeds de steunpilaren van haar leven.

'De Heer, mijn God is een rots in een uitgeput land. Hij is een grote God. Bracht jou gezond en wel weer thuis. Gezegend is Zijn Naam.'

Ze was, zoals altijd, de matriarch. 'Ik heb nooit gewild dat jullie kinder naar Californië gingen. Het leven daarginter is veels te snel. Maar jullie waren hun kinder en ik wilde dat jullie niks overkwam, zolang als ik voor jullie zorgde. Ju kreeg het een beetje te hoog in z'n bol.'

Vijf jaar eerder had mijn broer gezien hoe het lichaam van een zwarte man uit de rivier werd opgehaald. De doodsoorzaak werd niet bekendgemaakt, maar Bailey (Ju was een afkorting van Junior) had gezien dat de geslachtsdelen van de man waren weggesneden. De schok bracht hem ertoe vragen te stellen die gevaarlijk waren voor een zwarte jongen in het Arkansas van 1940. Momma besloot dat we alletwee beter af zouden zijn in Californië, waar lynchpartijen niet voorkwamen en waar een pientere jonge Neger het ver kon schoppen. En zelfs zijn zuster zou er een plekje voor zichzelf kunnen veroveren.

Ondanks de sarcastische opmerkingen van Noorderlingen (lees mensen uit het Oosten, Westen, Noordoosten, Noordwesten, Middenwesten) die het gebied niet kennen, kan het Zuiden van de Verenigde Staten zo overweldigend mooi zijn dat het belang van de verfijnde geneugten des levens erbij verbleekt.

Vier dagen lang bediende ik de nieuwsgierigen in de Winkel en liet ik me door hen bekijken. Ik was een zeldzaamheid, een meisje uit Stamps dat naar het fabelachtige Californië was getrokken en teruggekomen. Een paar verwaande maniertjes konden me wel vergeven worden. In feite werd er een pretentie van wereldwijsheid van mij verwacht en ik voelde me te gelukkig om ze teleur te stellen.

Wanneer Momma niet in de buurt was, stond ik met een hand op mijn heup, mijn hoofd scheef en sprak ik van de wonderen van het Westen en de vreugde van de vrijheid. Iedere toehoorder had me kunnen vragen: als het zo fantastisch was in San Francisco, wat had me dan teruggebracht naar een stoffig gat in Arkansas? Niemand stelde die vraag, omdat ze allemaal de behoefte hadden te geloven dat er ergens een land bestond, al lag het achter de poolster, waar Negers als mensen werden behandeld en blanken niet de almachtige monsters uit hun ervaring waren.

Voor het eerst erkenden de boeren mijn volwassenheid. Ze commandeerden me niet heen en weer langs de schappen, maar lieten hun wensen op subtielere manieren blijken.

'Hebben jullie hele rijst in huis, Zuster?'

De zak rijst van honderd pond stond duidelijk zichtbaar, scheefgezakt, op de grond.

'Ja, mevrouw, ik geloof van wel.'

'Goed, dan zou ik daar twee pond van willen hebben.'

'Twee pond? Goed, mevrouw.'

Ik was mijn hele jeugd getuige geweest van de formaliteit onder gelijkwaardige, zwarte volwassenen, maar ik had nooit gedacht dat de tijd zou komen dat ik er ook deel aan kon nemen. De gebruiken zijn zo gestileerd als een achttiende-eeuws menuet en een kind krijgt door osmose en observatie de passen en wendingen met de paplepel van het ras ingegoten.

De maatstaven van de zwarte plattelandsbevolking in het Zuiden zijn niet helemaal hetzelfde als die elders worden gehanteerd. Leeftijd heeft meer waarde dan rijkdom en vroomheid wordt hoger aangeslagen dan schoonheid. Niemand keek me schuin aan vanwege mijn vaderloze kind. Er werden geen krenkende toespelingen gemaakt die me buitensloten van de gemeenschap. Omdat ik wist hoe strikt in de vriendenkring van mijn grootmoeder de hand aan de regels van de bijbel werd gehouden, verbaasde het me dat mij niet werd gevraagd mijn zondige levenswandel op te biechten en mijn berouw te tonen. In plaats daarvan werd ik gezien in het treurige licht dat op zwarte meisjes in alle delen van het land gevallen was en nog zou vallen. Ik was jong, ja, ongetrouwd, ja – maar ik was ook een moeder en dat verbond me nauwer met de mensen. Ik voelde me gevleid dat ik zo geaccepteerd werd door mensen die beter (ouder) waren dan ik en ik deed mijn uiterste best mij waardig te tonen.

Momma en oom Willie merkten mijn opname in de klasse der volwassenen op en toen ik op de vierde dag aankondigde dat ik een avondje uit zou gaan, protesteerden ze niet. Aangezien ze bekend waren met Stamps, wisten ze wel dat, wat voor braspartij ik ook ging aanrichten, ze zeer beperkt van omvang zou zijn. Er was maar een 'kroeg' en de eigenaar was een vriend van hen.

Leeftijd en reizen hadden mij zeker verrijkt en me kennelijk aantrekkelijker gemaakt. Een paar jongens en meisjes, met wie ik in mijn hele leven niet meer dan wat vaagheden gemeen had gehad, vroegen me mee uit naar het café van Willie Williams. De meisjes zouden binnenkort naar het Ambachtelijk en Technisch College in Arkansas gaan om huishoudkunde te studeren en de jongens zouden vertrekken naar het Tuskegee Instituut in Alabama om het boerenbedrijf onder de knie te krijgen. Hoewel ik geen opleiding had, werd ik vanwege mijn Californische achtergrond en het bezit van een kind goed genoeg bevonden om een avond mee door te brengen.

Toen mijn begeleiders de donkere Winkel binnen wandelden, kwam Momma, met haar schort nog voor,

uit de keuken en ging naast oom Willie achter de toonbank staan.

'Avond, mevrouw Henderson. Avond, meneer Willie.'

'Goeienavond, kinder.' Momma hulde zich in onbe-
weeglijkheid.

Oom Willie leunde tegen de muur. 'Avond, Philomena en Harriet en Johnny Boy en Louis. Alles goed met
jullie vanavond?'

Alleen al door met hun grote, rustige lichamen op
precies dat moment in de Winkel aanwezig te zijn, gaven
mijn grootmoeder en oom te kennen: gedraag je. Gedraag je heel, heel fatsoenlijk. Er is iemand die je ziet! We
wrongen ons in bochten, grijnsden en begrepen het.

De muziek reikte naar ons voordat we halverwege waren. Een donker kloppende basimprovisatie golfde door
de lucht en onze lichamen bewogen op de maat. De
steelgitaar spoorde de zanger aan te klagen:

> *Well, I ain't got no*
> *special reason here*
> *No, I ain't got no*
> *special reason here*
> *I'm going leave*
> *'cause I don't feel welcome here...*

Het Do Drop Inn café was een donker, vierkant silhouet
en op blikken uithangborden aan de houten buitenkant
raadden blanke vrouwen met een hemelse glimlach Coca-Cola, R.C. Cola en Dr. Pepper aan voor volmaakt geluk. Binnen, in de enige ruimte van het gebouwtje, hingen blauwe lampen gevaarlijk dicht boven de dansende
paren en de lucht bewoog zich zo traag als stilstaand water.

Onze binnenkomst werd opgemerkt, maar niemand kwam op me af snellen om me te verwelkomen of vragen te stellen. Dat zou nog komen, wist ik, maar eerst moesten er zekere formaliteiten vervuld worden. We bestelden allemaal Coca-Cola en als bij toverslag verscheen er een halveliter fles pruimenbrandewijn op tafel. De muziek drong mijn lichaam binnen en stroomde razendsnel door mijn aderen na het derde glas van de stroperige drank. Hoera, ik amuseerde me. Ik had nooit de kans gehad om de delicate kunst van het flirten machtig te worden, dus imiteerde ik de andere meisjes aan het tafeltje. Ik liet mijn hand voor mijn mond fladderen en lachte zo hard als ik kon. Mijn andere hand wapperde ergens hoog links van mij, alsof hij en ik niets met elkaar hadden uit te staan.

'Marguerite?'

Ik keek het tafeltje rond en tot mijn verwondering was iedereen verdwenen. Ik had geen idee hoelang ik daar al had zitten lachen en grijnzen achter mijn hand. Ik concludeerde dat ze zich bij de dansende menigte moesten hebben gevoegd en keek rond om naar mijn inmiddels hechte, maar verdwenen vrienden te zoeken.

'Marguerite?' Het gezicht van L.C. Smith hing boven me als het hoofd van een bruine, lichaamloze geestverschijning.

'L.C., hoe gaat het met je?' Ik had hem nog niet gezien sinds mijn terugkeer en een golf van herinneringen sloeg door mijn hersenen terwijl ik zijn antwoord afwachtte. Hij was de jongen die op de heuvel achter de school woonde, die zijn eigen paard bereed en die op zijn vijftiende net zoveel katoen plukte als een volwassen man. Ondanks zijn knappe uiterlijk was hij nooit populair geweest. Hij praatte niet, tenzij het per se moest.

Zijn moeder was gestorven toen hij nog een baby was en zijn vader dronk de illegaal gestookte alcohol zelfs door de week. De meisjes zeiden dat hij verwijfd was en de jongens dat hij op dat gebied raar was. Toen ik begon te giechelen en te wapperen, pakte hij mijn hand.

'Kom, laten we dansen.'

Ik stemde toe en greep de rand van de tafel beet om te gaan staan. Toen ik half overeind was, merkte ik dat het gebouw bewoog. Het deinde en bokte alsof er onder de vloer een nest slangen aan het paren was. Ik schrok ervan, maar ik kon niet in paniek raken want de pruimenbrandewijn had mijn hersenen verdoofd. Ik hield me vast aan de tafel en L.C.'s hand en deed pogingen om recht te gaan staan.

'Ga zitten. Ik ben zo terug.' Hij haalde zijn hand weg en ik viel terug op mijn stoel. Een poosje later was hij er weer met een glas water.

'Vooruit. Sta op.' Zijn stem raspte als een oude maïskolf. Ik nam me voor om op te staan en duwde tegen het ijzer dat zich in mijn dijen had vastgezet.

'Gaan we dansen?' De woorden waren dik en log en wilden mijn mond niet uit.

'Vooruit.' Hij gaf me zijn hand en ik struikelde overeind en tegen hem aan en hij loodste me naar de deur.

Buiten was de lucht maar een beetje donkerder en koeler, maar een hoekje van mijn brein werd er helder van. We liepen in het vochtige zand langs de vijver en het café werd weer een ver silhouet. Met de nuchterheid kwam ook de zorg om mijn deugd. Misschien was hij niet wat ze van hem zeiden.

'Wat ga je nu doen?' Ik hield halt en keek hem aan, mezelf voorbereidend op zijn verzoek.

'Ik niets. Maar jij wel. Je gaat overgeven.' Hij sprak

langzaam. 'Als je je vinger in je keel steekt en kietelt, kun je kotsen.'

Toen zijn bedoelingen duidelijk waren, herwon ik mijn kalmte.

'Maar ik wil niet overgeven. Ik ben helemaal niet...'

Zijn hand sloot zich om mijn schouder en schudde me een beetje. 'Ik zeg, steek je vinger in je keel en gooi die rommel uit je maag.'

Ik was verontwaardigd. Waar haalde hij, een boerenkinkel, een nul, het lef vandaan mij de les te lezen? Ik rukte mijn schouder los. 'Heus, er niets met mij aan de hand. Ik denk dat ik weer eens terugga naar mijn vrienden,' zei ik en draaide me om naar het café.

'Marguerite.' Het klonk niet luider dan tevoren, maar er school meer kracht in dan in zijn hand.

'Ja?' Ik werd tegengehouden.

'Het zijn je vrienden niet. Ze lachen je uit.' Hij had het mis. Ze konden mij niet uitlachen. Niet mij, met mijn wereldwijsheid en stadse manieren.

'Ben je soms niet goed bij je hoofd?' Ik klonk als een meisje uit de betere kringen van San Francisco.

'Ik wel. Maar jij bent raar voor hen. Je bent ontsnapt. En dan kom je terug. Waarvoor? En wat is het resultaat van al je gereis?' Zijn stem was zo zacht als de Zuidelijke nacht en het gekabbel van de vijver. 'Je komt met veel bluf en poeha vertellen dat je net in het paradijs bent geweest, maar je hebt precies die kleren aan waar hier iedereen van af wil.'

Ik had er niet bij stilgestaan dat drukbebloemde rokken en geborduurde, witte bloezen in San Diego misschien wel een paar blikken trokken, maar dat ze hier het leeuwendeel van de garderobes van de meisjes uitmaakten.

L.C. vervolgde: 'Ze zeggen dat je niet goed wijs bent. Zelfs in Texarkana kleden de mensen zich beter dan jij. En jij bent helemaal in Californië geweest. Ze willen je eens echt op je bek zien gaan. Dus hebben ze je extra veel pruimenbrandewijn gegeven.' Hij zweeg even en vroeg toen: 'Je drinkt niet, hè?'

'Nee.' Hij had me ontnuchterd.

'Vooruit. Geef over. Ik heb water meegebracht, dan kun je je mond spoelen naderhand.'

Hij liep van mij weg toen ik begon te kokhalzen. De bittere, sterke vloeistof gorgelde omhoog uit mijn keel en brandde op mijn tong. En de gedachte aan misselijkheid veroorzaakte nieuwe en heftigere krampen. Na het koele water liepen we langs het café en de nog steeds harde muziek bonkte als een gong in mijn hoofd. Hij liet het glas achter op de veranda en stuurde me in de richting van de Winkel. Zijn verklaring had me verward en ik kon maar niet vatten waarom ik de zondebok moest zijn.

Hij zei: 'Ze willen vrij zijn, ze willen af van deze stad en van arme blanken en van boer moeten zijn en ja-meneer, nee-meneer moeten zeggen. Jij was nooit erg toegankelijk, dus al was je nergens heen gegaan, dan hadden ze je nog niet aardiger gevonden. Ik ben hier geboren en ik zal hier doodgaan, maar ze hebben mij nooit gemogen.' Hij berustte erin, zonder dat hij er erg bedroefd om scheen te zijn.

'Maar L.C., waarom ga jij niet weg?'

'En wat zou mijn papa dan moeten? Hij heeft alleen mij maar.' Hij gaf me geen kans te antwoorden en ging door: 'Soms breng ik mijn loon mee naar huis en heeft hij het al opgezopen voordat ik eten voor de week kan kopen. Je grootmoeder weet dat. Ze geeft me altijd krediet.'

We naderden de Winkel en hij praatte door alsof ik er niet bij was. Ik wist zeker dat hij door zou gaan tegen zichzelf te praten, nadat ik al behouden en wel in bed lag.

'Ik heb erover gedacht om naar New Orleans te gaan, of naar Dallas, maar alles wat ik kan, is katoen hakken, katoen plukken en aardappels schoffelen. Zelfs als ik het geld bij elkaar kan sparen om papa mee te nemen, waar zou ik dan werk kunnen vinden in de stad? Zo is het ook met hem gegaan, weet je. Toen mijn moeder was gestorven, wilde hij weg uit het huis, maar waar moest hij heen? Soms, als hij twee flessen Witte Bliksem op heeft, praat hij met haar. "Rienie, ik kan je zien staan. Waarom heb je mij niet meegenomen, Rienie? Ik kan nergens naar toe, Rienie. Ik wil bij jou zijn, Rienie." En dan doe ik maar net alsof ik het niet hoor.'

We waren bij de achterdeur van de Winkel aangekomen. Hij stak me zijn hand toe.

'Hier, kauw op deze Sen-sen. Zuster Henderson hoeft niet te weten dat je gedronken hebt. Welterusten, Marguerite. Tot ziens dan maar.'

En hij loste op in het donker van de nacht. Een jaar later hoorde ik dat hij zich met een geweer door zijn hoofd had geschoten, op de dag dat zijn vader werd begraven.

17

De midochtendzon was bedrieglijk mild en de wind had geen gewicht op mijn huid. Zomerochtenden in Arkansas hebben een donzige uitwerking op de steenharde realiteit.

Na vijf dagen in het Zuiden was mijn rappe manier van spreken gaan slepen en de woorden die ik op Californische wijze kort afbeet (relatief kort), begonnen in elkaar over te lopen. Ik moest mezelf fatsoenlijk voorbereiden om 'naar de stad' te gaan. In San Francisco kleedden de vrouwen zich speciaal om in de zaken met de grote etalages in het Geary- en Marketdistrict te gaan winkelen. Korte, witte handschoenen vormden een even essentieel onderdeel van de winkeluitrusting als corsetten, die de bilspleet verborgen en deodorant, die het mogelijk maakte om reukloos de steile heuvels op en af te wandelen.

Ik kleedde me in San Francisco-stijl en begon aan de tocht van bijna drie mijl door het zwarte deel van de stad, langs de Christelijke Methodistisch-Episcopale en de Afrikaanse Methodistisch-Episcopale kerken en de trotse, kleine huisjes, die boven de rozenstruiken in grasloze voortuintjes uitstaken en verder naar de vijver en de spoorlijn, die de blanke stad scheidde van de zwarte stad. Mijn naoorlogse, hoge vinylhakken zakten knerpend vier centimeter diep in het weerbarstige grind en ik had mijn handschoenen tot over mijn polsen getrokken. Ik had de bijna tropische loomheid overwonnen en de kwieke wandeling, een beetje wiebelig vanwege de graaiende steentjes, mijn keurige kledij en fiere houding zouden de zwarte vrouwen, die vanachter hun kanten gordijntjes toekeken, vast en zeker bijbrengen hoe ze een dagje winkelen in de stad moesten aanpakken. En de lummelende blanke vrouwen zouden hierin, zodra ik hun terrein betrad, het bewijs vinden dat ik wist hoe het hoorde. En als ik het wist, wel, betekende dat dan niet dat massa's zwarte vrouwen in andere delen van de wereld het ook wisten? Omhoog vloog de Zwarte Status.

Toen ik de Blanke Stad binnenschreed, was er een vacuüm. De lucht was dood en zwaar omlaag gekomen. Ik keek naar de blanke ramen en verwachtte dat de strakgetrokken gordijnen losgelaten werden om terug te vallen in hun natuurlijke positie. Maar de gordijnen aan beide kanten van de straat bleven roerloos omlaag hangen. Op dat moment besefte ik dat mijn haperende, maar onbetwistbaar elegante opmars naar hun stad aan de blanke vrouwen voorbijging. Ik gaf toe aan mijn vermoeidheid, maar dwong mezelf toch mijn hoofd hoog en mijn schouders recht te houden.

Wat het Groot Warenhuis van Stamps miste aan stijl werd goedgemaakt door het assortiment. Goedkope soorten naaigaren en kippenvoer, landbouwgereedschap en haarlinten, kunstmest, shampoo, dames- en herenondergoed, sokken, gezichtspoeder, schoolbenodigdheden en buikkrampende laxeermiddelen stonden op en onder de planken samengepropt. Ik had medelijden met de arme winkelier en de verkoopsters. Bij de gedachte aan de ruime gangpaden in het Emporium-warenhuis in San Francisco en de net niet verstaanbare, rustige conversaties in het dure City of Paris, glimlachte ik neerbuigend naar de winkel.

Een jonge, hoogblonde vrouw met een melancholiek gezicht kwam me in een overvol gangpad tegemoet. Ik wenste haar 'goedemorgen' en liet mijn mondhoeken omhoog krullen in een minzame glimlach.

'Wat kan ik voor u doen?' Het magere gezicht knikte me toe als een langzaam vallende hakbijl. Ik dacht: 'Wat een zielig, sjofel ding.' Ze vormde de woorden niet eens behoorlijk. Haar vraag zweefde naar buiten als een hillbillyliedje: 'Wakenik fooru doen?'

'Ik zou graag een Simplicitypatroon van u hebben.' Ik kon het me veroorloven om beleefd te zijn. Ik was tenslotte mondain. Toen ik haar het patroonnummer uit mijn hoofd gaf, zag ik haar schrikken van mijn Westerse accent dat ik voor even weer terugkreeg. Ik voelde een golf van vriendelijkheid voor het trieste, armoedige kind. 'Alstublieft,' voegde ik eraan toe.

Ze ging achter een toonbank staan en zocht tussen een stapeltje oude naaipatronen terwijl haar schouders zich over de lade rondden alsof de inhoud ervan gevaar liep. Alhoewel ze twintig was, of eerder nog achttien, sprak er uit haar houding en gezicht een vroege overgave aan de poverheid van het arm-blanke Zuidelijke bestaan.

'We hebben het niet hier. Maar ik kan het bestellen in Texarkana.' Ze keek niet op en sprak de naam van het armetierige stadje op twintig mijl afstand uit alsof ze Istanboel bedoelde.

'Dat zou ik erg op prijs stellen.' Ik voelde me dankbaar en nog edelmoediger.

'Het zal over drie dagen binnenkomen. U kunt het vrijdag komen halen.'

Ik schreef mijn naam, Marguerite A. Johnson, zonder

extra krullen op de kleine blocnote die ze me gaf, glimlachte haar bemoedigend toe en stapte naar buiten in de
nu geduchte middagzon. De hitte had alle voetgangers
van straat gejaagd en deed een aanval op mijn schouders
en schedel alsof ze voor mij op de loer had gelegen.

De gedachte aan de futloze verkoopster prikkelde me
tot een overdreven bewustzijn van mijn waardigheid. Ik
moest naar huis lopen met dezelfde kwieke gang, mijn
armen moesten met hetzelfde ritme heen en weer zwaai-
en en onder geen beding mocht ik de schaduw van de
bomen langs de weg opzoeken. Mijn hoofd werd suf van
de stekende pijnscheuten en het keiige pad draaide om
me heen. Maar ik beet me mentaal vast op de correctheid
van mijn houding en bereikte ten slotte de Winkel.

Vanuit de koele, donkere keuken vroeg Momma:
'Wat heb je gekocht, Zuster?'

Ik was misselijk van de hitte, maar slikte het weg en
antwoordde: 'Niets, Momma.'

De dagen schikten zichzelf rond onze levens als bezoekers in een ziekenkamer. Ik merkte het komen en gaan
ervan nauwelijks op. Momma werd net zo in beslag genomen door het wonder van mijn zoon als ze zichzelf
toestond. Ze streelde en aaide hem en praatte tegen hem,
zonder die valse sentimentaliteit in haar diepe stem te laten doorklinken waarmee volwassenen gewoonlijk baby's bejegenen. Hij, op zijn beurt, gaf zich aan haar over
en volgde haar van de keuken naar de veranda, naar de
Winkel en naar het achtererf. Hun samenzijn werd iets
vanzelfsprekends. De grote, forse, donkerbruine vrouw
(wier bewegingen geen begin en geen einde leken te hebben) werd op de voet gevolgd door de mollige, kleine,
botergele baby die wankelde, viel, overeind krabbelde,

een momentlang wiebelde op zijn kromme beentjes en vervolgens weer achter Momma aanging. Ik zag nooit dat ze zich omdraaide of stopte om hem rechtop te zetten, maar ze hield wel haar pas in en als hij weer op zijn beentjes stond, liep ze door.

Mijn patroon was aangekomen uit dat ouwe, exotische Texarkana. Ik kleedde me voor de tocht naar de stad en inspecteerde mijn haar dat tot op sterven na ontkroesd was en ingevet met de moed der wanhoop. Binnen in de Winkel voelde ik de dreiging van de zon, maar voortgedreven door een heilig vuur liep ik de weg op.

Toen ik bij de vijver en de Do Drop Inn van meneer Willie Williams aankwam, leek het plastic gesmolten te zijn in precies de vorm van mijn voeten en zweet was door de centimeter dikke laag Arrid in mijn oksels gedrongen.

Meneer Williams serveerde me een koud drankje. 'Ben je aan het proberen of je je hersens kunt bakken?'

'Ik ben op weg naar het Groot Warenhuis om een bestelling op te halen.'

Zijn glimlach was een tweerijig dambord van wit en goud. 'Kijk maar uit dat ze jou niet ophalen. Deze zon speelt geen spelletjes.'

Arrogantie en stommiteit duwden me het kleine café uit en terug op de withete klei. Ik zocht de schaduw van de bomen op, mijn gezicht een masker van onverschilligheid. De huid van mijn dijen schuurde als natte rubber terwijl ik behoedzaam langs de vijandig blanke huizen naar mijn einddoel toe liep.

In de winkel lag de lucht zwaar op de bladen van twee trage ventilatoren aan het plafond en een zoetig dikke geur omringde me bij de cosmeticatoonbank. Toch was ik bereid om door de gangpaden te dwalen tot de zon ons onze zonden vergaf en haar straf verlichtte.

Een lange verkoopster in een winkelschort kwam me tegemoet. Ik probeerde plaats voor haar te maken in het nauwe gangpad. Ik ging naar links, zij ging naar rechts. Ik rechts, zij links, we manoeuvreerden een opgelaten moment en ik glimlachte. Haar lange gezicht reageerde met een glimlach. 'Blijf staan, dan loop ik om je heen.' Het was geen verzoek om medewerking. De harde stem uit de bergen gaf me een bevel.

Tegen wie dacht ze dat ze het had? Kon ze niet zien aan mijn stoffige, maar nog steeds witte handschoenen dat ik geen dienstbode was die ze kon commanderen? Ik had een wandeling van bijna drie mijl in de brandende zon gemaakt en pufte noch hijgde, maar stond met het koele decorum van een grande dame in de prullige, verlopen winkel. Daar kon ze wel eens rekening mee houden.

'Nee, als u blijft staan, loop ik om u heen,' commandeerde ik.

De verbaasde uitdrukking die over haar gezicht vloog, maakte snel plaats voor woede. 'Hoe heet je? Waar kom je vandaan?'

Een herhaling van 'Blijf staan, dan loop ik om u heen' lag me voor in de mond, toen de bleke vrouw, die mijn bestelling had opgenomen, door het gangpad naar ons toe kwam gekeuteld. Haar bekende gezicht riep opnieuw mijn medelijden op en ik wuifde de lange vrouw weg met 'Neem me niet kwalijk, daar is mijn verkoopster'.

De vrouw met het donkere haar draaide zich snel om en zag haar collega naderbij komen. Ze ging tussen ons in staan en haar stem kraakte door de stille winkel: 'Wie is dit?' Haar hoofd schokte naar achteren in mijn richting. 'Is dit die brutale Ruby Lee waar je het over had?'

De verkoopster tilde haar kin op, wierp een blik op mij en wendde zich vervolgens tot de andere vrouw. 'Nee, da's zij niet.' Ze sloeg de bladzijden van een blocnote om die ze in haar hand had en vervolgde: 'Deze hier is Margaret of Marjorie of zoiets.' Haar hoofd ging weer omhoog en door de eeuwen heen keek ze me aan. 'Zeg 'ns, meisje, hoe spreek je jouw naam uit?'

Op dat moment verloor ik mijn wortels, mijn naam, mijn verleden. Voor mij dobberden twee witte vlekken.

'Zeg 'ns, hoe heet je?'

Ik balde mijn verstand en dwong hun gezichten scherp in beeld. 'Mijn naam' – en hier werd mijn rug gerecht door de ongewroken slavernij – 'is juffrouw Johnson. Als er aanleiding mocht zijn om mijn naam te gebruiken, wat ik ten zeerste betwijfel, adviseer ik jullie om mij aan te spreken als juffrouw Johnson. En als ik het nodig vind om naar jullie zielige personen te verwijzen, zal het zijn als juffrouw Idioot, juffrouw Stommerik, juffrouw Stumper, of met wat voor naam het onfortuinlijk noodlot jullie ook heeft opgezadeld.'

Terwijl ik naar ze keek, werd de afstand tussen de vrouwen en mij groter. Het leek zelfs alsof ze langs het gangpad van mij wegdreven en aan hun gezichten in de verte zag ik dat ze slechts met moeite konden geloven dat ik echt bestond.

'En waar ik vandaan kom, is jullie zaak niet, maar wel waar jullie naar toegaan. Want ik sla jullie het ziekenhuis in als je je mond nog eens open durft te doen. En dat smerige patroon kun je je-weet-wel-waar stoppen.'

Voldaan schreed ik tussen de twee vrouwen door. Er waren maar zo weinig kritieke momenten geweest dat ik tevreden was over mijn eigen optreden dat ik mezelf nu gelukwenste. Ik had het ze gezegd en goed ook. Ik stelde me voor hoe de monden van de twee vrouwen van verbazing open bleven hangen. De weg was minder keiig en de kracht van de zon verzwakt door mijn voldoening. Gelukwensen waren op hun plaats. Het was niet nodig om te pauzeren bij meneer Williams voor een verfrissend drankje. Van binnen was ik zo koel als een fontein toen ik naar huis terugliep.

Momma stond op de veranda die uitkeek op de weg. Haar armen hingen omlaag en haar hoofd bewoog niet. Maar toch was er iets mis. De spanning had haar standbeeldrechte houding uit zijn balans gehaald en ze helde over naar rechts. Ik stopte met mezelf schouderklopjes te geven en rende naar de Winkel toe.

Toen ik bij het opstapje van de veranda aankwam, keek ik omhoog naar haar gezicht. 'Momma, wat is er?'

De bezorgdheid had diepe groeven van haar neus naar haar strakke lippen getrokken.

'Wat is er aan de hand?'

'Juffrouw June, de kleindochter van meneer Coleman, belde net op uit het Groot Warenhuis.' Haar stem beefde een beetje. 'Ze zei dat je in de stad een vertoning aan het geven was.'

Dus zo hadden ze mijn triomf aan haar beschreven. Ik besloot het uit te leggen en haar te laten delen in de glorie. Ik begon: 'Het ging om het principe, Momma...'

Ik had haar hand niet eens omhoog zien gaan, maar plotseling zwaaide hij hard tegen mijn wang aan.

'Hier is je principe, jongedame.'

Ik voelde mijn huid prikken en een diepe pijn in mijn hoofd. Het pijnlijkste was dat ze niet naar mijn kant van het verhaal vroeg.

'Momma, het was het principe.' Mijn linkeroor was verstopt en ik hoorde mijn eigen stem door een laag watten.

De tweede keer verraste de hand mij niet, maar dezelfde logica die me had verteld dat ik gelijk had gehad in de blanke winkel, vertelde me dat ik niet minder gelijk had tegenover Momma. Ik kon het mezelf niet toestaan de klap te ontwijken. De rug van haar hand sloeg tegen mijn rechterwang.

'Hier is je principe.' Haar stem kwam uit een tunnel ver weg.

'Het was een principe, Momma.' De tranen stroomden langs mijn brandende gezicht en de pijn zat als een brok achter in mijn keel.

De hand kwam weer en elke keer mompelde ik: 'Principe', tot ik in het zachte zand voor de veranda lag. Ik wilde me niet bewegen. Ik wilde nooit meer opstaan.

Ze stapte van de veranda af en pakte me bij mijn armen. 'Sta op. Opstaan, zeg ik.'

Haar stem duldde nooit ongehoorzaamheid. Ik stond op en keek naar haar gezicht. Het glinsterde alsof ze zojuist een pan water over haar hoofd leeg had gegooid.

'Denk je soms, omdat je naar Californië bent geweest, dat die idioten hier je niet zullen vermoorden? Denk je dat die krankzinnige hufterjongens je niet op de weg zullen proberen te pakken om je te verkrachten? Denk je dat, vanwege jouw verduivelde principe, een stel van die mannen geen zin zal hebben om witte lakens aan te trekken en hier de boel wat op te komen stoken? Als je dat denkt, dan heb je het mis. D'r is niks om jou en ons te beschermen, behalve Onze Lieve Heer en een paar mijl. Ik heb jouw spullen en die van 't kind al gepakt en Broeder Willson komt om je naar Louisville te brengen.'

Die middag klom ik op een wagen met een paard er-voor en nam mijn kind over uit Momma's armen. De ba-by snikte toen we wegreden en Momma en oom Willie stonden ons huilend na te zwaaien.

18

Momma's opzet om mij te beschermen, had gemaakt dat ze me in mijn gezicht had geslagen, iets wat ze nog nooit had gedaan en dat ze me wegstuurde naar waar ze dacht dat ik veilig zou zijn. Opnieuw gingen het Zuiden en ik uiteen en opnieuw was ik op weg naar de koele, grijze heuvels van San Francisco. Ik zat razend van woede in de trein, omdat blanke stompzinnigheid mij op een dergelijke manier de wet voorschreef en wierp vernietigende blikken op elk blank gezicht dat ik zag.

Als de rollen op dat moment omgedraaid waren geweest, had ik met plezier iedere levende blanke en de miljoenen die al dood waren, naar een hel gestuurd waar de duivel zwarter was dan hun angst voor zwartheid en wreder dan een gedwongen hongerdood. Maar machteloos bracht ik de treinreis door met spelen met de baby, telkens als ik eraan dacht, en ik vroeg me af of er een arrestatiebevel op me lag te wachten als ik in Californië terugkwam.

De stad wist niet eens dat ik weg was geweest en moeder bracht mij en de baby naar een kamer in haar nieuwe huis met veertien kamers, alsof ik net terug was van een lang voorgenomen vakantie.

Ik vond werk als snelbuffetkok in een piepklein eettentje. De mannen die er kwamen eten, waren verslagen achterblijvers van de nu gesloten wapenfabrieken. Zich vastklampend aan hun wanhoop kwamen ze de vijfderangse, smoezelige cafetaria binnengesjokt. Het werk betaalde slecht en de niet-aflatende sfeer van hopeloosheid deprimeerde me. Elke middag verliet ik het restaurant met het gevoel dat de ranzige bakolie en de treurigheid van de oude mannen door mijn poriën naar binnen waren gesijpeld en door mijn lichaam kropen.

Op een middag liep ik een platenzaak tegenover de cafetaria binnen en trof achter de toonbank een vriendelijke, warme vrouw aan. Ze was blank, rond de dertig en gedroeg zich niet neerbuigend ten opzichte van mijn huidkleur of jeugd. Toen ik haar vertelde dat ik van blues hield, haalde ze een paar oude Columbia Blue Label-platen te voorschijn. Ik zei dat ik ook van jazz hield en ze raadde me recente opnames aan van Charlie 'Bird' Parker. Ik liet de luchtjes en stemmingen van het restaurant door de muziek wegwassen en vertrok uit de winkel met meer platen dan ik me kon veroorloven. Ik was met haar overeengekomen dat ik de Dial-platen zou moeten verzamelen van Al Haig, Bud Powell, Dizzy Gillespie en anderen waarvan zij zei dat het 'meesters' zouden worden. Iedere betaaldag hield ik genoeg achter om moeder kostgeld te betalen en de rest gaf ik uit aan platen en boeken.

Moeder was ongelukkig omdat mijn baan mij ongelukkig maakte. Ze had altijd al geweten dat haar 'dochter grote mogelijkheden in zich had' en ze was vastbesloten dat, als het aan haar lag, ik ze waar zou maken. Een paar weken later zaten zij en ik in de eetkamer ten bate van mijn toekomst in de advertenties te snuffelen en te rommelen. Ik was bijna negentien, ik had een kind en verantwoordelijkheden, maar geen echt beroep. Ik kon creools koken en was een vriendelijke en snelle serveerster. Ik was ook bekwaam als hoerenmadam in absentia, maar toch voelde ik op de een of andere manier dat ik 'mijn stek nog niet had gevonden'. (Ik had die uitdrukking pas ontdekt en strooide hem vaak en naar hartelust in het rond.)

'Privé-secretaresse. Als je snel genoeg kon typen en steno kende.' Moeder meende het serieus. In haar mooie gezicht stonden rimpels van concentratie. 'Telefoniste betaalt redelijk goed.'

Ik herinnerde haar eraan dat we het daar al een keer over gehad hadden.

'Ponstypiste. Stenotypiste. Je hebt een opleiding nodig, kindje.' Ze keek me recht aan en voegde eraan toe: 'Alles wat de moeite waard is om te doen, is de moeite waard goed gedaan te worden.' Ik had de moed niet haar erop te wijzen dat alles wat ik had gedaan, goed was gedaan. 'Wat doet Alice nu? En hoe zit het met Jean Mae en de tweeling? Wat doen die allemaal? Volgen die een opleiding?' Haar stem en ronde, zwarte ogen drongen aan op een antwoord.

Jean Mae, de sepiakleurige Betty Grable van de buurt, had een baantje als serveerster in een populaire drive-in. Ik bezat nauwelijks het gezicht, figuur of de seksuele aantrekkingskracht om door dat restaurant aangenomen te worden. Alice kon je 's avonds fluitend Post Street af en Sutter Street op zien gaan, haar jeugdige manier van lopen aandikkend en met haar dunne stemmetje de eenzame zeeman te kennen gevend dat hij haar op drie passen afstand moest volgen naar het dichtstbijzijnde passantenhotel. De tweeling was met een tweeling getrouwd, wat mij even afschuwelijk leek als tippelen. Voor mijn gevoel zat er iets incestueus aan. Het kleine percentage klasgenoten dat doorging naar een opleidingsinstituut was onverdraaglijk verwaand en vervelend geworden. Dus onder mijn leeftijdgenoten vond ik geen inspiratie.

'Gezelschapsdame, chauffeuse.' Dat kon ik doen. Onmiddellijk begon er een film te flikkeren op het witte doek van mijn geest. In een kek uniform van grijze serge, blootshoofds en met Britse wandelschoenen reed ik een man rond die als twee druppels water op Lionel Barrymore leek. Hij sprak me altijd aan als 'Johnson' en hoewel we elkaar mochten en respecteerden, deden we ons best om dat nooit te laten merken. 's Avonds laat riep hij me naar de salon en ik stond ontspannen in de houding.

'Johnson, morgen wordt het een goeie dag.'

'Ja, meneer?'

'We gaan naar de stad, dan terug naar de buitensociëteit, dan de stad, dan de boerderij. Een beetje zwaar voor jou, vrees ik.'

'Het is mijn werk, meneer.'

'Ik rekende er al op dat je dat zou zeggen.'

'Ja, meneer.'

'Goedenacht.'

'Goedenacht, meneer.'

Moeders ogen volgden haar beringde vingers van boven naar beneden op de pagina. 'Maar dan moet je inwonen en het levert niet echt genoeg op om een fulltime oppas te kunnen betalen.' Ze sloeg de krant dicht. 'Pak alles aan wat je maar iets lijkt. Je kunt altijd nog weggaan. Of het kan zijn dat je het niet aankunt en je ontslag krijgt. Maar wat je wel in de gaten moet houden, is dat je naar een baan op zoek was toen je die vond. Dus wie het ook is die je ontslaat, moet er geen makkie aan hebben.'

Ze stond op en liep de keuken in. 'Zin in een Dubonnet' – ijsblokjes tinkelden al in de glazen – 'met een schijfje citroen? Ik ga een whisky voor mezelf inschenken.'

Toen ik ongeveer tien jaar was, had ik in Arkansas een

aantrekkelijke actrice in een film een zwierige chauffeuse zien spelen. Ze bestuurde een Oldsmobile met een hand en was zo elegant als een mannequin. Ik keek weer in de krant en dacht na over de chauffeursbaan. Een wolkje nostalgie dreef mijn gemoed binnen. Het uniform, de vlotte kameraadschap met het personeel, de aseksuele verhouding tussen mijn baas en mij en de vrede. Net het leger. Routine, eerbaar werk, dikke maatjes met iedereen, hartelijke metgezellen, rechtvaardige officieren. Het leger! Dat was het. Het idee snap-salueerde in mijn brein. Het leger!

Ik sprong de keuken in en botste bijna tegen moeder op en haar blad met goud- en paarskleurige drankjes. Ik had wel wat bevalligheid ontwikkeld, een heleboel zelfs zolang ik me maar op bevalligheid concentreerde, maar op onbewaakte momenten had mijn lichaam de neiging om als een giraffe op prikkels te reageren.

'Moeder!' Ze zette de bedreigde glazen recht en schoof langs me heen naar de eetkamer. 'Ik ga bij het leger!'

Ze zette de Dubonnet neer. 'Jij als sergeant zeker en de baby als soldaat.' Haar tong was scherper dan de vouwen in een nieuwe broek en het had geen zin te proberen haar te overtroeven. Ik zei niets. 'Wat heeft het voor zin om bij de Milva te gaan?' vroeg ze.

'Het leger heeft al die extra voorzieningen en dan zou ik een vak kunnen leren. Er is de G.I. Bill* en als je uit dienst komt, kun je terug naar school gaan en tegelijkertijd een huis kopen.'

---

* De G.I. Bill is de wet waaronder soldaten, ontslagen uit het Amerikaanse leger na de Tweede Wereldoorlog, weer aan de gang werden geholpen in het burgerbestaan.

De 'extra voorzieningen' deden moeders ogen oplichten. 'Nou' – ze schoof de wijn naar me toe – 'nou moet je
er wel over nadenken of het je ernst is. Want als dat zo is,
is het net zoiets als vrijwillig de gevangenis in gaan. Ze
zullen je vertellen wanneer je moet slapen, eten, wakker
worden, werken. Zelf zou ik dat in geen miljoen jaar
kunnen.' Haar gezicht rimpelde van afkeer. 'Maar aan de
andere kant zou het ook zo zijn dat het land je een opstapje geeft in het leven.'

Achter haar gladde, beige voorhoofd werden diepe
gedachten in overweging genomen, onderzocht en vervangen of verworpen. 'Als het je ernst is, zouden we met
mevrouw Peabody over de baby kunnen praten. Je zou
voor twee jaar kunnen tekenen, je geld sparen, talen studeren en typen op gevorderd niveau.' Ze praatte vorm
aan mijn toekomst. 'Probeer de Opleiding voor Kandidaat-Officieren of het Training Korps voor Officieren.
Het enige wat ze kunnen zeggen, is ja of nee. En als je er
naar toe gaat, onthoud dan dat zij jou net zo hard nodig
hebben als jij hen.' Ze zag mijn ongeloof en verklaarde:
'Het Amerikaanse Leger heeft behoefte aan nette Negermeisjes, met een goeie opvoeding en van een goeie familie. Dat bedoelde ik.' Ze reikte naar haar lippenstift (die
nooit ver weg lag). 'De regering zal je een opleiding en
een opstapje in het leven geven en jij geeft cachet aan dat
uniform.'

'Moeder, als ze een lichamelijk onderzoek doen, komen ze erachter van de baby.'

'Je hebt geen zwangerschapsstrepen en omdat je zelf
hebt gevoed, zijn je borsten in vorm gebleven.' Haar
woorden duwden mijn onverschilligheid zachtjes opzij.
'Daar hoef je je geen zorgen om te maken. Nee, je moet
beslissen of je voor twee jaar het leger in wilt. Weg van je

kind en je familie. En of je bevelen op wilt volgen en je driftbuien in toom kunt houden. Dat is een beslissing die niemand voor je kan maken of helpen maken.'

Ze stond op van de tafel en schonk me een van haar meest betoverende glimlachjes.

'Ik heb nou een afspraak. We kunnen er verder over praten als jij er zelf klaar mee bent. Onthoud dat, als je besluit voor het leger, ik je zal steunen. Als je besluit om een hoer te worden, kan ik alleen maar zeggen, wees de beste. Wees geen slonzig snolletje. Doe 't met stijl.'

Ze plakte een wasachtige zoen op mijn voorhoofd en drapeerde haar Siberische wezel over haar schouders.

'Hoe zie ik eruit?'

'Mooi.'

Ze trok aan het bont tot het wat nonchalanter viel en lachte. 'Dat zeg je alleen maar omdat het waar is.' Haar hoge hakken klakten ritmisch naar de deur.

19

Het Rekruteringscentrum voor het Amerikaanse Leger had niet erg zijn best gedaan. Het kantoor bevond zich onderaan de Market Street in San Francisco, vlakbij het schitterende Ferry Gebouw, maar de witgekalkte, prefab muren van het Centrum hadden niets van het exotische van het laatste gebouw. Een vrouw in uniform gaf me een dubbeldekkersandwich van brochures en formulieren en ik ging zitten om ze te lezen.

Het zag er inderdaad uit alsof het was wat ik nodig had. Eten, onderdak, een opleiding en kameraadschap. Twee jaar en ik zou een huis voor mezelf en mijn zoon kunnen kopen. Misschien zou ik er zelfs een man vinden. Tenslotte zat er een hele verzameling mannen bij het leger. Alles wat ik te doen had, was mezelf tussen schaamteloze leugens en delicate onwaarheden door manoeuvreren om door de verschillende tests heen te komen. (De iq-test baarde me geen zorgen, maar wel de Rorschach.) Als ik alleen maar dienst had willen nemen bij de gewone vrouwenafdeling, zou dat mijn creatieve vaardigheid in liegen al op de proef hebben gesteld, maar ik was een stapje verder gegaan. Moeder had gezegd: 'Begin bovenaan', dus had ik besloten om de Opleiding voor Kandidaat Officieren te proberen. Ik dacht dat een dagelijks bezoek aan het Centrum mijn zaak zou helpen.

Door de afloop van de oorlog had de uitgedunde staf van het Vrouwenkorps weinig anders te doen dan papieren in drievoud opslaan en zich bevoorrecht voordoen. Bijna een maand lang zorgde ik voor afleiding. Natuurlijk kon het kantoorpersoneel niet evenveel genieten van mijn gewiekste uitvluchten als ikzelf, aangezien ze niet van mijn geheimen op de hoogte waren. Ik ging zijdelings over de vragenlijsten en sollicitatieformulieren, dubbel controlerend en dubbel liegend. Getrouwd... eerste controle. Nee. Kinderen... eerste controle. Nee.

Maar mijn dartele brein kon me niet helpen bij het medisch onderzoek. Daar deden doktoren mijn mond wijd open (ik moest naar de tandarts; het leger betaalde), ze tikten en klopten en luisterden naar mijn sterke longen en dappere hart. Alles was in orde.

De onderzoekstafel van de gynaecoloog was mijn armageddon. Op die kille tafel zouden grijs stalen instrumenten tussen mijn benen tasten en in het onbekende gebied waar mijn grootste schuld huisde. Ik had net zoveel benul van de samenstelling van de vrouwelijke voortplantingsorganen als van de structuur van de maan. Ik dacht dat er ongetwijfeld nog littekens te zien moesten zijn van de geboorte van mijn zoon. Het een of ander achtergebleven buisje, dat daar hing te bungelen als signaal voor de ingewijden dat ik een moeder was en derhalve onbekwaam om mijn land te dienen (waar ik tegen die tijd met een overdreven sentimentaliteit van was gaan houden).

'We zullen een paar uitstrijkjes maken.' Het gezicht van de verpleegster was onbewogen en de dokter keek me niet aan, maar deed alsof ik niets meer was dan een magere borstkas, platte buik en lange, zwarte benen. Ik vroeg waarom.

'Dit zijn tests voor geslachtsziekten.' Ze sprak alsof ze het over het weer had. Ik zou dik tevreden zijn geweest met syfilis en gonorroe. Als het leger mijn tanden in orde kon laten maken, zouden een paar spuitjes me ook wel van die ziekten genezen.

'Over een paar dagen zijn de tests terug.'

Ik trachtte wat ze hadden verzameld aan informatie van hun gezichten te schrapen. Maar die gezichten waren getraind in verdringing. Ik wilde in hun dichte oren schreeuwen: 'Ik wacht wel. Ik ga wel in het kantoor zitten wachten op de uitslag.' Maar ik had ook enige training gehad en die was: laat het blankvolk nooit weten wat je echt denkt. Lach als je bedroefd bent, dans als je pijn hebt.

'Ik ga een paar dagen weg,' loog ik, 'maar zodra ik terug ben, zal ik bellen.' Ik probeerde het te laten klinken alsof ik hun een gunst verleende.

Zonder ook maar een schijn van gestaagheid schokten er drie of vier dagen hortend voorbij en toen ging de telefoon.

'Juffrouw Johnson?' Ik herkende de stem aan de echo van gesteven uniformen en exercitiepelotons. Ik probeerde 'Ik ben juffrouw Johnson. Nou en?' in mijn stem te laten doorklinken, maar slaagde er niet in.

'Met Sergeant Matthews van het Inschrijvingscentrum.'

Weet ik. Weet ik. Ga door, verdomme.

'Ik bel u om u te vertellen dat u voor alle tests geslaagd bent en dat u opgenomen bent in het quota manschappen dat in maart-april met de Opleiding voor Kandidaat-Officieren begint. Gaat u daarmee akkoord?'

Plotseling had ik bestuurbare luchtzakken in mijn wangen die me ervan weerhielden om een ander geluid uit te brengen dan een harde knal. Ik knikte in de telefoon.

'Bent u bereid om begin mei uit San Francisco te vertrekken naar Fort Lee, Virginia?'

De lucht plofte uit mijn mond en ik trok de hoorn met een ruk opzij. God weet dat ik de sergeant niet wilde afschrikken en haar een reden geven een heronderzoek in te stellen naar mijn dossier van leugens. Ik veranderde het geluid in een geveinsd kuchje en hield de hoorn weer voor mijn mond.

'Neemt u me niet kwalijk. Een lichte voorjaarshoest. Oh ja, ik kan zeker klaar zijn voor de eerste mei.' Ik had mezelf weer wat onder controle, dus voegde ik eraan toe: 'Ik ben zeer verheugd dat ik deze kans krijg om mijn land te dienen en ik zal...'

Ze onderbrak me: 'Ja, goed. Meldt u zich binnen een paar dagen om de eed van trouw te tekenen. Goedendag.' En ze hing op.

Nu was ik er. Eindelijk waren de zaken in mijn voordeel geregeld. De komende twee jaar zou ik de zekerheid van een doel hebben en de status van een gewaardeerd soldaat in het Leger van de Verenigde Staten van Amerika. Natuurlijke gereserveerdheid en de hoogmoed van wereldwijsheid weerhielden me om er meteen naar toe te snellen om de eed af te leggen. Het lukte me om mezelf twee dagen tegen te houden voordat ik toegaf. Ik stond voor de vlag, een hand op de bijbel, de andere tegen mijn borst gedrukt en zwoer dat ik dit land zou verdedigen tegen zijn vijanden, enzovoort, enzovoort. De diepgevoelde drijfveren, de nobele voornemens ontroerden me zo dat ik bij de geringste aansporing in vaderlandslievende tranen zou zijn uitgebarsten.

Moeder was blij, maar niet verrast over mijn behaalde succes. Toen ik aan Bailey vertelde dat ik binnenkort in dienst zou gaan, keek hij me koel aan en vroeg zonder nieuwsgierigheid: 'Waar is dat verdomme goed voor? Mannen proberen als gekken eruit te komen en mijn zus staat te popelen om erin te gaan. Stom konijn.'

De lucht tussen Bailey en mij was, naarmate we ouder werden, ruw geworden en troebel door zijn cynisme. Hij kon mij niet langer helder zien en ik kon zijn zwarte, mannelijke teleurstelling in het leven niet onderscheiden. Je kon niet zeggen dat Bailey thuis woonde, maar eerder dat hij daar zijn basis had. Hij werkte als kelner op de treinen van de Southern Pacific die van San Francisco naar Los Angeles of Houston reden.

Er zijn maar weinig zwarte families die geen band hebben met de Amerikaanse spoorwegen. Aan het begin van de twintigste eeuw werd de Negeraristocratie gevormd door gezinnen van predikanten, begrafenisondernemers, onderwijzers en spoorwegpersoneel. Pasjes voor de treinen gingen in zwarte gebieden in het Zuiden net zo grif van hand tot hand als wettige betaalmiddelen. En vele arme, zwarte families aten hun bonen en groente van goed porselein en gebruikten zwaar verzilverd bestek van de Union Pacific, de Southern Pacific en de New York Central.

Bailey bezat nog steeds die mooie, pruimzwarte huidkleur en zijn tanden blonken wit als beloften. Zijn haar glansde en zijn kleine handen waren verfijnd en sierlijk. Maar alle tedere herinneringen aan zijn liefde voor mij tijdens onze jeugd hielden halt bij zijn ogen. Het leek alsof de een of andere confrontatie, die hij geheim hield, hun glans had gedoofd en ze vlak en nietsziend had gemaakt. Zijn rappe manier van spreken, die vroeger naar gestotter toe struikelde als hij opgewonden was, was vertraagd en wat hij te zeggen had, kwam er krassend met een doffe eentonigheid uit. Wanneer hij thuis was van een reis bleef hij nooit bij moeder of mij zitten om pinochle of rummy met twee jokers te spelen, zoals vroeger, maar zette haastig zijn spullen weg en vertrok met de een of andere mysterieuze bestemming. Hij hield mijn bemoeizucht effectief op een afstand door te zeggen: 'Zorg jij maar voor jezelf, je kind en je eigen zaken. Daar zul je het druk genoeg mee hebben.' Toen ik een poging deed om moeder in een discussie over zijn handel en wandel te betrekken, zei ze nagenoeg hetzelfde, maar voegde er in het algemeen aan toe: 'Hij is een man. Hij heeft een baan en hij is sterk en gezond. D'r zijn mensen die zich met minder door het leven moeten slaan.' En dat was dat.

Papa Ford, die meegekomen was naar het nieuwe huis, zat in de warme keuken boven zijn koffie gebogen. Ik vroeg hem: 'Papa, wat voert Bailey toch uit? Waarom is hij zo veranderd?'

Hij lichtte zijn hoofd op en smekte verlekkerd met zijn tandeloze mond. Smek, smek. 'Ah. Ah, meisje. Aha.' Hij liet zijn hoofd zakken, genietend van het onheil dat hij door liet schemeren.

'Papa, wat betekent dat? Zeg iets.'

Met het verstrijken van de jaren was zijn emotionele tranformator afgesleten. Vaak schoot hij van het ene moment op het andere van doezelige onverschilligheid door naar blinde razernij. Dat deed hij toen ook.

'Stel niet zoveel van die klote vragen. Hou, verdomme, je grote ogen open. Je bent toch geen baby in poepluiers meer.' Hij slurpte van zijn beker en sliep bijna weer in.

20

Ik moest een regeling treffen voor mijn persoonlijke eigendommen. Ik vertelde moeder dat ik, wanneer ik uit dienst kwam, mantelpakken zou gaan dragen en mijn kasjmier twinsetten zouden goed passen bij Schots geruite plooirokken. Ik zou mijn oude kleren niet meer nodig hebben. Moeder besloot dat ze goed genoeg waren om aan de liefdadigheid te geven. Ik herinnerde me de grote vrachtwagens van de Vincentius-vereniging die, tijdens mijn tienertijd, een keer per jaar achteruit onze oprit op kwamen rijden om moeders ongewenste spullen op te halen. Na een korte, maar doeltreffende preek waarin moeder sprak van 'diegenen die minder fortuinlijk zijn dan jij', koos ik het Leger des Heils als begunstigde. Die mensen die met hun frisse, schoongeboende gezichten boven die absurde uitdossingen hun ongeïnspireerde muziek speelden waar niemand naar luisterde, hadden me altijd gedeprimeerd. Zij moesten het wel het meest waard zijn.

De platen zouden in huis blijven. Moeder genoot net zoveel van Lester Young, Billie Holliday, Louis Jordan, Buddy Johnson en Arthur 'Big Boy' Crudup als ik. Ze zou ze draaien op haar feestjes en aan mij denken. De gedachte dat ik mijn boeken achter moest laten, viel me zwaar. Ze hadden me uit het slop gehaald en aan wie kon ik zulke hechte vrienden toevertrouwen?

Maar het genereuze gebaar van het weggeven van

mijn kleren werkte aanstekelijk voor dat soort besluit-
vaardigheid. Ziekenhuizen waren de oplossing. Ik was
er zeker van dat het lezen van de *Topper*-verhalen van
Thorne Smith de vermagerde, eenzame tuberculosepa-
tiënten op zou beuren en ik had zelf bewezen dat het mogelijk was om zelfs bij de honderdste herlezing van de es-
says en korte verhalen van Robert Benchley nog te lachen. *The Street* van Ann Petry en alles van Thomas
Wolfe, Richard Wright en Hemingway zou naar een be-
jaardentehuis gaan. Maar de Russische schrijvers zouden
in mottenballen verpakt worden opgeslagen in het sou-
terrain. Ik zou genieten van het idee dat de delen van
Dostojevski, Tolstoj en Gorki in onze vochtige kelder lagen te beschimmelen terwijl wolkjes kamfer en de geur
van natte aarde erboven zweefden.

Ik nam ontslag van mijn werk zodat ik meer tijd had
voor Guy en ik zijn engelachtige glimlach in me op kon
nemen en verbaasd kon zijn over de gratie van zijn bewegingen. Hij huilde zelden en leek de kiemen van een introvert in zich te dragen, want hoewel hij nooit het gezelschap van anderen meed, scheen hij zich even goed in
zijn eentje te vermaken. De liefde van een klein kind
voor zijn moeder is waarschijnlijk de zoetste emotie die
we kunnen smaken. Wanneer mijn zoon mijn stem bij de
deur beneden hoorde, begon hij te zingen en wanneer hij
mij in het oog kreeg, liet hij zich op zijn dikke beentjes
achterover vallen, zijn kontje bonsde op de vloer en hij
lachte en schommelde met zijn grote hoofd op en neer.

Ik besefte dat het zwaar zou zijn om van hem weg te
gaan. Zwaar voor mij, maar zwaarder nog voor hem,
want hij kon met geen mogelijkheid begrijpen dat ik
weg was gegaan om voor ons beiden een plek gereed te
maken. Ik koesterde zijn zoetheid en perste zijn liefde in

mijn poriën. Als wij kans wilden maken op een fatsoenlijk leven, een klein, maar keurig huis in een goede buurt met goede scholen, dikke, gebreide truien en de dure tennisschoenen die ik de grote jongens zag dragen, dan moest ik de een of andere opleiding hebben en daarbij had ik hulp nodig. Uncle Sam zou een betere vriend voor mij zijn dan mijn kwaadaardige, bloedeigen ooms.

Toen mijn kleren weg waren naar het Leger des Heils en mijn boeken beneden in dozen stonden gepakt, bracht ik de tijd die mij nog restte door met het bekijken van het instructiehandboek om mezelf vertrouwd te maken met de vouwen in het uniform, de begroetingen en exercitieopstellingen, hoe een stapelbed moest worden opgemaakt en officieren moesten worden aangesproken. Een week voor ik opgeroepen zou worden, sommeerde een militaire stem me naar het Rekruteringscentrum te komen.

'Ik kan vanmorgen of vanmiddag komen.'

'Vanmorgen! En dat is een bevel, soldaat.'

'Het klinkt dringend.' Misschien was ons vertrek vooruit geschoven.

'Het is meer dan dringend. Het gaat om een afwijking in je dossier. We verwachten je vanmorgen.' Klik.

Verdomme, verdomme en nog eens verdomme. Waarschijnlijk had zo'n gewetenloze, meedogenloze dokter mijn map opnieuw bekeken en ontdekt dat ik een kind had gekregen. En ik had gezworen dat alles wat ik had opgeschreven Gods eigen waarheid was. Er bestonden wetten om misdadigers die onder ede logen, te straffen ('meineed' heette dat). En het moest erger zijn wanneer je onder ede en ook nog op de vlag gelogen had.

Moeder had Guy mee uit genomen die ochtend om mij alleen te laten met mijn militaire boeken. Er was niemand die met me mee kon gaan. Ik stelde mezelf vragen terwijl ik me aankleedde. Ik trilde terwijl ik me voorbereidde. Het was zo goed als zeker dat ik niet in dienst zou gaan en dat ik misschien wel de gevangenis in zou draaien als het leger een aanklacht wenste in te dienen. Ik had beter moeten weten dan tegen de regering te liegen. De mensen zeiden altijd dat Uncle Sam er duizend dollar voor over had om je te pakken te krijgen als je een postzegel van drie cent van hem jatte. Hij was wraakzuchtiger dan God. Ik kon niet vluchten, ik kon niet onderduiken. Ik ging naar het rijksgebouw.

In de bus hield ik mezelf voor de gek. Ik was zo goed door de examens heen gekomen dat, als ik alles opbiechtte en uitlegde dat ik mijn zoon voor twee jaar in goede handen achter kon laten, ze misschien een uitzondering zouden maken. Het kon heel simpel zijn, als ik alleen maar een welwillende ondervraagster tegenover me kreeg en op zou kunnen houden met beven.

'Marguerite Johnson?'

De lange, dunne nek van de vrouw rees boven brede, afhangende schouders uit en haar stem sloeg over als een brandalarm. Ik had het prettig gevonden als haar gezicht wat milder was geweest.

'Ja. Uh... Ja, mevrouw.' Ze was officier. Oh, verdraaid, ik bedoel... 'Ja, meneer.'

'Heb je de eed van trouw wel of niet getekend?'

'Die heb ik getekend.' Had ik dat gedaan? Een paar weken eerder was ik hier geweest en had ik gezworen dat ik de vlag hoog zou houden, het land zou verdedigen en mijn leven zou geven, indien nodig, ter bescherming van mijn landgenoten. Ik was zo ontroerd geweest door mijn eigen oprechtheid dat ik er voor mezelf aan had toegevoegd: 'Mijn land, moge het altijd gelijk hebben, maar gelijk of ongelijk, het is mijn land.' En daar gingen we, het grote onbekende tegemoet, zolang de munitiewagens maar bleven rollen.

'Is je wel of niet gevraagd of je ooit lid bent geweest van de communistische partij?'

'Het is mij gevraagd en ik heb nee gezegd.' Nou ja, als dat alles was! Ik voelde hoe mijn bloed tegen zijn oude doorgangen duwde en weer begon te stromen.

'Dat was een leugen, Johnson.' De stem gierde omhoog naar gekrijs.

'Een leugen, meneer? Nee, meneer. Ik ben nooit...'

'Is dit jouw handtekening, Johnson?' Ze toverde de eed van trouw te voorschijn. Ik hoefde hem niet van nabij te bekijken om het grote, ronde Marguerite Johnson te herkennen.

'Ja, meneer. Dat is mijn handtekening.' Ze draaide het blad papier om en grijnsde voldaan. 'De California Labor School staat op de House Un-American Activities-lijst, Johnson. Weet je waarom?'

'Nee, meneer. Ik heb daar alleen dans en drama gestudeerd.'

'Och, kom nou. Houd je niet van de domme. Het is een communistische organisatie, dat weet je best.'

'Misschien wel, maar ik ben nooit lid geweest.'

'Je hebt twee jaar op die school gezeten.' Ze had haar zelfbeheersing en haar stijfheid herwonnen.

'Maar dat was toen ik veertien en vijftien was. Ik kwam toen net uit het Zuiden en een sportlerares had er voor gezorgd dat ik een beurs kreeg. Dat was omdat ik moeite had met praten...'

'Communisten zijn ongoddelijk, Johnson. De manschappen van dit leger vechten in naam van God.'

Ik had het gevoel alsof ik wegzakte in stro. Het licht was zichtbaar, maar hoe ik ook worstelde, ik kwam er niet dichterbij.

'Omdat je toen jong was en, naar ik hoop, nog steeds onschuldig, zal het leger geen aanklacht wegens valsheid in geschrifte tegen je indienen. Maar we kunnen het beslist niet riskeren om jou als soldaat in ons leger op te nemen, Johnson. Ingerukt.'

Een seconde lang bevond ik me lichamelijk en geestelijk in een zwevende toestand.

'Ingerukt.'

Ik weet dat ik een goed soldaat geweest zou zijn, want zelfs zonder het voordeel van gewoonte of training, draaide mijn lichaam zich abrupt om en liep naar buiten de zon in.

Moeder en de baby waren nog steeds uit toen ik bij het grote huis aankwam. Papa Ford was zijn middagwandeling aan het maken. De kamers waren allemaal donker en koel. Ik ging aan de barokke eettafel zitten en probeerde de dingen op een rijtje te zetten. Mijn kleren waren weg, ik had geen baan en ik was afgewezen door het leger. Die verdomde instelling, die iedereen accepteerde (aan de soldaten te zien), had mij afgewezen. Mijn leven had geen kern, geen doel. Maar ik moest toegeven dat ik had gelogen. Niet over de kwestie waar ze me van beschuldigden (goeie genade, ik zou Stalin zelf niet eens hebben herkend als hij bij mij in de klas had gezeten toen ik veertien was. Al het blankvolk zag er letterlijk nog steeds hetzelfde uit voor mij; bleek en gelijksoortig), maar ik had gelogen over de geboorte van Guy. Ik vroeg me af of het recht niet toch zijn loop had gehad. Of ik misschien niet gewoon mijn mond moest houden en mijn straf ondergaan. Ik had Bailey nodig. Ik verlangde naar vroeger toen ik met hem kon praten om een oplossing te vinden voor mijn problemen.

Ik stond op van tafel en deed de deur van zijn kamer open. Die had een vreemde leegheid. Niet alsof de bewoner net weg was gegaan en terug werd verwacht, maar alsof hij nooit bewoond was geweest en niets verwachtte. De lucht had iets doods. Ik knipte de lamp aan het plafond aan, liep naar het raam en trok de rolgordijnen omhoog. Het grijze voorjaarslicht durfde maar een meter of wat naar binnen te vallen. Ik besloot om zijn lakens te verschonen, op te ruimen en verse bloemen in zijn kamer te zetten. Ondertussen zou ik over mijn problemen nadenken.

Ik haalde de dekens van bed af, vouwde ze op en trok toen aan de lakens. Een ogenblik lang was ik zo verbaasd dat ik vergat waar ik was. Dit kon Bailey's bed niet zijn. Hij was een toonbeeld van properheid, netheid en vormelijkheid. Alle leden van mijn familie hadden stuk voor stuk ooit wel eens gezegd: 'Maya had een jongen moeten zijn en Bailey een meisje. Zij is zo slordig en hij is zo netjes...' en meer van die strekking.

De lakens waren grijs en zwart van het vuil. Een lucht van geparfumeerde haarolie en schimmel rees doordringend omhoog. Ik trok aan de randen en liet de lakens op de vloer glijden. De kussens kwamen tegelijk mee. Toen ze omlaag tuimelden, viel een klein, rond pakje in bruin papier aan mijn voeten. Ik maakte het open zonder dat het eigenlijk nodig was. Dunne, bruine sigaretten werden door drie elastiekjes bij elkaar gehouden.

Zelfs bij zijn afwezigheid had Bailey me geholpen. Ik stak een van de sigaretten op en een paar minuten later stond ik te grinniken om de onnozelheid van de gevestigde orde. Het Amerikaanse leger met zijn korps van spionnen was ertussen genomen door een halfontwikkeld zwart meisje. Ik ging op Bailey's bed zitten en lachte tot ik naar adem snakte.

21

Ik nam werk aan als serveerster in ploegendienst bij een 24-uursrestaurant dat Chicken Shack heette. De platen-speler galmde onophoudelijk de laatste hits en de late avondklanten verbruikten met veel kabaal hun teveel aan energie aan de helder verlichte, door schotten afge-scheiden tafeltjes.

Het roken van marihuana maakte het draaglijk voor mij. Ik had in een naburig restaurant een dealer gevon-den. Het werd Mary Jane, hasj, spul, stuff, weed, pot ge-noemd en ik had totaal geen angst het te gebruiken. In de getto's van de jaren veertig was het maar een beetje moeilijker om aan marihuana, cocaïne, hop (opium) en heroïne te komen dan aan de gerantsoeneerde whisky. Hoewel mijn moeder zelf niets anders gebruikte dan whisky (Black & White), zong ze vaak een liedje dat populair was in de jaren dertig en dat in het ongunstigste geval marihuana niet veroordeelde en in het gunstigste, de voordelen ervan ophemelde.

> Droom van een stickie een meter lang
> Een drug maar niet te sterk
> Je bent high maar niet zo lang
> Als je dealer bent
>
> Koningin van alle dingen
> Moet high zijn voor ik kan swingen

Steek wat weed op en laat maar gaan
Als je dealer bent

En wordt je keel droog
Dan vlieg je hoog
Alles is puik
Je gaat naar de winkel op de hoek
En eet je vol aan peperkoek

Dan ken je je bruine lijfgeur
Maakt niks uit al is er geen geld voor de huur
Steek wat weed op en laat maar gaan
Als je dealer bent.

Ik leerde mezelf nieuwe poses aan en ontwikkelde nieuwe dromen. Mijn aangeboren stijfheid ging over in grijnzende tolerantie. Over straat lopen werd een geweldig avontuur, het eten van mijn moeders enorme maaltijden een feest van weelde en spelen met mijn zoon om je ziek te lachen zo komisch. Voor het eerst vond ik het leven amusant.

Ik maakte kennis met positief dromen door middel van de lange, trage halen aan het bedwelmende middel. Ik zou vooruitkomen in de wereld, het helemaal maken – en dat ongetwijfeld door de goede zorgen van een knappe man die stapelgek op mij zou zijn. Mijn droomprins zou plotsklaps uit het niets opdoemen en mij een hoorn des overvloeds vol luxe artikelen aanbieden. Ik hoefde alleen maar te glimlachen en ze zouden mij in de schoot vallen.

R.L. Poole was het bewijs van de in ieder geval gedeeltelijk voorspellende kracht van mijn dromen. Toen hij aanbelde en ik de deur opende en hem liet weten dat ik

Rita Johnson was, rekte zijn al lange gezicht nog een paar depressieve centimeters verder uit.

'De... uh... danseres?' Zijn stem klonk lijzig en droefgeestig.

Danseres? Natuurlijk. Ik was kokkin, serveerster, hoerenmadam, kantinehulp geweest – waarom niet danseres? Per slot van rekening was dat het enige waar ik voor had gestudeerd.

'Ja, ik ben danseres.' Ik keek hem onverschrokken aan. 'Waarom?'

'Ik ben op zoek naar een danseres om mee te werken.'

Ik dacht dat hij misschien een talentenjager was voor groepsdansers, of misschien voor de grote theatershow 'Change Your Luck', waar kleurlingen in mee dansten.

'Kom binnen.'

We gingen aan de eettafel zitten en ik bood koffie aan. Hij bekeek me, onderdeel voor onderdeel. Mijn benen (lang), mijn heupen (mager), mijn borsten (nauwelijks aanwezig). Hij dronk langzaam van zijn koffie.

'Ik heb sinds mijn veertiende les gehad,' zei ik.

Als het Amerikaanse leger mij strafte voor het feit dat ik op de California Labor School had gezeten, dan was er misschien een kleine kans dat iemand anders de tijd die ik daar had doorgebracht wel kon waarderen. Ik had gelijk. Zijn ogen klommen van een inspectie van mijn lichaam terug omhoog naar mijn gezicht.

'Ik ben Poole. Uit Chicago.' Zijn aankondiging had niets blufferigs en ik wist zeker dat dat eerder een teken was van verfijning dan van valse bescheidenheid. 'Ik doe ritmische tap en ik zoek een vrouwelijke partner. Ze hoeft niet veel meer te kunnen dan flashen. Ben jij agva?' ('Flash' en 'a.g.v.a'. waren woorden die ik niet kende.)

Ik bleef stil zitten en keek hem aan. Laat hem er zelf maar achter komen.

'Ik heb die vrouw in de platenzaak gesproken en zij vertelde me over jou. Ze zei dat je het altijd over dansen had. Ze gaf me je adres. Een paar gozers van de Plaatselijke hebben de contacten voor een paar schnabbels voor me versierd. De schaal is tweeëntwintigvijftig, maar ik doe er een paar onder om wat eindjes bij elkaar te krijgen.'

Ik had geen flauw benul waar hij het over had. Schaal. Agva. Schnabbels. Plaatselijke. Eindjes.

'Nog koffie?' Ik ging naar de keuken, lopend als een mannequin, kin omlaag, borstbeen omhoog en mijn billen ingetrokken als een blanke vrouw. Ik zette een verse pot koffie en probeerde wanhopig een rol voor mezelf te bepalen. Moest ik mysterieus en zwoel zijn, niets vragen, maar alles zeggen met een veelbetekenende grijns, of moest ik het open, vriendelijke, gezellige, iedere-jongen-z'n-zusje-en-buurmeisje type zijn? Ik kwam er niet uit, dus ging ik terug naar de eetkamer, mijn benen met subtiele vormelijkheid bij elkaar klemmend.

'Waar heb je les in gehad?'

'Ballet. Modern ballet en danstheorie.' Ik liet het klinken als Geavanceerde Thermonucleaire Propulsie.

Zijn gezicht werd weer lang.

'Geen tapdansen?'

'Nee.'

'Jazz?'

'Nee.'

'Acrobatiek?'

'Nee.' Ik raakte hem kwijt, dus sprong ik in het gat. 'Vroeger won ik alle jitterbugwedstrijden. Ik kan de Texas Hop doen. De Off Time. De Boogie Woogie. De Camel Walk. De nieuwe Coupe de Grâce. En ik kan een spagaat maken.' Ik ging in spreidstand staan en keek neer op zijn droevige gezicht, vervolgens begon ik omlaag te glijden naar de vloer.

Ik was niet voorbereid op de beweging (ik had een strakke rok aan), maar R.L. was er nog minder op bedacht dan ik. Terwijl mijn benen omlaag en uit elkaar gleden, hief ik mijn armen op in de gracieuze eerste positie en zag hoe de uitdrukking op het gezicht van de impresario van matig belangstellend naar ongeloof doorsloeg. De zoom van mijn rok bleef halverwege mijn dijen steken en ik voelde mijn evenwicht wankelen. Met een snel gebaar rukte ik mijn rok omhoog en zette mijn glijdende beweging voort. Ik neuriede een fragment van een liedje tijdens het laatste gedeelte van de glijpartij en concentreerde me op Sonja Henie in haar snoezige, kleine tutu's.

Helaas had ik in maanden niet meer geoefend op de spagaat, dus mijn bekken bood met kracht weerstand. Ik was nog maar tien centimeter van de vloer verwijderd en ik wipte een beetje op en neer. Ik bereikte meer dan ik had voorzien. De naden van mijn rok begaven het voordat mijn spieren capituleerden. Toen raakte mijn linkervoet bekneld tussen de poten van moeders zware, eikenhouten tafel en de andere voet sprong naar de gaskachel en kreeg de pijp te pakken die vanaf de vlammen naar de muur toeliep. Vastgenageld bij mijn voeten terwijl de pezen in mijn benen schreeuwden om verlichting, voelde ik me alsof ik op de vloer werd gekruisigd, maar naar rasecht 'de show moet doorgaan' gebruik, hield ik mijn rug recht en mijn armen geheven in een positie waar Pavlova trots op zou zijn geweest. Toen keek ik naar R.L. om te zien wat voor indruk ik maakte. Medelijden met mijn benarde toestand haalde hem uit zijn stoel overeind en bezorgdheid was met pollepels vol van zijn gezicht te scheppen.

Mijn onafhankelijkheid en terughoudendheid stonden mij niet toe hulp te aanvaarden. Ik liet mijn armen zakken, balanceerde met mijn handen op de vloer en rukte aan mijn rechtervoet. Hij bleef vastzitten achter de pijp, dus gaf ik nog een ruk. Ik moet in een uitstekende conditie zijn geweest. De pijp brak af van de kachel en een stroom gas begon net zo gestaag te sissen als tien dikke mannen die staan uit te rusten op een zomerdag.

R.L. stapte over me heen en keek neer op het gas. 'Godverdomme.' Hij wendde zich om naar het raam, gooide het zover mogelijk open en keerde zich vervolgens naar de kachel. Bij de muur, aan het uiteinde van de pijp, vond hij een kraan en draaide hem om. Het gesis stierf weg en de zware, zoetige lucht nam af. Ik moest mijn andere been nog steeds van de grijpgrage tafel los zien te krijgen. R.L. tilde hem op aan de rand en mijn enkel werd op wonderbaarlijke wijze bevrijd.

Ik had op kunnen staan, maar mijn gevoelens waren zo gekwetst door mijn eigen stomme onhandigheid dat ik me op mijn buik gooide, met mijn handen op de vloer trommelde en huilde als een klein kind.

Er bestond geen twijfel over dat R.L. zojuist getuige was geweest van de vreemdste auditie van zijn leven. Hij had naar de hal kunnen lopen, de deur uit en mij met mijn neus in het stof van het oude kleed kunnen laten liggen, maar dat deed hij niet. Ik hoorde de stoel kraken, ten teken dat hij weer was gaan zitten.

Ik wist zeker dat hij zijn best deed om zijn lachen in te houden. Ik deed een poging er meer tranen uit te persen, om hem te ergeren en hem te dwingen weg te gaan, maar de traanbuisjes waren verstopt en het geluid dat ik maakte, was net zo onecht als de wimpers van een revuemeisje. Er zat niets anders op dan op te staan.

Ik droogde mijn gezicht af met stoffige handen en hief mijn hoofd op. R.L. zat aan tafel op dezelfde stoel, zijn kin in zijn hand gesteund. Zijn donkerbruine gezicht stond somber, maar hij zei rustig: 'Nou ja, in ieder geval heb je goeie benen.'

Toen we naar een repetitieruimte in de buurt gingen, stond ik versteld toen ik R.L. zag bewegen. Het leek alsof de wind hem aan het dansen maakte. Ik stelde me voor hoe zijn magere, knokige benen rechtstreeks aan zijn puntige schouders vastzaten met bouten van bot, want als hij zijn schouders optrok en over de dansvloer gleed, tapten zijn hielen en benen onder hem in een fusillade van kleine explosies terwijl zijn armen omlaag bungelden en zijn gezicht een pokdalig ovaal was.

Hij probeerde de ingewikkelde tapritmen te vereenvoudigen door ze mij voor te zingen met een schorre, lage stem: 'Boem, boem, boe ra, boe ra, boe ra, boe ra, bra, bra.' Hij gaf harde klappen op de grond en stof kringelde omhoog uit het oude hout.

Met het gemak van een vakman deed R.L. het voorkomen alsof het allemaal heel simpel was. Met niet minder inzet dan een balletleerling die een tour jeté onder de knie probeert te krijgen, concentreerde ik me op de glijdende passen van de flash. Ik tilde mijn armen op tot schouderhoogte en spreidde ze langzaam uit, deed twee glijdende passen, boog een knie en hield die positie vast. Een volleerde flashpartner zorgt voor de achtergrond waartegen de hoofddanser beter uitkomt wanneer hij de complexe ritmen uittapt. In staat te zijn om mijn lichaam onbelemmerd over de vloer te laten zwieren, weg van de verpletterende mislukkingen in mijn verleden, was vrijheid. Ik was R.L. dankbaar voor mijn bevrijding en werd prompt verliefd op hem.

22

Ik stortte mezelf op een carrière in de showbusiness en dansen en het instuderen van dansen slokten me op. 'Cool Breeze' van Charlie Parker was mijn oefennummer. Flash, glij door de openingsmaten, dan stash tijdens de solo van Bird terwijl ik de maat aangaf door de planken te stoffen met mijn voetzolen, dan break tijdens Bud Powells toverspel op de piano. Break, cross step. Chicago. Fall. Fall. Break en cross over. Apple. Break. Timestep. Slap en cross over. Dan break en Fall off the Log en af bij de slotakkoorden.

Zonder morren oefende ik tot mijn enkels pijn deden en voelde me dik beloond toen R.L. me op een dag zei: 'Ik denk dat, als we ons nummer hier hebben uitgeprobeerd, we naar het Oosten gaan. Het grote werk opzoeken. Ons aansluiten bij de roadshow van Duke of Basie.'

Mijn eerste zorg was niet hoe ik de opvang van mijn zoon moest regelen als ik met de groten op tournee was, maar hoe ik mijn flash kon perfectioneren zodat R.L. niet naar een aantrekkelijker partner op zoek zou gaan. Ik benutte de tijd in de Chicken Shack om mijn enkels te versterken. Achter de bar ging ik eerst op mijn tenen staan, liet dan een hiel omlaag gaan en weer omhoog terwijl ik de andere tegen de vloer drukte.

Toen R.L. besloot dat we klaar waren om ons nummer uit te proberen, verraste ik hem met mijn zelfgemaakte kostuum. Ik was naar een theaterwinkel gegaan en had een pruik, koolzwarte veren, een voorgevormde beha en een G-string gekocht. Ik naaide de glanzend zwarte veren op het schamele kostuum en voegde er voor de sier wat lovertjes en glitter aan toe. Mijn kostuum paste in een gebalde vuist en de G-string bedekte nauwelijks mijn schaamhaar en bilspleet.

'Uh... nee.' Hij boog zijn hoofd en zocht moeizaam naar de juiste woorden. 'Uh... Rita... nee. Dat zal niet... uh... snap je. Dat is... hoe... iets voor een shakedanseres... ik bedoel, ik zal 't je laten zien... Iets als een badpak met pailletten...'

Ik stond voor hem, mijn huid glimmend van de olie en de trillende pijpenkrullen van de pluizige pruik op mijn hoofd verschrompelend van teleurstelling. Mijn kostuum was een getrouwe kopie van dat van L'Tanya, de populaire, vertolkende danseres die de huidige favoriet was in de Champagne Supper Club.

'Je zult eruitzien... Ik bedoel, tapschoenen zullen eruitzien... Ik bedoel, dat past niet bij elkaar.'

Nu schoot het me te binnen. L'Tanya danste op blote voeten met strengen kleine belletjes om haar enkels en ringen aan haar tenen. Met tegenzin gaf ik toe dat mijn creatie niet paste bij een ritmisch tapnummer, maar borg het op voor eventueel toekomstig gebruik.

R.L. huurde een rood, wit, blauw kostuum voor mij dat als een eendelig badpak was gesneden. Ik voegde er een hoge hoed en een wandelstok aan toe en we waren klaar voor ons eerste optreden in een kleine nachtclub onderaan het schiereiland.

Oh, de geur van schmink!

Ons nummer was tot in de puntjes bijgeschaafd, het flashen, stashen en de handbewegingen waren met de precisie van een machine op elkaar afgestemd. Mijn kostuum paste mij redelijk, mijn haar was prachtig gekapt en ik had genoeg make-up op mijn gezicht gedaan om een winterverkoudheid tegen te houden.

Het orkest zette onze muziek in en ik leidde 'Poole en Rita' het podium op.

Pom pom ta pom pom pom.

'En nu, voor het eerst met hun nieuwe nummer, helemaal uit Chicago: Poole en Rita!'

Als door een wonder stond ik midden op een lege vloer, de lampen schenen fel op mij neer en ik voelde me bijna naakt. Net buiten het schijnsel ontwaarde ik wat wel duizend knieën en benen leken rond kleine tafeltjes. Ik kon geen gezichten onderscheiden in het duister, maar ik wist zeker dat ze er waren en mij waarschijnlijk allemaal aanstaarden.

R.L. gleed tap-tap-tappend de vloer op, hij flashte langs mij heen en ik wilde zijn hand grijpen. Hij verdween god-weet-waarnaartoe, maar ik stond verlamd in de gloed van de schijnwerpers.

Boem boem boem ra boem ra boem ra bra bra.

Ik realiseerde me dat ik bang was en raakte bijna in paniek. Mijn God, wat gebeurde er? Ik zou hier nooit meer wegkomen. Er was een staak door mijn hoofd en lijf heen gedreven waarmee ik voor altijd aan deze plek was vastgenageld.

R.L. kwam weer langs geflasht.

Boem ra boem ra.

Als hij nou alleen maar ophield met dat domme getap en mijn hand pakte, dan konden we vertrekken.

Hij kwam naar me toe en zei zachter dan de muziek: 'Vooruit, Rita. Break, break!'

Hoezo break? Ik keek hem aan alsof ik hem nog nooit eerder had gezien. Hij sloeg zijn arm om mijn schouders

zoals Astaire deed bij Rogers in een van hun militaire pa-
rodieën, keek me aan, gaf me een zet waardoor ik zowat
op een van de tafeltjes belandde en siste: 'Break, godverdomme, break!'

Ik brak.

Ik begon overal heen te dansen. Ik tapte, flashte en
stashte het podium op en neer. Ik smeet er wat Huckle
Buck, Suzie Q en jitterbug doorheen. Ons nummer was
finaal weg, maar ik danste als een gek. Boogie Woogie,
de Charleston. Toen de band het laatste refrein inzette,
begon ik net in vorm te komen.

R.L. zat me over het podium achterna. Uiteindelijk
sloeg hij zijn arm weer om me heen en trok me met geweld van het toneel af terwijl ik tot het laatst toe bleef
flashen.

Het publiek klapte en ik rukte me los en rende terug,
al boemboemend. R.L. kwam naast me staan en trok me
weer mee terug achter de coulissen.

Ik vond het heerlijk. Ik was uitgehongerd en werd
voor het eerst van mijn leven uitgenodigd om mee te
eten aan een gastvrije tafel. De huur van de kostuums en
ons vervoer hadden de opbrengst teruggebracht tot vijftien dollar per persoon, ik was doodop en had de lange
busrit terug naar de stad voor de boeg. Maar alles ging
beter dan goed. Het ging supergeweldig. Ik had mijn
eerste optreden achter de rug. Ik zat in de showbusiness.
De enige weg open was die naar omhoog.

23

Terwijl ik rond de onderste sporten van de ladder naar het succes scharrelde, verliep moeders leven vol schittering. Lichtgevende golven van een opkomend getij. Mannen met exotische namen, glad gestreken haar en houdingen van verveelde wijsheid kwamen Vivian Baxters grote, donkere huis binnen, bleven een poosje en vertrokken om plaats te maken voor hun opvolger.

Good-Doing David, met zijn zijdeachtige zwarte huid (moeder gaf altijd de voorkeur aan zeer zwarte mannen, omdat die volgens haar de zindelijkste mensen ter wereld waren) en foulardzijden stropdas, zat gedurende een paar maanden aan onze keukentafel. Zijn ogen hielden haar bewegingen nauwgezet in de gaten en als het bijna te laat was, beloonde ze hem met een zwoele blik over haar schouder en een glimlach die geheime genietingen beloofde. Good-Doing verspeelde zijn recht op aanwezigheid door een fout in zijn logica. Hij dacht dat, aangezien zij de vrouw in zijn leven was, hij bij gevolg de man in het hare moest zijn. Hij had zich niet meer kunnen vergissen.

Op een middag belde een vriend die zeeman was, haar op uit de haven en ze nodigde hem uit om langs te komen. Ze onderhielden een broer/zus-relatie.

'John Thomas komt direct,' zei ze tegen mij. 'Wil je alsjeblieft een paar kippen gaan halen bij de koosjere poelier? Zeg dat ze ze in stukken snijden.' Ze had de houten kom te voorschijn gehaald en haar diamanten ringen in een asbak gelegd. 'Ik maak gauw wat platte meelkoeken voor bij de kip.'

Alhoewel de winkel maar twee straten verderop was, wist ik dat ze de meelkoeken in de oven zou hebben en de olie voor de kip op het vuur voordat ik terug was. Als je het over koken had, had je het over Vivian Baxters tweede natuur.

Toen ik het huis weer binnen kwam gesneld, kwam de geur van heet vet me tegemoet en de mengkom was gewassen en stond uit te druipen op het aanrecht. Moeder was de tafel voor twee aan het dekken.

'Moet je het kind op gaan halen? Maak dan een drankje voor mij, liefje. En kijk of er bourbon is. John Thomas drinkt bourbon. Ik zal jouw kip achterop het fornuis zetten.' Haar glimlach was gedeeltelijk voor mij, gedeeltelijk voor de komende gast en gedeeltelijk voor de kip die gekruid en met bloem bestrooid in de hete braadpan gleed.

'Je weet dat er in de keuken altijd wat te halen valt voor "opoe en de kinder".' Haar favoriete, oude volksgezegde ging ongemerkt over in de blankvolkse vulgarisering van het zwarte accent.

Ik opende de deur voor meneer Thomas en nam zijn visgraat raglanjas en hoed aan.

'Hee, baby, nog steeds aan het groeien? Waar is je ouwe, lelijke mama?' Lachend liep hij de hal door.

'Laat 'm binnen. Het zou een gokker kunnen wezen.' Moeders stem tinkelde als kristal vanuit de keuken.

Hun verwelkomende gelach vermengde zich toen ik het huis verliet.

De ambulance gierde op twee wielen de hoek van onze straat om. Ik pakte Guy op, zonder op zijn gewicht te letten en rende naar ons huis waar twee lege politiewagens stonden, hun rode ogen zwak draaiend in de middagzon.

Vreugde en woede worden door mensen met een onstuimig karakter met dezelfde hevigheid beleefd en mogelijk met dezelfde hevigheid tegemoet gezien. De capaciteit van mijn moeder om te genieten was enorm en haar aanvallen van woede waren legendarisch. Moeder lokte nooit geweld uit, maar ze stond erom bekend dat ze het, als het eenmaal in gang was gezet, geen centimeter uit de weg ging. Het geluid van politie- en ziekenwagensirenes loeit door mijn jeugdherinneringen met een ongedateerde veelvuldigheid. De rode zwaailichten bovenop officiële voertuigen en de zware, oneerbiedige voetstappen van vreemde autoriteiten in onze diverse woningen staan me nog helder voor de geest.

Binnen stond moeder met een kalme glimlach haar suède jas aan te trekken. Ze zag me en keerde zich om naar het koppel agenten dat op haar wachtte.

'Heren, dit is mijn dochter op wie ik wilde wachten. Kindje...' De instructies, die ik al heel goed kende, volgden. 'Bel Boyd Puccinelli voor de borgsom. Zeg dat hij naar het Hoofdbureau moet komen.'

Ik wist dat ik niet moest vragen wat er was gebeurd. Ik klemde de baby steviger tegen me aan.

'Het is alleen maar een onenigheidje met David. Maak je geen zorgen. Over een uur ben ik weer terug.'

Ze inspecteerde haar make-up in het spiegeltje van haar poederdoos, zoende mij en de baby licht op de mond en liep de trap af met de agenten. Onafhankelijk en waardig. Onderaan de trap riep ze: 'Je eten staat in de oven. Hij staat laag. En kindje, maak alsjeblieft de slaapkamer schoon voordat dat spul opdroogt.'

Er was geen spoor van meneer John Thomas te bekennen in de keuken. Nadat mijn zoon en ik hadden gegeten en ik hem in bed had gestopt voor zijn middagslaapje, opende ik de deur van haar slaapkamer. Een stoel lag op zijn kant, maar voor de rest stond alles op zijn plaats. Toen ik naar binnen liep, viel de zwakke winterzon bleek op donkere, roestkleurige vlekken op het kleed en op lichter rode spatten op de zijkant van de schoorsteenmantel.

Lauw zeepsop is het beste om bloedvlekken van meubilair te verwijderen. Ik was bijna klaar met schoonmaken toen moeder terugkwam.

'Hallo, kindje. Is er nog gebeld?'

'Nee.'

'Hee, laat dat maar, ik doe de rest wel. Kom mee naar de keuken, dan vertel ik je wat er is gebeurd.'

Met een glas voor zich gaf ze me, zoals zij het noemde, een verslag van 'naald tot draad'.

'John Thomas en ik zaten tot onze ellebogen onder de gebraden kip (ik had meer jus gemaakt voor bij de platte meelkoeken dan alle jaren bij elkaar dat ik weg ben uit St. Louis), toen Good-Doing aanbelde. Ik liet hem binnen en nam hem mee naar de keuken. Toen hij John Thomas zag, steigerde hij als een circuspaard. Hij zei, nee, hij wilde niets eten. Hij wilde niets drinken, wilde geen stoel. Dus ik ging weer zitten en ging door met waar ik mee bezig was. Iedere keer dat ik opkeek, zag ik dat hij voller zat dan ik. Uiteindelijk zei hij dat hij met me wilde praten en of ik mee ging naar de slaapkamer. Ik zei dat hij maar vast moest gaan en dat ik eraan kwam. Ik verontschuldigde me bij John Thomas en ging naar hem toe.

"Wat doet die nikker hier?" Zijn gezicht stond op

storm en hij sprong in het rond als de staart van een vlieger.

Ik zei: "Je kent John Thomas toch. Hij is als een broer voor mij."

"Nou, ik wil niet dat hij hier komt eten. Gooi hem het huis uit."

Ik zei: "Good-Doing, je moet de zaak niet verdraaien. Dit is mijn huis en mijn kip en hij is mijn vriend."

Hij zei: "Kreng, je bent net zo vals als ze zeggen. Je hebt een pak op je donder nodig." '

Ze keek me aan, haar mooie gezicht vol verbaasde rimpels.

'Kind, ik zweer je dat ik niet weet waarom hij zo doorsloeg, maar voor ik iets kon zeggen, had hij al een mes uit zijn zak gehaald. Je weet dat hij iets heeft aan de vingers van zijn linkerhand, dus hij boog zijn hoofd en probeerde het mes met zijn tanden open te krijgen. Nou, daaraan kan je zien dat het een idioot is. In plaats van weg te gaan, stapte ik naar de schoorsteen toe. Ik had Bladie Mae in mijn zak gestopt voor ik de kamer in ging. Toen hij opkeek met z'n mes halfopen, sloeg ik hem in zijn gezicht met die ouwe Bladie. Hij sprong sneller omhoog dan het bloed en schreeuwde: "Godverdomme, Bibbie, je hebt me gesneden."

Ik zei: "Dat klopt en je hebt verrekte veel geluk dat ik je niet ook nog neerschiet."

Hij hield zijn gezicht vast en het bloed drupte over zijn handen op zijn Hart Schaffner en Marx-pak. Ik gaf hem een kussen van mijn bed en zei dat hij moest gaan zitten. Ik zei dat als hij zich bewoog het bloed sneller zou pompen. Ik ging terug naar de keuken en zei tegen John Thomas dat hij moest maken dat hij wegkwam – het had geen zin om hem erbij te betrekken – toen belde ik de politie en de ambulance.'

Moeder inspecteerde de inhoud van haar glas, nam mijn grote hand in haar kleinere mollige en beval me goed te luisteren.

'Kindje, moederlief gaat je iets over het leven vertellen.'

Haar gezicht was mooi en kalm, alle sporen van geweld waren verdwenen.

'Mensen maken misbruik van je als je niet oppast. Vooral van Negervrouwen. Jan en alleman en zijn hond denken dat hij over een zwarte vrouw heen kan lopen. Maar onthoud een ding. Je moeder heeft je opgevoed. Je bent volwassen. Ze moeten het nemen zoals het komt. Als het ze niet bevalt hoe het je thuis is geleerd, zeg dan dat ze op kunnen stappen.' En een zweem van plezier kroop over haar gezicht. 'Opstappen, maar niet over jou. Hoor je me?'

'Ja, moeder. Ik hoor het.'

Er vonden wat veranderingen plaats in huis. Bailey had zijn eerste, grote liefde gevonden. Eunice was een klein, goedlachs meisje met een bruine huid dat bij ons in de klas had gezeten. Ze hadden elkaar weer ontmoet en waren, ondanks protesten van haar familie, haastig getrouwd. Bailey, de luchthartige, onbetrouwbare charmeur, stond weer met zijn beide benen op de grond en was gelukkig. Hij lachte weer en maakte grappen.

Ze nodigden me uit in hun appartement in Turk Street waar grote reproducties van Gauguin en Van Gogh de muren opfleurden en verse bloemen op de geboende tafels fonkelden. Hij vertelde komische, pikante verhalen en gedrieën lachten we in de glazen goedkope wijn en wensten onszelf geluk omdat we slim genoeg waren om jong en intelligent te zijn. In onze toekomst konden we de plateaus van het succes zien. Plateaus waar we zouden pauzeren en een poosje uitrusten, voor we verder naar boven zouden klimmen. Toen hij de glanzende, professionele foto's van 20 bij 25 centimeter van mij zag, zei hij dat ik de 'grootste neus in de showbusiness' had, maar dat ik knapper was dan Jimmy Durante en daar kon ik trots op zijn. Ik probeerde hem te stompen, maar hij lachte en dook weg.

'Je zult de grootste danseres van Broadway zijn, ha, ha.' Hij rende rond de tafel om aan mijn uitgestrekte handen te ontsnappen. 'Je zult miljoenen verdienen met je benen en triljoenen met je neus.'

Van opluchting lachte ik overdreven hard. Later kuste ik ze allebei gedag en wenste dat ik wist hoe ik Eunice moest bedanken omdat ze Bailey zijn gevoel voor humor had helpen terugvinden.

Ik liep door de donkere straten en huiverde over Bailey's rakelingse ontsnapping. De meesten van zijn vrienden, vrolijk en levendig tijdens onze schooltijd, stonden nu in nachtelijke portieken te suffen terwijl het laatste shot heroïne door hun aderen joeg. Pientere jongemannen, die de hoop van de gemeenschap waren, hadden zich tegen de gesloten deuren aangegooid die een grotere gemeenschap had dicht gedaan. Ze hadden ze niet alleen niet opengekregen, maar zelfs geen beweging in de grendels gekregen. De potentiële goedgebekte advocaat, de scherpziende wetenschapper en de chirurg met vaste hand veranderden van gedachten over het forceren van de sloten en namen hun toevlucht tot verdovende middelen zodat ze door het sleutelgat naar binnen konden zweven. Eunice's gelukkige liefde en zachte lach waren net op tijd gekomen. Mijn broer was gered.

24

Poole en Rita waren geboekt voor de Champagne Supper Club. Ik was buiten mezelf van trots. Ik nam ontslag van mijn werk. Hoe kon ik het glinsterende badpak met pailletten en de paars satijnen tapschoenen verwisselen voor een serveerstersschort en gerieflijke oudedames-schoenen? Ik wilde mijn muze, Terpsichore, niet beledigen door zelfs maar een gedachte aan de Chicken Shack te wijden.

Een engagement van twee weken aan De Top en ik was er. Mijn licht in de sterren, mijn naam in licht, mijn naam in sterren.

De paar maanden voorafgaande aan de première werkten we voor elk bedrag dat ons werd geboden en repeteerden we dagelijks. R.L. leerde me steeds ingewikkelder passen. Zodra ik ze kende, verwerkte hij ze in onze dansfiguren. Toen ik geen geld meer had, vroeg ik moeder om een lening. Ik verklaarde dat ik mijn tijd investeerde in de voorbereiding voor mijn carrière en als de investering zijn rendement opbracht, zou ze samen met mij, lachend en hand in hand, de winst opstrijken.

Met de haar typerende gave vergrootte ze mijn sketch tot een avondvullende revue. En zij was de ster. Ze wees me erop dat ze tijdens de oorlogsjaren, toen ze massa's geld had gehad en het zich had kunnen veroorloven om lui onderuit te zakken, gestudeerd had voor kapster en schoonheidsspecialiste, zich bekwaamd had in het monteren en lassen van schepen en kwast- en verfmaken en dat de diploma's getuigend van haar doorzettingsvermogen aan de wanden van haar studeerkamer hingen. Ze zei dat ze niet van plan was om ooit in een vliegtuigfabriek of kapperszaak te gaan werken, maar als de nood aan de man kwam (ze knipte met haar vingers), was ze bevoegd. Het was haar overtuiging dat je moest vasthouden aan een idee totdat het definitieve bewijs van de goed- of slechtheid ervan was bewezen. Ze leende me geld zonder verdere zedenpreken en Poole en Rita gingen door met repeteren.

Hoewel ik thuis woonde en at, slonk het weinige spaargeld dat ik in een potje onder mijn bed bewaarde. Mijn zoon leek voortdurend nieuwe kleren nodig te hebben, 's zondags kocht ik traditiegetrouw verse bloemen voor in huis en dan waren er nog de tapschoenen. De repetities versleten meer tapschoenen dan drie maal per avond dansen in een cabaret.

Ik benaderde Bailey voor een klein voorschot. Hij zat met stoppels op zijn kaken op zijn ribfluwelen bank en staarde naar de muur ernaast.

'Ik heb Eunice naar het ziekenhuis gebracht. Ze is erg ziek.'

'Wat heeft ze?' Ik dempte mijn stem.

'Ze is alleen maar verkouden. Dat is alles.' Maar hij geloofde zelf niet dat het alles was.

'Nou, kop op dan. Ze is jong. Niemand gaat dood aan een verkoudheid.' Als ik maar kon maken dat hij me aankeek. Ik ging door met mijn grapje. 'Dat zouden ze wel willen.'

'Ja.' Hij legde zijn voeten op de rommelige salontafel, leunde achterover op de bank en sloot zijn ogen. 'Dag, Maya.'

'Bailey, zo ernstig is het niet.' Hij deed geen poging om naar me te luisteren en ik kon me niet opdringen door mezelf te herhalen.

Het appartement stonk naar verwelkte bloemen en vuile afwas. Zijn stem was onduidelijk en toonloos. 'Ik heb alle reizen, behalve Los Angeles, afgezegd om bij haar te kunnen zijn.'

De kamer was benauwend, alsof een grote hand er alle vrolijkheid druppel voor druppel had uitgeknepen en hem toen los had gelaten zodat hij zijn oorspronkelijke vorm weer kon aannemen.

Ik was zo ver gevorderd dat ik de nummers zowat kon dromen. Mijn romance met R.L. werd in het repetitielokaal uitgedanst omdat hij maar weinig seksuele eisen stelde. Ik stribbelde niet tegen wanneer hij me eens per maand verzocht met hem naar bed te gaan. Tenslotte was hij mijn leraar en mijn voertuig naar Broadway. Maar ik was blij dat zijn verzoeken niet vaker kwamen. Ik wist zeker dat een artiest zijn instrument moest beschermen en behoeden. Pianisten, drummers, hoornblazers, saxofonisten, allemaal zorgen ze voor hun instrumenten. Als danseres was mijn lichaam mijn instrument. Ik kon niet toestaan dat het door de eerste de beste verneukt werd.

De avond van de première brak aan. Moeder had een tafel gereserveerd voor haar vrienden en wonder boven wonder was Bailey niet op reis en hoefde hij niet in het ziekenhuis te zijn. De nachtclub, die groot was en opgetuigd met glinsterende, ronddraaiende lampen, zat vol. Ik gloeide van opwinding en de lampen achter het toneel streken het pokdalige gezicht van R.L. glad. We bekeken onszelf in de grote spiegel. Hij zag er volmaakt elegant uit in zijn kobaltblauwe smoking en ik was in mijn badpak net zo betoverend als Esther Williams. En ik kon nog beter dansen ook.

De programmaleider riep onze namen en de band zette onze intro in. Met zijn lijzige stem zei R.L.: 'Oké, Rita. Breek een been.' Showbusinesspraat. Ik grijnsde. 'Jij ook.'

En daar stonden we op het toneel.

Het eerste moment van onwezenlijkheid werd veroorzaakt door de lampen. Ik kon het publiek niet zien en ik dacht aan de eerste keer toen ik in paniek was geraakt en verlamd op het podium had gestaan. Misschien was dat opnieuw gebeurd. Misschien was ik verlamd. Ik kon niet zeggen of ik me bewoog. Maar plotseling hoorde ik het geklak van breakend getap boven het arrangement van de band uit exploderen en ik ontdekte dat ik aan de rand van het podium stond en dat het tijd was voor mij om te breaken. Ik danste, mijn voeten en lichaam deden de juiste dingen. En daarmee liet ik me gaan, liet ik me simpelweg door het orkest duwen, porren en trekken. Ik gaf alle herinneringen die ik bezat, over aan de vergetelheid en liet mezelf dansen. Iedere keer dat ik in de buurt van R.L. danste, lachte ik hardop om de volmaakte glorie van alles. De muziek was mijn vriend, mijn minnaar, mijn familie. Een mooie dag op een heuvel in San Francisco, net hoog genoeg om details te kunnen onderscheiden. Mijn zoon die lachte als ik zijn kamer binnenkwam. Grote poëzie die ik van buiten had geleerd en voor mezelf in een warm bad declameerde.

De band speelde de slotmaten en R.L. pakte mijn hand. We dansten naar de rand van het toneel en bogen. Afgezien van moeders tafel en een bravo van waar Bailey bij de deur zat, applaudisseerde het publiek matig. Ik ben er nooit achter gekomen of de diepe teleurstelling veroorzaakt werd doordat ik op moest houden met dansen of doordat het publiek niet opsprong en gillend naar het toneel toe rende om mijn overwinning aan te raken. Maar in de kleedkamer begon ik te verdrinken in een zee van depressie. Noch de bloemen die Bailey stuurde, noch moeders glimlach konden me redden. We hadden nog twee optredens die avond en bij de laatste vroeg ik me af of ik wel geschikt was voor de showbiz... of die wereld niet te laag-bij-de-gronds was voor mijn pure en fijngevoelige natuur, te commercieel voor mijn artistieke ziel.

Alle dronkelappen en gokkers uit de omgeving kwamen op tijd voor de laatste voorstelling en opnieuw werd ik bedwelmd. Ze schreeuwden: 'Shake it, baby. Dans, baby, dans', maakten kabaal, stommelden van tafeltje naar tafeltje en de sfeer van vrolijke drukte hielpen Poole en Rita en het orkest om de eerdere betovering opnieuw op te roepen. De klanten was die hele lange, dansende gek met haar grote neus misschien niet eens opgevallen, maar hun vitaliteit verankerde in mij een liefde voor optreden die vele jaren standhield.

Afgezien van een paar 'losse shows' (eenmalige optredens in congreszalen) werd het talent van Poole en Rita over het algemeen niet gewaardeerd. We weigerden aanbiedingen uit het circuit van de herenfeestjes. Ik verklaarde dat ik nooit naakt zou dansen voor een stel blanke mannen die me aanstaarden. R.L. was het met me eens en probeerde bezitterig te doen, maar waarschijnlijk was de achterliggende waarheid dat wij niet in staat waren om een 'Meisje en Beest' nummer waar te maken. Ik bezat geen van de kenmerken om het Meisje mee te vertolken en hij had evenmin een lijf om het Beest te dansen. We zouden lachwekkend zijn geweest.

De schnabbels bij de Elks waren heldere lichtvlekken in het eentonige landschap. Er bestaat binnen de zwarte gemeenschap een tegenhanger van het blanke, gesegregeerde, geheime genootschap, B.P.O.E. (Benevolent and Protective Order of Elks). Wij noemen het onze de Improved Benevolent and Protective Order of Elks of the World. Ik was als tiener in de mysterieuze organisatie ingewijd, had er eens een prijs gewonnen op een voordrachtwedstrijd en nu werd ons dansduo ingehuurd voor de vrolijk uitgelaten *dansants*.

Dames van middelbare leeftijd, meestal gezet en beter gekleed dan de vrouwen van wie ze de huizen schoonhielden, streelden me na afloop van de show en bewonderden mijn magerheid.

'Liefje, jij kunt er wat van, zeg.' Met een opgewekte, brede lach. 'Zo heb ik het ook gekund, maar die dagen zijn voorgoed voorbij.' En dan lieten ze hun handpalmen langs mijn zij glijden. 'Ik wed dat je mama trots op je is. Ik wed dat ze trots is.' En dat was ze. En ik was trots op mezelf.

'Blue Flame' en 'Caravan' waren mijn favoriete dansarrangementen omdat R.L. dan de meeste tijd op de achtergrond bleef en ik op blote voeten danste in kleine bundeltjes blauwe struisvogelveren en Indiase belletjes om mijn enkels. Ik probeerde Frances Nealy te imiteren, een beeldschone, zwarte vrouw die een Egyptische danseres had gespeeld in een technicolor film in de jaren veertig. Een paar Dorothy Lamour-handbewegingen en Ann Miller-beenzwaaien gaven er alleen maar extra sjeu aan.

En toen kwam Cotton Candy Adams naar de stad.

Let me be your little dog
till your big dog come
Let me be your little dog
till your big dog come
And when your big dog come
tell him what your little dog done.

R.L. struikelde over zijn woorden toen hij me begon te vertellen over zijn ex-vriendin en voormalige danspartner. 'Oh, Rita... zij – Candy en ik – ik bedoel, zij was mijn vriendin... en zij, uh, ze is bij me weggegaan. Dat wil zeggen, we hebben vroeger samen gedanst. Ze is hier naar toe gekomen – ik bedoel, ze zei dat... Toen ze bij me wegging... uh, als ik... als zij... ooit van gedachten veranderde, zou ze, uh, me opzoeken.'

'Oké, R.L.. Ze is teruggekomen. Zijn jullie nou weer bij elkaar?' Ik was net zo kortaangebonden als ik dacht dat een chorusdanseres zou zijn.

'Zie je, Rita, ze is een, uh, danseres. Ik bedoel, ze is geweldig. Ze heeft bij Parker en Johnson gedanst. En ze heeft in het Orpheum circuit gewerkt.' Hij stotterde niet meer. 'Ze heeft haar kostuums meegebracht. Echt heel flitsend. Waaiers van veren met bergkristal. Zie je, het meeste van wat ik jou heb geleerd – ik bedoel...' Van verlegenheid sloeg zijn tong dubbel en hij begon weer te stamelen. 'Wacht maar tot je haar leert kennen. Ze is... je zult... Ik denk dat jullie elkaar wel zullen mogen.'

'Vast wel, knul.' Ik had nog nooit iemand knul genoemd. 'Ik verheug me erop haar te ontmoeten.'

Cotton Candy was de belichaming van 'papa's kleine meisje'. Haar echte haar hing in zwarte golven omlaag en kuiltjes deukten haar lichtbruine wangen in. Ze had een geraffineerde manier van lopen die het midden hield tussen een wulpse gang en kleine-meisjes-getrippel. Maar toen opende ze haar mond. 'Hoi, Rita. R.L. heeft me over je verteld. Je bent danseres.'

Ik wist niet hoe ik de schok moest verbergen. Haar tanden waren verrot en haar lippen weigerden mee te helpen de woorden te vormen. Ik keek naar haar ogen en begreep het. Ze glansden koortsachtig, maar leken toch levenloos. Cotton Candy was verslaafd. Het was zeker dat R.L. het wist. Tenslotte kwam hij uit Chicago. Ik kon niet begrijpen waarom hij zich weer met haar wilde verzoenen, maar ik zag aan de verrukte manier waarop hij naar haar keek dat dat precies was wat hij wilde.

'Ja, ik ben danseres. Ben je van plan om in San Francisco te gaan dansen?' We konden de kaarten net zo goed op tafel leggen.

'Oh, ja.' Hoewel R.L. anderhalve meter van haar af stond, kroelde ze in zijn richting. 'R.L. en ik gaan onze oude nummers oppoetsen en opnieuw beginnen.' Ze deed haar mond dicht en maakte kuiltjes in haar wangen. 'Dat heb je zelf gezegd, hè, Boogie?'

'Ja. uhuh. Ja. We doen alles wat we vroeger deden.'

Ik moest onmiddellijk weg. 'Nou, veel geluk ermee dan. Breek een been.' Ik liep weg van de minnaars voordat ze het leven uit me weg konden zien lekken.

Thuis ijsbeerde ik door de kamers. Moeder had mijn zoon mee uit genomen en papa Ford snurkte in de kleine achterslaapkamer. Ik vervloekte Cotton Candy omdat ze naar San Francisco was gekomen en reserveerde een plaats in de hel voor R.L. omdat hij stom genoeg was om haar terug te nemen. Mijn carrière was afgelopen voor hij goed en wel was begonnen. De tranen kwamen heet en furieus. Ik had zoveel aangedurfd en alles was mislukt. Er bleef niets over. Ik had Curly mijn jonge liefde geschonken en hij was vertrokken om met een andere vrouw te trouwen. Door mijn zelfverdedigingstactiek met de lesbiënnes had ik een hoerenkast verworven waarvoor ik noch de vaardigheid, noch de moed bezat om hem te houden. Ik was naar het tehuis van mijn jeugd gevlucht en weggestuurd. Het leger en nu mijn danscarrière, iets wat ik boven alles begeerde (nodig had, in feite) voor mijn zoon, maar het meest voor mezelf, waren uit mijn handen gegrist. Alle deuren waren voor mijn neus dichtgegooid en ik zat gevangen in een te groot lichaam, met een niet-mooi gezicht en een geest die rondstuiterde als een pingpongballetje.

Er gingen een paar dagen voorbij en R.L. kwam niet langs. Ik belde hem op. Hij reageerde afwezig, maar beloofde dat hij zou komen om erover te praten. Ik wachtte tot het middaguur dat hij voorgesteld had, voorbij was en tot ver in de avond. Hij kwam niet opdagen en belde niet.

Als we de kans hadden gehad om het omslachtig en moeizaam door te praten, zou ik me misschien voorgoed verloren hebben in de romantiek van een verbroken romance. Maar omdat ik geen ander klankbord had dan mijn eigen oren en eerlijke gedachten, moest ik ophouden met huilen (het was te uitputtend) en toegeven dat Cotton Candy recht op hem had en misschien voelde R.L. zich meer aan haar verplicht omdat ze verslaafd was en hem nodig had.

Ik bezat niets om iemand door medelijden aan me te binden. Geen mank been, geen verslaving, geen schele ogen noch een houding van hulpeloosheid. Ik besloot een poging te doen om orde op zaken te stellen. Ik probeerde iedere gedachte aan zelfmedelijden, die zich een weg door mijn hersenen wurmde, de kop in te drukken en vertelde mezelf dat het tijd werd om mijn kostuums, die in hun naden voor eeuwig de lucht van schmink zouden meedragen, op te vouwen en de tapschoenen, die me sowieso knelden, weg te bergen. Want per slot van rekening maken alleen dichters zich druk om wat er met de sneeuw van vroeger dagen is gebeurd. En ik had geen tijd om een dichter te zijn, ik moest een baan zien te vinden, mijn tanden op elkaar zetten en voor mijn zoon zorgen. Dat was het dan wat de showbizz betrof, ik was op weg naar het echte leven.

25

Een vriend van moeder die eigenaar was van een restaurant in Stockton zocht een kok. Ik pakte de kleren in die ik dacht nodig te hebben en ondernam de reis van tachtig mijl. Ik was er niet zeker van of ik marihuana zou kunnen vinden in het kleine stadje, dus stopte ik een vol Prince Albert-blikje en vloeitjes onderin mijn koffer. Ik weigerde om de hele weg te gaan zitten huilen op de achterbank van een Greyhound-bus.

In Stockton hing een eigenaardige sfeer. Het stadje lag in de agrarische San Joaquinvallei en was lang een centrum geweest voor rondtrekkende arbeiders, Zuiderlingen die van de uitgeputte boerderijen waren weggegaan en Mexicanen en Filippino's die de armoede in hun land hadden achtergelaten en, sinds het begin van de twintigste eeuw, grote gezinnen hadden gesticht op schamele inkomens. De Tweede Wereldoorlog had het bloed van de stad verrijkt door zwarten uit het Zuiden aan te trekken om op de plaatselijke droogdokken en scheepswerven te werken en in de munitiefabrieken van het nabijgelegen Pittsburg.

Toen ik er arriveerde, hadden de straten het ritme van het wilde westen. Omdat sommige van de fabrieken nog in bedrijf waren en de politie nog niet met harde hand tegen de misdaad was opgetreden, kwamen in de weekenden prostituees en gokkers uit San Francisco en Los Angeles om de willige plaatselijke onnozelaars het vel over de oren te trekken.

Het restaurant was groot, met vijfenzeventig zitplaatsen en het had een vaste, regelmatige clientèle. Maar omdat het twee straten van Center Street af was, hadden we maar weinig van de elegantere aanloop. Mijn dienst begon om vier uur 's middags en ik bakte hamburgers, varkenskarbonades, eieren en ham tot middernacht. Dan, om een beetje meer fleur aan mijn fletse bestaan te geven, friste ik mezelf op, verwisselde mijn bezwete uniform voor een nauwsluitende jurk die een schouder blootliet en schoenen met hoge hakken die mijn gezwollen voeten afknelden. Een langzame wandeling naar Center Street en een kruk in een drukbezochte bar boden me de kans om het fascinerende stadsvolk te bekijken en tegelijkertijd hooghartig te verklaren aan iedere man die het lef had mij te benaderen dat ik werkte voor de kost. Ik was geen hoer. Ik hield mezelf voor dat het feit dat ik er misschien voor werd aangezien vanwege mijn opvallende manier van kleden, of doordat ik me, in een klein stadje om één uur 's ochtends, alleen aan een bar vastklampte, er domweg een bewijs van was dat mannen denken dat ze nooit verder hoeven te kijken dan hun neus lang is.

Big Mary was een fors gebouwde, onbehouwen vrouw uit Oklahoma. Haar man was gestorven op de tomatenvelden in de omgeving van Stockton. Ze was de surrogaatmoeder van de buurt. Ze zorgde voor kinderen op dagbasis, maar toen ik uitlegde dat ik een wekelijkse regeling nodig had vanwege mijn werktijden, stemde ze erin toe mijn zoon in huis te nemen; ik kon hem op mijn vrije dag op komen halen. Het bloed van indiaanse voorouders duwde haar jukbeenderen zover omhoog dat het leek alsof haar ogen dichtzaten en haar huid had de zwartbruine kleur van geboend oud hout. Eens per maand dronk Mary en op die dag moest er voor alle kinderen een andere regeling worden getroffen. Dan trok ze een schone, loshangende, katoenen jurk aan en de schoenen van haar overleden man die uitgesneden waren om ze gemakkelijker te maken. Ze ging aan de bar zitten, haalde een koffiebeker te voorschijn uit haar tas en beval de barkeeper: 'Gooi maar vol!' Als de beker leeg was, vroeg ze of hij hem af wilde wassen en weer vol gooien. Ze zat, recht voor zich uitstarend, te nippen tot ze drie bekers bourbon had gedronken. Vervolgens rekende ze af en zonder een woord met iemand gewisseld te hebben, liep ze de bar net zo recht uit als ze er binnen was gekomen.

Haar omgang met kinderen bestond eruit om ze goed te voeden en te vertroetelen. Ze begon in een kindertaaltje te brabbelen zodra het woord kinderen viel, zelfs wanneer er geen aanwezig waren. Met haar zware Oklahoma-accent slikte ze klanken in en haar tong stak tussen haar regelmatig gevormde, volle lippen naar buiten. Ik dacht dat zo'n vertoon van genegenheid mijn zoon geen kwaad zou doen, dus werkte ik zonder me al te veel zorgen te maken en legde me toe op de serieuze zaak van het vergaren van een garderobe.

Jongens schijnen te denken dat meisjes de sleutel tot alle geluk in handen hebben, omdat zij verondersteld worden het recht van instemming en/of afwijzing te bezitten. Ik heb oudere mannen herinneringen horen ophalen uit hun jeugd en een vijandige afgunst klonk in hun stemmen door als ze zich de meisjes voor de geest halen die hun seksuele lusten opwekten, maar niet bevredigden. Het is interessant dat ze zich niet realiseerden in die voorbije dagen van hunkering, noch zelfs in de huidige dagen van tolerantie, dat als een vrouw het recht had om te beslissen, ze ook leed onder een onvermogen tot het nemen van initiatieven. Dat wil zeggen, ze kon alleen maar ja of nee zeggen als ze werd gevraagd.

De ene helft van haar tijd brengt ze door met zichzelf aantrekkelijk maken voor mannen en de andere helft probeert ze erachter te komen welke van de aangetrokkenen serieus genoeg zijn om met haar te trouwen en welke haar tegen de dichtstbijzijnde muur willen rammen om woest op haar in te stoten en haar vervolgens op trillende benen te laten staan terwijl de koude, natte sporen langs de binnenkant van haar dijen omlaag glijden. Wie van hen zal terugkomen en haar trots aan zijn vrienden voorstellen en wie zal vrienden hebben, die haar alleen kennen als die vlotte meid waar je een goed (of zelfs een slecht) nummertje mee kunt maken. De verpletterende onzekerheid van de jeugd en de ingebouwde achterdocht tussen de seksen is in strijd met de overleving van de soort, maar desondanks legaliseren mannen toch hun gebonk en nemen vrouwen hun hele leven wraak voor die wanhopige dagen van onzekerheid en baren ze kinderen zodat het hele proces aan de gang blijft.

Helaas.

Door het partnerschap van Poole en Rita, met als extraatje een liefdesavontuurtje, was mijn verlangen naar het toneel, muziek en het gejuich van publiek groter dan dat naar de armen van een minnaar. Maar als kokkin in een restaurant van beperkte omvang in een boerengemeenschap verschilden mijn fantasieën niet veel van die van ieder ander meisje van mijn leeftijd. Hij zou komen. Vast en zeker. Hij zou gewoon mijn leven binnenwandelen, mij zien en voor altijd op mij verliefd worden. Ik had de kwaal waar de meeste jonge vrouwen aan leden. De seksuele opwinding uit mijn tienerjaren was bekoeld en ik keek uit naar een echtgenoot die me hemels, spiritueel en bij zeldzame (maar wonderschone) gelegenheden lichamelijk zou beminnen. Hij zou een beetje jonger zijn dan mijn vader en knap op diezelfde achteloze manier. Zijn stemmige kleding zou van een uitstekende snit zijn en hij zou zacht met me praten en me indringend aankijken. Hij zou me vaak strelen en me vertellen hoe trots hij op me was en ik zou me inspannen om hem nog trotser te maken. We zouden een rustig leven leiden in een doddig, klein huisje en ik zou nog een kind krijgen, een meisje, en de twee kinderen (van wie hij allebei evenveel hield) zouden op zijn knieën klimmen en ik zou caramelcakes van drie lagen dik bakken in mijn elektrische keuken totdat ze naar de universiteit gingen.

L.D. Tolbrook was van mijn vaders leeftijd, hij had mijn vaders huidkleur en hij was even conservatief als een zwarte anglicaanse predikant. Hij droeg maatkostuums en zijn zeldzame glimlach liet tanden zien die zo begerig waren dat ze over elkaar heenklommen. Zijn handen waren sierlijk en zijn lange, bruine vingers eindigden in nagels gemanicuurd met transparante lak.

Hij kwam op een avond met een groep mee naar het restaurant voor een middernachtelijk ontbijt. Ik had me al omgekleed, maar mijn vervanger was nog niet gearriveerd. Toen de serveerster de situatie uit had gelegd aan L.D.'s groep, kwam hij naar de deur van de keuken. 'Neem me niet kwalijk. Ik zou graag de chef-kok willen spreken.' Zijn stem was zacht.

'Ik ben de avondkok, maar ik ben nu klaar met m'n werk.' Ik keek hem niet echt aan.

'Ja, dat heb ik begrepen.' Zijn glimlach kwam vanuit een diepe bron vol begrip. 'Maar mijn gezelschap heeft erg veel honger. En we nemen genoegen met alles wat ons voorgezet wordt.' Hij keek naar mijn jurk. 'Ik zal zorgen dat u niet voor niets te laat komt op uw feestje.'

'Ik ga niet naar een...' Voordat ik mijn mond dicht kon doen.

Hij pelde een briefje van tien dollar van een rol biljetten af. 'Geef ons maar eieren met spek of eieren met ham. Het maakt niet uit wat, of hoe u het klaarmaakt. We zullen er zeer dankbaar voor zijn.'

Ik had het geld nodig, dus nam ik het aan en ging naar de kleedkamer.

'Hoe heet u?'

'Rita.'

'Goed, juffrouw Rita. Dank u, uit naam van ons allemaal.' Hij duwde de deur open en verdween.

Hoewel ik prat ging op mijn scherpe intuïtie heb ik nooit het begin van een belangrijke liefdesverhouding herkend. Halverwege mijn brein is een barricade opgeworpen en gewoonlijk lig ik al op mijn rug het plafond te bestuderen, voordat het tot me doordringt dat dit de man is waarover ik fantaseerde tijdens mijn nachtelijke gevinger.

L.D. (Louis David) kwam de volgende avond een half uur voor middernacht, bestelde een ontbijt en vroeg naar mij. De serveerster bracht de boodschap over en ik ging naar hem toe in mijn uniform en glimmend van het zweet.

Hij stond op. 'Juffrouw Rita.' Hij trok een stoel achteruit. 'Kunt u bij me komen zitten?'

Ik zei hem dat ik nog aan het werk was.

'Als u straks niets te doen hebt, zou ik u graag uitnodigen voor een ritje... uh, ik vermoed dat u geen zin in een ontbijt zult hebben.' Zijn lippen trokken een beetje terug om mij te laten weten dat hij een grapje maakte.

'Nee, dank u. Geen ontbijt.' En, dacht ik, ook geen ritje. Dit dorre, kleine mannetje kon niet concurreren met de bar in Center Street.

'Ik zal u vertellen hoe het komt dat ik hier ben.' Hij stond nog steeds. Mijn ogen keken recht op zijn voorhoofd waar krullend zwart haar terugweek voor de opmars van schedel.

'Nadat ik gisteravond die mensen had afgezet, ging ik naar het gokhuis. Er gebeurde iets met me. Ik kon mijn gedachten niet bij het spel houden. Ik vergat steeds waar ik mee bezig was. Ik moest steeds maar denken aan hoe aardig het was van u om die mooie kleren uit te trekken en iets te eten te maken voor ons.'

Hij boog zijn hoofd en zijn ogen keken verlegen omhoog. 'Ik wist dat het niet was vanwege dat tientje. D'r was iets in u dat me dat vertelde.' Het was tijd voor mij om mijn ogen neer te slaan.

'Dus bleef ik daar nog een poosje zitten en ben toen naar huis gegaan. Vanmiddag stond ik op en ben teruggegaan. Ik heb de zaak schoongeveegd. Zeshonderd heb ik gewonnen met koch. En toen dacht ik dat ik die aardige dame wel eens zou kunnen ophalen om wat van dit geld aan haar uit te geven.'

En hij haalde een rol geld te voorschijn van dezelfde omvang als die hij de avond tevoren had laten zien, maar deze keer vielen me zijn grote, diamanten ring op en zijn gemanicuurde nagels. Ik keek omlaag en was er zeker van dat zijn glimmende puntschoenen dure Florsheims waren en de hoed die op de stoel naast hem lag, was een Dobbs. Dit was hem. Geen schreeuwerige, met deuren smijtende opschepper uit de Center Streetbar, maar een gevestigde gokker met Zuidelijke manieren en grootsteedse klasse. 'Ik had gedacht om bij een paar vrienden van mij in Sacramento langs te gaan.'

Het glorieuze gevoel dat ik de grote vis aan de haak had, masseerde me zacht en verspreidde warmte door mijn geest en lichaam. Ik zag er lieftallig uit toen ik me had verkleed in iets glanzends en verleidelijks en de serveerster en de kok die mij afloste, gedag zei.

Ik vond de zilverblauwe Lincoln perfect voor L.D. Hij was niet groot of gloednieuw, maar wel brandschoon en hij blonk van de was. Toen we wegreden van de lichten van Stockton, zette hij de radio aan en draaide het geluid zacht tot een net hoorbaar gesnor.

> I want a Sunday kind of love
> A love to last past Saturday night
> I want to know it's more than
> love at first sight...

Hij vroeg of ik getrouwd was. Met of zonder boterbriefje? Ik antwoordde, nee, geen van beide. Hij zei nauwelijks hoorbaar: 'Eindelijk heb ik ook eens geluk.'

Ik leunde achterover in de kussens van echt leer en grijnsde voor mijn eigen plezier.

'Ik moet een zaak afhandelen. En ik wilde je daar mee naar toe nemen. Ik moet een vriendin van me spreken, ze heet Clara.'

Zijn woorden klonken nooit gejaagd, ze werden geselecteerd, overdacht en in de lucht losgelaten alsof de allerbeste keuze was gemaakt. Deze keer was het gunstig om jong te zijn. Iedereen kende de verhalen over jonge meisjes en oudere mannen. Hoe goed en hoe vrijgevig oudere mannen waren voor jonge meisjes en hoe gek ze op hen waren. Ik dacht bij mezelf dat ik liever het liefje van een oude man was dan de slavin van een jonge.

'Op Clara kun je bouwen. Zo solide als een huis, Rita. Ik denk dat jij ook zo bent. Zo eerlijk als goud.'

Zelfs zijn taalgebruik was oud.

Toen we bij een door bomen beschut huis voorreden, maakte hij aanstalten om uit te stappen. 'Kom, ik wil je aan Clara voorstellen. Ze zal je vast aardig vinden...'

Ik volgde hem.

De doordringende geur van ontsmettingsmiddelen binnenshuis was net zo veelzeggend als de rode lamp boven de deur. Alhoewel ik bestormd werd door herinneringen aan mijn ervaringen in San Diego, hield ik mijn gezicht strak en liet door niets merken dat ik wist waar we waren.

Clara was een kleine, goed gebouwde vrouw van in de dertig. In haar dikke masker van make-up kraakten barsten van blijdschap.

'Lou!' Ze stapte terug van de deur en dirigeerde ons met haar rechterhand een saai gemeubileerde huiskamer in. L.D. zei dat hij wat moest bespreken met Clara en verontschuldigde zich. Hij bood me iets te drinken aan, maar ik verklaarde dat ik niet dronk en werd voor die informatie beloond met een goedkeurende glimlach.

Er drongen geen geluiden tot mij door vanachter uit het huis. Ik begon me af te vragen: stel dat L.D. een kamer had gehuurd en in plaats van zelf terug te komen, Clara stuurde om me te halen. Als zij zei: 'Rita, Lou wacht achter op je', zou ik niet weten wat ik moest zeggen. Ik was ook niet zo stom om dan te zeggen: 'Zeg hem, alsjeblieft, dat ik nooit bij de eerste afspraak al met een man naar bed ga.' Ze zou me het huis uit lachen. Er zat niets anders op dan toe te geven. Maar ik zou op zo'n manier toegeven dat hij zich rot zou voelen en ik niet. Dat was mijn plan.

Ze lachten toen ze de kamer weer binnenkwamen.

'Clara, voor mij sta je nog steeds bovenaan,' zei L.D.,
'maar we moeten eens opstappen.'

'Oh, Lou. Laten we even gaan zitten. Laat Rita en mij
kennismaken.' Haar glimlach kreukte haar hele gezicht
en ze zag eruit als een gummipop die op de kermis is gewonnen.

'Deze dame heeft de hele avond hard gewerkt en ik
weet dat ze naar huis wil om uit te rusten.' Hij keek naar
mij. 'Het spijt me. Misschien dat ik je een volgende keer
tijd gun voor een vrouwenpraatje met haar. Kom, Rita,
we moeten terug naar Stockton.'

Ik schudde Clara de hand en zei: 'Dank je. Dank je
wel... Tot ziens... Ik vond het heel gezellig... Dag.'

In de auto zette ik haastig mijn overbodige verdedi-
gingsstrategie opzij en probeerde te bedenken wat me nu
te wachten stond. Waarschijnlijk zou hij me mee willen
nemen naar zijn huis. Maar zodra we de rand van Stockton bereikten, zou ik hem vragen mij naar huis te brengen omdat ik een afschuwelijke hoofdpijn had. Als hij
een echte heer was, zou hij zich daar bij neerleggen.

Op de terugweg waren we net zo stil als de zwarte bomen buiten de raampjes. De lichten van de stad flitsten
zwak op en ik bereidde me voor op mijn verhaal.

'Rita, ik ben je heel erkentelijk dat je met mij mee
bent gegaan. Ik moet twee keer per week naar Sacramento en het is eenzaam 's nachts als je alleen bent. Ik wist
dat je moe was toen ik je vroeg, maar net als op die andere avond liet je zien wat voor een groot hart je hebt. Ik
waardeer dat echt.'

Hij stuurde de auto de zwarte wijk in.

'Waar woon je?'

Opnieuw had ik mezelf voor niets op de strijd voorbereid. 'Ik huur een kamer bij Kathryn.'

'Met gebruik van keuken?' Hij kende het huis.

'Ja.'

'Nou, misschien kun je dan eens voor mij koken. Als je niet te moe bent.'

We stonden voor mijn deur en hij deed zelfs geen poging om me een nachtzoen te geven.

'Welterusten, L.D.'

'Welterusten, Rita. Tot gauw.'

De blauwe wagen reed langzaam de straat uit en ik vroeg me af of ik, in mijn onwetendheid, niet de kans op een leven van teder bemind en verzorgd worden had verspeeld.

De volgende avond, toen ik klaar was met mijn werk, stond hij buiten geparkeerd. Hij flitste met de koplampen.

'Rita. Goeienavond. Ik hoop dat je er geen bezwaar tegen hebt, maar ik wilde je weer zien.'

Gelukzalige dag.

Ik leunde achterover in de al vertrouwde stoel en snoof zijn parfum op.

'Je bent zo jong en onbedorven. En ik houd ervan hoe je praat. Zo jong.' Hij lachte een beetje. Ik kon me niet herinneren wat ik de vorige avond had gezegd en voelde de verschrikkelijke last van proberen iets zinnigs te bedenken dat hem zou amuseren. Jong gepraat was voor mij onnozel geklets. Ik kon me niet voorstellen dat het geleuter van jonge meisjes uit mijn hoofd en mond zou komen, maar ik wilde amuseren, dus besloot ik hem een verhaal uit mijn leven te vertellen.

'Weet je, ik ben gek op dansen. Ik heb al sinds mijn veertiende dansles en ik heb in de showbusiness gezeten. Ik maakte deel uit van het Poole en Rita dansteam.'

We hadden de straten en lichten van Stockton achter ons gelaten en zaten op de autoweg voor ik het in de gaten had.

'We gaan naar Tulare, het is niet ver. Ga door, vertel me over je dansen. Ik wist dat je niet voor niets zo gracieus was.'

Ik diste verhalen op over de denkbeeldige nachtclubs waar ik had gewerkt, over de passen die ik kende en mijn betoverende kostuums. Terwijl ik praatte, schitterde mijn carrière en was ik een helder fonkelende ster, buigend en glimlachend naar een enorm publiek dat er nooit genoeg van kreeg.

In Tulare brachten we een bezoek aan Minnie, wier huis identiek was aan dat van Clara, tot en met de ontsmettingsmiddelen en kunstbloemen toe. Minnie had niet de ondeugende charme van Clara en ze bekeek me met de harde blik van een koper op een paardenmarkt.

L.D. en Minnie verdwenen in een zijslaapkamer en bleven maar een paar minuten weg. 'Oké, Minnie, tot ziens. Zullen we gaan, Rita?' Hij had geen glimlach of babbelpraatje voor haar. Ik was blij. Het was duidelijk dat ze niet erg aardig was. (Aardig waren die mensen die probeerden mij aan de praat te krijgen en mijn flegmatieke gezicht en afwerende houding charmant vonden.)

Of hij had een illegale loterij, of hij verkocht verdovende middelen aan de hoeren, en het feit dat hij nooit vertelde wat zijn 'zaken' inhielden, zei me dat hij dacht dat ik preuts was. De gedachte dat hem dat juist wel beviel, kwam niet bij me op, dus besloot ik hem op het goede moment te laten weten dat ik eens in San Diego een huis met twee hoeren had gehad.

Die avond vertelde ik hem over mijn kind, dat hij drie jaar was en hoe mooi en pienter hij was. L.D. zei niets tot we voor mijn huis stilhielden. Hij ging verzitten in het donker en trok de rol bankbiljetten uit zijn zak.

'Rita, je moet me niet verkeerd begrijpen. Ik probeer niet om je genegenheid te kopen. Maar jij bent alleen en je hebt een kind om groot te brengen. Ik zou minder dan een man zijn als ik niet probeerde je te helpen.' Hij vouwde een biljet op en drukte dat in mijn hand. 'Zeg nou maar niets. Gebruik het gewoon voor jezelf en het kind. Goed, stap dan nou uit. Ik zal je een paar dagen niet kunnen zien. Er is een grof spel aan de gang in de stad. Zodra ik terug ben, kom ik naar het restaurant.'

Ik wilde me naar hem toebuigen en hem kussen, maar zijn afstandelijkheid moedigde het niet aan.

'Welterusten, L.D. en veel succes.'

'Dank je, Rita.'

Ik knipte de lamp aan in mijn kamer en keek naar het gekreukte briefje van vijftig dollar in mijn hand. Het was voor het eerst dat een andere man dan Bailey mij geld gaf. Ik schafte een uitrusting aan die een Hollywood-sirene waardig was en speelgoed voor mijn zoon.

26

De volgende drie weken bereisde ik de autowegen van Californië met L.D. Ik ontmoette Dimples in Fresno, Helen in Merced, Jackie en Lil in Mendota en Firebaugh en een paar vrouwen in houten huisjes langs de weg die bereikbaar waren voor de doortrekkende landarbeiders. L.D. bleef royale schenkingen doen, want, zo zei hij, de zaken gingen goed. Ik vroeg hem niet wat die zaken nou eigenlijk waren en uit zichzelf verschafte hij geen informatie. Ik hoefde zijn toenaderingspogingen niet af te weren, want die deed hij niet.

Mijn verlangen naar hem groeide in evenredige verhouding met zijn onverschilligheid. Ik experimenteerde met alle listen die ik maar kon bedenken. Hij had me bekend dat hij geen boeken las, dus trachtte ik indruk op hem te maken met mijn grote liefde voor kennis. Hij hield van eerlijke mensen, dus vertelde ik hem op een avond hoeveel ik om hem gaf. Hij had medelijden met mij, een ongehuwde moeder. Ik lamenteerde over mijn schrijnende eenzaamheid. Niets bracht hem van zijn stuk of spoorde hem aan mij in zijn armen te nemen.

Het restaurant was saaier geworden dan een levenslang verblijf in de Gobiwoestijn en ik beleefde geen plezier aan mijn boeken of het spelen met mijn zoon. Het hele leven vloeide samen in de trechter van één glimlach, het zachte, kalme 'Hallo, Rita. Hoe gaat het vanavond?' van één man.

'Hier is honderd dollar.' De biljetten waaierden tussen zijn vingers door.

'Oh, zoveel kan ik niet aannemen.'

'Ik wil dat je naar de winkel gaat en andere kleren koopt. Je kleedt je te oud. Je moet je kleden naar je leeftijd. Je bent jong. Koop een paar platte schoenen en korte sokjes. En wat bloezen en mooi gekleurde rokken. En doe een strik in je haar.'

Het was jaren geleden dat ik sokjes had gedragen en toen had ik er ook al een hekel aan gehad. Mijn lange benen leken er nog langer door. Maar L.D. vroeg het. Toen hij me zag in de schoolmeisjeskleren zei hij dat ik zijn eigen 'bakvisje' was en dat hij een speciaal cadeau voor mij had. De volgende dag dat ik vrij had, nam hij me mee naar de stad.

'Deze keer is het niet voor zaken. Het is voor jou. Ik ga je geven wat je zo graag wilt hebben.' Hij glimlachte en streelde mijn wangen en ik zou het een voorrecht hebben gevonden om voor hem te sterven.

De wijk South of Market wijk in San Francisco was een geheimzinnig gebied waar dakloze alcoholisten rondhingen voor de vuile ruiten van drankwinkels en waar schreeuwende uithangborden van pandjeshuizen buitensporige geldbedragen beloofden in ruil voor goederen. De mensen die ik kende, gingen alleen naar South of Market om bij het station van de Southern Pacific te komen of rekeningen te betalen bij een van de banken van lening.

L.D. stuurde zijn auto door de donkere straten en naast hem genesteld, wenste ik dat de tocht nooit zou eindigen. Op de autoweg had hij gezegd dat ik het liefste kleine ding was dat hij ooit had gezien en prees me omdat ik de schoolkleren droeg die hij prefereerde. Ik was zijn bakvisje en hij zou me zo gelukkig maken dat ik ervan zou moeten huilen. Ik had met moeite de tranen van dankbaarheid bedwongen die achter mijn oogleden brandden.

Toen hij de auto stopte en me teder, lang en liefdevol kuste, zwol mijn lichaam op om zich te bevrijden uit de gevangenis van huid. De glasscherven in de achterbuurt waren rozenblaadjes en de schrale lucht van goedkope alcohol was de meest hypnotiserende wierook uit India.

L.D. belde aan bij een deur met een traliewerk ervoor en riep zijn naam. De deur ging automatisch open en ik volgde hem een vaag verlichte, beklede trap op. Toen hij tegen me knikte, bleef ik braaf in het schemerduister staan. Hij liep de hal door naar een halve deur waar een flauw licht overheen scheen. Ik hoorde gefluister, toen kwam hij rammelend met een sleutel terug.

De kracht van de hartstocht droeg me over de drempel van de kamer en smeet me op het bed. L.D. ging geduldig naast me zitten en sprak zacht.

'Je weet dat ik veel ouder ben dan jij. Ik ben een oude man, dus je moet van mij niet hetzelfde verwachten als van je jonge aanbidders.'

Aanbidders? R.L.? Ik kon de glans van mijn verleidelijkheid niet temperen door hem te vertellen dat er geen aanbidders waren, of hem toeschreeuwen dat hij zijn kleren uit moest trekken omdat ik ze anders aan flarden zou scheuren. Ik kneep mijn ogen dicht en wachtte. Hij kuste me en de tranen, die ik in de auto in bedwang had gehouden, kwamen los. L.D. hield me vast alsof ik van dons was gemaakt.

'Daddy's baby is bang, hè? Nou, Daddy zal zijn baby geen pijn doen. Kleed je uit en was je, dan kunnen we gaan liggen.'

'Ik ben in bad geweest voor we uit Stockton vertrokken.'

Hij fluisterde: 'Was je daar in de wasbak. Daddy gaat lief zijn voor zijn baby.'

De maand die volgde, besteedde ik aan de metamorfose van juffertje Onzeker tot Bakvis. Bemind te worden door een oudere, getrouwde man gaf me de jeugd die ik nooit had gekend. Ik giechelde in mijn kleenex, fladderde met mijn wimpers en huppelde als een lammetje in de wei. Om middernacht, wanneer ik mijn koksschort af had gedaan en mijn gezicht en armen had gewassen, vloog ik, mijn sokjes stralend wit, in de armen van mijn minnaar in gabardine. We gingen naar kiprestaurants in San Francisco, waar ik hoopte en vreesde dat de ongeschoren gokkers in de achterzaal me zouden herkennen als de dochter van Vivian die het gemaakt had.

De marihuana die ik mee had gebracht, was nog steeds toereikend. Ik beheerste mezelf. Eén joint op zondag en één op de ochtend van mijn vrije dag. Het spul had altijd een sterke en onmiddellijke uitwerking. Voordat de sigaret tot de lengte van een peuk was opgerookt, moest ik mijn gegiebel al smoren. Alleen al de aanblik van de omlaag hangende plooien van de gordijnen of het schommelen van een stoel was genoeg om me hardop te laten lachen. Na een uur nam de hysterie af en kon ik mezelf weer in het openbaar vertonen.

Op een van mijn vrije dagen nam L.D. mij en mijn zoon mee voor een picknick buiten de stad. Hij was vroeg bij mij aangekomen, maar ik maakte me snel klaar en we vertrokken om het kind op te halen.

Vanachter de raampjes keek ik naar de rijen gewassen. Ze liepen naar de weg toe alsof ze die wilden onderscheppen. Het amuseerde me dat de keurige rijen aan kwamen gemarcheerd en vervolgens wegvielen om vervangen te worden door andere die op hun beurt vervangen werden. Ze hadden de showbusinessprecisie van exercerende paradetroepen. De gedachte aan katoenplanten die 's nachts, als iedereen sliep, hun figuren oefenden, werkte op mijn lachspieren. Een kleine klonter lach stolde achter in mijn keel en gleed over mijn tong. Ik wilde L.D. uitleggen wat er zo leuk was, maar er was geen tijd voor. De grinnik sprong al naar buiten. Mijn gelach stak het kind aan en hij begon mee te lachen. Het werd steeds grappiger. Ik probeerde mezelf te beheersen, maar iedere keer dat ik naar L.D.'s afkeurende gezicht keek, klom ik naar een nieuwe hoogte van hilariteit. Toen hij de auto stopte, namen de lachkrampen eindelijk af.

Zwijgend laadden we de auto uit en spreidden een deken uit die ik van mijn bed had meegenomen. Toen we zaten, zei hij: 'Je hebt marihuana gerookt, hè?'

'Ja.' Ik schaamde me niet om het te bekennen.

'Hoelang rook je al?'

'Ongeveer een jaar.'

Hij pakte mijn hand stevig vast. 'Weet je dat dat spul je natuur kapot kan maken?'

Dat had ik nog nooit gehoord. 'Nee.'

'Nou, ik kan je wel vertellen dat marihuana mijn huwelijk ruïneert.' Hij streelde mijn hand. 'Mijn domme gans van een vrouw laat me nooit meer bij zich en ze doet niks anders dan lachen en gieberen. Ik heb haar al gezegd dat ik zo niet veel langer door kan gaan. Ik zou het afschuwelijk vinden om jou ook kwijt te raken, Rita. Net nou ik je gevonden heb.'

Ik dacht dat hij oprecht was en het speet me dat ik

hem van streek had gemaakt. Ik hoefde er niet lang over na te denken. Het spul was belangrijk geweest toen ik alleen en eenzaam was, toen mijn heden saai en mijn toekomst onzeker was. Nu had ik een man die lieve woordjes tegen me fluisterde, die een uitstekend minnaar was, rekening hiel met mijn kind en me zijn vrouw zou maken.

'L.D., als je me naar huis brengt, gooi ik de rest in de wc.'

Hij grijnsde en raakte mijn gezicht aan. 'Je bent mijn eigen bakvisje. Laten we nou eens kijken wat er te eten is.'

Terwijl we picknickten, vertelde hij me over zijn vrouw (ik had niet verwacht dat ik Mijn Prins zonder verplichtingen aan zou treffen). 'Ze is een molensteen om mijn nek. Soms blijf ik de hele nacht doorgokken alleen om haar kwaaiigheid en scherpe tong te ontlopen.'

'Waarom blijf je dan bij haar, L.D.?'

'Ze is ouder dan ik en ooit is ze goed voor mij geweest. Ik vergeet nooit een gunst. Kan ik me niet veroorloven. Nou is ze ziekelijk. Zodra ik mijn zaakjes op orde heb, stuur ik haar terug naar haar familie.' Hij zweeg even en nam toen mijn gezicht in zijn handen. 'Je bent zo'n lief ding, Rita. Laten we het er niet meer over hebben.' Ik bewonderde zijn terughoudendheid.

Iemand die van nature eenzaam is, zoekt niet naar steun in de liefde, maar aanvaardt de onbestendigheid ervan als vanzelfsprekend. Ik dacht dat ik hem gelukkig maakte. In ieder geval zou ik alles gedaan hebben voor een glimlach van hem, of om hem te horen lachen en hem mijn wang te laten strelen. Mijn baan was me tegen gaan staan. Als ik niet zou hoeven werken, zouden we meer tijd samen door kunnen brengen. Ik was dol op films, maar we waren nog nooit naar de bioscoop geweest. En ik wilde ook weer dansles nemen zodat ik niet stijf zou worden. Ik wist dat het slechts een kwestie van tijd was, voordat hij mijn toespelingen op mijn werk zou oppikken en me zou gelasten ontslag te nemen. Dan zou ik een appartement huren en het inrichten met het waanzinnig populaire, naturelkleurige meubilair. In mijn slaapkamer zouden de roze strookjes en kanten ruches ruizen. Die van mijn zoon zou geel en wit worden, met plakplaatjes van vrolijke dieren die op de muren omhoogklommen, duur speelgoed dat netjes opgestapeld in de hoek stond en hij zou aan een snoezig, klein tafeltje zitten leren uit vernunftige educatieve boekjes. Zelfgebakken brood zou aan de keuken een degelijke plattelandslucht verlenen en als mijn gezin had gegeten en het kind vast sliep, zou ik me op mijn geurige bed uitstrekken en L.D. zou zijn baby in het donker beminnen.

Drie dagen gingen voorbij en L.D. kwam niet naar het restaurant. Ik was schichtig van ongerustheid. Hij had gezegd waar hij woonde toen hij me vertelde hoe lastig en intolerant zijn vrouw was, maar ik wist zijn telefoonnummer niet. Gokkers beschermen zichzelf tegen leners door geheime telefoonnummers. Voor en na mijn werk wandelde ik langs de goktenten, zoekend naar zijn auto, vervolgens langs zijn huis van twee verdiepingen, dat achter in een tuin vol goedverzorgde rozenstruiken stond. Ideeën in alle maten en gradaties van krankzinnigheid kwelden me. Hij zou een ongeluk gehad kunnen hebben. Dodelijk. Of een hartaanval. Dodelijk. Hij zou genoeg van mij kunnen hebben en iemand anders hebben gevonden. Haastig zette ik dat opzij. Het was beter me hem in een mooie kist voor te stellen, 'zijn kleine gezicht versmald door de dood en zijn dunne lippen tot rust gekomen'.

'Baby, Daddy wilde je niet ongerust maken.' Hoewel zijn gezicht gegroefd was van uitputting en hij zich niet had geschoren, zag hij er knap uit. Hij was aan komen rijden net toen ik het restaurant uitliep, en zei me in te stappen.

'De zaken staan er slecht voor. Heel slecht.'

Ik had geen idee hoe een kindbruidje haar man moest opbeuren. Moest ik hem knijpen en giechelen, of hem strelen als een zuster?

'Ik heb drie dagen lang gegokt en ik ben alles kwijt.'

Nu kon ik het zeggen. 'Je hebt *mij* toch, L.D.'

Hij hoorde me niet. 'Ik heb meer dan vijfduizend dollar verloren.'

Ik gaf bijna een gil. Zoveel geld bestond er nergens, behalve in de bank. Hij had een huis voor mij kunnen kopen met vijfduizend dollar.

'Ik zit erin tot aan mijn nek. Ik was aan het proberen of ik genoeg geld kon winnen' – hij wendde zich van mij af – 'om van dat ouwe wijf te scheiden waar ik mee getrouwd ben en haar terug te sturen naar Louisiana. Dan zouden jij en ik voorgoed samen kunnen zijn.'

Ik wist het. Hij wilde echt met mij trouwen. Ik legde mijn hand op zijn wang en trok zijn gezicht naar mij toe.

'Ik vind het niet erg om te wachten, lieveling.' Ik moest hem geruststellen en zijn zorg verlichten. 'Zolang ik weet dat je om me geeft.'

'Maar zie je, misschien moet ik wel verdwijnen. Ik ben de grote jongens meer dan tweeduizend dollar schuldig. En die spelen geen spelletjes.'

Mijn God. De Maffia. Ik las kranten en ik had genoeg films gezien om te weten dat ze hem mee zouden nemen in een auto om hem een kogel door zijn hoofd te jagen.

'Waar zou je naar toe moeten?' Alles liever dan dat hij werd vermoord.

'Vroeger heb ik voor blankvolk in Shreveport gewerkt. Rijkelui. Ik heb ze gebeld en om een lening gevraagd. Ze hebben toegezegd, maar die vrouw zei dat ik dan terug moest komen om voor hen te werken. De ouwe, geile teef. Ik weet wel wat ze wil.'

'Wat wil ze dan?' Ik wist het en haatte haar meteen.

'Door haar ben ik bijna gelyncht. Ze zegt dat ze verliefd op me is en 't kan haar niet schelen wie dat allemaal weten. Je weet hoe die vrouwen in het Zuiden zijn.'

Van de vrouwen wist ik niets, maar wel wist ik dat L.D. de beste minnaar ter wereld was en als blanke mannen zo bedroevend waren als ik had gehoord, kon ik goed geloven dat die ouwe tang verliefd op hem was.

'Hoe oud is ze?'

'Ze zal nou zo'n vijfentwintig zijn, denk ik. Ik heb haar in drie jaar niet gezien.'

Oud? Ik dacht dat hij gerimpeld en gelige-nagels-oud bedoelde. Verdraaid, dat mens deed waarschijnlijk haar best om hem te laten genieten van de seks met haar. Waarschijnlijk lag ze net zo onder hem te kronkelen en te kreunen als ik deed.

'Je kunt daar niet naar terug, L.D. Het zou je dood kunnen zijn.'

'Ik moet iets doen. Op dit moment heb ik een goeie vrouw nodig.' Hij leunde tegen het portier aan.

'Maar ik ben een vrouw, L.D.'

'Jij bent een klein meisje. Zo zoet als honing, maar een klein meisje. Ik bedoel iemand die snel wat geld kan verdienen.'

Mijn salaris bedroeg zestig dollar per week en ik betaalde twintig dollar voor de oppas, vijftien voor mijn kamer en vijf extra voor melk voor de baby en de was. Ik had het recht om al mijn maaltijden in het restaurant te gebruiken en dat zou een besparing zijn op de resterende twintig dollar. Dankzij L.D. had ik genoeg kleren, maar wat was nou twintig dollar op een bedrag van vijfduizend?

'Toen Head Up afgelopen maand heibel had met de grote jongens, is zijn vrouw naar een huis in Santa Barbara gegaan en de eerste week haalde ze al vijfhonderd binnen. Binnen een maand was hij schoon.'

'Wat deed ze dan?' Hij dacht nog steeds dat ik van toeten noch blazen wist.

'Maar ik weet niet of ik iemand waar ik van hou, zoiets kan laten doen. Ik vind niet dat mijn leven het waard is dat een fatsoenlijke vrouw, mijn vrouw, daar zoveel van zichzelf voor opgeeft.'

'L.D., als een vrouw van een man houdt, dan is er voor haar niets dat te kostbaar is om voor hem op te offeren en niets dat te veel is voor hem om te vragen.' Ik moest hem laten weten dat ik net zo goed in staat was om hem een gunst te verlenen als zijn bejaarde vrouw. Hij zei niets.

'Liefde is blind en verbergt een veelheid aan gebreken. Ik weet waar je het over hebt en met prostitutie is het net als met schoonheid. Het ligt aan de blik waarmee je er naar kijkt. Er zijn getrouwde vrouwen die hoeriger zijn dan tippelaarsters omdat ze hun lichamen verkopen voor een boterbriefje en er zijn vrouwen die, hoewel ze voor geld met mannen slapen, zeer integer zijn omdat ze het voor een bepaald doel doen.'

'Vind je dat echt, kindje?'

'Ja en ik zou het ook doen om jou te helpen.'

Hij leunde voorover en sloeg zijn armen om me heen. 'Jij lief kind. Nee, dat is fout. Lieve vrouw.' Hij liet me los en zag de tranen over mijn gezicht rollen. 'Waar is dat nou voor? Ik heb je toch niets gevraagd.'

'Nee, ik huil alleen omdat ik zo blij ben. Omdat je mij laat helpen.'

'Ik heb over vrouwen als jij gehoord, maar ik had nooit gedacht dat ik er een voor mezelf zou hebben. Helemaal voor mij.' Hij streelde me en kuste mijn tranen weg.

'Clara. Herinner je je Clara? Ik geloof dat ze jou wel mocht. Aan haar kan ik je wel toevertrouwen. Clara heeft een net huis. Geen triootjes en geen vunzige spelletjes.' Zijn stem beval kwaad: 'Ik wil niet dat je meedoet aan vunzige spelletjes, hoor je me?'

'Ja, Lou. Ik hoor het.'

'Als dit eenmaal voorbij is, wil ik dat we kunnen trouwen en ik wil niet dat je je iets anders herinnert dan wat ik bij je doe. Ik wil je altijd gelukkig kunnen maken, ik wil dat je mijn kleine bakvisje blijft.'

27

'Je begint wel op een goeie tijd. De radio zei dat we vandaag regen krijgen.'

Ik zat op een rechte stoel en sloeg de twee vrouwen gade. Clara keek me aan en verklaarde: 'D'r komen veel klanten als het regent.' Ze lachte. 'Ik snap niet waarom. Als ik hun was, zou ik liever in mijn eigen bed slapen.' Ze lachte opnieuw. 'In m'n eentje.' Gniffel.

De stem van Bea onderbrak Clara's plezier. 'Verdomme. Zoiets moet je niet zeggen, daar begint de dag slecht mee. Ik wil tegen twaalven met tien klanten in bed liggen. Het is al negen uur en ik heb er zelfs nog niet eentje gehad.'

De zorgvuldig aangebrachte make-up kon de hardheid in haar gezicht niet verdoezelen. Toen ik haar de avond tevoren had ontmoet, was ik tot de conclusie gekomen dat ze niet half zo aardig was als Clara en hoewel ik met haar zou samenwerken, zouden we nooit vriendinnen worden.

'Nieuwe meisjes krijgen de eerste klanten,' zei Clara met enig gezag. 'Je weet hoe dat gaat.'

De taal was nieuw, maar de betekenis was duidelijk en boven alles wilde ik niet onnozel lijken of laten merken hoe verlammend nerveus ik was. Ik probeerde me te concentreren op de bezigheden van de vrouwen. Hun vingers legden razendsnel knopen in lange strengen dik, wit garen.

Bea keek naar mij en een waas van minachting trok over haar gezicht. 'Jij bent een groentje, hè?'

'Ja.' Met liegen kwam ik nergens.

'Nou, dat is een kwestie van dertig tellen. Na je eerste klant zul je een hoer zijn. Hartstikke een hoer. Ik bedoel voor 't leven.' Haar grijns was zuurder dan een rotte citroen, maar haar make-up, sieraden en houding van losbandige seks verleenden haar een zweem van glamour.

Clara kwam sussend tussenbeide: 'Nou, dat is toch zo erg niet? Ik wil maar zeggen, jij bent ook een hoer.'

'Gotsamme ja. En een verdomd goeie. 't Gaat mij uitsluitend om de poen. Op straat verdien ik meer per ongeluk dan de meeste meiden expres.' Ze schommelde met haar hoofd en draaide met haar lijf. 'En er valt meer te beleven ook. Ik bedoel de lichten en de hele nacht tippelen tot de zon opkomt.'

Ik vroeg me af waarom ze niet op straat was gebleven.

'Het werd te heet voor mij. Ik werd twee, drie keer per week opgepakt. Dus bracht mijn Daddy me naar dit peeshok. Tot de boel afgekoeld is. Dan is 't weer hoeren en snoeren tot de ballen uit de kerstboom vallen.'

Ze stonden alletwee op en schudden de slingers in hun handen uit. Clara liep naar de huiskamerdeur en haakte twee strengen aan spijkertjes bovenaan de deurpost. Ze pakte lucifers uit de zak van haar kamerjas en stak de uiteinden aan die traag heen en weer zwaaiden vlak boven de vloer.

''s Morgens brand je touw voor geluk, Rita. Als het bij de eerste knoop is, beginnen de klanten te komen.'

Bea was de kamer uitgegaan om strengen boven de andere deuren te hangen. Clara ging weer op haar rechte stoel zitten.

'Nou, Rita, laten we eens praten. Je was gisteravond

zo moe toen L.D. je bracht, dat ik dacht dat ik maar beter kon wachten tot het morgen was om je te vertellen hoe ik dit huis run.' Ik rukte mijn aandacht los van de kleine, vurige mondjes die het koord opknabbelden.

'L.D. zei dat je werknaam Sugar was. Ik vind dat wel bij je passen. Je bent zo jong en stil. Nou, zo gaat 't in z'n werk. In je kamer heb je een schrift liggen en als je een klant hebt, betaalt hij mij en naderhand teken ik je schrift. Als je geen eigen vent had gehad, zou je aan het eind van de dag geld van mij krijgen en kon je weggaan. Maar wat er nu gebeurt, is dat Lou aan het eind van de week komt en dan geef ik het aan hem. Hij betaalt je rekeningen, de kamerhuur, eten en drank.' Ze herstelde zichzelf. 'Tuurlijk, je drinkt niet en frisdrank is voor niks. Dan heb je je vrije dag en kan je de hele nacht bij je vent blijven. Al mijn klanten zijn Mexicanen. Die zijn snel, maar niet zo proper. Ieder meisje heeft haar eigen klantenteiltje en handdoeken. Je wast ze d'rvoor en d'rna. Dan pak je schoon water en was je jezelf goed. Omdat je een groentje bent, zal ik je zeggen dat Mexicanen niet zo fors gebouwd zijn, maar doe je benen niet wijd uit elkaar. 't Zijn klanten, niet je eigenste vent, dus probeer niet om ermee te vrijen. Daarom heten ze ook klanten.'

Clara's bijgeloof over het brandende touw had me al ontgoocheld en haar praatje over het bedriegen van klanten vaagde het laatste restje van mijn respect voor haar weg. De enige manier waarop ik het vak zou kunnen uitoefenen, was door werken naar loon te leveren. Ik besloot bij mezelf dat ik iedere klant (iedere man) gelukkig zou maken en hem de ondraaglijke eenzaamheid zou laten vergeten die hem de regen in had gedreven op zoek naar liefde.

'Ze komen hier binnen,' vervolgde ze, 'en kiezen tussen Bea en jou. L.D. zei dat je geen make-up moest gebruiken en die maffe kinderkleren aan moest houden. Ik vind 't best. Als je vaste klanten krijgt, mag Bea die niet van je afpakken, tenzij jij bezet bent en zij niet kunnen wachten. Dat geldt ook voor die van haar. Alles wat je meer wilt weten, kun je aan me vragen.'

De deurbel ging.

'Kijk, Rita! Kijk 'ns naar het koord.' De rode vlek was bij een knoop aan een van de strengen aangekomen. 'Tijd voor de klanten.'

Bea kwam de kamer binnengerend en het geluid van haar voetstappen klonk net boven het kloppen van mijn hart uit. Het moment van waarheid was in mijn keel blijven steken en het speeksel weigerde er langs te stromen. Clara ging de deur opendoen.

'Hallo, papa, kom binnen. Ik heb iets speciaals voor je vandaag.' Ze fluisterde hoorbaar: 'Een schoolmeisje.'

Mijn God, ze loog. Ik stond al op het punt een hoer te worden. Om deze man zijn zuurverdiende geld af te troggelen, om met hem naar bed te gaan zonder liefde. Waarom er dan ook nog een leugen bovenop stapelen?

Ze kwamen binnen, Clara met haar arm om de schouders van een kort, dik mannetje in een grijze kaki broek met bijpassend hemd. Hij zag er indiaans uit.

'Sugar, kom hier en zeg hallo tegen papa Pedro.'

Ik kwam naderbij alsof ik voorgesteld werd in de woonkamer van mijn moeder.

'Buenos días, Señor Pedro.'

Zijn ogen keken weg van mijn platte borst en smalle heupen. *'Oh, hablas español?'*

Innerlijk huiverde ik toen hij me tutoyeerde. Dat was alleen toegestaan binnen de familie, bij hechte vriendschappen en onder minnaars, volgens mijn lerares op de middelbare school.

'*Si. Yo lo puedo hablar.*'

'Oké, Sugar. Neem hem maar mee naar achter en wees lief voor hem.'

Bea's stem kwam snijdend vanuit de hoek. 'Ja, Pedro. Als zij je niet genoeg geeft, kun je straks nog bij mij terecht. Weet je nog van de laatste keer?'

Hij stuurde zijn blik niet langer dan twee seconden in haar richting. Clara nam ons beiden bij de hand. 'Kom op, jullie twee. Je staat tijd te verdoen.' En ze trok ons mee naar de deur van mijn slaapkamer. 'Ga naar binnen en amuseer je.'

Ik hervond mijn stem. '*Viene con migo, Señor.*'

Hij stond middenin de kamer als een verstrooide Akim Tamiroff. Ik moest iets zeggen, maar wist niet wat 'doe uw kleren uit' was in het Spaans, dus vroeg ik hoe het met hem ging. Hij antwoordde goed. Tijdens de lange stilte die volgde, trok ik al mijn kleren uit en deed hij zijn broek open. Zijn gezicht had de waardigheid van een ruiter op een ongezadeld paard.

Ik waste hem en alles wat ik me herinner van mijn eerste val in de slijmerige poel van doodzonde is het gekras van zijn ritssluiting op mijn bovenbenen.

Bij zonsondergang waste Bea haar gezicht en bracht een paar minuten door in Clara's slaapkamer. Toen ze naar buiten kwam, klikte ze haar tas dicht.

'Ik schaam me bijna om met dit beetje geld bij mijn Daddy aan te komen. Ik heb die man verwend.' Ze keek me aan en zonder de cosmetica was ze tien jaar jonger. 'Hoe voel je je?'

Ik wist niet hoe ik me voelde. Ik antwoordde: 'Goed, dank je.'

'Clara, je moet zorgen dat 't nieuws bekend wordt in 't kamp. Laat ze weten dat je een groentje hebt. Misschien port dat wat klanten op.' Ze liep naar de deur, met haar heupen van de ene naar de andere kant wiegend. 'Je zult niet lang een groentje blijven, meisje. Dus pak 't nou d'r nog wat te pakken valt. Tot morgen allemaal.' Ze sloeg de deur achter zich dicht.

Clara kwam achter haar aan, draaide de sleutel twee-maal om en deed vervolgens de deur op de ketting. 'Sugar, ga jij maar eens lekker lang in bad zitten. Doe wat epsomzout in het water, dan trekt het zeer uit je lijf.'

Ik zei niets, want ik dacht niets.

'Geeft niet dat je niet zo'n goeie dag hebt gehad van-daag. Je begint ook pas. Ik zal je een paar tips geven. Doe niet al je kleren uit. Dat kost te veel tijd. En onthoud dat mannen hierheen komen voor een nummertje en niet om te trouwen. Geef ze wat schunnige praat, maar niet te erg. En speel met ze.' Ze humde tegen zichzelf. 'Jij hebt 't gemakkelijk. Ik ging voor 't eerst met blanke man-nen. Die willen de hele tijd met je praten. Ze vertellen je hoe mooi je bent en hoeveel ze van je houden. Ze willen weten waarom je een hoer bent, de hele tijd dat ze in je rammen en ervoor betalen. En als ze klaar zijn, hebben ze nog 't lef om te vragen of je het fijn vond. En als je het over vuiliken hebt! Blanke mannen kunnen pas echt go-re dingen bedenken om te doen.'

Ze maakte aanstalten om naar haar kamer te gaan, maar draaide zich nog om. 'Ik kan een ding zeggen van mijn Daddy' – ze kneep haar lippen nuffig samen, trok haar neus op en wipte hem op en neer – 'hij wil niet dat ik meedoe aan vuilikerijen. Hoeveel geld er ook bij te ha-len valt. Daar hou ik van.' Ze wreef haar handen met een tevreden gebaar langs haar lichaam. 'Je kunt beter in bad gaan nu. Het eten is zo klaar.'

Ik zat na te denken over wat de dag had gebracht. De gezichten, lichamen en geuren van de klanten vormden een oneindig kasjmier-patroon in mijn geest. Afgezien van de Tamiroff-achtige eerste klant bezaten de anderen geen individuele kenmerken. Mijn ogen brandden van het sterke lysolwater en de dampen hadden mijn neus van binnen beslagen. Ik had luide kreten verwacht van totale orgastische overgave en voelde me verschrikkelijk ontoereikend wanneer de mannen grommend klaarkwamen en hun broek zonder een bedankje omhoog sjorden. Ik kwam tot de slotsom dat ik, omdat ik zwart was, een ander ritme had dan de Latino's en alles wat ik moest doen, was mezelf hun tempo aanleren.

Clara gaf me badzout en olie en ik ging door met de dag, nagel voor nagel, te onderzoeken. Ik was intelligent en ik was jong. Ik kon mezelf het vak bijbrengen en zakken vol geld verdienen. Dan zou L.D. nog voor het eind van de maand zijn schulden kunnen vereffenen.

De vrouw die elke dag om vijf uur kwam koken, deed me aan mijn grootmoeder denken en ik moest mijn ogen afwenden toen ze het eten op tafel zette. Ik stelde mezelf gerust. Ik deed het om mijn man te helpen. En per slot van rekening was er niets verkeerds aan seks. Ik hoefde me niet te schamen. In deze maatschappij was alleen seks die gelegaliseerd was door een trouwboekje toegestaan. Nou, daar was ik het niet mee eens. Maatschappijen bestaan uit verzamelingen van mensen en dat was precies wat ik was. Een mens.

De daaropvolgende week wedijverde ik met Bea om de attenties van de Pedro's, Josés, Pablo's en Ramons. Ik poetste mijn Spaans op en trachtte met weinig succes om *tú* in mijn arsenaal van verleidingskunsten op te nemen. De gesprekken van de vrouwen boeiden me meer dan de bezoeken van de klanten. De mannen kwamen ieder afzonderlijk naar Clara's huis en in plaats van dat ze iets feestelijks over zich hadden, leken ze zich eerder te schamen over hun aanwezigheid en er tegelijkertijd in te berusten dat ze er waren. Er was niet één man bij die zich erom bekommerde of ik al dan niet genoot van zo'n oponthoud van drie minuten in de celachtige kamer. En ik van mijn kant accepteerde de handtekening van Clara in mijn schrift als een symbool van volledige afbetaling.

Op een ochtend deed Bea een poging tot toenadering. Ze was vroeg binnengekomen en ging op een rechte stoel tegenover mij zitten.

'Hoe bevalt het je, Sugar?'

Haar stem klonk vriendelijker dan gewoonlijk, wat me verraste en omdat ik niet meteen een antwoord klaar had, mompelde ik: 'Tja, 't is... een nieuwe...'

'Nieuw? Neuken is toch niet nieuw, wel?' Ze viel gemakkelijk terug in sarcasme.

'Nee, dat bedoel ik niet.'

'Nou, maak je maar geen zorgen. Je bent er zo aan gewend.'

'Ik blijf dit niet lang doen.' Ik moest een scheidslijn trekken tussen mezelf en haar insinuatie.

'Ja, ja, dat zal wel. Wacht maar tot je flink wat gevangen hebt. Dan krijg je van je Daddy wat blank meisje.'

'Een wat? Wat moet ik nou met een blank meisje?'

Ze lachte kort en verbeten. 'Niet "een" blank meisje. Weet je niet wat blank meisje is?'

'Ik weet niet waar je het over hebt.' Ik probeerde me terug te trekken.

'Cocaïne noemen ze blank meisje. Soms wordt horse ook blank meisje genoemd. Maar ik laat me niet in met heroïne. Daar word ik ziek van. Wacht maar tot je wat coke krijgt van je Daddy. Alsof de engelen je zoenen.' Ze verkneukelde zich en liet zich een seconde wegdrijven op haar eigen overpeinzingen.

Ik wilde haar vertellen dat L.D. me niet eens marihuana liet roken, maar ze leek de gedachte uit mijn hoofd te plukken.

'Ze laten je geen pot roken. Ze zeggen dat het een hoer te speels maakt. Horse gaat in je hoofd zitten en dan verwaarloos je de zaken.'

Clara kwam binnen met koffie en Bea stortte zich in een gesprek met haar. 'Weet je wat we gisteravond hebben gedaan? Daddy heeft me meegenomen naar een gokspel in Firebaugh... Weet je wie ik daar zag...? Ik had die trut in geen honderd jaar gezien...'

Ik kende de mensen niet waar ze het over had en het kon me geen snars schelen wat ze de avond ervoor had uitgevoerd, maar ze had me wel iets gegeven om over na te denken. Aangezien ze uit ervaring sprak, had ze waarschijnlijk gelijk. Maar ze had het over pooiers en L.D. was geen pooier. Hij was een gokker. Ik kon mezelf geen ondermijnende gedachten veroorloven. Alles wat me te doen stond, was mijn best doen hem te helpen en mijn gedachten zuiver te houden en ze door niets te laten besmetten. Ik besloot dat ik niets tegen L.D. zou zeggen over deze conversatie.

Tijdens de lange wachttijden tussen klanten in praatten Bea en Clara over geld en hun kerels, andere hoerenkasten en hun kerels, trips naar andere steden en hun kerels. Alletwee noemden ze hun mannen 'Daddy' en zelfs wanneer ze over hen spraken in verband met de klappen die ze van hun 'Daddy' hadden gekregen, verdraaiden ze hun stemmen tot schrille imitaties van kindergebabbel. Hun gezichten werden zacht en hun lippen pruilden (Clara kon haar neus rimpelen en hem als een konijntje op en neer laten wippen). Ik vroeg me af of prostituees als groep aan een Electra-complex leden en gedreven werden door de behoefte een vader te hebben, een vader te behagen en uiteindelijk met een vader naar bed te gaan.

'Mijn Daddy zei dat hij me "voor het seizoen" mee zal nemen naar Hot Springs.' Bea zat op haar stoel bij de deur en sidderde van vreugde.

'Daddy en ik zijn verleden jaar naar de Kentucky Derby geweest. We hebben zo'n lol gehad.' Clara liet haar neus op en neer wippen. 'Iedereen was er. Ik heb spelers ontmoet uit New York City en Detroit en Chicago.'

'Mijn Daddy zegt dat die pooiers uit het Oosten kouder zijn dan een hoerenhart in Alaska. En ik geloof hem ook. Kijk maar 'ns naar hun gezichten. Zo kil. Als ze hun hoeren niet vermoorden, dan maken ze wel dat ze wilden dat ze dood waren.'

'Nou, mijn Daddy heeft me nog nooit geslagen, behalve toen ik het nodig had, oh, toen heeft-ie me toch voor m'n reet gegeven. Geloof 't maar gerust. Maar geen littekens. Hij heeft me nooit geen littekens gegeven.' Bea grijnsde alsof ze de mannen te slim af was geweest. 'Ze zijn niet gek. Ze zullen hun goudmijntjes toch zeker niet beschadigen.'

Hun gesprekken verliepen volgens een strakke choreografie en aangezien ik de passen niet kende, bleef ik aan de kant zitten en keek toe. Ze zouden nauwelijks geïnteresseerd zijn in mijn danscarrière, of in mijn zoon, of in de boeken die ik had gelezen. En uit principe weigerde ik pertinent om L.D. 'Daddy' te noemen. Ik bedoel, protesteerde ik bij mezelf, mijn vader, Bailey Johnson Sr., zat in San Diego waar hij de grote meneer uithing met zijn bekakte manier van praten. Papa Clidell was eens mijn stiefvader geweest, maar hij en moeder waren nu gescheiden. Moeders mannen, die ik papa Jack, oom Bob of Hanover papa noemde, kwamen en gingen met zo'n grote regelmaat dat al die namen die ik achter de vaderlijke aanspreekvorm plakte, me na een paar maanden al ontschoten waren. Ik besloot dat ik helemaal niet over L.D. zou praten. Zij waren te cynisch om te begrijpen dat we verliefd waren en dat, als ik hem uit de moeilijkheden had geholpen en hij gescheiden was, we zouden gaan trouwen en in een droom van een huis zouden gaan wonen samen met mijn zoon en een heleboel bloemen. Ik zou die harteloze hoeren geen deelgenoot maken van mijn plannen.

Ondanks mijn jeugd, schoolmeisjeskleren en vormelijke Spaans was ik niet populair in Clara's huis. De mannen gaven de voorkeur aan Bea. Er zat deining in haar heupen en ze had een veelzeggende glimlach die ik niet kon imiteren. En kennelijk hadden de Mexicaanse landarbeiders geen erotische fantasieën waar zwarte tienermeisjes de hoofdrol in speelden; ze kwamen naar een hoerenkast voor een hoer en Bea voldeed aan die behoefte.

'Amuseer je, jullie samen.' Clara zwaaide naar L.D. en mij vanaf het stoepje. Hij beantwoordde haar groet niet, maar ik draaide me om en wuifde terug.

In de auto had hij dezelfde uitdrukking op zijn gezicht als toen hij terugkeerde van zijn gesprek met Clara in haar slaapkamer. De angst dat hij niet meer van me hield, ijzelde over mijn blote armen. Toen ik naar Clara toe was gegaan, had hij me verzekerd: 'Maak je er geen zorgen om dat je met andere mannen naar bed gaat. Ik zal alleen maar meer van je houden. Je doet het om Daddy te helpen.' Hij had me ook omhelsd. Dat was me bijgebleven en ik had verondersteld dat hij het echt meende. Maar oog in oog met de werkelijkheid vond hij me walgelijk. Voor het eerst sinds ik bij Clara was gaan werken, begon ik me bezoedeld te voelen. Ik was Lady Macbeth. Al het water van de wereld kon de vingerafdrukken niet wegwassen van de mannen die me zo toegetakeld hadden. Ik was zo stom geweest me te laten overhalen iets te doen waarvoor hij me af zou wijzen. Hij had behoefte aan liefde. Hij had behoefte aan een goede vrouw die van hem hield, vooral nu hij heibel had met de grote jongens. Maar in plaats van de hersenen te gebruiken waar ik zo buitengewoon prat op ging, had ik hem teleurgesteld. Zijn leven was zo onstabiel (de grote diamanten ring en de dure auto waren symbolen van zijn onzekerheid) en toen ik een kans had gehad om iets van orde in zijn wereld aan te brengen, had ik het verpest. Het was duidelijk dat ik hem nooit meer zou zien, want golven van haat sloegen net zo ritmisch van hem af als de hitte van het wegdek omhoog zinderde. We legden de weg naar Stockton in stilte af.

'Waar wil je heen?' Zijn vraag knalde als een zweep.

'Het kind ophalen.'

Het stuur brak bijna af in zijn handen. Toen hij de auto had geparkeerd, maakte hij geen aanstalten om uit te stappen, dus opende ik mijn portier en moest vragen: 'Neem je ons mee uit rijden?'

'Doe die deur eens dicht, Rita. Ik moet met je praten.'

Nou zou je het hebben. De scheldwoorden, de beledigingen en allemaal terecht. Ik trok het portier dicht.

'Ik heb met Clara gepraat. En er was bijna geen geld. Ik denk niet dat je je best hebt gedaan.'

'L.D., dat heb ik wel. Ik heb mijn uiterste best gedaan.' Een golf van opluchting overspoelde me. Als dat alles was wat hem dwars zat.

'Clara zegt dat je erbij zit als een rechter, je zegt niks tegen hen. En dat je tegen de klanten in het Spaans praat als een truttige schoolfrik.'

'L.D., het spijt me. Ik weet gewoon niet wat ik moet doen. Maar ik beloof je dat ik nog beter mijn best zal doen. Wees niet boos, Lou.'

'En nog iets, je hebt me nog nooit Daddy genoemd. Alle... ik word geacht je Daddy te zijn.' Plotseling werd hij heftig. 'Knoop dat in je oren.'

Ik zei: 'Ja, Daddy.' En haatte het. Later zou ik hem het Electra-verhaal kunnen vertellen en hem uitleggen waarom ik mijn eigen vader haatte en mijn theorie uiteenzetten over prostituees en hun kerels. Ik wist dat hij het niet zou waarderen om voor een pooier aangezien te worden en dan zouden we 'Daddy' uit ons vocabulaire kunnen schrappen, tenzij hij mijn zoon het recht verleende hem zo te noemen.

'Ik kan jullie vandaag niet mee uit nemen, maar hier, betaal die vrouw en hier is nog tien dollar. Ga maar naar de bioscoop, maar houd hem niet de hele nacht bij je. Breng hem terug naar haar, dan kom ik vanavond naar je toe.'

'Goed, Lou.' Hij was niet langer kwaad.

'Daddy?' souffleerde hij.

'Daddy.' Ik glimlachte en wachtte mijn tijd af.

28

De blijdschap van mijn zoon toen hij mij zag, verdreef meteen de geur van desinfecterende middelen die in mijn neus was blijven hangen. Clara's huis, de bewoonsters en de bezoekers gleden als rookpluimpjes achter een verre heuvel weg. Ik rekende af met Big Mary en gaf geen antwoord op haar rechtstreekse vragen over mijn nieuwe baan. Ik nam mijn zoon in mijn armen en zei Mary dat ik hem vroeg in de avond terug zou brengen.

'Heb je niet eens tijd om hem een nacht bij je te laten blijven? Hoe komt 't dat je 't ineens zo druk hebt?'

Ik kon geen verklaring geven voor de tederheid van een grote liefde. En onder geen beding kon ik haar in vertrouwen nemen over de maand die ik van plan was bij Clara door te brengen. Ze zou alleen maar het gebruikelijke morele oordeel geveld hebben en van subtiele zaken als opoffering en doel zou ze al helemaal niets snappen.

Het kind, zo mooi als een porseleinen pop, babbelde de hele weg naar de bioscoop, tijdens de film en de hele weg naar mijn kamer. Hij had Mary's afgetrapte-schoenen-accent opgepikt. Ik bleef de juiste uitspraak herhalen terwijl hij de uitgangen van de verleden tijd en het meervoud wegliet. L.D. had gelijk. Ik moest beter mijn best doen. Mijn zoon had mijn aanwezigheid nodig. Ik zou hem elke dag voorlezen en de kinderlangspeelplaten kopen van 'De kleine prins' en 'Het lelijke jonge eendje'.

Ik liep het pad op naar mijn huis, mijn armen pijnlijk en verdoofd door het gewicht van mijn zoon.

'Naar huis, James.'

'Ik bennie James.'

'Ik ben James niet.'

'Nee, jij is moeder.'

'Jij bent moeder.'

'Ik bennie moeder.'

Toen ik hem op de grond probeerde te zetten, vouwde hij zijn beentjes op onder zijn lijfje en hield zich vast aan mijn nek.

'Ik laat je niet los.' Zijn hart bonsde tegen mijn schouder, dus droeg ik hem het huis in.

'Rita.' De huisbaas kwam me tegemoet in de hal. 'Er zijn een heleboel telefoontjes voor je geweest uit San Francisco. Je kunt beter naar huis bellen.'

Ik maakte de armen en benen van het kind los van mijn zij en zette hem op de vloer. Hij begon alarmerend te schreeuwen en ik stond bij de munttelefoon te wachten tot er iemand antwoordde.

Papa Ford accepteerde mijn collect gesprek. 'Meisje, ik probeer je al de hele tijd te bereiken.'

Misschien had moeder te goed gericht en had de magie van de borgsom niet gewerkt. Ik zou niet veel kunnen doen voor haar nu mijn eigen man ook problemen had. Maar natuurlijk was er geen sprake van concurrentie. Moeder kwam op de eerste plaats.

'Je moeder ligt in het ziekenhuis.'

Lieve God. Deze keer was ze niet snel genoeg geweest. 'Waarvoor? En hoe is het met haar?' De kalmte in mijn stem was onecht.

'Operatie. En verrekte ernstig. Ze vraagt steeds naar jou. Je kunt maar beter naar huis komen.'

Ik bracht mijn zoon terug naar Big Mary en vertelde haar dat ik voor een paar dagen de stad uit moest. De Baxters praatten nooit over familieaangelegenheden tegen buitenstaanders, dus liet ik haar achter met mijn zoon, die opgesloten in een achterkamer zijn moederloosheid uitschreeuwde, zonder een verklaring te geven. Ik dacht aan L.D., maar ik had zijn telefoonnummer niet, dus vroeg ik aan de huisbaas of hij hem wilde vertellen dat ik naar San Francisco moest... moeilijkheden in de familie.

Ik wendde mijn gedachten met de Greyhound-bus richting San Francisco.

Mijn moeders hoofd lag in het kussen weggezonken als een gele roos gevat in een blok ijs. Ze hield haar wijsvinger bezwerend voor haar rode lippen.

'Sst. Bailey is daar.' Een kleine gedaante lag als een vlaggensein op een ligstoel in de hoek van de ziekenhuiskamer. 'Eunice is vandaag gestorven. Hij is er helemaal kapot van. Vandaag zouden ze een jaar zijn getrouwd. Ik heb hem een slaapmiddel laten geven, hij slaapt sinds een uur nu.'

Op haar gezicht stonden de spanningen van zorgen en ziekte te lezen.

'Hoe gaat het met je?'

Ze schoof haar eigen ziekte opzij. 'Gewoon een vrouwenoperatie. Wat ik weg heb laten halen, was gebruikt en ik zal het niet meer nodig hebben.' Ze fluisterde nog steeds. 'Maar ik ben blij dat je thuisgekomen bent. Bailey heeft ons nodig. Ik denk niet dat hij het redt zonder dat er een van ons in de buurt is. En ik moet minstens nog een week in het ziekenhuis blijven. Kun je vrij nemen van je werk?'

'Ja.' Dat kon ik zeker.

'Probeer of je Bailey wakker kunt krijgen en neem hem mee naar huis. Heb je een goeie oppas voor de baby?'

'Ja, moeder.'

'En maak iets warms voor hem klaar. Hij heeft de hele dag nog niets gegeten. Vergeet niet dat het de enige broer is die je hebt.'

Ik ging naast mijn broer op de stoel zitten en schudde hem zachtjes heen en weer. Hij werd onwillig wakker. Ik riep zijn naam en hij opende zijn ogen. Hij ging overeind zitten en keek om zich heen. Zijn blik viel op moeder, ging de kamer rond en keerde verward terug naar mij. Het drong niet tot hem door wie hij was of waar hij was.

'Mij?' Zijn kindernaam voor mij was bijna een schreeuw. Zijn ogen beseften dat er iets heel erg mis was, maar de eerste paar seconden kon hij zich niet herinneren wat het was. Het besef spleet zijn gezicht open en de tranen rolden langs zijn wangen.

'Oh, mijn God, Mij. Mij. Het is Eunice. Ze hebben... oh, Mij.'

Ik nam hem in mijn armen en wiegde zijn lichaam heen en weer. Het geluid van moeders snikken vermengde zich met zijn gesmoorde gekreun.

'Laten we naar huis gaan, Bail. Laten we eerst naar huis gaan, dan kunnen we praten. Kom, we gaan naar huis.'

Hij was weer acht jaar en vol vertrouwen. Zijn grote, natte, zwarte ogen keken me aan en wilden geloven dat ik iets aan zijn verdriet kon doen. Ik wist dat ik geen toverkracht bezat, nu hij me het hardst nodig had.

'Laten we naar huis gaan, Bail.' Ik kon de schaamte

over mijn ontoereikendheid verbergen in een koeken-pan en zijn snikken overstemmen met het gerammel van potten.

We omhelsden moeder en een moment huilden ze sa-men, maar hij maakte zich los zonder mijn aansporing en ging zo gedwee als een berouwvol kind met me mee naar het oude huis met de hoge plafonds.

Verdriet heeft op iedereen een andere uitwerking. Sommige mensen mokken of worden nors, andere treu-ren of schreeuwen hun wraak uit tegen de goden. Bailey huilde twee uur lang en onverstaanbare, menselijke klanken gromden en gorgelden uit zijn keel omhoog. Toen was zijn gezicht droog. Alle tranen waren vergoten en hij begon te praten. Hij at het voedsel dat ik hem voorzette mechanisch en gulzig op, zonder de vloed van woorden die uit zijn mond stroomde, te onderbreken of te vertragen.

Hij vertelde over de ziekte van Eunice, dubbele long-ontsteking en tuberculose, hij gaf de details van de be-handeling en van hun gebabbel tijdens de bezoekuren. Zijn stem werd niet zachter of dramatischer toen hij ver-slag deed van haar achteruitgang. Hij sprak over de ver-pleegster, nieuw op de afdeling, die hem de toegang tot de kamer van Eunice versperde. 'Mevrouw Johnson? Mevrouw Johnson? Oh, die is vanochtend gestorven. Ze hebben haar weggehaald.' Hij ratelde door over zijn nieuwe tennisrackets en welke banen in San Francisco beter waren, over de restauratiewagens van de Southern Pacific en hoe heet het was in Arizona.

Ik liet hem praten en deed geen poging om antwoord te geven. Tegen de ochtend raakte hij uitgeput en merkte ten slotte dat hij zichzelf herhaalde. 'Oh, Mij, dat heb ik je al verteld, hè?' Hij bundelde de woorden om zich heen als bescherming tegen het bericht dat hij had gekregen. Ik gaf hem een slaappil.

'Mij, je laat me niet alleen, hè?'

'Nee.'

Hij rolde zich op in moeders bed en viel binnen een paar minuten in slaap.

Ik werd wakker van het spetteren van water en het geluid van Bailey die zong in de badkamer.

'Jelly, Jelly, Jelly, Jelly, blijft me bij-ie.' Hij kon de basbariton van Bill Eckstine imiteren.

'Jelly Roll maakt papa kapot en mama stekeblind.'

Zijn stem deinde op golven van vervoering. Mijn eerste reactie van blijdschap hield maar een paar tellen aan. Hij kon er onmogelijk zo snel al overheen zijn. Ik ging bij papa aan de keukentafel zitten en wachtte.

'Hee, Maya. Verse koffie? Goeiemorgen, papa Ford.' Zijn gezicht was niet breder dan mijn uitgespreide hand en zijn normale warme, bruine kleur was stoffig als een oude reep chocolade die aan licht is blootgesteld. Een glimlach worstelde zich naar buiten en hinkte over zijn lippen.

'Jongen, gisteravond was ik echt overstuur. Ik hoop dat ik je niet al te veel last heb bezorgd. En Mam. Verdomme, dat was onnadenkend van mij om schreeuwend en huilend naar haar toe te lopen in het ziekenhuis.'

'Het was niet onnadenkend, Bail, je was overstuur. Je bent naar je moeder toegegaan. Waar kon je anders naar toe?'

'Ja, maar ze is zelf ziek. En per slot van rekening ben ik een man. Een man. Een man incasseert de klappen die hij krijgt. Hij rent niet naar zijn moeder toe.'

Hij schonk koffie in en dronk hem staande, de stoel weigerend die ik voor hem achteruit trok.

'Zal ik ontbijt maken voor jullie?' Zijn grijns, die meer dan ondeugend, maar toch niet helemaal satanisch was, joeg mij angst aan. 'Ik kan Eggs Benedict maken.' Hij wendde zich tot papa. 'Papa, kan jij Eggs Benedict maken? Dat is wat rijke blanken eten.'

Papa gromde: 'Ik heb nooit voor blankvolk gekookt, rijk of niet rijk.'

Bailey rommelde in de koelkast en haalde er eieren en spek uit. Hij rende bijna naar de keukenkast en was in een oogwenk terug met potten, pannen en koekenpannen.

'Ik zal wel voor je koken, Bailey.' Niet wetend hoe ik hem anders moest troosten. 'Ik dacht dat je kalkoen en ham nodig had voor Eggs Benedict.'

Woedend viel hij uit: 'Wil je me, alsjeblieft, met rust laten? Ik ben, verdomme, geen invalide. Ik ben niet degene die dood is, hoor.'

Het beviel me beter wanneer hij huilde. Dan kon ik hem vertroetelen, zacht tegen hem praten en me voelen alsof ik zijn verdriet daadwerkelijk de baas was.

'Ik ben Cubaanse Piet.' Hij begon te zingen met een slecht Latijns accent. 'Oh, ik ben Cubaanse Piet.' Hij danste als Cesar Romero rond de tafel en van het aanrecht naar het fornuis met steeds die afschuwelijke grijns op zijn gezicht. Na een paar minuten zette hij aangebrand spek, roerei en een scheefhangende stapel warme pannenkoeken op tafel.

'Pak zelf maar bestek. Ik ben de kok, niet de ober.' Hij trok aan de pannenkoeken, brak de rafelige randjes eraf en trachtte wanhopig om er een mooi recht stapeltje van te maken.

'Ga zitten, ik zal een bord voor je pakken, Bailey.'

'Ik hoef nu nog niets te hebben. Maar geniet ervan,

jullie. *Bon appétit.*' Hij liep de keuken uit. 'Ik wil muziek horen.'

Even later drong het geklater van water in de badkuip vermengd met de warme sax van Lester Young door tot de keuken. Papa Ford fronste zijn wenkbrauwen. 'Hij is toch al in bad geweest vandaag? Hij is niet vies genoeg om twee keer in bad te gaan.'

'Er is niets aan de hand met hem. Hij is alleen maar zenuwachtig.' Ik gooide de zinnen eruit, een barrière tegen verdere conversatie.

In twee dagen raakte Bailey ponden van zijn al magere lijf kwijt en verwierf hij een grote vaardigheid in misleiding. Slechts een keer spraken we over Eunice.

'Als ik het had kunnen betalen, zou ik haar uit het San Francisco General weg hebben gehaald en haar hebben laten opnemen in het St. Josephziekenhuis. Mensen liegen als ze zeggen dat je sterft als het je tijd is om te sterven.' Hij citeerde Robert Benton, die toen zijn favoriet was. 'Haat kan ook wettelijk geregeld zijn.'

Hij maakte zijn gezicht bewust wat opener. 'Mij, ik wil een gunst van je.'

'Wat je maar wilt.'

'Morgen is de begrafenis van Eunice. Daarna wil ik haar naam nooit meer horen.' Hij wachtte.

'Goed, Bailey.'

'Dank je, Mij.' Hij sloot zich weer af en glimlachte zijn nieuwe grimas. Ik was voorgoed een deel van mijn broer kwijt.

Ik vertelde moeder niet dat hij de volgende ochtend een schone, korte, witte broek met een wit hemd, dikke, witte sokken en tennisschoenen aan had getrokken en in de kerk was verschenen met zijn nieuwe tennisracket in zijn hand.

Papa Ford fronste afkeurend. 'Je broer lijkt wel gek. Hij zegt dat-ie z'n werk eraan geeft. Dit is geen tijd om bij 't spoor weg te gaan. Hij krijgt z'n eten voor niks. Fooien. Hij kan boter en zo mee naar huis brengen, niet? Zoals ik 't zie, kunnen nikkers maar twee kanten op. Of ze blijven slapen met die ouwe Lady Southern Pacific of ze gaan op straat slapen.' Hij meesmuilde. 'En hij is gek, maar niet gek genoeg voor de straat. Godsamme. Hij doet me denken aan die jodenjongens. Hij is net zo snugger als zij. Maar die jodenjongens krijgen wat mee om ergens een zaakje op te zetten. Zo worden zij op gang geholpen. Ieder zaakje dat hij op gaat zetten, zal tegen de wet zijn en hij zal scherper moeten zijn dan muggen-stront om uit de bak te blijven. Hij is beter af bij 't spoor.'

Bailey begon de hele nacht weg te blijven en als hij thuiskwam, waren zijn oogleden gezwollen en zijn bewegingen traag. Hij kwam binnen, een walm van ongewassen kleren voor zich uitduwend. Zijn ogen sloten zijn geheimen half af. 's Middags kwam Bobby Wentworth, een voormalige klasgenoot, nu onherkenbaar door zijn dunheid en verandering van kleur, naar het huis. Hij ging Bailey's slaapkamer binnen, lopend als een verslagen oude man, en sloot de deur.

Op een ochtend stond ik in zijn lege kamer naast zijn onopgemaakte bed en vroeg me af hoe ik mijn broer kon redden. Als L.D. en ik gauw zouden trouwen en hij een huis voor ons zocht dat groot genoeg was om een kamer aan Bailey af te staan, kon ik hem verplegen tot hij weer gezond was en boeken en platen voor hem kopen. Misschien zou hij wel terug naar school willen en rechten gaan studeren. Met zijn snelle geest en zilveren tong zou hij een topstrafpleiter kunnen worden. Ik dacht aan grootmoeder Henderson die elke beproeving tot een handzame omvang bad. Ik bad.

Tegen de middag kwam Bailey thuis, de doorwaakte nacht drukte zijn schouders omlaag. Ik ging voor hem staan in de hal. 'Bailey, wat is er aan de hand met kleine Bobby?'

Zijn vermoeide gezicht probeerde me buiten te sluiten. 'Er is niets met hem. Waarom?'

'Hij heeft zo ongeveer de kleur van mosterd en hij is zo mager.'

'Hij probeert gewoon in zijn eigen gewichtsklasse te blijven. Maar wanneer ga je terug naar Stockton? Hoelang kan je vrijnemen van je werk?'

Ik wist niet zeker hoeveel ik hem moest vertellen. 'Ik blijf tot moeder uit het ziekenhuis komt.'

'Waarom?'

'Nou, jij... ik bedoel, ik wil bij jou zijn.'

'Ik heb niets nodig. Ik heb je al gezegd dat ik geen invalide ben. Je kunt beter terug gaan naar Stockton en je eigen zaken regelen.' Het was een bevel.

Ik wilde zeker zijn van zijn toekomst voor ik vertrok. 'Papa Ford zegt dat je van plan bent ontslag te nemen.'

'Niet van plan. Heb ik al gedaan.'

'Maar wat ga je dan doen? Om van te leven?'

'Ik blijf gewoon leven.' Het was geen grootspraak, maar een vaststelling.

'Maar Bailey, het betaalt toch goed? Ik bedoel, redelijk goed.'

'Je hoeft mij niets te vertellen over werken in eettenten. Jij mag dan wel voor de rest van je leven patat blijven bakken, als je zo stom bent, maar ik niet.'

Ik weigerde om die belediging te slikken. 'Ik ben geen kok meer, als je het wilt weten. Ik werk in een huis net buiten Sacramento.'

'Een wat?' Hij ging overeind zitten en boog zich naar mij toe. 'Als wat?'

Ik besefte dat ik te ver was gegaan. Maar ik was als een zwerfkei die een steile heuvel afrolde en kon mezelf niet tegenhouden.

'Wat doen vrouwen zoal in huizen?' De beste verdediging was arrogantie.

'Verrekte stomme ezel. Wat ben jij een stomme ezel. Pezen, hè? Godverdomme, mijn kleine zusje.'

Zijn nieuwe gemoedstoestand was kil en honend. Vroeger vlamden en knetterden zijn aanvallen van woede; nu was zijn taalgebruik aangescherpt en keek hij vanaf een onbuigzame hoogte op me neer. 'Wie is die nikker?'

'Bailey, het is anders dan je denkt.'

'Wie is die doortrapte nikker die je de baan op heeft gestuurd?'

'Bailey, hij zit in de problemen. Ik help hem alleen maar voor een maand.'

'Hoe heet hij?' Alhoewel hij hatelijk bleef, leek hij toch wat te ontdooien. 'Vertel me hoe hij heet.'

'L.D. Tolbrook. En hij is oud.'

'Hoe oud?'

'Ongeveer vijfenveertig.'

'Wat voor drugs heeft hij je gegeven?'

'Je snapt het niet. Hij wil zelfs niet dat ik marihuana rook. Hij is serieus en...'

'Geen marihuana? Dan is het een kwestie van tijd voor hij je een neusvol cocaïne geeft.'

'Bailey.' Ik kon niet verdragen dat Bailey iets kwaads dacht van L.D. 'Hij is... hij is een gokker en hij heeft moeilijkheden met de grote jongens. Dus heb ik aangeboden om hem te helpen voor een maand en dan gaan we trouwen.'

Hij boog zich dichter naar me toe en zei met een stem van grijs staal: 'Je gaat niet trouwen.'

'Jawel, dat doe ik wel...'

'Ik zal je zeggen wat je gaat doen. Je gaat naar Stockton en je haalt je kind op. Dan ga je L.D. opzoeken. Je vertelt hem dat hij zich niet langer druk hoeft te maken om de grote jongens. Dat hij zich druk kan gaan maken om een kleine jongen. Eentje maar. En vertel hem hoe klein ik ben. Vertel hem dat jij, verdomme, mijn kleine zus bent. Dan stap je op de bus en kom je terug naar huis. Is dat duidelijk, Marguerite?'

Ik wist dat de oude Bailey net zo gewelddadig kon zijn als moeder en deze nieuwe leek zelfs nog dodelijker.

'Duidelijk?'

'Ja.' Dat was het enige wat ik kon zeggen. Als ik in Stockton aankwam, kon ik aan L.D. uitleggen dat Bailey het helemaal verkeerd had opgevat en dat ik dus voor een poosje terugging naar San Francisco. Als Bailey afgekoeld was, zou ik naar hem terugkeren. Mijn afwezigheid zou zijn liefde nog groter maken en ik zou meer kans hebben om mijn broer te helpen erbovenop te komen.

Bailey gaf me geld voor een retourtje en om de oppas te betalen. 's Middags nam ik de bus naar Stockton.

29

Big Mary's huis stond bijna aan het einde van een typisch kleinsteedse straat en de houten huizen leken te dromen in de late namiddagzon. Toen ik het kruispunt aan het einde van de straat had bereikt, kwam ik tot de slotsom dat ik langs het huis gelopen moest zijn. Ik was met mijn gedachten bij andere zaken, dus toen ik terugliep en het huis niet zag, dacht ik dat ik de verkeerde straat was ingeslagen. Een tweede blik op het straatnaambordje verzekerde me dat het wel de goede was. Maar waar was het huis? Ik liep terug. Hier was het kleine, witte, langwerpige huis. Hier was het huis met de omheinde tuin. Hier was... maar dat kon Mary's huis niet zijn. De ramen waren dichtgespijkerd en grote planken waren in een x voor de deur getimmerd.

De huizen aan weerskanten stonden leeg. Waarschijnlijk hield ik op met ademhalen toen ik de krakende treden op en af liep en door de ramen probeerde te gluren. De wereld was plotseling van zijn vertrouwde as afgetold en het ritme van het leven was vertraagd tot een vierkwartsmaat. De straten en de huizen en het kapotte speelgoed dat tussen het opgeschoten onkruid lag, hadden één tint aangenomen als voorwerpen op een oude, bruine foto.

'Wat zoek je?'

Ik draaide me om en zag een vrouw op een veranda aan de overkant van de straat. De tijd verliep zo vreemd dat ik de gelegenheid had om haar nauwkeurig te bestuderen. Ze was dik en blank en droeg een gebloemde, loshangende ochtendjas. Vanuit de verte kon ik de welwillende uitdrukking op haar gezicht onderscheiden en het zweet dat al vochtige kringen onder haar armen had gemaakt.

'Mijn kind.' Maar ik kreeg de woorden er niet uit. Ik probeerde het opnieuw en weer weigerden de woorden te komen. Ik was verlamd, letterlijk met stomheid geslagen. Ik staarde de vrouw ontzet aan.

'Kom 'ns hier, dame.'

Ze gaf een bevel en ik bood geen weerstand.

'Ik denk dat je Big Mary zoekt, is 't niet?'

Ik knikte.

'Ze is drie dagen geleden verhuisd. Alles is meegegaan in een grote vrachtauto.' Ze moet hebben verwacht dat ik haar vragen zou stellen. Na een paar tellen vroeg ze: 'Jij bent de moeder, hè?'

Ik knikte.

'D'r was nogal wat af en aan geloop van de andere ouders, maar ik zag dat jij er niet bij was om je kleine op te halen. Mary en ik praten niet meer met mekaar sinds zij me drie jaar terug een bemoeierige trut noemde – ze gaf me een vuile bek. Maar ik verbrak de stilte en vroeg haar waar ze de jongen mee naar toe nam. Ze zei dat jij hem aan haar had gegeven. Dat je het te druk had. Ik vroeg waar ze heen ging en ze zei dat ik daar niks mee te maken had. Maar ik weet dat ze een broer heeft in Bakersfield.'

Het was een roddelverhaal dat verteld werd op de radio en ik kon het niet in verband brengen met mijn eigen leven.

'Als je de politie wilt bellen, kom dan maar binnen. Ik zal je wat limonade geven... terwijl je op ze wacht.'

Het woord 'politie' schudde me wakker. Mijn brein werkte traag. Big Mary was vertrokken met mijn kind en ze had gelogen. Dan had ze hem ontvoerd. Als de politie kwam, zouden ze me vragen stellen over mijn werk. Een hoer (wel, ik moest het toegeven) was geen geschikte moeder en ze zouden hem bij me weghalen en mij in de gevangenis stoppen.

'Ik zal ze wel voor je bellen.' De vrouw draaide zich om en transpiratie droop in een rechthoek langs de achterkant van haar jas. Voordat ze bij de deur was, bracht ik met moeite uit: 'Nee, dank u. Ik weet waar ze is. Het is in orde.'

'Waar is hij dan?' De achterdocht van de vrouw was bedreigend.

'Ik ga er nu naar toe. Het is aan de zuidkant. Bij het moeras.' Ik zwaaide naar haar. 'Maar in ieder geval bedankt,' zei ik en marcheerde de straat uit.

De auto van L.D. stond voor zijn huis geparkeerd. Mijn plan was om aan te bellen en als zijn vrouw opendeed, haar mee te delen dat ik een oude vriendin was en een boodschap van een vriend kwam overbrengen. Ik zou hem vlug over Big Mary en mijn kind vertellen en hij zou beslissen wat we moesten doen. Ik was trots dat ik niet had gehuild en dat ik niet bang was van zijn vitterige vrouw.

Een aantrekkelijke vrouw van rond de dertig met een lichtbruine huidkleur opende de deur. Haar lange, zwarte haar dat rond haar schouders krulde, deed me denken aan een beige Hedy Lamarr.

'Je wilt L.D. spreken? Hoe is je naam?' Ze had dezelfde lichtelijk slepende manier van spreken die maakte dat ik zo graag naar L.D. luisterde.

'Ik heet Rita.'

'Oh.' Haar mond verstrakte. 'Dus jij bent Rita. Nou, wacht maar even. Ik haal Lou.'

Ze sloot de deur en ik wachtte op het bordes, me afvragend hoe we mijn kind zouden moeten vinden.

'Rita.' L.D. had de deur geopend en de kier was net breed genoeg om de helft van zijn lichaam te laten zien. 'Hoe haal je het in je hoofd om naar mijn huis te komen!'

Ik fluisterde: 'Ik heb haar gezegd dat ik een vriendin ben, Lou. Mijn kind is...'

'Heb je niet meer benul dan naar mijn huis te komen?'

'Ik heb je hulp nodig, Lou. Ik moet met je praten.'

Hij stapte de veranda op en trok de deur achter zich dicht. Zijn gezicht was vlak bij het mijne en hij siste tussen zijn ongelijke tanden door. 'Ik zal je eens aan je jasje trekken, onnozel wicht. Dit is mijn huis. Een hoer gaat nooit naar een man z'n huis. Jij hebt met mijn vrouw gesproken. Een hoer doet nooit haar mond open tegen een man z'n vrouw.' Hij krulde zijn lippen en grauwde: 'Clara heeft mijn vrouw zelfs nog nooit gezien en Clara werkt al drie jaar voor mij. Jij bent een week weg geweest en je hebt het lef... Ga naar huis. Ik kom als ik tijd heb.' Hij liep het huis in en sloeg de deur dicht.

Ik voelde een wanhopige behoefte om te huilen. Ik was weer stom geweest. En door mijn stommiteit was ik in een hinderlaag gelopen waardoor ik mijn kind was kwijtgeraakt. Ik probeerde L.D. Tolbrook uit mijn gedachten te zetten. Hij was duidelijk niet erg snugger. Hij had een goede vrouw gehad die alles gedaan zou hebben om hem te helpen. Maar hij was te achterlijk om naar mijn problemen te luisteren en hij had tegen me gelogen door te verzwijgen dat Clara voor hem werkte. Het was treurig dat hij dacht dat een jong meisje voor de gek houden en op de zak van vrouwen teren eerbaar was. Kennelijk deed hij dat al jaren. Waarschijnlijk was hij begonnen met blanke vrouwen in het Zuiden, in de overtuiging dat hij door het nemen van hun lichamen en geld wraak nam op de blanke mannen die vrij waren om hem te beledigen, te negeren en onderop te houden. Clara's neus moest er van het lachen zowat afgewipt zijn om mijn stommiteit met haar 'Daddy'. En de vrouw van L.D. had de witte piqué jurk die ze droeg waarschijnlijk gekocht met geld dat ik had verdiend. Ik verfoeide hem omdat hij een pooier en een leugenaar was, maar meer nog haatte ik hem omdat hij zo'n idioot was dat hij mijn gouden kwaliteiten niet genoeg waardeerde om mij voor zichzelf te houden.

Geen moment dacht ik aan de hebzucht die me ertoe had aangezet om met L.D.'s plannen in te stemmen, in de hoop uiteindelijk een leven vol luxe en romantiek te verwerven. Zoals de meeste jonge vrouwen wilde ik dat een man, welke maakte niet uit, mij een June Allyson filmleven zou verschaffen met een verzonken woonkamer en kasjmier wollen twinsets en ik, bijvoorbeeld, had er duidelijk alles voor over gehad om zo'n leven te kunnen leiden.

Ik kon moeder of Bailey niet bellen. Zelfs wanneer ze in een uitstekende conditie waren geweest, had ik nog niet kunnen bekennen dat ik door mijn eigen onnozelheid het kind was kwijtgeraakt.

Terwijl ik liep, nam mijn woede tegen L.D. af en verkreeg ik een zeker kalmerend, marginaal zicht op de zaak. Wanneer ik op de stoep in tranen van frustratie was uitgebarsten, dan had het niets veranderd aan het feit dat mijn kind nog steeds werd vermist. Of aan het feit dat ik me door dit laatste verlies verpletterend eenzaam voelde, zo zonder mijn baby en zijn armpjes die mijn nek omknelden. De last rustte op mijn schouders.

Ik besloot de nacht door te brengen in mijn oude kamer en de volgende morgen naar Bakersfield te gaan. De gedachte dat Big Mary hem misschien wel mee naar Oklahoma had genomen, sloeg ik als een zoemende vlieg steeds opnieuw van me af.

Het kleine stadje in Zuid-Californië had tijdens de middernachtelijke tochtjes met L.D. iets fantastisch en onwezenlijks gehad, maar nu, vanachter de busraampjes, was het kleurloos en leek het overbevolkt met valskijkende blanken die rechtstreeks uit mijn Arkansas-verleden afkomstig waren. Een zwarte man gaf me een lift naar Cottonwood Road.

'Als haar broer boer is, moet hij hier ergens wonen. En je zegt dat je niet weet hoe hij heet?'

'Nee, maar ik vind hem wel.'

Hij stopte zijn oude auto voor een cafetaria die beweerde dat alles in eigen keuken was bereid.

'Nou, ik wens je veel succes. Probeer 't daar eens. Maar wees voorzichtig. D'r zit nogal wat ruw volk.'

Ik bedankte hem en hij reed weg.

De jonge serveerster schreeuwde boven de luidruchtige jukebox en het gepraat uit: 'Kent iemand hier Mary Dawson?'

De gesprekken verflauwden, maar niemand gaf antwoord.

Ze vervolgde: 'Deze vrouw is op zoek naar haar kind.'

De gezichten werden vriendelijker, maar er kwam nog steeds geen antwoord.

'Niemand kent haar, meid. Probeer 't eens bij Buckets.' Ze wees me de weg naar een kroeg met een vloer van aangestampte aarde een paar straten verderop.

Oude bluesmelodieën klaagden in de kunstmatige duisternis en een gezette barkeeper liep in z'n eentje heen en weer achter de bar om bierflesjes neer te zetten en weg te halen. Iedere kruk was bezet door mannen en vrouwen, die lachten en praatten met de ontspannen vertrouwdheid van vaste klanten.

'Mary Dawson? Mary Dawson?' De barkeeper kauwde op de naam terwijl hij mijn gezicht in zijn geheugen opsloeg. 'Nee, moppie. Ik ken geen Mary Dawson.'

'Ze noemen haar Big Mary.'

'Big Mary. Nee, ik ken geen Big Mary.'

'Ze heeft mijn kind. Ze heeft hem meegenomen uit Stockton.' Ik had het gevoel alsof ik tegen een orkaan opblies.

Zijn gezicht verzachtte toen de achterdocht ervan wegtrok. 'Hoe ziet ze eruit?'

'Ze is net zo groot als ik. Als mij.' – 'Als ik' klonk te correct – 'Maar dikker en ze heeft een broer die boer is hier in de buurt. Ze komen uit Oklahoma.'

In zijn ogen begon een lichtje te twinkelen. 'Drinkt ze?'

'Niet vaak, maar ze zeggen dat, als ze drinkt, dan drinkt ze ook veel.'

'In een koffiebeker?' Zijn glimlach was breed.

'Ja.' Ik kon hem wel omhelzen.

'Dat is die ouwe John Peterson z'n zus. Ja, moppie. Die woont hier zo'n drie mijl verderop.'

Wanneer ik in het verleden onder de dreigende laars van het noodlot uit was gerold, zei ik altijd een dankgebed. Deze keer beloofde ik God dat ik voortaan trouw naar de kerk zou gaan.

'Kunt u me zeggen hoe ik er moet komen?'

'Oh, maar je kunt het niet lopen. Wacht even.' Hij riep naar een man die bij de jukebox stond. 'Buddy.'

De man keek op en kwam naar de bar.

'Dametje, Buddy hier rijdt taxi... Buddy, jij weet waar John Peterson woont?'

Buddy knikte.

'Breng je haar daar even naar toe?'

Buddy knikte weer.

'Hij zal je netjes behandelen, dametje. Succes.'

Ik bedankte de barkeeper en volgde Buddy naar een gammele auto. Hij zei niets tijdens de rit, maar mijn hart bonkte zo hard dat ik toch niet in staat zou zijn geweest om te antwoorden. Op een stille weg met aan weerskanten omgeploegde akkers, stopte hij. Een verveloos houten huis stond wat naar achteren op een stuk modderige grond.

Buddy knikte naar het huis. 'Dat is 't. Wil je dat ik terug kom om je te halen?'

Ik keek naar het huis dat er verlaten uitzag en bedacht dat de bewoners misschien wel naar Oklahoma waren vertrokken. Toen zag ik een paar honderd meter van het huis af iets bewegen. Ik keek scherp naar de bewegingen en probeerde uit te maken wat voor soort dier het was, een hond of een varken, dat in de modder wroette. Een tel later kromp mijn hart samen en ik gilde: 'Mijn baby. Dat is mijn baby.' Met maar een gedachte schoten mijn benen de auto uit en binnen twee stappen zakte ik tot aan mijn enkels in de modder en kwam er een nieuwe gedachte bovendrijven. Waar denkt hij dat zijn moeder is?

Ik pakte hem op en drukte hem dicht tegen me aan. Ik voelde hoe zijn lijfje klopte en bonkte van opwinding.

Hij zette zijn armen schrap en duwde zichzelf weg om mijn gezicht te zien. Hij zoende me en begon toen te huilen. De zelfbeheersing die hem door de lange nacht en de busrit had geholpen, begon af te brokkelen. Hij greep een vuistvol van mijn haar beet en draaide en trok er almaar huilend aan. Ik kon mijn haar niet losmaken of mijn hoofd terugtrekken. Ik stond met hem in mijn armen terwijl hij tekeer ging omdat hij in de steek was gelaten. Mijn snikken kwamen los op golven van de eerste gevoelens van schuld. Ik had van hem gehouden, maar hem nooit gezien als een hele afgeronde persoonlijkheid, afgescheiden van mijn grenzen. Ik had niet eerder beseft dat hij een ander leven had en zou hebben dat losstond van zijn leven als mijn zoon, mijn mooie baby, mijn snoezige pop, mijn pupil. Op die omgeploegde akker bij Bakersfield begon ik de uniekheid van de mens te begrijpen. Hij was drie en ik was negentien en nooit meer zou ik hem als een beeldschoon aanhangsel van mezelf zien.

Big Mary leunde tegen de wankele keukentafel. 'Ik bedoelde er niks kwaads mee. Ik hou gewoon van hem. Ik zorg goed voor hem. Dat weet je.' Haar gezicht verkruimelde als taartdeeg en ze rilde. 'Waarom laat je hem niet voor een poosje bij mij?' Ze keek naar Guy in mijn armen en ze zei met een geknepen kinderstemmetje: 'Schatje, wil je niet bij Big Mary blijven? Zeg tegen je mama dat je wil blijven.'

Zijn armen sloten zich als een schroef om mijn nek.

'Ik neem hem mee, Mary.'

Ze kon haar tranen niet bedwingen. 'Kunnen jullie niet samen een nacht blijven – een nachtje maar?'

'Er staat een taxi op mij te wachten.' Ik liep naar de

deur. 'Nou, wacht even, dan zoek ik zijn spullen bij el-kaar.'

'Nee, laat maar. We moeten gaan.'

Ze deed een uitval, maar stopte voor ze bij me was.

'Je haat me toch niet, hè, Rita? Ik bid God dat je me niet haat.'

'Ik haat je niet, Mary.'

'Hij was de mooiste van allemaal. En jij was altijd er-gens naar toe onderweg.'

'Ik begrijp 't, Mary. Dag, zeg eens dag, Guy.'

'Dag.'

Buddy bracht ons naar het busstation en mijn mod-derige kind en ik zetten weer koers naar San Francisco.

30

Thuis strompelde het leven verder. Moeder was weer aanwezig. De platenspeler draaide onophoudelijk, in elke kamer hingen kookluchtjes en ijsblokjes tinkelden als arrenbelletjes in de glazen.

Bailey had zijn appartement opgezegd en zijn bezittingen weer naar zijn oude kamer verhuisd. Hij vertelde moeder dat hij op zoek was naar werk en haar kamerhuur betaalde 'van zijn spaargeld'. Hij droeg nu antracietgrijze en grijsbruine pakken met overslag en één rij knopen, de gematigd strak toelopende broeken en kleurige vestjes werden weggegeven. En hij glimlachte minder vaak en anders. Wanneer papa Ford iets zei dat te grof of te ouderwets was, leek Bailey het niet op te merken. Zijn ogen zochten nooit meer de mijne voor een blik van verstandhouding en het geplaag over mijn lengte en verwaandheid was opgehouden.

Aangezien ik ook op zoek was naar werk, vroeg ik hem waar hij zocht en waarnaar.

'Op straat. Ik zoek een bom duiten en dan ga ik richting New York City.'

Wat kon hij anders doen dan aan tafels bedienen en zingen op familiefeestjes?

'Ik kan mijn hersens gebruiken. Ik heb je al eens verteld dat alle kennis besteedbare valuta is, afhankelijk van de markt. Er valt geld te verdienen en ik ben van plan mijn deel te vangen.'

'Bailey, je wordt toch geen pooier, hè?'

'Ik zal je eens wat uitleggen. Pooiers zijn mannen die of vrouwen haten of bang zijn van vrouwen. Ik respecteer vrouwen en hoe kan ik bang zijn van een vrouw als de slechtste waar ik ooit van gehoord heb mijn eigen moeder is?' Hij keek me doordringend aan. 'En ik zal je nog eens wat vertellen. Een hoer is het treurigste en domste wijf dat er op twee benen rondloopt. Alles waar ze op hoopt, is om iemand een oor aan te naaien door als eerste te gaan liggen en als laatste op te staan.'

Ik wilde niet tot die groep gerekend worden, maar ik had wel in Clara's huis gewoond.

'Ik heb het niet over jou. D'r bestaat zoiets als een hoerenmentaliteit. Die kom je tegen bij een huisvrouw die alleen met haar man naar bed gaat als hij een nieuwe wasmachine koopt. Of bij een secretaresse die met haar baas slaapt voor een salarisverhoging. Verrek, jij bent tegelijk te slim en niet slim genoeg om een hoer te zijn. Nooit. Maar ik wil niet dat je 't nog eens probeert.'

Hij was bijna twintig centimeter korter en een jaar ouder dan ik, maar zoals altijd had hij het laatste en hoogste woord. Naderhand, toen ik over hem nadacht, groeide hij nog meer in mijn verbeelding. Hij had de dood van zijn geliefde doorstaan en hij bleef op de been. Natuurlijk liep hij mank en maakte hij gebruik van een kruk die mijn goedkeuring niet had, maar hij was niet weggekwijnd. Hij maakte plannen voor zijn toekomst. Ik redeneerde dat hard drugs misschien niet zo slecht waren als de mensen die ze gebruikten. Het was mogelijk dat de vieze, haveloze, stinkende spuiters, die zo angstaanjagend en weerzinwekkend waren, van nature al slonzig en laag-bij-de-gronds waren. Er bestonden waarschijnlijk massa's mensen die drugs gebruikten en nooit hun levensstandaard verlaagden. Ik wist uit ervaring dat marihuana niet gevaarlijk was, dus het zou kunnen betekenen dat heroïne en cocaïne het slachtoffer waren van geruchten, verspreid door moralisten. Bovendien had de mens altijd iets nodig gehad om hem door dit tranendal heen te helpen. Gegiste bessen, maïs, rijst en aardappelen. Whisky of magische paddestoelen. Waarom dan niet het residu van papavers?

De kamermeisjes en portiers, fabrieksarbeiders en conciërges die in staat waren hun gettohuizen te verlaten en in de kille, blanke wereld te verkeren, hielden zichzelf voor dat de zaken niet zo beroerd waren als ze leken. Ze glimlachten in een onwaarachtige acceptatie van hun verachtelijke staat van onderworpenheid en kochten op zaterdagavond de duurste drank om hun leugen te verdrinken. Anderen, gevangen in de eindeloze verwarring van moeten lachen zonder dat het leuk was en moeten krabben zonder dat het jeukte, vestigden hun hoop op de Heer. Op zondagmorgen verkondigden ze luid Zijn Goedheid en spendeerden de middag aan het in orde brengen van hun gesteven uniformen voor de onverbiddelijke inspectie van de baas. De bedeesden en de angstigen klampten zich vast aan hun lapmiddelen. Ik was noch bedeesd, noch bang.

Ik solliciteerde naar werk in Fillmore Street. Maar noch de plaatselijke schoonheidssalon, noch de platenzaak had een bedrijfsleidster nodig. De makelaar in onroerend goed zei dat zijn vriend, een zakenman uit Oakland, een koelbloedig iemand zocht om zijn restaurant te leiden. Mijn reactie was het stekelige, grootsteedse dedain voor de kleine stad; in San Francisco werd algemeen aangenomen dat Oakland aan de andere kant van de Bay

Bridge was geplaatst om hatelijke opmerkingen van de mondaine stedelingen over zich heen te laten gaan. Maar de kans om in de zakenwereld op te klimmen, was te verleidelijk om niet aan te grijpen. De gedachte dat ik het werk niet aan zou kunnen, kwam niet bij me op. Hoewel ik geen enkele ervaring had in het leiden van een restaurant had ik, per slot van rekening, enige aangrijpende gebeurtenissen doorstaan en ik beschouwde mezelf als rijp en volwassen genoeg om verantwoordelijkheid te dragen. Ik nam de trein naar Oakland.

James Cain was onder de indruk van wat hij beschouwde als mijn academische taalgebruik en ik was gecharmeerd van de halfkaraats diamanten die in zijn twee voortanden schitterden. Hij vroeg niet naar referenties en bood me vijfenzeventig dollar per week en alle maaltijden.

Het was een grote, zachtmoedige man die vaak om het leven glimlachte en alle details van zijn vele zakelijke ondernemingen in zijn hoofd had zitten. Hij bezat een stomerij, een schoenmakerij en een gokhuis dat naast het restaurant lag. Zijn kleren kwamen van een kleermaker en hij droeg ze met een zwierige nonchalance. Als hij zijn lippen over de diamanten had getrokken en als hij in een andere wereld had geleefd, had hij door kunnen gaan voor een erudiete makelaar in effecten die regelmatig zijn slag sloeg in Wall Street.

Cains restaurant bood een menu van goed bereide, Zuidelijke gerechten in overvloedige porties en het was populair bij de vaste bezoekers van de buurt. Cain had drie onbekende beroepsboksers gekocht en was bezig ze door te laten stoten naar een kampioenschap. Hij wilde de status van het restaurant opvijzelen en de succesvolle blanke promotors die hij op de sportschool ontmoette, uitnodigen om bij hem te komen eten.

Hij zat op een rode kunstleren bank met mij te praten. 'We moeten soep hebben. En salade. We moeten ook een kaart hebben.' Toen ik voor hem ging werken, stond de keuze van de dag op een kinderschoolbord bij de deur geschreven.

NEKKLUIVEN
KORTE RIBBEN
VARKENSPENS
VARKENSKARBONADE
RODE SNAPPER

Hoewel ik vastbesloten was er iets goeds van te maken, kon ik maar niet besluiten welke soep of salade die hoofdgangen zouden afronden. In mijn Zuidelijke jeugd was soep een hoofdgerecht op zichzelf geweest en salade bestond meestal uit aardappels of kool. Ik stelde bouillon voor. Cain keek verheugd op bij de klank en zei tegen de kok dat hij het moest regelen.

'Aangemaakte salade. Roquefortsaus.'

Cain gaf de kok het teken.

Ik vertelde hem ook dat ik maar zelden had gezien dat er varkenspens of nekkluiven werden aanbevolen in blanke restaurants. De kok kreeg de opdracht om die bestellingen te schrappen.

'Ze eten heel vaak omelet en lever met spek. Ik stel voor dat u Chicken à la King in voorraad neemt.'

Cain had door zijn intelligentie de positie van magnaat veroverd in Oakland en hij ging te werk volgens de theorie van gelijke arbeidsverdeling. Hij liet het ontwerp en de opzet van het menu aan mij over. Binnen een maand kregen de gasten grote spijskaarten gepresenteerd waarop in Oudengels schrift stond:

Chicken à la King
Ierse Stoofpot
Kalfskotelet
T-bone Steak
Perzikcocktail-Batatenpastei
Varkenspootjes met Mosterdblad (een prak die steeds
een uur na de opening al was uitverkocht)

Terwijl de zaken achteruit gingen, had ik de gelegenheid
om de gokkers nauwkeurig te observeren. Ze kwamen
het restaurant binnendruppelen in het schelle licht van
de Californische ochtend, met knieën in hun goedgesne-
den broeken en met handgeschilderde, zijden stropdassen die los en vergeten voor hun hemden bungelden.
Wanneer hun handen de koffie over de tafelkleedjes trilden, brachten de obers verse koffie zonder er iets van te
zeggen. De winnaars en verliezers zagen er even slordig
uit, maar het verschil was te zien aan hun gezelschap. Bedelaars, zwendelaars en kleine verliezers hingen aan de
lippen van de winnaars, trokken stoelen voor hen achteruit en riepen naar trage obers om een snellere bediening.

De tippelaarsters, die hun kerels ontmoetten aan de
eettafeltjes, hadden mijn speciale belangstelling. Cain
stond niet toe dat er in het restaurant klanten werden ge-
worven en het gokhuis was helemaal verboden terrein
voor vrouwen. Ze kwamen vermoeid binnen, de nachtelijke glamour was van hun gezichten gevaagd en hun
heupen wiegden niet meer. De mannen, die whisky
dronken voor stabiliteit of afleiding, namen het geld van
hun vrouwen openlijk in ontvangst. Ze telden het uit,
briefje voor briefje en stuurden een slippendrager naar
de drankwinkel voor 'een slokje'.

Trots en verslagenheid stonden beurtelings op de gezichten van de vrouwen te lezen. Ze hadden bewezen dat ze succesvolle en betrouwbare hoeren waren, maar ze wisten ook dat de mannen weer aan de goktafels zouden gaan zitten om de verdiensten van die nacht op het spel te zetten. En de uitgeputte vrouwen zouden naar huis, naar een leeg bed worden gestuurd.

Een man die voor zijn roes afhankelijk was van sterkere middelen, behandelde zijn vrouw nooit zo achteloos. Hij zat ongeduldig, koffie met veel suiker drinkend, te wachten. Zodra zijn vrouw langs het raam kwam, stond hij op en rekende het kleine bedrag af. De vrouw wachtte bij de deur en het paar wandelde, vol verlangen, samen weg. Ik wist dat ze zich naar hun shot haastten. Ik wist dat de vrouw de deal al gesloten had voor ze haar man op kwam halen. Ik wist het en kon er niets verkeerds in zien. In ieder geval vormden ze een paar en waren ze van elkaar afhankelijk.

Cain had weinig tijd om op te merken dat niet alles even goed ging met zijn restaurant, aangezien zijn dagen helemaal in beslag werden genomen door zijn boksers. De bedrijfsleiders van de stomerij en het gokhuis hielden zich aan de gebruikelijke regels en hun zaken bloeiden. Ik moest met hem spreken.

'Meneer Cain, ik ben bang dat we deze maand, uh, een beetje achteruit zijn gegaan.'

Hij dacht na. 'We hebben geld verloren, hè?'

'Ja. Waar het op neer komt, is dat het menu de vaste klanten niet lijkt aan te spreken en er zijn niet genoeg anderen om het verlies aan klandizie goed te maken.'

'Ik snap wat je bedoelt.' En dat deed hij ook. 'Laten we het zo nog een maand houden en die achterlijke Negers een kans geven op iets beters.' Hij werkte een vorkvol groente naar binnen en kruimelde maïsbrood in het restje jus. 'Sommige mensen hebben geen oog voor de betere dingen van het leven.'

Tijdens de tweede maand bleek het restaurant nog dieper in het rood te staan en hoewel ik Guy iedere dag meenam en hem T-bone steak gaf terwijl ik kalfskotelet at, klaagde de kok dat zijn koelkast vol stond met bedorven voedsel.

Meneer Cain zei dat ik me geen zorgen moest maken. 'Ze zijn bang om in de stad te gaan eten en als ik hetzelfde eten naar hun eigen buurt breng, lusten ze het nog niet. Dat zal mij een zorg zijn. Ik heb mijn best gedaan.' Hij zei de kok de koelkast leeg te halen en terug te keren naar het oude menu.

'Kun je rijden?'

'Ja.'

'Dan wil ik dat je 's morgens met de auto mijn boksers ophaalt. Je brengt ze naar Lake Merrit. Daar stappen ze uit om te rennen en jij rijdt achter hen aan. Als ze het meer helemaal rond zijn, pik je ze op en breng je ze naar de sportschool. Dan haal je mij op, ik breng je naar huis en rij zelf terug naar de sportschool.'

Hoera! Eindelijk! Ik was chauffeuse.

Ik stuurde de Cadillac langzaam door de donkere bochten en het gehijg van de drie mannen vermengde zich met het zachte gekabbel van de golven. Twee van de boksers waren grote, gespierde zwaargewichten, die zonder te glimlachen tegen me gromden wanneer ik ze bij het vervallen hotel ophaalde. Ze zaten als kolossale, zwarte monolieten op de achterbank terwijl Billy, een geinige, kleine vlieggewicht, op de voorbank grappen maakte met mij. 'Baby, ik maak ze in... met een linkse op de kin. Ik licht ze pootje... met een klein stootje.' Billy deed me denken aan de oude Bailey en ik was vastbesloten om hem te zien vechten.

Cain kocht een bruin suède pak voor me en een bijpassend jagershoedje. Mijn schoenen, handschoenen en tas waren ook van suède en ik was zo chic als iemand maar zijn kon.

Ik zat vooraan met hem en vier andere, dikke, oude mannen die sigaren rookten en handenvol geld aan elkaar doorgaven in het felle licht van de lampen. Het aanzwellende geluid uit het publiek en de jachtige bedrijvigheid van mensen die opstonden, gingen zitten, rondliepen en renden, de hoofden die zich omdraaiden alsof ze van bordpapier waren, brachten me op de gedachte dat het zonde was dat ik niet eerder naar een bokswedstrijd was gaan kijken.

De lichten werden gedempt en Billy rende in een wit short door een gang naar de arena toe. Vanuit een andere gang klom een andere kleine bokser in een zwarte broek tussen de touwen door.

Ik zei tegen Cain die met zijn companen over geldzaken zat te onderhandelen: 'Daar is Billy. Waarom kijkt u niet?'

Hij wierp een blik op het verlichte vierkant en concentreerde zich weer op de stapel biljetten in zijn hand. Hij mompelde: 'Dat is alleen maar de voorronde.'

De scheidsrechter hield de handen van de beide mannen omhoog en de bel rinkelde. De boksers doken in elkaar met hun armen tegen hun zij aangedrukt. Ze begonnen in een cirkel over de vloer te schuifelen en helden naar elkaar toe alsof ze probeerden om de verschillende merken aftershave-lotion thuis te brengen. Zwartbroek stootte met een onbeschofte directheid zijn linkervuist in Billy's ribben.

Wam.

Hij trok zich terug en terwijl Billy zich herstelde, schoot zijn rechtervuist uit tegen Billy's wang.

Mijn schreeuw vloog omhoog, maar maakte geen inkeping op het kabaal in de zaal.

Billy wankelde even en zocht een muur of een schouder om tegen te leunen.

'Sla hem terug, Billy.' Ik stond klaar om in de ring te springen.

Zwartbroek huppelde weg en kwam toen heel dichtbij. Alsof ze reageerden op een mededeling door de luidsprekers, zo begonnen de boksliefhebbers nu hun aandacht op het gevecht te richten. Het zachte gemurmel nam af en ik kon de voeten van de boksers over de mat horen glijden. *Sssj-sssj-wam.* Niets ter wereld is te vergelijken met het geluid van een man die zijn vuist in de borst van een ander drijft. Leeuwen mogen brullen en prairiewolven huilen, maar de vibraties van twee mensen die worstelen om lichamelijke superioriteit brachten een ziekmakende, nieuwe angst bij mij teweeg.

Wam! Bam! Ssj! Ssj! Ssj! Ooh!

De lucht werd uit Billy's kleine lijf gebeukt en ik wist dat het Bailey had kunnen zijn die daarboven zijn wals danste onder de kille blikken van de gokkers.

'Laat ze ophouden, Cain.' Ik draaide me om en boog me over mijn baas en Billy's eigenaar heen.

Hij keek me aan alsof ik een vreemde was die net vlak voor zijn ogen gek was geworden. 'Wat? Wat? Ga zitten en hou je koest.' Ik kon het randje van zijn tanden zien en zijn volle gezicht glom in het donker.

'Ik zei, laat ze ophouden. Die man slaat Billy dood.'

'Hou je mond.' Hij schaamde zich voor mij waar zijn vrienden bij waren. 'Hou je mond en ga zitten.'

'Schoft. Sadistische, smerige schoft!' Mijn woorden werden beklemtoond door het gebeuk en geschuifel in de ring. 'Schoft.' Ik keerde me om om weg te rennen. Cain greep naar mijn arm, maar ik was al te ver weg.

De andere mannen vroegen: 'Wat is er met haar? Is ze niet goed snik of zo?'

Cain commandeerde: 'Ga zitten, suffe trut.'

Ik was bijna bij het gangpad en stond wijdbeens over een toeschouwer die nu meer belangstelling had voor onze ruzie dan voor het publieke gevecht dat boven hem gaande was.

'Markies de Sade klootzak.' Ik smeet mijn suède tas naar Cain, tilde mijn been over de toeschouwer heen en stond in het gangpad. Ik rende de gang door naar de deur, elk moment verwachtend dat ik gegrepen zou worden en teruggesleept om gedwongen toe te kijken hoe die arme, kleine Billy doodgebeukt werd.

Ik hield halt om op adem te komen en het aantal van mijn achtervolgers in ogenschouw te nemen. De paden tussen de rijen waren leeg en de gezichten, waarvan ik verwacht had dat ze zich om hadden gedraaid om mij te zien vertrekken, keken nog steeds vooruit. Ik hoorde hoe het gebrul toenam en van waar ik stond, zag ik hoe een gedaante in een wit short op zijn knieën op de mat zakte. Het leek alsof de voeten van Zwartbroek in beton waren geklonken, zo standvastig stond hij erbij. Billy's hoofd stortte voorover en het publiek schreeuwde goedkeurend. Ik had gelijk en ongelijk. Cain was een sadistische schoft. Maar hij niet alleen. Al die bloeddorstige fans waren ook sadistisch. En Billy niet uitgezonderd.

Ik liep door de straten naar huis en troostte mezelf met de wetenschap dat, alhoewel mijn broer klein en lenig genoeg was om een vedergewicht te zijn, niemand hotdogs zou zitten eten terwijl hij in elkaar werd geslagen. Hij schaduwbokste en danste door de wrede straten en in vergelijking met zijn tegenstanders was Zwartbroek nog minder bedreigend dan papa Ford. Ik was trots dat mijn broer een gevaarlijk leven leidde en voor niemand door de knieën ging.

Ik wist dat ik die baan kwijt was en zelfs als een verontschuldiging de zaken met Cain rechtzette, kon ik me niet verontschuldigen. Hij, die baan en de boksers erbij konden naar de hel lopen. Hoera voor mijn broer.

Cains brief de volgende dag was net zo bikkelhard als een linkse directe: 'Rita Johnson, je diensten zullen niet langer nodig zijn.'

Ik bevond me wederom in een toestand die me zo vertrouwd was als een bloedverwant. In het nauw, op mezelf aangewezen, in de knoei, klemgezet, maar ik pakte mijn biezen niet (of liet ze achter) en ging niet terug naar moeder.

Overal om me heen waren mensen bezig te overleven, maar ik had er geen greep meer op. Vrouwen met zwermen kinderen en bijna net zo jong als ik, schiepen dagelijks hun bestaan. Een paar gingen het leven in (daar had ik duidelijk geen aanleg voor); sommigen werkten als dienstbode (deel uitmaken van een onbekend, blank gezin was onmogelijk. Ik zou mijn negatieve, Zuidelijke blootstelling aan blanken voor me uit blijven houden als een afwerende hand); anderen worstelden met Vrouwe Bijstand (daar wilde ik mijn hoofd niet voor buigen).

Hoewel het absolute vertrouwen van een kind een ouder tot een nieuwe vorm kan kneden, bezaten Guy's brede glimlach (moeder zei dat hij voor een kind vreselijk veel lachte) en vrolijke aard niet langer de toverkracht om mij gelukkig te maken. Hij geloofde in mij, maar hij was een kind en ik was het geloof in mezelf kwijt.

Uit gewoonte hield ik mijn hoofd geheven, maar mijn laatste hoop was vervlogen. Elke weg uit het doolhof bleek een valse uitgang te zijn geweest. Mijn eens zo levendige fantasie weigerde met nog een illusie op de proppen te komen. Mijn moed raakte uitgeput. Helaas was mijn standvastigheid mij niet zoals de kleur van mijn huid voor eens en altijd gegeven. Elke ochtend moest ze overeind worden gezet en zorgvuldig geoefend. Ze moest ook gevoed worden met op z'n minst een paar overwinningen. Mijn kracht had mij verlaten als de ooit levendige gelaatstrekken van een nu verwelkte schoonheid. Ik dronk niet en mijn voorraadje marihuana was op. Voor het eerst zat ik weerloos te wachten op de volgende aanslag van het leven.

31

Ik had Troubadour Martin vaak gezien in Cains restaurant. Hij was buitengewoon lang en gevaarlijk mager. Iedere keer dat ik hem zag, moest ik denken aan het gezegde waarmee ze mij vroeger ook vaak omschreven: 'Een lang glas vol water.' Hij kwam bij me op bezoek een week nadat ik mijn baan was kwijtgeraakt. Dat is hoe ik erover was gaan denken. Zijn bewegingen waren traag en op wat hij te zeggen had, moest je lang wachten. We zaten in mijn huiskamer.

'Hallo, Rita.'

'Hoi, Troub.'

Stilte.

'Ik hoorde dat je niet meer voor Cain werkt.'

'Nee. De baan was over.'

Pauze.

'Wel, al iets anders gevonden?'

'Nee, ik hou even vakantie.'

Aarzeling.

'Natuurlijk.'

Vertraging.

'Misschien kun je me helpen.'

Ik weifelde. Deze keer was ik niet van plan om bij de eerste overreding al toe te happen. Hij was zwart en knap en als het licht vol op zijn gezicht viel, leek hij op een magere Paul Robeson. Ik wist ook dat hij niet bij de mannen hoorde die drank lieten halen.

'Misschien weet je dat ik in kleren handel?'

Ik wist dat hij een gokker was. 'Nee.'

'Ik heb een handeltje in damesjurken en mantelpakken. Nieuw.' Hij schudde zijn hoofd voor mijn vraag. 'Het is geen linke waar. Ik run een soort van postorderbedrijf. Ik zal je zeggen wat ik nodig heb. Zie je, je hoeft helemaal niks te doen. Ik breng je de spullen en dan kunnen de dames hier naar toe komen om te passen.'

Hij glimlachte flauw en sloeg zijn ogen neer. Ik zag de Zuidelijke behoedzaamheid van de man en wist dat de kleren gestolen waren.

'Je weet hoe dames zijn. Ze kleden zich niet graag uit als er geen andere dame bij is.'

Daar wist ik niet zoveel van. Ik zei niets.

'En je hoeft niet te verkopen, dat doe ik. Ik geef je een percentage van de opbrengst. Wat denk je ervan?'

Ik hoefde er niet over na te denken. Ik stemde toe. Er zou geld binnenkomen en ik zou baas zijn over mijn eigen tijd. Ik kon de hele dag lezen en Guy meenemen naar het park en de film. Ik zou tijd hebben om hem te leren lezen. En ik zou niemand iets verplicht zijn. Troubadour had geen romantische belangstelling voor mij, dus hoefde ik me niet druk te maken over een eventuele verhouding met hem.

'Goed, Troub. Wanneer beginnen we?'

'Ik zal vanavond wat spullen brengen.' De woorden bleven in zijn mond steken. 'Uh, Rita, uh, ik ben blij dat ik met jou kan samenwerken. Iedere keer dat ik je zag, dacht ik bij mezelf, dat is een echt aardige dame. Echt waar.' Hij schonk me een ingetogen glimlach.

Na twee maanden hingen mijn kasten vol dure tweeen driedelige mantelpakken. Jurken, truien en kousen zaten in mijn laden gepropt en ik bracht mijn dagen door met het lezen van Thomas Wolfe en naar de film gaan met Guy. Ik beperkte mijn bezoeken aan San Francisco. Moeders huis had de somberheid van een naderende tragedie en Bailey had nog steeds zijn 'bom duiten' niet bij elkaar. Hij was afgevallen en zijn nieuwe kleren pasten hem niet. De mouwen van zijn overhemd gleden omlaag tot halverwege zijn handen en zijn buik kon het afzakken van zijn riem niet tegenhouden. Het leek alsof zijn huidskleur fletser was geworden en zijn eens rappe manier van spreken was vertraagd tot bijna het tempo van Troub. Wat moeder betreft, zij praatte sneller en knipte harder met haar vingers, maar haar lach spatte uit haar mond. Onecht. Er was geen vrolijkheid in huis.

In Oakland weefde mijn fantasie een beeld van mij als mevrouw Troubadour Martin. Hij was zachtaardig, vrijgevig en rustig en hoewel we een paar keer met elkaar naar bed waren geweest, had hij niet om meer gevraagd. De ideale echtgenoot.

Het was zeker dat Troub hard drugs gebruikte. Zelfs als ik marihuana rookte, nam hij nooit meer dan een paar trekjes en liet mij de rest houden. Ik had verwacht dat hij wel een keer zou proberen me met heroïne kennis te laten maken en was er nog niet helemaal uit hoe ik dan moest reageren. Moest ik hem de deur wijzen of overwegen dat hij genoeg geld verdiende om ons alletwee een levenlang high te houden? Een shot heroïne zou me nog niet verslaafd maken. En als ik het een keer gebruikte, zou hij misschien beseffen dat ik het niet afkeurde en onze relatie zou er hechter door worden. Omdat hij nooit antwoord gaf op mijn rechtstreekse vragen over heroïne, beraamde ik een confrontatie.

'Troubadour, ik denk dat je iemand anders zult moeten zoeken.'

'Waarom, Rita?' Er was zelfs geen spoor van schrik op zijn gezicht te zien.

'Ik geloof dat je iets achterhoudt voor mij. Of je bent getrouwd. En... en ik begin iets voor je te voelen.' Het was niet moeilijk om mezelf aan het huilen te maken. Alles wat ik hoefde te doen, was denken aan het verlies van dit luizenbaantje, of mijn broer, of mijn moeder, of die ouwe L.D., of de lang verdwenen Curly.

'Rita, dat heb ik je toch gezegd, ik heb geen andere vrouw.'

De tranen vloeiden. 'Maar je neemt me nooit mee. Ik ben geen kind. Ik wil je vrouw zijn. Alles met je delen. Je geeft niets om mij.'

'Jawel, Rita. Ik mag je. Ik vind je gewoon aardig.'

'Maar je wilt me niet echt, is dat het?'

'Nee. Dat is 't niet.' In ieder geval ging hij een beetje sneller praten.

'Nou, als je me wilt hebben, dan moet je niet achterhouden wat je doet. Ik kan het best aan.'

Ik droogde mijn tranen voldoende om hem aan te kijken. Hij kneep zijn ogen samen en klemde zijn kaken op elkaar. Toen keek hij me recht aan. 'Kun je het kind even alleen laten en met mij meekomen?'

Daar had je het. Ik moest Guy alleen laten. Maar wie niet waagt...

Troub stuurde de auto richting San Francisco.

'Waar gaan we naar toe?' Ik had verwacht dat hij me mee zou nemen naar zijn kamer die in Oakland was, vlakbij mijn huis. Hij gaf geen antwoord. De oranje lichten van de Bay Bridge verbleekten zijn bruine aardekleur en hij werd een kille, grauwe vreemde. Ik kon mijn paniek niet laten zien.

'Oh, gaan we naar de stad? Dat is leuk.' ('Heb ik je

ooit verteld dat ik nog maar een tijdje te leven heb? Ik heb een hersentumor en de doktoren hebben me nog zes maanden gegeven.' Ik had jaren geleden dit verhaal verzonnen om het te gebruiken als ik eens tegen een verkrachter of een moordenaar aan mocht lopen. 'Ze kunnen niet opereren. 't Zit te dicht bij 't cerebellum.')

Troubadour tuurde naar de straten en koos er een uit. Ik was ontzet toen ik zag dat we in het havenkwartier waren aangekomen. Mijn God, hij was een psychopaat en de laatste minuten van mijn leven waren aangebroken. Nog steeds kon ik niet schreeuwen. Hij parkeerde de auto op de kade.

'Kom mee, Rita.'

'Waar gaan we naar toe?'

'Ik ga je iets laten zien.'

Er was iets gedecideerds aan de wijze waarop hij sprak en met zijn hoofd naar de overkant van de straat knikte. Op een vaalgeworden uithangbord stond: Hotel. Ik was blij dat ik niet had geschreeuwd. Een hotel. Misschien was zijn huis te link en bracht hij me naar een hotel om me in te wijden. Ik liep achter hem aan door de mist, over vier rijen spoorrails heen, naar het hotel toe.

Hij stevende recht op de balie af en zei tegen een krijtwitte receptionist: 'Geef me de sleutel.'

De receptionist aarzelde niet en ik volgde nog steeds, een beetje bibberig. Had hij hier een kamer om zich uit te leven in de een of andere bizarre fantasie?

Hij draaide de sleutel om en als een schaap ging ik naar binnen.

Mijn eerste indruk was dat ik in een busstation terecht was gekomen, heel vroeg in de ochtend. Op alle beschikbare plaatsen zaten en hingen mensen. Drie lichamen lagen gedrapeerd op een bed. Mannen en vrouwen zaten op de grond met hun rug tegen de muur. Twee vrouwen deelden samen een stoel en allemaal, zwarten en blanken, dommelden ze in, werden ze wakker of waren ze vast in slaap. Niemand merkte onze binnenkomst op. In het gedempte licht reikte Troub naar achter en pakte mijn hand.

'Kom mee.' Ik wankelde en trachtte mijn willoze brein wakker te schudden, maar het was niet in staat om de situatie in te schatten. Het leek alsof er een langzame minuut voorbij ging voordat het tafereel doordrong. Dit was een kit waar verslaafden kwamen om te spuiten. Mijn gezicht en nek sloegen warm uit van angst en de kamer trilde voor mijn ogen. Ik was bereid geweest om met drugs te experimenteren, maar had geen rekening gehouden met deze gruwelijke ontmaskering. Terwijl ik toekeek hoe die ongelukkigen zaten te knikkebollen en zich krabden, voelde ik mijn eigen onschuld zo wezenlijk als een korrel zand tussen mijn kiezen. Ik was zo puur als het maanlicht en nog maar pas begonnen met leven. Mijn escapades waren jeugdig geklungel en als zodanig te vergeven.

Ik draaide me half om naar de deur en probeerde mijn hand los te rukken, maar Troub hield hem vast.

'Vooruit, ik wil dat je dit ziet.'

Ik was bang om te schreeuwen en de verslaafden uit hun dromen op te schrikken. Als ik me losrukte en de hal bereikte, zou de receptionist dan weten dat ik niet van plan was om de politie te waarschuwen en me laten gaan? Troub trok me mee en we struikelden over uitgestrekte benen naar de openstaande deur van de badkamer.

In de badkamer trok Troub zijn jasje uit en gaf het aan mij. Hij rolde de mouw van zijn overhemd op. De tijd verstreek voor Troub en mij alsof we onder water zwommen. Hij nam een eetlepel van de wastafel en haalde een vierkant stukje papier uit zijn zak.

Ik was ieder besef van geluid, smaak en gevoel kwijt, maar nog nooit had ik zo helder gezien en zo scherp geroken.

Hij strooide het poeder op de lepel en druppelde er wat water overheen. Hij stak drie lucifers aan onder de buik van de lepel en het mengsel pruttelde. De zoetige geur drong mijn neus binnen en maakte mijn tong los. 'Niet doen, Troub. Alsjeblieft, doe het niet.'

'Hou je mond en kijk.'

Hij bond zijn stropdas boven zijn elleboog om zijn arm en trok hem strak aan met zijn tanden. Toen pakte hij een injectienaald uit de groezelige wasbak en vulde hem met de hete, heldere vloeistof. Aan de binnenkant van zijn arm liepen dikke, op de huid liggende littekens naar beneden en het zwarte vlees was op een plaats paars en geel van de verse zweren. Hij stak de naald in een litteken, draaide hem rond en probeerde toen een ander.

'Alsjeblieft, Troub.'

'Hou je mond en kijk.'

De naald prikte in een van de zachte korsten en weelderig geel pus stroomde naar buiten en langs zijn arm omlaag naar zijn pols.

Mijn tranen, die van ontzetting bevroren waren geweest, smolten bij het zien van de man die zo goed voor mij was geweest en die nu in zijn eigen vlees zat te poken en te porren, zich niet bewust van de pijn en de gruwelijkheid.

De naald stak door en bloed, vermengd met een paar druppels heroïne, kronkelde over zijn geheven arm. Zijn tanden lieten de stropdas los en alsof ik een röntgenblik had, zag ik hoe het spul zijn hersenen bereikte. De spieren in zijn gezicht verslapten en hij leunde zwaar tegen de muur.

'Wil je nou nog wat?' Trage lippen, trage vraag. 'En, wil je wat?'

'Nee.'

'Zeker weten? Ik kan 't voor je verhitten.' Zijn hoofd hing slap naar voren, maar zijn ogen bleven op mij gericht.

'Ik weet 't zeker. Ik wil 't niet.'

'Dan wil ik dat je me belooft dat je geen shit zult gebruiken. Daarom noemen ze 't shit. Het is shit. Je bent een echte dame, Rita. Ik wil je niet zien veranderen. Beloof me dat je blijft zoals ik je voor het eerst tegenkwam. Een dame.'

'Ik beloof het.'

'Laat me even in de auto uitrusten en dan breng ik je naar huis.'

Een halfuur lang zat hij in elkaar gezakt achter het stuur en sloeg ik hem gade. Ik dacht na over de goedheid van deze man. Eerder had ik hem gewild omdat ik dacht dat hij me zekerheid kon verschaffen. Ik hield van hem zoals hij daar suffend in zijn stoel hing, met zijn mond open en het speeksel dat langzaam langs zijn kin omlaag gleed, zoals het bloed langs zijn arm was gevloeid. Niemand had ooit zoveel om mij gegeven. Hij had zichzelf voor mij ontmaskerd om mij een lesje te leren en ik leerde het terwijl ik in de donkere auto zat en de geuren van de kade opsnoof. Het leven in de onderwereld was waarlijk moordend en het grootste deel van de bewoners rende als ratten opgejaagd door de riolen en goten van die wereld rond. Ik had aan de afgrond gestaan en alles gezien, maar op het kritieke moment had de edelmoedigheid van een man mij veilig van de rand weggetrokken.

Hij werd eindelijk wakker en we reden terug naar Oakland. Voor mijn huis zei ik dat hij zijn kleren mee moest nemen. Ik legde uit dat ik van plan was naar de stad terug te verhuizen.

Hij antwoordde: 'Verkoop ze, je kunt 't geld gebruiken. Je hebt een kind. Er zijn zat andere winkels en zat andere kleren.'

De volgende dag bracht ik de kleren, mijn koffers en Guy terug naar moeders huis. Ik had geen idee wat ik verder van mijn leven moest maken, maar ik had iets beloofd en mijn onschuld teruggevonden. Ik zwoer dat ik hem nooit meer zou verliezen.

Zingen en swingen

Voor
Martha en Lillian, Ned en Bey
voor de vrolijkheid, de liefde en de muziek

DANKBETUIGINGEN

Dank aan het Bellagio Study and Conference Center
van de Rockefeller Foundation,
met name Bill en Betsy Olsen

En speciaal bedank ik mijn vriend en secretaris,
Sel Berkowitz

Don't the moon look lonesome shining through the trees?
Ah, don't the moon look lonesome shining through the
trees?
Don't your house look lonesome when your baby pack up
to leave?

Muziek was mijn toevluchtsoord. Ik kon in de openingen tussen de noten wegkruipen en mijn rug ronden tegen de eenzaamheid.

In mijn huurkamer (met kookgelegenheid aan het einde van de gang) draaide ik platen en sloeg ik mijn armen om de schouders van het lied. Terwijl we dansten, dicht tegen elkaar, vlijde ik mijn gezicht tegen zijn hals, kuste zijn huid en wreef mijn wang tegen de zijne.

De platenzaak van Melrose aan Fillmore Street was een punt van samenkomst voor muziek, muzikanten, muziekliefhebbers en platenverzamelaars. De doordringende klanken uit de luidsprekers golfden de straat op met de aanhoudendheid van een onwaarachtige rouwklager aan een open graf. Langs één wand van het donkere interieur waren hokjes gebouwd die leken op open telefooncellen. De klanten legden daar hun keuze op de draaitafels en stonden er door koptelefoons naar te luisteren. Tussen mijn banen in had ik twee uur vrij. Soms ging ik dan naar de bibliotheek of, als de uren samenvielen, naar een gratis dansles in de YWCA. Maar meestal koos ik de zoetklinkende platenzaak van Melrose, waar ik me in de muziek kon wentelen en ingraven.

Louise Cox, een kleine, blonde vrouw die mede-eigenares was van de winkel, fladderde tussen de klanten door als een grillige vlinder in een rozentuin. Ze was blank, droeg parfum en lachte openlijk met de neger-klanten, dus wist ik dat ze wereldwijs was. De wereld-wijsheid van anderen maakte me meestal nerveus en ik ging Louise uit de weg. Mijn muzikale smaak zigzagde van de blues van John Lee Hooker naar de sprankelende, zilveren klanken van Charlie Parker. Een jaar lang al verzamelde ik hun platen.

Op een keer toen ik in de winkel was, kwam Louise naar het hokje waar ik naar een plaat stond te luisteren.

'Hallo, ik ben Louise. Hoe heet jij?'

Ik dacht aan 'Koekepeer, vraag me meer en ik vertel 't je weer.' Dat was een onaardig kinderrijmpje, bedoeld om te beledigen.

De laatste blanke vrouw die me iets anders had gevraagd dan 'kan ik u helpen?', was mijn lerares op de middelbare school geweest. Ik keek naar de kleine vrouw, naar haar kasjmier trui en parelketting, naar haar gladde haar en roze lippen en kwam tot de conclusie dat ze me geen kwaad kon doen, dus zou ik haar de naam geven die ik alle blanken had gegeven.

'Marguerite Annie Johnson.' Ik was naar twee grootmoeders genoemd.

'Marguerite? Dat is een mooie naam.'

Ik was verbaasd. Ze sprak hem uit als mijn grootmoeder. Niet als Margariet, maar als Marg-joe-riet.

'Afgelopen week is er een nieuwe Charlie Parker binnengekomen. Ik heb hem voor jou bewaard.'

Daaruit bleek haar goede zakeninstinct.

'Ik weet dat je van John Lee Hooker houdt, maar hier is iemand die je zeker moet horen.' Ze zette de draaitafel stil, nam mijn plaat eraf en legde er een andere voor in de plaats.

> *Lord I wonder, do she ever think of me,*
> *Lord I wonder, do she ever think of me,*
> *I wonder, I wonder, will my baby come back to me?*

De stem van de zanger kermde een verlangen waarmee ik mijn hele leven al vertrouwd leek te zijn. Maar dat kon ik Louise niet laten weten. Ze sloeg mijn gezicht gade en ik dwong het uitdrukkingloos te blijven.

> *Well, I ain't got no special reason here,*
> *No, I ain't got no special reason here,*
> *I'm gonna leave 'cause I don't feel welcome here.*

De muziek paste me als op maat gemaakte kleren.

Ze zei: 'Dat is Arthur Crudup. Geweldig, hè?' Opwinding lichtte haar gezicht op.

'Heel mooi. Bedankt dat je me die hebt laten horen.'

Het was niet verstandig om je gevoelens aan vreemden bloot te geven. En er was niets ter wereld dat vreemder was dan een mij vriendelijkgezinde blanke vrouw.

'Zal ik hem voor je inpakken? Samen met die van Bird?'

Mijn salaris van het kleine makelaarskantoor en de kledingzaak in de stad was maar net genoeg om de huur en de oppas voor mijn zoon te betalen.

'Ik kom ze volgende week wel halen. Bedankt dat je aan me hebt gedacht.' Hoffelijkheid kostte niets zolang je waardigheid bezat. Dat had ik van mijn grootmoeder, Annie Henderson, geleerd.

Ze draaide zich om en liep met de plaat terug naar de toonbank. Ik hield mezelf voor dat ik me niet schuldig hoefde te voelen. Ik had geen aanbod van vriendschap afgeslagen, ik had simpelweg een commerciële verleidingspoging weerstaan.

Ik liep naar de toonbank.

'Bedankt, Louise. Tot volgende week.' Toen ik de plaat neerlegde, schoof ze een pakje naar me toe.

'Neem deze maar mee, Marg-joe-riet. Ik heb een rekening voor je geopend.' Ze wendde zich tot een andere klant. Ik kon niet weigeren, omdat ik niet wist hoe ik dat beleefd kon doen.

Buiten, in de schemerige straat, ging ik de bedoelingen van de vrouw na. Wat bezat ik dat zij wilde hebben? Waarom liet ze mij weglopen met haar eigendom? Ze kende me niet. Zelfs mijn naam zou ter plekke verzonnen kunnen zijn. Ze kon niet op zoek zijn naar vriendschap; tenslotte was ze blank en voor zover ik wist, waren blanke vrouwen, behalve in boeken, nooit eenzaam. Blanke mannen adoreerden hen en zwarte vrouwen werkten voor hen. Er was geen kant-en-klare verklaring voor haar gebaar van vertrouwen.

Thuis schraapte ik voldoende geld om haar terug te betalen uit mijn noodvoorraad die ik in een la bewaarde. In de winkel nam ze het geld aan en zei: 'Dank je, Marg-joe-riet. Maar je had er niet speciaal voor hoeven komen. Ik vertrouw je.'

'Waarom?' Dat zou haar aan het denken moeten zetten. 'Je kent me niet eens.'

'Omdat ik je aardig vind.'

'Maar je kent me niet eens. Hoe kun je nou iemand aardig vinden die je niet kent?'

'Omdat mijn gevoel me dat zegt en ik vertrouw op mijn gevoel.'

Wekenlang piekerde ik over Louise Cox. Wat zou ik mogelijkerwijs kunnen hebben dat zij mogelijkerwijs zou kunnen willen hebben? Mijn brein, dat was zeker, was een goed geolied mechanisme dat snel en nagenoeg geruisloos werkte. Vaak wedijverde ik met de deelnemers aan radio-quizprogramma's en meestal was ik ze in mijn huiskamer veruit de baas. Oh, mijn mentale machine zou iedereen hebben kunnen opwinden. Ik bedoelde, iedereen die geïnteresseerd was in iemand die de presidenten van de Verenigde Staten in chronologische volgorde uit haar hoofd kende, de hoofdsteden van de wereld, de mineralen van de aarde en de soortnamen van verschillende species. Er waren niet zoveel belangstellenden voor die kwalificaties en ik moest toegeven dat het mij nogal ontbrak aan de populaire bekoorlijkheden van lichamelijke schoonheid en vrouwelijke verleidingskunsten.

Mijn hele leven had mijn lichaam zich met succes tegen mijn betere natuur verzet. Ik was te lang en ruwhuidig. Mijn grote, extraverte tanden staken naar voren omdat ze gezien wilden worden en ik probeerde ze dat te beletten door zelden te lachen. Hoewel ik Dixie Peach in mijn haar schuimde, kronkelde en kroesde de zwarte massa en weerstond de smorende pommade om rond mijn hoofd als een zwerm woedende bijen los te breken. Nee, eerlijk is eerlijk. Ik moest bekennen dat Louise Cox niet vriendelijk tegen mij was vanwege mijn schoonheid.

Misschien bood ze mij haar vriendschap aan omdat ze medelijden met mij had. Die gedachte was als een snaar die eerst rafelde en lossprong en zich vervolgens strak om mijn bewustzijn wond. Mijn geest schrok op van die ongevraagde inmenging. Een blanke vrouw? Medelijden met mij? Dat zou ze niet durven. Ik zou naar de winkel gaan en haar eens wat laten zien. Ik zou haar walgelijke medelijden tot een bal rollen en hem haar in het gezicht smijten. Ik zou haar met haar neus in haar ongewenste medelijden wrijven tot de tranen uit haar ogen drupten en ze geleerd had dat ik een koningin was, die niet door kinkels als zij kon worden benaderd, zelfs niet op haar knieën en weeklagend.

Louise stond over de toonbank heen gebogen te praten met een klein, zwart jongetje. Ze onderbrak het gesprek niet om mij te begroeten.

'Hoeveel dozen heb je precies gevouwen, J.C.?' Haar stem klonk ernstig.

'Achttien.' Het antwoord van de jongen was even ernstig. Zijn hoofd kwam amper tot aan de rand van de toonbank. Ze pakte een doosje van een plank achter haar.

'Dan is hier achttien cent.' Ze schoof de munten rond om ze te tellen en liet ze toen in zijn handpalmen vallen.

'Oké.' Hij draaide zich op onzekere, jonge benen om en botste tegen mij aan. 'Dank je wel,' mompelde hij.

Achter het stemmetje aan kwam Louise achter de toonbank uit. Ze rende langs mij heen en greep de deur één tel nadat hij die dicht had gegooid.

'J.C.' Ze stond met haar armen in haar zij op het trottoir en riep: 'J.C., tot volgende week zaterdag.' Ze kwam terug de winkel in en keek me aan.

'Hallo, Marg-joe-riet. Goh, ik ben blij je te zien. Sorry voor die scène. Ik moest eerst een van mijn medewerkers betalen.'

Ik wachtte tot ze doorging. Wachtte tot ze me zou vertellen wat een moppie hij was en hoe arm en was het niet allemaal een schande. Ze ging achter de toonbank staan en begon de platen in hoezen te laten glijden.

'Toen ik de winkel pas had geopend, kwamen alle kinderen uit de buurt langs. Ik moest ze of "een centje gefu" – ik haatte het als blanken de zwarte tongval imiteerden – of platen voor ze draaien. Ik heb ze uitgelegd dat ze alleen iets van me zouden krijgen als ze er voor werkten en dat ik platen voor hun ouders zou draaien, maar voor hen pas als ze groot genoeg waren om bij de platenspelers te kunnen. Dus heb ik ze verteld dat ze lege hoezen konden vouwen voor een cent per stuk.'

Ze vervolgde: 'Ik ben blij je te zien, want ik wil je een baan aanbieden.'

Ik had van alles gedaan om aan de kost te komen, maar huizen van blankvolk schoonhouden ging me te ver. Dat had ik al eens geprobeerd en het maar één dag volgehouden. Ik raakte totaal van slag door de geboende tafels, snijbloemen en kasten met kleren van andere mensen. Ik verafschuwde de tapijten met patroon, betegelde keukens en koelkasten die volstonden met andermans etensresten.

'Is 't heus?' De ijzigheid in mijn stem veranderde mijn accent tot dat van een aristocratische Vivian Leigh (van vóór *Gone with the Wind*).

'Mijn zus heeft meegeholpen in de winkel, maar ze gaat terug naar school. Ik dacht dat jij perfect zou zijn om haar plaats in te nemen.'

Mijn vastbeslotenheid begon als knikkende knieën onder mij door te buigen.

'Ik weet niet of je het weet, maar ik heb een grote klantenkring en ik probeer van alle platen die door negermuzikanten worden gemaakt er op z'n minst één in voorraad te hebben. En als ik ze niet heb, dan is er een uitgebreide catalogus en kan ik ze bestellen. Wat vind je ervan?'

Haar gezicht was open en haar glimlach ongekunsteld. Ik priemde in haar ogen voor verborgen bedoelingen en vond niets. Maar ik moest haar, hoe dan ook, mijn eigen kracht laten zien.

'Ik hou er niet van om blankvolk negers te horen nadoen. Vroegen die kinderen je echt om hun "een centje te gefu"? Kom nou toch.'

Ze zei: 'Je hebt gelijk. Ze vroegen het niet. Ze eisten van me hun "een centje te gefu".' De glimlach verdween van haar gezicht. 'Zeg jij het eens.'

'Wilt u me een cent geven.' Ik duwde mijn tong tegen mijn boventanden om de *n* te benadrukken.

Ze pakte de doos en overhandigde me een muntstuk. 'Vergeet niet dat je op school hebt gezeten en laten we geen van beiden vergeten dat we alle twee volwassen zijn. Het zou me een plezier doen als je de baan aannam.' Ze vertelde me wat het salaris was, de werktijden en wat ik zou moeten doen.

'Hartelijk bedankt voor het aanbod. Ik zal erover nadenken.' Ik verliet de winkel met opgeheven hoofd en rechte rug. Ik probeerde onverschilligheid uit te stralen, zoals een octopus zich in een wolk van inkt hult, om mijn opwinding te camoufleren.

Ik moest er met Ivonne Broadnax, de realiste, over praten. Zij was mijn beste vriendin. Ivonne was aan het gebrek van romantische blindheid ontsnapt dat mij mijn levenlang al teisterde. Ik ging naar haar woning in Ellis Street, waar ze op vijfentwintigjarige leeftijd een dochter van acht en een zus van vijftien grootbracht.

'Vonne, ken je die vrouw van de platenzaak?'

'Die kleine, blanke vrouw met die scheve glimlach?'

Haar stem was licht en scherp en het geluid moest zich langs witte, gelijkmatige tanden wringen.

'Ja.'

'Waarom?'

'Ze heeft me een baan aangeboden.'

'Als wat?' Ik wist dat ik op haar cynisme kon rekenen.

'Als verkoopster.'

'Waarom?'

'Daar probeer ik net achter te komen. Waarom? En waarom aan mij?'

Ivonne zat heel stil na te denken. Ze bezat een grote schoonheid waar ze zelf achteloos tegenover stond. Ze kneep haar fraai gewelfde lippen samen en toen ze haar hoofd optilde, had het snelstromende bloed haar gezicht lichtroze gekleurd.

'Is ze raar op dat gebied?'

We beseften alletwee dat dat de enig logische verklaring was.

'Nee. Ik weet zeker van niet.'

'Heb je het haar gevraagd?'

'Nee.'

'Ik bedoel of je haar om die baan hebt gevraagd.'

'Nee. Ze bood hem zelf aan.' Ik voegde een beetje verontwaardiging aan mijn antwoord toe.

Ivonne zei: 'Je weet dat blanken eigenaardig zijn. Ik weet niet eens of ze zelf wel weten waarom ze dingen doen.' Ivonne was opgegroeid in een klein stadje in Mississippi en ik in een nog kleiner stadje in Arkansas. In onze geschiedenis waren blanken net zo constant aanwezig als de seizoenen en voor ons net zo onbekend als rijkdom.

'Misschien probeert ze iets te bewijzen.' Ze zweeg even. 'Hoeveel wil ze je betalen?'

'Zoveel dat ik alle twee mijn banen op kan zeggen en het kind naar huis kan halen.'

'Nou, neem hem dan.'

'Ik zal platen moeten bestellen en de inventaris opmaken en zo.' Ik had nog maar net geroken aan een verbetering in mijn leven en het maakte me nerveus.

'Kom op, Maya (ze noemde me bij de naam die binnen mijn familie werd gebruikt). Als je een hoerenkast kunt runnen, kun je ook een platenzaak runnen.'

In San Diego had ik, toen ik achttien was, eens een bordeel beheerd, waar twee beroepsprostituees klanten ontvingen en waar ik, als financier, een percentage van opstreek. Sindsdien had ik die ervaring in mijn geest toegedekt met lagen vergiffenis en een bewust vertoon van onschuld. Maar het was waar, ik bezat een zeker talent voor organisatie.

'Zeg haar dat je de baan aanneemt en hou haar dan scherp in de gaten. Je weet hoe blanke vrouwen zijn. Ze trekken hun onderbroek uit, gaan als eerste liggen en schreeuwen dan dat ze verkracht zijn. Als je niet oppast, wordt ze ineens ziek, zwak en misselijk en sta je ramen te lappen en vloeren te schrobben voor je er erg in hebt.' We kakelden als twee ouwe besjes die zich een geheim van vroeger herinnerden. Ons lachen was zuur en niet direct tegen blanke vrouwen gericht. Het was de traditionele tactiek om de zwarte kwetsbaarheid af te schermen; we lachten om maar niet te hoeven huilen.

Ik nam de baan aan, maar hield voortdurend toezicht op Louise. Niet één handeling bleef onopgemerkt, niet één gesprek ongeregistreerd. De vraag was niet of ze haar racisme zou onthullen, maar wanneer en hoe de onthulling plaats zou vinden. Gedurende een paar maanden was ik een personage in een levend misdaadverhaal. Ik luisterde naar haar intonaties en volgde haar blikken.

Op zondag, wanneer de ouderen na afloop van de kerkdienst naar de preken van dominee Joe May op 78-toeren platen kwamen luisteren, trilde ik van jachtlustige spanning. Forse, in korsetten geregen vrouwen verzamelden zich rond de platenspelers, hun boezems zwellend van religieuze hartstocht, terwijl hun in donkere kostuums gehulde echtgenoten zich naar de muziek toebogen, hun gezichten vol sprakeloze overgave aan de geest, hun zwarte en bruine vingers rusteloos op de omklemde bijbels.

Louise schoof klapstoelen bij voor de dames en trok zich met haar kasboeken achter de toonbank terug. Ik wachtte op één zelfgenoegzame grijns, tot ze één keer met rollende ogen de hemel zou aanroepen en ik zou het bewijs hebben dat ze haar blankheid als een superieure eigenschap beschouwde, die God en zij samen voor hun eigen gemak hadden bedacht.

Na twee maanden had de waakzaamheid me uitgeput en had ik geen spoor van vooroordeel aangetroffen. Ik begon me te ontspannen en te genieten van de weelde van een wereld van muziek. De vroege ochtenden waren voor Bartok en Schönberg. Halverwege de morgen trakteerde ik mezelf op de liedjes van Billy Eckstine, Billie Holiday, Nat Cole, Louis Jordan en Bull Moose Jackson. Een pirosjkie van de Russische delicatessenwinkel naast ons was mijn lunch en daarna vlogen de reuzen van de bebop door de lucht. Charlie Parker en Max Roach, Dizzy Gillespie, Sarah Vaughan, Al Haig en Howard Mc Ghee. Blues behoorde bij de late namiddag en met hun woorden over verloren liefde raakten de zangers aan mijn eenzaamheid.

Ik bestelde voorraden en speelde platen op verzoek,

leegde asbakken en stofte het kartonnen etalagemateriaal af. Louise en haar compagnon, David Rosenbaum, lieten hun tevredenheid blijken door me opslag te geven en hoewel ik hun dankbaar was voor de baan en mijn eerste kennismaking met vriendschappelijke, zwartblanke verhoudingen, kon ik mijn gevoelens alleen tonen door stipt op tijd in de winkel te zijn, mijn werk efficiënt te doen en koel en kleurloos mijn respect te betonen.

Maar thuis glinsterde mijn leven vol prachtige tinten. Iedere avond haalde ik mijn zoon bij de oppas op. Hij was pas vijf jaar en zo mooi dat zijn glimlach de weerstand van een bruut zou breken.

Vijf jaar lang hadden we als waterspinnen in een nietaflatende kolk rondgetold. Om in ons onderhoud te voorzien, moest ik vrij zijn om te werken, maar kinderoppas was zo duur dat ik twee banen moest hebben om hen en mijn eigen huur te kunnen betalen. Zes dagen en vijf nachten besteedde ik hem uit. Op de avond voor mijn vrije dag ging ik gewoonlijk naar het huis van de oppas. Allereerst greep hij dan de zoom van mijn rok beet, sloeg dan zijn armpjes om mijn benen en hield zich huilend vast, terwijl ik de rekening van die week betaalde. Vervolgens maakte ik zijn armen los, tilde hem op en liep de straat uit. Terwijl ik liep, gilde hij stratenlang. Pas wanneer we ver genoeg weg waren, ontspande hij zijn wurggreep om mijn nek en kon ik hem neerzetten. De avond brachtten we in mijn kamer door. Hij volgde al mijn bewegingen en vertrouwde het niet als ik naar de wc ging en zei dat ik weer terug zou komen. Na het avondeten, dat ik in de gemeenschappelijke keuken kookte, las ik hem voor en liet ik hem een poging doen mij voor te lezen.

De volgende dag gingen we altijd naar het park, de dierentuin, het Stedelijk Museum van San Francisco, een bioscoop voor tekenfilms of een van de andere goedkope of gratis plaatsen van vertier. Op onze tweede avond samen, viel hij in slaap als een oude man die tegen de dood vecht. Tegen de ochtend, nog niet helemaal wakker, maakte hij schokkende bewegingen en pijnlijke geluiden als een gewond dier. Dan sloot ik mijn gevoel af en maakte hem wakker. Wanneer hij was aangekleed, gingen we terug naar het huis van de oppas. Een paar straten van haar huis af begon hij al te huilen. Ik hield mijn eigen tranen in tot zijn kreten door de gesloten deur heen drongen en als speerpunten in mijn hart staken. De regelmaat van de beproeving hielp niet om haar te verzachten. Ik ging de alternatieven na. Als ik getrouwd was, zou 'mijn man' (die woorden klonken net zo onwerkelijk als 'mijn bankrekening') me in een mooie woning installeren, die ik door mijn goede smaak in een thuis zou veranderen. Mijn zoon en ik zouden hele dagen samen kunnen zijn en dan zou ik nog twee kinderen kunnen krijgen, die Deirdre en Craig heetten en ik zou rozen en schitterende zinnia's kweken. Ik zou te grote tuinhandschoenen dragen zodat mijn handen er sierlijk en mijn manicure er fris uitzagen, als ik ze uittrok. We zouden allemaal samen schaken, Chinees dammen en 'raad 'ns wat ik in m'n hoofd heb' doen. We zouden één groot, liefdevol en jolig gezin zijn, net als de mensen in *Cheaper by the Dozen.*

Of ik kon bijstand aanvragen.

Aan mijn horizon was nog geen schaduw te bekennen van een man van echtgenotenkaliber. Het leek alsof er zelfs niet één man was die zich tot mij aangetrokken voelde. Misschien stootte mijn façade van koele zelfbeheersing hen af, of misschien lag mijn behoefte, waarvan ik dacht dat ik hem goed verborgen hield, er zo dik bovenop dat ze daardoor werden afgeschrikt. Nee, echtgenoten waren zeldzamer dan het gewone soort eenhoorn.

En bijstand was absoluut taboe. Mijn trots was gestaald door een familie die een onbeperkt gezag over haar eigen zaken uitoefende. Eén grootmoeder, die mij, mijn broer en twee eigen zoons had opgevoed, was eigenares van een kleine bazaar. Ze had haar zaak vlak na de eeuwwisseling in Stamps, Arkansas, opgezet door vleespasteien te verkopen aan de zagers van een houtzagerij en vervolgens dwars door de stad te racen om op tijd te zijn om de arbeiders van een katoenzuiveringsfabriek, vier mijl verderop, van voedsel te voorzien.

Mijn broer, Bailey, die een jaar ouder en 20 cm korter was dan ik, had mij tijdens mijn jeugd in het hoofd geprent: 'Je bent net zo intelligent als ik' – we waren het er alletwee over eens dat hij een genie was – 'en mooi. Je kunt alle kanten op.'

Mijn beeldschone moeder, die met autocratisch gezag over zaken en mannen heerste, leerde mij mijn eigen boot te roeien, mijn eigen kano te pagaaien en mijn eigen zeilen te hijsen. In feite waarschuwde ze mij: 'Als je iets gedaan wilt krijgen, moet je het zelf doen.'

Ik had hun niet om hulp gevraagd (ik kon het risico van hun weigering niet lopen) en zij hielden van mij. Er bestond in de hele wereld geen enkele reden die me zou kunnen bewegen met gebogen hoofd te bedelen bij een instantie die mij verachtte en bij een regering die mij negeerde. Het had ernaar uitgezien dat ik voor de rest van mijn leven in die twee banen en de wekelijkse verschrikking van een kinderoppas verstrikt zou blijven. Nu, met een goed salaris, konden mijn zoon en ik naar mijn moeders huis terug verhuizen.

Een glimlach flitste als een bliksemschicht over haar gezicht toen ik haar vertelde dat ik mijn zoon terug had gehaald en dat we klaar waren om thuis te komen. Er kwam een waas voor haar ogen. Het bracht me van mij stuk. Mijn moeder was alles behalve sentimenteel. Ik zag met bewondering hoe snel haar oude zelf weer de overhand kreeg. Het was typerend voor haar dat ze alleen directe vragen stelde.

'Hoelang blijf je deze keer?'

'Totdat ik een huis voor ons heb gevonden.'

'Dat klinkt goed. Je kamer staat er ongeveer nog bij zoals je hem hebt achtergelaten en Clyde kan het kleine achterkamertje hebben.'

Ik besloot dat wat opschepperij op zijn plaats was. 'Ik werk al een tijdje in de platenzaak in Fillmore Street en ik heb opslag gekregen. Ik zal huur betalen en een bijdrage voor het eten.'

'Wat betalen ze je?'

Ik vertelde het haar en ze rekende snel een percentage uit. 'Oké. Dit bedrag betaal je aan mij en iedere week koop je een gedeelte van het eten in.'

Ik gaf haar wat contant geld. Ze telde het zorgvuldig na. 'Goed, dit is de huur voor een maand. Ik zal het onthouden.'

Ze gaf me het geld terug. 'Ga hiermee naar de stad en koop wat kleren voor jezelf.'

Ik aarzelde.

'Dit is een gift, geen lening. Je zou moeten weten dat ik mijn zaken niet half afhandel.'

Zaken waren zaken voor Vivian Baxter en ik was haar dochter; het ene had niets met het andere te maken.

'Je weet ook dat ik geen oppas ben, maar Poppa Ford woont nog steeds hier om voor het huis te zorgen. Hij kan een oogje op Clyde houden. Natuurlijk moet je hem iedere week wat geven. Niet zoveel als je de oppas betaalde, maar iets. Onthoud dat je niet altijd zult krijgen waar je voor betaalt, maar dat je zeker zult betalen voor wat je krijgt.'

'Ja, moeder.' Ik was thuis.

Maandenlang draaide het leven rond in een cirkel van plezier en wandelden wij veilig binnen de omtrek ervan. Mijn zoon zat op school, hij las goed en onder mijn aanmoediging begon hij langzaam aan een liefdesverhouding met boeken. Hij was gezond. De oude angsten dat ik hem zou verlaten, vervaagden. Ik las hem Thorne Smith voor en declameerde de gedichten van Paul Lawrence Dunbar met een zwaar, zwart-Zuidelijk accent.

Tijdens een avondwandeling door Fillmore hoorden Clyde en ik luid geroep en zagen we een groep mensen die zich om een man op de hoek aan de overkant van de straat verdrongen. We bleven stilstaan om te luisteren.

'Heer, wij zijn uw kinderen. We komen tot u als pasgeboren baby's. Zilver en goud hebben we niet. Maar, oh, Heer.'

Clyde greep mijn hand en trok me mee in de tegenovergestelde richting.

'Kom nou mee, mam, kom nou mee.'

Ik boog me naar hem toe. 'Waarom?'

'Die man is gek.' Zijn gezichtje rimpelde van afkeer.

'Waarom denk je dat?'

'Omdat hij zo op straat staat te schreeuwen.'

Ik ging op mijn hurken bij mijn zoon zitten, zonder op de voorbijgangers te letten.

'Dat is een van de manieren waarop mensen God eren. Sommigen eren hem in de kerk, sommigen op straat en sommigen in hun hart.'

'Maar, mam, bestaat God echt? En wat doet hij dan de hele tijd?'

Die vraag verdiende een beter antwoord dan ik midden op straat kon bedenken. Ik antwoordde: 'Daar zullen we het straks wel over hebben, maar laten we nou gaan luisteren. Je moet de preek als een gedicht zien en het zingen als mooie muziek.'

Hij kwam met me mee en ik drong me door de menigte heen zodat hij het goed kon zien. De capriolen van de prediker en de reacties van de mensen brachten hem in verlegenheid. Ik was verbijsterd. Ik was opgegroeid in het geloof van de Christelijk Methodistisch-Episcopale Kerk, waar mijn oom conciërge was van de zondagsschool en mijn grootmoeder een Moeder van de Kerk. Tot mijn dertiende, toen ik van Arkansas naar Californië verhuisde, had ik iedere zondag op zijn minst zes uur in de kerk doorgebracht. 's Maandagsavonds nam Momma mij mee naar de vergaderingen van de ordebewakers; op dinsdag kwamen de Moeders van de Kerk samen; de woensdagen waren gereserveerd voor gebedsbijeenkomsten; op donderdag was het congregatie van de diakenen; op vrijdag en zaterdag bereidden we ons voor op zondag. En nou vroeg mijn zoon of er wel een God bestond. Tot wie had ik dan mijn hele leven gebeden?

Die avond leerde ik hem: 'Joshua Fit the Battle of Jericho.'

2

Mijn leven bestond uit een verzameling ambities en al mijn energie was gericht op het verwerven van meer dan ik voor mijn dagelijkse behoefte nodig had. Ik maakte evenzeer deel uit van de materialistische, op zekerheid beluste jaren vijftig als de rustige, jonge, blanke meisjes die hun pastelkleurige, rondgekraagde dagen in schone villawijken sleten. De meisjes in de zwarte gemeenschappen, met hun fel gekleurde kleren en hun gelach dat de lucht kreukte, smaalden door de wol geverfd, maar verlangden naar een tuintje met een hekje erom. We alarmeerden door ons openlijke geflirt, maar droomden ervan de 'vrouw van één man' te zijn. Maar al te vaak eindigden we ongetrouwd, eenzaam zwanger, wensend dat we elk twee-komma-vijf kinderen hadden, die tevreden achter dat tuinhekje zouden kirren terwijl wij onze mannen naar hun werk reden in vriendelijk uitziende stationcars.

Ik had van één man gehouden en dramatiseerde mijn verlies van hem met alle overdreven gejammer van een verongelijkte zeventienjarige. Ik had anderen begeerd met een woeste wanhoop, in de overtuiging dat een huwelijk mij een wereld zou binnenleiden die vrij was van gevaar, ziekte en gebrek.

In de platenzaak leefde ik fantasielevens door middel van de snotterige liedjes van de jaren veertig en vijftig.

You'd be so nice to come home to.

Wie je dan ook mag zijn.

I'm walking by the river
'cause I'm meeting someone there tonight.

Maakt niet uit wie – als hij maar groter was dan ik en met me wilde trouwen. Voor mij zong Billie Eckstine:

Our little dream castle with everything gone
Is lonely and silent, the shades are all drawn
My heart is heavy as I gaze upon
A cottage for sale.

Dat was mijn huis en het stond leeg. Als de ware Jakob nu meteen langskwam, zouden we er binnenkort in kunnen trekken en pas echt beginnen met leven.

Louise Cox en haar moeder waren praktiserende Christian Scientists en ik accepteerde hun uitnodiging om een bezoek aan hun kerk te brengen. De strengheid van het interieur, de menigte rustige, goedgeklede blanken en de afwezigheid van emotie brachten me van mijn stuk. Ik lette speciaal op de paar zwarten in de bijeenkomst. Ze leken even solide welvarend en emotioneel gereserveerd als hun blanke medepariochianen. Kerken waren voor mij tempels geweest waar je 'juichte voor de Heer' en dat veel en hard.

In de Eerste Kerk van Christus de Scientist eerde de gemeente de Almachtige zonder woorden. De verering werd niet begeleid door voetgestamp of handgeklap. Gedurende de hele dienst leek de tijd opgeschort te zijn en bevond de werkelijkheid zich net buiten de sobere maar kostbare, zware deuren.

'Wat vond je ervan?'

We zaten in Louise's keuken haar moeders eigen, uit restjes gebakken koekjes te eten.

'Ik weet 't niet. Ik begreep 't niet.'

Na een jaar van niet-aflatende observatie, rekende ik erop dat ze eerder zou denken dat mijn onbegrip uit onvertrouwdheid voortkwam dan uit domheid.

Haar moeder gaf me een exemplaar van Mary Baker Eddy's *Science and Health*. Ik begon met de nieuwe denkbeelden te worstelen.

Het taaie weefsel van de armoede was in mijn leven altijd reëler geweest dan zand tussen mijn kiezen en nu spoorde Mary Baker Eddy mij aan mezelf als rijk te beschouwen. Elke avond keerde ik terug naar een huis met veertien kamers waar mijn zoon en de vijfenzeventigjarige Poppa Ford op mij wachtten. Moeder was meestal uit eten met vrienden, uit drinken met kennissen en uit gokken met vreemden. Als ze er wel was geweest, zou haar aanwezigheid mijn eenzaamheid niet heel erg verminderd hebben. Mijn broer, die mijn bondgenoot, mijn eerste vriend was geweest, woonde niet meer thuis en had zich van mij afgesloten. Wij hadden steun bij elkaar gevonden toen we klein waren, maar de volwassenheid had die banden doorgesneden en we dreven, ankerloos, op diepe, gevaarlijke zeeën uit elkaar.

In moeders huis las ik mijn zoon na het eten voor tot hij in slaap viel en keerde vervolgens terug naar de keuken. Gewoonlijk zat de oude man te dromen boven een extra grote beker mierzoete koffie. Ik keek naar zijn oude, ivoorkleurige gezicht waarop de schimmige herinneringen groeven hadden getrokken en ging dan naar mijn kamer, waar de eenzaamheid gaapte met opengesperde walviskaken om me volledig te verzwelgen.

Science and Health liet me weten dat ik nooit alleen was. 'Er is geen plaats waar God niet is.' Maar ik slaagde er niet in om die uitspraak reëel te laten zijn voor mij.

De zeeman slenterde door de winkel. Hij las de aankondigingen en keek vorsend naar de affiches. Zijn donkere haar en ovale, sensuele gezicht deden me denken aan Italiaanse renaissanceportretten. Het was vreemd om een blanke militair op klaarlichte dag in de zwarte wijk te zien. Ik kwam tot de slotsom dat hij verdwaald moest zijn. Hij kwam naar de toonbank toe.

'Goeiemorgen.'

'Hebt u "Cheers"?'

Misschien was hij niet verdwaald, maar toevallig in de buurt en had besloten een paar platen te kopen. 'Cheers?' Ik ging alle blanke zangers en zangeressen na – Jo Stafford, Helen O'Connell, Margaret Whiting, Dinah Shore, Frank Sinatra, Bob Crosby, Bing Crosby, Bob Eberle en Tex Beneke. Geen van hen had een lied dat 'Cheers' heette, opgenomen. Ik liet mijn gedachten gaan over Anita O'Day, Mel Tormé, June Christy. Ook daar geen 'Cheers'. Hij had eruitgezien als iemand met een voorkeur voor zang, maar misschien was hij op zoek naar een instrumentaal nummer van een blanke Big Band. Stan Kenton, Neal Hefti, Billy May. Geen 'Cheers' in hun catalogi.

'Ik weet niet of we het hebben. Van wie is 't?' Ik glimlachte. Ik had laten zien dat ik al zo vertrouwd was met de platenindustrie dat ik niet meer 'Wie heeft het opgenomen' zei.

De man keek me aan en antwoordde droog: 'Charlie Parker.'

Hoewel ik in een grote stad woonde, leefde ik in werkelijkheid in een dorp dat zich binnen de stadsgrenzen bevond. De paar blanken waarvan ik wist dat ze Charlie Parker kenden, waren vrienden van mijn broer en die hielden zich in hun wereldwijsheid ver van mij. Struikelend ging ik de plaat pakken. Toen ik de hoes er afschoof, zei hij: 'U hoeft hem niet te draaien.' Hij vervolgde: 'Ik neem ook "Well, You Needn't" van Thelonious Monk en "Night in Tunesia" van Dizzy Gillespie.'

Mijn brein wilde de last van mijn oren niet accepteren. Was dat een blanke man die dat zei? Ik keek of het misschien een creool was. Veel negers uit de moerasgebieden in het Zuiden konden doorgaan en gingen door voor blank. Zij hadden ook steil, zwart haar, donkere ogen en een parelmoeren huidkleur.

Een rechtstreekse vraag was het beste: 'Komt u uit Louisiana?'

'Nee, uit Portland.'

De zwarte stem heeft een grofkorrelige klankkleur die de zijne miste als hij sprak. Ik pakte zijn aankopen in, hij betaalde en vertrok. Het verbaasde me dat hij zich noch voorkomend noch bot had gedragen en dat hij me aan niemand die ik kende, deed denken.

Mijn twee werkgevers en Louise's knappe vriend, Fred E. Pierson, die taxichauffeur en schilder was, waren de enige blanken die ik kende, mocht en half begreep. Toen ik met Fred kennismaakte, had zijn vriendelijkheid de tandwielen van mijn oude overlevingsmechanisme in werking gezet. Ik verdacht hem ervan (misschien hoopvol) een persoonlijke (dat wil zeggen, romantische) belangstelling voor mij te koesteren. Hij hielp me de zeven benedenkamers in moeders huis te schilderen en vertelde me over zijn grote, treurige en verloren liefde en dat hij het fijn vond met mij bevriend te zijn.

Het volgende weekend kwam de zeeman terug. Hij snuffelde een poosje tusssen de platen, kwam toen naar de toonbank en onderbrak me bij mijn administratieve bezigheden.

'Hallo.'

Ik keek op alsof ik verrast was. 'Hallo.'

'Heeft u iets van Dexter Gordon?'

'Ja. 'Dexter's Blues.' Weer een negermuzikant.

'Dan neem ik die.'

Ik vroeg: 'En misschien een Dave Brubeck?'

'Nee. Maar in ieder geval bedankt.' Brubeck was blank. 'Maar is er iets van Prez? Heeft u *Lester Leaps In?*'

'Ja.'

Hij zweeg even. 'Weet u misschien of er hier in de buurt jamsessions worden gehouden?'

'Oh, u bent muzikant?' Dat was de verklaring. Leden van de grote, blanke jazzorkesten bezochten vaak zwarte nachtkroegen. Ze vroegen of ze mee mochten doen met de jamsessions. De zwarte muzikanten weigerden meestal met het argument dat: 'Die blanke jongens komen hier, roken alle weed op, jatten de akkoorden, gaan dan terug naar hun dikbetaalde baantjes en houden ons, zwarte muzikanten, uit de vakbond.'

Hij antwoordde: 'Nee hoor, ik hou gewoon van jazz. Ik heet Tosh. En jij?'

'Marguerite. Wat is dat voor een naam, Tosh?'

'Dat is Grieks voor Thomas-Enistasious. De afkorting ervan is Tosh. Zijn er hier in de buurt goeie jazzclubs? Ergens waar je wat hippe lui kunt ontmoeten?'

Je had Jimbo's, een blauwverlichte kelder waar de

mensen zich in de vertraagde lucht bewogen als de bewoners van een reuzenaquarium die moeiteloos in hun eigen element ronddreven.

Ivonne en ik gingen er zo vaak we konden naar toe. Zij met het geld van haar cateringbedrijf en ik met een gedeelte van mijn spaargeld. Dan trokken we onze mooiste kleren aan en verstopt achter een façade van waardigheid, stapten we de altijd volle ruimte binnen. Helaas werkte die pose tegen ons. We namen een koel onverschillige en afstandelijke houding aan, maar de zonneklare waarheid was dat we uit waren op iedere man die knap, ongetrouwd, intelligent en geïnteresseerd was.

Ik zei tegen Tosh dat ik zo'n tent in onze buurt niet kende. Toen hij de winkel verliet, dacht ik dat hij vast zijn weg wel naar het centrum van de stad zou vinden, waar hij meer welkom zou zijn.

Louise ging door mij in de richting van Christian Science te sturen. Behoedzaam neusde ik tussen de leerstellingen, niet bereid mezelf in de diepten te storten, want per slot van rekening was Christian Science een intellectuele godsdienst en de God die de leden ervan vereerden leek me een en al graat zonder vlees te zijn. De God uit mijn jeugd was een bejaarde, blanke Vader Tijd met een puntbaardje die de donder liet rollen, zijn wangen bolde en orkanen over zijn dwalende kinderen uitblies. Hij kon alleen tot bedaren worden gebracht door je in het stof te gooien, erin rond te wentelen en om genade te smeken. Ik hield niet van die God, maar hij scheen reëler dan een Schepper die louter gedachte en geest was. Ik wenste dat er Iemand tussen in bestond.

Louise's compagnon was joods, dus sprak ik met hem over mijn behoefte en vroeg hem uit over het judaïsme. Hij lachte een beetje, totdat hij merkte dat het me ernst was en zei toen dat hij zelf naar Beth Emanu-El ging. Hij vertelde dat er een nieuwe rabbijn was, erg jong en zeer modern. Een zwarte zanger had 'Eli, Eli' opgenomen en ik luisterde nauwkeurig naar het lied. De prachtige, hoge melodieën en het lage klagen leken erg veel op de hymnes uit mijn jeugd. Het was mogelijk dat ik in het judaïsme zou vinden wat ik zocht. De tora kon nooit zo vreemd zijn als *Science and Health*.

Al eeuwenlang hadden zwarte, Amerikaanse slaven overeenkomsten gezien tussen hun eigen onderdrukking en die van de joden in bijbelse tijden.

> *Go down Moses*
> *Way down in Egypt land*
> *Tell old Pharaoh*
> *To let my people go.*

De profeten van Israël woonden in onze liederen:

> *Didn't my Lord deliver Daniel?*
> *Then why not every man?*
>
> *Ezekiel saw the wheel, up in the middle of the air.*
>
> *Little David play on your harp.*

De Hebreeuwse kinderen in de brandende oven brachten een voortdurend medeleven teweeg bij de zwarte gemeenschap, omdat onze Amerikaanse ervaringen een weerspiegeling waren van hun historische beproeving. Gezien die vertrouwdheid dacht ik dat het judaïsme een peulenschil voor mij zou zijn.

Beth Emanu-El zag eruit als het decor in een Tyrone

Power-film. Hoge zalmroze bogen verhieven zich boven een moorse binnenhof. Goedgeklede kinderen kwamen de sjoel uitgestoven en renden de brede trap af.

Ik legde aan de receptioniste uit dat ik rabbijn Fine wilde spreken.

'Waarom?' Haar vraag luidde eigenlijk: Wat moet jij binnen mijn geheiligde muren? Ze herhaalde: 'Waarom?'

'Ik wil met hem over het judaïsme praten.'

Ze nam de hoorn van de telefoon en sprak er met aandrang in.

'Deze kant op.' Met stijve benen en stijve rug ging ze me voor naar het eind van de gang. Haar blik bleef een zwijgend moment op mij rusten voor ze de deur opende.

Rabbijn Alvin I. Fine leek op een jonge gymleraar die zijn beste pak had aangetrokken voor een open dag op school. Ik had gedacht dat rabbijnen oud en bebaard behoorden te zijn, net zoals priesters Iers waren, een boord omhadden en samenstellingen waren van Bing Crosby en Barry Fitzgerald. Hij vroeg me binnen te komen en bood me een stoel aan.

'Je wilt over het judaïsme praten?' Er was geen spoor van spot in zijn stem te horen. Hij had een vraag aan een collega-rabbijn kunnen stellen. Ik vond hem aardig.

'Ik weet er niets van, dus kan ik er niet over praten.'

'Wil je joods worden?'

'Dat weet ik niet. Ik zou graag meer over uw geloof willen lezen, maar ik ken geen boektitels.'

'Wat is het geloof van je familie?'

'Methodistisch.'

'En wat geeft dat je niet wat je wel bij het judaïsme denkt te vinden?'

'Ik weet niet wat het judaïsme te bieden heeft.'

'Zou je kunnen zeggen dat je de geloofsbeginselen van het methodisme nauwkeurig hebt bestudeerd?'

'Nee.'

'Zou je kunnen zeggen dat je je volledig aan de voorschriften van de methodistische kerk hebt gehouden?'

'Nee.'

'Maar toch wil je het judaïsme bestuderen, een oud geloof van een vreemd volk?'

HIj dreef me systematisch in de verdediging. Als hij een debat wenste, dan kon hij een debat krijgen.

Ik antwoordde: 'Ik wil erover lezen, ik heb niet gezegd dat ik me bij uw kerk wil aansluiten. Ik hou van de muziek in de C.M.E. kerk en ik hou van het bidden, maar ik houd niet van een God die zo angstaanjagend is dat ik bang ben hem onder ogen te komen.'

'Waarom jaagt jouw God je angst aan?'

Het klonk te kinderachtig om te zeggen dat wanneer de dominee met hel en vagevuur dreigde, ik mijn brandende vlees kon ruiken en mijn huid als kaantjes kon zien knapperen. Ik vertelde hem een minder persoonlijke waarheid. 'Omdat ik bang ben om dood te gaan.'

Ik verwachtte de gemeenplaats dat, als een mens een goed leven zonder zonde leidde, hij of zij rustig kon sterven.

Rabbijn Fine zei: 'Het judaïsme zal je niet redden van de dood. Ga maar eens naar een joodse begraafplaats.'

Ik keek hem aan en voelde de dwaasheid van mijn aanwezigheid daar in zijn volle omvang.

Hij zei: 'Ik zal je een lijst van boeken geven. Lees ze en denk erover na. Ga met de schrijvers en ideeën in discussie en kom dan bij me terug.' Hij boog zich over zijn bureau om de titels op te schrijven. Ik besefte dat ik het prettig zou vinden om met hem te praten over Het Leven, Liefde en Haat en vooral De Dood. Hij overhandigde me een vel papier, glimlachte voor de eerste keer en zag er nog jongensachtiger uit. Ik bedankte hem en vertrok, ervan overtuigd dat we onze discussie binnenkort voort zouden zetten. Het duurde een jaar voordat ik de boeken gekocht, geleend en gelezen had, maar er zouden twintig jaar voorbij gaan voordat ik rabbijn Fine terugzag.

3

Tosh werd zo'n trouwe bezoeker van de winkel dat niemand meer opkeek als hij binnenkwam en de zwarte klanten begonnen hem zelfs gedag te zeggen, hoewel hij zelf alleen terugknikte.

Hij was uit de marine ontslagen en had werk gevonden in een winkel voor elektrische apparatuur. Hij had een kamer gehuurd in de negerwijk en kwam iedere dag naar de platenzaak. We hadden lange gesprekken over de draaiende platen heen. Hij zei dat hij graag met me praatte omdat ik niet loog.

Ik vroeg hem hoe het kwam dat hij zwarte mensen zo graag mocht.

'Ik mag zwarte mensen helemaal niet,' antwoordde hij doodserieus. 'En ik mag Italianen, of joden, Ieren of Aziaten ook niet. Ik ben zelf Grieks, maar Grieken moet ik ook niet.'

Ik vond hem maar raar. Introvert zijn was tot daaraan toe, maar aan mij bekennen dat hij een hekel had aan zwarte mensen, dat ging te ver.

'Waarom heb je een hekel aan mensen?'

'Ik heb niet gezegd dat ik een hekel heb aan mensen. Mensen niet mogen is niet hetzelfde als een hekel aan ze hebben.'

Het klonk diepzinnig en ik had tijd nodig om het te overpeinzen.

Ik vroeg of hij van kinderen hield. Hij antwoordde

dat hij van sommige kinderen hield.

Ik vertelde hem over mijn zoon, hoe slim hij was, hoe mooi en grappig en hoe lief.

'Kan hij honkballen?'

Ik had niet nagedacht over de fysieke spelletjes die Clyde met een vader kon doen. Tegelijk met die vraag doemde er een nieuwe wereld op. In mijn eerstvolgende kastelenbouwsessie zou ik over een echtgenoot dromen die onze zoons mee naar het park nam om te honkballen, basketballen, voetballen en tennissen, terwijl onze dochter en ik koekjes bakten en andere versnaperingen klaarmaakten voor als ze thuiskwamen.

'Nee, hij honkbalt nog niet.'

'Laten we naar het park gaan op je volgende vrije dag. Dan leer ik hem wat ik ervan weet.'

Tot dan toe had ik Tosh nog niet echt bekeken. Hij had dik, zwart haar en de trage, donkere ogen van mensen uit het Middellandse-Zeegebied. Zijn gezicht was zacht en straalde terughoudendheid uit. Hij was knap, maar hij haalde bij lange na de norm niet die ik voor een echtgenoot had ingesteld. Hij was vijf centimeter kleiner dan ik en Blank. De man waar ik mee zou trouwen zou knap zijn, één meter negentig lang en Zwart. Ik rukte mezelf los van die wazige overpeinzing en maakte een afspraak om gedrieën naar het Golden Gate-park te gaan

Mijn zoon en Tosh vielen bij elkaar in de smaak. Ze honkbalden samen en na de picknicklunch haalde Tosh een zakschaakspel uit een tas te voorschijn en begon mijn zoon te onderrichten. De dag eindigde bij mij thuis, waar ik Tosh aan mijn moeder voorstelde. Met enige moeite was ze gastvrij.

'Hoe heb je Maya leren kennen? Waar kom je vandaan?' en 'Wanneer ga je terug?' Tosh hield stand voor die wervelwind van een vrouw. Hij keek haar recht aan, negeerde de impliciete vragen en antwoordde alleen op diegene die hem rechtstreeks werden gesteld. Toen hij weg was, vroeg moeder welke bedoelingen ik met hem had.

'Het is alleen maar een vriend.'

Ze zei: 'Nou, vergeet niet dat blankvolk al eeuwen- lang misbruik maakt van zwarte mensen.'

Ik herinnerde haar eraan: 'U kent een heleboel blan- ken. Tante Linda en tante Josie en oom Blackie. Dat zijn vrienden van u. En Bailey heeft die vrienden Harry en Paul, de tafeltennisexpert.'

'Dat is precies wat ik je zeg. Dat zijn vrienden. Er be- staat een wereld van verschil tussen samen lachen en sa- men houden van.'

Een paar dagen daarna liet ik Clyde alleen met Tosh meegaan. Ze kwamen naar de winkel toen ik op punt stond te vertrekken en Clyde zat vol van zijn middag.

'We hebben in de tram gezeten en we zijn naar Fisher- man's Wharf geweest. Ik word later kapitein op een boot of conducteur op de tram.' Zijn ogen dansten op en neer als doelwitten in een schiettent. 'Meneer Angelos neemt me volgende week mee naar de dierentuin. Ik ga de die- ren voeren. Misschien word ik wel leeuwentemmer.' Hij bestudeerde mijn gezicht en voegde eraan toe: 'Hij heeft zelf gezegd dat het kon.'

Hoewel Tosh niets van romantische aard tegen mij had gezegd, besefte ik dat hij mij door middel van mijn zoon net zo duidelijk het hof maakte als Abelard Eloïse had gedaan. Ik kon hem niet laten weten dat ik het door- had. Ik moest die wetenschap voor me houden, toege- dekt, anders zou ik een beslissing moeten nemen en die was al genomen door de eeuwen van slavernij, de ontering van mijn volk en de gewelddadigheid van blanken. Woede en schuld hadden voor mijn geboorte al besloten dat zwart zwart was en blank blank, en hoewel die twee samen wel seks konden hebben, was liefde tussen hen uitgesloten. Maar het menselijk hart is in de grond net zo grillig als voorjaarsweer. Alle voortekenen kunnen wijzen op een regenbui, terwijl de hemel toch plotseling opklaart.

Tosh was opgegroeid in een Griekse gemeenschap waar zelfs Italianen als vreemd werden beschouwd. Zijn omgang met zwarten was beperkt gebleven tot de neger-matrozen op de basis en de muziek van de grondleggers van de bebop.

Ik zou de verhalen over de slavernij nooit vergeten, noch mijn Zuidelijke verleden waarin alle blanken, met inbegrip van de armen en de achterlijken, het recht hadden iedere neger die ze tegenkwamen grof te bejegenen en zelfs lichamelijk te mishandelen. Ik was bekend met de gemeenheid van blanke vooroordelen. Het was duidelijk dat er tussen Tosh en mij geen punten van overeenkomst waren.

Ik begon naar zijn bezoeken aan de winkel uit te zien met een verlangen dat ik strak in toom hield. We gingen samen naar het park, het strand en uit eten. Hij was gek op W.C. Fields en adoreerde Mae West en gedrieën brulden we van het lachen in het stille donker van de film-huizen.

Op een avond, nadat ik mijn zoon naar bed had gebracht, zaten we koffie te drinken in onze grote keuken. Hij vroeg of ik de toekomst kon voorspellen en legde zijn hand in de mijne.

Ik zei: 'Natuurlijk word je een groot musicus en heel rijk en zul je een lang, vruchtbaar leven hebben.' Ik legde zijn hand op tafel met de palm naar boven.

Hij vroeg: 'Waar kun je aan zien dat ik ga trouwen?'

Ik voelde een steek van teleurstelling. Hoewel ik me hem nooit in de rol van 'mijn man' had voorgesteld, was zijn aandacht balsem geweest voor mijn eenzaamheid. En nu liet hij me weten dat hij van plan was te gaan trouwen. Hij zou met de een of andere jeugdliefde op de proppen komen. En ik zou aardig en beleefd tegen haar moeten zijn.

Ik keek naar de onduidelijke lijnen in zijn hand en zei wrokkig: 'Je liefdeslijn is heel vaag. Ik zie geen gelukkig huwelijk in je toekomst.'

Hij greep mijn hand beet en kneep erin. 'Ik ga trouwen, want ik ga met jou trouwen.'

De klanken wilden niet samenvallen en een betekenis overbrengen. Ik ga met jou trouwen. Hij moest het wel over mij hebben, aangezien hij mij aansprak, maar die twee woorden 'jou' en 'trouwen' waren nog nooit tegen mij gezegd.

Zelfs nadat ik de inhoud van zijn woorden had geaccepteerd, wist ik niet wat ik moest antwoorden.

'Met een blanke man? Een arme, blanke man? Hoe kun je het zelfs maar overwegen?' Haar gezicht worstelde met haar ongeloof. Mijn moeders diamant twinkelde tegen me terwijl haar hand door de lucht zwaaide. 'Een blanke man zonder een pot om op te pissen of een raam om het uit te gooien.' Ze was vermaard om haar heftige uitbarstingen, maar ze was nooit kwaad genoeg op mij geweest om me de volgroeide bliksem van haar furie naar het hoofd te slingeren. Maar nu dat ik haar vertelde over het aanzoek van Tosh, schakelde ze over van een 'ing-bing' (haar term voor een lichte explosie) naar een totale vlaag van razernij. Met schrikbarende snelheid werd haar mooie, boterkleurige gezicht strak en rood.

'Denk 'ns aan je leven. Je bent jong. Wat zal er met je gebeuren?'

Niet veel meer, hoopte ik, dan er al gebeurd was. Op driejarige leeftijd was ik met de trein van Californië naar Arkansas gestuurd, slechts vergezeld door mijn vierjarige broer; ik was verkracht toen ik zeven was en dertien toen ik naar Californië terugkeerde. Ik was zestien toen mijn zoon werd geboren en omdat ik vastbesloten was hem zelf op te voeden, had ik als danseres in nachtclubs gewerkt, frites gebakken in hamburgertenten, maaltijden gekookt in een creools restaurant en ooit had ik een baantje gehad in een garage, waar ik met de hand de verf van auto's moest afkrabben.

'Denk 'ns vooruit. Wat heeft hij je in godsnaam te bieden? De minachting van zijn mensen en het wantrouwen van de jouwe. Dat is een verdomd mooi huwelijkscadeau.'

En wat ik hem te bieden had, was natuurlijk een geest barstensvol met het brandbare mengsel van onzekerheid en koppigheid en een zoontje van vijf dat nooit de discipline van een vader had gekend.

'Hou je van hem? Ik geef toe dat ik dat maar moeilijk kan geloven. Maar aan de andere kant weet ik ook dat liefde kruipt waar ze niet gaan kan, zelfs in het achterste van een hond. Hou je van hem? Geef antwoord.'

Ik gaf geen antwoord.

'Vertel me dan eens waarom. Waarom precies trouw je met hem?'

Ik wist dat Vivian Baxter van alle deugden eerlijkheid het hoogst aansloeg. Ik vertelde haar: 'Omdat hij me heeft gevraagd, moeder.'

Ze staarde me aan tot haar ogen zacht werden en haar mond zich ontspande. Ze knikte: 'Goed, goed.' Ze draaide zich om op haar hoge hakken en beende door de gang naar haar slaapkamer.

Bailey kwam op mijn uitnodiging langs. Hij zat samen met Tosh in de keuken terwijl ik het avondmaal bereidde. Ze praatten over jazzmusici en de literaire kwaliteiten van Philip Wylie en Aldous Huxley. Tosh had literatuur gestudeerd aan Reed College in Oregon en Bailey was in de derde klas van de middelbare school afgegaan. Maar mijn broer was doorgegaan met lezen en toen hij voor de Southern Pacific werkte, had hij zijn dagen als kelner in de restauratiewagen doorgebracht en zijn avonden met Thomas Wolfe, Huxley en Wylie. Na het eten zei Bailey Tosh gedag en vroeg of hij mij kon spreken. We stonden in de schemerige deuropening.

'Je hebt me voor nog iets anders gevraagd dan alleen om te komen eten, niet?'

Het was mij nog nooit gelukt om iets voor Bailey verborgen te houden.

'Ik geloof van wel.'

'Hij is verliefd op je. Wist je dat?'

Ik antwoordde dat hij me dat niet had verteld.

Bailey leunde tegen de deur, zijn donkere, ronde gezicht spleet in de schaduw open in een witte lach. 'Een man die slim is, vertelt maar de helft van wat hij denkt. Het is een aardige vent, Maya.'

Bailey was mijn beschermer, gids en verdediger geweest sinds we kleuters waren en ik wist dat hij, ondanks de ongelijkheid in lengte, voor de rest van ons leven mijn grote broer zou blijven.

'Bail, denk je dat het goed is als ik met hem trouw?'

'Heeft hij je gevraagd?'

'Ja.'

'Wil je het?'

'Ja.'

'Waar wacht je dan op?'

'De mensen zullen over me kletsen.'

'Trouw met hem, Maya. Wees gelukkig en bewijs dat het allemaal gekken en leugenaars zijn.'

Hij gaf me een typische, natte Baileyzoen op mijn wang en vertrok.

Tosh en ik trouwden in het stadhuis op een stralende maandagochtend. Om haar ongenoegen te tonen, verhuisde moeder met haar veertien kamers vol meubilair naar Los Angeles, drie dagen voor de plechtigheid.

We huurden een ruim appartement en op bevel van Tosh nam ik ontslag van mijn werk. Eindelijk was ik een huisvrouw en wettelijk lid van die benijdenswaardige volksgroep van consumenten die botervet werden van de zekerheid en die onder geen voorwaarde overwogen bij brood alleen te leven, omdat hun echtgenoten de kaas erop verdienden.

Ik bezat een zoon, een vader voor hem, een man en een mooi huis om in te wonen. Mijn leven begon op een advertentie in *Good Housekeeping* te lijken. Ik kookte uitgebalanceerde maaltijden en boetseerde de meest fantastische gelatinepuddings als desert. Mijn vloeren waren gevaarlijk door de dagelijkse toepassing van was en ons meubilair glansde van de politoer.

In Clyde ontkiemden de zelfstandigheid en eigen opvattingen. Tosh zei hem vaak en met overtuiging dat hij beslist het intelligentste kind van de wereld was. Clyde begon papa tegen Tosh te zeggen, alhoewel ik een dramatisch verhaal voor hem had verzonnen toen hij kleiner was. In het verhaal was zijn eigen vader op het strand van een of ander Zuidzee-eiland gesneuveld toen hij streed voor zijn leven en zijn vaderland. Elke keer als ik die fantasie vertelde, huilde ik omdat ik zo graag wilde dat het waar was.

Tosh was een beter echtgenoot dan ik had durven dromen. Hij was intelligent, attent en betrouwbaar. Hij vertelde me dat ik mooi was (ik trok de conclusie dat hij verblind werd door mijn huidkleur) en een briljant gesprekspartner. Converseren ging me gemakkelijk af. Hij bracht bloemen voor me mee en hield mijn hand vast in de huiskamer. Hij was een en al lof voor mijn kookkunst en lachte om mijn grapjes.

Ons gezinsleven was een hof van Eden met constant lenteweer, maar Tosh was ervan overtuigd dat de slang net buiten onze poort lag opgerold. Slechts twee voormalige vrienden uit de marine (blank), een jazzpianist (zwart) en Ivonne werden tot ons huiselijke paradijs toegelaten. Hij verklaarde dat de mensen die ik aardig vond of die ik had gekend of waarvan ik dacht dat ik ze aardig vond, allemaal dom waren en ver beneden mij stonden. Degenen die ik zou kunnen ontmoeten, als hij het toestond dat ik me alleen buiten onze catacomben waagde, waren niet te vertrouwen. Clyde was het slimste en innemendste jongetje van de wereld, maar zijn vriendjes waren niet welkom in ons huis, want ze waren het niet waard dat hij tijd aan ze besteedde. We hadden een abonnement op de stomme films en de eerste sprekende films en soms brachten we op zondag ons afval naar de gemeentelijke stortplaats. Ik ging van Tosh houden omdat hij een cocon van veiligheid om ons heen spon en ik protesteerde niet tegen de boeien die om mijn bestaan werden gelegd.

Na een jaar zag ik de eerste sporen van een reptiel in mijn tuin. Tosh vertelde Clyde dat er geen God was. Toen ik hem tegensprak, vroeg hij me om Zijn bestaan te bewijzen. Ik gaf als weerwoord dat we niet konden discussiëren over een Wezen dat niet bestond. Op de universiteit was hij lid geweest van een dispuut en, zei hij, hij had met dezelfde overtuigingskracht voor de ene of de andere kant kunnen argumenteren; maar hij wist zeker dat er geen God was, dus moest ik me in dit debat maar gewonnen geven.

Ik wist dat ik een kind was van een God die bestond, maar ik was ook getrouwd met een man die zich kwaad maakte over mijn geloof. Ik gaf me gewonnen.

Ik stopte de herinnering weg aan mijn overgrootmoeder (die een slavin was geweest) die me had verteld hoe er woordeloos onder oude wasbakken werd gebeden en over geheime bijeenkomsten, diep in de bossen, om God te eren ('Want waar twee of drie vergaderd zijn in mijn naam, daar ben ik in het midden van hen'). Haar eigenaar stond het zijn negers niet toe om God te eren (het zou hen op gedachten kunnen brengen) en er stonden zweepslagen op wat ze deden.

Ik plande een geheime tocht langs alle kerken in de buurt. Allereerst nam ik een nette jurk mee naar Ivonne's huis, ik legde uit wat ik ermee van plan was en liet hem bij haar achter. Vervolgens bereidde ik op tenminste één zondag in de maand een uitstekend ontbijt voor mijn gezin voor en een even goede leugen om het huis uit te komen. Met achterlating van Clyde (hij miste de ervaring om te liegen), haastte ik me dan naar Ivonne, trok de zondagse jurk aan en snelde naar de kerk. Iedere maand veranderde ik van locatie, uit angst dat door te vaak herhaalde bezoeken mijn gezicht te vertrouwd zou worden en ik tijdens een wandeling met Tosh zou worden aangesproken door een kerklid, dat misschien iets wilde vragen over de preek van afgelopen week.

De spirituals en gospelsongs waren zoeter dan suiker. Ik wilde ze allemaal in mijn mond bewaren en de klank van mijn volk dat zong, was als milde olie in mijn oren. Wanneer de mensen tegen elkaar in begonnen te klappen en met hun voeten te tikken, wanneer een oude dame in de hoek haar stem verhief om 'Oh, Heer, Here Jezus' te schreeuwen, kon ik nauwelijks op mijn stoel blijven zitten. De plechtigheid drong door in mijn lichaam, tot in mijn vingers en tenen, mijn nek en dijen. Mijn handen en voeten schokten van emotionele bezetenheid. Ik legde mijn wil op aan het getril en hield het redelijk in bedwang. Ik was doodsbang dat als ik me eenmaal liet gaan, me mee liet sleuren of mijn zelfbeheersing verloor, ik uit mijn stoel omhoog zou komen en als een marionet in de gangpaden op en neer zou dansen. Mijn mond zou opengaan en kreten, gillen en brullen zouden mijn tong losrukken in hun drang naar vrijheid.

Ik was opgetogen dat ik in de plechtigheden kon zwelgen zonder mijn controle te verliezen. Na afloop van iedere dienst sloot ik me aan bij de kerk en voegde mijn meisjesnaam aan het dienstschema toe in een poging de predikant en de parochianen terug te betalen voor de vreugdevolle ervaring. Als ik weer buiten stond, voelde ik me gereinigd, gelouterd en als herboren. Dan haastte ik me naar Ivonne, kleedde me om en ging terug naar mijn eigen propere huis en mijn mooie, hoewel goddeloze gezin.

Na de aanblik van de bonte schare mensen in de kerk die, gekleed in hun fleurige, zondagse kleren, hun Schepper met luide stem en sensuele bewegingen pre zen, zagen Tosh en mijn huis er zeer flets uit. De Van Gogh- en Klee-affiches, die me een dag later weer bevielen, leken nergens op te slaan. De vloerkleden, die er een dag eerder zo artistiek bij hadden gelegen, leken pretentieus. Tijdens de eerste paar uur thuis, hield ik mijn gedachten net zo streng in toom als ik in de kerk mijn lichaam had gedaan. Tegen het avondeten was ik weer in staat tot cerebrale exercities en intellectuele gedachteuitwisselingen.

4

Gedurende het eerste jaar van mijn huwelijk was ik zo betoverd door de geborgenheid en het samenleven met iemand van wie de kleur, of het gebrek eraan, mij 's ochtends vroeg bij het wakker worden kon verrassen, en had ik het zo druk met mijn huis smetteloos te houden, mezelf te leren koken, uitgelezen maaltijden te bereiden en een vrolijk en onstuimig opgroeiend jongetje in de hand te houden, dat ik weinig tijd had om op de reacties te letten die wij in het openbaar opriepen. Langzamerhand werd ik me ervan bewust dat de mensen ons aanstaarden, elkaar aanstootten en fronsten als we met ons drieën in het park wandelden of naar de bioscoop gingen. De afkeer op hun gezichten voerde me terug naar een geschiedenis van discriminatie en alle soorten van moord. Ik hield mezelf voor dat Tosh Grieks was en geen blanke Amerikaan; daarom hoefde ik niet het gevoel te hebben dat ik mijn ras had verraden door met iemand uit het vijandelijke kamp te trouwen, evenmin hoefden blanke Amerikanen te denken dat ik hun het verleden zo had vergeven dat ik bereid was mijn liefde aan een lid van hun groep te geven. Ik erkende nooit dat ik dezelfde rationalisatie toepaste op alle andere niet-zwarten die ik mocht. Louise was blank-Amerikaans (maar ze was een vrouw). David was blank (maar hij was joods). Jack Simpson, de enige vriend van Tosh, was gewoon blank (maar hij was jong en verlegen). Ik staarde keihard terug naar de blanken op straat en probeerde om zo de schaamteloze uitdrukking van hun meedogenloze gezichten te schrapen. Maar ik sloeg mijn ogen neer wanneer we negers tegenkwamen. Ik kon het niet aan hen allemaal uitleggen dat mijn man geen deel had gehad aan onze vernedering. Ik vocht tegen mijn schuldgevoel dat net zo geniepig mijn afgeschermde leven binnensijpelde als gas in een afgegrendelde kamer.

Ik klampte me vast aan Tosh en gaf nog meer van mijn terrein en onafhankelijkheid prijs. Ik negeerde de steilheid van zijn haar die vreemd aanvoelde. Ik zou een gehoorzame, plichtsgetrouwe vrouw voor hem zijn en ik zou onze woordenwisselingen beperken tot semantische verschillen en nooit de inhoud van zijn opvattingen bestrijden.

Clyde kromp ineen terwijl ik zijn dikke, knoperige haar kamde. Zijn gezicht was opgeschroefd tot een frons.

'Mam – au – hoelang duurt 't nog voor ik groot ben – au – en net zo'n goed haar heb als papa?'

De gemengdheid van mijn huwelijk trof me als een mokerslag. Mijn zoon dacht dat het sluike haar van blanken beter was dan zijn overvloed aan natuurlijke krullen.

'Je krijgt net zo'n haar als ik. Is dat niet goed dan?' Ik rekende erop dat hij mij door zijn liefde trouw zou blijven.

'Het is goed voor jou, maar 't mijne doet zeer. Ik vind 't niet fijn als mijn haar zeer doet.'

Ik beloofde hem dat ik, als we weer naar de kapper zouden gaan, zijn haar heel kort zou laten knippen en vertelde hem hoe mooi en rijk hij er met zijn eigen haar uitzag. Hij keek me ongelovig aan, dus vertelde ik hem over een prinsje uit Afrika dat Hannibal heette en dat precies hetzelfde haar had als hij. Ik voelde een afkeer voor het haar van Tosh omdat mijn zoon er jaloers op was.

Ik begon plannen te smeden. Er was maar een manier om mijn huwelijk in evenwicht te houden en mijn zoon een gezond respect voor zijn eigen uiterlijk en ras bij te brengen: ik moest al mijn tijd en intelligentie aan mijn gezin besteden. Ik moest historica, sociologe en antropologe worden. Ik zou aan een zelfontwikkelingscursus beginnen in de openbare bibliotheek. Nog een laatste keer naar de kerk en dan zou ik me helemaal aan Tosh en Clyde wijden en zouden we allemaal gelukkig worden.

Het was druk in de Doopsgezinde Kerk van de Avondster toen ik er binnenkwam en de dienst was al aan de gang. De gemeenteleden zetten een lied in en spoorden de muziek aan boven alle fysieke grenzen uit te rijzen.

> *I want to be ready*
> *I want to be ready*
> *I want to be ready*
> *To walk in Jerusalem, just like John.*

Steeds opnieuw stegen de melodieën op, naar boven geduwd door de klappende handen, omhooggehouden door de schokkende schouders. Toen stapte de dominee van het altaar weg en ging aan de rand van het podium staan. Hij was groot en zwaar, zoals dat past bij iemand die vol is van het woord Gods.

'Deze beenderen waren uitgedroogd.' De simpele woorden joegen door mijn geest. 'Dorre beenderen in de vallei' was mijn favoriete prediking. Het lied dat blanken waren gaan gebruiken om het negeraccent na te bootsen, 'Dem Bones', was gebaseerd op dat speciale deel uit het Oude Testament. Hun spot – *De toe bone connected to de foot bone, foot bone connected to de ankle bone, ankle bone connected to de...* – deed niets af aan mijn eerbied voor de prediking. Ik kende geen positievere les dan de legende die vertelde dat een uiteengereten skelet, dat uitgedroogd op het woestijnzand lag, door wil en geloof weer aan elkaar groeide en wegwandelde. Ik wist ook dat deze prediking, als hij goed werd gebracht, mij in een schreeuwende, rondwervelende derwisj kon veranderen. De eerste paar minuten probeerde ik op te staan en uit de kerk weg te gaan, maar steeds als ik half overeind kwam om te vertrekken, zwenkte de predikant zijn hoofd naar mij toe en keek hij me aan. Ik ging weer zitten. Aanvankelijk vertelde hij het verhaal zonder opsmuk. Hij spon kalm een web om ons heen en hield ons geboeid door het wonder van het geloof en de macht van God. Langzaam werd zijn ritme sneller en zijn volume groter; zo langzaam dat hij me verrastte. Ik had, beschermd door mijn eigen gevoel van overwicht, in zoveel kerken zitten wachten, op mijn hoede voor het moment in de dienst dat de eerste vonken ontvlamden en 'de heiligen', aangestoken door de geest, in de gangpaden sprongen en dansend en schuddend hun verlossing uitschreeuwden. Ik had mezelf er steeds van weerhouden om mee te doen met die betoverde groep.

De stem van de dominee daverde: 'Deze beenderen zullen lopen. Ik zeg, deze beenderen zullen weer lopen.'

Ik ontdekte dat ik in het middenpad stond en dat mijn voeten als een razende onder mij tekeergingen; ze glibberden en klapperden als de kaken van twee elektrisch geladen bijtschildpadden. Het koor zong: 'Gij haald' mijn voeten uit slijk en klei en hebt mijn ziel bevrijd.' Ik hield van dat lied en de stem van de predikant die er bovenuit klonk, gaf de maat van mijn passen aan. Ik kon niet meer terug. Ik gaf me over aan de geest en danste mezelf een weg naar de kansel toe. Twee ordebewakers hielden me met gehandschoende handen vast toen het volume van de preek daalde en de intense spanning in de ruimte afnam.

'Ik zal de deuren van de kerk openen. Laat hem die verlost wil worden, komen.' Hij zweeg even, terwijl ik trillend voor hem stond. 'Jezus wacht.' Hij keek me aan. 'Is er iemand die wenst te komen?'

Ik stond op een armlengte van hem vandaan. Ik knikte. Hij liep van het altaar weg en nam me bij de hand.

'Mijn kind, bij welke kerk was je eerder aangesloten?' Zijn stem klonk duidelijk boven de rustige achtergrondmuziek uit. Ik kon hem toch niet vertellen dat ik me een maand geleden had aangesloten bij de Methodistische Kerk van de Rots der Eeuwen en een maand daarvoor bij de Doopsgezinde Kerk van de Leliën des Velds.

Ik antwoordde: 'Bij geen.'

Hij liet mijn hand los, wendde zich tot de gemeente en zei: 'Broeders en Zusters, de Heer is ons vandaag genadig geweest. Hier is een kind dat de Heer nog nooit heeft gekend. Een jonge vrouw die tracht haar weg te vinden in deze onbarmhartige wereld zonder de hulp van de liefhebbende Jezus.' Hij sprak tegen vier oude dames die op de eerste rij zaten: 'Moeders van de Kerk, wilt u niet komen? Wilt u niet met haar bidden?'

De oude vrouwen kwamen moeizaam overeind, de kanten doekjes die aan hun haar waren vastgespeld, beefden. Ik voelde een grote behoefte aan gebeden, want ik was een zondares, een leugenares en een hedoniste die

het heilige altaar gebruikte om haar sensualiteit te bot-
vieren. Ze strompelden naar me toe en één van hen zei
met krassende stem: 'Kniel neer, mijn kind.'

Vier rechterhanden werden op mijn hoofd gestapeld
terwijl de oude vrouwen begonnen te bidden: 'Heer, wij
komen hier vandaag tot u om uw bijzondere zegen voor
dit kind te vragen.'

De 'amens' en 'ja, Heers' sprongen op in de kerk als de
stuiterende bolletjes in een getekend meezingliedje.

'Eruit, duivel,' sommeerde een van de oude dames.

'Ze komt tot u met open hart en vraagt om uw bijzondere zegen.'

'Verlaat dit kind, Duivel.'

Ik dacht aan mijn blanke, atheïstische echtgenoot en
aan mijn zoon die in zijn niet-gelovige voetsporen trad
en hoe ik zelfs in de kerk nog had gelogen. 'Eruit, Duivel,' voegde ik eraan toe.

De krakende stem zei: 'Ga liggen, kind en laat de
Duivel gaan. Maak plaats voor de Heer.'

Ik ging languit op de grond liggen, terwijl de gemeente voor mijn zonden bad. De vier vrouwen begonnen in
een manke optocht rond mijn lichaam te lopen. Ze zongen:

> *Soon one morning, when death comes walking*
> *in my room,*
> *Soon one morning, when death comes walking*
> *in my room,*
> *Oh, my Lord,*
> *Oh, my Lord,*
> *What shall I do?*

Ze zongen over hun eigen vrees, over het vooruitzicht van de dood wiens kille hand zelfs op dat moment op hun broze schouders rustte. Ik begon te huilen. Ik huilde om hun ouderdom en hun pijn. Ik huilde om mijn volk dat slechts voor een paar uur op zondag een zoete bevrijding vond van smart en eenzaamheid. Om mijn vaderloze zoon die opgroeide met een man die zijn behoefte aan mannelijkheid nooit zou, nooit kon begrijpen; om mijn moeder die ik bewonderde, maar niet begreep; om mijn broer wiens teleurstelling in het leven hem meedogenloos in de klauwen van de dood dreef; en tenslotte huilde ik om mezelf, lang en hard.

Toen het gebed was afgelopen, stond ik op en werd mijn naam in het kerkelijk dienstschema opgenomen. Ik was zo gelouterd dat ik mijn arglistigheid uit het oog verloor. Ik schreef mijn echte naam, adres en telefoonnummer op, schudde de gemeenteleden de hand die me in hun midden verwelkomden, en verliet de kerk.

Halverwege de week stond Tosh voor me, zijn stem klonk hard en zijn blik was ijzig.

'Wie is, verdomme, Moeder Bishop?'

Ik antwoordde dat ik dat niet wist.

'En waar is, verdomme, de Doopsgezinde Kerk van de Avondster?'

Ik gaf geen antwoord.

'Een zekere Moeder Bishop van de Doopsgezinde Kerk van de Avondster heeft gebeld. Ze zei dat mevrouw Angelos zich bij hun kerk had aangesloten afgelopen zondag. Ze moet twaalf dollar betalen voor het kleed waarin ze komende zondag bij de onderdompeling in de Kristalpoel wordt gedoopt.'

Ik zei niets.

'Ik heb haar gezegd dat er niemand in dit huis wordt gedoopt. Nergens en nooit.'

Ik protesteerde niet, biechtte niets op – ik bleef slechts zwijgend staan. En stond toe dat er nog een stukje van mijn terrein werd afgepakt.

5

Geen van de artikelen in de damesbladen hielp mij een verklaring te vinden voor de verslechtering van mijn huwelijk. Er was geen sprake van ontrouw, mijn man zorgde goed voor ons en ik was een goede kok. Hij moedigde mij aan weer op dansles te gaan en ik liet hem ongestoord oefenen op zijn saxofoon. 's Middags kwam hij direct naar huis uit zijn werk en 's avonds, als mijn zoon sliep, ondervond ik net zoveel genot in ons huwelijksbed als hij.

De vorm was er wel, maar de ziel was eruit.

Een verhouding die gebaseerd is op doen alsof, is doortrokken van zonderlinge gewaarwordingen. Niet één waarheid schijnt waar te zijn. Een gewone begroeting 's ochtends lijkt beladen te zijn met zijdelingse toespelingen en vol te zitten met onuitgesproken suggesties.

'Hoe gaat 't?' Kan hem/haar dat echt wat schelen?

'Best.' Niet echt, ik voel me belabberd, maar dat zal ik je nooit laten weten.

De beleefdheden worden steeds sterieler en de verwijderingen steeds permanenter.

De geur van gebakken spek en koffie vermengde zich met het aseptische aroma van Lifebuoy-zeep. Vleugen ontsnappend gas, die net zo'n wezenlijk onderdeel waren van een vijftig jaar oud huis in San Francisco als de vier meter hoge plafonds en de opstandige waterleidingen, consolideerden mijn werkelijkheid. Zij vormden de natuurlijke ochtendnevels. Het gevoel dat de orde uit mijn bestaan verdween werd weersproken door de dagelijke routine. Mijn gezin werd wakker. Ik nam een douche en ging naar de keuken om het ontbijt klaar te maken. Dan bezette Clyde de badkamer, terwijl Tosh de krant las. Tosh douchte zich, terwijl Clyde zich aankleedde en zijn kleurkrijtjes en boterhammentrommeltje bij elkaar zocht voor school. We ontbeten gezamenlijk. Ik forceerde mijn gezicht tot een ongewenste opgewektheid. (Mijn moeder had me geleerd: 'Al is 't de laatste glimlach die je hebt, geef die dan aan de mensen van wie je houdt. Je moet niet thuis gaan zitten mokken en dan op straat "goeiemorgen" grijnzen tegen volkomen vreemden.')

Tosh was meestal rustig en vriendelijk. Clyde kwebbelde over zijn dromen die te maken hadden met Roy Rogers als Jezus en Broer Konijn als God. Met gezinsleven bezield sloten we het ontbijt af, ze kusten me beiden gedag en gingen op weg, ieder naar zijn eigen opwinding.

Op een nieuwe morgen schreeuwde Tosh vanuit de badkamer: 'Waar zijn, verdomme, de droge handdoeken?' De uitbarsting kwam zo onverwacht als een kaakslag. Hij wist dat ik de linnenkast vol had liggen met handdoeken die opgevouwen waren zoals ik dat op de foto's in de *Ladies Home Journal* had gezien. Maar dat hij dat was vergeten was minder schokkend dan zijn geschreeuw. Als hij kwaad was, werd mijn echtgenoot gewoonlijk stuurs en zo zwijgzaam als een steen.

Ik ging naar de badkamer en gaf hem de dikste handdoek die we bezaten.

'Wat is er aan de hand, Tosh?'

'Alle handdoeken hier zijn nat. Je weet dat ik de pest heb aan natte handdoeken.'

Dat wist ik niet, want dat had hij me nooit verteld. Ik liep terug naar de keuken, evenmin wetend wat er met hem was.

Tijdens het ontbijt begon Clyde een verhaal over Roy Rogers op zijn paard en over Red Ryder die op de wolken omhoog reed om met God te praten over een stelletje schoffies in de veertigste straat.

Tosh draaide zich om, keek hem recht aan en zei: 'Hou nou je bek eens, ja? Ik wens rust als ik aan 't eten ben.'

Bij deze uitval zweeg Clyde verschrikt; niemand had ooit op zo'n kille, boze toon tegen hem gesproken.

Tosh keek mij aan: 'Deze eieren zijn keihard. Kun je, verdomme, niet eens fatsoenlijk een ei bakken? Zo niet, dan zal ik 't je laten zien.'

Ik was te verbijsterd om te antwoorden. Ik begreep de minachting niet. Clyde vroeg toestemming om van tafel weg te mogen. Ik gaf hem die en volgde hem naar de deur.

Hij fluisterde: 'Is papa boos op mij?'

Ik pakte zijn spullen op, terwijl hij zijn jasje aantrok en vertelde hem: 'Nee, niet op jou. Je weet dat grote mensen met heel veel dingen bezig zijn. Soms hebben ze het zo druk met nadenken dat ze hun manieren verge-ten. Dat is niet netjes, maar het gebeurt nou eenmaal.'

Hij zei: 'Ik zal even dag tegen hem gaan zeggen.'

'Nee, ik geloof dat je maar gewoon naar school moet gaan. Vanavond zal hij wel in betere stemming zijn.'

Ik hield de voordeur open.

Hij riep: 'Dag, papa.'

Er kwam geen antwoord toen ik hem kuste en de deur dichtdeed.

Woede versnelde mijn passen. Hoe kon hij zo tegen

mijn zoon tekeergaan? Wie was hij eigenlijk? Een Grand Dragon van de Klu Klux Klan in een wit laken? Ik wenste niet op dergelijke toon door een blanke man toegesproken te worden en als hij nog een keer tegen mijn kind schreeuwde, zou ik eens tegen hem uitvallen met de koffiepot. Het nachtelijke gemurmel van lieve woordjes was vergeten. In die paar seconden had een vijand zijn toevlucht gevonden in die tedere handen en dat vertrouwde lichaam.

Hij zat nog steeds somber boven zijn koffie te peinzen. Ik stevende op de tafel af.

'Wat mankeert jou om zo tegen ons te schreeuwen?'

Hij zei niets.

'Je begon eerst met de handdoeken, toen was het Clyde's droom. Toen mijn koken. Ben je gek geworden?'

'Ik wil er niet over praten,' antwoordde hij, terwijl hij in zijn halfvolle beker met bijna koude koffie bleef staren.

'Je zult er wis en zeker wel over praten. Wat heb ik je misdaan? Wat is er aan de hand met jou?'

Hij stond op van tafel en liep zonder mij aan te kijken naar de deur. Ik volgde hem, luider protesterend, in de hoop dat ik daarmee door de laag van vervreemding zou kunnen prikken.

'Ik eis een verklaring, daar heb ik recht op.'

Hij hield de deur open en keerde zich eindelijk naar mij om. Zijn stem was weer zacht en teder. 'Ik denk dat ik het gewoon moe ben om getrouwd te zijn.' Hij trok de deur dicht.

Soms komt een schok zo snel en gaat hij zo diep dat de slag wordt verinnerlijkt voordat de huid hem zelfs maar voelt. De klap moet eerst door merg en been gaan en vervolgens langzaam omhoog kruipen naar de hersenen, waar het slome verstand de daad registreert.

Ik ruimde mijn keuken op. Ik deed de afwas, veegde de vloer aan, wreef de vetspatten van het fornuis, zette verse koffie en legde een schoon, gesteven kleed op tafel. Toen ging ik zitten. Een gevoel van verlies spreidde zich over mij uit totdat ik zowat stikte in de dampen ervan.

Wat had ik gedaan? Ik had mijn leven binnen het keurslijf van mijn huwelijk geperst. Ik was geworden wat een echtgenote volgens de damesbladen moest zijn. Loyaal, trouw en proper. Ik was zuinig. Ik was inschikkelijk; nog nooit had ik hoofdpijn voorgewend om niet aan mijn echtelijke plicht te hoeven voldoen. Ik had Tosh gul laten delen in mijn zoon en Clyde aangemoedigd om hem te zien als een permanente factor in zijn leven. En nou was Tosh 'het moe om getrouwd te zijn'.

Ik was er door ervaring aan gewend om snelle analyses te maken en snelle, hoewel vaak slechte, beslissingen te nemen. Dus verwachtte ik dat Tosh, nu hij tot de slotsom was gekomen dat het huwelijk vermoeiend was, mij om een scheiding zou vragen als hij thuiskwam van zijn werk. Mijn tranen waren voor mijzelf en mijn zoon. We zouden terug worden gegooid in een maalstroom van onthechtheid. Ik huilde om ons verlies van zekerheid en ging tekeer tegen de wreedheid van het lot. Vergeten waren mijn eigen klachten over ons huwelijk. Evenmin erkende ik de vage beklemming die ik was gaan voelen, of het sluipende schuldbesef omdat ik een blanke man had, dat me als een kwaadaardig aura omgaf wanneer we in het openbaar waren.

Aan mijn tafel gezeten, zwelgend in zelfmedelijden, zag ik mijn nu aflopende huwelijk als een verbintenis die, met de sanctie van God, in de hemel door Sint Petrus was gesloten. Ik werd niet alleen verlaten door een echtgenoot, ik raakte een staat van volmaaktheid, van genade, kwijt.

Mijn volk zou veelzeggend knikken. Opnieuw had een blanke man het lichaam van een zwarte vrouw genomen en haar hopeloos, hulpeloos en alleen achtergelaten. Maar op hun sympathie hoefde ik niet te rekenen. Ik was niet in een hinderlaag gelokt op een duister landweggetje of verkracht door een stelletje geile, blanke rabauwen. Ik had gezworen dat ik de man zou gehoorzamen en had zijn naam aangenomen. Woede, eerst tegen de onrechtvaardigheid, toen tegen Tosh droogde mijn tranen. Dezelfde woorden die ik had gebruikt om uitdrukking aan mijn pijn te geven, gebruikte ik nu om het vuur van mijn woede aan te wakkeren. Ik was een goede vrouw geweest, zacht en meegaand. En dat was niet genoeg voor hem? Het was meer dan hij verdiende. Meer dan hij redelijkerwijs had kunnen verwachten als hij met iemand van zijn eigen ras was getrouwd. Was hij soms van het begin af aan al van plan geweest om bij mij weg te gaan? Was het meteen zijn bedoeling geweest om slinks mijn vertrouwen te winnen, dan ons huwelijk te ruïneren en mijn hart te breken? Misschien was hij een sadist die plannen smeedde om mijn arme, nietsvermoedende persoontje te laten lijden. Maar dan kende hij mij niet. Ik zou hem eens wat laten zien. Ik was geen stumper van een dienstmeisje om naar te lonken en vervolgens te kleineren. Als hij het moe was om getrouwd te zijn, goed, dan zou ik bij hem weggaan.

Ik stond op van tafel en kookte het avondeten, zette het in de koelkast en trok mijn beste kleren aan. Ik liet de vuile pannen staan, maakte het bed niet op en stapte de straat op.

De middagbar in het populaire hotel in Eddy Street

zat vol met net ontwaakte, kleine gokkers en slaperige hoeren. Pooiers, die zich hun nachtelijke houding van verfijnde bruutheid nog niet hadden aangemeten, spendeerden de verdiensten van de hoeren aan hun collega-parasieten. Ik werd door een paar drinkers herkend, omdat ik de dochter van Clydell en Vivian was, omdat ik in de populaire platenzaak had gewerkt, of omdat ik dat meisje was dat met die blanke was getrouwd. Ik wist niets van sterke drank, behalve de namen van sommige cocktails. Ik ging zitten en bestelde een zombie.

Ik klampte me vast aan het koele drankje en nam mijn netelige omstandigheden onder de loep. Mijn huwelijk was voorbij, aangezien ik geloofde dat een wettige verbintenis slechts geldig bleef zolang de emotionele wens bestond om hem geldig te laten zijn. Als iemand je niet wilde, dan wilde hij je niet. Ik had een beroep kunnen doen, voor mezelf en voor mijn zoon, op het goede hart van Tosh; hij was een zachtmoedig mens en zou ons wel in zijn huis en aan de buitenkant van zijn leven tolereren. Maar smeken was iets dat altijd als een graat in mijn keel bleef steken. Ik vond vrouwen die de achteloosheid van hun mannen accepteerden en al hun onafhankelijkheid opofferden aan een vernederend huwelijk, weerzinwekkender dan de prostituees die zich in de rumoerige bar wakker zaten te drinken.

Een kleine, gedrongen man kwam naast me zitten en vroeg of hij me een tweede zombie mocht aanbieden. Hij was oud genoeg om mijn vader te zijn en hij deed me denken aan een beminnelijke, bejaarde plattelandsdokter in een sepiakleurige B-film. Hij vroeg hoe ik heette en waar ik woonde. Ik zei tegen zijn zachte, bijna vrouwelijke gezicht dat mijn naam Clara was. Toen ik hem vertelde: 'Nee, ik ben niet getrouwd', grijnsde hij en zei:

'Ik snap niet waar die jonge kerels op wachten. Als ik een paar jaar jonger was, zou ik ze 'ns een poepje laten ruiken, nou en of.' Hij stelde me op mijn gemak. Zijn Zuidelijke accent was voor mij net zo vertrouwd als de geur van maïsbrood in de oven en de smaak van wilde persimoenen. Hij vroeg of ik 'een uh, een, uh, een lichte vrouw' was.

'Nee,' antwoordde ik. Wanhopig, misschien wel. Lichtzinnig, misschien ook. Maar licht? Nee.

Hij vertelde dat hij bij de koopvaardij voer en in dit hotel logeerde en of ik zin had om mee naar boven te gaan en iets met hem te drinken.

Dat had ik.

Ik zat in de benauwde kamer whisky, aangelengd met leidingwater te drinken. Hij praatte over Newport News en zijn gezin, terwijl ik aan het mijne dacht.

Hij had een zoon en een dochter van zowat mijn leeftijd en het waren 'zukke goeie kinderen' en het meisje was 'zo'n knap ding'.

Hij zag dat ik op de whisky reageerde en kwam bij me staan. 'Waarom ga je niet liggen om een beetje uit te rusten? Dan voel je je beter. Ik ga zelf ook rusten. Trek je schoenen en kleren maar uit. Dan kreukt er niks.'

Mijn problemen en herinneringen tolden in het rond en zweefden het raam uit toen ik mijn hoofd op het enige kussen legde.

Toen ik wakker werd, hing er in de donkere kamer geen vertrouwde geur en bonkte mijn hoofd. De verwarring maakte me bang. Ik had door een buitenaards wezen opgepikt kunnen zijn en telekinetisch naar een of andere stinkende raket geteleporteerd. Ik sprong uit bed en tastte stommelend langs de muren, totdat ik het lichtknopje had gevonden. Mijn kleren waren netjes opgevouwen en mijn schoenen staken hun keurige neuzen onder de stoel uit. Ik herinnerde me de kamer en de zeeman. Ik had geen flauw benul wat er was gebeurd nadat ik van mijn houtje was gegaan. Ik onderzocht mezelf en vond geen sporen waaruit bleek dat de oude man misbruik had gemaakt van mijn dronkenschap.

Ik kleedde me langzaam aan en dacht na over mijn volgende stap. De nacht had zich over mijn affaires uitgespreid, maar de scherpe kantjes waren nog niet van de afwijzing afgesleten. Er lag een briefje op de toilettafel. Ik pakte het op om het in het schijnsel van het kale peertje dat van het plafond bungelde, te lezen. Er stond op:

Beste Clara,

Ik zeg het je als ik het mijn eigen dochter zeg. Kijk uit voor vreemde mensen. Niet iedereen die tegen je lacht bedoelt het goed. Ik ben over twee maanden weer terug. Een braaf meisje zijn hoor. Je zal nog eens een goede vrouw zijn voor een jongen.

Abner Green

Ik liep door de donkere straten naar het huis van Ivonne. Toen ik had uitgelegd wat er was gebeurd, adviseerde ze me naar huis te bellen.

'Hallo, Tosh?'

'Marguerite, waar zit je?' Ik glimlachte toen ik de gespannen klank in zijn stem hoorde.

Hij vroeg: 'Wanneer kom je naar huis? Clyde heeft nog niet gegeten.'

Dat was een leugen, dat wist ik.

'En ik ook niet. Ik kan niets naar binnen krijgen,' zei hij. Ik maakte me geen zorgen om zijn eetlust.

Ik antwoordde: 'Je bent het toch moe om getrouwd te

zijn? Nou, ik zie wel wanneer ik thuiskom.' Ik hing op voor hij nog meer kon zeggen.

Ivonne zei: 'Maya, je bent hard. Ben je niet ongerust over Clyde?'

'Nee. Tosh houdt van Clyde. Hij zorgt wel voor hem. Hij houdt ook van mij, maar ik heb te veel opgegeven en te veel toegegeven. Nou zullen we wel verder zien.'

De gedachte aan zijn eenzaamheid in het grote appartement maakte de mijne minder acuut. Ik sliep slecht op Ivonne's bank.

De volgende dag ging ik terug naar huis en hervatten we een soort van huwelijk, maar het centrum van de macht was verschoven. Ik was niet langer de plichtsgetrouwe echtgenote die klaar stond met geboende vloeren en geklopte kleden, met mijn vinger tussen de bladzijden van een kookboek en mijn lichaam gebogen over het fornuis of met gespreide benen op bed.

Op een dag voelde ik een doffe pijn in mijn rug. Mijn hoofd klopte en korte, felle pijnscheuten deden een aanval op mijn zij. De dokter adviseerde onmiddellijke opname in een ziekenhuis. Er deden zich complicaties voor bij de simpele blindedarmontsteking en het duurde weken voordat ik werd ontslagen. Het huis was lusteloos van mislukking – ik zei tegen mijn man dat ik het plan had opgevat naar Arkansas te gaan. Ik wilde bij mijn grootmoeder blijven tot ik volledig was hersteld. Ik bedoelde geestelijk zowel als lichamelijk.

Hij kwam naar me toe en fluisterde hees: 'Marguerite. Je grootmoeder is op de dag na je operatie gestorven. Je was te ziek. Ik kon het je niet vertellen.'

Ach, Momma. Ik had nog nooit naar de dood gekeken, nog nooit in de gapende kloof getuurd naar het gezicht van een geliefd persoon. Dagenlang wankelde mijn geest uit zijn evenwicht. Ik duizelde aan de afgrond van de wetenschap dat zelfs als ik rijk genoeg was om de hele wereld af te reizen, ik Momma niet terug zou vinden. Al was ik zo goed als al Gods engelen bij elkaar en zo rein als de moeder van Christus, nooit zou ik kunnen maken dat Momma's ruwe, trage handen weer mijn wang streelden of mijn haar vlochten.

De dood is voor jonge mensen meer dan een onontdekt land; ondanks de onvermijdelijkheid ervan is het een plaats die alleen werkelijk bestaat in liedjes of in het verdriet van andere mensen.

6

Toen er aan ons huwelijk een jaar later echt een einde kwam, was ik een evenwichtiger en gezonder mens dan het jonge, hebzuchtige meisje dat een man had gewild om bij te horen en een leven dat was gebaseerd op een Hollywoodfilm van circa 1940.

Clyde was diepbedroefd door de scheiding. Hij gedroeg zich alsof ik de schuldige was en hij en Tosh de slachtoffers. Zijn eens zo vrolijke gezichtje was een en al verwarde ernst. Hij mopperde en klaagde en vroeg steeds opnieuw: 'Waarom is papa weggegaan?'

Mijn rechtstreekse antwoord: 'Omdat hij en ik niet meer van elkaar hielden', maakte hem bang en wanneer hij me aankeek, stond in zijn ogen de vraag te lezen: Hou je ook een keer op van mij te houden?

Ik probeerde hem gerust te stellen door te verklaren dat hij mijn zoon was, mijn kind, mijn baby, mijn lieveling. Maar zijn gezonde verstand vertelde hem dat Tosh mijn man was geweest, mijn geliefde en zijn vader en toch had ik die band door kunnen snijden. Welke zekerheid had hij dan?

Een paar maanden voor de scheiding was mijn moeder, samen met haar hartsvriendin, Lottie Wells, uit Los Angeles naar San Francisco teruggekeerd. Ze hadden een cafetaria geopend met tien tafeltjes en een eetbar met tien krukken, waar ze om beurten soulfood kookten. Lottie Wells was een sterke, forsgebouwde vrouw met de kleur van vers gezette koffie. Haar stem was zo zacht dat hij nauwelijks boven een fluistertoon uitkwam en ze was zo teder dat het onmogelijk was om niet van haar te houden. Ze nam Clyde en mij onder haar vleugels en werd onze geliefde tante Lottie.

Aanvankelijk was er geen verandering te bespeuren geweest in moeders houding ten opzichte van mijn huwelijk, maar toen ze merkte dat hij mij trouw was, een goed kostwinner en dat Clyde dol was op hem, had ze gezegd: 'Oké, ik had ongelijk. Hij is in orde. Ik ben volwassen genoeg om mijn fout te erkennen; ben jij volwassen genoeg om te begrijpen dat ik alleen maar het beste voor je wilde?' Toen ik haar naderhand vertelde dat er een eind was gekomen aan ons huwelijk, merkte ze slechts op: 'Wel, ik zeg altijd "hoe goed een vent ook lijkt aan de buitenkant, je moet hem mee naar huis nemen om hem te leren kennen".'

Nu dat ik pogingen deed de kloof tussen Clyde en mij te dichten, waardeerde ik haar onverschilligheid.

Er zijn maar weinig barrières waar moeilijker een bres in is te slaan of die pijnlijker zijn om onder ogen te zien dan het wantrouwen van een kind. Ik paste iedere truc uit de doos van het gezellige huismoedertje toe om weer in de gratie bij mijn zoon te komen. Ik besteedde aandacht aan zijn verlies en voelde met hem mee. Ik leerde mezelf schaatsen zodat we samen naar de ijsbaan konden gaan. Thuis kookte ik zijn favoriete gerechten, in hoeveelheden waar een cowboy tevreden mee zou zijn geweest en offerde mijn eigen leesuurtje op om scrabble te spelen en 'raad 'ns wat ik in m'n hoofd heb', of ieder ander spel dat hij uitkoos. Op straat sprongen we over de barsten in de stoeptegels in een sport die hij 'niet op de strepen stappen' noemde.

Geleidelijk hernieuwden we onze vriendschap.

Naarmate die emotionele zorg afnam, nam een praktische in belang toe. Mijn trots had het mij niet toegestaan om Tosh om geld te vragen, hij had mij wel de kleine spaarrekening gelaten maar die slonk snel. Ik moest een baan zien te vinden en een die genoeg opleverde om een oppas mee te betalen. Ik begon rond te kijken.

Vier groezelige stripteasetenten hurkten schouder aan schouder in de internationale wijk van San Francisco. De Garden of Allah en de Casbah waren aan de buitenkant opgesmukt met amateurschilderingen van gesluierde vrouwen, met donkere ogen vol zwoele beloftes en juwelen in hun navels gepropt. De Pirates Cave en de Captain's Table adverteerden met wulpse deernen en bezige dienstertjes met opgesjorde rokken en samengeperste decolletés, allemaal uitgevoerd door dezelfde smachtende kunstenaar.

Ik stond op het trottoir tegenover de Garden of Allah. Een geil grijnzende sultan van papier-maché knipoogde vanaf het dak van het lage gebouw. Rond de ingang hingen in een vuile, glazen vitrine, van ouderdom omkrullende foto's van bijna naakte vrouwen. Grote letters verkondigden: BEELDSCHONE MEISJES! DOORLOPENDE VOORSTELLING! In de advertentie had gestaan: Danseressen gevraagd. Hoge netto verdiensten.

Het interieur was schemerig en het stonk naar bier en ontsmettingsmiddelen. Een grote man achter de bar vroeg of ik voor de auditie kwam. Zijn aandacht ging grotendeels naar de flessen uit.

Ik antwoordde: 'Ja.'

Hij zei: 'Beneden zijn de kleedkamers. Die kant op.'

Ik volgde de baan van zijn arm en klom een smalle

trap af. Vrouwenstemmen kwamen me tegemoet.

'Eddy is een geschikte peer. Ik heb hier al eerder gewerkt.'

'Jèè, hij doet niet moeilijk tegen de meisjes.'

'Hee, Babe, wie heeft dat kostuum gemaakt?'

'Francis.'

'Frances?'

'Neej. Fran*cis*. Een vent, maar hij is meer poes dan jij.'

Ik liet me leiden door het licht en het geluid dat door een openstaande deur naar buiten viel. Door een spiegelwand leek het alsof de vier vrouwen er veertig waren. Ze waren ouder dan ik had verwacht en blank. Mijn aanwezigheid bracht hen in verwarring. Ik zei hallo, kreeg hoi's en hallo's als antwoord en vervolgens viel er een diepe stilte.

Ze gingen beroepsmatig aan de slag, plakten wimpers op, zetten pruiken recht en bonden kleine, met lovertjes bezette driehoekjes voor hun tepels. Hun kostuums waren ingewikkeld, exotisch en kostbaar. Glasdiamanten twinkelden, lovertjes glansden en tule, veren en chiffon wuifden bij iedere beweging. Ik had een balletpakje bij me dat alleen mijn hoofd, handen en voeten bloot liet. Het was duidelijk dat ik niet met deze voluptueuze vrouwen in hun betoverende kledij kon concurreren. Ik draaide me om om weg te gaan. Het was de verkeerde plaats en de verkeerde tijd.

'Hee, waar ga je naar toe? Dit is de enige kleedkamer.'

Ik draaide me weer om en zag een kleine, roodharige vrouw naar me kijken. 'Ik heet Babe,' zei ze. 'En jij?'

Ik aarzelde en ging al mijn namen na. Marguerite, Maya, Ritie, Sugar, Rita. De eerste drie waren te persoonlijk en de andere te pretentieus, maar aangezien ik me nog het minst Rita voelde, antwoordde ik: 'Rita.'

'Je kunt je maar beter gaan omkleden. De band begint zo. Wat heb je voor nummer?'

Ik had geen nummer. Toen ik de advertentie had gelezen, had ik verwacht dat het een auditie voor een revue zou zijn en dat een choreograaf mij passen zou dicteren, zo ongeveer als een leraar vragen stelt bij een examen. Uitdagend zei ik: 'Ik doe modern, ritme, tap en flash.'

Babe keek me aan alsof ik haar in het Latijn had geantwoord.

'Ik bedoel, wat is je nummer? Ik ben Roodkapje, snap je?' Ze ging zo staan dat ik haar kostuum goed kon bekijken. Ze droeg een aangerimpelde, doorzichtige, tulen rok en dezelfde stof was in plooien over haar schouders gedrapeerd. Duidelijk zichtbaar onder de meters stof was een rode beha en rode riem bezet met pailletten; repen rood satijn hingen van de riem omlaag en bedekten haar kruis en bilnaad. Op haar rode krullen stond een schattig luifelhoedje en aan haar voeten een snoezig, rieten mandje.

'Ik snap 't,' zei ik en dat deed ik ook.

Ze wees naar een oudere blondine wier borsten zwaar en onbedekt omlaag hingen.

'Dat is Rusty. Zij is Salome (ze sprak het uit als 'salami'). Ze doet de Dans van de Zeven Sluiers. Dat is Jody, zij is 't vrolijke weeuwtje. Snap je? Kate is de enige die niemand is. Zij doet acrobatiek. Weet je wel? Salto's en spagaten en zo. Dus je moet een nummer hebben.'

De vrouwen keken geen van allen op.

Ik zei: 'Nou, ik heb geen nummer, dus ik kan net zo goed naar huis gaan.'

Ze zei: 'Laat me je kostuum eens zien. Misschien kunnen we er een bedenken.'

Ik kon geen weerstand bieden aan de vriendelijkheid

van Babe. Aarzelend trok ik het opgerolde, zwarte ballet-pak uit mijn tas te voorschijn.

'Is dat 't?' De verbazing kneep haar stem samen tot een gil. Voor de tweede keer sinds ik de kleedkamer was binnengekomen, keken de andere vrouwen op.

Zoals meestal, wanneer ik in verlegenheid werd ge-bracht, reageerde ik met bozige stijfheid. Ik zei: 'Nou, ik *ben danseres.* Ik heb dan misschien geen schitterend kos-tuum en geen nummer, maar ik kan wel dansen. Dus probeer niet om me te kleineren.' Ik keek de vrouwen stuk voor stuk aan, terwijl ik met mijn gêne worstelde. De danseressen begonnen weer ieder voor zich aan hun vlees te plukken, als katten die zich likken.

Babe zei: 'Wacht nou even. Je hoeft niet gelijk over de rooie te gaan. D'r heeft hier nog nooit eerder een kleur-linge gewerkt. Waarom probeer je 't niet? Ik heb voor de Pirates Cave, hier verderop in de straat, gewerkt en mijn beste vriendin was Pat Thomas. En zij is ook een kleur-linge.'

Ik dacht, moet ik hier nou verlegen blijven staan en die ouwe onzin aanhoren over 'mijn beste vriend die een neger is'? Ik rolde mijn balletpak op en stopte het terug in mijn tas.

Babe zei: 'Ik heb een idee. Wat is je maat?'

Ik vertelde het haar.

Ze vervolgde: 'Ik heb een G-string en een beha van konijnenbont. Die mag je lenen voor de auditie, dan kun je Jungle Bunny zijn.'

Dat was uitgesloten liet ik haar met klem weten.

'Tjee, je hebt wel lange tenen. Ik bedoelde er niks mee,' zei ze.

'Het was niet mijn bedoeling tegen je te schreeuwen,' zei ik. Tenslotte had ze het goed bedoeld.

'Nou, laat me 'ns nadenken.' Ze vertrok haar gezicht terwijl ze me aankeek. Ze riep uit: 'Ik heb 't, ik heb 't.' Snel bukte ze zich en begon te rommelen in een koffer die open op de vloer stond. Ze trok er een blauw, satijnen broekje en een beha uit. Beide kledingstukken waren versierd met stras en afgezet met blauw geverfde veren. 'Pas dit eens.'

Ik kleedde me uit, terwijl de andere vrouwen, hun gezichten van mij afgewend, de laatste hand aan hun make-up legden. Ik bekeek het kruis van het broekje nauwkeurig en hoewel het schoon leek, trok ik het toch niet al te strak aan.

Babe merkte op: 'Tjonge, jij hebt wel een goed figuur, zeg.' Vervolgens drapeerde ze meters blauwe tule om me heen die naar de vloer omlaag zweefden. 'Nou ben je Alice Blue Gown. Dat is je nummer. Ken je het liedje? Het is een wals.'

De eerste maten van een ritmeband die aan het stemmen was bereikten de kleedkamer en de danseressen sprongen op als robotten die in de houding schokten. Ze grepen hun handtasjes en stormden naar de trap. Babe liep langzaam achter ze aan.

Ze fluisterde: 'Ze hebben maar vier meisjes nodig en wij zijn met z'n vijven. Ik hoop dat je aangenomen wordt. Je moet heel sexy zijn. En laat je tas niet in de kleedkamer liggen.' Ze draaide zich om en schoot haastig de trap op.

De gedaante in de spiegel was een vreemde voor me. Een lang, hoofdzakelijk recht, bruin lijf, omhuld door een wolk van blauw gaas. Met al die om me heen zwierende stof zou ik nooit kunnen dansen. Ik deed het af, vouwde het op en legde het op Babe's tas. Ik probeerde de tekst van 'Alice Blue Gown' uit mijn geheugen op te diepen. Ik kon me de woorden niet herinneren en ik wist dat ik zonder partner niet kon walsen. Ik ging naar boven in de beha en G-string.

Vier blanke mannen zaten in het schemerduister achter in de club te mompelen en op het podium speelden vier zwarte mannen 'Tea for Two'. Rusty bewoog zich over de vierkante, geboende vloer en ontdeed haar lichaam, onverschillig voor de muziek, van de sluiers. Toen de muziek tenslotte ophield, stond ze er zo roerloos en bijna net zo bleek als een standbeeld bij. Op haar lijf was geen zweem van seksualiteit te bekennen. En haar optreden werd niet gewaardeerd met applaus. Ze verliet het toneel.

De acrobate nam het van haar over toen de band 'Smoke Gets in your Eyes' inzette. Ze droeg een groene G-string en beha met kwastjes eraan en maakte salto's, dubbele salto's, achterwaartse salto's, stak één been langs haar hoofd omhoog en liet het groene lapje zien dat haar vagina bedekte. Toen de laatste noten wegstierven, wervelde ze rond, sprong omhoog en eindigde in een volmaakte spagaat. Ze wipte een paar keer op en neer en liet zich kussen door de vloer. Er kwam geen reactie van de toekijkende, noch van de spelende mannen.

Jody kwam op de melodie van 'Besame Mucho' het toneel op. Ze droeg zwarte tule die om haar lijf zat gesnoerd met een zwarte, glinsterende gordel. Haar benen, gestoken in zwarte kousen en zwarte lakschoenen, raceten over de vloer. Ze rende van de ene kant naar de andere, onderwijl schalks verleidende blikken en de schaarse onderdelen van haar kostuum de zaal inwerpend. Toen ze alleen nog maar haar beha en G-string aanhad, stak ze haar achterste omhoog en keek pruilend over haar schouder. De muziek was al opgehouden, maar ze had zo haar eigen ritme in haar hoofd, toen zocht ze de afgeworpen kledingstukken bij elkaar en verdween naar beneden.

Toen Babe het podium opkwam, zwegen de vier mannen. Ze knikte tegen de muzikanten, zette een hand in haar zij en hield met de andere het mandje omhoog.

De band speelde 'All of Me' en de vrouw werd een sexy, uitdagende twaalfjarige. Ze huppelde over het toneel, zich aanbiedend voor ontuchtige handelingen. Kinderlijk plagend stak ze haar tong uit, veranderde toen van opzet en liet hem insinuerend over haar lippen glijden en langs haar mondhoeken krullen. Haar ogen keken wijs en hard en haar lijf was weelderig en rond. Haar borsten wiebelden en haar heupen sidderden veelbelovend. Ze stripte tot aan de rode G-string en de driehoekjes die haar tepels bedekten.

Toen de muziek ophield, bleef ze naar de mannen toegekeerd stilstaan. Haar gezicht rimpelde in een vreemde glimlach. Ze was seksueel opwindend geweest en dat wist ze ook. Binnen een paar tellen begonnen de mannen weer samen te mompelen en Babe verzamelde haar afgeworpen kleding en wuifde tegen de muzikanten. Zonder iets te zeggen liep ze langs mij heen.

Ik wachtte in het donker, niet wetend of ik mezelf moest voorstellen of gewoon naar voren moest lopen en beginnen te dansen of mijn verstand gebruiken, naar beneden hollen, mijn kleren aantrekken en naar huis gaan.

Een stem riep: 'Waar is die kleurlinge?'

Bijna antwoordde ik: 'Present.' Ik zei: 'Hier.'

'Nou, kom op dan,' sommeerde de stem.

Ik liep het podium op en de muzikanten staarden in verbazing. De drummer wenkte me.

'Hallo, liefje. Wat is je nummer?'

Onder geen beding 'Alice Blue Gown'.

Ik antwoordde: 'Ik weet 't niet.' En voegde eraan toe: 'Ik kan dansen, maar ik heb iets snels nodig om op te dansen.'

Hij knikte: 'Wat denk je van 'Caravan'?'

'Dat is prima.'

Hij overlegde met de andere spelers, telde tot vier en de muziek zette in. Ik begon te dansen, gaf me over aan de bewegingen, verzon passen en veranderde van richting. Er was geen verhaallijn of schema; ik stopte eenvoudig iedere dans die ik ooit had gezien in mijn lijf en voerde hem uit op het toneel. Een beetje rumba, tango, jitterbug, Suzy-Q, trucking, snake hips, conga, charleston en cha-cha-cha. Toen de muziek stopte, had ik mijn repertoire en mezelf uitgeput. Pas toen het gedempte gepraat achterin de zaal weer begon, besefte ik dat de mannen hadden gezwegen om naar me te kijken en dat de andere vrouwen zich hadden aangekleed en in het duister aan een tafeltje zaten.

De drummer zei: 'Baby, je hebt niet gelogen, je kunt inderdaad dansen.' De bruine en zwarte gezichten glimlachten allemaal goedkeurend.

Ik bedankte ze en ging trots naar beneden om me te verkleden. Op de trap passeerde Babe me met haar tas in haar hand.

'Hoe ging 't?' vroeg ze.

'Oké,' antwoordde ik en vroeg, wijzend op de beha en G-string: 'Wat zal ik hiermee doen?'

'Breng ze maar mee,' zei ze. 'Ik stop ze wel zolang in mijn handtas.' Ze hadden met gemak in een sigarettendoosje gepast.

Ik zei: 'Oké. Ik kom zo.'

De grote barkeeper kwam bij het tafeltje staan toen ik

me bij de andere danseressen had gevoegd.

Hij zei: 'Rusty, jij en Jody en Kate en...' Hij keerde zich naar mij toe: 'Hoe heet jij?'

'Rita,' antwoordde ik.

'... en Rita. Jullie beginnen morgen.' Hij keek naar Babe. 'Babe, probeer 't ergens anders eens. We hebben je hier verleden jaar gehad. De klanten willen nieuwe gezichten zien.' Hij liep terug naar de bar. De drie vrouwen stonden zwijgend op en liepen achter hem aan. Ik vond het pijnlijk voor Babe en toen ik haar het kostuum teruggaf, wilde ik iets aardigs tegen haar zeggen.

Ze zei: 'Proficiat. Je bent binnen. Je kunt maar beter naar Eddy toegaan. Hij zal je alles wel uitleggen. Hoeveel 't is, de uren en de drankjes.'

Ik zei: 'Het spijt me dat jij het niet hebt gehaald.'

Ze zei: 'Ach, dat verwachtte ik wel. Al die kerels hebben de pik op me sinds verleden jaar.'

'Waarom?' vroeg ik.

Ze antwoordde: 'Ik ben getrouwd. Mijn vent is een kleurling.'

Ik ging bij de anderen staan en de barkeeper zei: 'Oké, Kate, jij en de anderen kennen de regels. Tot morgenavond. Jij.' Alhoewel hij niemand van ons aankeek, bedoelde hij mij. De barkeeper was een vlezige man met grote handen en een monotone stem. Zijn dunne, roze huid bedekte maar nauwelijks een netwerk van gesprongen adertjes.

'Heb je al eerder in deze buurt gewerkt, Rita?' Zijn ogen waren op het uiteinde van de bar gericht.

'Nee.'

'Wel 'ns animeermeisje geweest?'

'Nee.' Ik had geen idee waar hij het over had.

''t Loon is vijfenzeventig per week en je doet de bar.'

Ik begon zenuwachtig te worden en vroeg me af of ik hem moest vertellen dat ik niets wist van het mixen van drankjes.

Hij ging door: 'Als je animeert, kun je tien, vijftien dollar per avond schoon binnenhalen. Je krijgt een kwartje voor iedere champagnecocktail die een klant voor je bestelt en twee dollar voor iedere fles champagne van acht dollar.'

Eddy had dezelfde riedel al zo vaak afgestoken dat hij niet langer naar zichzelf luisterde. Ik begon iets van de betekenis van zijn litanie op te pikken. Er werd van mij verwacht dat ik mannen zover kreeg dat ze drankjes voor mij betaalden en daar zou ik een percentage van ontvangen. Tien dollar per avond extra klonk als rijkdom, als bontjassen en biefstukken. Ik ratelde vijfentwintig cent rond in tien dollar en verslikte me bij de gedachte aan veertig cocktails per avond. Als ik de man vertelde dat ik niet dronk, zou ik de baan kwijt zijn.

'We gebruiken gemberbier en soms 7-Up met een schijfje citroen. En we hebben de snelste serveersters van deze straat. De show begint om acht uur. Zes voorstellingen per avond, zes keer per week dansen jullie ieder vijftien minuten per voorstelling.' Hij bewoog zijn hoofd, de riedel was afgelopen. Ik begon weg te lopen, maar hij stopte me. 'Uh, Rita, ben je bij de bond?'

'Nee.' Ik had nog nooit van een vakbond voor danseressen of animeermeisjes gehoord.

'Zogauw we weer opengaan, komt de man van de AGVA hier langs. Alle meisjes moeten dan lid zijn van de bond, anders worden we geroyeerd. Als je wilt, schieten we je inschrijfgeld voor, dan kun je het in twee weken aflossen.'

'Bedankt.' Ik begon deze man, die praatte als een

schurkachtige Edward G. Robinson, maar die toch te schuw was om me direct aan te kijken, aardig te vinden.

'Ik beheer hier alleen maar de zaak, maar de baas vindt dat je beter niet kunt strippen. De andere meisjes zijn strippers. Jij danst alleen maar. En draag kostuums zoals je vandaag aanhad.' Het kostuum dat ik had geleend maakte strippen absoluut overbodig. 'De meeste meisjes kopen hun spullen bij de kostuumzaak van Lew Serbin in Ellis street. Nog één ding, Rita; d'r heeft hier nog nooit eerder een kleurlinge gewerkt, dus misschien zeggen de mensen er wat van. Daar moet je je niks van aantrekken. Als een klant een van de meisjes lastig valt, dan handel ik dat af, maar-uh, als ze iets van jouw kleur zeggen, kan ik daar niks aan doen. Want je *bent* een kleurlinge. Toch?' Hij keek me bijna aan. 'En ga niet met een van die gozers mee naar huis, want dan krijgen we de politie op ons dak en moeten we sluiten.' Hij keerde me de rug toe en begon op de toetsen van de kassa te tikken.

'Tot morgen halfacht.'

'Dank je.'

Een showgirl. Een ster zou ik worden, fonkelend aan het firmament van de showbiz. Opnieuw eiste het avontuur mij voor zich op en het minste wat ik kon doen was dapper een hoge borst opzetten en koen de uitdaging aangaan. Het was tijd om het te gaan vieren. Geen enkele bus kon me snel genoeg naar Ivonne's huis brengen, waar ik mijn zoon had achtergelaten. Ik hield een taxi aan en gaf haar adres op aan de chauffeur.

Ivonne grijnsde toen ik haar over mijn nieuwe beroep vertelde en lachte hardop bij het salaris.

'Vijfenzeventig dollar per week. Wat ga je doen met al dat geld? Een jacht aanschaffen?'

'Het worden er meer dan vijfenzeventig.' Ik vertelde

haar over de drankjes en het percentage. Ivonne bezat de gave om haar gezicht volstrekt onbeweeglijk te houden en zo strak naar een voorwerp te kijken dat haar ogen als een telescoop naar buiten leken te schuiven. Een paar minuten lang zat ze mijn informatie te verwerken.

'Mij, ik weet dat je alles een keer wilt uitproberen, maar wees voorzichtig. Hoeveel negers werken er daar?'

'Alleen de jongens van de band, voor zover ik weet. Ik ben de eerste negerdanseres die ze ooit hebben gehad.'

'Dat maakt toch wel verschil, niet?' Haar stem was gedaald tot bijna een fluistertoon.

'Dat zie ik niet zo, Vonne.'

Ik wilde altijd graag geloven dat de dingen precies waren wat ze leken te zijn, dat geheimen, stiekeme daden en bijbedoelingen op de een of andere manier altijd uitkwamen. Dus gedroeg ik me eerder ontspannen of gespannen naar hoe de dingen eruitzagen dan naar de verborgen diepten. 'Ik ga daar naar toe om te dansen en geld te verdienen.'

Ze stond op van de bank en liep naar de keuken. Het gelach van onze kinderen drong door vanuit een achterslaapkamer.

'Aleasar heeft spaghetti gemaakt. Laten we gaan eten.'

We gingen zitten aan de smeedijzeren eettafel.

Ik vroeg: 'Waarom maak je je ongerust over mijn werk daar?'

'Ik maak me niet ongerust, je kunt wel voor jezelf zorgen.' Een glimlach maakte haar kleine mond zo breed als mogelijk was. 'Alles wat ik erover wil zeggen is wat de oudelui zeggen: "Als je iets niet weet, vraag het dan". Maar zorg dat niemand je iets laat doen waar je het zelf niet mee eens bent. Je moeder heeft je al opgevoed. Blijf trouw aan jezelf. En als er iemand kwaad om wordt, dan

kunnen ze zich op de kwaaie plek krabben, dat zal ze op-
luchten.'

We lachten samen. Onze vriendschap was mogelijk
omdat Ivonne wijs was zonder te schitteren, terwijl ik
maar al te vaak schitterde zonder wijsheid.

7

De kostuumwinkel gaf me het gevoel dat ik in een dierentuin voor dode dieren was beland. Over een rek in een hoek hingen roestbruine berenhuiden, de koppen bungelden slap voor de leeggelopen borstkassen en de poten met klauwen sleepten over de vloer. Struisvogelveren en pauwenpluimen in lange flessen waaierden in een cirkel rond bij ieder zuchtje wind. Tijgerhuiden waren plat tegen de wanden gespijkerd en in de glazen toonbank lagen opgerold lange, zwarte, veren boa's.

Ik legde een zwaar opgemaakte, snel bewegende, zwarte man uit dat ik een paar G-strings en tulen beha's en glasdiamanten nodig had. Hij fladderde rond de toonbank met een vederlichte elegantie en bekeek mijn lichaam zo onderzoekend alsof ik het te koop had aangeboden en hij ervoor in de markt was.

'Wie ben je, liefje?'

Ik vroeg me af of de winkel als beleid had om niet zomaar met iedereen zaken te doen.

'Ik ben Rita. Ik begin morgenavond in de Casbah.'

'Och nee, liefje. Ik bedoel wat is je nummer. Wie ben je?'

Daar had je het weer. Ik dacht aan betoverende, zwarte vrouwen uit de geschiedenis.

'Ik ben Cleopatra en... Scheba.'

Hij verkneukelde zich grijnzend: 'Oh, enig. Twee koninginnen.'

'En Scheherazade.' Ik mocht me dan wel niet zo verwant voelen met de eerste twee, maar de laatste paste me als een schaamlapje. Ze vertelde ook sterke verhalen.

'Dan moet je je drie keer omkleden, niet?'

Hij begon aantekeningen op een schrijfblok te krabbelen. Ik dacht aan Ivonne's advies en besloot dat ik het, aangezien ik niet echt wist wat ik aan het doen was, beter aan iemand kon vragen.

'Hoort u eens. Ik heb nog nooit eerder in een stripteasetent gedanst en in feite willen de eigenaars niet eens dat ik strip. Ze willen dat ik van die kleine kostuumpjes draag en dans.'

De rukkerige bewegingen van de man vielen stil en toen hij sprak, had zijn stem iets van de theatrale toon verloren.

'Ben je nieuw?'

Sinds mijn zevende had ik mezelf niet meer als nieuw beschouwd.

'Nou ja, ik ben nieuw in de zin dat...'

'Ik bedoel, je hebt nog geen act?'

'Ja. Ik heb geen act.'

Zijn lichaam was roerloos geworden toen hij me aankeek. 'Ik zal je kostuums creëren. Je zult adembenemend zijn.'

Hij haalde netbeha's en G-strings te voorschijn en legde me uit hoe ik ze in de kleur van mijn huid kon verven door ze in koffie te drenken. Ik moest bruin glanzende hanenveren op een setje naaien voor de Schebadans, rode lovertjes op een ander voor Scheherazade en stroken goudlamé op een G-string voor mijn Cleopatranummer. Hij koos een opgezette cobra uit die ik met me moest ronddragen als ik de Egyptische koningin uitbeeldde en enkelbelletjes voor Scheherazade. Scheba moest zonder extra franje worden gedanst – een bruine hinde in de heuvels.

Hij scheen zoveel te weten over de showbusiness, dat ik hem vroeg of hij vroeger ook had gedanst.

'Liefje, ik heb in New York jarenlang als travestiet opgetreden. Echt jarenlang. Toen ik hier naar toe kwam en merkte dat ik een dagje ouder was geworden, heb ik deze baan aangenomen en nou verkoop ik mooie dingetjes aan mooie jongetjes.'

Ik rekende mijn aankopen af en was dankbaar dat de man geen triestheid door zijn trieste verhaal had gevlochten.

'Als je iets nodig hebt, kom dan gerust terug of bel op. Vraag maar naar Gerry.'

Hij fladderde naar een andere klant, draaide toen zijn hoofd om en riep over zijn schouder in mijn richting: 'Gerry met een "G".' Zijn lach knetterde door de stoffige lucht.

De eerste shows waren een anticlimax. Er waren geen mensenmassa's die bloemen voor mijn blote voeten gooiden, geen explosies van oorverdovende bravo's toen ik boog na vijftien inspannende minuten te hebben gedanst. De realisatie dat ik de enige in de hele club was die zich geneerde voor mijn bijna naaktheid, vergrootte mijn schaamte.

Mijn lichaam was het enige dat ik te bieden had en maar weinigen van de ernstig kijkende mannen in de zaal schenen er oog voor te hebben. Terwijl de andere danseressen over het podium zweefden, flirtend met hun lichamen en zich schurkten tegen de weldra af te werpen lapjes chiffon, werd er sporadisch geklapt. Tijdens mijn eerste drie optredens was het enige applaus dat ik had gekregen, wat willekeurig geklap van Eddie geweest die, volgens mij, geprogrammeerd was om automatisch te re-ageren telkens als een band slotmaten speelde.

De muzikanten spoorden mij aan bij het dansen. 'Hee, baby, dat gaat goed zo, shake it!' Hun vakbond had verordend dat ze ieder uur vijftien minuten pauze moesten hebben en Eddie had voor een andere pianist gezorgd om de acrobate te begeleiden.

Voor de volgende show begon, kwam Jack de drummer naar de kleedkamer. Hij had dicht bij elkaar staande ogen en zijn gezicht was zo spits dat het leek alsof zijn gelaatstrekken van zijn oren waren weggevlucht om zich in het midden te verzamelen.

'Rita, ik en de andere vogels zien je wel zitten. Dus laat ons maar weten wat je wilt. We kunnen alles spelen, maar niemand vraagt ooit om iets anders dan "Tea for Two" en "Lady in Red" en "Blue Moon" en alles wat langzaam is. Ik speel zoveel van die slepende muziek dat mijn toges ervan gaat slepen. Wat me van jou zo aanstaat is dat je niet met je toges sleept.' Toen lachte hij. Zijn lippen gingen van elkaar en een miljoen witte tanden glansden. Door die abrupte verandering liet ik verrast mijn afweer varen. Ik stond naar die sprankelende lach te kijken, niet in staat een passend antwoord te bedenken. Met de beslistheid van een deur die wordt dichtgegooid, sloten zijn lippen plotseling de lach af.

'Dit is de volgorde. Eerst doen we "Caravan". Dan "Night in Tunesia" en "Babalu" en dan gaan we terug naar "Caravan". Oké?'

Ik kreeg er met moeite een 'Oké' uit en Jack verliet de bedompte kleedkamer. Toen ik zeventien was, was ik eens op het eerste gezicht verliefd geworden. Op een knappe, cacaoboonkleurige man met een stem zo zacht als nerts. Hij had ook van mij gehouden en was teder voor me geweest. Nu klonk er opnieuw een dof gebrom in mijn oren en zat er een strakke band om mijn borst en de man was niet eens knap, misschien was hij wel een onmens of gelukkig getrouwd en ik wist zijn achternaam niet eens. Ik wist alleen dat hij drummer was en dat de zon opging als hij lachte.

Toen Eddie mijn laatste optreden aankondigde: 'Hier is Rita als de Arabische prinses, Scheherazade', en ik het podium opstapte, werd Jack de vervelde sultan voor wie ik mijn mooiste dans opvoerde. Toen het voorbij was, werd er hier en daar geklapt. Ik keerde me eerst naar Jack, maar hij was in gesprek met de pianist. Mijn manieren schoten me weer te binnen en ik draaide me haastig om en boog naar het publiek. De ernstige, oude mannen zaten nog steeds met hun handen om de glazen aangelengde drank geleund. Ik keek de zaal rond en zag Ivonne alleen aan een van de tafeltjes zo groot als een dienblad zitten. Ze glimlachte en knikte. Ik glimlachte terug en liep het podium af. Er klonk nog een roffel handgeklap van een tafeltje bij de deur. Ik zag twee mannen zitten in het gelige schijnsel van de amberkleurige buitenverlichting. De een zag eruit als een vals gewimperde mannequin, de andere was Gerry met een 'G'.

Gedurende de eerste week rende ik na afloop van de show de betonnen trap af om mijn kleren aan te trekken. Geheel gekleed probeerde ik de minachtende blikken van de strippers te negeren, die de kleedkamer binnen stommelden, uitdagende kledingstukken over hun naakte lichamen gooiden en zonder dat ze een keer waren gaan zitten, terugkeerden naar de bar en de klanten. Ik was bang dat ik sprakeloos zou zijn als een klant mij aansprak en diep vernederd als hij het niet zou doen. Bovendien bleef Jack, wiens achternaam ik nog steeds niet wist, mijn verbeelding prikkelen. Ik kon me niet door hem laten zien terwijl ik, op een barkruk geplant, die frauduleuze drankjes naar binnen werkte. Dus weigerde ik naar het publiek te kijken als ik danste en hield ik mijn ogen halfdicht en mijn gedachten op Jack geconcentreerd.

'Rita.' De bar was leeg, afgezien van de muzikanten die hun instrumenten opborgen en de strippers die op hun verdiensten van die avond wachtten. 'Rita.' Eddie's stem betrapte me met mijn hand op de deurklink. Ik keerde me om.

'Kom 'ns hier.'

Ik liep naar de bar toe, de airconditioning was opgehouden met zoemen en stilte was op de ruimte neergedaald. De vrouwen leken met vertraagde bewegingen mijn kant op te leunen en de mannen op het podium hadden marionetten kunnen zijn in de handen van een slaperige poppenspeler.

'Rita, we hebben je bondscontributie niet betaald zodat je beneden op je krent kunt blijven zitten. Denk je dat we je daarom hebben aangenomen?' Hij klonk als een onderwijzer die een stout kind een standje geeft.

'Ik dacht dat ik was aangenomen om te dansen.' Mijn stem wilde niet klinken zoals ik het wou en hij kwam er bijna huilerig uit.

Een vrouw lachte steels in het obscene donker.

'Om te dansen? Te dansen?' Zijn hoest had een grinnik kunnen zijn. 'Het is hier geen schouwburg. Het is hier niet het San Francisco balletgezelschap.'

De pianist lachte hardop. 'God, nee, daar is niks van gelogen.'

Eddie vervolgde: 'Je wilt die baan?'

Ja. Verschrikkelijk graag. Ik had het geld nodig, ik

wilde bij Jack in de buurt zijn en ik was gek op dansen. Ik zei niets.

'Morgenavond kom je meteen als je je hebt verkleed hierheen en ga je met je reet aan de bar zitten. De eerste de beste gozer die alleen binnenkomt, vraag je om een drankje. Anders...' De onuitgesproken dreiging suisde in mijn oren. De onderwijzer zwaaide met het Spaanse rietje.

'Morgenavond. Nog één kans.' Hij begon biljetten uit te tellen en liet zijn hand met een klap op de bar neerkomen. 'Oké, Kate. Dit is voor jou.'

Mijn laatste kans? Dan kende hij mij niet. Er was geen kans, volstrekt geen kans dat ik er de volgende avond zou zijn. Ik ging naar de deur en morrelde aan het slot.

'Ik help je wel even, Rita.' Ik draaide me om en zag Jacks spitse gezicht het duister doorpriemen. Mijn prins, mijn sultan.

'Dank je.'

Hij opende de deur met gemak. Het mosterdkleurige licht van de neonlampen buiten beroofde hem van zijn eigen kleur. Hij boog zich naar me toe en fluisterde: 'Wacht even, ik ben zo klaar.'

Ik stond in de geelbruine deuropening en besloot de oppas te bellen om haar te zeggen dat ik wat later zou zijn. Jack zou me waarschijnlijk meenemen voor een ontbijt in een van de populaire nachtcafés, waar we zachtjes boven de harde muziek uit konden praten. Hij zou zijn dageraadlach lachen en ik zou hem vertellen hoeveel hij voor me betekende. De baan was vergeten.

De muzikanten kwamen gezamenlijk de club uit. Jack was de enige die niet verbaasd was mij bij de ingang te zien staan. Hij zei: 'Gaan jullie maar vast door. Ik zie je straks wel in de club. Ik breng Rita even naar een taxi.'

Hij pakte me bij mijn elleboog en loodste me naar de hoek.

'Ik snap je best, Rita.' Ik wist dat hij dat deed. 'Je denkt dat je jezelf vergooit als je drankjes aanneemt. Nou, laat ik je dan zeggen dat 't zo niet is. Die ouwe kerels komen naar de striptenten omdat ze mooie vrouwen willen zien. Mooie, naakte vrouwen. D'r zijn erbij die getrouwd zijn, maar hun vrouwen zijn oud en dik of jong en keihard. Ze willen je niet in bed krijgen of zoiets. Als ze op een prostituee uit waren, zouden ze wel naar een hoerenkast gaan. Ze willen alleen maar naar je kijken en met je praten. Persoonlijk heb ik medelijden met ze, jij niet?' We hielden halt voor een andere, donkere nachtclub. Als hij medelijden met ze had, dan speet het me huizenhoog voor hen. Het enige wat ik van Jack wilde weten, was wat hij vond wat ik moest vinden.

'Mijn vrouw en ik hebben het er vaak over. Zij is serveerster in een club net als de Garden of Allah en iedere avond heeft ze wel een ander verhaal. Als ik haar in de stad ophaal, begint ze meteen te vertellen over die kerels die ze heeft bediend.'

Een glimlach begon aan zijn gezicht te trekken. 'Philomena – mooie naam, hè? Zij kan je verhalen vertellen waar je hart van breekt. Of anders lach je je te barsten. Maar in ieder geval...' Hij richtte zijn aandacht weer op mij. 'Het is gewoon het leven, Rita. Gewoon het leven. Je hoeft niet bang te zijn. Je bent in die tent om geld te verdienen. Nou, verdien het dan.' Hij legde zijn hand tegen mijn wang. 'Tot morgenavond.' Toen hij zich omdraaide, ving ik een glimp van zijn lach op. Die was helemaal voor Philomena, geen rimpeltje ervan was voor mij.

De volgende dag besteedde ik aan een mentale voorbereiding op de strijd. Ik was dol op dansen en had de baan nodig. Ik kon passen verzinnen en nieuwe choreografieën ontwikkelen. Als mannen drankjes voor me wilden kopen, dan zou ik ze aannemen en hun vertellen dat de drank waar ze voor betaalden, 7-Up of gemberbier was. In combinatie met mijn fantasierijke dansen zou dat de reuk van criminaliteit verdrijven. De kunst zou mijn schild zijn en eerlijkheid mijn lans en Jack met zijn dicht bij elkaar staande ogen kon naar de duivel lopen.

De volgende avond kwam er langzaam een verbaasde uitdrukking op Eddie's gezicht toen ik bij de bar opdook. Ik glimlachte hem bemoedigend toe.

'Rita, wel, wel. Je hebt dus besloten om mee te doen?'

Ik antwoordde: 'Ik wil mijn baan houden, Eddie.' En hield mijn grijns ontspannen.

'Mooi zo. Je weet wat ik je heb gezegd. Vijfentwintig cent voor de drankjes en twee dollar voor een fles champagne. D'r zijn nog niet veel klanten, maar 't is nog vroeg. D'r zullen er zo wel meer komen. Je hebt meer kans als je aan de bar zit dan aan een tafeltje. Ze zien je niet in 't donker.'

Ik kon het me niet permitteren om hem te vragen of dat als hatelijkheid tegen mijn huidkleur was bedoeld. Ik grinnikte en wachtte af.

'Wil je een glaasje om op te warmen?'

'Nee, bedankt. Ik wacht wel tot een klant me iets aanbiedt.'

Ik keek de club rond. Er waren een paar mannen binnengekomen, maar de andere danseressen hadden zich al verspreid om aan hun tafeltjes te gaan zitten. Er hing een drukkend romantische sfeer in de ruimte die me nog niet eerder was opgevallen. De blanke gezichten zweefden als mat glanzende bollen en in het duister fonkelden de glinsterende strasjuwelen. De muziekstandaarden van de muzikanten blonken onder de ronddraaiende rode, oranje en blauwe lampen.

Eddie kondigde aan: 'En nu, hier voor u in de Garden of Allah, Rusty met "Salome en de Zeven Sluiers".'

Rusty stond op en schokschouderde haar doorzichtige kimono van zich af. Ze drapeerde hem over de schoot van de klant en klom het podium op. Haar lichaam kronkelde in contrast met de wuivende chiffonsluiers hoekig over het toneel.

Sinds die eerste dag van de auditie had ik de andere vrouwen niet meer zien optreden en dus zat ik geboeid te kijken naar Rusty's interpretatie van wat erotisch opwindend was. Ze schoof vooruit en stokte, schoof en stokte, terwijl haar lange lusteloze handen zich om de cups van haar beha plooiden, waar ze beloofden hem te verwijderen, toen een beter idee kregen en omlaag zakten naar het chiffon aan haar kruis, waar ze met dezelfde bedoeling arriveerden. Als door een wonder zweefde er een sluier weg van haar gestalte en langzaam naar de vloer. Rusty's gezicht leek los te staan van de handelingen van haar lichaam. Het had de berustende uitdrukking van een vermoeide passagier in een langeafstandsbus. Ik wist dat dat niet zinnelijk was, maar toen ik me omdraaide voor een bevestiging van de klanten waren hun ogen strak op de onaangedane danseres gericht. Ze gebruikten de schijnbewegingen van haar lichaam om hun heden uit te vlakken en zichzelf een fantasie in te slingeren waarin naar seks hunkerende vrouwen, onderworpen en opengespleten als rode, rijpe watermeloenen, lagen te wachten.

Als ik een succes wilde zijn, moest ik zo niet dezelfde kwaliteit dan toch dezelfde kwantiteit aan reacties op weten te roepen.

Mijn hele leven had ik gehoord dat blanke mannen, vanaf hun jongensjaren tot aan hun seniele ouderdom, ervan droomdem om de slavenhutjes binnen te glippen van jonge 'hete mokkels' en 'een koffieboontje te snaaien'. Mijn arrogantie en mijn afkeer van de slavernij stonden het mij niet toe om bewust dat beeld uit te buiten. Tijdens Rusty's dans besloot ik dat ik bij de klanten belangstelling zou wekken voor mijn bewegingen en ze in het heden vast zou houden, zoals een koorddanseres het publiek hypnotiseert.

Eddie kondigde aan: 'Rita als Scheherazade.' Ik liep het toneel op en duizend-en-één-nacht binnen. Ik vergat de muzikanten achter mij terwijl ik me naar de rand van het podium bewoog. En de clandestiene mannen met hun eenzame begeerten werden de sultans die ik moest amuseren. Ik zag hun gezichten tot leven komen toen ik op mijn tenen ronddraaide, mijn armen omhoog gooide en naar buiten en langs mijn zij alsof ik recht van het podium naar een wachtende kamelenkaravaan zou kunnen vluchten. Ik overtuigde mezelf ervan dat ik danste om mijn leven te redden en zonder te weten waarom, reageerde het publiek op mijn hachelijke situatie. Er werd zo luid geklapt dat ik ervan schrok en zelfs Eddie tuitte zijn lippen en knikte toen ik langs de bar liep op weg naar de trap.

De kleedkamer was leeg. Ik stond tussen de kostuums, pruiken en haarbollers na te denken over mijn succes en de volgende stap. Er was geen tijd te verliezen. De mannen hadden mijn dans mooi gevonden en eentje zou me zeker iets te drinken aanbieden. Ik wreef mijn lichaam droog en stippelde onderwijl een strategie uit. In tegenstelling tot de andere danseressen zou ik niet aan de bar gaan zitten met een kimono of een peignoir over mijn kostuum. Ik trok mijn kleren aan en ging naar boven.

Eddie toonde zijn tevredenheid toen hij me zag door me aan een klant voor te stellen. 'Rita, dit is Tom. Hij wil je iets aanbieden.'

De eerste conversatie werd zo vaak herhaald dat het leek alsof alle klanten aan de deur een vragenlijstje kregen dat ze uit hun hoofd moesten leren.

'Waar heb jij zo leren dansen?'

'Op school.'

'Ben je ooit met een blanke man naar bed geweest?'

'Nee.'

'Zou je dat willen?'

'Nee. Nee, ik geloof van niet.' Je moest ze niet alle hoop ontnemen. En mezelf de kans geven om een tweede drankje te vragen. 'Mag ik nog wat drinken?'

'Tuurlijk. Waar kom je vandaan?'

'N. Y.' N. J. Z. Niet jouw zaak.

'Dan ben je ver van huis. Voel je je nooit alleen?'

'Dit drankje heet een champagnecocktail en vijfentwintig cent van elk glas dat jij betaalt is voor mij, maar eigenlijk is het gewoon 7-Up. Als je een fles champagne koopt, kost het je acht dollar en daar krijg ik er twee van. Maar dat is in ieder geval echte champagne en ik kan bij je blijven zitten tot hij op is.'

De truc werkte, maar mijn belangstelling werd er niet door gewekt. De mannen riepen geen nieuwsgierigheid bij me op. Ik volgde hen niet in gedachten naar hun hotelkamers of liefdeloze huizen. Ze waren als kilometerpalen langs een snelweg, die je zonder dankbaarheid kon gebruiken en zonder schuld kon vergeten.

De andere danseressen vatten geen sympathie voor mij op en ik niet voor hen. Ze kletsten met elkaar en hielden hun gesprekken en blikken voor zich. Ze hadden me niet vergeven voor die eerste week toen ik hooghartig in de kleedkamer had gezeten, terwijl zij rond de bar hingen om drankjes los te krijgen. En aangezien zij hard waren zonder de zachtheid die ik in Babe had gevonden, besteedde ik verder geen aandacht aan hen. Mijn succes in het aftroggelen van drankjes veranderde mijn gedrag in het openbaar. Ik werd vrijpostig tegen de klanten. Snelle, scherpe woorden kwamen uit mijn mond gehuppeld als vrolijke kinderen die tikkertje spelen. Sommige mannen hielden van deze spot en begonnen naar de club terug te komen, niet alleen om mij te zien dansen, maar om me drankjes aan te bieden, naar me te luisteren en tegen me te praten.

8

Twee maanden nadat ik in de Garden of Allah was gaan werken, veranderde de samenstelling van de clientèle. De treurige mannen wier handen met hun verborgen dromen speelden, maakten langzaam plaats voor een paar lachende, openhartige stellen die gewoon naar de voorstelling kwamen kijken.

Af en toe werd ik aan een tafeltje van bewonderaars genodigd. Ze hadden gehoord dat er een goede danseres in de striptent werkte. Ik beantwoordde hun gebruikelijke vraag met de waarheid: 'Ik werk hier omdat ik een baan nodig heb en omdat ik van dansen hou.' Ik legde ze ook uit van de drankjes. Het kittelde de conventionele echtparen om zich zo dicht in de buurt van het louche wereldje op te houden. Ik kwam tot de slotsom dat ze de vijftigerjarenversie waren van blanken die tijdens de drooglegging in de Cotton Club van Harlem hun achterbuurtkick kwamen halen en hoewel hun complimenten mij plezier deden, voelde ik me niet gevleid.

Weg van de bar waren mijn dagen vol vrolijkheid. Ik verdiende baar geld. Genoeg om mezelf in onopvallend chique kleren te steken en bijpassende pakjes voor Clyde te kopen. 's Zaterdagsmiddags gingen we naar griezelfilms die ik verafschuwde. Hij was gek op het bloed en de uitpuilende ogen van 'De wolfmens', het gekrijs van de 'slachtoffers van de vampier' en de dreigende kamelengang van het monster van Frankenstein. Hij gilde, sprong omhoog en verstopte zich achter mijn arm of gluurde tussen zijn vingers door naar de akelige scènes.

Ik vroeg hem waarom hij van enge verhalen hield als hij er bang van werd. Zijn antwoord bestond uit een onlogische gevolgtrekking: 'Maar Mam, ik ben toch ook pas acht jaar.'

Drie maanden gingen voorbij en ik spendeerde mijn loon en de percentages vrijelijk aan diners in goede restaurants, de aanschaf van nieuw meubilair en door een klein gedeelte ervan opzij te zetten voor een reisje – Ivonne en ik hadden het erover gehad onze kinderen mee te nemen op vakantie naar Hawaii, New York of New Orleans.

Ik was jong en gezond, mijn zoon was gelukkig en werd met de dag mooier.

Op een avond betaalde Eddie eerst de andere vrouwen uit en zei toen dat hij iets met me moest bespreken. Toen ze vertrokken waren, zette hij zijn buik tegen de bar en richtte zijn ogen op het podium waar de muzikanten hun instrumenten aan het inpakken waren. Toen hij me niet aankeek, wist ik dat het ernstig moest zijn.

'Rita, je verdient meer dan de andere meisjes.'

Dat hoopte ik ook.

'... en ze zeggen dat ze een klacht hebben.'

'Wat voor klacht, Eddie?'

'Ze zeggen dat je de klanten vast belooft om met ze naar bed te gaan. Hoe kom je anders iedere avond aan vier of vijf flessen champagne en tien of meer dollar aan cocktails?'

'Eddie, het kan me niet schelen wat zij ervan vinden. Ik heb niemand iets beloofd. Ik heb gewoon meer verdiend. Laten we het daar op houden, oké?' 'Het is niet oké, Rita. Ze kunnen je aanklagen bij de vakbond, of zelfs de club laten sluiten. Je moet iets aan het doen zijn. Geeneen nieuw meisje haalt zoveel op.' Zijn hand ging naar een paar dollars die op de bar lagen.

Ik betuigde heftig mijn onschuld, maar gaf geen uitleg. Ik kon hem toch niet laten weten dat ik aan al mijn klanten vertelde dat het gemberbier was en dat ze op de hoogte waren van het percentage dat ik van de champagne kreeg.

'Alsjeblieft, geloof me, Eddie. Als ik hier de deur uitga, ga ik recht naar mijn eigen huis en laat ik de oppas mijn taxi nemen zodat zij naar huis kan. Ik heb thuis een kind.'

'Rita, aan mij ligt 't niet. Voor mij sta je helemaal aan de goeie kant. Koosjer. Maar die andere wijven. Zij, uh, ik bedoel, ze kunnen 't ons zuur maken. Als ze echt herrie willen trappen, hoeven ze alleen maar de juiste mensen te tippen dat de meisjes hier provisie krijgen.' Hij wreef over een opgedroogde morsvlek en mijn oren begonnen te branden. 'De Staatsegalisatiecommissie heeft al eens eerder onze vergunning ingetrokken.'

Ik had het feit genegeerd dat beambten van de commissie de club in burger bezochten. Ik had tegen iedere man die me iets te drinken aanbood, verteld wat de samenstelling van het drankje was en hoeveel provisie ik zou krijgen. Ik was dus weer eens stom geweest, maar als ik snel nadacht kon ik het nog herstellen.

'Eddie, als ze dat doen – ik bedoel, de verkeerde inlichten – dan zijn zij ook hun baantje kwijt.'

HIj vond een andere vlek om over te wrijven. 'Dat maakt hun niks uit, als ze echt kwaad zijn. Dan gaan ze gewoon verderop in de straat of hier om de hoek werken. Deze tenten zijn altijd op zoek naar meisjes met ervaring. En dat is wat ik je wou zeggen. Ik moet je opzeggen.

Met twee weken. Begin maar iets anders te zoeken. Morgenavond zal ik de meisjes vertellen dat je opgezegd bent. Dan zullen ze in hun sas zijn. Als je over twee weken nog niks hebt gevonden, zal ik proberen je steeds voor een week aan te houden, maar je zult er geen moeite mee hebben om ander werk te vinden.'

De schok maakte me lijdzaam. Ik stond er zwijgend en schaapachtig bij toen hij mijn geld voor die avond uittelde. In de taxi veegde ik zijn woorden bij elkaar en prikte er suffig in. Een opzegtermijn van twee weken. Nog veertien dagen voordat het goede leven zou aflopen en mijn zoon en ik weer losgesneden en zonder anker voort zouden scheren. De danseressen mochten mij niet en de vijandschap was wederzijds. Als zij jaloers waren op het geld dat ik verdiende, dan benijdde ik hen om de blankheid van hun huid die hen in staat stelde om zich overal waar ze wensten te gaan, thuis te voelen. Ze konden hun kwastjes en G-strings bij elkaar pakken en zonder aarzeling aan een andere baan beginnen, maar toen schoot me Babe te binnen. Die was net zo blank geweest als zij en alleen omdat ze naast haar zwarte echtgenoot sliep, was ze uit de straat verbannen. Maar ik dan? Ik was van top tot teen zwart. Nee, – alles wat de strippers tegen mij hadden, had ik ook tegen hen.

Ik was altijd moe na zes optredens, maar deze nacht kwam de slaap niet toegesneld om mij uit de uitputting weg te laten drijven.

De volgende avond was de kleedkamer elektrisch geladen. De vrouwen hadden hun kostuums aan, maar ze waren niet zoals gewoonlijk naar boven gerend. Toen ik binnenkwam, keerden ze zich allemaal om naar mij. Zure lachjes speelden over hun gezichten. Rusty zei: 'Dus je gaat weg, hè Rita?'

Een tellang gaapte ik haar verbaasd aan. Ze hadden het al gehoord van Eddie. Ik schonk hun mijn minzaamste glimlach en keek ze één voor één in de ogen.

'Goedenavond, dames. Jody' – draai – 'Kate' – draai – 'Rusty.'

Jody zei: 'Mooi weer vanavond, hè?'

Mijn grootmoeder zou trots op me zijn geweest. Sinds mijn vroege kinderjaren had ze me in mijn oren gebromd: 'D'r zijn drie dingen die iemand die een knip voor z'n neus waard is, nooit doet. 't Eerste is eten op straat en 't tweede is huilen op straat. En laat je nooit op de kast jagen door een vreemde.' Als ze dachten te kunnen likkebaarden over mijn tegenslag, dan zouden ze merken dat hun tongen aan een zoutklomp vastkleefden.

Boven begroette ik Eddie alsof hij niet meer dan een barkeeper was. Ik wendde vlug mijn blik van hem af en keek de club rond. Aan de tafeltjes zaten een paar vrouwen in het gezelschap van mannen. Met hun tweedelige, gebreide pakjes en hoog opgekamde haren zagen ze er opvallend misplaatst uit in de benauwde ruimte.

Ik zoog mijn adem in en liep op de beginmaten van mijn muziek naar het podium toe. Aangezien ik toch al was ontslagen, kon ik het publiek vergeten en me op mezelf richten.

Drie modieus geklede mannen en een jonge Marlène Dietrich-achtige vrouw zaten op een kluitje aan een van de tafeltjes in het midden van de zaal. De vrouw had een bos zonlichtgeel haar en keek peinzend boven een sigarettepijpje uit. De roodharige man was al eens eerder geweest, maar had niets gezegd. Nu zaten ze met z'n vieren naar mij te kijken alsof ze Franse couturiers waren en ik de laatste creatie van Jacques Fath droeg. Hoe harder ik mijn best deed ze te negeren, hoe meer ze mijn gedachten binnendrongen. Wie waren het? Leden van de beaumonde die naar de sloppen waren afgedaald voor de sensatie? Ik trachtte mezelf over te geven aan de muziek, maar het groepje staarde me zo aandachtig aan dat de muziek me deze keer niet wilde hebben en ik over de planken rondstrompelde zonder samenhang in mijn bewegingen en zonder verhaal in mijn dans te creëren. Het kwam bij me op dat het talentenjagers zouden kunnen zijn en ik misschien ontdekt zou worden. Ik verwierp die onnozele gedachte vlug voor ze echt vat op me kon krijgen. Lana Turner en Rita Hayworth werden ontdekt, zwarte meisjes werden ontbloot.

Ik verkleedde me beneden in de lege kleedkamer, half verwachtend en half hopend dat het viertal vertrokken zou zijn als ik weer boven kwam.

'Hallo, ik ben Don.' De roodharige man grijnsde en een landkaart van sproeten golfde over zijn gezicht. 'Dit is Barry.'

Barry was een lange, grijzende man met een afstandelijke en gedistingeerde glimlach. Don, die klaarblijkelijk de woordvoerder van de groep was, wuifde met zijn hand naar een knappe, jonge man met prachtige diepliggende ogen.

'Dit is Fred Kuh en dit' – hij gebaarde als een spreekstalmeester die de dompteur tot het laatst heeft bewaard – 'dit is Jorie.'

Ze schudde haar hoofd en haar haar viel zwaar, alsof het een vertraagde opname was, van haar gezicht weg. Ze sprak met een lage, theatrale stem.

'Hallo. Engel, je danst goddelijk. In één woord, goddelijk.'

Niet Marlène Dietrich, ik had het verkeerd gezien, ze

was een Veronica Lake met pit, een jonge Tallullah Bankhead. 'En je bent zo verrassend jong.' Haar parfum was zwaar als de lucht in katholieke kerken.

Ik zei: 'Ik ben eenentwintig.'

Barrie vroeg of ik iets met hen wilde drinken en ik stak van wal over de drankjes, de percentages en de slechte champagne.

Jorie riep uit: 'Het is waar. Mijn God, het is waar. Je mist je claus niet. We hebben gehoord dat je dat zou zeggen.'

'Wat?'

'Je bent min of meer beroemd, weet je dat?'

Don lachte: 'Je moet het enige eerlijke animeermeisje zijn van de hele warme buurt.'

'Van San Francisco,' zei Barry.

'In gevangenschap,' corrigeerde Jorie.

Ik had hun goedkeuring en ik begon hen aardig te vinden. Ik liet me hun gevlei welgevallen. Het was gemakkelijk om te denken dat ik bij hen in de smaak viel omdat ik eerlijk was. Ik wilde niet dieper ingaan op hun acceptatie uit angst dat wat ik dan aan zou treffen onacceptabel zou zijn voor mij. Stel dat ze me een pias vonden?

Barrie legde uit dat Jorie zangeres was en momenteel schitterde in de Purple Onion, een naburige nachtclub. Hij was de manager en programmaleider. Don Curry en Fred Kuh waren barkeepers en als ik mezelf vrij kon maken was ik er altijd welkom.

Deze chic en hun vrienden begonnen iedere avond langs te komen en ik keek uit naar hun komst. Ik danste onverschillig totdat ik een glimp opving van hun gezelschap achterin de club, dan bood ik ze de beste passen uit mijn repertoire en zodra de dans was afgelopen, haastte ik me naar hen toe. Het was niet langer nodig om de manager stroop om de mond te smeren of drankjes van de klanten af te troggelen. Het gaf me een verrukkelijk gevoel van luxe om bij zulke goedgeklede, duidelijk kieskeurige mensen te zitten, terwijl de strippers tussen de tafeltjes rondhingen op zoek naar het drankje dat er bij een eenzame man voor hen overschoot.

9

Op een avond werd ik na sluitingstijd uitgenodigd voor een wijnfeestje in Jorie's appartement. Het gebouw stond in een heuvelachtige straat. Een onbekende, die verder geen aandacht aan mij schonk, opende de deur, dus ging ik naar binnen en op een kussen op de vloer zitten vanwaar ik de gasten gadesloeg die in menuetfiguren om elkaar heen cirkelden. Er waren betoverende, jonge mannen bij met geverfd haar die ritselden als oud cellofaan. De oudere mannen hadden een houding van wereldwijsheid en koele elegantie en gaven de indruk dat als ze niet zo vreselijk moe waren geweest, ze wel naar oorden zouden vertrekken (slechts bij een paar uitverkorenen bekend), waar de conversaties sprankelender waren en het samenzijn boeiender.

Er waren jonge vrouwen met de exotische glans van zojuist gevoederde wouddieren. Alhoewel ze hun mooie hoofden inert nu eens de ene dan weer de andere kant indraaiden, kon niets in de kamer hun eetlust opwekken. Barbaars rode lippen doorsneden hun witte gezichten en de karmozijnrode nagels, zo puntig als chirurgische instrumenten, verhoogden het roofzuchtige effect. De oudere, triestere vrouwen interesseerden me meer. Wijde rokken en geïmporteerde sjaals verborgen niet hun logge lijven en hun onaantrekkelijkheid werd evenmin verhuld door het gerinkel van kettingen en kralensnoeren of door bleekroze lippen en zwaar aangezette hindenogen. Hun aanwezigheid tussen die sierlijke mensen verrukte me. Het was alsof je regenboogkleurige libellen rond kikvorsen zag zoemen. De jonge mannen, die Alfie, Reggie, Roddy en Fran heetten, hingen rond deze dikke vrouwen, plagend, kietelend en ze een stukje van hun ranke schoonheid aanbiedend. Niemand in het gezelschap sprak tegen mij. Dat ik één van de drie negers in de kamer was, de enige negerin en ook nog een onbekende, maakte mij niet uitheems genoeg om de aandacht te trekken.

Ik nam kleine slokjes van de wijn en luisterde naar het concert van roddels, spitse, snedige en onlogische opmerkingen.

Don boog zich over me heen en vroeg of ik het naar mijn zin had en met iedereen had kennisgemaakt. Ik antwoordde dat ik me prima vermaakte en kennis had gemaakt en voegde er een oprechte glimlach aan toe. Met zijn diep rozige kleur, groene ogen en vuurrode haar was hij veruit de aantrekkelijkste man op het feest en hij bezat een gevoel voor humor dat ik miste bij de andere druktemakers, in weerwil van hun kakelende gelach.

Hij keek me in de ogen en zag de leugen. Hij ging recht staan en draaide zich snel om. 'Allemaal!' Hij schreeuwde nog net niet. 'Allemaal!' De stemmen verstomden. Toen het stil was, strekte hij zijn armen, spreidde zijn vingers en knikte naar mij. 'Allemaal, dit is Rita. Ze is een artieste, een werkelijk fantastische danseres. Absoluut de beste ter wereld. Ik vond dat jullie dat moesten weten.'

De mensen gluurden naar mij. De meesten zagen niets opmerkelijks in die aankondiging en zelfs als ik op dat moment vanuit een zittende positie een tour jeté had uitgevoerd, had het hen niet uit hun onverschilligheid losgewrikt. Alleen de pruimzachte vrouwen namen nota van de mededeling en lieten zich er iets aan gelegen liggen. Op al die ronde gezichten verscheen een tedere uitdrukking en een glimlach voor mij.

Don liet zijn armen zakken en zei zwakjes: 'Nou ja, ik vond gewoon dat jullie dat moesten weten.' Tegen mij zei hij: 'Let maar niet op die lui, Rita. Ze doen zich alleen maar blasé voor omdat ze niet weten hoe ze zich anders moeten voordoen. Ik zal wat wijn voor je halen.'

Een grote vrouw kwam met een kussen naar me toe. In weerwil van haar omvang liet ze zich gracieus naast mij op de vloer zakken.

'Ik ben Marge.' Vervolgens deelde ze me mee: 'En jij bent Rita.'

'Dat klopt.'

'En wat voor soort dansen doe je, Rita?'

'Modern ballet en vertolkend.' (Ik kende een gogo-danseres, L'Tanya genaamd, die haar heupen zo snel kon laten trillen dat ze een wazige vlek werden en zij noemde haar optreden ook vertolkend.)

De mond van Marge vormde een O. Een jongen die met haar had zitten flirten, kwam onze richting in gewaaierd. Hij vouwde zichzelf dubbel naast Marge, kromde een arm om haar ronde schouder en liet zijn hand op de zwelling van haar borst vallen.

'En wat hebben we hier, Moedertjelief?'

Ze smoorde bijna een giechel: 'Reggie, je bent heel ondeugend.'

Hij keerde zich naar mij en zei met getuite lippen: 'Hoe nu, bruine koe?'

Ik wist of had moeten weten dat het een kwestie van tijd was voor er een racistische opmerking zou vallen. En nu noemde deze vlegel mij een bruine koe.

'Rita, dit is Reggie. Is 't geen stoute jongen? Stouterik.' Het ontbrak er nog net aan dat ze hem onder zijn kin kielekielde.

Ik maakte mijn uitspraak zo ingetogen als die van de jongen nuffig was. 'Ik heb geen flauw idee of hij stout is of niet. Ik weet wel dat als hij uw zoon is, tenminste een van u beiden zich zou moeten schamen.'

Reggie werd bleek en verstrakte. 'Je hebt schunnige gedachten voor bij die schunnige praatjes.' Zijn stem werd scherp van verontwaardiging. 'Wat doe je hier eigenlijk? Wie heeft je gevraagd?' Hij begon te beven.

Marge zei sussend: 'Daar hoef je niet zo boos om te worden, Reggy, baby. Rustig nou maar. Vergeet niet dat je zelf begonnen bent.' Ze gleed uit zijn omhelzing, sloeg beide armen om zijn nek en trok hem op haar schoot. 'Stil maar, baby, stil maar.' Ze drukte haar korte, dikke vingertjes op zijn haar en keek me verontrust aan.

Ik was helemaal niet tevreden over mezelf. Ik mompelde: 'Sorry' en stond op om weg te gaan, maar achter me ging een deur open en ik draaide me om. Jorie stond in de deuropening. Ze droeg een lange, zwarte jurk en lichtjes dansten in haar haar.

'Schatten, wat lief van jullie. Jullie zijn zonder mij begonnen.' Ze lachte om haar eigen goedgehumeurdheid. Op dat moment mocht ik haar meer dan ooit tevoren. Ze leek zichzelf niet al te serieus te nemen. Toen ze mij zag, slaakte ze een opgetogen gilletje.

'Wat geweldig, Rita! Je bent 't niet vergeten. Heeft iedereen al met deze goddelijke danseres kennisgemaakt?'

Ze kwam op me af alsof ze me als een scheidsrechter bij de hand zou nemen en tot kampioen uitroepen. Ze bleef staan en klopte me op mijn schouder. 'Heb je al wijn gehad? Zijn ze aardig tegen je?'

Ik antwoordde haar dat ze dat waren en tevredengesteld liep ze door om de andere gasten te begroeten.

Ik stond voor een dilemma. Het was duidelijk dat ik niet kon vertrekken op het moment dat de gastvrouw verscheen, maar het was even duidelijk dat ik niet meer op de grond kon gaan zitten naast Marge en Reggie, die opgehouden waren elkaar in hun verdriet bij te staan en nu Jorie's bewegingen nauw in de gaten hielden.

Ik slenterde de keuken in en vorderde een glas wijn. Voor die avond had ik nog niet vaak droge, witte wijn gedronken, maar als blanken wijn als limonade konden drinken was er op Gods groene aarde geen reden te bedenken waarom ik niet hetzelfde kon doen. Het tweede glas ging soepeler naar binnen dan het eerste en het derde rapper dan het tweede. Alleen, in een vreemd huis vol vreemden, voelde ik me alsof ik me in gevaarlijk water bevond, slecht zwom en de grond onder mijn voeten was kwijtgeraakt. Ik was plankton in een oceaan vol walvissen. Het beeld was zo passend dat ik er een toost op uitbracht met nog een glas wijn. Luid gelach drong door de gesloten deur en ik vroeg me af hoe mensen zo zelfverzekerd, zo ontspannen werden. Raffinement was geen aangeboren eigenschap, evenmin behoorde het exclusief aan blanken toe. Mijn moeders vingerknippende, hooghoofdige elegantie zou iedereen in die kamer in de schaduw stellen. Als zij het huis onuitgenodigd, onverwacht zelfs, binnen zou wandelen, zou binnen een paar seconden iedereen op het feest zich om haar scharen om haar glas bij te vullen, naar haar verhalen te luisteren en over elkaar heen vallen voor één van haar stralende glimlachjes. Mijn moeder was eleganter dan Kay Francis en Greer Garson samen, mooier dan Claudette Colbert (die ik stiekem de mooiste, blanke vrouw van de wereld vond) en geestiger dan Paulette Goddard. Oh, ja. Ik dronk een glas wijn op mijn moeder.

Toen ik de keukendeur terugvond, liep ik een bijna lege woonkamer binnen. Ik zou gezworen hebben dat ik niet meer dan vijftien minuten met de wijn had doorgebracht, maar de kamer kon onmogelijk in die korte tijd zijn leeggelopen.

Jorie, Don, Barrie en Fred zaten in luie stoelen aandachtig naar een plaat te luisteren. Gertrude Lawrence of Bea Lillie zong beverig en schril.

Ik onderbrak: 'Oh, hallo.'

Ze schrokken op en begonnen verrast tegelijk te spreken.

'Waar zat je?'

'Ik dacht dat je al weg was.'

'Wat was je aan het doen?'

'Waar heb jij gezeten?'

Ik antwoordde dat ik in de keuken wijn had zitten drinken.

Jorie beheerste zich. 'Wel, liefje, het is al heel laat, maar kom er nog even bij zitten.'

Mijn gang door de kamer heen was niet zo vast als ik wel wilde, maar ik bewoog me op een, naar ik hoopte, waardige wijze.

Don stond op en leidde me naar een stoel.

Barry zei: 'We zijn naar liedjes voor Jorie's optreden aan het luisteren. Ze begint met een show in de Blue Angel in New York.'

Jorie schudde haar haren los. 'Mijn god, ik moet die New Yorkers aan het lachen maken. Dat noem ik nog eens een uitdaging. Wat valt er nou te lachen voor New Yorkers?'

Ik zei: 'Maar ik dacht dat je zangeres was.'

Don zei: 'Ze is zangeres en comedienne. En' – hij nam een beschermende houding aan – 'ze is verdomde briljant.'

Jorie raakte Don even licht aan en glimlachte: 'Je hoeft me niet te verdedigen. Ze heeft niet gezegd dat ik niet verdomde briljant ben.'

Don nam haar hartelijke toon over: 'Sorry, Rita, maar je hebt Jorie nog nooit zien optreden, wel?'

Barry merkte op: 'En dat zal ze ook nooit. Je kent haar werktijden toch en Jorie vertrekt over drie weken.'

Op dat moment dacht ik aan mijn baan en onderdrukte mijn angst door eruit te flappen: 'Volgende week kan ik naar je komen kijken. Ik heb mijn ontslag gekregen op de club.'

'Je bedoelt dat je daar weg moet?' Dons stem schoot ongelovig omhoog en hij sperde zijn ogen open.

Jorie zei: 'Maar engel, jij bent de enige met talent die ze daar hebben. Ik bedoel, ze denken toch zeker niet dat de mensen daar naar toe komen om naar die vreselijke strippers en hun vreselijke pailletten te kijken. Ik bedoel maar.'

Ik legde uit waarom ik ontslagen was en schoof de schuld op de afgunst.

Barry vroeg wat ik dan ging doen en ik kon hem geen antwoord geven. Alleen een kleine spaarrekening stond tussen mij en de armoede in.

'Jammer dat je niet zingt,' zei Barry met zijn afgebeten accent. 'De Purple Onion heeft iemand nodig om Jorie's plaats in te nemen.'

Ik had ze niet verteld dat ik kon zingen.

'Hoe zit 't met volksliedjes?' vroeg Jorie. 'Iedereen, maar dan ook iedereen, kent tegenwoordig op zijn minst één volksliedje. Natuurlijk heeft 't dan duizend coupletten en duurt 't twee uur zonder pauze. Ik bedoel maar.'

Iedereen lachte en ik deed mee. Niet omdat ik ermee instemde, maar omdat ik blij was in zulk scherpzinnig gezelschap te verkeren.

Ik zei: 'Ik ken een calypsosong.'

De mannen wisselden veelzeggende blikken uit met Jorie, wendden zich toen tot mij, hielden hun gezichten even in de plooi en barstten vervolgens in een gemeen gelach uit.

'Dat is een goeie. Oh, Rita, je bent kapitaal.'

Ze lachten mij uit en verwachtten van mij dat ik meelachte. Alleen de zekeren zijn in staat het gewicht van een grap ten koste van zichzelf te dragen en alleen de heel zekeren zijn in staat mee te lachen.

'Vinden jullie calypsomuziek soms geen volksmuziek? Het wordt gezongen door volk. Of vinden jullie omdat het volk uit negers bestaat dat hun muziek niet meetelt, of is dat geen volk omdat het negers zijn?'

Het was duidelijk dat ze mijn boze uitval niet hadden verwacht. Een bleke schrik stond op hun gezichten te lezen. Don trok zijn wenkbrauwen op, wat hem op een Ierse dwerg deed lijken die uit zijn hol is gelokt. Barry, die mijn verlies aan zelfbeheersing onaangenaam vond, wendde zijn ogen af. Jorie knipperde met haar valse wimpers. Fred Kuh, die weinig had gezegd, voerde rustig aan: 'Niemand wilde je kwetsen, Rita. Jorie heeft een hekel aan calypso. Dat is alles.'

'Wat is er verkeerd aan calypso?' Ik had de boosheid als bescherming zo stevig tegen me aangetrokken dat ik haar niet zomaar weg kon wuiven alleen omdat ze niet meer nodig was.

Fred antwoordde: 'Ik denk dat het komt omdat de zangers het meer van het ritme dan van de vertelling laten afhangen. En Jorie's interesse gaat precies naar het tegenovergestelde uit.'

'Och, lieve schat' – Jorie was er weer bij – 'het is dat hemeltergende beng, beng, beng. En dat "de man", "de girl", "de boat". Mijn god, hebben we intussen niet genoeg "dis" en "dat" gehoord? Werkelijk.'

Het kwam erop aan hun te laten zien dat ik me had laten vermurwen, zonder de indruk te wekken dat ik mijn voorsprong opgaf.

'Als jij of iedere andere blanke "dis" of "dat" zegt, dan staat vast dat je het belachelijk wilt maken. Als een zwarte het zegt, is het omdat hij zo praat. D'r is een verschil.'

Er viel een verrukkelijke stilte. Voor even kon ik hen en hun onbehagen uit mijn hand laten eten. Het gevoel van macht was bedwelmend.

'Je zegt dat je niet van calypso houdt en dat de liedjes geen verhaal hebben. Ken je dan "Run Joe" van Louis Jordan?'

Hun hoofden schudden van nee, waaruit bleek dat ze niet geheel lam waren geslagen.

'Het gaat zo.' Ik stond op.

> *Moe and Joe ran a candy store*
> *Telling fortunes behind the door*
> *The police came in and as Joe ran out*
> *Brother Moe, he began to shout*
> *Run Joe*
> *Hey, the man at the do'*
> *Run Joe*
> *The man he won't let me go*
> *Run Joe*
> *Run as fast as you can*
> *Run Joe*
> *The police holding me hand.*

Ik had Louis Jordans plaat gedraaid tot hij staalgrijs was, dus was ik bekend met iedere rust en iedere inzet van het liedje. Ik strekte mijn armen en zwaaide met mijn handen en lichaam in een aangepaste hoeladans, om aan te geven hoe snel Joe's ontsnapping verliep. Ik rukte me los van de denkbeeldige politieagent om te laten zien hoe groot de dwang was die op Moe werd uitgeoefend. Ik wervelde in de kleine ruimte op de plaats in het rond, knielde en boog, wiegde en schommelde, steeds binnen het ritme blijvend.

Toen ik aan het eind was gekomen van het lied, dat uit zo'n vijftig coupletten leek te bestaan, klapte het gezelschap hard voor mij en ze lachten stralend.

Jorie tilde een handvol haar op en zei: 'Maar ik bedoel, snoes, jij kunt zingen. Heb je ooit eerder gezongen?'

Don zei: 'Dat ligt voor de hand. Maar professioneel?'

Toen ik in Stamps, Arkansas, opgroeide, had Momma mij iedere dag van de week meegenomen naar een of andere kerkdienst. Bij elke samenkomst werd er gezongen. Dus ik wist dat ik kon zingen. Alleen niet hoe goed. Onze kerk was kaal, want de parochianen waren arm en de enige muziekinstrumenten die we hadden waren tamboerijnen en onze eigen stemmen. Ik had nog nooit met pianobegeleiding gezongen en hoewel mijn gevoel voor ritme adequaat was, had ik geen flauw benul van maat.

Jorie zei: 'Maar lieve schat, als je zo kunt zingen, zou je mijn plaats in de Purple Onion in moeten nemen. Je zult een daverend succes zijn. Ik bedoel, ze zullen je gewoon adoreren.'

'Hoeveel van dergelijke liedjes ken je?'

'Hoeveel muzikanten heb je nodig?'

'En hoe zit het met jurken?'

'Kun je binnen drie weken klaar zijn voor een optreden?'

Mijn God. De wereld tolde van zijn as en er was niets om me aan vast te houden. Woede en hooghartigheid, trots en vooroordelen, mijn oude steunpilaren, zouden me in deze nieuwe, precaire situatie niet van nut zijn. Deze blanken behandelden me als een gelijke, alsof ik tot alles in staat was waar zij toe in staat waren. Ze hielden er geen rekening mee dat ras, lengte, geslacht of gebrek aan ontwikkeling me zouden hebben kunnen verlammen en dat ik beschouwd moest worden als iemand met een handicap.

De oude gewoonten van terugtrekking in gerechtvaardigde verontwaardiging of furieus uitpakken tegen beledigingen waren in deze omstandigheden niet toepasbaar.

Oh, de zaligheid van altijd de gekwetste partij zijn. De historisch onderdrukten kunnen niet alleen heiligheid, maar ook veiligheid vinden in de rol van slachtoffer. Wanneer de toegang tot een beter leven je maar vaak genoeg en grondig genoeg wordt ontzegd, kun je de afwijzing gebruiken als excuus om alle inspanningen te staken. Tenslotte, zo luidt de redenatie, willen 'zij' me niet, 'zij' accepteren hun eigen middelmatigheid en weigeren het beste van mij, 'zij' verdienen mij niet. En uiteindelijk ben *ik* beter, aardiger, waarachtiger dan 'zij', zelfs al handel en gedraag ik me beschamend en minderwaardig. En als ik niets doe, heb ik dan niet het volste recht op mijn passiviteit, want ik heb het toch geprobeerd?

Jorie merkte op: 'Natuurlijk zul je niet die smak geld, of zelfs maar de helft ervan, krijgen die je nu verdient.

Maar lieve schat, als je na volgende week toch zonder werk zit, kun je dit net zo goed nemen. Voorlopig.'

Ze begonnen mij samen te stellen. Ik moest mijn naam veranderen. En zou het niet je van het zijn als ik een andere herkomst had? Iets exotischers dan die afgezaagde ouwe, Zuidelijke negerafkomst. De mensen waren mos, hangend aan de magnoliabomen en maïsbrood en lynchpartijen en al dat ouwe gedoe zat. Bovendien kon ik niet op tegen Josh White, of tegen Odetta die ik de beste zangeres van Amerikaanse negervolksliederen vond en die in de buurt werkte.

Konden we niet iets vrolijkers bedenken, iets dat minder schuldgevoelens opriep?

Jorie, Don en Barry, met de snelle voorzetten van Fred, zochten hun verbeelding af terwijl ik toekeek. Het was drie uur in de ochtend en ze amuseerden zich als kinderen die op een regenachtige dag zitten te kleien.

Omdat ik lang ben, zou ik iets verhevens moeten zijn, misschien afstammend van een lange lijn van Afrikaanse koningen. Sprak ik soms wat Afrikaans?

Ik had bij Pearl Primus Afrikaanse dans gestudeerd, maar ik had nog nooit oog in oog gestaan met een Afrikaan. In feite werd in de negergemeenschap van 1953 van iemand die luidruchtig en ongemanierd was, gezegd dat hij zo 'lomp was als een Afrikaan'. Ik was een baan kwijtgeraakt aan een toonaangevende dansschool in Cleveland, omdat ik toegezegd had de kinderen uit de zwarte bourgeoisie 'Afrikaanse primitieve dansen' te leren.

Nee, ik sprak geen Afrikaans. Maar ik sprak wel Spaans. Jorie riep uit dat ze een idee had: ik kon Cubaans zijn. Dat was het. Ik kon een Cubaanse zijn die maar een beetje Engels sprak, hoewel ik wel in die taal zong. Ik moest vurig en hartstochtelijk zijn als ik wel, maar uit de hoogte en afstandelijk als ik niet op de planken stond: 'Rita, de Cubaanse seksbom', de Latijnse señorita, wier vader, een Watoesi hoofdman, was verkocht in Cuba.

Ze maakten van mij de ster van een drama en ik had niet echt zin om die rol af te slaan. Halfhartig vroeg ik me hardop af wat er zou gebeuren als het werd ontdekt dat ik de boel voor de gek hield. Herb Caen, de bijtende columnschrijver, was iemand met een Janusgezicht; hij bewaakte het plaatselijke verleden en fungeerde als gids voor de toekomst van de plaatselijke bewoners. Jorie, Stan Wilson en Mort Sahl vielen bij hem in de smaak. Maar wat als hij erachter kwam dat ik een oplichtster was? Hij zou me de risee van San Francisco kunnen maken.

Mijn nieuwe vrienden brachten daar tegen in: 'Waarom zou het hem wat uitmaken? Als hij erachter kwam en het vermeldde, zou San Francisco het vermakelijk vinden.' De mensen zouden met me lachen in plaats van me uitlachen. Per slot van rekening had de stad meer excentriekelingen dan lichtjes op de Golden Gate-brug.

Ik stemde niet alleen in met de schertsvertoning, ik begon er ook mijn eigen toetsen aan toe te voegen. Mijn vader, de Watoesi hoofdman, was geen slaaf geweest (ach, als ik mezelf eens van dat stigma kon bevrijden), maar was de zoon van een stamhoofd dat naar Cuba was gevaren om zijn zuster terug te halen die uit Afrika was gestolen. Eenmaal daar, was hij verliefd geworden op een donkerogige Spaanse. Hij had haar veroverd na een bloederig duel, was met haar getrouwd en zij had het leven geschonken aan mijn vader. Zij, mijn zeer welgestelde ouders, hadden me naar de Verenigde Staten gestuurd zodat ik wat van de wereld kon zien voordat ik trouwde en me vestigde op mijn eigen, goedbemande hacienda.

Mijn toehoorders luisterden met open mond, terwijl ik mijn verhaal voor hen opdiste. Hun verbeeldingskracht was goed geweest, maar de mijne was beter. Zij hadden zichzelf ermee geamuseerd, maar ik werd gemotiveerd door de wens te ontsnappen.

Ivonne sloeg me gade terwijl ik praatte. Ze knikte, niet zozeer omdat ze het met me eens was, maar eerder om aan te geven dat ze begreep wat ik zei.

'Dus ga ik in de Purple Onion zingen. Ik zing calypsoliedjes. Jorie Remus, die daar nu de ster is, en de manager en de barkeepers zorgen dat het allemaal geregeld wordt.' Ik nam een slok van het bier dat ik had meegebracht om het te vieren. 'Ze zijn allemaal blank, maar ze zijn aardig. Zoiets als buitenlanders.'

Ze neeg haar hoofd.

'Ik bedoel, het zijn Amerikanen, maar Jorie heeft in Parijs gewoond. In Frankrijk. En ik denk dat ze daarom anders is.'

Ivonne dronk van haar bier en wachtte. Onze vriendschap had ons zo dicht bij elkaar gebracht dat ze aanvoelde dat ik nog meer te zeggen had en dat wat ik tot het laatst bewaarde, het relevantst was.

'Ze doen me denken aan Hemingway en Gertrude Stein en die groep die in Frankrijk woonde, weet je wel?'

Omdat ze niet de boeken had gelezen die ik had gelezen, riepen de namen die ik noemde, geen beelden bij haar op van de Rive Gauche en Montmartre. Ze legde geen link met een heerlijke tijd, toen de goede, blanke schrijvers van Amerika in cafés als de Deux Magots een literatuur hadden zitten bedenken waarvan de wereld decennialang in de ban zou zijn.

Mijn vriendin bleef ontspannen zwijgen.

'Dus stelden ze voor dat ik mijn naam veranderde en...' Wat gemakkelijk te accepteren was geweest in het gezelschap van vreemden, werd nu bijna onuitspreekbaar in Ivonne's woonkamer.

Ik had gedacht dat alleen een poging om voor blank door te gaan, een acceptatie inhield van iets wat niet waar was. Terwijl ik naar woorden zocht, kwam het bij me op dat wat ik van plan was te doen, een ontkenning inhield van iets wat *waar* was.

'Ze raadden me aan om te zeggen dat ik uit Cuba kom.'

De blik in haar zwarte ogen was even koud en hard als haar stem.

'Oh, Ivonne. Het is vanwege de romantiek. Gewoon omdat dat mij exotischer maakt.'

'Ze willen dat je ophoudt een neger te zijn...'

'Och, welnee.'

'En je beweert dat deze mensen vrij zijn? Vrij waarvan? En vrij waarvoor?'

'Je snapt 't niet.' Ik ergerde me aan haar. Zij en mijn moeder hadden meer met elkaar gemeen dan ik met een van hen beiden. 'En ik ga zingen. Ik begin aan een nieuwe carrière.'

'Je gaat Cubaanse liedjes zingen? Zoiets als Carmen Miranda? Met bananen op je hoofd en dan van je tsji, tsji, boem boem?' Sarcasme suikerde haar stem.

'Luister, Vonne, ik ga calypso's zingen. En ik zal goed zijn.' Ik vond het niet prettig om mezelf te moeten verdedigen. Ze was een vriendin. We deelden geheimen, smart en geld. We hadden sleutels van elkaars woningen en zagen samen onze kinderen opgroeien.

'Luister hier maar 'ns naar.' Ik stond op en nam plaats voor de salontafel.

He's stone cold dead in de market
Stone cold dead in de market
Stone cold dead in de market
I kill nobody but me husband.

Mijn stem haperde en daalde. Ik verhief hem tot een schreeuw. Toen hij naar gekrijs toegierde, maakte ik hem zachter. Ik vloog tussen en over de noten heen als een langeafstandsloper die bergafwaarts rent. Toen het uit was, had ik in zo'n drie verschillende toonsoorten gezongen. Ivonne leunde achterover op de bijna afbetaalde bank. Een flauw, berustend glimlachje speelde verstoppertje op haar gezicht.

Ze zei: 'Eén ding moet ik je nageven, Marguerite Johnson' – in geen jaren had iemand me bij die naam genoemd – 'je hebt wel lef.'

En ze had gelijk.

10

North Beach bruiste met evenveel tumult en kleur als de hoofdstraat van een goudzoekersstadje. Luid tromgeroffel dreunde door de deuren van vaudevilletheaters. Italiaanse restaurants kruidden de lucht straten ver, terwijl op Washington Square oude, witgehemde mannen luidruchtig hun spelletjes boccia bespraken. Pagodevormige uithangborden staken naar voren vanaf huurkazernes in Chinatown en bedreigden de omhoog geheven gezichten van de krioelende toeristen. Een straat daar vandaan, in Columbus Avenue, was Vesuvio's bar het internationale centrum voor intellectuelen, kunstenaars en jonge beatniks die druk bezig waren zichzelf uit te vinden. Eén deur verder, in de City Lights boekhandel, lazen Allen Ginsberg en Lawrence Ferlinghetti hun nieuwste gedichten voor. Honderdvijftig meter verder Columbus Avenue in had je de Black Cat, die als ontmoetingsplaats fungeerde voor zeer elegante homoseksuelen die zich dramatisch tegen de bar aanplooiden en zich op luide en vertrouwelijke toon over 'cultuur' onderhielden.

De Purple Onion was een keldercabaret dat Jorie *La Boîte* noemde (Don vertaalde dit met 'het sardineblikje'). De muren waren donkerpaars geschilderd en hoewel de ruimte eigenlijk maar plaats bood aan tweehonderd mensen, waren er die eerste avond dat ik naar de show ging kijken veel meer in samengedromd en was de lucht claustrofobisch benauwd. Jorie was gekleed in een eenvoudige, dure, zwarte jurk en leunde met haar rug tegen de ronding van de vleugel. Half-om-half zong en praatte ze een smartlap, onderwijl wuivend met een sigarettenpijpje in haar ene hand en met haar andere loom een chiffonsjaal heen en weer bewegend. Haar stem kraste licht over de noten.

> *He's just my Bill*
> *An ordinary guy*
> *you'd see him on the street*
> (rust)
> *And never notice him.*

Ze keek het publiek recht aan en haalde haar magere schouders op. Haar blik zei dat Bill eigenlijk heel afschuwelijk was en dat ze er zelf maar weinig van begreep waarom zij Bill wel had opgemerkt. Voor onze ogen veranderde ze van een wereldwijze vrouw, gedesillusioneerd door een uitgebluste liefdesaffaire, in een 'toffe' meid die niks meer of minder was dan wij. Het publiek joelde bij die transformatie, verrukt dat ze erin waren getrapt.

Ik zat gefascineerd achterin het zaaltje. Het was nauwelijks te geloven dat ik was gevraagd de plaats van deze briljante vrouw in te nemen, hoewel mijn auditie redelijk goed was verlopen. De familie Rockwell, met Keith, de oudste zoon, als woordvoerder, waren de eigenaars van de club en ze waren zonder veel geestdrift een contract voor zes maaanden, met een optie van drie, met mij aangegaan.

Jorie hing kwijnend en druipend van de chiffon over de vleugel en lanceerde beaccentueerde snedigheden. Of ze stond stil, haar schouders omlaag, haar handen ontspannen en zong een lied dat de zaal zo ontroerde dat een paar tellen nadat ze was uitgezongen, niemand klapte of elkaar aankeek.

Toen ik mijn eerste repetitie had, bracht Jorie haar dramadocent mee om met mij kennis te maken. Het was een lange, magere, zwartharige man die Lloyd Clark heette en die bevallig door getuite lippen sprak en zijn vingers naar voren strekte, alsof hij voortdurend zijn manchetten wilde laten zien. Hij werd vergezeld door een knappe, Hollandse amazone, met blond haar dat naar achteren was getrokken en omlaag hing in een paardenstaart van een halve meter. Haar kleine meisjesglimlach leek misplaatst op een gezicht dat model had kunnen staan voor de voorsteven van een schip.

En ze sprak met zachte stem: 'Ik ben Marguerite Clark. Ik ben zijn vrouw.' Er klonk zoveel trots door in die mededeling dat het me niet verbaasd zou hebben als ze haar duimen in haar oksels had gezet en door de kamer had geparadeerd. Lloyd aanvaardde haar verering als iets wat hem toekwam en vroeg mij of ik ooit met een dramadocent had gewerkt. Ik antwoordde dat ik dat niet had, maar dat ik wel drama had gestudeerd en dat ik danseres was.

'Wel, m'n waarde, eerst moet je voor me zingen.' Hij hield een sigaret tussen zijn middel- en ringvinger, waardoor hij me deed denken aan een Europese filmacteur. Kieskeurig nam hij een trekje. De man had een afgewogenheid die het duidelijkst tot uiting kwam in zijn woordkeus.

'Ik weet niet of ik je kan helpen totdat ik' – elk bemind woord werd zorgvuldig gekozen en minzaam uitgedeeld als vruchten van keurkwaliteit – 'je heb zien optreden.'

De pianist, die blank en ervaren was, intimideerde me

bijna net zo erg als de dramadocent. Eerder die middag had hij naar mijn bladmuziek gevraagd en toen ik hem vertelde dat de liedjes die ik van plan was te zingen, nauwelijks gepubliceerd waren, sloeg hij de klep van de piano dicht en stond op.

'Wil je daarmee zeggen dat ik geacht word zonder muziek te spelen? Gewoon maar wat begeleiding improviseren?'

Ik begreep zijn verbolgenheid niet en evenmin het sarcasme in de laatste vraag. 'Ik heb een contract getekend en ik heb over twee weken mijn eerste optreden. Wat kan ik doen?' Ik had gemerkt dat rechtstreekse vragen, als ze al beantwoord werden, een rechtstreeks antwoord opleverden.

'Laat wat schema's voor je opschrijven,' antwoordde hij onverschillig.

'Kun jij dat niet doen? Zal ik je betalen voor die schema's? Wat dat dan ook mogen zijn.'

Hij glimlachte flauwtjes en zei, ten dele gekalmeerd: 'Als ik de tijd ervoor kan vinden.'

Hij ging weer op zijn bankje zitten en opende de piano. 'Wat zing je?'

Ik antwoordde: 'Calypso. "Stone Cold Dead in the Market", "Run Joe", "Babalu". Dat soort liedjes.'

Hij vroeg: 'Welke toonhoogte voor "Stone Cold Dead in the Market"?' Zijn vingers gleden over de toetsen en ik werd me bewust van mijn diepgaande onwetendheid.

'Dat weet ik niet.' De muziek stopte en de pianist steunde zijn hoofd op de piano. Hij was zo dramatisch dat ik vond dat hij eigenlijk de ster had moeten zijn.

Ik zei: 'Het spijt me dat ik je tot last ben.' Meestal wanneer je je aan iemands voeten gooit, moet je bereid zijn snel opzij te rollen om te vermijden dat er over je heen wordt gelopen. 'Maar ik zou heel blij zijn met je hulp – ik begin pas.'

De pianist was tegen de situatie opgewassen, wat gezien zijn eerdere smalende uitdrukking voor hem waarschijnlijk als een grotere verrassing kwam dan voor mij.

'Oké.' Hij ging weer rechtop zitten. 'Probeer dit eens.' Hij begon te spelen en ik herkende de melodie.

'Ja, dat is 't.'

'Dat weet ik,' zei hij droog. 'Wat zou je ervan denken om te gaan zingen, zodat ik je toonhoogte kan bepalen.'

Ik luisterde nauwkeurig, kneep mijn ogen halfdicht en probeerde te ontdekken waar, tussen alle noten die hij speelde, ik mijn stem in moest voegen.

'Zing.' Het was een bevel.

Ik begon: 'He's stone cold dead in the market.'

'Nee, dat is fout. Luister.' Hij speelde, ik luisterde. Ik begon te zingen.

Hij zei: 'Nee, weer fout.'

Ten slotte trof ik bij toeval de juiste toon. De pianist knikte zuinig en ik zong het lied uit.

Hij stond op en liet zijn blik langs mij afketsen toen hij zich naar de bar omdraaide. 'Je hebt muziek nodig. Die heb je echt nodig.'

Ik keek toe hoe hij een drankje bestelde en vervolgens zijn glas gulzig leegdronk.

En nou zat hier Lloyd Clark met zijn adorerende Brünnhilde aan zijn zij en sommeerde mij die onhandige voorstelling te herhalen.

Telkens wanneer ik als niet-engel op de punt van een naald had gedanst, was ik me er altijd van bewust geweest dat ik uit kon glijden en mijn nek breken. Het zou fataal kunnen zijn, maar in ieder geval zou er een eind komen aan de angst. Daarom was ik vaak op mogelijke rampen afgesneld met een overgave die door toeschouwers voor moed werd versleten. De waarheid was dat ik eenvoudig een einde wenste te maken aan de onzekerheid.

De pianist reageerde op mijn knik, ging met zichtbare berusting aan de piano zitten en zette het lied in dat we eerder hadden uitgeprobeerd.

Ik keek over mijn publiek heen en besloot de muzikant en zijn hatelijke houding te negeren. Ik concentreerde me op de intrige. Een arme, West-Indische vrouw werd bedreigd door haar bruut van een man (mijn moeders vader kwam uit Trinidad en hoewel hij een goed mens was, was hij ook zeer streng) en uit zelfverdediging sloeg ze terug. Mijn sympathie ging uit naar de mishandelde vrouw. Dus vertelde ik het verhaal vanuit haar standpunt.

Don zei: 'Fantastisch, gewoon fantastisch.'

Jorie vroeg in het algemeen en aan Lloyd: 'Heb ik niet gezegd dat ze een wonder is?'

Lloyd kwam glimlachend overeind en liep met uitgestoken handen op me toe: 'Fabelachtig, schat, je wordt fabelachtig. Je bent geweldig dramatisch.' Hij wendde zich tot zijn vrouw die hem volgde als een grote, witte schaduw. 'Nietwaar, Marg? Gewoon fabelachtig?'

Marguerite schonk hem een liefhebbende glimlach. 'Ja, Lloyd, lieveling.' Vervolgens zei ze zacht tegen mij: 'Je bent goed. Heel goed. En als je met Lloyd hebt gewerkt... Oh, ik kan er nauwelijks op wachten.' Haar stem logenstrafte haar ongeduld.

'Nou, m'n beste, ga eens zitten. Kom, we moeten eens ernstig praten.' Lloyd pakte mijn beide handen. Hij boog zich langs mij heen en zei tegen de muzikant:

'Dank je wel, jongeman, dank je wel. En je hebt het zonder schema's gedaan. Briljant.'

'Nou, liefje, ga zitten.'

Hij trok me mee naar Jorie's tafeltje. Ze aaide me over mijn wang en sloeg langzaam één lang gewimperd oog neer, waarmee ze te kennen gaf dat ik binnen was en had ze het niet gezegd en waren we niet allemaal vreselijk bij de pinken. Ik knipoogde terug en grijnsde.

Marguerite kroop zo dicht tegen Lloyd aan dat ze bijna bij hem op schoot zat en Don maakte gelukwensende geluidjes tegen mij en tegen zichzelf.

'Allereerst, liefje, je naam,' zei Lloyd.

'Rita.'

'Is dat je naam? De naam waar je mee geboren bent?' Zijn ongeloof was evident.

'Nee, ik heet Marguerite.'

Marguerite Clark complimenteerde ons beiden. 'Oh, wat enig.'

'Het is prima voor jou, Marguerite, maar voor haar werkt hij niet.'

Ik was naar mijn grootmoeder van moederszijde genoemd, bij wie deze uitspraak niet in goede aarde zou zijn gevallen.

'Ze heeft iets exotischers nodig. Iets met meer glamour.' Lloyd wendde zich tot Jorie en Don. 'Vinden jullie ook niet?'

Dat vonden ze zeker.

'Een echt goeie naam,' zei Don 'is de helft van de show.'

Ik dacht aan de populaire artiesten die wekelijks in de kranten werden vermeld. Ik wist niet of hun namen voor de showbusiness waren gecreëerd, of dat die artiesten gewoon geluk hadden gehad. Ik zei niets.

'Laten we eens nadenken. Bedenk eens wat namen.'

Don liep naar de bar en kwam terug met een fles wijn en glazen.

Thaïs, Sappho, Nana, Lana, Bette, de namen van heldinnen uit de Griekse geschiedenis, de wereldliteratuur en Hollywood werden heen en weer gekaatst, maar niet een ervan scheen mijn samenstellers te bevallen.

Ik zei: 'Mijn broer heeft me altijd Maya genoemd. Naar "Marguerite". Vroeger noemde hij me "Mijn zus", toen noemde hij me "Mij" en tenslotte "Maya". Is dat niets?'

Jorie riep uit: 'Goddelijk. Goddelijk, schat.'

Don was opgetogen: 'Hij past bij je, oh God, hij past bij je.'

Marguerite wachtte op Lloyd. Hij dacht na, keek me doordringend aan in een poging de naam in mijn gezicht te vinden. Na een minuut zei hij, alsof hij me doopte: 'Ja, je bent Maya.'

Marguerite zei: 'Lloyd, je hebt gelijk, liefste. Ze *is* Maya.'

Don liet de wijn rondgaan.

'Maya wat?' Jorie keek naar Lloyd. 'Verlos ons, alsjeblieft, van artiesten met één naam. Hildegarde, Liberace. Nee, ze moet minstens twee namen hebben.'

Ik zei: 'Mijn getrouwde naam is Angelos.'

Don kauwde op de woorden en proefde ze.

'Maya Angelos.' Jorie nam de naam over en wikte hem op haar tong. 'Dat is niet slecht.'

Lloyd zei: 'Het klinkt te Spaans. Of Italiaans. Nee, dat is 'm niet.' Een idee lichtte zijn gezicht op. 'Ik heb 't. Laat de *s* vallen en zet er een *u* voor in de plaats. Maya Angelou.' Hij sprak het uit als Angeloe. 'Natuurlijk! Dat is 't!'

Jorie zei dat het te goddelijk was, Don dat het volmaakt was. Marguerite straalde eerst haar lof voor Lloyd en vervolgens voor de naam.

We brachten allemaal een toost uit op ons succes. Ik had een baan, een dramadocent, een pianist die schema's voor me zou maken en ik had een nieuwe naam (ik vroeg me af of ik ooit het gevoel zou hebben dat hij het mijmezelf van mij typeerde.)

We begonnen mijn debuut voor te bereiden. Elke dag had ik drie uur les van Lloyd. Hij instrueerde me hoe ik moest staan, lopen, draaien en het publiek mijn beste profiel laten zien. Hij werkte net zo naarstig aan mijn act als een couturier die een bruidsjapon ontwerpt voor een lid van het koninklijk huis.

'Liefje, je *moet* stilstaan. Glij het toneel op zoals de Queen Mary van haar ankerplaats wegglijdt, tot je bij de piano bent en dan sta je absoluut, maar dan ook absoluut, stil. Na een paar tellen kijk je rond naar je publiek en dan, pas dan, naar je pianist. Knik met je hoofd naar hem en dan begin je met je muziek. Als hij zijn intro heeft gespeeld, dan begin je te zingen.'

Het stilstaan viel me van al zijn instructies het zwaarst. Wanneer ik tijdens de repetities werd aangekondigd, trilden mijn zenuwen en voerden de zwaluwen in mijn maag duikvluchten uit. Als ik '... en nu Maya Angelou' hoorde, rende ik de kleedkamer uit, de nauwe gang naar het podium door en begon ik, onmiddellijk, zonder op de muziek te wachten te zingen: 'Moe and Joe ran a candy store.'

'Nee, schat, stil. Volkomen stilstaan. Denk aan een diepe poel.'

Steeds opnieuw probeerde ik het, totdat ik in staat was het toneel op te lopen en zonder aan iets te denken –

niet aan diepe poelen, niet aan wegvarende schepen – absoluut stil te staan.

Lloyd zei dat ik op zijn minst twaalf liedjes moest leren voor mijn eerste optreden. Ik plunderde de geheugens van iedereen die ik kende. 's Ochtends speurde ik de muziekwinkels en platenzaken af naar materiaal. Tegen de middag haastte ik me naar het appartement van de pianist, waar we de liedjes zo vaak repeteerden dat ze betekenislozer werden dan de woorden in een kinderspelletje. In de namiddag werkte ik met Lloyd in mijn huis. Wanneer hij weg was, koos ik liedjes uit om voor Clyde te oefenen. Hoewel ik de leuke, komische liedjes voor zijn vermaak zong en vrolijk van de ene kant naar de andere sprong, keek hij altijd toe met een ernst die indruk zou hebben gemaakt op de dood zelf. Als ik uitgezongen was, zette hij gewoonlijk zijn hoornen bril af, keek me peinzend aan en vroeg: 'Jee, Mam, hoe kun je al die woorden onthouden?'

Clyde had zich ontwikkeld tot een prater. Hij praatte tegen mij, tegen familieleden, tegen vreemden en had lange, ingewikkelde gesprekken met zichzelf. Zijn betogen besloegen alle onderwerpen van zijn leven. Hij was een alleslezer geworden, verslond hele boeken zowat in één keer en beleefde de intriges opnieuw in zijn gesprekken. Hij las sciencefiction (hij was gek op Ray Bradbury), wildwest pulp, zijn lessen voor de zondagsschool, de gedichten van Paul Lawrence Dunbar en dierenverhalen en verklaarde tegen iedereen die het wilde horen dat hij, Red Ryder en Fluke op hun paarden naar de maan zouden rijden om met God te praten, die een gitaarspelende oude, zwarte man was. Red Ryder was een personage uit de wildwest boeken en Fluke was Clyde's onzichtbare, ondeugende vriendje. Fluke maakte hem aan het lachen met zijn streken. Hij kon dingen doen waar Clyde niet toe in staat was en Fluke deed ze ongestraft. Als er een lamp om werd gestoten en kapot viel, kwam dat omdat Fluke op de lampenkap rondwandelde. Toen de badkuip overliep en de betegelde vloer in een ondiepe vijver veranderde, was Fluke na Clyde naar de badkamer gegaan en had de kraan opengedraaid.

Tevergeefs trachtt ik hem het verschil duidelijk te maken tussen liegen en een verhaal verzinnen, maar besloot dat het belangrijker was dat Clyde zijn niet-bestaande maatje hield om de eenzaamheid van het enig kind zijn te verlichten. Ik hield ervan om vanuit de keuken te luisteren wanneer hij Fluke verhaaltjes voor het slapen gaan vertelde en wanneer hij in zijn ochtendbad hardop lachte als hij zijn vriendje waarschuwde tegen het uithalen van een al te dolle streek.

Francis, de 'naaister', nam Gerry's (met een G) ideeën over en ontwierp lange, nauwsluitende jurken uit lappen ruwe zijde en witte corduroy. De jurken hadden aan twee kanten splitten vanaf de vloer tot heuphoogte en eronder droeg ik kleurig gebatikte broeken met één pijp. Wanneer ik stilstond, viel de stof sierlijk omlaag, een indruk wekkend van sobere elegantie, maar wanneer ik me bewoog, vlogen de panden omhoog en leek het alsof één been bloot was en het andere getatoeëerd. Ik droeg geen schoenen. Het algehele effect was meer sensationeel dan aantrekkelijk, maar aangezien ik geen illusies koesterde omtrent mijn zangkunst, redeneerde ik dat als ik het publiek kon verrassen met mijn kostuums en persoonlijkheid, ze misschien zo afgeleid werden dat ze het niet in de gaten zouden hebben.

Op de avond van de première verlangde ik één van twee dingen. Dat ik dood was – dood en vergeten – of dat mijn broer bij me was. Het leven had een aantal zware eisen aan mij gesteld, maar hoewel ik zelfmoord nooit had uitgesloten, had tot dan toe geen enkele ervaring me voldoende geschokt om het serieus te overwegen. En mijn broer, Bailey, die me kon laten lachen of me de vrijheid geven te huilen om sentimentele dingen, was in de staat New York waar hij worstelde met zijn eigen bittere realiteit. Dus was ik, in weerwil van mijn wensen, in leven en alleen.

Ik gluurde door een kijkgaatje toen Barry Drew het podium opliep. Hij beweerde dat hij afstamde van twee, grote toneelfamilies en zijn nalatenschap eer moest aandoen.

'En nu, dames en heren' – hij wreef zich in de handen – 'vanavond debuterend in de Purple Onion' – hij keerde zijn beste kant naar het licht en spreidde zijn armen voor iedereen – 'Maya Angelou!'

Er klonk wat applaus, niet genoeg om me te bemoedigen, maar ook niet zo weinig dat ik kon ontkennen dat er mensen op me zaten te wachten.

Ik telde tot drie en liep langzaam de gang door en het podium op. Ik stond stil zoals ik tijdens de repetities had gedaan en een intense rust omgaf me. Een seconde later dook de angst omlaag mijn maag in en werden mijn knieën slap. Ik realiseerde me dat ik de mensen niet kon zien. Niemand had me ervoor gewaarschuwd dat de combinatie van spotlights en zenuwen blindheid veroorzaakt. De gang waar ik doorheen was gelopen, lag er nog steeds vrij en onbelemmerd bij. Ik wierp er een verlangende blik op, keerde me toen naar de pianist en knikte. En hoewel ik het niet besefte, was dat voor mij het begin van een andere loopbaan.

De populariteit was bedwelmend en maandenlang waggelde ik beneveld rond. Journalisten begonnen om interviews te vragen en ik gaf ze met een ersatzaccent dat een mengelmoesje was van de uitspraak van Ricardo Montalban, Jorie Remus en Akim Tamiroff. Ik ontving uitnodigingen om voor de radio te praten en voor de televisie te zingen. Fans begonnen me op straat te herkennen en een welgestelde vrouw richtte een Maya Angelou fanclub op die tien leden telde.

Later ontmoette ik mensen die zeiden: 'Ik heb je zien dansen in de Purple Onion.' Minzaam verzweeg ik de informatie dat ik, in feite, door de club ingehuurd was als zangeres, maar dat de liedjes vele coupletten hadden en zulke complexe ritmen dat ik vaak de draad van het verhaal kwijtraakte en de tekst vergat. Dus telkens wanneer de woorden me ontschoten, bekende ik openlijk dat mijn geheugen zo slecht was en voegde eraan toe dat als het publiek het goedvond, ik zou dansen. De eerste keer dat ik toegaf een zwak geheugen te hebben, fronsten Lloyd Clark en Barry Drew afkeurend, maar nadat de zaal luid had geapplaudisseerd, accepteerde Barry het en zei Lloyd: 'Geweldig, schat, geweldig. Hou 't erin. Eigenlijk zou je meer moeten dansen.'

Ik deelde het programma met een vreemd, getalenteerd echtpaar. Jane Connell zong warrige deuntjes, terwijl haar nuchtere echtgenoot droog de piano bespeelde. Hun jargon was spitsvondig en verried hun Berkeley universiteitsachtergrond. Toen zij vertrokken om zich bij Jorie in de Blue Angel in New York te voegen, kwam er een morsig blonde huisvrouw uit Alameda een auditie doen en werd aangenomen door de club. Ze bracht een garderobe mee van malle bloemenhoedjes en mottige boa's, die ze rond haar dunne nek slingerde. Haar lach, die ze vaak liet horen, was een kruising tussen het gebalk van een ezel en een misthoorn. Ze zei dat ze haar naam niet wenste te veranderen, want als ze succes had, wilde ze dat iedereen wist dat, inderdaad, zij haarzelf was. De naam werd in grote, witte letters buiten op de club aangebracht: Phyllis Diller.

II

Clyde raakte, zonder een vader in huis en geen ander mannelijk gezagssymbool in zijn wereld in de ban van uniformen. Hij aanbad politieagenten en dagdroomde erover piloot te worden op een bommenwerper.

'Ik duik zo omlaag, mam, brrr en dan schiet ik hun koppen eraf, bang, bang, bang.' Hij marcheerde en stampte door het huis in een povere imitatie van de Gestapo-ganzenpas. Hij salueerde tegen muren en stoelen en gaf deuren het commando: 'Op de plaats rust, sergeant Deur.' Hij had zijn hart verloren aan de luchtmacht en 's avonds, als het bedtijd was, wachtte hij in zijn kamer op mij om zijn gebedje op te zeggen en vervolgens te zingen (en hij zong zelf mee):

> *Off we go into the wild blue yonder*
> *Singing songs into the blue...*

Iedere avond als ik naar mijn werk ging, zei de oppas: 'Ons soldaatje heeft zijn brits opgezocht, hè?' Ik wenste dat ik haar oneervol uit mijn dienst had kunnen ontslaan.

Ik was ontzet, maar liet hem met rust tot ik kon beslissen op welke manier ik het beste tegenwicht kon bieden aan deze plotselinge hang naar geweld. Ik hoopte op hemelse interventie en wachtte mijn tijd af. Toen zijn verjaardag naderbij kwam, begon hij na school rond te hangen in het plaatselijke warenhuis. Hij wilde een machinegeweer, of een tank, of een pistool waar je echte plastic kogels mee kon schieten, of een windbuks. Ik nam hem mee naar het asiel van de dierenbescherming en vertelde hem dat hij een dier mocht uitkiezen. Een klein hondje of om het even wat voor kat. Hij liep tussen de kooien door, koos een hond uit en wees die weer af als hij een nog eenzamer uitziende kat in het oog kreeg. Ten slotte viel zijn keus op een klein, jong, zwart poesje met slijmoogjes en een doffe, stoffige vacht. Ik vroeg de verzorger of het katje gezond was. Hij beweerde van wel, maar dat het te vroeg bij de moeder was weggehaald en aan zijn lot overgelaten. Het had persoonlijke zorg nodig anders zou het asiel het een spuitje moeten geven. Clyde was geschokt. Ik kon hem en zijn haveloze kat maar net op tijd het gebouw uitkrijgen voordat hij woedend uitbarstte: 'mam, bedoelde hij dat hij mijn poes dood zou moeten maken?'

Hij klemde het beestje zo dicht tegen zich aan dat ik dacht dat hijzelf wel eens een einde aan zijn ellendige leventje zou kunnen maken.

'Ja, als niemand het wilde hebben, zouden ze het moeten laten inslapen.'

'Maar, mam, dit is toch een asiel waar ze dieren beschermen?'

'Ja.'

'Nou.' Hij dacht even na. 'Goh! Wie zou d'r nou zo'n werk willen doen? Als je de hele tijd dieren moet doodmaken.'

Ik zag mijn kans. 'Natuurlijk zijn er ook mensen die werk hebben waarvoor ze mensen moeten doodmaken.'

De eerdere schok was niets vergeleken bij de gewaarwording die hem nu overmande. Hij kneep het katje bijna de keel dicht. 'Wat? Wie? Wie maakt er mensen dood?'

'Oh, soldaten, matrozen. Piloten die machinegeweren en bommen gebruiken. Je weet wel. Daar worden ze voornamelijk voor betaald.' Hij leunde achteruit in de auto en aaide het katje. Zwijgend en nadenkend.

Ik had het nooit meer over doodmaken en hij vroeg nooit meer om een wapen.

In 1954 kwam Leonard Sillmans Broadway-hit, *New Faces of 1953* naar het Westen. San Francisco, dat al de thuishaven was van oneerbiedige komieken, politieke zangers van volksliederen, duur geklede travestieten, beatdichters en populaire cabaretzangers, werd gegrepen door de geestige revue. Ik ging met Don Curry naar een vroege middagvoorstelling. Toen Eartha Kitt 'Monotonous' zong met haar hese vibrato en haar glanzende lijf op een glanzende chaise longue wierp, was het publiek in extase. Alice Ghostly creëerde met 'Boston Beguine' een hilarische verleidingsscène in een luizige hotelfoyer waar 'zelfs de palmen met natte voeten in hun potten stonden'. Paul Lynde, als missionaris die zojuist was teruggekeerd van een driedaagse reis door het Afrikaanse continent en Robert Clary, als een Fransman met de gestalte van een kopje, rollend met zijn ogen zo groot als schoteltjes, gaven aan het kluchtspel een kracht die onweerstaanbaar was. Ronnie Graham was een van de schrijvers van de revue en voerde samen met June Carrol sketches op.

Ik had bijna geen gevoel meer over toen we het theater verlieten. De kwaliteit van het talent en de kwantiteit aan energie hadden mijn reactievermogen uitgeput.

Mijn familie vatte het plan op om naar de Onion te komen voor een vroege voorstelling. Moeder kwam samen met tante Lottie en ze zouden ook een paar oude gokkers uit het Fillmore district meebrengen, die, behalve om dure pakken te kopen bij blanke kleermakers, nooit buiten de negerwijk kwamen. Ivonne zou Clyde en haar dochter, Joyce, meebrengen. Ik reserveerde plaatsen op de eerste rij en bracht een nerveus halfuur door in afwachting van hun komst.

De volwassenen hielden een luidruchtige en vrolijke reünie op de eerste rij. Een vreemde zou er gemakkelijk uit hebben kunnen concluderen dat ze elkaar in maanden, of eerder nog in jaren, niet hadden gezien.

Moeders vrienden bekeken Clyde en gaven hem complimentjes omdat hij zo snel groeide. Hij straalde en rechtte zijn al brede schouders. Lottie prees Joyce omdat ze een 'volmaakte jongedame' aan het worden was en de stemmig geklede mannen, die gewoonlijk pokerkaarten deelden in de wettelijk illegale gokhuizen, glimlachten tegen iedereen en bestelden voorkomend drankjes voor het hele gezelschap. Ketty Lester, een beeldschone vrouw, afkomstig uit een klein stadje in Arkansas, dertig mijl ten noorden van waar ik vandaan kwam, opende altijd de show. Ze zong mooie liedjes en ze zong ze voortreffelijk. Ze werd gevolgd door Phyllis Diller, die haar aura van waanzin over het toneel en de zaal verspreidde en dan sloot ik de voorstelling af. De ouderen waren geboeid door Ketty's zingen. Ze zong 'Little Girl from Little Rock' en de zwarte mensen die allemaal hun wortels in het Zuiden hadden, zaten erbij alsof het lied uitdrukkelijk voor Ketty was geschreven om voor hen te zingen. Van achterin de club keek ik toe hoe ze lachten en tegen elkaar knikten en ik hoefde niet binnen gehoorsafstand te staan om te weten dat ze 'Zo is 't' en 'Zo is 't zeker' en 'Als 't niet waar is' met elkaar uitwisselden.

Er zat maar een minuut pauze tussen de laatste tonen van haar toegift en de introductie van Phyllis. Uit nieuwsgierigheid bleef ik tegen de achterwand geleund staan, want ik wilde zien hoe mijn familie zou reageren op de slonzige comedienne. Zwarte mensen vergaven het blanken zelden als ze haveloos, onverzorgd en slordig waren. Er bestond een uitdrukking die de afkeuring ver- klaarde: 'Je bent je hele leven al blank en je hebt 't nog niet verder gebracht? Wat mankeert je?'

Toen Phyllis het toneel opkwam, viel Clyde zowat van zijn stoel en Joyce begon zo te gieberen dat ze bijna haar glas limonade omstootte. De comedienne, extra- vant gekleed en bulderend als een hikkend paard en de klepel van een klok, besloot op de kinderen te spelen (ze had er zelf vier). Ze waren verrukt en moesten zo uitbun- dig lachen dat ze naar adem snakten, maar omdat ze wel- opgevoede negerjongeren waren, die voorgehouden was dat nette kinderen niet hardop lachen, hielden ze hun handen voor hun mond.

Ik glipte de kleedkamer in, blij dat er uiteindelijk voor iedereen iets bijzat in de show. Alleen Ivonne leek niet bijzonder gecharmeerd te zijn door de twee optredens. Maar ik wist dan ook dat ze wachtte tot ik zou zingen.

Ik liep door de gang naar het podium, nam nota van het applaus en hoopte dat mijn familie het niet zo druk had met klappen dat ze geen tijd hadden om op te mer- ken dat andere mensen ook applaudisseerden. Ik stond rustig de zaal in te kijken (ik had Lloyds instructies wat uitgebreid en nam nu de tijd om gezichten te zoeken in het gedempte licht). Mijn adem stokte hoorbaar toen ik Alice Ghostly en Paul Lynde aan een tafeltje halverwege de zaal herkende. Hun aanwezigheid was een stimulans voor mij.

Ik knikte tegen de drie muzikanten en begon mijn lied.

> *I put the peas in the pot to cook*
> *I got the paper en started to look*
> *My horse...*

Ik hoorde het 'sst' en 'stil' van ergens rond mijn knieschijven komen.

> *... was running at twenty to one*
> *So me peas and me rice*
> *They get...*

Het 'tss' en 'sss' kwam van mijn familie. Ik keek omlaag en zag dat iedereen naar Clyde zat toegebogen. Zijn mond stond open in een lach, toen hoorde ik zijn stem en besefte ik waarom ze hem allemaal berispten. Hij zong met mij mee – per slot van rekening had hij thuis ieder liedje honderden keren horen repeteren en nu had hij besloten mij te bewijzen dat ook hij de woorden kon onthouden. Het had genegeerd kunnen worden als hij mij bijgehouden had, maar zijn woorden kwamen op zijn minst een tel na de mijne.

> *I put...*
> I
> *... the peas in...*
> put the...
> *The pot to cook*
> peas in...

De allereerste keer dat ik de kans kreeg om voor topsterren te zingen, moest mijn zoon het voor mij verknoeien. Ik keek hem aan, streng deze keer, en hij lachte breeduit. Zijn ogen gingen bijna dicht toen zijn gezicht zich aan zijn eigen binnenpret overgaf. Hij deed alsof we pimpampet of het vlooienspel aan het spelen waren en hij had zo'n plezier dat me niets anders overbleef dan het publiek te vergeten en me te richten op het amuseren van mijn zoon. Ik probeerde mijn zingen te vertragen zodat hij me in kon halen.

Toen we uitgezongen waren, nog steeds een tel na elkaar, bedankte ik het publiek en voegde eraan toe dat ik nogal onverwachte, maar zeer welkome hulp had gekregen. Ik stelde mijn zoon, meneer Clyde Bailey Johnson, voor. Hij stond op, keerde zich naar de zaal en boog met een uitgestreken gezicht, zoals hij zijn favoriet, Bud Abbott, in zoveel films had zien doen. Ik keek Clyde aan met een blik die in ouder/kroost taal betekende: 'Dat was leuk, maar nou geen spelletjes meer.' Hij interpreteerde de boodschap correct en hield zich rustig gedurende de rest van mijn optreden.

In de kleedkamer dromde mijn familie om mij heen, met zachte stemmen hun goedkeuring uitsprekend en opgelucht dat ik in ieder geval goed genoeg was om hen niet te schande te maken. Hun complimenten bewaarden ze voor Ketty en Phyllis, in het heidense geloof dat te veel lof de aandacht van de goden zou trekken en hun machtige afgunst op zou roepen. Ze waren ook van mening dat ik het wel eens te hoog in mijn bol zou kunnen krijgen door te veel loftuitingen, dus in plaats daarvan wierpen ze steelse blikken op me en gaven me heimelijke klopjes en, toen er niemand keek, spoorden de geslepen oude mannen mij aan om 'Zo door te gaan'. Ze fluisterden dat Ketty en ik de besten van het programma waren, maar dat we 'maar beter uit konden kijken' en 'ons gedeisd houden', want blankvolk ziet negers niet graag vooruit komen'.

Ze verlieten de club, de vertrouwde nuances met zich meenemend, en ik voelde me enigszins opgelucht toen ze wegwaren. Onzekerheid kan maken dat we de mensen en tradities afwijzen die ons het dierbaarst zijn. Ik was altijd dol geweest op de gokkers wanneer ze, in moeders keuken gezeten, verhalen vertelden over de Texas Panhandle en de opwinding lieten herleven van de uit het niets verrezen stadjes van Oklahoma. Maar in de stad, waar ontwikkelde blanken de negergrammatica zouden kunnen horen en mij daarom minder achten, voelde ik me niet zo op mijn gemak.

Alice en Paul kwamen naar de kleedkamer en vroegen me om wat mee te gaan drinken. Ik nam hun uitnodiging onmiddellijk aan. We wisselden complimentjes uit en tot de volgende voorstelling begon, zaten we tijdens de pauze ontspannen en vriendschappelijk bij elkaar. Een paar avonden later bracht Alice een paar andere leden van het gezelschap mee om naar mijn optreden te kijken. Een zanger vertelde me dat Eartha weg zou gaan en dat Leonard Sillman en Ronnie Graham danseres/zangeressen audities aan het afnemen waren om haar te vervangen. Ze had vastgezeten aan een contract dat nu, ten langen leste, was afgelopen en ze zou in een van de goed betalende hotels in Las Vegas gaan optreden. En zou ik geen auditie voor haar rol willen doen? Natuurlijk wilde ik dat en natuurlijk was ik doodsbang.

Het theaterpodium stak agressief naar voren in het lege duister. Sillman zat rechtop op een rechte stoel, geen deel hebbend aan, maar toch een geducht onderdeel vormend van het gebeuren.

Ik stond te bibberen achter de coulissen, denkend aan de opwinding die Eartha aan haar muziek verleende, toen een toneelmeester me kwam vragen of ik 'Monotonous' zou zingen. De woordspeling drong tot me door, maar ik vond haar niet grappig. Ik zei ja, maar voegde er niet aan toe dat ik het niet zou zingen als Eartha Kitt. Zij was openlijk sexy en enorm sensueel. Ik was vriendelijk, slungelig en meer het oudere zus-type. Nee, ik zou geen enkele kans maken als ik het bruin fluwelen katje probeerde te imiteren.

Toen mijn naam werd omgeroepen, liep ik het toneel op, zette mijn handen in mijn zij en plantte één voet op de chaise longue. Ik zong een paar maten, wisselde toen om en zette mijn andere voet erop. Ik zong en danste, scheerde over de planken (toen ik veertien jaar oud was, had een danslerares me verteld dat een goed danser 'bewust ruimte in beslag neemt') en eindigde steeds bij de bank met een air van hooghartige verveling. Mijn opzet was de aandacht gevangen te houden door een absolute tegenstelling te laten zien. Warmbloedige dans en koele onverschilligheid.

Ik wachtte twee oneindig lange dagen op Leonard Sillmans 'reactie'. Het telefoontje kwam en mijn hart sprong tegen mijn borstbeen aan. Ik had de rol. De fameuze doorbraak in de showbusiness was gearriveerd. Calvin, de vriend van Ivonne, kocht champagne en we vierden het bij haar thuis. Ik had zelf ook champagne gekocht (hoewel ik er niet zo heel veel om gaf) en ging naar Mr. Hot Dogs, waar moeder, Lottie en de klanten aan de eetbar me het hielpen vieren. Ik vertelde hun dat ik me bij het gezelschap zou aansluiten voor de rest van de tournee en me dan in New York zou vestigen. Mijn enige aarzeling werd veroorzaakt door de vraag wat ik met

Clyde aanmoest. Moeder en Lottie zeiden dat zij voor hem zouden zorgen. Hij kon, zoals hij gewend was, thuis ontbijten en dan na school rechtstreeks naar het restaurant komen. Tegen die tijd zou er een van hen afgelost worden. Ik accepteerde die oplossing, wetende dat als ik 'het had gemaakt', zoals ik zonder twijfel ging doen, ik een groot appartement in Manhattan zou huren en een gouvernante voor mijn zoon. En wanneer ik op reis ging, zou ik hem meenemen, samen met de gouvernante en wellicht een privé-leraar.

Mijn leven regelde zichzelf zo fraai als een marmeren trap en ik klom erlangs omhoog naar de sterren.

Barry Drew ontving mijn mededeling met een cholerische uitbarsting. 'Oh, nee, dat gebeurt niet. Wat? Je kunt niet ophouden. Wat? Je staat hier onder contract, je kunt niet zomaar van een contract weglopen.'

Ik bracht ertegen in dat ik de rol al had geaccepteerd, dat hij het Kingston Trio en Rod McKuen had geëngageerd voor de club en dat zij even goed of beter nog waren dan ik. 'Ik krijg nooit meer zo'n kans. Ik heb geen zin om de rest van mijn leven in de Purple Onion door te brengen.'

Hij bleef onverzettelijk. 'Dat vond je niet toen wij je hier binnenhaalden. Je boft nog dat we je geen jaarcontract hebben aangeboden. Je zou er je leven voor gegeven hebben om werk als dit te krijgen.'

Ik huilde, smeekte en haatte mezelf terwijl ik het deed. Hij bleef onbewogen. Ik voer uit tegen zijn wreedheid en gooide hem scheldwoorden als klodders hete teer naar het hoofd, in de hoop dat ik er tenminste zijn buitenkant mee zou besmeuren.

Barry antwoordde koel: 'Niet alleen zal Sillman je niet aannemen, hij kan het niet eens als jij je contract verbreekt. De vakbond zal je aanklagen en royeren.'

Hij gedroeg zich alsof hij persoonlijk de vakbond had opgericht en het huishoudelijk reglement had samengesteld, alleen om rusteloze en onverantwoordelijke zangeressen in het gareel te houden. Zijn minachting was ondoordringbaar.

Mijn woede bedaarde voldoende om mij mijn dilemma te doen inzien. Ik zat volkomen klem en ik verliet de club om naar huis te gaan, onderwijl dreigende blikken werpend op iedere voorbijganger en mezelf in norsheid hullend.

Ik verwachtte medeleven van mijn familie en kreeg het in ruime doseringen. Mijn moeder zei dat ze geschokt was door Barry's gedrag, maar zoals ze altijd al zei: 'Het kleinste insect maakt het meeste kabaal.' Tante Lottie streelde me, gaf me thee alsof ik ziek was en bood aan een lekkere pan soep te maken. Ivonne zei me over de telefoon dat ik terecht kwaad was, maar moest bedenken dat de rol in het stuk gewoon niet voor mij was weggelegd en het is zoals ze zeggen: 'Je kunt iets niet missen wat je nooit hebt gehad.'

Mijn pijn trok weg door de afgesleten spreuken en zacht troostende stemmen. Bij ontstentenis van leed kon ik weer nadenken. Het werd mij duidelijk dat de rollen waren omgekeerd. Eerst had ik de voorzieningen van de Purple Onion nodig gehad en nu had de Purple Onion mijn diensten nodig. De gedachte die me ergerde en de kiem legde voor verachting, was dat de managers van de club de omkering niet hadden opgemerkt en niet het fatsoen opbrachten om een beroep te doen op mijn gevoel voor 'wie kaatst moet de bal verwachten'.

Ik had blanken vol weemoedig verlangen horen beweren (en had het in mijn jeugd zelf ook verkondigd, in de hoop dat ik daardoor het accepteren waard zou blijken te zijn): 'D'r is niets zo loyaal als een neger. Als je er eenmaal een tot vriend hebt gemaakt, heb je een vriend voor het leven.' Zoiets als een huisdier maken van een grizzlybeer.

Mijn houding in de club bewees ofwel dat de bewering vals was, ofwel dat ik geen neger was. Ik trok mijn genegenheid terug en hield alleen een front van koele hoffelijkheid op.

12

'Hallo, mevrouw Angelos?'

De telefoon rinkelde op een omfloerste ochtend. Het was een vrouwenstem.

'Ja?'

'U spreekt met Tennessee Kent van de Golden Gate-school.'

'Ja?' Ik veronderstel dat de verbazing in mijn stem door de lijn werd overgebracht.

'Uw zoon, Clyde, is een van onze leerlingen.'

De naam van mijn zoon haalde me meteen uit mijn slaap. 'Ja, dat weet ik.' Plotseling was ik een scherpdenkende, verantwoordelijke moeder.

'Ik vraag me af of u misschien naar school kunt komen om iets wat Clyde heeft gezegd, te bespreken.'

'Is alles in orde met hem?'

'Oh ja, maakt u zich over hem maar geen zorgen.'

Dat was precies wat ik wel deed toen ik me aankleedde.

Sinds de korte episode van onze verwijdering, had ik mijn uiterste best gedaan om Clyde in te prenten dat hij op me kon rekenen, dat ik bij wat voor conflict dan ook aan zijn kant zou staan. Ik was niet vergeten hoe belangrijk de onpartijdige liefde van mijn broer gedurende mijn eigen eenzame kinderjaren was geweest en aangezien mijn zoon geen broer of zus had, moest ik hem laten weten dat het hem niet aan steun ontbrak.

Ik ging naar de school en trof Clyde verloren zittend op een rechte stoel in de gang aan. Ik klopte hem op zijn schouder en bukte me om te vragen wat er was gebeurd. Zijn ogen zwommen van de niet-vergoten tranen.

Hij fluisterde: 'Ik weet 't niet, mam. Ze zeiden dat ik iets lelijks heb gezegd.'

'En heb je dat gedaan?' Het jaar ervoor had hij een vloek geleerd in een zomerdagkamp en daar was hij wekenlang zeer trots op geweest.

'Ik weet 't niet,' antwoordde hij nog steeds fluisterend.

De twee vrouwen bleven zitten toen ik Clyde het kantoor binnenleidde.

'Goedemorgen, mevrouw Angelos,' zei juffrouw Kent. 'Dit is de onderwijzeres van Clyde, juffrouw Blum.' Een gezette vrouw van middelbare leeftijd knikte me ernstig toe. Juffrouw Kent vervolgde: 'En misschien is het beter om Clyde in de gang te laten wachten terwijl wij...'

'Nee' – ik had nog steeds mijn hand op zijn schouder – 'dit gaat hem aan. Ik wil dat hij hoort wat wij bespreken.'

De onderwijzeressen wisselden blikken uit. Ik duwde Clyde naar een stoel en ging naast hem zitten.

'Nou, misschien wil juffrouw Blum u dan vertellen wat er is voorgevallen,' zei juffrouw Kent.

Clyde's lijfje beefde. Ik gaf hem een klopje op zijn knie.

Juffrouw Blum vertelde: 'Gisteren was het de Dag van de Strijdkrachten en ik vroeg aan alle kinderen welk onderdeel van de krijgsmacht zij het meest bewonderden. Sommigen zeiden de marine, anderen de luchtmacht, anderen de genie, maar toen het Clyde's beurt was, stond

hij op en zei dat hij nog liever de gevangenis in zou gaan.'
Ze keek hem met zoveel venijn aan dat ik mijn lichaam
tussen haar blik en mijn zoon wilde gooien.

Juffrouw Kent zei sussend: 'Nou, mevrouw Angelos,
we weten dat Clyde dat niet van thuis heeft. Dus wilden
we u laten weten dat hij ergens, misschien van zijn
vriendjes, gevaarlijke denkbeelden oppikt.'

Ik dacht meteen aan Joseph McCarthy. De heksen-
jacht was in volle gang en de kranten publiceerden artikelen over zwarte lijsten en banen die op het spel stonden. Reputaties werden geruïneerd en sommige mensen
gearresteerd onder verdenking van het koesteren van gevaarlijke en verraderlijke ideeën. Mijn eigen verleden
was niet geheel vlekkeloos. Toen ik negentien was, had ik
me vrijwillig aangemeld bij het leger en was er een datum vastgesteld voor mijn inlijving, maar ik was op
staande voet afgekeurd toen ze ontdekten dat ik gedurende mijn veertiende en vijftiende op een school had
gezeten die op de lijst van on-Amerikaanse activiteiten
voorkwam.

Ze zeiden dat ze wel wisten dat hij zulke ideeën niet
thuis oppikte.

'Ja, dat heeft hij van thuis, juffrouw Kent.' Oh, lieve
heer, mijn carrière. Wat zou de familie Rockwell doen als
ik werd beschuldigd van communistische sympathieën?

'Oh, is dat uw godsdienstige geloof?' Ze bood me lief-
gemeen een laffe uitweg. Mijn zoon zat naast me te
wachten. Hij beefde niet langer en hield zichzelf heel stil
terwijl hij naar de uitwisseling luisterde.

'Als u bedoelt of ik daar godsdienstig in geloof, dan is
het antwoord ja.'

'Oh, dus Clyde verwoordde uw politieke opvattingen
die u aanhangt vanuit uw godsdienstig geloof?'

Er zat niets anders op dan in te stemmen. Ik antwoordde: 'Dat klopt.'

En dat was waar Clyde op had zitten wachten. Hij sprong van zijn stoel af en zwaaide met zijn armen. 'Mam, is 't niet zo dat alleen omdat de staalindustrie meer staal wil verkopen, ik nog geen Koreaanse kinderen hoef dood te maken die mij nooit iets hebben aangedaan?'

'Ja, dat is zo.'

'En mam, is 't niet zo dat kapitalisten alleen maar arme mensen dwingen om bommen op andere arme mensen te gooien tot ze allemaal dood zijn en dat ze dan van het geld van de dode mensen leven?'

Dat verhaal herkende ik niet, maar ik antwoordde: 'Ja.'

Hij hief zijn armen op als een dirigent die voor een voltallig orkest het slotakkoord aangeeft. 'Nou, meer heb ik niet gezegd.'

De onderwijzeressen bleven zwijgend zitten toen ik opstond.

'Juffrouw Kent en juffrouw Blum, ik geloof dat deze bijeenkomst Clyde emotioneel nogal heeft aangegrepen. Ik zal hem nu maar mee naar huis nemen, dan komt hij morgen weer naar school.'

Ze deden geen poging om ons vertrek tegen te houden.

Die middag gingen Clyde en ik naar een matinee van tien korte Disney-films.

13

George Hitchcock was een toneelschrijver wiens stuk *Princess Chan Chan* werd opgevoerd door de Interplayers in een klein theatertje in de buurt van North Beach. Het was een lange, houterige man met grote handen en een staccatolach en hij was de doublure van een oudere karakterspeler. Zijn haar was altijd stoffig omdat hij het witte poeder er niet goed uitspoelde.

Hij kwam naar mijn show kijken en vroeg na afloop of hij me naar huis mocht brengen. Ik wilde zijn aanbod aannemen, maar vroeg me af wat hij van mijn woonomstandigheden zou denken. Ik was een glamoureuze nachtclubzangeres, althans, ik wilde gezien worden als glamoureus, maar ik woonde nog steeds bij mijn moeder. 's Avonds laat trof ik haar meestal aan de eetkamertafel aan, met een glas bier en een spelletje patience, waar ze zeer beslist niet op mij zat te wachten. Ik was een volwassen vrouw en moest onderhand weten hoe ik voor mezelf moest zorgen. Voor alle zekerheid speelde ze patience tot ik thuiskwam. Haar stem begroette gewoonlijk het geluid van de voordeur die openging. 'Hallo, kindje, ik zit hier.'

Dan zei ik: 'Goeienavond, mam.' Wanneer ze haar gezicht ophief voor een zoen, vroeg ze: 'Hoe ging het vanavond?' En dan gaf ik als antwoord: 'Goed, mam.' Dat was wat ze wilde horen en alles wat ze wilde weten. Vivian Baxter draaide haar hand niet om voor grootse plannen en omvangrijke intriges, als haar maar, alsjeblieft, in godsnaam, de details werden bespaard.

Ik nodigde George uit mee naar huis te gaan en onderweg vertelde ik hem over mijn moeder en mijn zoontje. Als hij al verrast was dan liet hij het niet merken.

Ik beantwoordde mijn moeders: 'Hallo, kindje, ik zit hier' met: 'Ik heb een vriend meegebracht.'

George had mijn moeder moeten kennen om te kunnen zien hoe gealarmeerd ze was toen hij binnenwandelde. Ze onderbrak het uitleggen van rood en zwart en zei: 'Welkom' en toen: 'Hoe gaat het vanavond?', alsof ze wist hoe het hem de avond tevoren was vergaan.

George leek op zijn gemak.

Moeder keek naar zijn versleten tweedjasje, gekreukte broek en zijn niet helemaal schone haar en vroeg: 'Hoelang ken je mijn dochter al?'

Ik wist waar ze op aanstuurde. Ik zei: 'We hebben elkaar vanavond pas leren kennen, mam. George is schrijver.' Die informatie hield haar even rustig.

'Hij vroeg of ik mee koffie ging drinken en ik dacht dat u misschien een pot klaar had staan.'

Koffie werd met potten vol gedronken bij het ontbijt, maar in mijn moeders huis nooit na de ochtend geschonken. 'Maar we kunnen natuurlijk ook hier verderop naar het Booker T. Washington-hotel gaan.'

Ze sprong overeind. 'Het duurt maar een minuutje. Wat vinden jullie van een ontbijt?'

Ik wist dat het idee dat haar dochter het destijds chicste negerhotel van de stad zou binnenstappen, in gezelschap van een voddig uitziende, blanke man, de gastvrijheid als water zou laten stromen.

Ze vroeg ons mee te komen naar de keuken.

'Wat denk je van een omeletje met wat spek?' Ze stak

de oven aan en ik hield mijn hand op. Altijd als ze biscuits ging bakken, deed ze haar grote diamanten ringen af en schoof ze aan mijn vingers. 'En misschien een paar warme biscuits?'

Toen ze met de schalen en pannen in de weer ging, verontschuldigde ik mezelf en liet George aan zijn lot over.

Toen ik terugkwam, niet langer in avondkledij, was de maaltijd bijna gereed en sommeerde ze me de tafel voor twee te dekken. Ze vroeg: 'En wist jij dat George de kost verdient als tuinman?'

'Nee, hoe weet u dat? Heeft George u dat verteld?'

'Ja,' zei George.

Moeder liep al pratend, kokend, brokstukken van liedjes zingend door de keuken heen en weer en liet haar diamanten oorbellen twinkelen.

Hij was gebiologeerd.

'Zet de boter op tafel, Maya, alsjeblieft, en wist je dat hij ongetrouwd is en er voorlopig niet aan denkt om te gaan trouwen? Is aardbeienjam goed? Pak die platte schaal even uit de kast, wil je? Hum, hum...' Ze klopte de eieren met een garde.

'George, hoe komt 't dat je mijn moeder zoveel over je privé-zaken hebt verteld?'

Hij haalde hulpeloos zijn schouders op. 'Ze vroeg ernaar.'

Later zei Moeder dat het feit dat hij blank was, voldoende was om hem ongeschikt te maken, maar bovendien was hij veel te oud voor mij. Desondanks vond ik zijn gezelschap ontspannend en zijn intelligentie stimulerend. Hij begreep tedere poëzie en hoewel ik weigerde hem mijn gedichten te laten lezen, declameerde ik sonnetten van Shakespeare en gedichten van Paul Lawrence

Dunbar voor hem 's avonds laat in zijn huis in Sausalito.

We maakten samen lange wandelingen in het Golden Gate-park en picknickten in het John Muir-bos. Zijn moeder was een bekende journaliste in San Francisco en hij vertelde me eindeloze verhalen over het gebied en de bonte bevolking.

Er groeide tussen ons een milde genegenheid, gespeend van romantiek en ik genoot ervan vanuit zijn raam de nacht te zien verbleken boven de Golden Gate-brug. Voor het aanbreken van de dag was ik altijd weer thuis, omdat Clyde mij aan de ontbijttafel verwachtte terwijl hij kwetterde over zijn dromen en de streken van Fluke.

Ik nam de telefoon aan.

'Miez Anzjeloe?'

'Ja.'

De stem was mannelijk en vol en het accent zwaar en poëtisch.

'Mijn naam is Yanko Varda. Ik ben schilder.' Hij was een bekend figuur in de kunstenaarskringen van San Francisco.

'Ja, meneer Varda.' Waarom belde hij mij?

'Nee, alstublief – Yanko. Gewoon Yanko.'

'Ja, Yanko?' Ja, maar waarom belde hij mij nou?

'Miez Anzjeloe, ik heb zoveel van u gehoord, over uw schoonheid en uw talent en gratie. Ik heb besloten, ik moet deze fantastische vrouw ontmoeten waar alle mannen verliefd op zijn.'

Er wilde mij zo gauw niemand te binnen schieten die verliefd op mij was, maar wie kan de suggestie van stille aanbidders weerstaan?

'Wat aardig van u om dat te zeggen.'

'Helemalnie. Nee, helemalnie. Ik heb besloten, ik moet een diner geven voor u zodat ik zelf dit fenomeen kan zien: een mooie vrouw met een grote geest.'

Ik wist dat ik niet aan dit signalement beantwoordde, maar ik had nog liever mijn tong afgebeten dan het te ontkennen.

Hij legde maandagavond vast voor het diner en zei dat hij op een woonboot in Sausalito woonde.

'George Hitchcock zal u naar mijn boot brengen, hij heet Vallejo. Ik zal, zoals alleen ik dat kan, een ambrosia voor een prinses bereiden, maar als u werkelijk een koningin bent, wat ik vermoed, dan hoop ik dat u zich zult verwaardigen een teug uit deze nederige handen te aanvaarden. George zal u bij mij brengen. *Au revoir.*'

Hij klonk als een personage in een Russische roman. Zijn complex en gepassioneerd opgesmukt taalgebruik bekoorde mij.

Wat moest je aantrekken voor een ambrozijnen diner op een woonboot? Ik selecteerde en verwierp alles wat ik in mijn kast had hangen en kwam tenslotte uit bij een gebloemde jurk van mijn moeder. Hij was vrolijk maar niet frivool, chic maar niet formeel.

George en ik reden door een kolkende mist over de Golden Gate-brug en hij parkeerde de auto vlakbij het water. Ik stapte in de vochtige modder. Hij rende om de wagen heen en nam me bij de hand. 'Loop achter mij aan en blijf op de planken.'

Dikke planken liepen naar een gammel bruggetje. Lampen schenen vaag in de mist, maar ik moest mijn aandacht bij de loopplank houden om niet in het grauw uitziende water eronder te tuimelen.

Er waren bochten, trappetjes en meer bochten. Toen hield George halt, draaide zich om en stapte in de nauwe ruimte langs mij heen. 'Hier moet ik je alleen laten. Je gaat deze drie treden op en klopt op de deur.'

Ik trachtte zijn gezicht te onderscheiden in het donker. 'Waar heb je het over?' Zijn gelaatstrekken waren wazig.

'Ik ben niet uitgenodigd vanavond. Het diner is alleen voor jou.'

'Hee, wacht eens even, ik ben niet van plan om...' Ik greep naar hem.

Hij deed een stap achteruit en lachte, spottend naar het mij toescheen. 'Ik kom je om elf uur ophalen. *Bon appétit.*'

Tijdens onze korte verhouding had ik me als onafhankelijk voorgedaan, als vriendelijk maar zelfverzekerd en nu kon ik niet tegen hem schreeuwen of over die ondeugdelijke loopplank hollen en me aan zijn verdwijnende rug vastklampen.

Ik bleef staan tot George in de mist was opgelost, toen keerde ik me om en keek om me heen. De schim van een grote boot, waarvan de ramen vrolijk straalden als lampjes in een reusachtige, uitgeholde pompoen, leek beurtelings uit een donkere, nevelige hemel op te doemen en erin te verdwijnen.

Ik liep de resterende treden op en vroeg me af of ik soms was meegelokt voor een orgie, of misschien moest ik een argeloze deelnemer zijn aan een duivelse eredienst. Je wist het maar nooit met blanken. Negers hadden eeuwen van onmenselijke behandeling overleefd en hun eigen menselijkheid behouden door op het beste te hopen van hun blankhuidige onderdrukkers en tegelijkertijd op het ergste voorbereid te zijn.

Ik keek door het raampje van de verandadeur en zag een korte, stevige man die haastig kaarsen in wijnflessen aanstak die hij vervolgens op een lange, houten tafel neerzette. Er was niemand anders te zien en hoewel hij er sterk uitzag, besloot ik dat ik wel voor mezelf kon zorgen als hij misbruik van me zou proberen te maken.

Ik klopte krachtig op de ruit. De man keek op naar de deur en glimlachte. Zijn gezicht was bijna net zo bruin als het mijne en zijn kuif grijs haar trilde toen hij zich bewoog. Hij liep meteen naar de deur terwijl zijn lach zich met iedere stap verbreedde.

'Rima,' meende ik hem door de dichte deur heen te horen zeggen. Hij trok de deur open, deed in dezelfde beweging een stap achteruit en bewonderde mij.

'Ah, Rima, jij bent het.' Hij had niet verheugder kunnen zijn.

'Nee. Uh. Mijn naam is Maya.'

Hij verwachtte iemand anders. Snel ging ik de dagen na. Het was maandag. Had ik hem verkeerd begrepen vanwege zijn accent of mijn opwinding? Maar dan moest George zich ook hebben vergist.

'Blijf daar niet staan, liefje. Kom binnen. Laat mij je jas aannemen. Kom binnen.'

Ik liep de warme keuken binnen, waar de lucht was bezwangerd met de geur van kokende kruiden. Ik keek naar mijn gastheer toen hij de deur sloot en mijn jas aan een haak aan de muur hing. Zijn armen waren dik en gespierd en zijn nek breed en verweerd.

Hij keerde zich om. 'Rima, nou ben je eindelijk naar me toegekomen. Laten we drinken op deze ontmoeting.'

Hij leek zo gelukkig dat het mij oprecht speet hem teleur te stellen. 'Het spijt me, maar ik ben Maya Angelou. Ik ben de zangeres.'

'Liefje, sinds ik een jongetje op een heuvel in Griekenland was, heb ik geweten dat als ik je tegenkwam je

734

me niet zou vertellen wie je was; dat je me een andere naam zou geven. Even prachtig en even mystiek. Maar ik zou je herkennen aan de muziek in je stem en de schaduw van het woud op je mooie gezicht.'

Ik was totaal verloren.

Terwijl we wijn dronken, herschiep hij zijn versie van de Rima-legende voor mij. Een schepsel, half meisje, half vogel, daalde bij tussenpozen op aarde neer, waar ze een volledig vrouwelijke gedaante aannam en zangerige, vogelachtige melodieën zong die de harten van de mensen verlichtten. Haar verblijf was altijd kortstondig, dan veranderde ze weer in een vogel en vloog weg naar haar geliefde woud waar ze het gelukkigst en vrij was. Hij serveerde een dikke vleessoep en vertelde me over Rima, de heldin uit *Green Mansions* van W.H. Hudson, en zei dat hij me het boek zou lenen omdat het verhaal was gebaseerd op mijn magie.

'Ik zal je in het openbaar en privé met Maya aanspreken, want ik ben bang dat je boos zult worden als ik je Rima blijf noemen en weg zult vliegen. Maar je zult altijd weten dat ik je in een klein hoekje van mijn hart bedank voor je bezoek.'

Aan de wanden hingen pastelschilderingen in tere tinten en hij leidde me naar elk afzonderlijk toe en legde uit: 'In deze collage probeer ik een Carthaags schip te laten zien dat, gehuld in gratie, uit de haven wegzeilt om een andere beschaving te gaan plunderen. En hier hebben we de koning en koningin van Patagonië voor de aanvang van het Sterrenfeest.' Hij vertelde over de schoonheid van Griekenland en de opwinding van Parijs. Hij was een goede vriend van Henry Miller en een kennis van Pablo Picasso. De tijd vloog om terwijl we fruit en kaas aten en ik luisterde naar zijn verhalen die verteld werden in een Engels dat zo bloemrijk was als een Grieks-orthodox ritueel.

'Ik heb een stel jonge vrienden en jouw aanwezigheid zal een verfraaiing van hen zijn. Ik smeek je om zo goed te zijn op een zondagmiddag terug te komen naar de Vallejo en hen te ontmoeten. Iedere week vormen we een groep, dan drinken we wijn en eten we soep en verlustigen we ons in de rijkdom van elkaars ideeën. Kom alsjeblieft – de mannen zullen je zeker vereren en de vrouwen zullen je aanbidden.'

George kwam terug om me op te halen en na een ceremonieel glas wijn en een omhelzing van Yanko's gelooide armen nam hij me mee naar zijn huis en luisterde geduldig naar mijn relaas over die avond. Hij onderbrak me: 'Maya, ik geloof dat je verliefd bent op Yanko.'

'Dat ben ik helemaal niet.'

'Veel vrouwen vinden hem onweerstaanbaar.'

'Dat zal best.' En zonder erbij na te denken, voegde ik eraan toe: 'Maar hij is oud en blank.'

George stond op en zette een plaat op.

Op een avond in de Purple Onion boog ik naar een volle zaal en toen ik mijn hoofd optilde, hoorde ik 'Bravo, bis, bravo.' Een groep mensen stond in het midden van de zaal als flamencodansers met de handen boven het hoofd te applaudisseren. Ik boog opnieuw en wierp ze kushandjes toe zoals ik in films had zien doen. Ze bleven klappen en roepen: 'Meer, meer!' Totdat de andere bezoekers ook opstonden en de groep bijvallend mij om nog een lied smeekten. Ik plande altijd tenminste twee toegiften, dus was het niet hun verzoek dat me van mijn stuk bracht, maar eerder het openlijke vertoon van waardering dat ik nog nooit eerder had gekregen. Ik zong nog een lied en trok me toen terug in mijn kleedkamer. Een kelner bracht me een briefje waarop stond: 'Wij zijn vrienden. Wil je, alsjeblieft, bij ons komen zitten. Mitch.'

Aarzelend ging ik naar hun tafeltje toe, bang dat ze misschien dronken zouden zijn en tuk op een avondje vertier ten koste van een ander.

Toen ik naderbij kwam, stond het gezelschap opnieuw op en begon te klappen. Ik was in staat om naar mijn veilige kleedkamer te vluchten.

Een grote, donkerharige man stak me zijn hand toe.

'Maya, ik ben Mitch Lifton.' Hij stelde me een voor een aan de anderen voor en ik schudde Victor Di Suvero en Henrietta, Francis en Bob Anshen, Annette en Cyril March de hand. 'Wij zijn vrienden van Yanko, hij raadde ons aan naar jou te gaan kijken. Je bent echt geweldig.'

We dronken wijn en zij vertelden over zichzelf. De ouders van Mitch Lifton waren Russische joden, hij was geboren in Parijs, opgegroeid in Mexico en interesseerde zich voor film. Victor Di Suvero stamde uit een Italiaanse familie die nog steeds bedrijven in Italië had en hij dong serieus naar de hand van de adembenemende Henrietta. Cyril March was een dermatoloog uit Frankrijk en Robert Anshen, architect en een volgeling van Frank Lloyd Wright, was getrouwd met Francis Ney die onder haar eigen naam grootse feesten gaf in een prachtig ingericht huis. Annette March, een Amerikaanse die Frans sprak, was een levendige, blonde schoonheid. Ik volgde hun voorbeeld op en vertelde hun dingen over mezelf waarvan ik dacht dat het geen kwaad kon dat ze ze wisten.

Na mijn laatste optreden stonden ze weer bravo te roepen en te klappen alsof Billy Holiday, begeleid door

Duke Ellington, zojuist 'I Cover the Waterfront' had gezongen. Ze vertrokken gezamenlijk, na me eraan te hebben herinnerd dat we een afspraak hadden voor zondag en, omdat ik gewend was aan B.J.E.F.-feestjes, vroeg ik wat ik mee moest brengen.

'Doe maar net of je naar Korfoe gaat,' zei Victor, 'en onthoud dat er aan de Middellandse Zee nog nooit nee is gezegd tegen kaas en fruit.'

Bontgekleurde wimpels wapperden van aan de boot bevestigde palen. Vreemd gevormde ramen met ruiten van geslepen glas doorbraken de monotonie van verweerd hout. Grote sculpturen stonden als schildwachten op het stuk dek dat naar de zonverlichte brug leidde. De boot zag eruit als het droomkasteel van een blij kind.

Yanko begroette me hartelijk en zonder verbazing, waardoor ik niet alleen het gevoel kreeg dat ik welkom was, maar ook dat ik werd verwacht. Mitch, gevolgd door Victor, kwam glimlachend naar me toe. Beiden omhelsden mij en feliciteerden George omdat hij een geluksvogel was. De drie mannen begonnen een onderonsje en ik dwaalde van ze weg om het gezelschap te gaan bekijken.

Het feest was taalkundig in volle gang. Europese, klassieke muziek vormde de achtergrond voor selecte brokjes conversatie die boven het algemene geroezemoes uitklonken. In een hoek waren Annette en Cyril March in een Frans gesprek verwikkeld met een vrouw met een warrige bos haar die hen geen enkele zin liet uitspreken zonder hen te onderbreken. Een magere, professorale man streek over zijn sik en sprak Grieks met Yanko. Bob Anshen wenkte me en ik bleef even staan luisteren naar zijn betoog over de voordelen van zonneverwarming.

Victor voegde zich bij de groep, die Italiaans kweelde zo melodieus als een concerto.

Andere talen die ik niet herkende, spetterden en ratelden door de ruimte. Een knappe neger voerde het woord tegen een groepje dat aan de lange tafel zat. Toen hij me in het oog kreeg, verbreedde zijn gezicht zich in een glimlach en hij stond op. Het zou me niet hebben verwonderd als hij me in een Afrikaanse taal had aangesproken.

'Hallo zeg, hoe maak je het?' Een beschaafd, academisch gevormd, Urban League, kleurlingen, NAACP, bourgeois negeraccent.*

'Goed, dank je.'

'Mijn naam is Jim, kom bij ons zitten.'

Ik had nog nooit aantrekkingskracht uitgeoefend op negermannen uit de middenklasse, aangezien ik niet mooi was, noch een lichte huid bezat, niet bemiddeld was, noch een opleiding had gehad en aangezien de meesten van hen zich vastbesloten een weg door de Streberslaan vochten, hadden ze vrouwen nodig die hen of daadwerkelijk konden helpen of, op zijn minst, hun imago konden verbeteren.

Ik ging zitten en bevond me middenin een discussie over de recente uitspraak van het Hooggerechtshof in de zaak Brown vs. de Onderwijscommissie, die rassenscheiding in het onderwijs verbood. Jim, ik en een aantrekkelijke, blonde vrouw aan de andere kant van de tafel stelden dat de uitspraak niet alleen rechtvaardig was, maar

---

* De National Urban League is een in 1910 in New York opgerichte interraciale vereniging, die streeft naar gelijke kansen voor zwarten en leden van andere etnische minderheden; de NAACP is de National Association for the Advancement of Coloured People.

ook dat hij tamelijk laat kwam. Onze tegenstanders bepleitten de wettelijke zelfstandigheid van de afzonderlijke staten. Terwijl de stemmen luider werden en de woorden scherper, merkte ik dat ik niet zozeer kwaad was als wel geïnteresseerd. Ik wist dat veel blanken ontevreden waren over de uitspraak, maar ik had hen er nog nooit eerder over horen discussiëren.

Een disputant werd weggeroepen en een andere, verveeld met het vertoon van hartstocht, zei: 'Jullie zijn veel te serieus' en liep weg om zich ongevraagd met een spelletje schaak te gaan bemoeien.

Ik was onder de indruk van Jim. Toen ik zijn vormelijke accent hoorde, had ik een dergelijke vastberadenheid niet verwacht. 'Waar woon je?' Misschien kon ik hem uitnodigen om bij mijn moeder thuis te komen eten.

'We wonen in Mill Valley. En jij?'

Ik hoorde het 'we' en weerhield mezelf ervan om het gezelschap nog eens rond te kijken. Het was zo druk dat ik zijn vrouw waarschijnlijk had gemist.

'Ik woon in San Francisco.'

De blonde vrouw, die aan onze kant had gestaan in de discussie en die een paar scherpzinnige opmerkingen had gemaakt over de controverse, schoof naar voren op de bank. Ze leunde naar mij toe.

'San Francisco is niet ver van Mill Valley. Waarom kom je niet eens een keer bij ons eten?'

Jim zei: 'Dan kun je met onze kinderen kennismaken.' Hij lachte een beetje verlegen. 'Jenny is aan het leren hoe ze "greens" moet koken en ze kan al aardig maïsbrood bakken.'

Jenny bloosde lief.

Ik antwoordde: 'Bedankt, maar ik werk 's avonds.' Het wilde er nog niet helemaal bij mij in dat blanke vrouwen interraciale huwelijken even serieus namen als blanke mannen.

In de negerwijk was een opvatting in zwang die waarschuwde: 'Pas op voor blanke vrouwen met kleurlingen. Ze trouwen misschien wel met ze en krijgen kinderen, maar als ze eenmaal hebben wat ze willen hebben van de mannen, laten ze hun kinderen in de steek en gaan ze terug naar hun eigen mensen.' We zijn allemaal zo onbarmhartig en diepgaand gevormd door de mythen van onze eigen stam dat het niet bij me opkwam om te vragen wat blanke vrouwen nou eigenlijk van de mannen wilden. Aangezien maar weinigen van de negermannen in de interraciale huwelijken die ik had gezien, bemiddeld waren en aangezien de vrouwen de seks hadden kunnen krijgen zonder huwelijk en aangezien vrouwen hun kinderen maar zo zelden in de steek laten dat een geval van een kind dat te vondeling is gelegd, de kranten haalt, volgde daaruit dat de waarschuwing logisch gezien niet klopte.

Ik verontschuldigde mezelf aan tafel en ging aan dek staan. Het kleine, exclusieve stadje, Tiburon, glinsterde aan de andere kant van het groenblauwe water en ik dacht aan mijn persoonlijke geschiedenis. Aan Stamps, Arkansas, met zijn ene geplaveide straat, aan de gesegregeerde negerschool en de bittere armoede die maakt dat kinderen door ondervoeding kaal worden. Aan de uitzichtloze eenzaamheid van het ongehuwde moederschap en de vernederingen van de prostitutie. Golfjes kabbelden tegen de fel gekleurde catamaran die beneden me lag vastgebonden en ik ging mijn verleden na tot aan mijn verlate huwelijk dat haastig weer was verbroken. En tot aan de uitnodigende deuren naar nieuwere en rijkere werelden, waarvan de vrolijke geluiden door de dichte panelen drongen, en de klinken braken af in mijn handen.

De gasten begonnen te vertrekken en ze zwaaiden naar Yanko die naast me aan de reling stond: *'A toute à l'heure'*, *'Adiós'*, *'Ciao'*, *'Adieu'*, *'Au revoir'*, *'Goodbye'*, *'Ta'*. Yanko pakte mijn elleboog en leidde me terug naar binnen.

Er restte nog een groepje intimi rond de tafel. Annette schepte soep in grote kommen en ze bespraken de zeilplannen voor de komende zondag. Als het weer goed was, zouden we vroeg vertrekken, zodat we een flink eind konden zeilen voordat de club voor het zondagse open huis arriveerde. Cyril vroeg of ik het prettig zou vinden als Annette en hij mij ophaalden, omdat zij ook in San Francisco woonden. Mitch zei dat hij met me wilde praten over een korte film die hij ging maken. Misschien zou ik de vertelster willen zijn. Victor zei dat hij en Henrietta op zaterdag in de Matador gingen lunchen en dat ik met hen mee moest komen. Ze twijfelden er niet aan dat ik in hun kring wilde worden opgenomen. Ik was gekozen en mijn lidmaatschap van de groep was een feit; het gewicht van de keuze was van mijn schouders getild en ik voelde me opgelucht.

Ik vertelde hun dat ik een zoontje had en voordat ik het kon vragen, zei Yanko: 'Breng hem mee. De zee is vrouwelijk. En vrouwelijke wezens begeren jong, mannelijk leven. Breng hem mee en we zullen de moeder van ons allen tot rust brengen. Breng hem mee.'

Op een ochtend voeren we een gladde zee op. Cyril zat aan het roer en Victor onderhield ons met een krijgshaftig verhaal over veroveringen in de Middeleeuwen. Er was een jonge Scandinaviër aan boord en toen Victor klaar was met zijn verhaal, vertelde hij op zijn beurt over de heroïsche daden en expedities van de vikingen.

Yanko sloeg zich op het voorhoofd en riep uit: 'Ah, ja. Nou weet ik wat we moeten doen. We moeten ons allemaal klaarmaken om naar het buitenland te gaan en Europa te beschaven. We moeten een groot schip zien te krijgen en dan varen we de Theems op om eerst Engeland te cultiveren, want daar is het 't hardst nodig. Dan steken we het Kanaal over en brengen de cultuur naar Frankrijk. Cyril, dan ben jij de eerste stuurman, want jij hebt door aanleg en opleiding een technische geest. Mitch, jij bent de bootsman vanwege je 'Samsonkracht'. Maya, jij bent de *cantante*, je zit op de voorsteven en zingt ons naar de overwinning toe. Victor is de tweede stuurman, vanwege zijn organisatietalent. Annette, jij zult het boegbeeld zijn, want jouw schoonheid zal de burgers overrompelen en de adel betoveren. Ik zal de kapitein zijn en helemaal niets uitvoeren. *Allons enfants!*'

Yanko liet me binnentreden in een vreemde, fantasievolle wereld. Alhoewel ik dagelijks het hoofd moest bieden aan reële en aardse zaken, merkte ik dat iets van de magie van zijn wereld rond mijn schouders bleef hangen.

14

Als New Faces of 1953 het bloed van de inwoners van San Francisco sneller deed stromen, dan zette *Porgy & Bess* hun harten in vuur en vlam. Recensenten en columnisten waren lyrisch over Leontyne Price en William Warfield in de titelrollen en prezen het hele gezelschap. De groep had al een succesvolle tournee achter de rug door andere delen van Amerika, door Europa en Zuid-Amerika.

Het contract verbond mij onverbrekelijk met de Purple Onion, maar ook de directie moest zich aan de letter van de wet houden – ik kon niet worden ontslagen tenzij ik de meest flagrante wandaden beging. Toen *Porgy & Bess* de tweede avond inging, belde ik Barry op en zei: 'Ik kom vanavond niet. Je zou kunnen zeggen dat ik ziek ben.'

'Ben je ziek?'

'Dat zou je kunnen zeggen.' En ik hing op.

Ik had de handigheid ontwikkeld om niet helemaal de waarheid te vertellen, maar ook niet echt te liegen. Ik voelde me totaal niet schuldig en het was duidelijk dat de schijn van onschuld voornamelijk werd gewekt door ingewikkelde en onuitgesproken suggesties.

Ik ging naar het theater, bereid om geamuseerd te worden, maar zonder een uitbarsting van emoties te verwachten. Price en Warfield zongen; ze vlochten hun stemmen door de muziek heen en hielden het publiek in de ban van hun toverkunsten. Zelfs het koor zong met zo'n bezieling dat je als toeschouwer licht de indruk kreeg dat iedere zanger afzonderlijk naar een hoofdrol dong.

Toen de pauze aanbrak, was ik al helemaal op. Ik had gelachen en gehuild, gejubeld en getreurd en ik verwachtte dat het tweede bedrijf geen nieuwe emoties meer teweeg zou brengen. Ik keerde naar mijn plaats terug en was voorbereid op een herhaling van schitterende muziek.

Toen het doek opging was er een picknick aan de gang. De deelnemers aan het feest waren kerkleden onder leiding van een vrome, oude vrouw die dansen, drinken en zelfs lachen verbood. Cab Calloway, als Sportin' Life, sprong het toneel op in een roomkleurig pak en trachtte de christenen te bekeren tot het heidendom.

Hij zong 'It Ain't Necessarily So' en paradeerde erbij alsof hij ex cathedra sprak.

De zaal applaudisseerde luid en onderbrak de actie op het toneel. Een jonge vrouw maakte zich los uit een groepje zangers dat bij het zijdecor stond. Ze rende naar het midden van het toneel en begon te dansen.

De sopranen zongen een contrapuntische, hoogtonige aanmoediging en de baritons dreven de jonge vrouw voort. De oude dame probeerde haar te pakken en de afgodische dans te verhinderen, maar de danseres bleef buiten haar bereik, gooide haar benen omhoog en droeg de muziek in haar lijf mee alsof het iets persoonlijks was dat aan haar zorg en bescherming was toevertrouwd. Ik gilde bijna van vreugde en afgunst. Ik wilde naast haar op de planken staan en de muziek door mijn lichaam laten stromen. Haar torso leek zijn vastheid te verliezen en zwevend de zwaartekracht te trotseren. Ik wilde bij haar zijn. Nee, ik wilde haar *zijn*.

In het tweede bedrijf werd het publiek door Warfield, als de kreupele Porgy, meegesleept in zijn wanhoop. Zelfs op zijn knieën was het een grote man, breed en met een forse borstomvang. Zijn lichamelijke afmetingen maakten zijn kwaal en zijn verlies van Bess nog treuriger. De sonore stem zat schrijlings op de muziek, bereed haar en hield haar in toom.

Toen het doek neerging, bleef ik zitten en liet de mensen over mijn knieën naar het gangpad klimmen. Ik was perplex. *Porgy & Bess* had mij de grootste verzameling negertalent getoond die ik ooit had gezien.

Ik nam Clyde mee naar de eerste middagvoorstelling en hij vond het dansen leuk, en ook 'het geitje dat Porgy het toneel aftrok' aan het einde van de opera.

De Purple Onion hield mij aan mijn optietermijn en ik besloot mijn eigen materiaal uit te werken. Ik begon gedichten die ik jaren geleden geschreven had, op muziek te zetten en nieuwe liedjes in calypsostijl te schrijven.

Op een avond zat de club vol en stonden er buiten nog meer mensen te wachten tot er binnen plaats zou zijn. Ik tilde mijn hoofd op na een buiging en voor mij stond een mooie, zwarte vrouw met een langstelige roos in haar hand. Ik boog naar haar, zij boog terug en bleef buigen tot ze de bloem aan mijn voeten had gelegd. Ze wierp me een kushandje toe en liep het gangpad door naar haar tafeltje. Haar vrienden begonnen opnieuw te klappen. Ik wist niet zeker of het voor mij of voor haar was bedoeld, dus knikte ik tegen de muzikanten en gaf nog een toegift. Halverwege herkende ik de vrouw. Het was de sopraan die de 'Strawberry Song' zong in *Porgy & Bess*. Ik beet mijn lied bijna in tweeën; iedereen die aan dat tafeltje zat, was waarschijnlijk van *Porgy & Bess*.

Ik liep van het podium rechtstreeks naar hun tafeltje toe en nam de roos mee.

De groep ging staan en applaudisseerde weer. Ik legde de bloem op tafel en klapte voor hen. Het publiek werd er door aangestoken en begon voor ons te klappen.

'Dit zijn de fantastische zangers van *Porgy & Bess*,' riep ik boven het rumoer uit. Mensen gingen staan om te kijken en al gauw stond iedereen in de zaal en klapten we voor onszelf, omdat ze de goede smaak bezaten om levend en wel op het juiste moment op de juiste plaats te zijn.

We gingen naar Pete's Pool Room, een groot en rommelig restaurant aan Broadway, waar beatdichters, kunstenaars, grootogige toeristen en vaudevilletravestieten naar toe kwamen voor een ontbijt van harde broodjes en misschien een spelletje biljart. Ik wilde de hele zaak wel tot orde roepen en hun de zangers van *Porgy & Bess* presenteren. We vonden zitplaatsen en ik hoorde hun namen opnieuw.

Ned Wright, een lange, gespierde man van rond de dertig, zei dat ik uitstekend was en 'Haal jezelf niet omlaag, meid. D'r zijn zat mensen in de wereld die dat voor je zullen doen.'

Lillian Hayman, de indrukwekkende sopraan, die zo mollig was als een kussen en lichtbruin van kleur, lachte vaak waarbij ze kwinkeleerde als een vogel en volmaakt witte tanden liet zien. Chief Bey, de drummer, mompelde met een diepe stem die zijn pezige, zwarte lijf leek te laten trillen. Joseph Attles, een tenor, was met zijn veertig jaar de oudste van de groep. Hij was lang en fijn gebouwd. Hij had een citroengele huid en was doublure voor Cab Calloway, die Sportin' Life speelde, en voor Joseph James, die de rol van Jake zong.

En dan had je natuurlijk Martha Flowers, een geweldige sopraan, en destijds doublure voor Bess. Martha zei tegen me: 'Liefje, je staat als een Afrikaanse koningin die een bende plunderaars tegenhoudt. In haar eentje.' Ze was zelf klein, maar terwijl ze praatte en gebaarde, haar lichaam kaarsrecht, groeide ze voor mijn ogen. Ik vertelde hun wat voor indruk hun zingen op mij had gemaakt en toen de gelegenheid zich voordeed, vroeg ik wie de danseres was.

Martha antwoordde: 'Leesa Foster, Elizabeth Foster. Ze is ook een sopraan en ik heb gehoord dat ze een van onze Bessen wordt.' Ze beloofde me dat ze haar de volgende avond mee naar de club zou brengen.

Martha overtrof haar belofte door niet alleen Leesa Foster, maar nog meer mensen mee te brengen de volgende avond. De zangdocent, Frederick Wilkerson, en twee of drie andere leden van de rolbezetting zaten samen met het oorspronkelijke groepje aan twee tafeltjes die tegen elkaar waren geschoven. Opnieuw vertelden ze me dat ze genoten van mijn zingen en opnieuw bracht ik ertegenin dat ik eigenlijk danseres was. Leesa was onmiddellijk geïnteresseerd en we spraken over dansscholen, leraren en stijlen. We gingen weer naar Pete's om te ontbijten. Wilkie werd als zangdocent gevraagd wat hij ervan vond. Hij boog zich naar voren en bulderde: 'Je zingt helemaal verkeerd. Helemaal verkeerd. Als je zo doorgaat, ben je binnen vijf jaar je stem kwijt.' Hij leunde naar achteren en voegde eraan toe: 'Misschien binnen drie jaar, ja, ja. Misschien wel binnen drie.'

Zijn uitspraak smoorde mijn ontluikende zelfvertrouwen in de kiem. Ik keek de tafel rond, maar niemand leek verontrust door zijn waarschuwing. Ik vroeg hem wat ik kon doen om die ramp te voorkomen. Hij knikte en antwoordde met sonore stem: 'Je bent intelligent, jawel, dat zie ik. Je bent intelligent. Ga naar een zangleraar, een goeie zangleraar. En werk hard. Leg jezelf erop toe. Dat is alles.' Hij smakte met zijn lippen alsof hij zojuist zijn lievelingssnoepje had geproefd.

'Hoe kan ik een goeie leraar vinden?'

De zangers waren net zo nieuwsgierig naar zijn antwoord als ik. Hun ogen waren op hem gericht.

'En dat is weer een intelligente vraag,' donderde zijn stem. 'Om eerlijk te zijn, ben ik van plan weg te gaan bij *Porgy & Bess* en me in San Francisco te vestigen. Ik ben bereid je als leerling aan te nemen als, en alleen als je hard werkt en naar me luistert. Ik heb geen tijd over voor nog meer leerlingen, maar ik wil je helpen. Als je geen hulp krijgt, zul je niet alleen niet meer kunnen zingen, je zult nauwelijks nog in staat zijn te praten.'

Robert Breen, de knappe en kalende producent van *Porgy & Bess*, kwam de avond daarop naar de Purple Onion, in gezelschap van zijn vrouw, Wilva, een vriendelijke, kleine, blonde vrouw, de zakelijk leider, Robert Dustin, en een aantrekkelijke, goed gebouwde vrouw die aan mij werd voorgesteld als Ella Gerber, de dramadocente van het gezelschap. Toen we elkaar een hand gaven, bestudeerde ze me met donker gewimperde ogen.

Breen zei dat hij had gehoord dat ik danseres van beroep was. Wat ik bevestigde.

'Misschien hebben we binnenkort een danseres nodig die ook zingt. Zou je naar het theater willen komen voor een auditie?'

Ik dacht aan mijn contract. Ik zou pas over bijna drie maanden vrij zijn voor deze baan. Moest ik ze dat laten weten? Ik hield mezelf voor dat ik hield van eerlijkheid en openheid, niet zozeer uit principe, maar vanwege de simpelheid ervan – ik zou geen last hebben van excuses, verwijten en beschuldigingen. Vervolgens dacht ik aan Leesa Foster en hoe ze danste op de klanken van geweldige stemmen en zichzelf aan de muziek en de bewegingen overgaf, alsof in die verbintenis alle menselijke zaligheid lag besloten.

'Zou ik de auditie op een plaat moeten doen of zou ik met het gezelschap kunnen werken?'

Breen wendde zijn gezicht met de rozige babyhuid naar Dustin.

'We hebben een voltallige repetitie gepland,' zei Dustin, 'en als je Maya een auditie wilt laten doen, dan kan dat geregeld worden.'

Ze keken me aan en de ogen van Ella Gerber raamden de lengte van mijn benen, de omvang van mijn hersenen en de hoeveelheid van mijn talent.

Breen stelde een datum voor en ik stemde ermee in. We dronken op de auditie met koude, witte wijn en ze vertrokken.

Ik liep naar de bar en vertelde Ned over het gesprek dat ik met Breen had gehad. 'Dans, engel.' Hij knipte met zijn vingers. 'Dans, tot ze Nijinsky in een duet zien met Katherine Durham.' Knip!

Alle zangers hadden hun gewone kleren aan, alsof ze op weg naar een gewichtigere gebeurtenis even bij het theater langs waren gegaan. Sommigen stonden op het lege toneel, anderen stonden achter de coulissen of lagen onderuit gezakt op de eerste rij in de zaal.

Billy Johnson, de tweede dirigent, wachtte terwijl de musici in de orkestbak zich gereedmaakten en hun instrumenten stemden. Trillers en arpeggio's van stemmen klonken vanachter de coulissen.

De toneelmeester, Walter Riemer, had een flitsende

glimlach en was zo elegant als John Gielgud, waar hij ook op leek. Hij koos een plek uit net bezijden het toneel. 'Hou mij in de gaten, als ik dit doe' – hij liet zijn hand wapperen als een vlag in een stormwind – 'dan is dat jouw sein.' Vervolgens liet hij me alleen.

Ik glipte langs het gordijn en keek toe hoe Billy zijn armen ophief alsof hij het orkest aan onzichtbare draden uit de bak trachtte te trekken. De muziek zwol aan, de zangers hielden zich gereed.

Na een achteloze wenk van Johnsons rechterhand, barstten de stemmen los en scheurden de lucht aan flarden.

Toen Riemers hand mijn sein wuifde, stond ik te lachen en te huilen omdat het allemaal zo wonderbaarlijk was. Ik rende het toneel op, lichtvoetig tussen de tonen van de zangers doorstappend. Als ik een vrouw moest uitbeelden die zich door muziek laat overweldigen, die, blind en gevoelloos voor haar omgeving, zo door ritme en melodie wordt betoverd dat ze gelooft dat ze een grote, prachtig gekleurde vogel is die als een regenboog de wind bijlicht, dan was ik die vrouw.

Drie dagen later bood Bob Dustin me de baan aan.

Ik antwoordde alsof mijn verontwaardiging nieuw was dat de Purple Onion mij aan het contract hield. Dustin betoonde zijn medeleven en zei erbij: 'We zullen de komende twee maanden meer mensen audities laten doen. We moeten een eerste danseres hebben voor we naar Europa teruggaan.'

Zelfs in mijn fantasie had ik mezelf niet in Europa durven zien. Telkens wanneer ik me vreemde landen voor de geest haalde, zag ik ze door de woorden of door de voorstellingen van andere mensen. Londen was voor mij zoals Dickens het had gezien, een volksliedje gezongen met een cockneyaccent, Churchill die zijn vingers in een v omhoogstak en zei: 'We zullen strijd leveren op de stranden', enzovoort. Voor mijn gevoel galmde Parijs van het hoefgeklop van paarden die koetsen uit het tijdperk van Guy de Maupassant voorttrokken. Duitsland was Hitler en concentratiekampgruwelen of bierdrinkende burgers die, in gesteven, witte hemden op banken gezeten, gefotografeerd werden door Cartier-Bresson. Italië bestond uit de hongerlijdende straten uit *Open stad*, of mensen met krulhaar die zongen en pasta aten.

De beelden waren afkomstig uit films, boeken en het Pathéjournaal en op geen enkel ervan was een één meter tachtig lange, zwarte vrouw op de voor- of achtergrond te bekennen.

15

Toen *Porgy & Bess* uit San Francisco vertrok, legde ik me neer bij de nachtclubroutine en werd de last van het leven slechts verlicht door de sessies die ik twee maal per week met Wilkie en Lloyd had en de levendige groei van Clyde.

Drie dagen voor mijn contract zou aflopen, werd ik gebeld door Saint Subber, de Broadwayproducent, die me uitnodigde naar New York te komen om auditie te doen voor een nieuwe show die *House of Flowers* heette. Hij zei dat Pearl Bailey de hoofdrol had en dat hij had vernomen dat ik veel van haar weg had. Als ik aan zijn verwachtingen beantwoordde en de rol kreeg die hij in gedachten had, zou ik juffrouw Bailey's tegenspeelster worden.

New Yorkers mogen hun geboortestad dan wel trouw beminnen, de inwoners van San Francisco geloven dat als goede mensen sterven, hun zielen in Noord-Californië, boven de Golden Gate-brug, blijven zweven. Ik was blij met de kans om auditie te doen voor een Broadwayshow, maar de uitnodiging bracht me niet in vervoering. Het betekende dat ik San Francisco moest verlaten zonder het vooruitzicht van Europa met *Porgy & Bess.*

Moeder, Lottie en Wilkie spoorden me aan om te gaan. De zangdocent en mijn moeder hadden ontdekt dat ze veel gemeen hadden en moeder nodigde hem uit om in ons huis in te trekken. Hij kwam met zijn piano, zijn leerlingen, zijn enorme, donderende stem en zijn religieuze positiviteit. Hij kon bijna net zo goed koken als de twee vrouwen en in de keuken hingen de galmen en geuren van de drie koks, die elkaar verbaal en culinair probeerden te overtreffen.

Ze zouden voor Clyde zorgen tot ik een appartement had gevonden en dan kon hij me per vliegtuig achterna komen. Vanzelfsprekend zou ik de rol krijgen. Daar bestond geen twijfel over.

Ik arriveerde in New York en ging naar een hotel in de binnenstad dat Wilkie had aangeraden. De verkeersopstoppingen en rauwe stemmen, de krioelende mensenmassa's en torenhoge gebouwen maakten dat het piepkleine kamertje, aan het einde van een duistere gang op de vierde verdieping, een ware wijkplaats was voor mij.

Ik belde Saint Subber, die zei dat ik naar zijn appartement moest komen. Ik wrong me in bochten over zijn uitnodiging, want ik had geen zin om meteen weer de straat op te moeten en evenmin om naar het appartement van een onbekende man te gaan – vooral niet het appartement van een New Yorkse producent. De Hollywoodfilms hadden me geleerd dat het een gevaarlijk soort was; ze waren stuk voor stuk dik, rookten grote, stinkende sigaren en allemaal zeiden ze: 'Goed, meissie, je heb talent. Lame nou je bene's zien.'

'Meneer Saint Subber' – of moest je hem meneer Subber noemen? – 'ik moet nodig mijn haar laten doen. Kan ik morgen niet bij u langs komen?'

Hij veegde mijn excuus opzij. 'Nee, dat doet er niet toe. Ik zal niet naar je haar kijken.'

Zie je wel, mijn benen. Net wat ik dacht.

'Ik wil zien hoe je eruitziet.' Hij gaf me zijn adres en hing op.

Ik had drieduizend mijl gereisd, dus dan kon ik toch zeker ook de moed opbrengen om een paar straten verder te gaan.

Een geüniformeerde portier voor een keurig flatgebouw in East Side trok zijn wenkbrauwen op toen ik hem mijn bestemming meedeelde, maar hij ging me voor de hal in en gaf me onwillig over in handen van een geüniformeerde liftjongen. De jongen vertrok zijn gezicht alsof hij wilde zeggen: 'Zo, zo, dat zal er heet aan toegaan, hè?' Maar hij zei: 'Dakappartement' en we stegen geruisloos omhoog. Toen we stilhielden, drukte hij op een bel en de deur ging open.

Een mooie, blonde, jonge man stak zijn hand uit: 'Juffrouw Angelou?' Hij zag er niet uit alsof hij zich voor mijn benen zou interesseren.

'Ja. Meneer Subber?'

'Nee, ik ben Saint niet. Mijn naam is Tom. Ik assisteer bij de productie. Gaat u zitten.' Hij leidde me naar een sofa. 'Saint zal er over een paar minuten zijn. Kan ik u iets te drinken aanbieden?'

Terwijl hij weg was, keek ik de kamer rond, benieuwd naar de bewoner. Aan de muren hingen schilderijen en op kleine tafeltjes stonden verse, fleurige bloemen. Een opgewonden mannenstem klonk door een jaloeziedeur.

Tom kwam terug met een gin en tonic in een heel lang, buitengewoon dun glas. Hij vroeg me of ik een goede reis had gehad en probeerde me gerust te stellen toen ik zei dat ik zenuwachtig was.

Een man kwam door de lattendeur gesneld; hij was klein en mager en zijn donkere haar was geknipt in een Quo Vadis-coupe.

'Zo, dat is voorbij. Oh, mijn God!' Hij liet zich op een chaise longue vallen en bracht omzichtig zijn handen naar zijn hoofd. 'Oh, God! Wat willen ze toch? Oh, mijn hoofd. Virginia!'

Een grote negervrouw kwam binnen door een andere deur. Ze droeg het soort schort dat ik, sinds ik het provinciestadje in Arkansas had verlaten, niet meer had gezien. Het had een borststuk, was wit, gesteven en volumineus. Ze liep recht naar de man toe en begon zijn slapen te masseren.

'Het is al goed, Saint, m'n schatje. Het komt allemaal wel goed.'

Ik kon mijn ogen niet geloven.

Geen van beiden had mij opgemerkt en ik was zo geboeid dat ik openlijk staarde en het tafereel in me opnam.

Tom en ik hadden toeschouwers kunnen zijn, terwijl twee acteurs een scène uit een experimenteel stuk opvoerden.

Het was beslist te nieuw, te vreemd. Ik begon te lachen.

De man ging recht zitten. 'Wie ben jij?'

'Ik?' Ik hield mijn lachen in. 'Ik ben Maya Angelou.'

'Dat kan niet.' Hij zat nog steeds rechtop.

'Maar dat ben ik wel. Ik ben Maya Angelou.' Ik was bereid er een eed op te doen.

'Maar, mijn God, hoe lang ben je?'

'Ik ben één meter tachtig.'

'Maar dat kan niet!' Hij leek er zeker van te zijn.

'Wel waar, dat ben ik wel.'

'Sta eens op. Ik geloof je niet.'

Ik stond op, hopende dat ik niet was gekrompen in het vliegtuig, in de taxi of in de lift.

'Mijn God, het is waar. Je bent echt één meter tachtig.'

Ik lachte omdat ik blij was dat mijn lengte mij ten-minste niet in de steek had gelaten en omdat hij komisch was.

'En je hebt ook nog een geweldige lach. Oh, mijn God, ik weet 't, je bent een zwarte Carol Channing.'

Dat maakte me opnieuw aan het lachen. Hij stond op en kwam naar me toe.

'We zullen je rood haar geven. Is dat goed? Rood of blond?'

Ik zei: 'Ik denk van niet.'

'Oh, zou je dat niet leuk vinden?' Het was een oprech-te vraag.

'Neeee.' Ik zag mezelf al met haar zo rood als dat van Gwen Verdon en begon weer te lachen. 'Nee, ik geloof niet dat dat een goed idee is.'

'Goed.' Hij grinnikte ook. 'Dan verzinnen we iets an-ders.'

Ik lachte nog steeds.

'Wat is er zo grappig?'

Toen ik weer op adem was gekomen, vertelde ik hem: 'Ik had verwacht dat je een sigaar zou roken en in mijn wang zou knijpen en dat je met je ogen zou rollen en me een onzedig voorstel zou doen. Daar ben ik de hele weg vanaf Californië bang voor geweest en dan kom ik hier' – weer schoot ik in de lach – 'ik kom hier en... Tom en jij en Virginia en mijn rode haar.' Hij begon ook te lachen om de absurde situatie. Tom lachte mee.

Impulsief zei Saint Subber: 'Blijf mee-eten. Virginia, er eet nog iemand mee.' Ondanks zijn theatrale gedrag, of misschien juist daardoor, besefte ik dat het een sterke man was. Ik had me altijd meer op mijn gemak gevoeld bij sterke mensen.

Na een maaltijd van kikkerbilletjes (die had ik nog

nooit eerder gegeten en ik moest vragen of ze met mes en vork werden gegeten, of met je vingers zoals krabbetjes), vertelde hij me de volgende ochtend naar het theater te komen en niets speciaals te doen, want Truman Capote zou er ook zijn en 'Truman heeft een hekel aan speciaal materiaal'.

Ik bedankte hen beiden voor hun gastvrijheid en ging terug naar het hotel om moeder te bellen. 'Doe je best morgen,' zei ze, 'en maak je geen zorgen. Onthoud dat je een thuis hebt om naar terug te komen.' Ik sprak met Clyde, waar het goed mee leek te gaan, hing op en ging naar bed.

Het Alvintheater lag aan Broadway en ze hadden me gezegd de artiesteningang om de hoek te nemen. Ik wandelde in opgeruimde stemming tussen de mensenmenigte op het trottoir. Ik was een muziekhandel binnengelopen en had een exemplaar van 'Love for Sale' gekocht, om geen andere reden dan dat het er lag uitgestald en ik het zo vaak had horen zingen. Als Truman Capote niet van speciaal materiaal hield, dan zou ik een standaardnummer voor hem zingen. Pas nadat ik de hoek van het theater om was geslagen, zag ik een rij negers die zich rond het blok uitstrekte in dezelfde richting als die ik inliep. Een paar van de jongere mensen en ik glimlachten tegen elkaar en ik wenste een paar oudere vrouwen met vriendelijke gezichten een goeiemorgen. De rij hield op bij de artiesteningang. Ik had nog nooit auditie gedaan in New York en dacht dat de audities voor alle Broadwayshows misschien wel in hetzelfde theater werden gehouden.

Ik klopte op de deur en Tom deed open. Het zou me niet verbaasd hebben als hij me een nummertje had gegeven en me had gevraagd achteraan aan te sluiten. In plaats daarvan zei hij: 'Oh, juffrouw Angelou. Kom binnen. Ik zal Saint laten weten dat u er bent.'

Hij bracht me naar een hoek en verontschuldigde zich. De schimmige vormen in het theater werden duidelijker zichtbaar. Meer dan honderd negers stonden in een rij langs de wand achter het toneel opgesteld, wachtend en waakzaam.

Tom wenkte me en fluisterde: 'Saint zal nu naar u luisteren. Hebt u muziek?'

Ik antwoordde: 'Ja.'

'Geef het maar aan mij,' zei hij, 'ik breng het wel naar de pianiste. Wilt u het eerst met haar doornemen?'

Ik dacht van niet – tenslotte was het alleen maar 'Love for Sale'.

'Nog een momentje en dan zal ik uw naam roepen. U gaat hierlangs.' Hij wees me de coulissen en waar ik van links op moest komen. 'De pianiste zit in de orkestbak. U knikt naar haar en ze begint.' Net als in de ouwe Purple Onion-tijd.

'En maakt u zich maar geen zorgen.' Hij voegde eraan toe: 'Truman Capote zit daarginds met Saint en Yip Harburg en Peter Hall. Doe uw best.'

Terwijl ik wachtte, probeerde ik niet te denken aan de auditie, maar aan New York. De 'Apple'. Ik zou het gaan maken en Clyde over laten komen, dan konden we 's middags naar Central Park gaan, misschien niet zo mooi als het Golden Gate-park, maar toch... Ik zou ook een minnaar vinden; tussen al die miljoenen mensen moest er een man hebben zitten wachten tot ik zijn leven op kwam vrolijken. Ik zou niet denken aan de auditie. Alleen wachten tot mijn naam werd geroepen en dan het toneel opgaan en zingen.

'Juffrouw Angelou, Maya Angelou.'

Ik liep naar voren en ging voor de fluwelen gordijnen staan. De lampen schenen fel en hard en wit en de stoelen in de zaal, slechts zwak verlicht vlak voor het podium, werden naar achter toe zo duister als de vergetelheid. Ik onderscheidde in de verte een paar gedaanten. Rechts in de orkestbak zat een vrouw geduldig aan een vleugel.

Ik nam mijn plaats in en dacht aan Lloyd Clark: 'Sta stil, sta volmaakt stil, schat, stil.' Ik stond. De lessen van Wilkie echoden door mijn gedachten: 'Laat je kaak zakken. Probeer niet om er mooi uit te zien door te grijnzen als je zingt. Laat je kaak zakken.' Ik liet mijn kaak zakken en knikte vervolgens naar de pianiste, zonder iets anders te bewegen dan mijn hoofd.

Ze sloeg de eerste noten van mijn lied aan en ik zette in.

'Love for sale, appetizing young love...'

Ze hield op.

'Uh, nee, uh. Ik speel het couplet. Als u het couplet niet wilt, ga ik meteen door naar het refrein.'

Ik had het couplet gelezen toen ik de muziek kocht, maar had het nog nooit horen zingen.

'Alleen het 'love for sale' gedeelte, alstublieft.' Ik dacht dat ik onderdrukt gegiechel hoorde vanachter het toneel, maar wist het niet zeker. Ze speelde de eerste drie noten en ik begon te zingen. 'Love for sale, appetizing young love for sale.' Ik stelde me voor dat ik een meisje was in een regenjas met een baret op, dat in een lichte regen onder een lantaarn in het ouwe China Town stond. Mannen bekeken me en liepen door en ik vervolgde mijn klaaglijke aanbod.

Ik werd zo in beslag genomen door het vertellen van het verhaal dat ik niet in de gaten had op welk punt de muziek en ik uit elkaar waren gegaan, noch wist ik precies hoe we weer samen konden komen. Ik wist alleen dat ik in de ene toonsoort zat en de piano in een andere. Ik keek naar de pianiste. Ze begon harder op de toetsen te slaan en in een vergeefse poging het te herstellen, begon ik luider te zingen. Ze tilde haar handen op en beukte op de piano. Ik verhief mijn stem en riep: 'If you want to buy my wares', een mijl van wat zij speelde verwijderd.

Ze kwam half overeind en kromde zich over de toetsen. Er sprak een verwoede vastberadenheid uit haar lichaamshouding en gebogen nek. Ze zou me terugkrijgen op de juiste hoogte, of anders zou ze de piano aan splinters slaan.

Plonk, plonk – net zo luid als ik zong – en ik hoorde haar diep grommen toen ze probeerde mijn stem te overdonderen. Ik schreeuwde: 'Follow me and climb the stairs.' Een zwakke, maar niet mis te verstane krijs gleed door mijn neus. Ik liet mijn kaak zakken en trachtte het geluid terug te dwingen naar achter in mijn mond waar ik het kon beheersen. De pianiste stond nu. Haar voorhoofd gefronst en haar tanden ontbloot. Ze stond op het punt de piano aan te vallen voor het slotakkoord. Ik schoot ertussen, haalde haar in en ze lag een tel achter op mij toen ik gilde: 'Love for sale.'

Ze plofte neer op de pianokruk, uitgeput en verslagen.

Ik was een tikkeltje trots op mezelf dat ik door het hele lied heen was gekomen. Toen drongen de geluiden tot me door. Er klonk gekir en gegieber uit de zaal en het gedempte gesputter van openlijk oproerig gelach vanachter het toneel.

Een gloeiende warmte kroop over mijn gezicht en

verspreidde zich door mijn lichaam toen ik me realiseerde dat ik het mikpunt van de spot was. Maar ik was, zo vertelde ik mezelf, de persoon aan wier voeten bloemen waren gelegd. En ik was de artieste die was gevraagd de rol van Eartha Kitt over te nemen in *New Faces*. Ik was de danseres die ze wilden hebben als opvolgster van de fabelachtige Lizabeth Foster in *Porgy & Bess*. En nu werd ik uitgelachen, alleen omdat ik 'Love for Sale' niet kon zingen. Nou, dat hoefden ze niet te doen.

'Neem me niet kwalijk,' zei ik en keek over de rijen stoelen heen in de richting van de wazige schaduwen. 'Ik heb begrepen dat meneer Capote niet van speciaal materiaal houdt. En u hebt mij gevraagd hier te komen en u te laten zien wat ik doe. Ik ben bereid calypso voor u te zingen, anders ga ik net zo lief naar huis.'

En echt, het zou fijner zijn om terug te gaan naar Californië. Naar mijn moeders grote huis en goed voedsel. Naar mijn zoon die me nodig had en tante Lottie die van me hield. Terug naar de fantastische Purple Onion, waar mijn vrienden mij welkom zouden heten. De tijd die verstreek tussen het moment dat ik een grote Broadwayster was die heel New York op zijn kop zette en het moment dat ik terugkeerde in de schoot van mijn familie was korter dan de pauzes tussen het gelach dat ik opving.

Er kwam een zwak geluid uit de zaal. Ze klapten alsof ze bontwanten aanhadden.

'Goed, juffrouw Angelou, zingt u maar wat u wilt.'

Ik zei: 'Ik zal "Run Joe" zingen en aangezien mij werd afgeraden mijn bladmuziek mee te brengen, zal ik het a capella moeten zingen.' Ik had van Wilkie geleerd dat muziek gezongen zonder begeleiding 'a capella' werd genoemd.

Als ik dan toch terug naar huis ging, zou ik ze laten zien wat ze misliepen en dat ik wel ergens anders terecht kon.

Ik gaf ze de speciale, zaterdagavond, alleen-nog-staan-plaatsen toegift-uitvoering. Die waarbij ik rondwervelde, mijn lichaam gespannen. Die waarbij ik keffende geluidjes maakte en zuchtte als brekende oceaangolven.

Toen het lied uit was, kwam het eerste applaus van de pianiste. Ze lachte en klapte zo energiek dat ik vermoedde dat ik haar zojuist aan het wankelen gebrachte geloof in de menselijke stem had gered. Er kwam meer applaus uit de zaal en deze keer klonk het levendig en oprecht. Ik wist niet wat er nu van mij werd verwacht. Ik bleef even stilstaan, vervolgens maakte ik een buiging en draaide me een beetje stijfjes om.

'Wilt u achter het toneel wachten, juffrouw Angelou?' Toms stem sprong door de leegte.

'Ja, dank u.'

Telkens wanneer ik me in verlegenheid gebracht of bedreigd voelde, rekende ik erop dat mijn lichaamstraining de verlossing zou brengen. Grootmoeder Henderson en grootmoeder Baxter hadden mijn broer en mij gedrild in de houding van 'schouders achteruit, hoofd omhoog, kijk de toekomst recht aan', en jaren van danslessen hadden het hunne aan de opvoeding bijgedragen.

Ik keerde me om en liep het toneel af als Cleopatra op weg naar de troonzaal (intussen de adder aan haar boezem klemmend).

Achter het toneel klapten een paar van de hoopvolle mededingers in hun handen of knipten met hun vingers toen ze me zagen. Ze grijnsden onbeschaamde complimenten naar me, die waarschijnlijk evenzeer bedoeld waren voor mijn eigen vrijpostige verzet en repliek als voor wat ze van mijn tweede lied hadden gehoord.

Saint Subber, Tom en Truman Capote kwamen achter het toneel naar me toe.

Saint Subber zei: 'Je hebt een zekere kwaliteit.'

Toms lof was even genereus als zijn gedrag.

Truman Capote deed zijn mond open en gedurende één wanhopig moment dacht ik dat hij me voor de gek hield. Met een zwakke falsetstem zei hij: 'Juffrouw Angelou, liefje, ik ben gewoon gek op uw werk.' Hij klonk precies als een rijke, oude, blanke vrouw uit het Zuiden. Hij deed me denken aan een gedicht van Countee Cullen:

> Ze denkt dat zelfs in de hemelen
> Haar stand laat nog ligt te snurken
> Als zwarte cherubijntjes om zevenen
> Goddelijke vloeren boenen op hun hurken.

Toch kon ik geen spoor van laatdunkendheid op zijn gezicht of in zijn zachte, meegaande manier van doen ontdekken. Ik bedankte hem. Tom zei dat hij contact met me op zou nemen, ik schudde de heren de hand en verliet het theater.

Buiten liep ik langs de rij wachtende mensen. Ze speurden nauwlettend mijn gezicht af, in een poging er de uitkomst van mijn beproeving af te lezen en zodoende die van henzelf te voorspellen. Als ik triomfantelijk was, betekende het dat er succes in de lucht zat en dat het hun ook te beurt kon vallen. Aan de andere kant kon het betekenen dat ik zojuist de open plaats had gevuld die zijzelf misschien hadden kunnen innemen.

Hun lot was zwaar. Tien of twintig banen voor tweeduizend of meer getrainde, getalenteerde en begerige gegadigden. In een ander gedicht zegt Countee Cullen dat God, als hij dat zou willen, kan verklaren waarom hij de schildpad zo'n vreemd, maar prachtig schild heeft gegeven, waarom de lente op de winter volgt, waarom de slang zijn huid aflegt, 'toch,' zegt de dichteres, 'verbaas ik me over curieuze dingen als een dichter zwart maken en hem gelasten te zingen'. En hem dan notabene gelasten in de stad New York te zingen.

Ik dacht aan *Porgy & Bess*. Aan de zestig mensen die samen zongen, lachten en hun leven deelden, aan de kameraadschap en trots die zij ontleenden aan elkaars begaafdheid. Hoewel ik in drie maanden niets had vernomen van de zakelijke leiding van het gezelschap, had ik kaarten ontvangen van Martha Flowers en Ned Wright. Ik wachtte af in mijn hotelkamer en hing rond in de sjofele foyer. Ik belde moeder die me sommeerde mijn hoofd hoog te houden, en Clyde die me miste en me het nieuws gaf van Fluke's laatste avonturen. Wilkie herinnerde me eraan dat 'ik in God leef en mijn bestaan heb'.

Op een donderdagochtend ontving ik een briefje waarin stond: 'Juffrouw Angelou, het gezelschap *House of Flowers* is verheugd u te kunnen meedelen dat u bent gekozen voor de rol in onze productie. Wilt u donderdagmiddag, drie uur, naar het kantoor komen om uw contract te tekenen.'

Ik bracht mijn familie onmiddellijk op de hoogte van het nieuws en toen ik ophing, rinkelde de telefoon weer. Ik dacht dat het waarschijnlijk Saint Subber was die belde om me te feliciteren.

Het was Breens Everyman Operagezelschap. Bob Dustin vroeg: 'Maya Angelou?'

'Ja.'

'U spreekt met *Porgy & Bess*. We hebben uw nummer

in San Francisco gebeld en te horen gekregen dat u in New York was.'

'Ja.'

'We willen u voor de rol van Ruby.'

Hoe kan er zoveel goed nieuws tegelijk komen?

'Maar ik heb net een rol gekregen in een nieuwe show op Broadway.'

'Echt? Oh, dat is heel jammer. Het gezelschap is nu in Montreal en over vier dagen vertrekken we naar Italië.'

Het was geen echt dilemma. Ik wilde reizen, proberen andere talen te spreken, steden zien waar ik mijn hele leven al over had gelezen, maar het belangrijkste was dat ik bij een grote, vriendelijke groep zwarte mensen wilde horen die zo glorieus zong en zo hartstochtelijk leefde.

'Ik heb geen paspoort.'

'We worden gesubsidieerd door het ministerie van Buitenlandse Zaken.'

Ik dacht aan de school waar ik op had gezeten en die op de lijst stond van de commissie voor on-Amerikaanse activiteiten.

Hij zei: 'Maakt u zich niet ongerust om uw paspoort. We kunnen voor speciale dispensatie zorgen. Wilt u bij *Porgy & Bess* komen?'

'Ja, ja.' Ja, nou en of.

'Kom dan naar het kantoor, dan regelen we het wel. Morgenmiddag vertrekt u naar Montreal.'

Ik belde Saint Subber op en legde uit dat me een andere baan was aangeboden. Hij vroeg of ik heus een nieuwe Broadwayshow op wilde geven voor een bijrol bij een rondreizend gezelschap.

'Ja,' antwoordde ik.

16

Mijn hoofd tolde en tolde als een opgegooid muntstuk: Parijs, dan Clyde's moederloze verjaardagsfeestje; Rome en mijn zoon die zijn avondgebedje opzei voor Fluke; Madrid en Clyde in zijn eentje worstelend met zijn huiswerk.

Ik belde weer naar huis. Moeder was verheugd en gaf me een lading spreuken om na te leven: 'Behandel iedereen fatsoenlijk, onthoud dat het leven uit tweerichtingsverkeer bestaat. Misschien kom je op weg omlaag dezelfde mensen tegen als toen je omhoog ging.' En: 'Richt uw blik op de heuvelen vanwaar uw hulp zal komen.' Lottie zei dat ze trots op me was en dat ik het in me had om groot te worden. Wilkie gaf me de opdracht veel te neuriën, mijn stem naar voren te brengen en altijd mijn kaak te laten zakken. En de wetenschap in mijn hart te dragen dat er geen plaats was waar God niet was.

Ik vroeg of ik Clyde kon spreken. Gebruikmakend van een strategie die ik verafschuwde, praatte ik tegen hem alsof hij een klein kind met gebrekkig Engels was. Hij vroeg wanneer ik naar huis kwam en wanneer ik hem over zou laten komen. Zijn stem stierf weg toen ik zei dat ik niet de volgende week terugkwam, maar wel gauw. Heel gauw.

Ja, hij zou braaf zijn. Ja, hij zou goed naar grootmoeder en tante Lottie luisteren. En ja, hij wist dat ik van hem hield. Hij hing als eerste op.

Toen ik Ivonne belde, beval ze me op te houden met huilen, dat Clyde geen vader had en dat het aan mij was om voor ons beiden een plek te creëren en dat was waar ik mee bezig was. Ze zei dat ze zoals ze gewoon was naar het huis zou gaan om hem te zien en mee uit te nemen. Per slot van rekening was hij niet bij vreemden, maar bij zijn grootmoeder – waarom maakte ik me dan zorgen?

Het was een terugkeer van het verleden. Mijn moeder had me jarenlang achtergelaten bij mijn grootmoeder en ik kende de pijn van afscheidnemen. Net als ik had mijn moeder haar redenen, haar behoeften gehad. Ik vond het geen prettig vooruitzicht om mijn zoon dezelfde kwellingen aan te doen en zij had me jaren later verteld hoe pijnlijk onze scheiding voor haar was geweest. Maar ik moest werken en ik zou goed zijn. Ik zou het mijn zoon vergoeden en hem op een dag meenemen naar alle plaatsen die ik ging zien.

Ik had een uittreksel gekregen van het boek van Du-Bose Heyward, waar George en Ira Gershwin hun opera op hadden gebaseerd.

Porgy, een kreupele bedelaar, woont in het negergehucht Catfish Row in Noord-Carolina. Hij is geliefd bij de inwoners van het dorpje, die hun schamele kostje bijeen scharrelen door te vissen en plaatselijke producten te verkopen.

Wanneer Crown, een ruwe stuwadoor, Robbin, de man van Serena, bij een dobbelspel vermoordt, valt de blanke politie het gehucht binnen om de dader te zoeken. Sportin' Life, die het gokken en andere infame, lucratieve zaakjes leidt, vlucht het huis van Ruby binnen; maar Bess, Crowns mooie maar wereldse minnares, wordt door de andere vrouwen in de gemeenschap afgewezen en zij wordt bijna gepakt tijdens de overval. Op het moment dat het net van de politie zich om haar heen dreigt te sluiten, opent Porgy de deur van zijn hut en Bess is veilig. Porgy wordt verliefd op Bess en zij aanvaardt zijn liefde en bescherming en zweert dat ze altijd bij hem zal blijven. Crown ontsnapt uit de gevangenis en komt Bess opeisen tijdens een picknick waar Porgy niet aan meedoet. Bess wordt seksueel aangetrokken door haar oude minnaar en gaat voor drie dagen met hem mee. Porgy gaat haar zoeken. Als ze terugkomt naar Catfish Row, is Porgy er niet en de vrouwen uit het plaatsje schelden haar uit. Sportin' Life maakt haar het hof, geeft haar cocaïne en smeekt haar samen met hem uit het stadje te vertrekken naar New York, waar 'ik je de mooiste diamanten van Fifth Avenue zal geven'.

> *And through Harlem we'll go a struttin'*
> *We'll go a struttin' and there'll be nuttin'*
> *Too good for you.*

Ze kan zijn verzoek, zijn stijl en de drugs niet weerstaan. Ze vertrekt samen met hem.

Porgy komt terug, hoort van de reis die Bess heeft ondernomen en in weerwil van de smeekbeden van zijn buren, roept hij zijn geitje, spant haar voor zijn karretje en gaat op reis naar New York om zijn Bess te zoeken.

Het naïeve verhaal krijgt dramatisch vaart door de geboorte van een hevig gewenst kind, een orkaan waarbij een lid van de gemeenschap de dood vindt en een picknick waarbij Sportin' Life een poging doet om de religieuze mensen van hun geloof weg te lokken.

Op vrijdag kwam ik tegen de avond ademloos, opgewonden en bang in Montreal aan.

Ik werd van het vliegveld opgehaald en rechtstreeks naar het theater gebracht, hoewel er vanwege het vroege uur nog niemand van de rolbezetting was. Achter het toneel riepen mannen tegen elkaar in het Frans en het Engels, stommelden rond, trokken aan touwen en verschoven decorstukken. Toen ik het lege toneel opliep, vielen alle flarden spanning van de afgelopen twee dagen van me af. Ik bevond me plotseling in een papier-maché wereld van intense liefde, hartstocht en ontroering.

Ik was net Porgy's hutje en het huis waar Robbins weduwe, Serena, haar droevige aria zingt aan het onderzoeken toen de zangers het theater binnendruppelden.

Ella Gerber zag me op het schemerige toneel rondlummelen.

'Oh, Maya, je bent gearriveerd!' Ze kwam naar me toe. 'Hier is je scenario, je hotel en kamernummer. En een repetitierooster. Ik stel voor dat je goed kijkt naar deze opvoering en vanavond je scenario bestudeert. Morgen heb je een repetitie.'

Ze zei dat ik geen kleedkamer had, want ik zou pas in Italië mee gaan spelen, maar ze zou de groep laten weten dat ik was aangekomen.

Mijn angst dat ik vergeten was bleek ongegrond. Toen Ella me voorging door de gang met kleedkamers, riep ze: 'Maya is er.'

Martha kwam de gang in gerend. *'La première danseuse, elle est ici.'*

Lillian Hayman volgde haar glimlachend en zei: 'Welkom.'

Barbara Ann Webb grijnsde, spreidde haar armen en liet haar 'Hee, meid' klinken als 'Waar zat je al die tijd?' en 'Waarom ben je niet eerder gekomen?'

De drie vrouwen deelden samen een rommelige

kleedkamer en ik zat te midden van de kostuums en wanorde van make-upspullen toe te kijken hoe ze zich voorbereidden op de voorstelling. Martha was zo delicaat gebouwd als een Stradivarius. Haar huid had de kleur van geboend mahoniehout. Ze had grote, heldere ogen. Haar lippen, vol en open, lieten regelmatige witte tanden in het donkere gezicht zien. Ze noemde zichzelf en werd door haar vrienden 'juffrouw Mooiding' genoemd. En terecht.

Als Martha een viool was, dan was Lillian Hayman een cello. Ze was een middelbruine vrouw met rijpe rondingen en volle welvingen. Door haar waardige houding werd ze eerder als stevig dan als dik gezien en ze bewoog zich licht alsof haar gewicht iets was dat 'in des aanschouwers oog' lag. Ze had een streng mooi gezicht dat verzacht werd door een bereidwillige, warme glimlach. Ze was een dramatische sopraan en die beschrijving was juist.

Barbara Ann Webb, een lyrische sopraan, was de naïevelinge toen ik bij het gezelschap kwam en dat was ze nog toen ik er weer wegging. Ze was bijna net zo omvangrijk als Lillian, maar haar rondingen waren jeugdiger en conventioneler gerangschikt. Ze kwam uit Texas en bezat een openheid die me deed denken aan het zonlicht in technicolorfilms. Haar huid was een tint lichter dan een rijpe perzik en als ze blank was geweest, zou ze invalster voor Linda Darnell hebben kunnen zijn. In tien landen en vijftien steden werden en bleven deze drie vrouwen mijn hechtste vriendinnen.

Die eerste avond nam het gekwebbel in de kleedkamer af en er werd op de deur geklopt.

'Vijftien minuten.'

'Oké,' riep Lillian.

Ik had de aankondiging 'een half uur' al eerder gehoord, maar geen van de vrouwen had erop gereageerd. Nu wendde Martha zich van de spiegel af en begon met een glazige blik in haar ogen te zingen: 'Do re mi fa sol la ti do.' Ik wist niet of ik iets moest zeggen, maar Lillian verloor eveneens haar belangstelling voor ons gesprek, ze vertrok haar mond tot een strakke, onechte glimlach en met op elkaar geklemde tanden, kefte ze: 'Je ja jo joe.' Barbara Ann stond op en begon langzaam heen en weer te wiegen. Ze liet haar kaak op en neer gaan en zong toen: 'Woeoe, woeoe.'

Ze letten niet op mij, maar ik kon niet hetzelfde met hen doen. Ik was nog nooit zo dicht bij geschoolde zangers in de buurt geweest en de echo's galmden in mijn oren. Ik ging de kamer uit en liep door de gang om mijn plaats achter de coulissen op te zoeken. Door iedere deur waar ik langskwam drongen klanken. Een bariton brulde als een gewonde eland, een andere loeide als een vrachttrein in een stormnacht. De tenors jankten met hoge uithalen. Er klonk gejammer en gegrom en de sirene van een spuitwagen op weg naar een uitslaande brand. Geknor viel samen met schelle 'ha ha ho ho's' en de algehele kakofonie werkte zo op mijn lachspieren dat ik hardop had kunnen lachen. Deze verfijnde zangers, die weldra op de planken de lieflijkste en vloeiendste tonen ten gehore zouden brengen, moesten eerst knarsen als roestige scharen en jammeren als bansjies. Toen bedacht ik dat ik, voordat ik mijn romp op kon tillen en mijn armen kon laten wuiven alsof ze in water zweefden, op en neer moest buigen terwijl mijn achterste in de lucht stak, dat ik pliés en relevés moest doen tot mij spieren pijn deden en mijn voeten moest rollen, spannen en ontspannen tot mijn hele lijf om verlossing smeekte. De zangers waren niet komisch. Ze waren aan het werk. Voorbereiding is zelden gemakkelijk en nooit mooi. Dat was de eerste van de vele lessen die ik bij *Porgy & Bess* leerde.

Ik zat op een krukje achter de coulissen en keek toe hoe de zangers reageerden toen de toneelmeester riep : 'Plaatsen, alstublieft, plaatsen.' Ze namen direct hun plaatsen in de wereld van *Porgy* in. Er klonk nog wat gefluister toen de lampen langzaam naar zwart werden getemperd.

Voor het doek werd er geklapt en de levendige ouverture van Gershwins opera overspoelde het toneel. De gordijnen gleden open en pastelkleurig licht verlichtte de set. Linksachter op het toneel was een groepje mannen aan het dobbelen; sommigen zaten op hun knieën, anderen bootsten het gooien van de stenen na. Toen gooide Ned Wright, als Robbin, de stenen en zong: 'Nine tot make, come nine.' De pure tenorzin steeg op en bleef een seconde in de lucht hangen, toen barstte het spektakel los.

De sopranen, tenors, bassen en baritons acteerden alsof ze inderdaad straatarme, Zuidelijke negers waren die hun levenlang niet verder kwamen dan de verzameling hutjes aan een zandweg die Catfish Row was. Ze zongen en luisterden en hun stemmen harmonieerden zo hecht met elkaar dat het toneel een wand van muziek werd waar geen kiertje onopgevuld bleef.

Hun zelfhypnose miste haar uitwerking op het publiek niet en ze overrompelde mij. Ik huilde om Robbins arme weduwe, Serena, die de treurige aria 'My Man's Gone Now' zingt. Helen Thigpen, een kleine, sierlijke en aantrekkelijke vrouw, zong de rol met een overtuiging die het hart zwaar maakte. Irene Williams zong Bess en ze deinde brutaal en even moeiteloos met haar heupen als dat ze haar noten tussen de muziek van het orkest wierp. Leslie Scott, knap en zo gesloten als een Afrikaans masker, zong Porgy met een volle, warme bariton. Toen het eerste bedrijf om was, klapte het publiek lang en hard en was ik uitgeput en kletsnat van het zweet.

Maar de zangers leken aan de andere kant net zo gemakkelijk uit hun rollen te stappen als je te grote pantoffels uitschopt. Ze liepen langs mij heen in de coulissen, al kwetterend over het inpakken van koffers en of ze meer kleren zouden moeten aanschaffen in Montreal voor de Europese tournee.

Hun lichtzinnigheid beviel me niet. Het leek alsof ze ontrouw waren aan de overweldigende emoties waarover ze hadden gezongen en die ze bij mij hadden opgeroepen. Het was niet prettig te ontdekken dat ze slechts een rol speelden. Ik wilde dat ze gehuld in drama, slierten tragedie achter zich aanslepend, het toneel afkwamen. In plaats daarvan stapte Martha door een opening in het achterdoek. Haar donkere gezicht spleet open in een glimlach.

'Hee, meid. Wat vind je ervan?'

Ze zou het niet begrepen hebben als ik had geantwoord dat ik het zingen prachtig vond, maar me verraden voelde door de zangers.

Ik antwoordde: 'Ik vind het geweldig.'

'Is dit de eerste keer dat je een opera vanachter het toneel ziet?'

Ik antwoordde bevestigend.

Het laatste bedrijf was nog verbazingwekkender dan het eerste. Ik wist nu dat de acteurs niet helemaal in hun rollen opgingen omdat ik het gemak had gezien waarmee ze de personages van zich afschudden, maar toch werd ik opnieuw gegrepen en vlochten ze me vaardig in het patroon van het verhaal.

Het publiek sprong overeind, 'bravo' roepend en klappend en het hele gezelschap boog. Toen splitsten de lange, dubbele rijen van het koor zich af, een keurig opgestelde groep van hoofdrolspelers achterlatend en de zaal donderde instemmend.

Achter de schermen, na het laatste doek, deden de zangers, toneelknechten en zakelijk leiders alsof het stuk er nooit was geweest. De stemming die ze hadden gecreëerd, de tranen die ze zo overvloedig hadden gestort en de vreugde die ze hadden ondervonden, waren vergeten.

Ik vroeg me af of ik echt vriendschap met hen zou kunnen sluiten, of beter gezegd, ik twijfelde eraan of mensen die emotioneel zo oppervlakkig konden zijn, de vaardigheid, wens of behoefte hadden om vriendschap te sluiten.

Billy Johnson zei me dat ik de volgende middag voor een repetitie in het theater werd verwacht. Hij vroeg of ik van het blad kon zingen en ik antwoordde ontkennend. Wilkie had me aangespoord om solfège te studeren, zodat ik in staat zou zijn een blad muziek te pakken en het even vlot te lezen als de krant, maar ik had niet genoeg tijd gehad. Johnson, een vroegtijdig kalende, blanke man uit Oklahoma, zei dat het wel zou lukken. Zoveel hoefde ik niet te leren.

Ik was ondergebracht in het hotel waar Martha en Lillian logeerden en we zaten elkaar tot diep in de nacht onze levensverhalen te vertellen. Martha was de dochter van een predikant uit Noord-Carolina. De vader van Lillian was koordirigent in een grote kerk in Jamaica, Long Island. Mijn grootmoeder was Moeder van de Christelijke Methodistisch-Episcopale Kerk in Stamps, Arkansas geweest, dus we deelden dezelfde religieuze achtergrond.

De repetitie was niet zo beangstigend als ik had verwacht. Toen Billy Johnson er eenmaal van overtuigd was dat de zakelijke leiding van het gezelschap echt een zangeres had aangenomen die geen noten kon lezen, was hij de situatie meester.

Hij zat achter de piano en speelde mijn stuk met één hand. Omdat hij omringd werd door een groep hooggeschoolde, begaafde zangers, was het begrijpelijk dat hij niet alleen was gaan geloven dat alle negers konden zingen, maar ook dat ze allemaal opera konden zingen en een absoluut gehoor hadden. Hij verborg ternauwernood zijn schok toen hij erachter kwam dat ik geen goed gehoor had.

Zijn accent was Zuidelijk en zo verfijnd als wintergroenolie. 'Nou nee, Maya, dat is het niet helemaal. Je zit er dichtbij, maar niet helemaal.' Terwijl zijn vingers de toetsen licht aansloegen, speelde hij de melodie opnieuw. 'Het is meer zoiets.'

Na een uur waarin ik hetzelfde wijsje steeds opnieuw zong, gaf hij zich beleefd gewonnen.

'Ik geloof dat je hier nog wat meer aan zult moeten werken voor je in Venetië met ons begint.'

De dansscène ging me wel goed af. Het ritme was ingewikkeld, maar ik bleek het vlot op te pikken en ik danste het spontaan. Robert Breen had uitgelegd dat het eruit moest zien alsof het een dans zonder choreografie was. De danseres moest zo betoverd lijken door de muziek dat ze zichzelf in de glorie van het dansen uitleefde. Ik gaf me over aan de muziek en liet die mijn optreden vormgeven.

17

Drie dagen lang repeteerde ik 's middags en observeerde ik 's avonds het gezelschap vanuit de coulissen. Maar de ochtenden bracht ik door met wandelen door de schone straten van Montreal, met luisteren naar de buitenlandse accenten en kijken naar de mensen.

Tot de vele perversiteiten van de Amerikaanse rassenverhoudingen behoort het feit dat zwarten blanken niet graag recht aankijken. Na honderden jaren zelf een volk van onzichtbaren te zijn geweest, proberen we, zodra een aantal van ons economische zekerheid heeft verworven, blanken als niet-bestaand af te doen door hen te negeren.

Montreal verschafte mij mijn eerste ervaring in het vrijmoedig aankijken van blanken. Canada was het eindpunt geweest van de ondergrondse spoorweg en de slaven hadden een indrukwekkende liturgie gecreëerd waarin Canada werd geëerd en die over de hele wereld werd gezongen. In de spirituals kwamen verwijzingen naar de bijbelse watervlakte, de rivier de Jordaan, veelvuldig voor. Ik had geleerd dat de Jordaan in onze muziek de Mississippi betekende, of de Arkansas- of Ohiorivier en dat het verwoorde doel, naar het land Kanaän te gaan, de manier van zeggen van slaven was dat ze naar Canada en de vrijheid verlangden.

Daarom werd er voor Canadezen in de afwijzing van blanken door vele zwarten een uitzondering gemaakt. Het was een ander volk. Ik nam hun schone straten waar en het feit dat hun gezichten niet verstrakten als ze mij zagen. De sfeer was voldoende ontspannen om mij mijn onlangs geleerde Franse woorden te laten uitproberen. Soms werd ik begrepen.

De hotelfoyer had het aanzien van een station. Twee kinderen en zestig volwassenen met hun koffers, jassen, paraplu's, hoeden en andere bezittingen probeerden zich uit te laten schrijven en in de twee bussen te stappen die hen naar het vliegveld zouden brengen.

Er werd een tafereel opgevoerd dat ik in de hoofdsteden van Europa en Noord-Afrika herhaald zou zien worden. De achterblijvende hotelgasten keken verbaasd naar de meute kleurrijke mensen die elkaar voor de raampjes verdrongen, elkaar dingen toeriepen en lachten om het genot van het reizen en de belofte van Europa.

De sterren van het gezelschap fonkelden en trokken de aandacht. Earl Jackson, onze tweede Sportin' Life, had zich net bij de troep aangesloten toen ik in Montreal arriveerde. Zijn garderobe was voor de oude leden net zo nieuw als voor mij. Hij was geen geschoold zanger en het verhaal ging dat hij recht van de straten van Chicago was ingehuurd omdat hij informatie uit de eerste hand bezat over de rol die hij moest spelen. Hij droeg een modieus en opvallend pak en zijn haar was zo zwart en glad als zijn puntschoenen. Hij wist dat hij er goed uitzag en omdat hij nog niet bij een coterie hoorde, hield hij zich hooghartig afzijdig alsof hij het absolute middelpunt van de schepping was en wij onbeduidende lieden aan de periferie.

Leslie Scott kleedde zich duur en gedroeg zich als een klassieke bariton. Zijn maatjas had een persianer kraag die geaccentueerd werd door een kasjmierwollen sjaal.

Hij was een ster en deed geen pogingen om dat te verbergen.

De vrouwen die Bess zongen, waren onveranderlijk dramatisch aantrekkelijk. Martha was perfect opgemaakt en droeg haar bevallige, veelkleurige jas; Gloria Davy, groot en zwart, hield haar vreemd oosterse schoonheid op een beheerste en onbewogen afstand. Irene Williams, stralend en opgewekt, leek evenzeer op Bess in de hotelfoyer als op de planken. John McCurry, die de rol van Crown zong, was één meter vijfennegentig lang en woog tweehonderddertig pond – een galmende basbariton met de kleur van een rijpe Satsumapruim. Zijn vrouw was klein en zo blank als hij zwart was. Ze sprak zacht en zelden. Vanwege het verschil in omvang en kleur tussen hen, werden ze stiekem Jack en Jane Sprat genoemd.*

De meeste tenors, die Europa al op een eerdere tournee hadden aangedaan en wier temperament in bereik hun stemmen evenaarde, droegen hun jassen met bestudeerde nonchalance los om hun schouders en hadden wandelstokken bij zich.

Eloise Uggams en Ruby Green waren twee rustige en bescheiden vrouwen die uiterlijk en in hun gedrag meer op steunpilaren van een godsdienstige orde leken dan op de zingende leden van een zwierig operagezelschap. Hun mannelijke tegenstemmen, Joe Jones en Merritt Smith,

* Jack en Jane Sprat figureren in het onderstaande kinderversje:

Jack Sprat could eat no fat
His wife could eat no lean
So in between them both
They licked the platter clean

hadden kerkdiakenen, kleine zakenmannen of degelijke verzekeringsagenten kunnen zijn. Ze leken niet alleen niet bij de theatergroep te horen, maar schenen zich bij hen in het openbaar ook een beetje onbehaaglijk te voelen. De bezadigde leden slaagden er altijd in om op een afstandje te staan van de luidruchtige bende, alsof ze op een andere trein met een andere bestemming stonden te wachten.

Het gezelschap streek neer op het vliegveld als een horde Goten die het oude Rome binnenvalt. Sommigen neurieden deuntjes uit *Madame Butterfly* of *Cavalleria Rusticana*. Anderen zetten de gesprekken voort die ze in de bussen waren begonnen, hard roepend om boven het tumult uit te komen. Tenminste vijf tassen raakten zoek, werden gezocht, bejammerd en vervolgens met kreten van welkom teruggevonden. Na slechts zo'n twintig paspoorten en vijftig koffers te hebben onderzocht, wisselden de Canadese beambten blikken uit alsof ze de scène hadden ingestudeerd: ze trokken hun wenkbrauwen en hun schouders op, keken een andere kant uit en gebaarden het *Porgy & Bess*-gezelschap door de draaistijl heen en uit het gezicht.

De stewardessen kwamen tot de ontdekking dat hun gereserveerde houding, bedoeld om weerspannige passagiers te beteugelen, geen effect had op de lading zangers. De sopranen klaagden dat het vliegtuig te koud was; de baritons waren er zeker van dat de oververhitting schadelijk was voor hun stembanden; de tenors vroegen om zoete roggewhiskey en verklaarden genereus genoegen te nemen met klaverhoning en vers citroensap. Evenredig aan de eisen van de passagiers nam de paniek onder de stewardessen toe.

Toen de gezagvoerder ons meedeelde dat we over

Newfoundland vlogen, wat inhield dat we één uur van Montreal verwijderd waren en acht hele uren van Milaan, onze eindbestemming, had het cabinepersoneel verbijsterde en verwilderde blikken in de ogen. Ze trokken zich blijvend vooraan in het vliegtuig terug en weigerden in te gaan op de aanhoudende eisen om aandacht.

Ruby Green was doodsbang om te vliegen, dus had ik om een plaats naast haar gevraagd. Ik wist dat ik altijd op mijn best was in de buurt van iemand die er erger aan toe was dan ikzelf. Toen het vliegtuig opsteeg, greep ze de armleuningen beet, zette haar lichaam schrap en tilde de kist, door pure wilskracht, veilig de lucht in. Ik praatte tegen haar over Californië en, denkend aan Wilkie, herinnerde haar eraan dat er 'geen plaats was waar God niet was'. Na een paar uur was ze voldoende ontspannen om aan het gesprek deel te nemen. Ze zei dat ze geen twijfels had omtrent God, maar geen voorafgaande kennis over de piloot bezat en dat, gedurende de drie jaar van reizen met *Porgy & Bess*, haar ernstige wantrouwen tegen gezagvoerders er beslist niet minder op was geworden.

De stewardessen doemden op bij de voorste stoelen. Zo snel als ze konden, begonnen ze links en rechts tafelkleedjes en bestek voor de dag te halen. Zodra onze tafeltjes omlaag geklapt en gedekt waren, renden ze terug naar het miniscule keukentje en grepen de maaltijden. Ze deelden ze razendsnel van rechts naar links uit, met de vingervlugheid van een Las Vegasgokker die een stok kaarten deelt. Toen we allemaal waren voorzien, keerden ze zonder nog een keer om te kijken naar hun wijkplaats terug.

De bedrijvigheid op het vliegveld in Milaan verschilde alleen wat taal betreft van het kakofonische tumult van andere vliegvelden die ik kende. Ik hield me bezig met het bij elkaar zoeken van mijn bagage en zo dicht mogelijk in de buurt van mijn vriendinnen blijven, zonder de indruk te wekken dat wat ik deed precies was wat ik deed – dat wil zeggen, me voor de veiligheid aan hun jaspanden vastklampen.

Het eerste stuk van de busrit van Milaan naar Venetië bood mij en mijn collega's geen tijd om het Italiaanse landschap te bekijken. De chauffeur was vastbesloten om ons te laten zien dat hij niet alleen vertrouwd was met het voertuig en de wegen, maar ook dat hij een kunstenaar was in het bij elkaar houden van die twee onder zelfs de meest huiveringwekkende omstandigheden. De bus – extra lang en beladen met het hele gezelschap, al onze bagage en een gids die dacht dat de taal die hij sprak Engels was – slipte, gierend als een vastgelopen fabrieksfluit, door de bochten, richtte zichzelf op kleinere voertuigen terwijl hij grommend bokte, steigerde, om heuvels heen zwenkte en zich met twee wielen, één wiel en ten slotte met niet meer dan een herinnering aan de weg vasthield.

De gids schreeuwde en gebaarde, strekte zijn geheven handen van zijn lichaam weg, liet ze op en neer gaan alsof hij twee grote grapefruits woog en rolde zijn hoofd heen en weer.

Toen de bus ten langen leste een stadje binnenreed, werden kinderen en honden als veren uit de weg geblazen, krijsten volwassenen tegen de chauffeur die, met zijn voet op het gaspedaal, zijn hoofd omdraaide en iedere kreet beantwoordde. We hielden halt op een plein in het centrum van de stad en de opluchting weerhield ons ervan om de chauffeur, die bij het open portier stond met een gezicht vol trots over zijn verrichtingen, stijf te schelden.

De gids loodste ons naar een restaurant en zei: 'Bla,

bla, Verona, bla, bla.' De naam Verona trof mijn oren als een slag van niet-vergeten donder. Dit was Verona, de stad van Romeo en Julia. De stad van de Montague's en de Capulets. Ik liep van de groep weg en keek naar de gebouwen en omhoog naar de stenen balkons. Ik plaatste Julia ergens boven me en stelde me voor dat ze vroeg: 'Romeo, Romeo, waarom zijt gij Romeo?' Ik zette haar aanbidder in de schaduw aan de overkant van het plein neer, liet hem Julia's schoonheid roemen en wensen: 'Oh, was ik een handschoen aan die hand en mocht ik die wang strelen!'

Ik was echt in Italië. Niet Maya Angelou, die persoon vol pretenties en ambities, maar ik, Marguerite Johnson, die over Verona en over het trieste liefdespaar had gelezen, terwijl ik opgroeide in een stoffig, Zuidelijk dorp dat armzaliger en tragischer was dan het historische stadje waar ik me nu bevond.

Ik was zo opgewonden door de ongelooflijke lotswending die me van een verleden van afwijzing, van dichtgeslagen deuren, blinde stegen, doodlopende straten en culs-de-sac naar de stralende zon van Italië had gebracht, naar een stad die beroemd was geworden door een van de grootste schrijvers ter wereld, dat ik terugrende naar Martha en Lillian.

Ze hadden een stoel voor me vrijgehouden binnen in het café.

'Martha, wist je dat dit Verona is?'

Ze keek op van het menu dat ze zat te bestuderen. 'Ja en het is nog maar twintig mijl naar Venetië.'

Lillian zei: 'Mijn God, als we geen andere chauffeur krijgen, komen we er misschien wel nooit.'

'Of we zijn er binnen vijf minuten als we deze houden,' lachte Martha.

Ik zei: 'Maar ik bedoel, dit is Verona. Waar de – Dit is waar Shakespeare's *Romeo en Julia* zich afspeelt.'

'Dat hebben we allemaal in de bus gehoord, Maya.' Lillian glimlachte naar me alsof ik een opgewonden kind was. 'Dat heeft de gids ons verteld. Heb je niet geluisterd?'

Martha tuitte haar lippen. 'Het Everyman Operagezelschap spendeert een hoop geld om een gids te huren die een nog nooit gehoorde taal spreekt en zijn armen beweegt als een seinpaal bij stormwind en onze prima ballerina luistert niet eens naar hem. Helaas.' Ze concentreerde zich weer op het menu.

Lillian keek me aan en schudde haar hoofd. 'Maya, in het komende jaar zul je waarschijnlijk op plaatsen komen waar Hamlet is gestorven, waar Othello Desdemona vermoordde, of waar Cleopatra zich met een slang van kant maakte. Je wordt toch niet iedere keer zo opgewonden, hè?'

Martha zei: 'Laat haar nou maar. Tenslotte is ze voor het eerst in Europa.' Ze waren alletwee op tournee geweest met *Four Saints in Three Acts* van Gertrude Stein en ze gedroegen zich alsof ze chalets in Zwitserland en villa's in Spanje bezaten, waar ze de weekends doorbrachten. Martha vervolgde: 'Ik zal je helpen met het menu.'

Die dag besloot ik om hen nooit meer te laten merken wat ik echt voelde. Als zij onverstoorbaar wilden doen, dan zou ik ze eens laten zien wat onverstoorbaar was. Ik vroeg om het menu en terwijl mijn hart zo hard klopte dat het bijna hoorbaar was, tuurde ik naar de lijst met gerechten, geschreven in het Italiaans en in een schrift dat ik nog nooit eerder had gezien. Ik herkende *nova* als eieren, op basis van mijn middelbareschool-Latijn en bestelde. Ik wist dat ik de volgende dag een woordenboek moest kopen en moest beginnen mezelf Italiaans te leren. Ik zou de taal spreken van ieder land waar we kwamen; ik zou 's nachts en 's ochtends studeren tot ik de vreemde talen zo niet vloeiend, dan toch op zijn minst verstaanbaar sprak.

Boeken noch films hadden me op Venetië voorbereid. Ik had *Bloed en zand*, de film met Tyrone Power, gezien en ik had het gevoel dat ik moeiteloos tussen de stierenvechters en beeldschone señorita's van Spanje zou kunnen wandelen. *Fietsendieven* en *Open stad* gaven een duidelijk, hoewel pijnlijk beeld van het Italië na de Tweede Wereldoorlog. De verhalen van Ali Baba en de Lamp van Alladin, alhoewel ze werden gespeeld door acteurs met een zwaar Midden-Europees accent, gaven me enig idee van de mohammedaanse wereld. Maar Venetië was een fantasie waar ik zelfs uit de tweede hand geen ervaring mee had. Onze bus reed door nauwe straatjes met aan weerskanten hoge gebouwen. Bij tijd en wijle doken we tussen de muren uit en zagen we open water waarop gondeliers hun boten met evenveel elan laveerden als onze chauffeur zijn wagen bestuurde. Boven onze hoofden sprongen balkons naar voren en groentekramen en winkeltjes namen de trottoirs in beslag.

Aan de andere kant van het plein, aan een kleine plaza, stopten we voor een hotel. Buiten stonden tafeltjes voor het restaurant. Toen het gezelschap uit de bus stroomde en de procedure begon van het zich uitsorteren in afzonderlijke personen plus hun bagage, bleef ik staan kijken naar de zwartgejaste kelners die de tafels met rood geruite kleedjes dekten.

Een paar hadden gezien en gehoord hoe de zangers met luide stemmen hun bezittingen identificeerden en waren naar de deur van het restaurant gesneld om hun collega's en de Venetiaanse klanten te roepen. Mannen en vrouwen dromden naar buiten het plein op, hun ogen gericht op de bonte groep negers die geen tijd en geen zin hadden om enige aandacht aan hen te besteden.

De starende menigte die met haar wuivende handen een soort ballet opvoerde, was de eerste grote groep autochtone Italianen die ik nauwkeurig observeerde. In Verona had ik het te druk gehad met de verwerking van mijn herinneringen, met het oude, romantische verhaal en met mijn eigen imago om echt naar de kelners of andere klanten te kijken. Maar nu ik op een afstandje stond en de gelegenheid had het hele tafereel in me op te nemen, zag ik hoe de Italiaanse gezichten vertrokken van wat ik opvatte als afschuw; ik concludeerde daaruit dat ze nog nooit zoveel zwarte mensen bij elkaar hadden gezien en dat wij hun angst en afkeer inboezemden.

Een lange klerenkast van een man in een witte jas die zich onder de starenden bevond, zei iets dat de drom aan het lachen maakte en hij kwam naar de bus toe. Ik liep terug naar de gids die ineffectief de wacht hield bij een slordige berg koffers en zijn armen, hoofd, romp en verwarde tong als zoenoffer aanbood aan de god die verloren voorwerpen opeiste. De witgejaste man zocht tussen de krioelende, roepende zangers en koos John McCurry die dubbel gebogen met zijn vrouw stond te praten.

Het leek alsof de man in de houding ging staan. Hij sprak John aan in het Italiaans en liet toen zijn hand ter hoogte van zijn middel naar voren schieten. Nogal logisch dat John, die in New York was opgegroeid, schrok. De man begon met zijn armen te zwaaien en John, die net als de rest van de groep Italiaans kende door het zingen van Puccini, Rossini, Verdi en Bellini, antwoordde hem in de poëtische taal van de opera. De man straalde. Hij keerde zich om naar de mensen die in de deuropening van het restaurant stonden te wachten en riep iets. Ze klapten in hun handen en kwamen luid pratend op de bus afgelopen.

Over het algemeen hebben zwarte Amerikanen het er niet zo op om bestormd te worden door een meute vreemde, blanke mensen. John McCurry was nog steeds in gesprek met de man die als verkenner had gefungeerd, maar de andere zangers zagen de menigte oprukken over het plein en we reageerden alsof we de passen in hadden gestudeerd. We gingen dichter bij elkaar, onze tassen en de bus staan. De beweging was subtiel, maar vond tamelijk gehaast plaats. De twee kleine kinderen kropen dichter tegen hun vaders aan die ernstig met hun vrouwen begonnen te praten. Ned Wright en Joe Attles verkozen dat moment om hun armen in de mouwen van hun jas te steken die ze anders altijd als een cape om hun schouders gooiden.

Toen de groep Italianen dichterbij kwam, zagen we hun glimlachende gezichten; ze heetten ons welkom in Venetië. De spanning in onze groep nam af en de neuzen werden weer in de lucht gestoken. We mengden ons lachend en handen schuddend onder de Italianen.

Ze verdrongen zich roepend rond John, in de veronderstelling dat hij de ster van de opera was. Dat beviel Leslie Scott en Laverne Hutchinson, die om beurten de hoofdrol zongen, niet. John bleef herhalen: *'No, no, io sono Crown.'* Maar vanwege zijn omvang, zijn brede glimlach, verreikende bas-baritonstem en waarschijnlijk vanwege zijn onberispelijke Italiaanse accent, waren de nieuwe fans ervan overtuigd dat ze de juiste persoon bewonderden.

Rose Tobian, die de publiciteit voor *Porgy & Bess* verzorgde, schoot te hulp om de zaak op te helderen. Ze was een intelligente, jonge New Yorkse, zelfverzekerd en aantrekkelijk. Ze pakte Leslie en Laverne bij de arm en trok hen mee naar het midden van het gewoel. De Italianen zwengelden Johns hand op en neer alsof ze water aan het putten waren.

Rose, die nog steeds haar sterren vasthad, drong zichzelf tussen de Italianen en John in. Ze schudde heftig haar hoofd waardoor haar dikke, blonde haar in de gezichten van de mannen zwierde. Ze wees met haar vinger naar Laverne en vervolgens naar Leslie en zei luid: 'Porgy, Porgy.' Dit bleef ze herhalen totdat ze er zeker van was dat de erkenning bij de juiste personen terecht was gekomen. Ze was verheugd dat ze haar taak had vervuld. Als onze publiciteitsagente was Rose Tobian een succes, zelfs in Italië. Het deed er nauwelijks toe dat ze geen woord Italiaans sprak.

18

Toen ik me in had laten schrijven in het hotel, mijn paspoort aan de receptionist had overhandigd en mijn kamer had gezien, besloot ik Venetië in mijn eentje te gaan
bekijken. De zakelijk leider van het gezelschap had alle
zangers een voorschot in lires verstrekt. Ik kocht een
plattegrond, een goedkope Italiaanse handleiding waar
bruikbare zinnen in stonden, een Italiaans-Engels woor-
denboekje en begon aan mijn ontdekkingstocht.

De oude gebouwen stonden er gesloten en terughoudend bij, de vergane gloriën achter hun muren verber-
gend. De kanalen waaierden vanaf de stoeprand alle
richtingen uit, terwijl zwartrode gondels over het wateroppervlak gleden als speelgoedbootjes over ijs. De gondeliers met lege boten zongen voor hun eigen plezier of
om klanten te trekken. Ze zongen fragmenten van aria's
en populaire muziek en hun stemmen dansten jong en
onweerstaanbaar over het water. Ik slenterde, de plattegrond volgend, naar het Canal Grande, dat er in de schemering zwart en olieachtig uitzag en met de verlichte
gondels die voorbij scheerden, had het de Baai van San
Francisco kunnen zijn, beladen met een verzameling
Chinese jonken.

Ik vond de Piazzo San Marco en ging aan een tafeltje
zitten dat uitzag op het plein. Ik bestelde koffie in mijn
toeristenboek-Italiaans en bekeek de mensen op het grote plein, de lichten die over de gevel van de Basilica San

Marco speelden en mijmerde over het tijdperk van de dogen en stadstaten van Italië waar ik over had gelezen. Het tafeltje dat ik had uitgekozen, stond in een tamelijk leeg gedeelte van het restaurant, maar de ruimte liep snel vol. Stemmen, plotseling dichterbij, drongen mijn dagdroom binnen. Ik keek om me heen en ontdekte dat ik omringd werd door vreemde gezichten. Dertig paar ogen waren op mij gericht. Ze leken allemaal mijn gezicht af te zoeken – mijn mond en neus, haarlijn en oren – voor iets kostbaars dat ze kwijt waren geraakt. Ik had het bizarre gevoel dat ik gevangen zat in een nachtmerrie die door een onbekende werd gedroomd.

Ik zocht in mijn boekje naar de vereiste zin. De kelner kwam naar me toe. 'Ik wil graag nog een koffie.' Hij kwetterde iets terug en knikte naar een groepje mannen te midden van de starende menigte. Ik herhaalde mijn verzoek en misschien herhaalde hij eveneens zijn antwoord, want hij knikte weer naar de mannen. Deze keer volgde ik zijn hoofdknik en zag drie glazen die werden geheven en dat er tegen me werd geglimlacht. Verbazing weerhield me er niet van om koel en gereserveerd terug te glimlachen. Ik neigde mijn hoofd en de mensen barstten in lachen uit.

Een vrouw vroeg: 'St. Louis Blues?'

Een man die vlakbij me zat, stond op en kwam naast mijn tafeltje staan. Zijn zwarte ogen glommen.

'Americano?' Hij boog zich onnodig over me heen – zijn stem echode door het hele restaurant en tot buiten op het plein.

Ik antwoordde, zo kalm als mijn grootmoeder zou hebben gedaan wanneer ze een luidruchtig persoon trachtte bij te brengen hoe hij zich diende te gedragen: 'Ja.'

Zijn lach werd breder: 'Harlem?'

Ik knikte opnieuw, omdat ik wist wat hij bedoelde.

Hij zakte door zijn knieën en stak zijn handen op in de beroepshouding van een bokser. Hij stompte in de lucht. Iedereen lachte. De man ging recht staan en vroeg, mij weer aankijkend: 'Joe Louis?'

Ik wist niet hoe ik hem duidelijk moest maken dat ik wist wie Joe Louis was, maar dat ik hem niet persoonlijk kende. Hij herhaalde: 'Joe Louis?'

Ik sloeg mijn handen in elkaar en tilde ze boven mijn hoofd in een overwinningsgebaar en de mensen lachten en hieven hun glazen weer.

Dat de mensen allemaal zo knap waren, verraste me. De mannen aan het ene tafeltje wenkten me om bij hen te komen zitten. Ik dacht er maar een seconde over na, liep toen naar ze toe en nam plaats in de stoel die voor me achteruit werd getrokken.

Opnieuw klonken er algemeen instemmende geluiden. Zodra ik was gaan zitten, schoven de mannen en vrouwen aan de andere tafels hun stoelen bij. Ik legde mijn boekje op tafel, wees ernaar en glimlachte. Een kelner bracht een glas en ik kreeg een bitterzoete Campari, die ik nog nooit eerder had geproefd. Toen ik grimaste, schudden de mensen hun hoofd en klakten met hun tong. Ik zocht in het woordenboek naar het woord 'bitter', maar het stond er niet in. Een man pakte het boek en begon naar iets te zoeken, maar tevergeefs. Een vrouw stak haar hand uit en toen het boek aan haar was doorgegeven, bladerde ze het snel door, maar vond evenmin wat ze zocht. Ik kreeg nog een Campari. Terwijl het boek van hand tot hand ging, lachten we elkaar toe en praatten de klanten onder elkaar. Ik amuseerde me uitstekend, maar verstond geen woord van wat er werd gezegd, behalve 'Americano' en *'bellissima'*.

Het was tijd om te gaan. Ik glimlachte en stond op. Ongeveer dertig mensen kwamen glimlachend uit hun stoelen overeind. Ik schudde de mensen aan mijn tafeltje de hand en zei *'Grazie'*. De anderen leunden naar voren, hun handen en stralende gezichten naar mij uitstekend. Ik schudde ze allemaal de hand en wandelde het plein op. Toen ik omkeek naar het verlichte café, wuifden de mensen nog steeds.

Het jaar was 1954, slechts een decennium nadat hun land door mijn land was overwonnen in een oorlog die om raciale en economische redenen was gevochten. En uiteindelijk had Joe Louis, wiens naam de man met zoveel trots had uitgesproken, een Italiaan, Primo Carnera, verslagen. Ik dacht dat mijn acceptatie in het restaurant een veelzeggend voorbeeld was geweest van de grootmoedigheid van het Italiaanse volk. Ik was nog niet lang genoeg in Europa om te weten dat Europeanen vaak net zo'n duidelijk onderscheid maken tussen zwarte en blanke Amerikanen als de meest verstokte fanaticus uit de Zuidelijke staten. Het verschil, zoals ik zou ontdekken, was dat men zwarten vaker wel dan niet mocht, terwijl dat bij blanke Amerikanen niet zo was.

Na elk object in de kleine slaapkamer en de ernaast gelegen badkamer onderzocht te hebben, maakte ik me klaar om te gaan slapen. Het aanraken van de wastafel, de muren en fijne katoenen gordijnen verzekerde me ervan dat ik me inderdaad buiten de Verenigde Staten bevond. Ik sliep onrustig, omdat ik naar mijn zoon verlangde en nerveus was vanwege mijn eerste optreden als Ruby de volgende avond.

19

Het interieur van het Teatro la Fenice was zo rococo als de meest weelderige fantasie zich zou hebben kunnen wensen. De wanden hadden een lambrizering van diep rood fluweel, onderbroken door panelen van wit marmer en goudmozaïek. Zware kristallen kroonluchters hingen aan gouden kettingen. De ronde stoelen waren met hetzelfde fluweel bekleed en de brede gangpaden met wollen tapijten van een dieper rood.

De kleedkamers waren ontworpen en gebouwd door mensen die zangers en acteurs hogelijk waardeerden. Ze waren zo ruim en comfortabel dat ze bijna luxueus konden worden genoemd. De kleinere kamers waren voorzien van een kleine sofa, kaptafels, een brede verlichte spiegel en een wastafel. En de onderkomens van de sterren hadden gemakkelijk door kunnen gaan voor de beste suites in een eersteklashotel.

Irene Williams en Laverne Hutchinson hadden zich de hele dag niet laten zien. Zoals het operasterren betaamt, hadden ze zich afgezonderd. Maar de zangers van de minder inspannende rollen hadden langs de kanalen gewandeld en boodschappen gedaan in de kleine winkeltjes. Ned Wright had een gondelier leren kennen en een nachtelijk boottochtje voor een paar vrienden over het Canal Grande met hem geregeld. Hij nodigde me uit. Ik had affiches van John McCurry en mij zien hangen in de stad en toen ik alleen door de straten wandelde, liepen kleine jongetjes mij zingend na: *'La prima ballerina, la prima ballerina.'* Met hun goudkleurige huid en vrolijke temperament deden ze me aan Clyde denken.

De sterren kwamen te voorschijn en de generale repetitie begon. Ik was in kostuum en op mijn plaats. Er bestond een duidelijk verschil tussen het stuk observeren – zorgvuldig iedere beweging bestuderen, nauwkeurig op iedere noot letten – en er deel van uitmaken en in zekere zin voor het drama verantwoordelijk zijn. Porgy's liefde voor Bess was zo aangrijpend en zijn lot zo tragisch dat ik er tranen van in mijn ogen kreeg en een brok in mijn keel en de tonen maar amper mijn mond uit kon duwen. Ik was ervan overtuigd dat ik mettertijd het stuk afgezaagd zou gaan vinden en de pathos mij gedeeltelijk koud zou laten. Maar het daaropvolgende jaar ontroerde het verhaal mij steeds meer en raakte ik steeds meer onder de indruk van de acteurs die het vertelden. De eigenlijke opvoering stelde de generale repetitie veruit in de schaduw. De zangers zongen met hernieuwde geestdrift alsof hun was gevraagd om de muziek ter plekke te creëren en alsof ze opgewassen waren tegen die uitdaging. Toen Dolores Swann 'Summertime' zong, was het publiek zo stil als de plastic pop in haar armen en toen haar laatste hoge noot wegstierf, barstte de zaal in applaus los. Bij Senera's klaagzang en het liefdesduet sprong het publiek overeind. Na de pauze, na mijn dans, juichten de mensen opnieuw en achter de coulissen werd ik gekust, omhelsd en op mijn schouders geklopt.

Martha pakte mijn hand en zei: 'Oh, Pavlova, ik wist wel dat jij het was.'

Lillian grijnsde tegen me en zei: 'Meid, dat was nog eens dansen.'

Het doek ging op en onthulde de theaterbezoekers

die in de helder verlichte zaal stonden. Ze klapten en zorgden voor een waar pandemonium met hun geroep: 'Bravo, bravo.' Tijdens de repetitie had het theater op een grote, omgekeerde rococo-snuifdoos geleken, maar nu het was gevuld met prachtig geklede mensen die hun waardering uitschreeuwden, was het warm en rijk en bijna te schitterend om aan te zien.

De gordijnen gingen open en dicht, open en dicht en het publiek weigerde de sterren te laten gaan. Bloemen werden het toneel op gebracht. Ik keek toe vanuit de coulissen hoe Irene gracieus de boeketten aannam, tot het een stapel was die haar gezicht dreigde te verbergen. Laverne boog glimlachend met haar hand in de zijne en liet haar toen alleen om de toejuichingen in ontvangst te nemen. Toen het gordijn weer dichtschoof, verwisselden ze van plaats en stond hij midden op het toneel voor het applaus. Nadat het doek voor de laatste keer was gezakt, omhelsden we elkaar en dansten opgetogen in het rond.

De première van onze Europese tournee was een daverend succes. De Italianen vormden het lastigste publiek om voor te zingen. Het waren kenners en liefhebbers van muziek; opera's, voornamelijk een elitaire aangelegenheid in andere landen, waren volksmuziek en kinderliedjes in Italië. Ze hielden van ons, wij hielden van hen. We hielden van onszelf. Het stond vast: als Italië verklaarde dat wij acceptabel waren, dan konden we de rest van Europa fluitend doen.

Eén uitverkochte week lang bleven we in Venetië. In die tijd werden de sterren gefêteerd door het gemeentebestuur en de welgestelden, terwijl het koor door het gewone volk werd geëerd. We werden op straat begroet als zegevierende helden en gratis vervoerd over de kanalen door gondeliers die fragmenten uit *Porgy & Bess* zongen. Een eigenaar van een glasblazerij schonk ons broze beeldjes die we tussen lagen katoen stopten voor onze komende trip naar Parijs.

Ik schafte een Frans-Engels woordenboek aan, pakte het samen met de Italiaans-Engelse taalgids en mijn andere bezittingen in en liet ze naar de bus brengen, die op het plein stond te wachten. We werden omringd door bewonderaars die ons hun wangen om te zoenen, hun handen om te schudden en bloemen aanboden. We omarmden en plengden een traan met mensen die zich zeven dagen eerder niet van ons bestaan bewust waren geweest.

Terwijl de bus naar het station reed, waar we de trein naar Parijs zouden nemen, dacht ik aan de stad als een grotere replica van sommige van de museums. Venetië was zelf een kunstvoorwerp en de burgers waren de kunstenaars die het hadden geschapen en voortdurend herschiepen. Ik zwaaide met mijn handen en mijn hoofd en trok een spijtig en bedroefd gezicht naar al diegenen die ons het beste toewensten, alsof ik tegen mijn zin uit Venetië werd weggevoerd. Door van Venetië en de Venetianen te houden, werd ik bijna zelf Italiaans.

De Blauwe Trein snelde door Italië. Ik zat in een coupé met Lillian, Martha en Barbara Ann en luisterde naar hun gebabbel over muzieksalons en concertzalen. Lillian noemde een zangdocent die iemand in New York had aanbevolen. Martha ging recht zitten en verklaarde dat de beste zangdocente ter wereld haar docente in New York was en dat ze niemand anders aan haar stem zou laten knoeien. (Operazangers zijn extreem loyaal ten opzichte van hun docenten.) Lillian bracht hier tegen in dat dit dom was: 'Jouw lerares kan de beste zanglerares ter wereld niet zijn, want ik heb een paar vreselijke dingen over haar gehoord.' Er ontstond een woordenwisseling die in de kleine ruimte tussen ons in heen en weer kaatste. Ik kon er niets aan toevoegen, aangezien Wilkie de enige zangleraar was die ik ooit had ontmoet en ik wilde zijn naam niet noemen, voor het geval ze mij zouden verplichten hem te verdedigen. Ik hield mijn mond. Barbara Ann suste: 'Nou ja, het is moeilijk te zeggen wie de beste zangdocent ter wereld is. Dan moet je eerst iedereen hebben gehoord. Er zijn leraren in Texas waar nog nooit iemand van heeft gehoord, maar die erg goed zijn.' Dat was voor Martha. Tegen Lillian zei ze: 'Als er over iemand wordt geroddeld, wil dat nog niet per se zeggen dat die persoon schuldig is.' Ze keek naar mij om steun en voegde eraan toe: 'Ik bedoel, kijk hoe ze over Jezus praatten. Heb ik gelijk of niet?'

Ik zei dat ik het niet wist en de drie zangeressen keerden zich naar mij en bestookten me met vragen.

'Wat bedoel je dat je het niet weet van Jezus?'

'Ze praatten als een hond over hem.'

'Ben je soms de Filistijnen en de Farizeeërs vergeten?'

'Je grootmoeder zou zich over jou hebben geschaamd.'

'En hoe zat 't dan met de tollenaars in de tempel?'

Martha vroeg: 'En hoe zit 't dan met "buked en scorned"?' En vervolgens begon ze te zingen: 'I been buked and I been scorned.' Ze had de meest volmaakte stem die ik in mijn leven ooit had gehoord. Het was alsof er van ergens boven gesmolten zilver omlaag werd gegoten.

Lillian plaatste haar volle, diepe alt onder de glinsterende klanken:

I been 'buked
And I been scorned
I been talked about
Sure as you're born

Barbara Ann klemde haar heldere sopraan tussen de twee stemmen, eerst één toon dan de andere omarmend en de trillers van de anderen zo dicht naderend dat haar klanken er bijna mee samensmolten. De muziek, honderd jaar geleden geschreven, rees omhoog in de Italiaanse trein, vaagde de twist weg en plaatste ons allemaal ergens tussen het lijden van Christus en de extase van de kunst in.

Toen de trein het Gare du Nord binnenreed, hoorde ik mijn naam boven het lawaai van bagagekarretjes en het geroep van kruiers uit: 'Maya Angelou, *où est Mademoiselle* Maya Angelou?' Ik wist dat ik mijn zoon niet alleen had moeten laten. Er lag een telegram op mij te wachten waarin stond dat hij op de een of andere manier gewond was geraakt. Of dat hij van huis was weggelopen. Of aan een afgrijselijke ziekte leed. De trein kwam knarsend tot stilstand, ik duwde de conducteur opzij en opende de deur.

Tien meter verderop stonden Yanko, knap en robuust, en Annette March, zo rank als een mannequin. Ze zochten de trein af onderwijl roepend: 'Maya Angelou, *Mademoiselle* Maya Angelou.'

Ik voelde me beverig van opluchting. 'Yanko, Annette, *je suis ici.*'

We streelden elkaar als minnaars. Annette gaf me een mand met kaas, fruit, een fles wijn en een brood. Ze gebaarden dat ik langs het perron moest kijken. Victor Di Suvero, Mitch Lifton en Cyril March waren soortgelijke manden aan het uitdelen aan de zangers die de trein uit-stapten. Ze zeiden: 'Welkom in Parijs. Dit is ter ere van Maya Angelou. Dit is ter ere van Maya Angelou. Wel-kom in Parijs.'

Yanko riep naar hen en toen ze me zagen, kwamen ze aangerend. Mitch en Victor knuffelden me en grijnsden. Cyril, die altijd gereserveerder was, begroette me op de Europese wijze.

Ik vroeg wat ze in Parijs deden en ze nodigden me uit om een glas wijn met hen te gaan drinken. Dan zouden ze alles uitleggen.

Ik ging naar Bob Dustin voor de naam en het adres van mijn hotel en een voorschot in francs. Hij vond het goed dat mijn bagage vooruit werd gestuurd en mijn vrienden uit San Francisco namen me mee naar een ter-rasje.

Ze waren niet samen naar Parijs gekomen. Yanko was op de terugweg van een reis naar Griekenland.

'Maya, ik heb de enige mooie brunette ter wereld ge-vonden,' vertelde hij. 'Ze is beeldhouwster, Grieks, een godin. Ze komt naar Sausalito. Ze zal San Francisco glans verlenen met haar zwarte ogen, de mannen zullen zich als Turken aan haar voeten laten vallen. Ze is Aphro-dite.'

Victor was op weg naar Italië om familiezaken te re-gelen. Mitch was op bezoek en de Marches waren naar Parijs verhuisd waar Cyril als arts werkte. In de kran-ten van San Francisco had een bericht gestaan dat ik me bij *Porgy & Bess* had aangesloten. Mijn vrienden in Parijs hadden de voorpubliciteit over het gezelschap gelezen en uitgezocht wanneer en waar we zouden arri-veren.

Ik beschreef het fabelachtige succes in Venetië, waarbij ik mezelf wat meer eer gaf dan me toekwam. We dronken wijn, praatten over San Francisco en ze beloofden om naar de eerste voorstelling te komen.

20

Parijs was dol op *Porgy & Bess*. Oorspronkelijk waren we voor drie weken in het Théâtre Wagram geboekt, maar we bleven er maanden. Na de eerste week kwam ik tot de ontdekking dat ik me het verblijf in het hotel waar ik was ondergebracht, niet kon veroorloven. Het beleid van het gezelschap was de zangers de helft van hun salaris in de valuta van het land uit te betalen en de andere helft in dollars. Ik stuurde mijn dollars op naar huis om voor Clyde's onderhoud te betalen en om mijn schuldgevoel omdat ik niet bij hem was, te verlichten.

Ik verhuisde naar een klein pension bij de Place des Ternes, waar ze een Frans ontbijt leverden bij het petieterige kamertje. Er stond een bed in ter grootte van een stretcher en er bleef net genoeg ruimte over voor mij en mijn koffer. De familie van wie het pension was en mijn medehuurders spraken geen Engels, dus ging mijn Frans noodgedwongen vooruit.

Op een avond kwam er een stel zwarte Amerikaanse artiesten die in Parijs woonden, na afloop van de voorstelling naar de kleedkamers. Ik werd gefascineerd door hun manieren en accenten. Hun zinnen waren doorspekt met uitroepen als *Yeah man* en *Oo la la*. Op typisch Franse wijze fladderden ze met hun handen en trokken ze hun wenkbrauwen op, maar ze liepen met hun schouders te swingen als zaterdagavondse feestgangers in Harlem.

Bernard Hassel, een lange, nootbruine danser, werkte in de Folies Bergères en Nancy Holloway, die de aantrekkelijkheid bezat van een jonge, onbezorgde Billy Holiday, zong in het Colisée. Bernard nodigde me uit om een kijkje te nemen in het Parijse nachtleven.

'*Alors*, iets hips, weet je wel?'

We gingen naar de Rive Gauche en hij liet me zien waar F. Scott Fitzgerald en Hemingway bloemrijk hadden geconverseerd en serieus gedronken. De kaalheid van het café verraste me. Ik had verwacht dat het luxueuzer zou zijn, met gedrapeerd fluweel, diepe luie stoelen en op zijn minst een portier. Voor de brede ramen hingen geen gordijnen en op de vloer lag geen tapijt. Het had de Coffee Shop aan San Francisco's North Beach kunnen zijn. Hoog aan de gevel hing een canvasluifel waarop de romantische naam DEUX MAGOTS was gedrukt.

Gordon Heath, een zwarte Amerikaan die zelf voor het vertier zorgde, was eigenaar van de bar L'Abbaye. Hij zong met een zwakke, maar meeslepende stem en had zich een air van mysterie aangemeten. Na ieder liedje lieten de toehoorders hun waardering blijken door met hun vingers te knippen. Heath stond niet toe dat er werd geklapt.

De Rose Rouge, aan de linkeroever, benaderde meer mijn idee van een Parijse nachtclub. Het had gordijnen van velours en een portier in uniform; de kelners waren hooghartig en de klanten goed gekleed. Acrobaten, mimespelers en mooie, halfnaakte meisjes boden onafgebroken verstrooiing. Bernard stelde me voor aan de knappe Algerijnse eigenaar, die ik onmiddellijk voor mezelf Pepe le Moko doopte. Hij liet me weten dat als ik een nummer wilde doen in zijn club, hij een plaatsje voor me zou inruimen. Ik antwoordde dat ik het in gedachten zou houden.

Rond drie uur in de ochtend nam mijn begeleider mij mee naar de Marsclub, dat hij uitsprak als 'Merskloeb', bij de Champs Élysées. De club was eigendom van een bovenmaatse Amerikaan uit New York en gespecialiseerd in zwart amusement. Bernard wees naar de op de deur gestempelde namen van mensen die in het rokerige en benauwde lokaal hadden gewerkt. De enige naam die ik herkende, was die van Eartha Kitt. Ben, de eigenaar, herhaalde Pepe le Moko's uitnodiging. Ik zei dat ik me gevleid voelde en dat ik erover na zou denken. Waar zou ik in Parijs een muzikant moeten vinden die calypso kon spelen?

Ben vroeg: 'Waarom zing je nu niet wat voor ons?'

Ik keek naar de pianist die blank en mager was en een lang, droevig gezicht had. Hij speelde een rustig, somber nummer. Toen het uit was, riep Ben hem naar de bar en stelde ons aan elkaar voor. 'Bobby Dorrough, dit is Maya Angelou, ze is zangeres.'

Hij glimlachte en zijn gezicht onderging een metamorfose. Zijn wangen bolden op onder zijn fonkelende ogen en zijn tanden waren groot en wit en regelmatig. Hij zei: 'Verheugd je te leren kennen, Maya.' En zijn temerige toon deed de huid van mijn armen omhoog kruipen. Hij had niet meer Zuidelijk blank kunnen klinken als hij het had overdreven.

Ben liep naar de microfoon en kondigde aan: 'Dames en heren, vanavond is er een van de sterren uit *Porgy & Bess* in ons midden.'

Zo kon je mij nauwelijks noemen, maar waarom zou ik het rechtzetten? Ik stond op en boog terwijl het publiek enthousiast klapte.

De pianist zei: 'Welkom in Parijs', met een stroperig accent. Maandenlang was ik weg geweest van die klank die lynchpartijen, beledigingen en haat opriep. Het was een bizarre sensatie om plotseling overspoeld te worden door onaangename herinneringen in een Parijse *boîte*.

Ik dwong mezelf tot spreken: 'Waar kom je vandaan?'

'Ik kom uit San Antonio.' Hij sprak het tenminste niet uit als 'San Antoon'.

'Waar kom jij vandaan?'

'San Francisco.' Ik zei het zo kortaf dat ik bijna op mijn lip beet.

'Zou je iets willen zingen? Ik wil je met alle plezier begeleiden.' Zijn hoffelijkheid liet de kamperfoelie over heel de ouwe plantage groeien.

Ik antwoordde: 'Nee. Ik denk niet dat je mijn muziek kunt spelen. Die is niet erg algemeen.'

Hij vroeg: 'Wat zing je? Blues?' Ik wist dat hij zou denken dat ik blues zong. 'Ik speel blues.' Ik wist al dat hij zou zeggen dat hij blues speelde.

'Nee, ik zing calypso. Speel je ook calypso?' Dat zou hem even zoethouden.

'Ja, ik ken een paar nummers. Wat denk je van "Stone Cold Dead in the Market"? Of "Rum and Coca-Cola"?'

Ik liep in een lichte shocktoestand achter hem aan naar de piano. Ik vertelde hem mijn toonhoogte en hij had gelijk. Hij speelde 'Stone Cold Dead' beter en met meer gevoel voor humor dan mijn begeleider in de Purple Onion. Het publiek vond het lied leuk en Bobby klapte zacht. Alles aan die man was sereen, behalve zijn pianospel en zijn glimlach.

'Wil je er nog een doen? Wat vind je van "Run Joe"?'

Hoewel dat het lied was geweest dat mijn carrière in gang had gezet en ik het altijd gebruikte om een voorstelling mee af te sluiten of als dramatische toegift, was het niet echt bekend. Het verbaasde me dat de pianist het kende. 'Ja, ik zal er nog een doen.'

HIj had maar een paar maten nodig om de stemming die ik creëerde, op te pikken en snelde toen samen met mij door het verhaal heen zonder mijn effecten te overstemmen, maar wel steeds aan die van hemzelf vasthoudend. Toen het uit was, voelde ik me verplicht om tijdens het luide applaus zijn hand te schudden.

'Ach, Maya, er was niets aan. Je bent erg goed.'

Bernard en Ben stonden bij de bar op me te wachten. Toen ik naar hen toeliep, klapten ze nog steeds.

'Wat denk je ervan per avond een onderdeel van het programma voor me te doen, Maya?' Ben grijnsde terwijl hij me de hand schudde. 'Eén optreden per avond. Je zult een sensatie zijn in Parijs.'

Bernard zei: '*Chérie*, ze zullen plat gaan voor je.'

'Maar ik kom pas om halftwaalf uit het theater.' Het was plezierig om gesmeekt te worden te doen wat ik graag deed.

'Je zou hier om halfeen op kunnen treden.'

Ik dacht aan het geld. Ik zou kunnen verhuizen uit het deprimerende pensionnetje waaraan alle comfort ontbrak en ook bepaalde zaken die ik, als Amerikaanse, als noodzakelijk beschouwde. Ik zou me weer een kamer met eigen bad kunnen veroorloven en een toilet dat niet onderaan een donkere trap was. En ik zou hetzelfde bedrag naar huis kunnen blijven sturen. Of, het kwam ineens bij me op, ik zou kunnen blijven waar ik was – het pension was eigenlijk zo slecht nog niet – en meer geld naar huis overmaken. Mama zou om de andere week iets moois voor Clyde kunnen kopen en hem vertellen dat het van mij kwam. Dan zou hij me misschien mijn afwezigheid vergeven.

Ik vroeg aan Ben: 'Kun je mij in dollars betalen?'

Ben woonde al lang in Parijs. Er verscheen een sluwe, harde uitdrukking op zijn grote, ronde gezicht. 'Heb je een goeie wisselconnectie?'

Ik wist dat sommige leden van het gezelschap hun dollars op de zwarte markt verkochten en er een hoger percentage francs voor terug kregen dan bij de bank.

Ik antwoordde: 'Nee. Ik heb thuis een zoontje. Ik moet geld overmaken voor zijn levensonderhoud.'

Zijn gezicht verzachtte zich enigszins. 'Natuurlijk, natuurlijk, meid. Ik kan je dollars geven en je wordt iedere avond uitbetaald. Zo doen we dat in Parijs. Wil je het met Bobby bespreken? Hij zal je begeleiden.'

Ik wachtte tot de pianist bij ons aan de bar kwam zitten. 'Ik kom hier zingen. Ben heeft me een baan aangeboden.'

'Nou, dat is leuk.'

Oh God, ik wist niet of ik dat accent zou kunnen verdragen. Als hij nou alleen maar piano speelde en niets tegen me zei, zouden we uitstekend met elkaar overweg kunnen.

'Wanneer begin je?'

Ben vroeg: 'Wat denk je van overmorgen? Dan kun je morgen en overmorgen met Bobby oefenen en 's avonds beginnen. Wat vind je daarvan, meid?'

De muzikant en ik vonden het prima. Bernard gaf een rondje en we bekrachtigden de afspraak door met onze glazen te klinken.

Bobby Dorrough had een kristalhelder gehoor. Ik zong fragmenten van liedjes voor hem in de lege club en alsof hij een muziekmachine was, gingen de tonen zijn oren in en meteen kwamen ze via zijn vingers op de toetsen weer naar buiten. Toen we de eerste middag repeteerden, liepen we mijn hele repertoire door en kwamen overeen dat we de volgende dag zouden besteden aan het bijschaven van de nummers. Tegen de avond verlieten we de club.

'Zal ik een taxi voor je roepen, Maya?'

Ik antwoordde: 'Nee, ik woon vlakbij de Place de Ternes.'

'Goed, dan loop ik met je mee naar je hotel.'

'Oh nee, bedankt. Ik bedoel, ik wil graag op m'n gemak wandelen.'

'Nou, ik was niet van plan om met je door de straten te gaan hollen.'

'Ik bedoel, ik wandel net zo lief alleen.' Ik probeerde hem duidelijk te maken, zonder zijn gevoelens te kwetsen, dat ik weinig zin had om bij hem te zijn. Stel dat een paar vrienden van de opera ons tegenkwamen. Ik kende niemand die verbaasd of ontstemd zou zijn als ik samen met een blanke man werd gezien, maar evenmin kende ik iemand wiens geheugen niet onaangenaam geschokt zou worden door het Zuidelijke accent.

'Heb je zin om morgen te gaan lunchen? Voor de repetitie?'

Ik zei: 'Nee, dank je.'

De afwijzing drong tot hem door en toen hij het begreep, werd zijn bleke gezicht rood. Hij zei: 'Goed dan, Maya, tot morgen.'

Ik wandelde weg in de richting van de Arc de Triomphe. Martha en Lillian zeiden dat ze met mij mee naar de club zouden gaan. Ned Wright, Joe Attles en Bey beloofden dat ze langs zouden komen voor de laatste voorstelling. Het nieuws dat ik er een baan bij had, was de leiding van het gezelschap niet onwelgevallig, want alle publiciteit die ik kreeg, was ook goed voor de opera.

Na de voorstelling om middernacht introduceerde ik mijn vrienden bij de volle zaal. 'Dames en heren, enkele leden van het *Porgy & Bess*-gezelschap.'

Het publiek kwam overeind om naar de plotseling bescheiden zangers te kijken die weigerden te gaan staan en slechts verheven vanuit hun stoelen terugknikten.

Ik realiseerde me wat er mis was. Ik had ze niet afzonderlijk voorgesteld, hun namen genoemd en welke rollen ze speelden. 'Dames en heren, ik wil u voorstellen aan Lillian Hayman die Maria en Serena zingt.' Ze was doublure voor de twee rollen. Lillian stond op en nam minzaam het applaus in ontvangst. Voldaan ging ze weer zitten. 'Joseph Attles, Sportin' Life.' Hij stond op, wuifde met zijn lange handen en wierp kushandjes. 'Ned Wright, Robbins.' Ned stond op en liet zijn glimlach als een vuurtoren door de zaal flitsen. 'En Martha Flowers, Bess.' Martha kwam langzaam en plechtstatig overeind. Ze neigde haar hoofd, eerst naar rechts, toen naar links, vervolgens naar de mensen recht voor haar. Pas nadat ze gebogen had, glimlachte ze. Haar gevoel voor drama was nog nooit zo goed geweest – ze liet haar glimlach langzaam opkomen door haar mond gesloten te houden en eenvoudig haar lippen strak te trekken. Vervolgens liet ze een paar tanden zien en geleidelijk een paar meer en nog meer. Toen haar lippen zo breed uitgerekt waren als mogelijk was en haar tanden blonken als een rij lichtjes, gooide ze haar hoofd met een ruk naar achteren en lachte waarbij de hoge klanken tinkelden als belletjes.

De mensen waren betoverd. Ze begonnen te roepen: '*Chantez*, Bess. *Chantez, chantez*, Bess.'

Martha werd plotseling ingetogen, ze schudden haar hoofd van nee en schikte haar tengere lichaam weer in haar stoel. Haar manier van doen vuurde de menigte aan en hun aandrang werd luider. Op precies het juiste moment stond Martha op en liep verlegen naar de piano. Ze boog zich voorover en fluisterde iets tegen Bobby. Hij sloeg een noot aan en nam zijn handen van de toetsen.

O they so fresh and fine
And they right off'n the vine.

Ze zong het verkoopsterslied a capella en haar stem zweefde vrij door de stille ruimte.

Strawberries, strawberries!

Ik keek rond – iedereen was gecharmeerd, zelfs onze collega-zangers. Martha's stem zwol aan, versmalde toen en dook omlaag naar een rauwe alt. Vervolgens zwierde hij, hoog voorbij de lyrische sopraan, de ijle sfeer in die gewoonlijk was gereserveerd voor de goddelijke coloraturen.

Een tel nadat ze was uitgezongen, bleef het stil. Toen begonnen de mensen te juichen en dromden rond haar tafeltje.

Quasi-schuchter aanvaardde ze de aandacht, alsof ze niet jarenlang hard had gewerkt om het waard te zijn.

Een van de lessen die ik bij *Porgy & Bess* leerde, was dat afgunst slechts geboren wordt uit onzekerheid en gevoed moet worden met angst. Ieder lid van onze rolbezetting bezat de zekerheid goed te zijn.

Nadat het tumult over Martha's zangkunst was bedaard, vroeg ik Lillian of ze wilde zingen.

Ze stond zonder aarzeling op en zong:

Go away from my window
Go away from my door
Go way, way, way from my bedside
And bother me no more
And bother me no more

Haar stem was zo kleurrijk als die van Martha zuiver was en opnieuw waren de bezoekers verrukt. Ned Wright zong een potpourri van populaire liedjes, beginnend met 'I Can't Give You Anything But Love', dat de Fransen herkenden en prachtig vonden. Joe Attles bood het publiek 'St. James Infirmary' en de mensen klommen letterlijk op hun stoelen.

Maya Angelou was een waanzinnig succes. Een daverende hit! De mensen verkeerden in de veronderstelling dat hun nog nooit beter amusement was geboden. Ben was ervan overtuigd dat de zaken dankzij mij vooruit zouden gaan; de barkeeper en de kelners lachten me dankbaar toe. Als ik niet een verhaal had onthouden dat mijn grootmoeder me als kind van één turf hoog had verteld, was ik misschien verwaand geworden en de complimenten, die ik niet helemaal verdiende, gaan geloven.

Dit is het oude verhaal:

Mevrouw Scott, een vrouw die de middelbare leeftijd allang was gepasseerd, viel op jonge mannen. Ze was een fervent kerkgangster en benutte iedere godsdienstige bijeenkomst om naar mannen van haar keuze te zoeken. Alle jonge mannen van de stad waren op de hoogte van haar voorkeur en ze slaagde er niet in hen te strikken.

Op een dag verscheen er een nieuwe man in de kerk. Hij was knap en hoewel hij volwassen was, was hij nog jong genoeg om lichtgelovig te zijn.

*Meteen na de dienst stapte de vrouw op hem af en nodig-
de hem uit voor een laat zondagsmaal. Dankbaar aanvaardde hij haar uitnodiging.*

*Ze haastte zich naar huis, draaide een kip de nek om en
zette hem op het vuur. Terwijl de kip sudderde, nam mevrouw Scott een kleine naald uit haar naaidoos, zette haar
dubbelfocusbril op en zocht zich voorzichtig een weg over
het pad dat langs haar voordeur liep. Toen ze bij een boom
aankwam, honderd meter verderop, stak ze de naald in de
bast en keerde terug naar haar keuken om het eten verder af
te maken.*

*Toen de jonge man arriveerde, gingen ze aan tafel voor
een smakelijk maal (want mevrouw Scott kon uitstekend
koken) en toen ze klaar waren, nodigde mevrouw Scott hem
uit op de veranda in de schommelstoel te gaan zitten om
zijn eten te laten zakken. Ze haalde limonade en ging bij
hem zitten. De schemering zette in en de omtrek van de
dingen vervaagde.*

*Mevrouw Scott ging recht zitten en zei tegen de jonge
man: 'Wat zie ik in vredesnaam daar in die boom steken?'
Ze wees het pad af naar de eik die amper een schaduw was
in de duisternis.*

De jonge man vroeg: 'Welke boom, mevrouw Scott?'

*'Nou, die eikenboom aan het eind van het pad.' Ze
kneep haar ogen halfdicht en boog haar nek. 'Ik geloof al z'n
leven dat het een speld is.'*

*De jonge man tuurde en trachtte de duisternis te doorbo-
ren. 'Mevrouw Scott, ik kan de boom maar nauwelijks onderscheiden. En u kunt er iets in zien steken?'*

*'Ja.' Mevrouw Scott ontspande haar oogspieren. 'Eerst
dacht ik dat het een speld was, maar toen ik naar de kop
zocht, was die er niet – in plaats daarvan zag ik een gat.
Dus het moet een naald zijn.'*

De jonge man draaide zich om en keek mevrouw Scott vol bewondering aan. 'Weet u, Mevrouw, toen u vanmorgen uit de kerk wegging, werd ik door een paar mensen gewaarschuwd, dat u een oude vrouw was die van jonge mannen hield. Maar ik moet zeggen, als u na zonsondergang op honderd meter afstand het gat in een naald kunt zien, bent u niet half zo oud als ze zeggen.'

Mevrouw Scott, trots op de complimenten en haar arglistigheid uit het oog verliezend, antwoordde: 'Nou, dank u wel, hoor. Ik zal de naald even gaan halen en aan u laten zien.'

Ze sprong op uit de schommelstoel en stapte kwiek het trapje af. Toen ze beneden was, keerde ze zich om en glimlachte naar de bewonderende jonge man. Vervolgens deed ze twee stappen en struikelde over een koe die midden op het pad lag.

Jawel, ik was een succes in de Marsclub van Parijs. Ik zou gek geweest zijn als ik had gedacht dat alle eer alleen mij toekwam. Ben mocht me omdat ik goed genoeg was, maar hij waardeerde mij omdat er leden van *Porgy & Bess* konden binnenkomen die voor niets zouden zingen. Bobby mocht me omdat ik goed genoeg was en hij de kans kreeg muziek te spelen waar zelden om werd gevraagd. Het publiek mocht me omdat ik goed genoeg was en omdat ik anders was – niet Afrikaans, maar bijna; niet Amerikaans, maar bijna. En ik mocht mezelf, gewoon omdat ik bofte.

Ik dankte *Porgy & Bess*, het lot dat mij gunstig gezind was en God. Ik was niet van zins om over een koe te struikelen.

21

Parijs bracht een verandering teweeg in het ritme van mijn oude vriendenclub. Martha nam twee weken verlof op om een recital te geven in het stadhuis van New York. Lillian had vaak tegen mij gezegd: 'Ik ben zo blij dat ik hier niet ben geboren, want deze taal zou ik nooit hebben leren spreken.' Maar ze had nieuwe Franse vrienden gemaakt en ik zag haar zelden na de voorstelling. Barbara Anns echtgenoot kwam uit de Verenigde Staten overgevlogen om bij haar te zijn en aangezien ze pas getrouwd waren, hadden ze weinig tijd over voor iemand die buiten hun hechte cirkel van romantiek stond. Ned Wright en Joe Attles concentreerden zich op een intensief onderzoek van Parijs. Na de laatste buiging spurtten ze het theater uit alsof ze bij een noodgeval waren geroepen. Ze spoorden weinig bekende restaurants en bars op in obscure uithoeken van de stad.

Vanuit mijn kamer op de derde verdieping (die de Fransen eigenzinnig de tweede noemden) taxeerde ik wat mijn waarde voor Parijs was en wat de stad mij te bieden had. Ik had het Rose Rouge-aanbod geaccepteerd en was een typische, Parijse artieste geworden. Ik zong om middernacht in de Marsclub, gooide een jas over mijn glinsterende jurk, riep een taxi en stak de Seine over voor een tweede optreden in de Rose Rouge. Mijn liedjes werden redelijk goed ontvangen en ik begon een paar fans te krijgen. Sommigen stuurden briefjes naar de kleedkamer en af en toe ook bloemen. Een paar uitgeweken Amerikanen en twee Senegalese studenten die ik had leren kennen, raadden me aan bij *Porgy & Bess* weg te gaan en in Parijs een naam voor mezelf op te bouwen. De Afrikanen zeiden dat ik in Frankrijk nooit van lynchpartijen en rellen zou horen. In geen enkel restaurant of hotel in het land zou mij bediening worden geweigerd. De mensen waren beschaafd. En bovendien hielden de Fransen van negers. Kijk maar naar Sid Bechet. Lil Armstrong, een gewezen echtgenote van Satchmo, speelde piano in Le Jazz Hot en had een schare enthousiaste aanhangers. Bambi, een lange, verrukkelijk slanke mannequin, kon nauwelijks een voet op straat zetten in Parijs zonder dat er mannen achter haar aanliepen te dwepen met haar zwarte schoonheid. Nancy Holloway en Inez, de eigenares van Chez Inez, zongen Amerikaanse liedjes en populaire Franse wijsjes en werden onthaald op de hyperbolische Franse bewondering. En Josephine Baker was natuurlijk een nationaal instituut op zichzelf.

Ik nam het advies serieus in overweging. Ik zou een appartement kunnen zoeken en Clyde over laten komen. Hij was pienter en zou de taal wel leren. Hij zou verlost zijn van op moeten groeien in de schaduw van rassenvooroordelen die bij tijd en wijle de jeugd van ieder zwart kind verduisterden. Hij zou goed moeten zijn omwille van zichzelf, in plaats van om een ongelovige maatschappij te bewijzen dat hij geen beest was. De Franse leerlingen droegen korte broeken, blazers en petjes en ik wist dat mijn zoon er in zijn uniform prachtig uit zou zien. Het vooruitzicht was glorieus.

Een vrouw vroeg me bij haar aan tafel te komen zitten na mijn optreden in de Rose Rouge. Ze heette me welkom en stelde me voor aan haar vrienden.

Haar stem was dun maar doordringend, ze had een constante poppenglimlach op haar roze en witte gezicht en haar oogleden fladderden net even sneller dan haar handen. Ze deed me denken aan Billie Burke en een piepklein deurcarillon.

'Mademoiselle, weet u wie is Pierre Mendès-France?' Glimlach, knipper, ritsel.

Ik antwoordde: 'Ja, Madame, ik lees de krant.'

'Ik wil geven voor hem een affaire.' Haar Engels was niet gebroken, het was kreupel.

Ik zei in het Frans tegen haar: 'Madame, laten we Frans praten.'

Ze bubbelde en kirde: 'Non, non. Ik wil deze Engels oefenen om te praten.'

Alors. Ze hinkte verbaal verder en legde uit dat ze wilde dat ik kwam zingen op een receptie die ze van plan was te geven. Het zou een evenement zijn om geld in te zamelen en ze wilde me graag voor mijn diensten vergoeden. Ik zou twee liedjes moeten zingen. Iets weemoedigs dat het hart zou raken en, dacht ik bij mezelf, het geld zou laten rollen.

'De blues,' zei Madame, 'oh, wat ik hou van die blues. U zingt "St. Louis Blues"?' Ze begon de eerste regel te zingen: *I hate to see that evening sun go down.*

Ze trok haar schouders op tot aan haar oorlelletjes en kneep haar ogen smal en wulps samen. Ze duwde haar lippen naar voren en ik zag de rode binnenkant van haar mond.

Ze schudde zichzelf en haar borsten wiebelden. Het was haar idee van de imitatie van een *négresse.*

Ik onderbrak haar: 'Madame, ik ken het lied. Ik zal het op de receptie zingen.'

Ze was niet van haar stuk gebracht door mijn interruptie, maar klapte in haar handen en sommeerde haar vrienden mee te klappen. We kwamen een prijs overeen en ze zei: 'U bent bij *Porgy & Bess*. De grote opera. Als Bess of Porgy of uw vrienden mee willen komen naar de receptie, ze hoeven niets te betalen.'

Ze glimlachte, lachte, wuifde haar handen en rammelde in het algemeen als een sleutelbos. Ik bedankte haar en verliet haar tafel.

Omdat mijn vrienden van *Porgy & Bess* andere bezigheden hadden, vroeg ik aan de twee Senegalezen of ze mij naar de receptie wilden begeleiden. Dat wilden ze met plezier doen en ze verschenen aan de artiestenuitgang van het theater in smoking, met gesteven overhemden en blinkend gepoetste schoenen. Hun algehele elegantie bracht me in feeststemming. Ik wandelde de salon binnen met aan weerszijden een knappe, voorkomende man en toen we in de deuropening bleven staan, voelde ik dat we gedrieën een opvallende aanblik boden.

Madame werd van mijn komst op de hoogte gesteld en ze kwam aangezweefd in wolken chiffon, haar wangen tot roze ballonnetjes glimlachend.

'Oh, Mademoiselle. Hoe aardig het is van u te komen.' Ze bood me haar hand, maar haar blikken waren voor mijn begeleiders. Ze bogen keurig. 'En uw vrienden die u meebracht. Wie van u is Porgy? Ik hou zo van "Summertime".' Ze was overgegaan op zingen: 'And the living is easy.'

Ik zei: 'Nee, Madame, zij zijn niet van *Porgy & Bess*. Dit zijn vrienden van mij uit Afrika.'

Toen de strekking van mijn mededeling was doorgedrongen, gleed de glimlach onwillekeurig van haar gezicht en ze trok haar hand terug uit de mijne.

'*D'Afrique? D'Afrique?*' Plotseling bubbelde haar stem niet meer.

M'Ba maakte een formele buiging en zei in het Frans: 'Ja, Madame. Wij komen uit Senegal.'

Ze keek me aan alsof ik haar had verraden. 'Maar, Mademoiselle.' Ze veranderde van gedachten en rechtte haar rug. Ze ging verder in het Frans: 'Wacht u hier, alstublieft. Ik zal u door iemand naar de muzikanten laten brengen. Bonsoir.' Ze draaide zich om en liep weg.

Toen ik had gezongen, overhandigde een jonge vrouw me een envelop met mijn geld en bedankte me hartelijk. Madame heb ik niet meer terug gezien.

Parijs was niet de juiste plaats voor mij en mijn zoon. De Fransen waren geporteerd voor het idee van mij omdat ze niet belast waren met de schuld van een gezamenlijke geschiedenis – net als het blanke Amerikanen gemakkelijker afging om Afrikanen, Cubanen of zwarte Zuid-Amerikanen te accepteren dan de zwarten waarmee ze tweehonderd jaar lang voet aan nek hadden geleefd. Ik zag er het nut niet van in om het ene vooroordeel te verruilen voor het andere. En daarbij kwam dat ik slechts bekwaam was om te vermaken, ik zou Parijs nooit in vuur en vlam zetten. De eerlijkheid gebood me toe te geven dat ik noch een nieuwe Josephine Baker, noch een oude Eartha Kitt was.

Toen de leiding van *Porgy & Bess* ons meedeelde dat we naar Joegoslavië zouden vertrekken, vond ik een vrouw die me lessen in Servo-Kroatisch kon geven en kocht ik een woordenboek.

Adieu, Parijs.

22

In Zagreb werd het gezelschap bijeen geroepen en kregen we te horen dat de Joegoslavische regering en het Amerikaanse ministerie van Buitenlandse Zaken van ons verlangden dat we ons discreet gedroegen; tenslotte waren we te gast in het land en de eerste Amerikaanse zangers die achter het ijzeren gordijn waren uitgenodigd. We zouden van het hotel naar het theater worden vervoerd. Wandelen konden we alleen binnen een straal van vier straten om het hotel. We mochten geen uitnodigingen aanvaarden van Joegoslaven en evenmin zelf het initiatief tot verbroedering nemen. In de gangen van het hotel hing de lucht van kool en het stof van eeuwen. Ik zocht het kamermeisje van mijn verdieping op en vroeg haar in het Servo-Kroatisch of er zo dichtbij het hotel iets interessants te zien was. Ik had weinig hoop dat ze me zou begrijpen, maar ze antwoordde zonder aarzeling: 'Ja, het station.' Ik was opgetogen dat ik het geld dat ik aan taallessen had gespendeerd niet voor niets had uitgegeven.

Opgewonden vertelde ik haar: 'Mevrouw, ik kan Servo-Kroatisch spreken.'

Ze keek me zonder nieuwsgierigheid aan en zei: 'Ja?' Ze wachtte tot ik door zou gaan.

Ik herhaalde: 'Ik heb twee weken geleden Servo-Kroatisch leren spreken.'

Ze knikte en zweeg streng. Geen glimlach verwarmde

haar gezicht. Ik kon niets meer bedenken om eraan toe te voegen. We stonden in de gang als personages uit verschillende stukken van verschillende auteurs die plotseling hetzelfde toneel op werden geduwd. Ik grijnsde. Zij niet.

Ik zei: 'Dank u.'

Zij zei: 'Niets te danken.'

In verwarring ging ik naar mijn kamer. Waarom was die vrouw niet verbaasd geweest dat ze een Amerikaanse negervrouw tegenkwam die Servo-Kroatisch sprak? Waarom had ze me niet geprezen? Ik wist dat we de eerste zwarten waren die in het hotel logeerden en waarschijnlijk de eersten die deze stad bezochten.

Aanvankelijk kwam ik tot de conclusie dat, omdat het kamermeisje nooit het land uit was geweest en iedereen die ze kende, haar taal sprak, ze geloofde dat Joegoslavië de wereld was en de wereld Joegoslavië. Toen realiseerde ik me dat het personeel voor onze aankomst een intensieve indoctrinatie moest hebben ondergaan. In de foyer staarde niemand ons aan; het was duidelijk dat we angstvallig en beleefd werden genegeerd. De receptionist, kruiers, kelners en barkeepers gedroegen zich alsof de zestig zwart-Amerikaanse operazangers om de andere week door de gangen zwierven en in de foyer rondhingen. Ik was ervan overtuigd dat wij de enige authentieke gasten in het etablissement waren. De anderen, die hun ogen afwendden als we naderbij kwamen en hun hoofden in hun kranten begroeven, leken minder onschuldig dan Peter Lorre in een film van Eric Ambler.

Maar buiten lagen de zaken heel anders. Gewone burgers verdrongen zich drie rijen dik om door de ramen van het hotel naar binnen te gluren. Wanneer een van de starenden een glimp van ons opving, stootte hij of zij de mensen in de buurt aan en allemaal strekten ze dan, met uitpuilende ogen, hun nekken, terwijl ze uitbundig hun dreigend uiziende, roestvrijstalen tanden blootlachten. Ze moesten streng toegesproken worden als uitgelaten kinderen op de kermis.

Martha, die weer terug was, en Ethel Ayler, de nieuwe, bekoorlijke Bess, sloegen mijn uitnodiging om een eindje te gaan wandelen af.

Martha leunde achterover en keek naar mij op: 'Maar juffrouw Ding, ze denken dat we apen zijn of zoiets. Moet je ze daar zien. Nee, snoes, ik reken erop dat Tito zijn mensen buitenhoudt en ik zweer je dat juffrouw Mooiding binnen zal blijven.'

Ethel lachte en was het met Martha eens. 'Ze denken dat we in een kooi zitten. Het zou me niets verbazen als ze pinda's naar ons gingen gooien.'

Ned waarschuwde me: 'Ik geloof niet dat dat het slimste is wat je kunt doen. Kijk eens naar die zilveren tanden. Straks denken ze dat je een chocoladepop bent en eten ze je op. Blijf nou maar hier in het hotel. Dan gaan we een potje gokken en trakteer ik je op een slivovitsj.'

Ik had geen Servo-Kroatische les genomen om de taal alleen uit te proberen op hotelpersoneel dat ons zelfs geen blik waardig keurde. Ik liep het hotel uit.

Om mij heen verdrongen de mensen elkaar. De korte, gedrongen boertjes droegen gebreide puntmutsen en hadden ogen die, afgezien van de blauwe kleur, in oosterse gezichten thuishoorden. Ik sprak hen aan: 'Goedemiddag. Neem me niet kwalijk. Dank u.'

Het duurde even voordat degenen die het dichtst bij me stonden, in de gaten hadden dat ze mij konden verstaan en toen ontstond er een hilariteit die op een Onafhankelijkheidsdagpicknick niet zou hebben misstaan.

Ze brulden en dromden dichter om mij heen. Een klein golfje van paniek begon tegen mijn geest aan te klotsen. Ik hield het tegen. Ik kon me niet van angst laten verstijven of op de vlucht laten slaan. Handen begonnen aan me te plukken. Ze grepen naar mijn mouw, naar mijn gezicht. Ik maakte me zo lang mogelijk en schreeuwde: 'Neem me niet kwalijk, ik loop door.' Ik had Wilkies instructies goed in mijn oren geknoopt en als de kwaliteit van mijn zang er niet merkbaar door was verbeterd, dan was het volume er in ieder geval zeker door vergroot.

Ik donderde opnieuw: 'Neem me niet kwalijk. Ik loop door.' Het rumoer nam af en de monden van de plattelanders hingen open. De menigte spleet uiteen en ik schreed tussen hun moment van verwarring door de straat in. Ik durfde me niet om te draaien om te kijken of er misschien een paar besloten hadden mij achterna te komen.

Gepeupel van wat voor kleur dan ook maakte me doodsbang en als ik de massa achter me had gezien, zou ik ongetwijfeld het hazenpad hebben gekozen en binnen de kortste keren zijn verdwaald.

Zodra de voorbijgangers mij in het oog kregen, bleven ze stokstijf staan alsof ik een toverfee was, of een gemene heks die de macht bezat hen van hun mobiliteit te beroven.

Ik liep een klein winkeltje met muziekinstrumenten binnen. De verkoper wierp één blik op mij en rende toen naar een doorgang met een gordijn ervoor. Hij riep: 'Kom eens kijken!' Vervolgens, alsof ik zijn handeling niet had gezien of gehoord, tooide hij zijn gezicht met de universele verkooppraatjesglimlach en vroeg: 'Hoe maakt u het? Goedemorgen. Kan ik u ergens mee helpen?' Hij draaide zijn gezicht met een ruk naar de deuropening. 'Kom, kom nou.' En vervolgens weer beleefd terug naar mij.

Ik zei: 'Ik zou graag een mandoline kopen.'

Ik vond hem net zo interessant als hij mij. Het was bizar dat hij ervan uitging dat hij ophield te bestaan voor mij zodra hij zijn aandacht van mij afwendde.

'Een mandoline? Natuurlijk.' Zijn ogen schoten naar de achterkamer. Ik trok zijn aandacht naar me toe: 'Hier. Wat kost deze?'

Terwijl hij een mandoline pakte, prachtig met parelmoer ingelegd, kwam er door de achteringang een stel kinderen de winkel ingetuimeld. Ze werden gevolgd door een zwaargebouwde vrouw met een breed, blozend gezicht. Toen ze me zagen, bleven ze staan alsof ze de scène tevoren hadden gerepeteerd.

De vrouw stelde de man een vraag. Hij keek haar aan en antwoordde, maar de woorden ontgingen me. Ze begonnen allemaal tegelijk te praten, de stemmen van de kinderen tussen de diepere klanken doorschietend. Ik ging door met mijn inspectie van de mandoline, tokkelde erop, draaide hem om en om en bewonderde het mooie houtwerk. Ik negeerde de anderen en vertelde de man dat ik het instrument wel wilde kopen.

Hij onderbrak de gezinsdialoog en liet me de prijs weten; ik overhandigde hem het bedrag. Het gezin rukte op. De moeder hield de kinderen waar ze bij kon, tegen en schuifelde dichterbij.

Ik zei tegen haar: 'Goedemorgen, mevrouw.'

Ze glimlachte onzeker, maar haar gezicht behield zijn ongelovige uitdrukking.

'Goedemorgen, mevrouw,' herhaalde ik, haar recht in de ogen kijkend. Als ze dachten dat ik een pratende beer was, dan zouden ze toch moeten erkennen dat ik tenminste Servo-Kroatisch sprak.

Haar echtgenoot was bezig mijn aankoop in te pakken, dus vervolgde ik: 'Hoe maakt u het, mevrouw?'

Eindelijk ontspande haar mond zich. Hij opende zich en ik zag de metalen band die voor tanden doorging. Ze plaatste zichzelf tussen mij en de kinderen in en zei toen: 'Paul Robeson.'

Het was mijn beurt om perplex te zijn. Die vertrouwde naam hoorde niet thuis in Byzantium. De vrouw herhaalde: 'Paul Robeson.' En vervolgens ontrolde zich een van de vreemdste taferelen die ik ooit heb gezien.

Ze begon te zingen: 'Deep River.' Het hoge gepiep van de kinderen voegde zich plotseling bij haar hese stem: 'My home is over Jordan.' Toen sloot de man zich bij zijn vrouw en kroost aan: 'Deep River, Lord.' Ze kenden ieder woord.

Ik stond in het stoffige winkeltje en liet mijn gedachten gaan over mijn volk, onze geschiedenis en Paul Robeson. Deze muziek, die door mannen en vrouwen was gevormd uit een lijden dat ze alleen konden beschrijven in klaagzangen, bleek voor mij en hun andere nakomelingen op de een of andere wijze een paspoort te zijn naar verre, vreemde landen en een lange, ongewisse toekomst.

> Oh, don't you want to go
> To that gospel feast?

Ik voegde mijn stem bij de melodie:

> That promised land
> Where all is peace?

Ik deed geen poging mijn tranen weg te vegen. Ik kon geen aanspraak maken op een voorvader die naar Amerika was gekomen op de Mayflower. Evenmin had een van mijn voorouders een fortuin vergaard dat mij ontsloeg van geploeter. Mijn overgrootouders waren analfabeten toen hun medemensen de Onafhankelijkheidsverklaring tekenden en de eerste families van mijn volk werden afzonderlijk gekocht en per stuk verkocht, naamloos en zonder een spoor achter te laten – toch was er dit:

> *Deep River*
> *My home is over Jordan.*

Ik bezat een erfgoed, rijk en mij meer verwant dan de taal die er uitdrukking aan gaf. De woorden echoden in mijn geest en het ritme deed mijn bloed sneller stromen.

> *Deep River*
> *I want to cross over into campground.*

De winkelier en zijn vrouw omhelsden me. Mijn Servo-Kroatisch was te gebrekkig om over te brengen wat ik wilde zeggen. Ik omarmde hen opnieuw, pakte mijn mandoline op en ging weg uit de winkel.

Porgy & Bess viel de verwachte eer ten deel in Zagreb door uitverkochte zalen en na een paar dagen verhuisden we naar Belgrado. Men had ons verteld dat Belgrado een redelijk kosmopolitische stad was en we keken allemaal reikhalzend uit naar de schitterlichtjes.

Het Moskvahotel aan het Rode Plein werd beschouwd als een groot hotel, maar er was nauwelijks voldoende ruimte om onze zangers, zakelijke leiding en dirigenten te huisvesten. Bob Dustin, opgewekt zoals gewoonlijk, liet ons weten dat we met z'n drieën een kamer zouden moeten delen en dat, als we niet bij willekeurig wie wensten te worden ingedeeld, we kamergenoten moesten kiezen en het aan hem doorgeven.

Martha, Ethel Ayer en ik kwamen overeen om samen een van de grote kamers met hoge plafonds te delen. Ethel was een dikke vriendin van Martha geworden en ze vormde een uitstekende buffer voor Martha's altijd scherpe, vaak sarcastische opmerkingen. Ethel glimlachte meestal kalm en zei: 'Martha Flowers, je bent een schandaal. Charmant, begaafd, maar een schandaal.' En dan giechelde Martha en liet zich van haar luimen weglokken.

We hadden drie smalle bedden verwacht in onze kamer, maar troffen er een groot, bultig bed in aan, een zeer versleten tapijt en een enkele lamp aan het plafond.

'Wil je zeggen dat dit alles is wat die revolutie van hen de mensen hier heeft gebracht?' Martha trippelde behoedzaam de kamer rond. 'Iemand zou ze eens moeten vertellen dat ze nodig aan een andere toe zijn.' Ze trok rimpels van afkeer in haar mooie gezicht.

Verwijtend zei Ethel: 'Martha, beheers je. Tenzij je door de NKVD naar Siberië wilt worden gestuurd. Hoe wil je zingen met zout in je keel?'

Martha lachte: 'Juffrouw Mooiding kan overal zingen, schat. Zelfs op de steppen van Wit-Rusland.'

Onze bagage werd naar onze kamer gebracht door een kruier die zijn ogen niet opsloeg. We probeerden hem een fooi te geven, maar hij rende weg alsof hij bang was.

Martha zei: '*Regardez ça*. Maya, jij spreekt dat taaltje van hem, waarom heb je hem niet gezegd dat we hem niet zullen bijten? Natuurlijk, hij was zeker niet knap genoeg.' Toen het onderwerp werd aangeroerd, pakten

Martha, Ethel en ik een discussie op die nooit eindigde en die slechts werd onderbroken door slapen, optreden en gedwongen scheidingen tijdens het reizen. De betekenis van mannen. Hun schoonheid. Hun kracht. Hun kwaliteiten, de mate waarin ze opwindend en aantrekkelijk waren. Waren Amerikaanse negers beter dan Afrikanen? Betere kameraden, betere minnaars? Ja. Nee. Degene die een verhaal had om haar opvatting te staven, vertelde het uitvoerig. Waren blanke Amerikanen sexier dan Franse of Italiaanse mannen? Ja. Nee. We vertelden elkaar geheimen in treinen, op schepen, in hotelkamers en kleedkamers. Ik was er nooit afkerig van om een verhaal aan te dikken om mijn gelijk te halen en ik ben ervan overtuigd dat sommige beschrijvingen die ik te horen kreeg, net zo verzonnen waren als die van mij. We waren allemaal halverwege de twintig en aangezien mijn twee vriendinnen tien jaar afgezonderd in zangstudio's en weggestopt in muziekinstituten hadden doorgebracht en ik minder romantische ervaringen achter de rug had dan de meeste meisjesstudenten, werd onze verbeelding beter geoefend dan ons libido.

Ethel sliep in het midden en Martha naast het nachtkastje. Ze schrok wakker toen de telefoon ging.

'Wie in vredesnaam, hoe laat is het?' De telefoon en Martha's verontwaardiging wekten Ethel en mij. Er moest iets gebeurd zijn en Bob Dustin of Ella Gerber wilden dat het gezelschap zich onmiddellijk verzamelde.

Martha suikerde haar stem: 'Goedemorgen.' Ze zong de begroeting.

'Vrouwe wie?' We zaten allemaal overeind in bed. 'Vrouwe Maya Angelou?' Ongeloof klonk door in haar stem. 'En u bent meneer Julian? Een ogenblik.'

Ze bedekte de hoorn met haar hand. 'Meneer Julian

wil vrouwe Maya Angelou spreken. Om acht uur 's ochtends, verdomme. Want vind je daarvan?' De draad reikte niet over het bed heen. Dus moest ik opstaan en in de kou naar de andere kant lopen.

'Hallo?'

'Spreek ik met vrouwe Maya Angelou?' De vraag werd gesteld door een stem die ik nooit eerder had gehoord.

'Ja. Ik ben Maya Angelou.' Ik antwoordde tegen een achtergrond van knorrige geluiden en nieuwsgierige blikken van mijn kamergenotes.

'Vrouwe Maya, ik ben de meneer Julian. Het is gisteravond dat ik u zie dansen. Ik zie u springen over het toneel en ik kijk naar uw benen in de lucht en, vrouwe Maya, ik hou van u.' De woorden vloeiden als verf in elkaar over en het kostte me moeite ze zodanig te scheiden dat er iets van te begrijpen viel.

'Wat zegt u?'

Martha kreunde: 'Grote goedheid, kan hij je niet bellen als de zon op is? Of gaat de zon nooit op in Joegoslavië?'

'Het is dat ik van u hou, vrouwe Maya. Het is dat als u hoort dat een man zijn lichaam gooit in de Donau vandaag en sterft in ijskoud water, vrouwe Maya, die man is mij. Verdrinken uit liefde voor u. Voor u en uw lieftallige springbenen.'

'Wacht eens even. Uh, hoe heet u?'

'Ik ben de meneer Julian en ik hou van u.'

'Ja, goed, meneer Julian, waarom wilt u zich verdrinken? Waarom zou u willen sterven omdat u van mij houdt? Dat vind ik niet erg aardig.'

Ethel en Martha lagen alletwee op hun ellebogen gesteund naar mij te kijken.

Martha zei: 'Zou hij willen beloven om voor zonsondergang te sterven? Denk je dat hij het op tijd wil doen zodat wij nog een beetje kunnen slapen?'

Ethel merkte sereen op: 'Nou ziet Maya eens wat ze met haar vrome, levensreddende houding teweegbrengt.'

'Luister 'ns, meneer.'

'Het is meneer Julian.'

'Ja, goed, meneer Julian dan. Bedankt voor het telefoontje...'

'Mag ik u, alstublieft, zien? Mag ik u meenemen naar een duur café en kijken hoe uw lieftallige lippen koffie met room drinken?'

'Nee, dank u. Het spijt me, maar ik moet nu ophangen.'

Martha mopperde: 'Hang op of leg neer. En laat me nou slapen.'

'Vrouwe Maya, als u me niet ziet, als u me niet laat kijken hoe uw lippen koffie met room drinken, dan vandaag, stuur ik u mijn hart.'

Oh, mijn God. De vrouw die me in Parijs Servo-Kroatisch had gegeven was een Joegoslavische emigrante. Na mijn laatste les had ze me plechtig verzekerd: 'Zeg nooit, in de hitte van de hartstocht, tegen een Joegoslaaf dat je niet zonder hem kunt leven. Dan staat hij met zijn koffers en zijn familie voor de deur. Klaar om bij je in te trekken en je leven te verbeteren.' Ik dacht toen dat ze een sarcastisch grapje maakte, want ze had ook gezegd dat het beste aan Joegoslavië was dat ze er niet naar terug kon keren. Toen ik haar berispte vanwege haar overdrijving, bezwoer ze dat het de absolute waarheid was. Dat Slaven gepassioneerd waren en zo romantisch dat ze zichzelf met plezier zouden verminken om hun oprechtheid te bewijzen. En nou dreigde deze onbekende man mij zijn hart te sturen.

'Oh nee, meneer Julian. Alstublieft. Ik smeek u. Stuur me niet uw hart.'

Martha zei: 'Zeg hem dat-ie je zijn tong stuurt, dan houdt hij zijn mond.'

'Vrouwe Maya. Het is dat ik het naar uw theater stuur, met de hand, vanmorgen. Vaarwel, lieftallige springbenen.' Hij hing op.

Martha liet zich achterover vallen. 'Wel, Goddank voor die kleine dingen in het leven.'

Ethel keek me aan, afwachtend of ik over het telefoontje wilde praten.

Ik zei: 'Ik ga in bad.'

Ze zei: 'Oké. Tot straks' en kronkelde zich omlaag onder het zware dekbed.

Ik was geamuseerd en bang. 'Het is ik ben de meneer Julian.' Nou ja, zeg. Hij klonk oud en roestig, als versleten tuinmeubilair dat over beton heen en weer is geschoven. 'Het is dat ik van u hou. Ik stuur u mijn hart.' Oh nee, alsjeblieft.

Ik liep de gang door naar de gemeenschappelijke badkamer en dacht aan een bloederig hart dat in kranten verpakt in mijn kleedkamer lag te wachten.

Ik stond me in de tochtige badkuip in te zepen en stelde me het bloed voor, gestold en geklonterd rond de aorta. Ik droogde mezelf af met de dunne handdoek en verzekerde mezelf dat op de hele wereld niemand, zelfs niet in de literatuur, ooit zijn eigen hart had uitgesneden. Toen schoot me de harakiri te binnen, de rituele, Japanse, samoeraizelfmoord waarbij de strijder zijn vrienden te hulp roept voor het volbrengen van de daad. Zouden de Joegoslaven ook zo dramatisch zijn? Ik bad van niet.

Martha en Ethel werden wakker toen ik op het punt stond naar beneden te gaan voor het ontbijt.

'Ga je naar meneer Julian toe, Maya? Breng je zijn hart mee terug?'

'Ik ga ontbijten, dames, alleen maar ontbijten.'

'Bestel geen smoorhart op toost, meid.' Ik had Martha's zilveren keel dicht kunnen knijpen. Mijn eetlust verdween na haar opmerking. Beneden kreeg ik met moeite de thee naar binnen en duwde voortdurend de bloedige beelden weg die mijn gedachten bestormden. Ik kon niet vroeg naar het theater gaan, omdat we ons in Belgrado aan dezelfde beperkingen moesten houden als die in Zagreb hadden gegolden. We mochten alleen in het voorgeschreven gebied van vier straten wandelen en we werden met bussen naar en van het theater gebracht.

Ik wachtte de hele dag. Slivovitsj drinkend en brieven schrijvend, geforceerd opgewekte brieven, naar mijn familie.

Eindelijk verzamelde de rolbezetting zich in de foyer, we marcheerden naar de bussen en werden naar het theater gereden.

'Maya, er ligt iets voor je in de kleedkamer.'

Hij had het gedaan. De arme sukkel. Hij had zijn hart er echt uitgesneden en het aan mij gestuurd. Ik hield mijn gezicht kalm, maar mijn lichaam beefde en mijn maagspieren protesteerden.

Ik deed de deur open, half voorbereid op de aanblik van een bloederig orgaan dat nog steeds pompte als een rekwisiet uit *The Bride of Frankenstein*. Een onschuldig ogend, plat pakje in vrolijk gekleurd papier lag op mijn kaptafel. Als dat een hart was, dan was het flinterdun gesneden. Ik sloot de deur om alleen te zijn en pakte het op. Het had een doosje met valentijnsbonbons kunnen zijn. Op het kaartje stond: 'Vrouwe Maya, hier is mijn hart. Ik hou van u. Ik wil u zien. Vaarwel, mijn lieftallige benen. Meneer Julian.'

Hij moest nog in leven zijn. Hoe kon hij anders hopen mij te zien? Ik wikkelde het papier er voorzichtig af omdat ik het misschien nog nodig zou hebben. Ik trok de laatste laag weg.

Meneer Julians hart was een koek. Een oneetbaar brouwsel van bloemdeeg, water en waarschijnlijk beton. Het was ongeveer een centimeter dik en een beetje bruiner dan ongebakken brooddeeg. Een smal strookje papier waarschuwde in het Frans en Servo-Kroatisch: 'NIET OPETEN!' Ik onderzocht het ding en kwam tot de conclusie dat die waarschuwing totaal overbodig was. Stukjes spiegelglas en vierkantjes vensterglas waren in de koek geduwd en snippers van papieren kleedjes en flarden kant waren tussen dode bladeren en gedroogde bloemen gepropt. Het hele geval was bestrooid met vastgeplakte korrels rijst, gerst en tarwe.

Ik weifelde tussen opluchting en verontwaardiging. In ieder geval rustte op mij niet de verantwoordelijkheid aan de Joegoslavische regering en het Amerikaanse ministerie van Buitenlandse Zaken trachten uit te leggen hoe het hart van een communistisch staatsburger in mijn kleedkamer terecht was gekomen. Aan de andere kant, wat moest ik met zo'n hart van stopverf? Mijn tassen waren al te zwaar. Ik had truien gekocht voor mezelf in Venetië en een paar cadeautjes voor mijn familie in Parijs. Ik wilde wat aardewerk in Griekenland kopen en er werd gezegd dat we naar Egypte zouden gaan. Daar zou ik zeker iets tegenkomen dat ik mee naar huis wilde nemen. En nou zat ik opgescheept met iets dat ik niet wilde hebben en ook niet weg kon geven. Er was geen mens op aarde waar ik zo'n grote hekel aan had dat ik hem het lelijke geval kon geven. Aan de achterkant van het hart zat een klein haakje waaruit bleek dat het bedoeld was om aan de muur te hangen. Ik legde het onder mijn kaptafel achter het schoenenrek. Er zou tijd genoeg zijn me ermee bezig te houden als ik moest pakken voor ons vertrek uit Joegoslavië.

Meneer Julian belde iedere morgen om acht uur. Toen ik hem streng toesprak en hem beval ermee op te houden, antwoordde hij: 'Het is dat ik van u hou. Het is dat ik sterf om u. Het is dat ik ga vallen voor een trein.'

Ik verzocht de receptionist hem niet meer met onze kamer door te verbinden. De receptionist antwoordde : 'In Joegoslavië beantwoorden we de telefoon.' Martha weigerde nog langer op te nemen als hij belde, want toen ze hem de tweede morgen vertelde dat ik was uitgegaan, reageerde hij met: 'In Belgrado? Ze kan nergens naar toe. Misschien gaat ze naar toilet. Ik bel later.' Tien minuten daarna liet hij haar weten: 'Dit is de meneer Julian. Ik wil spreken met vrouwe Maya Angelou.'

Het was niet meer dan beleefd dat ik van plaats verruilde met Martha, zodat ik tenminste de telefoon op kon nemen.

'Vrouwe Maya, het is dat ik sterf.'

'Goed, meneer Julian. Daar kan ik niets aan doen. Maar stuur me alstublieft geen andere delen van uw lichaam meer.'

Barse woorden ontmoedigden hem niet, evenmin boden vriendelijke hem troost. Iedere ochtend nam ik de telefoon op en vertelde hem doezelig en slaperig en emotieloos om op het dak te gaan zitten.

Andere leden van het gezelschap maakten melding van soortgelijke veroveringen. Vrouwen hingen letterlijk aan de jaspanden van de ongetrouwde zangers en op een avond, toen Martha door een bewonderaar mee uit was genomen naar een balletvoorstelling, liet ik Ethel, die haar nagels zat te manicuren, in de kamer achter en ging naar de badkamer.

Toen ik terugkwam, zat ze in yogahouding op bed en lag er een vreemde man met zijn gezicht omlaag en zijn armen en benen gespreid op de vloer aan het voeteneinde van het bed.

Ik bleef licht geschrokken in de deuropening staan.

Ethel zei: 'Maya, ik heb op je zitten wachten. Help eens een handje om deze idioot de kamer uit te krijgen.'

Ik gooide mijn handdoek en zeep neer.

'Meneer, meneer. Sta eens op.' Ik keerde me naar Ethel die uit haar lotushouding overeind was gekomen en bij de voeten van de man stond. 'Is hij dronken?'

'Nee, meisje, hij is gek.'

'Oké, meneer, we brengen u naar de gang.'

Zijn wang lag op het tapijt en zijn ogen waren wijd open. 'Het is niet dat ik dronken ben. Het is dat ik hou van vrouwe Ethel. Het is dat haar liefde mij doodmaakt. Het brandt in mijn hart als een vuur.'

Ik zei: 'Oké, ik snap het.'

Ethel zei: 'Hier, Maya, neem jij zijn linkervoet. Ik pak de rechter. Dan slepen we hem.'

De man bood geen weerstand en liet toe dat zijn lichaam door de kamer zeilde. Ik opende de deur en we deponeerden hem, nog steeds plat op zijn buik, in de gang. Gedurende de hele manoeuvre was hij doorgegaan met zijn litanie.

'Ik hou van vrouwe Ethel. Ik sterf van de liefde voor vrouwe Ethel.'

We deden de deur dicht.

'Ethel, hoe is hij hier in vredesnaam binnengekomen?'

'Er werd op de deur geklopt en ik veronderstelde dat jij het was. Dus riep ik: 'Binnen' en daar komt deze idioot binnen. Hij kijkt me aan en valt plat op de grond. Ik dacht dat hij misschien dood was of zoiets, dus ik ga naar hem toe en buig me over hem heen. Om zijn pols te voelen. Toen zag ik dat zijn ogen open waren en hij begint zijn dreun: 'Vrouwe Ethel, ik hou van u. Sterven! Me van kant maken!' En meer van die onzin.'

'Waarom heb je de receptie niet gebeld?'

'Ik ging ervanuit dat jij gauw terug zou zijn en hij leek ongevaarlijk.'

We zaten nog te lachen toen we Martha's stem hoorden en een snelle roffel op de deur.

'Hee, doe die deur open. Doe open.'

Ethel ging naar de deur en deed open. Ze riep uit: 'Maya, kom vlug.' Ik holde naar Ethel toe en keek over haar schouder. Martha probeerde zich van haar begeleider te ontdoen wiens armen over haar hele lichaam tentakelden.

'Haal deze idioot van me af, wil je?' Ethel en ik grepen de man beet en ontwarden zijn armen.

'Hee, meneer. Wat bent u aan het doen?'

Hij worstelde om zijn greep op Martha terug te krijgen. 'Het is dat ik hou van vrouwe Martha. Vrouwe Martha, ik drink uw ogen. Ik drink uw neus.'

We verlosten onze vriendin en toen we de veiligheid van onze kamer bereikten en de deur dicht hadden gesmeten, hoorden we de gedempte stem van de man: 'Vrouwe Martha, ik drink uw oren, uw neus, uw vingers. Vrouwe Martha, het is dat ik van u hou. Ik sterf.'

Op een avond, tegen het einde van ons verblijf in

Joegoslavië, voelde ik dat ik bijzonder goed had gedanst en hoewel ik de muziek misschien niet had gezongen zoals die door George Gershwin was geschreven, hadden mijn collega-zangers mijn harmonieën met opgetrokken wenkbrauwen begroet en goedgekeurd.

Een jong echtpaar werd de weg naar mijn kleedkamer gewezen. De man was fotograaf en de vrouw danseres. Ze spraken uitstekend Frans en complimenteerden me met mijn dansen. De man vroeg of hij foto's van mij mocht maken en nodigde me uit voor een vroeg kerstfeest bij hen thuis de volgende avond. Ze zeiden dat ze me bij het theater op zouden halen en me na afloop van het feest naar mijn hotel zouden brengen.

Ik nam de uitnodiging in overweging. We hadden de opdracht gekregen om binnen het toegewezen gebied te blijven en ik vond het geen prettig idee om de toorn van twee regeringen over me af te roepen. Maar ik was mezelf. Dat wil zeggen, ik was Marguerite Johnson, uit Stamps, Arkansas, van de Algemene Bazaar en de Christelijke Methodistisch-Episcopale Kerk. Ik was het te lange, niet-mooie negermeisje dat was geboren uit ongelukkige ouders en opgegroeid tussen de zandweggetjes van Arkansas en dit was de enige keer in mijn leven dat ik in Joegoslavië was. Ik voorvoelde dat, zelfs al mocht ik ooit rijk en beroemd worden, Joegoslavië geen land was dat ik nog eens zou bezoeken. Zou ik dan niets anders zien dan geselecteerde monumenten en niemand anders spreken dan de toeristengids-spionnen die zo dicht in onze buurt bleven dat we maar amper adem konden halen? Nee. Ik nam de uitnodiging van het echtpaar aan.

In het hotel waarschuwden Martha en Ethel mij dat ik beter niet de officiële voorschriften kon overtreden. Ik probeerde uit te leggen wat mijn redenen waren, maar ze wilden of konden het niet begrijpen. Zoals dat bij alle informatie binnen het gezelschap het geval was, wist de volgende middag iedereen dat ik naar een privé-feestje zou gaan. Tijdens de lunch bleven vrienden bij mijn tafeltje staan en maanden me om me te bedenken. Ik bedankte hen voor hun advies.

Anderen kwamen die avond naar mijn kleedkamer om hun raad aan de algemene eensgezindheid toe te voegen. Ik was verbaasd toen Helen Ferguson meedeelde dat het echtpaar haar ook had uitgenodigd en dat ze meeging. Ze was een van de jongste zangeressen van de bezetting, aantrekkelijk en zo tenger dat ze eruitzag als een kind. Ik zei: 'Je weet dat we eigenlijk niet weg mogen van de groep.'

Ze antwoordde: 'Hoor 'ns, ik zal in mijn hele leven niet meer terugkomen in Joegoslavië. Ik wil met een paar mensen praten hier, zodat ik een paar echte herinneringen heb.'

We wachtten voor de artiesteningang en waren verrast toen een onbekende, jonge man naar ons toekwam. 'Juffrouw Ferguson? Juffrouw Angelou?'

'Ja.'

'Wilt u met mij meekomen. Ik breng u naar het Dovic-feest.'

We liepen achter hem aan de hoek om naar een lage vrachtwagen, waarop ongeveer dertig mensen waren samengepakt die lachten en praatten. Met hun hulp klommen Helen en ik erbij. De man sloeg de klep dicht, rende om de wagen heen, startte de motor en ons avontuur begon.

De mannen en vrouwen waren van onze leeftijd en spraken allemaal wat Frans. Ze gaven flessen slivovitsj door, we dronken van de branderige vloeistof en probeerden boven het luide gebrul van de motor uit te praten. Ten slotte begon de groep te zingen. Ik kon de woorden niet volgen, maar de melodieën klonken als die van Hongaarse tsiganen. Ze waren zwaarmoedig en ontroerend. Ik werd er zo door in beslag genomen dat het pas laat tot me doordrong dat we de lichten van Belgrado achter ons hadden gelaten en dat de oude vrachtwagen met moeite vooruitkwam over een hobbelige landweg. De nacht was onbewolkt en koud en in het heldere maanlicht zag het vlakke land er vertrouwd uit, alsof ik het al eens eerder had gezien. Ik moest mezelf eraan herinneren dat ik achter het ijzeren gordijn was en niet een onschuldig ritje aan het maken was in midden-Californië. Deze mensen zouden ons ook mee kunnen nemen naar Siberië. Helen en ik vingen elkaars blikken op en we lachten, want er was niets anders dat we konden doen. De wagen minderde vaart toen we over een nog keiiger pad reden en tenslotte hielden we halt voor een groot, Charles Adams-achtig huis met puntgevels. De mensen juichten en ze begonnen over de zijkanten van de vrachtwagen te springen. Helen, ik en nog een paar vrouwen wachtten tot de klep omlaag ging.

Het echtpaar Dovic kwam naar buiten om ons te verwelkomen en ons de al bomvolle woonkamer binnen te leiden. Helen en ik werden voorgesteld (de anderen schenen elkaar al te kennen) en tijdens de hartelijke begroeting staarde niemand ons aan alsof we verschijningen uit een nachtmerrie waren. Ik voelde me al snel op mijn gemak en raakte verwikkeld in een discussie over de toekomst van de kunst en de relatieve waarde ervan voor de massa.

In de aangrenzende eetkamer stonden feestelijke gerechten en drank voor ons klaar. De gastvrouw vertelde me dat ze een paar platen had die ik misschien wel wilde horen en ze verzocht om stilte in de kamer. De mensen gingen in groepjes bij elkaar op de grond zitten en deelden flessen wijn en slivovitsj. De gastheer legde een plaat op een opwindbare platenspeler en Lester Youngs saxofoon huilde door de stilte. Mijn oren en hersenen waren het totaal oneens met elkaar. Ik was in Joegoslavië en de gewone mensen in het land waren niet vrij om te reizen. Volgens mijn lerares in Parijs was het voor gewone burgers onmogelijk een uitreisvisum of papieren om te reizen te bemachtigen; ze waren gevangenen in hun eigen land. En buitenlanders bezochten zelden de landen achter het ijzeren gordijn; maar weinigen wensten te komen en nog minder kregen toestemming. Maar ik zat naar Lester Young te luisteren. Helen en ik wisselden verbaasde blikken uit. Toen de plaat was afgelopen, verving de gastheer hem voor een lied van Billy Holiday en verwisselde dat vervolgens voor Sarah Vaughan en toen voor Charlie Parker.

De gastheer zag de verraste uitdrukking op mijn gezicht en verklaarde: 'We houden van muziek. Iedereen op dit feest is kunstenaar. We zijn schilders, beeldhouwers, schrijvers, zangers, dansers, componisten. Van alles. En we vinden manieren om onszelf op de hoogte te houden van vernieuwingen in de kunst overal in de wereld. Bebop is de belangrijkste stroming in de muziek sinds Johann Sebastiaan Bach. Hoe we aan de platen zijn gekomen?' Hij glimlachte. 'Dat moet je niet vragen.' En dat deed ik dus ook niet.

Het feest liep ten einde en ik begon te denken aan de lange, hobbelige rit terug naar het hotel, toen een oude vrouw door een zijdeur te voorschijn kwam. Ze droeg een chenille badjas met bijpassende pantoffels. Ze slofte

door de leeglopende kamer, begroette iedereen ongedwongen en werd op haar beurt omhelsd. Ze moest de
grootmoeder van het huis zijn. Ze was in het midden van
de woonkamer aangeland toen ze mij zag. Onmiddellijk
vertrok haar gezicht van paniek. Ze kakelde angstig,
draaide zich om, viel bijna en koerste terug naar de
kamer waar ze net vandaan was gekomen. De gastheer,
gastvrouw en andere gasten kwamen haastig en veront-
schuldigend naar me toe.

'Juffrouw Angelou, neem het haar niet kwalijk. Ze is
tachtig jaar.'

'Ze is heel oud en onwetend.'

'Ze heeft nog nooit een zwart iemand gezien.'

'Het is haar bedoeling niet om u te kwetsen.'

Ik antwoordde: 'Ik snap haar wel. Als ik zo lang had
geleefd en nooit een blanke had gezien, zou mijn hart stil
blijven staan als ik er een zag. Ik zou beslist denken dat
het een geest was.'

'Alstublieft. U moet niet bitter zijn.'

Het was niet mijn bedoeling sarcastisch te zijn. Ik
meende het oprecht.

De gastvrouw liep naar de deur waardoor de oude
vrouw was verdwenen en een ogenblik later kwamen ze
samen naar buiten. De gastvrouw sloeg haar arm om de
broze schouders van de vrouw en loodste haar zacht naar
mij toe. Toen ze mij op ongeveer een meter waren gena-
derd, zei ik in het Servo-Kroatisch: 'Goedenavond, mevrouw.'

Zwakjes antwoordde ze: 'Goedenavond, mevrouw.'

Ik vroeg: 'Komt u naast me zitten?' De gastvrouw
haalde haar arm weg, de oude vrouw schuifelde langzaam bij haar angst vandaan en kwam bij me op de bank
zitten.

Ik vroeg: 'Hoe maakt u het?'

Ze fluisterde: 'Het gaat me goed' en hield haar blik onwrikbaar op mijn gezicht gericht. Ze hief een gerimpelde hand op en raakte mijn wang aan. Ik bewoog me of glimlachte niet. Haar hand streek licht over mijn haar en toen over mijn andere wang. Zonder haar ogen van mij af te wenden, riep ze haar kleindochter.

'Ga eten en drinken halen.'

'Maar grootmoeder, ze heeft al gegeten.'

'Ga.'

Mevrouw Dovic bracht een vleespasteitje en een glaasje slivovitsj met de bijbehorende gekonfijte abrikozen. Ik nam een hap van de hartige pastei en een lepeltje van de vruchten. Zonder aarzeling sloeg ik het glaasje brandewijn achterover en nam nog een lepelvol van de vruchten.

De oude vrouw glimlachte en gaf me een klopje op mijn wang. Ze begon zo snel tegen me te praten dat ik haar niet bij kon houden. Ik lachte en zij lachte, waarbij ze een volledig gebit van de standaard metalen tanden liet zien. Pas toen het gezelschap zich ontspande en de algemene conversatie hervatte, realiseerde ik me hoe gespannen de sfeer was geweest. De grootmoeder streek me weer over mijn wang en raakte mijn knie aan, toen stond ze moeizaam op en liep terug naar haar kamer. Ik riep: 'Welterusten, grootmoeder', maar ze gaf geen antwoord. De gastheer zei: 'Ze is je al vergeten. Ze is erg oud. Dank je dat je zo vriendelijk voor haar bent geweest.'

We waren onze jassen aan het verzamelen toen de deur weer openging en de oude vrouw opnieuw te voorschijn kwam, deze keer gevolgd door een nog oudere man. Ook hij droeg een chenille badjas met bijpassende pantoffels en de slaap was nog aanwezig op zijn gezicht. Toen ik merkte dat hij niet de kamer rondkeek voor iemand of iets vreemds, maar de gasten begroette die het dichtst bij hem stonden, wist ik dat de oude vrouw een grap met hem uithaalde. Hij hobbelde van de een naar de ander en de oude vrouw bleef dicht bij hem in de buurt. Plotseling zag hij mij en kreeg zowat de schrik van zijn negentigjarig leven. Hij gilde en keerde zich om zo snel hij kon om te vluchten, maar de oude vrouw greep hem bij zijn mouw en begon, in woorden die ik niet kon verstaan, tegen hem uit te varen vanwege zijn onbeleefdheid.

Ze leidde hem naar de bank en liet hem aan mijn ene kant plaatsnemen, terwijl ze zelf aan de andere ging zitten.

'Ga eten en drinken halen.'

Weer voerde ik hetzelfde ritueel op. Toen de oude man zag dat ik zowel kon eten als drinken en een beetje Servo-Kroatisch sprak, kwam hij niet alleen tot de slotsom dat ik menselijk was, maar verklaarde hij ook dat ik een Joegoslaaf was. Alleen een heel donkere.

'Hoe heet je?'

'Maya.'

'Een goeie naam. Wie is je vader?'

'Bailey Johnson.'

'Wat een vreemde naam voor een Kroaat. Maar ik weet zeker dat ik hem ken. Wie is zijn vader?'

'William Johnson.'

'Vilion? Vilion? Wat doet hij? Ik ken iedereen. Ik ben drieënnegentig. Vertel me eens, was het Vilion uit Split of uit Dubrovnik? Vertel eens.'

Niemand was in staat de oude man ervan te overtuigen dat ik van een ander ras was en uit een ander land kwam.

Toen we naar de deur liepen, zei hij: 'Zeg tegen Vilion dat je mij hebt ontmoet. Zeg dat hij na Kerstmis moet komen. Dan zullen we het over vroeger hebben.'

De receptionist in het hotel moest de deur voor ons openmaken. Hij vroeg: 'Juffrouw Angelou, juffrouw Ferguson, heeft u genoten van het feest in het huis van de Dovics? Heeft u genoten van de Amerikaanse platen en het eten? De oude man en vrouw zijn amusant, nietwaar?'

Daar ging ons gevoel van vrijheid.

De volgende ochtend werd ik ontboden bij een keurig uitziende Amerikaan. In een kamer van het hotel luisterde ik naar een onbekende, blanke man die tegen me praatte alsof ik een kind was.

'Er is je gevraagd, Maya, om niet door Belgrado rond te gaan zwerven. De Joegoslaven willen dat niet hebben. Ze zijn anders dan wij. Ze begrijpen onze gewoontes niet. Tenslotte ben je een gast in hun land. De gewone beleefdheid vereist dat je de wensen van je gastheer respecteert.'

Ik antwoordde: 'Van ons tweeën ben ik niet degene die lessen in gewone beleefdheid nodig heeft. Ik heb gisteravond geen woord gezegd dat ik niet meende, of waarover ik zou aarzelen om het te herhalen. Goedemorgen' en vertrok.

Als het *Porgy & Bess* niet beviel, dan konden ze een andere zangeres zoeken die kon dansen, of een danseres die kon zingen. Ik had nou al Venetië, Parijs en twee steden in Joegoslavië gezien. Ik kon naar huis terugkeren, naar mijn fantastische zoon en nachtclubcarrière.

Ik hoorde nooit meer wat over het incident en informeerde evenmin bij Helen of zij na onze terugkomst was ondervraagd.

'Goeiemorgen, vrouwe Maya. Zoals u weet is dit mij, de meneer Julian.'

Het was ook de ochtend van ons laatste optreden in Belgrado.

'Ja, meneer Julian.'

Niets had hem ontmoedigd. Noch krasse taal, noch openlijke beledigingen hadden hem weerhouden te telefoneren. Martha en Ethel waren zo gewend geraakt aan het gerinkel dat ze er niet langer wakker van werden.

'Het is dat ik nog steeds van u hou. Het is dat als u morgen vertrekt, ik doodga.'

'Ja, meneer Julian.' De avond ervoor had ik samen met Joe Jones, Martha, Ethel, Ned en Attles een slivovitsj-zangfeest gehouden in een buurtcafé. Ik had het gevoel alsof mijn hersenen in de scherpe brandewijn waren gebraden en als meneer Julian met doodgaan kon wachten tot de volgende ochtend, dan zou ik hem met vierentwintig uur kunnen verslaan.

'Ik ga niet verdrinken. Dat is moeilijk voor mij. Omdat ik ben olympisch zwemkampioen van Joegoslavië.'

Zwemkampioen? Meneer Julian? Wel verdraaid, ik had een kans gemist. Zijn stem had stokoud geklonken, alsof hij bij een lichaam in de laatste stadia van aftakeling hoorde. Ik hield van krachtige, gespierde mannen. Als ik had geweten dat meneer Julian een atleet was, had ik de eerste keer dat hij belde met hem afgesproken.

'Ik hou van u en wil u zien, oh...'

'Misschien kan ik u vanavond zien, meneer Julian.' Ik zou de verloren tijd niet in kunnen halen, maar er was geen enkele reden waarom ik nog een avond zou verspillen.

'Is het waar? Mag ik u meenemen naar een duur café? En kijken hoe u opdrinkt koffie met room met uw lieftallige lippen?'

'Ja, meneer Julian.' Reken maar. 'Kom na de voorstelling maar naar de artiesteningang.'

'Vrouwe Maya, er zijn altijd zoveel mensen daar bij uw theater. Is het dat u mij een straat verder kunt ontmoeten?'

'Natuurlijk, ja. Best hoor.' Hij was er wel een beetje laat mee om zich nu nog van een verlegen kant te laten zien.

'Een straat verder bij het park. Ik zal staan. Ik zal dragen een groen pak. Ik zal lachen. Oh, vrouwe Maya, mijn hart zingt voor u. Tot ziens, mijn schoonheid.'

'Tot ziens, meneer Julian.'

Ik legde de hoorn neer toen Martha en Ethel zich omdraaiden en overeind gingen zitten.

'Eindelijk dus, lieve God, krijgen we die verdomde meneer Julian te zien.' Martha grijnsde en knikte met haar hoofd.

Ethel zei: 'Maya, wat ben je toch hardvochtig. Je weet dat die man van je houdt. En dan wacht je er tot de laatste avond mee om met hem af te spreken.'

Martha voegde eraan toe: 'Het is keihard – hij wil met je trouwen, zodat je hem mee naar Amerika kunt nemen. En nou is er geen tijd meer om de papieren in orde te maken. Je gaat die arme man gewoon gebruiken en hem dan aan de kant zetten, net als een zeeman doet met een vrouw in een vreemde haven.' Ze lachte. 'Oh, wat ben jij gemeen.'

Ik vertelde hen dat ze alletwee naar de duivel konden lopen en viel weer in slaap.

Ned kwam tijdens de lunch naar me toe. 'Dus je hebt eindelijk met meneer Julian afgesproken?'

Annabella Ross, de coloratuurzangeres, vroeg: 'Vanavond gaat het gebeuren, hè?'

Georgia Burke, het oudste lid van de groep en een doorgewinterde actrice, zei: 'Ik heb begrepen dat het geluk eindelijk met meneer Julian is. Nou, de aanhouder wint, zeggen ze.'

Barbara Ann kwam aan tafel zitten. 'Waarom heb je zo lang gewacht, Maya? En waarom ben je van gedachten veranderd?'

Ik vertelde haar dat ik had gedacht dat het een stokoude snoeper was en dat ik het idee onverdraaglijk vond om met een bejaarde artiestenversierder uit te gaan die over mijn wangen zou kwijlen en in mijn dijen zou knijpen, maar dat ik ten langen leste te weten was gekomen dat hij zwemkampioen was en nu speet het me dat ik zo lang had gewacht.

Ze begreep het en leefde met me mee.

Een uur later verscheen Bey aan mijn deur. 'Oké, Maya, je hebt een zwemkampioen aan de haak geslagen, hè?'

Op weg naar het theater begonnen een paar jonge kerels achterin de bus meerstemmig te zingen: 'I'd swim the deepest ocean...'

Binnen het gezelschap was er geen nieuws dat vertrouwelijk en geen zaak die heilig was.

Het publiek begon middenin de slotscène te applaudisseren. Ze sprongen uit hun stoelen op, riepen en gooiden rozen nog voordat het doek was gevallen. We bogen, wuifden en herhaalden de buigingen ik-weet-niet-meerhoeveel maal.

Achter het toneel hield Marilyn, de kleedster, toezicht op het labelen en inpakken van de kostuums. De drukste tijden voor haar kwamen wanneer we afreisden. Ze moest de gescheurde kleren merken, zodat ze versteld of vervangen konden worden voor onze volgende première, en de kledingstukken en schoenen die gewassen en gerepareerd moesten worden, apart houden.

Toen ik voorbij de garderobekamer liep, zag ik door de open deur een chaotische bende van kleren, hoeden, schoenen, manden en paraplu's. Ze keek op van haar getel. 'Ben je op weg naar meneer Julian, Maya?'

Mijn enige kans om aan de nieuwsgierige blikken van mijn collega-zangers te ontkomen was om het theater door de voordeur te verlaten. Ik graaide mijn kostuums bij elkaar en gaf ze af in de garderobekamer, zoals ons was verzocht. Marilyns aandacht was bij haar werk. Ik glipte langs de toneelknechten die bezig waren het decor af te breken en de stukken te stapelen. Op mijn tenen sloop ik over het podium en sprong vanaf het voortoneel op de grond. De foyer was donker en leeg toen ik behoedzaam de deur opende. Ik had iedereen ontlopen. Toen ik naar het kruispunt liep, keek ik de straat in. Ik zag een schare fans bij de artiesteningang staan; zij zouden het gezelschap minstens een halfuur bezighouden. Meneer Julian, ik kom eraan en ik kom alleen. Je zult nooit weten wat voor een opmerkelijke prestatie ik daarmee heb geleverd.

Ik naderde de afgesproken hoek en keek rond naar een lange, steviggebouwde man in een pak van een donkergroene, misschien tweedachtige stof. Hij zou ook een pijp kunnen roken – pijpen en tweed stonden zo goed bij elkaar.

Meneer Julian stond niet op de hoek. Ik vroeg me af of hij uiteindelijk niet toch had besloten me bij het theater op te halen. Ik stak de straat over en ging onder een lantaarn mijn volgende stap staan overdenken.

'Vrouwe Maya?'

Ik draaide me om, blij van het probleem verlost te

zijn. Een kleine, zeer pezige, oude man stond voor me. Zijn ogen waren groot, zwart en glinsterend. In het schijnsel van de lantaarn leek het of zijn kale hoofd was ingevet. Hij lachte een rij onmiskenbaar opgepoetste metalen tanden bloot. En hij droeg een grasgroen pak.

'Vrouwe Maya, het is dat ik de meneer Julian ben.'

Als hij zwemkampioen was dan had hij de wedstrijd in 1910 gewonnen.

'Ja, meneer Julian. Hoe maakt u het?' Ik stak hem mijn hand toe en hij nam hem aan, streelde de rug, keerde hem om en kuste de palm.

Hij prevelde: 'Ik hou van u.'

Ik zei: 'Ja.' En: 'Hoe zit 't met die koffie?'

Als Martha of Ethel of Lillian een glimp opvingen van mijn atletische minnaar, zouden ze me het nooit laten vergeten.

'Ik kan niet ver weg gaan, ik moet terug zijn in het hotel voor de avondklok ingaat, weet u.'

Hij begreep het woord 'avondklok' niet en ik had geen tijd om het op die hoek te gaan staan uitleggen.

'Laten we naar het café verderop in de straat gaan. Is dat goed?'

We gingen zwijgend aan een tafeltje zitten. Iedere gespreksopening die ik uitprobeerde, werd geblokkeerd door verklaringen van zijn onvergankelijke liefde. Zijn fonkelende ogen keken toe hoe ik de koffie dronk. Hij observeerde mijn lippen zo gespannen dat ik het gevoel had dat zijn blik iedere slok volgde die over mijn tong gleed, door de slokdarm heen en mijn maag in.

Ik slikte de laatste teug door en stond op. 'Dank u, meneer Julian. Ik moet nu terug naar het theater, anders vertrekt de bus zonder mij.'

'Ik zal u naar het hotel brengen.' Zijn ogen smeekten.

847

'Nee, bedankt. We moeten met de bussen mee. Het spijt me.'

'Het is dat ik met u naar het theater zal lopen. Ik hou van u.'

'In geen geval! Nee, dank u. Ik ben u erkentelijk voor de koffie en de gedachte, maaar ik wil me u hier herinneren, zoals we koffie met room dronken.' Ik stak hem niet opnieuw mijn hand toe. 'Dank u. Blijf zitten, alstublieft. Dag, meneer Julian.'

Ik wandelde langzaam het café uit, maar toen ik de deur achter me had dicht getrokken, zette ik er een spurt in waar Jesse Owens zijn petje voor af zou hebben genomen. De bus stond klaar toen ik bij het theater aankwam.

Toen ik instapte, merkte Martha op: 'Wat meneer Julian dan verder ook nog mag zijn, ik moet zeggen dat hij snel is.'

Lillian zei: 'Ik heb iets voor je, Maya. Je hebt het in de kleedkamer laten liggen en ik vond dat ik het maar beter mee kon nemen. Zonder dit zou je leven niet meer hetzelfde zijn.'

Ze overhandigde me een pakje. Het was meneer Julians hart.

23

De zangers waren gewend aan de ongemakken van het reizen en het gevoel van desoriëntatie. Toch viel het verblijf in Joegoslavië ons allemaal ongewoon zwaar. Het koude weer, grijs en somber, en het oncomfortabele hotel met zijn mistroostige gangen en doordringende geuren drukten zwaar op onze stemming. De ongelukkige mensen in hun lelijke, dikke kleren en de beperkingen van onze bewegingsvrijheid zorgden er allemaal samen voor dat we ernaar verlangden dit naargeestige land achter ons te laten en ons te koesteren in de zon van Noord-Afrika.

Ethel, Martha, Barbara Ann, Lillian en ik propten onze handbagage op de twee rekken in onze coupé. Het was zeven uur in een donkere ochtend. Het gezelschap had zich al om zes uur in het station verzameld, en we waren in de legendarische Orient Express gestapt zodra Ella Gerber en Bob Dustin alle neuzen hadden geteld en gerustgesteld waren dat er geen lid van de rolbezetting meer in het Moskvahotel lag te slapen. Inwoners van Belgrado dromden rond de treeplanken. Sommige Joegoslavische vrouwen snikten en droogden hun ogen toen ze omhelsd werden door de zangers die op hun horloges keken en instapten. Een paar zangeressen werden uitgezwaaid door Joegoslavische mannen die openlijk huilden.

Mijn vriendinnen en ik nestelden ons op de banken en wachtten met ongeduld op het vertrek van de trein.

We zaten te babbelen toen een geluid ons deed opschrikken. We keken op en zagen meneer Julian in de deuropening van de coupé staan met een pakje in zijn handen.

'Vrouwe Maya?' Tranen biggelden over zijn gezicht. 'Vrouwe Maya, ik wens u vreugde, geluk en overwinning.' En met deze emotionele uitbarsting gooide hij het pakje in mijn schoot, trok de deur met een klap dicht en sprong van de trein af.

Lillian vroeg: 'Was *dat* meneer Julian?'

Ethel zei ongelovig: 'Nee, toch zeker?'

Barbara Ann vroeg: 'Maar wanneer was hij dan zwemkampioen?'

Martha wendde haar kleine hoofd om en zei: 'Hij ziet eruit alsof hij zich met moeite drijvend kan houden in een badkuip.'

Voordat ik haar van repliek kon dienen, verscheen zijn gezicht voor het raam. Hij wuifde zijn handen in een wenkend gebaar en de trein zette zich langzaam in beweging. Meneer Julian hield ons raam een poosje bij, maar toen de trein vaart meerderde, vervaagde zijn gezicht en alle andere gezichten van de achterblijvers. Binnen een paar minuten reden we door open land en keken we uit op desolate boerderijen en trieste velden.

Ned Wright trok de deur open en bood ons een fles slivovitsj aan.

'Daar gaan we dan, lieve schatten. Lang voorbij en onderweg. Tito kan zijn Joegoslavië houden. Ik ben voorbestemd om onder een zonnige hemel te zitten en te zingen. Waar huil jij in hemelsnaam om, Maya?'

Ethel zei dat het niet om meneer Julian kon zijn. 'Heb je hem gezien?'

Martha lachte: 'Hij zag eruit als een stuk landweg in de winter in Noord-Carolina.'

Ik zei: 'Maar hij heeft volgehouden. En hij was aardig. Ik bedoel, hij heeft toch steeds gebeld en hij is vroeg uit bed moeten komen om op het station te zijn voor we vertrokken. Dat zijn dingen die ik in iedereen waardeer.'

Ethel vroeg: 'Zou je terug willen naar Belgrado?'

Ik hoefde niet na te denken over mijn antwoord: 'Nee. Geef me de slivovitsj eens aan!'

De trein snelde de hele dag door de norse provincies en we aten in een oude restauratiewagen die net zo rook als ons laatste hotel. Sommige leden van het gezelschap deden een dutje of schreven brieven naar huis. We speelden spelletjes whist in onze coupé met alle hartstocht van verslaafde gokkers. Toen de grijze middag eindelijk overging in avond maakte een wagonbediende onze bedden op en sliepen we.

Ik werd wakker van Martha en Ethel die tjirpten als krekels. Het zonlicht viel recht door het raam naar binnen en hun gezichten werden verlevendigd door een vrolijkheid die ik er in geen weken had gezien.

'Maya, meisje, ben je van plan de hele dag te verslapen? Kijk eens naar buiten.' Martha ging opzij staan om plaats voor mij te maken. Het landschap was veranderd. In één nacht waren we van een grauwe winter de lente binnengereden. Koeien stonden tussen weelderig groen te grazen en de boerderijen waren in zoveel felle kleuren geschilderd dat het uitzicht op een groot schilderij van Matisse leek.

Volwassenen zwaaiden met een brede glimlach naar de trein en kinderen sprongen opgewonden lachend op en neer. Het beeld ontroerde me zo heftig dat het mij verraste en een moment later realiseerde ik me dat ik, sinds Venetië, geen uitgelaten kinderen meer had gezien. De Parijse jeugd was zo netjes gekleed en gedroeg zich zo

keurig dat ze ornamenten hadden kunnen zijn, gecreëerd en onderhouden ter decoratie van de familie. De
kinderen die ik in Joegoslavië had gezien, schenen verstandig en evenwichtig zonder kinderlijke vrolijkheid.
Maar dit waren kinderen die ik kon begrijpen. Hoewel
hun stemmen de afstand niet overbrugden en niet door
het glas drongen, wist ik zeker dat ze riepen, schreeuwden en gilden en even zeker wist ik dat hun moeders zeiden: 'Rustig', 'Hou daarmee op' en 'Stil'.

Ik stond op en ging de coupé uit. Het verlangen naar
mijn eigen zoontje dreigde me te overmannen. Toen ik
door de gang liep, de golf van emoties bedwingend die
aanzwol in mijn geest, kwam ik langs coupés waarin andere leden van het gezelschap gefascineerd voor de ramen zaten.

We vingen glimpen op van de witte gebouwen en
groene heuvels van Athene, stapten toen over in bussen
die ons naar de havenstad Piraeus zouden brengen. De
weg was lang en kronkelig en onze stemming opgetogen.
Luidkeels zongen we ieder lied dat werd voorgesteld en
lachten wanneer iemand de verkeerde overgang maakte
in de harmonie of de tekst niet meer wist.

In de haven deelde Dustin de hutnummers uit en
kondigde aan dat Lee Gershwin voor de lunch aan boord
een champagnefeestje zou geven voor het hele gezelschap.

Als Yanko, Victor en Mitch me nu eens konden zien.
Ik had wat Grieks opgediept dat ik tijdens mijn huwelijk had geleerd en begroette de bemanningsleden. Ze
waren al opgewonden door de zwerm zwarte mensen en
toen ze mij de taal hoorden spreken, salueerden ze bijna.
Drie mannen verlieten hun post om mij te helpen mijn
hut te zoeken waar mijn koffers, boeken en mandoline al

in de eenpersoonskamer stonden opgestapeld.

Martha, Lillian, Ethel en Barbara Ann kwamen al pratend over het schip, het champagnefeest en de knappe, Griekse matrozen door de gang aangelopen.

Ik hield ze tegen en zei: 'Hee, lui, zijn jullie niet verbaasd dat Lee Gershwin de nederige niemanden op haar feest uitnodigt?'

Martha antwoordde: 'Snoes, juffrouw Mooiding is nooit nederig geweest en knoop goed in je oren dat ze altijd al Iemand was. Ze zal het bonte gezelschap met haar aanwezigheid vereren.' Ze grinnikte en gooide het hoofd in de nek.

Lillian vroeg: 'Moppie, hebben ze daar geen champagne?' Ze knikte en beantwoordde haar eigen vraag: 'Ik ga Madame Gershwins champagne drinken.'

Barbara Ann merkte liefjes op: 'Maya, je hebt haar nooit vergeven dat ze jou en Joy vertelde wat je in Venetië moest aantrekken, hè?' Ze schudde haar hoofd en wist een bedroefde glimlach op te brengen. 'En ik dacht nog wel dat je een christen was. Schaam je, Maya, schaam je.'

Ze liepen door, zoekend naar hun hutten en lieten mij, nadenkend over Lee Gershwin, achter. Ze was op onze tweede dag in Italië naar Joy en mij toegekomen op het San Marcoplein in Venetië.

'Meisjes, weten jullie niet dat je geen lange broek moet dragen in Italië? Daar houden Italianen niet van.' Haar smalle gezicht was zuur vertrokken van fatsoen. 'Jullie moeten netjes zijn. Onthoud dat we allemaal ambassadeurs zijn.'

Joy had haar geantwoord: 'Ten eerste is het koud. Ten tweede sta ik iedere avond op een koud podium te zingen en me in een koude kleedkamer te verkleden, ten derde werk ik zes uur per dag met de anderen aan hun rollen. En ten vierde zal ik een lange broek blijven dragen en als het moet een anorak!'

Ik had Lee alleen maar aangekeken. Als ik lucht had gegeven aan mijn gevoelens, zou ik te veel hebben gezegd. Ik bleef gewoon een lange broek dragen wanneer ik dat nodig vond en vertrouwde op mijn eigen besef van fatsoen om mij voor te schrijven wat ik waar en wanneer moest aantrekken. Het voorval was me ontschoten, maar toen ik er eenmaal aan was herinnerd, moest ik toegeven dat Lee's betuttelende houding me zo kwaad had gemaakt dat ik haar, alhoewel ze met ons meereisde, uit mijn gedachten had verbannen.

Ik pakte de kleren uit die ik voor de overtocht en drie nachten en twee dagen in Alexandrië nodig had en trok een jurk aan voor de lunch.

Toen ik de trap afliep, grijnsden de hofmeesters tegen me en spraken me in het Grieks aan en toen ik de eetzaal binnenging, pakte een grote, ruigharige man in een zwart pak me bij de arm.

'Mevrouw Angelos?'

'Ja?'

'Ik ben de purser.'

Ik had geen flauw idee wat ik moest verwachten.

'U spreekt Grieks?' vroeg hij.

'Ja. Een beetje.'

'Hoe hebt u het geleerd?'

'Mijn man was Grieks.'

'Ah.' Hij gaf me een brede, goedkeurende grijns. 'Mevrouw Angelos, mag ik u een goede raad geven?' Hij draaide de zijkant van zijn grote lichaam naar me toe en sprak uit de hoek van zijn mond alsof hij me het geheim ging verklappen hoe je een atoombom moest bouwen.

'Ja.' 'Er is een feest. Een champagnefeest.' Hij knikte met zijn hoofd in de richting van de tafeltjes waar de leden van het gezelschap het glas al hieven. 'We verwachten een heel stormachtige reis naar Alexandrië. Het zou beter zijn als u vandaag niet dronk. Ook vanavond niet. Geen champagne. Geen wijn. Geen water. Eet heel licht. Brood. Biscuits. En niet drinken.' Ik bedankte hem en vroeg of hij ook iemand van de anderen had gewaarschuwd. Hij glimlachte waarbij hij zijn lippen naar links trok en een massief gouden tand ontblootte.

Hij antwoordde: 'Zij zijn operazangers. Dat ga ik niet eens proberen. Maar u' – opnieuw glimlachte hij – 'bent bijna Grieks' – hij nam mijn hand en drukte er een kus op – 'en u hebt mijn deelneming. Tot ziens. Niet vergeten.'

Deelneming? Vond hij dat ik zijn medeleven verdiende omdat ik met een Griek getrouwd was geweest? Vreemd.

Mijn vriendinnen hadden een plaats aan hun tafeltje voor mij opengehouden.

'Juffrouw Ding, hou je glas op.' Martha hield de champagnefles klaar om in te schenken.

'Nee, ik drink niet.' Ik vertelde hun over de waarschuwing.

Lillian zei: 'Ik ben nog nooit in mijn leven zeeziek geweest.'

Martha en Ethel vielen haar bij. Giechelend deelden ze de wijn, zonder aandacht te schenken aan mijn manende woorden. Aan alle tafeltjes was het een vrolijke drukte. Zelfs de paar niet-drinkers waren in feeststemming. Ik geloofde de purser maar half, maar was blij met het excuus om niet mee te hoeven doen. Ik betaalde liever zelf voor mijn drank en koos in ieder geval liever zelf degene uit door wie ik me liet trakteren.

'Moeder Afrika, je lang verloren gewaande dochter komt terug naar huis...' Lillian stelde een nieuwe toost voor en niemand wachtte tot ze was uitgesproken.

'Proost.'

'Salute.'

'A votre santé.'

'Daz vedanja.'

'Skol.'

Een officier die aan het tafeltje van de kapitein zat, stond op, kuste de vrouwen de hand en zocht zich een weg naar de uitgang van de eetzaal. Hij was lang en bewoog zich zo sierlijk dat het galon, dat in lussen over zijn brede schouders hing, nauwelijks meetrilde. Hij draaide zijn hoofd om en keek naar ons tafeltje. Hij had het sensueelste gezicht dat ik ooit had gezien. Zijn lippen waren donkerroze en pruilden en zijn neusvleugels stonden breeduit alsof hij er zwaar door ademhaalde. Maar zijn ogen waren het opvallendst. Het waren de 'slaapkamerogen' waar in de oude blues over werd gezongen – halfgeloken, alsof ze op datzelfde moment op weg waren naar het boudoir van de opwindendste vrouw ter wereld.

'Mart, Ethel, kijk eens,' zei ik.

Mijn vriendinnen, die mannelijke schoonheid meestal hoog waardeerden, werden zo in beslag genomen door hun feestje dat ze slechts een vluchtige blik op de officier wierpen.

Ethel zei: 'Ja, het is een snoepje.'

Martha zei: 'Ik bekijk hem straks wel. Schenk nog eens wat van die bubbels in mijn muiltje, want ik ben de meikoningin.'

Ik keek de man na toen hij de eetzaal uitliep en wist dat wanneer de sexy vrouwen van het gezelschap tijd voor hem hadden, ze wat van de arrogantie uit die swingende schouders zouden halen en die smalle heupen wat minder zouden laten wiegen.

Na de lunch ging ik terug naar mijn hut, het feest in volle hilariteit achterlatend. Halverwege de middag, toen we een eind van de Griekse kust af waren, begon het schip te sidderen onder een stormaanval. Mijn bagage schoot heen en weer in de smalle ruimte tussen mijn kooi en de wand en als ik niet op was gestaan, zou ik uit mijn bed zijn geslingerd. Ik propte mijn tassen op elkaar in de kast en klemde een stoel onder de deurklink. Ik pakte een boek en ging naar het hoofddek.

In de gang kwam ik mijn plotseling nuchtere en plotseling misselijke collega-zangers tegen. Degenen die in staat waren te praten, zeiden dat het feest was afgebroken toen de drinkers en spelers te ziek waren om het voort te zetten; de kelners hadden alle flessen en glazen weggehaald en waren bezig de tafels vast te binden.

De eetzaal was leeg en donker en ik worstelde me, waggelend van de ene wand naar de andere, een weg door de gang naar een klein, rood bordje waarop uitnodigend BAR stond. Achter de deur bevond zich een kleine, lege maar verlichte ruimte. Ik ging aan een tafeltje zitten en trachtte mijn gedachten bij het verhaal te houden en weg van de kolkende zee. Na ongeveer een uur kwam een jong lid van de bemanning naar binnen en was verbaasd toen hij mij zag. Hij vroeg of alles in orde was met me. Ik loog en antwoordde hem in het Grieks dat het best ging met mij. Hij keek me even bevreemd aan en vertrok toen haastig. Een paar minuten later arriveerde de purser.

'Mevrouw Angelos, alles goed met u?'

'Ja, natuurlijk.' Mijn kalmte was flinterdun, maar ze bedekte mijn angst.

'U hebt niet gedronken, heb ik gezien.' Hij was trots op zichzelf en op mij.

'Nee, ik heb brood gegeten en een stuk koude kip.'

'Heel goed. Vannacht zal het nog erger zijn, maar morgen wordt het rustiger. Maakt u zich niet ongerust. We hebben een dokter aan boord, maar hij heeft het heel druk. Het operagezelschap en het filmgezelschap zijn ziek en hij moet tussen die twee op en neer rennen.'

Ik wist niet dat er een filmgezelschap aan boord was. 'Wie zijn het? Zijn ze uit Amerika?'

'Nee. Het zijn Engelsen. Behalve de ster, die is Frans. Brigitte Bardot. Ze blijven allemaal in hun hut en ik denk dat we de zangers of de acteurs niet zullen zien voordat we in Alexandrië aankomen.'

Hij nam mijn hand. 'Mevrouw Angelos, als u me nodig hebt, drukt u dan, alstublieft, op deze bel' – hij wees naar een knop op de muur – 'en stuur degene die komt naar mij toe. Ik zal meteen naar u toe komen.' Hij kuste mijn hand en ging weg.

Een kelner kwam binnen en vertelde dat er thee werd geserveerd in de eetzaal. Ik bedankte hem en antwoordde dat ik niets wilde hebben.

Het schip stampte, slingerde en trilde en maakte soms een sprong waarbij het helemaal vrij leek te komen van het wateroppervlak. Ik was doodsbang van het geweld en van mijn onvermogen om, behalve over mezelf, over iets van deze ervaring controle uit te oefenen en het was totaal onbeslist of mijn mentale discipline tegen de fysieke angst bestand zou zijn. Maar in ieder geval was ik niet ziek.

De purser stak zijn hoofd om de deur. 'Het diner wordt opgediend. Ik raad u aan te eten. Weer droog brood. En weer een stukje vlees. Geen wijn. Geen water.'

Zijn hoofd verdween toen de boot op zijn kant rolde.

Hoewel ik geen honger had, besloot ik zijn raadgevingen te blijven opvolgen. De eetzaal was niet helemaal leeg. De kapitein en zijn officiers zaten rustig in hun hoek, een paar geheelonthouders van *Porgy & Bess* zaten aan aparte tafeltjes en twee mannen, wiens gezichten ik kende uit Engelse films, zaten aan een tafel bij de muur. Ik ging bij Ruby Green en Barbara Ann zitten en at matig.

Barbara Ann vroeg: 'Waar was je? Ben je niet ziek geweest?'

Ik vertelde haar dat ik had zitten lezen en niet ziek was omdat ik geen champagne had gedronken.

'Je moet eens beneden gaan kijken. Iedereen is ziek. Ik bedoel, mensen liggen te kreunen alsof ze doodgaan. De arme dokter wordt van de ene kamer naar de andere geroepen. Die man heeft er zijn handen vol aan. Kijk, daar is hij. Arme kerel. Hij krijgt nou pas de kans om te eten.'

Ik keek op, volgde haar blik en zag het zinnelijke gezicht dat me tijdens de lunch zo had verrast.

'Is dat de dokter?' Ik zou het eerder hebben geloofd als hij een gigolo, een beroepscasanova, was geweest.

'Ja en hij is heel voorkomend. Hij geeft de mannen evenveel aandacht als de vrouwen.'

Ik keek zijn rug na die zich verwijderde en vroeg me af of Barbara Ann de man, in haar onschuld, niet beter had beschreven dan ze zich had kunnen indenken.

Na een somber diner gingen we naar beneden waar uit iedere kamer klaaglijk en gekweld gesteun klonk. Ik aarzelde even bij de deuren van mijn vriendinnen, maar besefte dat ik, behalve meeleven, niets voor hen kon doen en dat kon ik doen zonder hun lijden te verstoren.

Er werd zacht op mijn deur geklopt. Toen ik hem

opende en de purser zag, dacht ik dat hij een compensatie van mij verwachtte voor mijn blakende gezondheid. Ik bleef de deur vasthouden en vroeg ijzig: 'Ja, wat wenst u?'

Hij antwoordde deemoedig: 'Mevrouw Angelos, ik wil u laten zien hoe u zich vast moet binden in bed, zodat u er niet uitvalt en u bezeert.'

Ik maakte aanstalten om hem binnen te laten, maar bedacht me. 'Nee, bedankt. Ik was van plan om op de grond te slapen. Het zal me wel lukken. Maar bedankt.'

Zijn hand schoot door de nauwe deuropening en greep mijn arm beet.

'Mevrouw Angelos, dank u. U bent heel droevig en heel mooi.' Hij boog, kuste mijn hand en liet hem los. Ik smeet de deur dicht. Waaruit maakte hij op dat ik droevig was? En als versierpoging was het wel heel vreemd.

Ik voegde de daad bij de leugen, haalde de matras en dekens van het bed en ging op de vloer liggen om bij miserabele tussenpozen te slapen.

De ochtend was grauw en nat, maar de zee meer ingetogen. De purser wachtte me op bij de deur naar de eetzaal.

'Mevrouw Angelos, goedemorgen. U kunt gewoon ontbijten. Tegen de avond hebben we goed weer.' Hij keek me liefdevol aan, terwijl de bezorgdheid uit zijn poriën opwelde. 'Hoe hebt u geslapen?'

'Uitstekend, dank u. Gewoon uitstekend.'

Een paar leden van ons gezelschap die de storm hadden overleefd, wisselden verhalen uit over de voorafgaande nacht.

'Schat, ik was zo ziek dat ik overboord probeerde te springen.'

'Heb je Betty gehoord? Ze heeft de halve nacht liggen

bidden, toen werd ze kwaad en schreeuwde: "Jezus Christus, hoe kunt u mij dit nou zo vlak voor uw verjaardag aandoen!"'

In de hutten van Martha en Lillian was ik niet welkom, dus hield ik het kort en bleef slechts lang genoeg om vast te stellen dat, hoewel hun gezichten de kleur hadden van oude, leren laarzen, ze het zouden overleven. Ik wandelde het schip rond en genoot van de luxe van het alleen zijn. Voor het eerst stond er een barkeeper achter de bar en ik bestelde een aperitief. De omvangrijke Engelse filmacteur en zijn metgezel kwamen binnen, bestelden en kwamen naast mij zitten.

'Dus u bent ook een zeeman, hè?' De barse stem van de man richtte zich tot mij.

'Klaarblijkelijk.'

'Maar de rest van uw gezelschap heeft geen zeebenen?' Hij lachte en zijn ogen sloten zich bijna onder de donkere, zware wenkbrauwen. 'Sommigen waren een beetje ziek,' antwoordde ik. 'Maar ze voelen zich beter nu.'

'Mijn naam is James Robertson Justice.'

Natuurlijk kende ik de naam en had bij mezelf gedacht dat hij paste bij de gigantische omvang en de kolossale lach. Hij wees naar zijn kleinere, rustigere vriend. 'En dit is Geoffrey Keen.'

We praatten over opera en het maken van films en ik voelde me uitgesproken internationaal. Ik zat op een Grieks schip, op weg naar het Afrikaanse continent te praten met Engelse filmsterren.

Ik lunchte en dineerde alleen, maar voegde me na het avondmaal bij Ned Wright en Bey in de bar. James Robertson Justice was er weer en de drie mannen wisselden verhalen uit. Ze lachten allemaal samen, maar het was niet duidelijk of ze elkaar begrepen. Ned had de neiging te praten, met zijn vingers in de lucht te knippen als een flamencodanser en onderwijl met zijn hoofd te wiebelen. Bey gromde met een bas-baritonstem zonder zijn lippen te bewegen. Justice sprak met alle Engelse accenten, van aristocratisch en middenklasse naar Welsh en Iers, huppelend als een dartel lam in de wei.

Ik liet de mannen luid pratend en lachend achter en liep de gang door. De dokter passeerde me, zijn lippen gezwollen en vol, zijn blik diep en ondoordringbaar.

'Goedenavond,' zei hij.

'Goedenavond,' antwoordde ik en hoopte tevergeefs dat hij zou blijven staan. De purser klopte op mijn deur. Ik opende hem op een kier.

'Mevrouw Angelos, om elf uur lopen we de haven binnen. Dan wordt iedereen verzocht naar de paspoortcontrole te komen. Het zal druk zijn. Ik stel voor dat u na het ontbijt om negen uur naar mij toekomt en dan zorg ik ervoor dat uw paspoort als eerste wordt afgestempeld.'

'Dank u.' Ik bleef de deur vasthouden. 'Dank u wel. Goedenacht.' Ik deed de deur stevig dicht.

Om negen uur de volgende morgen stond hij buiten de eetzaal op me te wachten. Hij pakte mijn elleboog en leidde me naar het bovendek. Een beambte overhandigde mij mijn afgestempelde paspoort en gezondheidsverklaring. De purser leidde me weer weg.

'Nou, mevrouw Angelos, raad ik u aan uw spullen te halen, niet uw bagage, maar uw handtassen en andere dingen die u zelf wilt dragen. Breng ze naar het dek, dan hoeft u niet met de anderen in de rij te staan.' Hij kuste mijn hand en keek me lang aan.

Toen de twee gezelschappen zich verzamelden op het hoofddek en op de trap die naar het tijdelijke douanekantoor liep, stond ik aan de reling naar de kust van Afrika te kijken. Het schip werd de haven ingetrokken door een kleine, krachtige sleepboot.

De zee was prachtig blauw en de hoge, witte gebouwen aan de waterkant logenstraften het oude gezegde dat alle Afrikanen als apen in de bomen woonden. Alexandrië was indrukwekkend.

Ik had al mijn handbagage bij me en was vol verlangen om voet aan Egyptische wal te zetten. Een fototoestel bungelde aan mijn rechterkant, een schoudertas aan mijn linker. Ik droeg mijn mandoline en meneer Julians hart (ik schaamde me te zeer over de manier waarop ik hem had behandeld om het ding weg te gooien) en aan mijn voeten stonden een make-upkoffertje en een kleine doos met boeken.

Toen het schip dichter bij land kwam, werden de straten en details van gebouwen duidelijker zichtbaar in het felle zonlicht en ik stelde me de Afrikanen voor die de huizen en straten hadden ontworpen en aangelegd. Lang en donkerbruin van huid. Trots en knap zoals mijn vader. Zwart als pure chocola zoals mijn broer en sierlijk en licht van bouw. Of gedrongen en gespierd zoals mijn oom Tommy. Zwaar en stevig, met hun heupen zwaaiend als ze liepen, zoals boksers of spoorwegarbeiders. Ik werd zo geboeid door de fantasie dat de mannen het schip aan de kade sjorden voor ik er erg in had.

Afgezien van hun lange gewaden en keppeltjes, leken ze echt op mijn vader, broer en oom en het leken er duizenden te zijn, schreeuwend, roepend en heen en weer over de pier rennend. Vanaf mijn hoge uitkijkpost probeerde ik de verschillen te onderscheiden tussen deze Afrikanen die niet gekocht, verkocht of gestolen waren en mijn volk dat nog steeds een pijnlijke diaspora onderging. Maar ik stond of te ver weg of ze bewogen te snel voor mijn doel. Toch was ik vastbesloten en hield mijn blik op het terrein beneden me gericht.

'Mevrouw Angelos.'

Ik draaide me om en stond oog in oog met de dokter.

'Mevrouw Angelos, wat is uw eerste indruk van het werelddeel waar u vandaan komt?'

Ik bracht mijn gedachten en verlangens in veiligheid en diende hem vinnig van repliek: 'Het is kleurrijk. En rumoerig. En de zon schijnt op Afrika.'

Hij viste twee sigaretten uit een pakje en stak ze tegelijk aan (hij had *Now Voyager* ook gezien en ik vroeg me af hoe vaak hij Paul Henreid al had geïmiteerd). Hij duwde er een tussen mijn lippen.

'Waar logeert u in Alexandrië?'

Ik vertelde hem dat het gezelschap in de Savoy was geboekt.

'Wilt u mij de eer aandoen met mij te dineren? Ze hebben een redelijke eetzaal en u hoeft het hotel niet uit.'

Snel woog ik zijn mond, schouders, heupen en ogen af tegen de kans om op de eerste de beste dag een interessante Egyptische man te ontmoeten. De zee was bijna vierentwintig uur lang kalm geweest, wat inhield dat de jageressen goed in vorm waren, opnieuw de achtervolging in zouden zetten en dat alle beschikbare mannen zeer in trek waren. 'Het zal me een waar genoegen zijn,' antwoordde ik.

Zijn ogen smeulden verrukkelijke beloften; toen probeerde hij een glimlach die detoneerde op het wellustige gezicht. 'Ik heet Geracimos Vlachos. Ik word Maki genoemd. U kunt mij om acht uur verwachten.' Hij boog en kuste me de hand.

Martha zei: 'Je hebt 'm te pakken, jij zedeloos ding. Je

hebt misbruik gemaakt van je zieke zusters en die man gegrepen toen iedereen plat lag. Stervend in het ruim.'

We stonden in rijen bij de reling, klaar om van boord te gaan.

Lillian stootte ons aan. 'Kijk eens naar die mensen. Afrikanen. Mijn God. Nou heb ik pas echt geleefd. Heuse Afrikanen.'

Ethel en Barbara gedroegen zich iets terughoudender, maar ze waren even opgewonden. Onze stemmen evenaarden zowat het volume van het geroep en geschreeuw van de dokwerkers.

Ik zag dat de oudere zangeressen net zo gefascineerd waren als wij. Katherine Ayres, Georgia Burke, Eloise Uggams, Annabella Ross en Rhoda Boggs stonden naar Bob Dustin toegekeerd, maar hun blikken dwaalden steeds af naar de haven en naar de mensen die druk in de weer waren het schip te lossen. Toen ze tussen de langgerokte stuwadoors door liepen op weg naar de bussen, verbreedden hun gewoonlijk gereserveerde glimlach zich tot een vrolijke grijns en ze lieten geldstukken, waarvan ze de waarde niet echt kenden, in de uitgestrekte handen van bedelaars vallen.

In het hotel zetten we onze handbagage weg en renden toen terug naar de foyer om naar de Afrikanen te kijken. Het kostte ons minder dan vijf minuten om erachter te komen dat de piccolo's, kruiers, portiers en hulpkelners zwart, bruin en beige waren en de receptionist, hoofdkelners, barkeepers en directeur van het hotel blank. Voor zover wij konden uitmaken, waren het allemaal Afrikanen, maar de verdeling van banen naar huidkleur ging niet aan ons voorbij. De zoetheid van onze aankomst in Afrika werd erdoor afgezwakt, maar niet helemaal bedorven.

Tenslotte was Gamal Abdel Nasser de president en op iedere foto was te zien dat hij een bruine huid had. Donkerder dan Lena Horne, Billy Daniels en Dorothy Dandridge. Zonder twijfel was hij een van ons.

We gingen in de lounge zitten en bestelden iets te drinken. Ned had zijn cape zwierig om zijn schouders gegooid en Joe Attles had een nieuwe, kleurige sjaal omgeslagen om zijn keel te beschermen.

Ned vroeg: 'Heeft iemand zin om met ons mee te gaan? We gaan het Donkere Continent bekijken en een sfinx mee terugbrengen.'

We lachten allemaal en klapten in onze handen. Bedienden kwamen de lounge ingerend en wachtten buigend. We keken naar hen en naar elkaar. Als we dezelfde kleding hadden gedragen, had niemand kunnen zien dat we geen leden van dezelfde familie waren, toch konden we samen geen gesprek voeren. (Europeanen en blanke Amerikanen zijn niet verbaasd wanneer ze mensen die hun evenbeeld zijn, vreemde talen horen spreken; maar afgezien van een ontmoeting met een paar Afrikaanse studenten in Europa, hadden we nog nooit een grote groep zwarte mensen gezien van wie de cultuur, taal en levenstijl anders waren dan de onze.)

Martha vroeg in het Frans wat ze wensten. Een man antwoordde in het Frans dat hij dacht dat wij iets wensten, toen hij ons hoorde klappen. Die dag leerden wij, alhoewel we ons zo nu en dan vergisten, om niet in onze handen te klappen bij een grap en dat we, als we over de eeuwen heen wilden praten die ons van onze broeders in Egypte scheidden, Frans moesten gebruiken, een mooie taal, maar meer afgestemd op de dunne lippen van Europeanen – hij had niet het ritme van Ned Wrights knippende vingers of van Martha's wiegende heupen. Die wetenschap maakte me wrevelig en ik verontschuldigde mezelf en ging naar mijn kamer.

Het gezelschap kwam samen voor het avondmaal. De grote eetzaal was versierd met palmbomen en stroken papier die van de traagdraaiende ventilatoren aan het plafond omlaag waaierden. De playboys van Alexandrië waren present in hun avondtooi en lieten champagne naar de vrouwen brengen en soms naar een man die bij hen in de smaak viel. Ze stelden zich van tafel tot tafel voor, kusten handen, bogen en boden hun visitekaartjes aan. Een paar vrouwen in laag uitgesneden, satijnen japonnen lonkten naar de zangers; zodra ze de aandacht van een man wisten te vangen, spleten hun rode lippen uiteen in een welkomglimlach een farao waardig. Het was seksueel stimulerend om het object van een dergelijke begeerte te zijn, zelfs al was de begeerte algemeen en het object collectief.

Ik had het zo druk met flirten en observeren van mijn vriendinnen dat ik mijn afspraak met de dokter vergat. Hij doemde uit het niets op en stond voor me.

'Mevrouw Angelos, mag ik mijn nicht en aangetrouwde neef voorstellen? Ze wonen in Alexandrië.'

Ik schudde een lange, aantrekkelijke vrouw en haar korte, dikke man de hand. Maki vroeg of ik bij hen kwam zitten. Toen ik me bij mijn vriendinnen verontschuldigde, trokken ze hun wenkbrauwen op.

We babbelden in een mengsel van Frans en Grieks. De tafels werden afgeruimd en achter in de zaal nam een kleine band plaats. De mannen speelden Griekse en Arabische muziek op instrumenten die ik nooit eerder had gezien. Toen de buikdanseres verscheen, voorzien van kwastjes en lovertjes, barstte ons gezelschap in juichen uit.

'Hee, baby, shake it!' En dat deed ze. Haar heupen sidderden en trilden en haar borsten dreigden uit de krappe satijnen cups te wiegelen. Ze stootte haar bekken zo hard naar voren dat ze tot voorzichtigheid moest worden gemaand: 'Gooi 't, maar gooi 't niet weg, baby.' Haar huid was lichtbruin en haar haar steil en we waren allemaal stomverbaasd; geen van de blanke vrouwen die we ooit hadden gezien, kon zo dansen.

'Shake it, maar breek 't niet.'

'Het moet wel gelei zijn want jam schudt zo niet.'

Naderhand speelde het orkestje populaire dansmuziek en Maki vroeg me ten dans. Hij hield me dicht tegen zich aan en fluisterde zwaar geaccentueerde woorden. Ik deed alsof ik luisterde, maar eigenlijk keek ik de dansvloer rond naar mijn vriendinnen. Hoe druk die het ook hadden met hun eigen geflirt, ze hielden mij in het vizier. Ik had me te lang voorgedaan als mejuffrouw Kwezel en ik zou hen niet ontglippen zonder dat ze mijn zondeval aan een grondige inspectie hadden onderworpen. Eendracht en vriendschap zijn geruststellend wanneer je er behoefte aan hebt, maar soms kan het ontaarden in een opdringerige en bemoeizieke inbreuk.

Ik vroeg Maki of we ergens anders naar toe konden gaan om te dansen. Hij zei dat hij zijn familieleden thuis af zou zetten, dan konden we naar zijn hotel gaan. 'Er is daar een accordeonist die gespecialiseerd is in romantische, Griekse liedjes. Die wil ik je graag laten horen.'

Onmiddellijk werd het mijn levensdoel om in Maki's armen te liggen, buiten het bereik van de kritische blikken van mijn collega's. Ik zei hem dat hij voor het hotel op mij moest wachten. Ik schudde hem en zijn verwanten de hand en ze stonden op om te vertrekken.

Iemand aan het tafeltje vroeg: 'Laat je hem schieten, Maya?'

Ik antwoordde dat ik naar bed ging – ik had hoofd-pijn gekregen van al de herrie. Ze keken me verbijsterd na.

Maki had een taxi klaar staan en nadat we zijn ver-wanten, in de buurt van mijn hotel, thuis hadden afge-zet, reden we in stilte ogenschijnlijk urenlang verder. Ten slotte ging hij me voor een armzalig pensionnetje in, dat goed in een achterbuurt van San Francisco had kunnen staan. Een ongeschoren receptionist gaf Maki een sleu-tel, die zei: 'Dat was ik vergeten. De accordeonist heeft vanavond vrij. Maar laten we naar mijn kamer gaan. Ik zal voor je zingen.'

Ik overwoog de mogelijkheden. Ik wist niet waar ik was. Ik sprak de taal niet. Ik voelde me tot hem aange-trokken. Ik was niet getrouwd en ik was niemand on-trouw, want ik had geen minnaar. Hij zou me geen pijn doen – per slot van rekening was hij een dokter met de eed van Hippocrates en zo.

Ik volgde hem naar zijn kamer en zijn liederen waren glorieus. De volgende ochtend vroeg zei hij dat we maar een paar straten van mijn hotel af waren en dat hij een taxi zou roepen, mij afzetten en zelf naar zijn schip terug-keren. Ik zei dat ik wilde lopen en de stad bekijken. De lichtzinnige nacht was voorbij en ik had ervan genoten. Maar nu moest ik grootse gedachten overdenken over mijzelf, Afrika, de slavernij en de islam; ik wilde geen blanke man naast me hebben – in feite wilde ik door nie-mand worden afgeleid.

Maki liet me niet graag alleen gaan. Ik zei: 'Het is al licht. En bovendien ben ik thuis.'

'Je kent dit land niet, Maya.'

'Ik ben uit dit land afkomstig. Ik keer alleen maar te-rug naar huis.'

Hij zei dat we elkaar over twee weken weer zouden zien, aangezien zijn schip ons op zou komen halen in Alexandrië na de serie voorstellingen die we in de Opera van Cairo zouden geven. Hij vertelde me dat hij van me hield; hij was getrouwd, maar zou gaan scheiden en met mij meegaan naar de Verenigde Staten; artsen verdienden goed in de Verenigde Staten en het was moeilijk een visum te krijgen, maar als hij met een Amerikaanse was getrouwd...

Ik wandelde de prachtige morgen in en worstelde met een bittere gedachte. Hetzelfde land dat negers op eigen bodem gelijkheid ontzegde, voorzag hen van papieren die hen in het buitenland geliefd maakten. Meneer Julian en Maki in mijn geval en honderden andere Europese mannen en vrouwen die aan de jaspanden hingen van zwarte militairen, zangers en musici, zouden hen waarschijnlijk heel wat minder interessant hebben gevonden als ze West-Indisch of Afrikaans waren geweest, maar omdat ze afkomstig waren uit 'Gods eigen land', de 'bakermat van de democratie' en de welvarendste natie ter wereld, waren mannen bereid hun vrouwen in de steek te laten en vrouwen hun mannen om het land van overvloed binnen te komen. De hebzucht maakt deugd kreupel en ligt op de loer voor eerlijkheid.

Mijn voetstappen verstoorden een groepje mensen dat in smerige lompen gehuld in een portiek bij elkaar gekropen was. Twee kleine, bruine kinderen werden als eersten wakker; ze stompten en tastten in de baal kleren tot het hoofd van een man verscheen. Toen hij me zag, begon hij te bulken en een vrouw ging rechtop zitten. Ik stond als aan de grond genageld te kijken naar het tafereel dat zich voor mijn ogen ontvouwde. De twee kinderen kwamen samen met twee nog kleinere dreumessen op me af, de moeder en de vader volgden hen, de vodden waar ze onder hadden gelegen met zich meeslepend. Ze omringden mij met uitgestrekte handen. De man en de vrouw knepen hun vingers samen en brachten die met stotende bewegingen naar hun mond, toen stompten ze met samengebalde handen naar hun maag. Ze hadden honger, maar ik wist niet zeker of het wel veilig was om mijn tas open te maken. Stel dat ze die van mij weggritsten, wat zou ik dan kunnen doen?

Mijn dadeloosheid riep om drama van de volwassenen. De moeder greep het kleinste jongetje beet en klemde hem tussen haar knieën met zijn gezicht naar mij toe. De vader pakte ruw de kin van het kind en trok die van zijn borst weg. In het milde ochtendlicht keek ik in het gezichtje van de baby. Het was beige met erboven stoffig, zwart haar en als een leeggegeten bord gespeend van inhoud, afgezien van een dikke, witte substantie die uit de gesloten oogjes sijpelde en langzaam langs de wangen omlaag gleed. De ouders hielden het hoofd van het jongetje naar mij omhoog alsof ik de kwaal had veroorzaakt, alsof ik de ogen met een spijker had uitgestoken en nu voor mijn daad moest boeten.

Ik viste mijn voorschot uit mijn tas en pelde er een biljet af. Toen ik het aan het kind wilde geven, graaide de man het weg en de vrouw gooide het kind achter haar smoezelige rokken en greep een andere jongen. Ze lieten me zijn geamputeerde arm zien. Het stompje zag er even blind en absoluut uit als de zieke ogen. Ik gaf ze nog een biljet. Toen ze het hele gezin begonnen op te stellen, zei ik in het Frans: 'Ik heb geen geld meer' en draaide me om en liep naar mijn hotel.

Ze volgden me, naast me en achter me aan rennend. Ik zette er de pas in en de man holde voor me uit, hard pratend, gebarend, roepend alsof ik ze zojuist uit hun huis had gezet.

Hun kabaal wekte andere bedelaars die een slaapplaats hadden gevonden in portieken, op veranda's en naast gebouwen zonder dak. Hun smeekbeden, luid en kakofonisch, liepen in elkaar over; de volwassenen huilden en duwden mij kreupele kinderen voor de voeten, de vuile kleren scheurend om mij de omvang van de gruwelen te tonen.

Egypte had zich tweeduizend jaar lang voortgesleept onder het juk van imperialisme en kolonialisme en was ten slotte in 1953 een echt onafhankelijke republiek geworden. Maar het succes van het bereiken van de autonomie had tot dan toe geen effect gehad op het leven van de armen. Er moest nog veel gebeuren. Ik was me daarvan bewust en de journalisten van de plaatselijke kranten ook. Ik had tijdschriftartikelen gelezen waarin de ernst van de nationale problemen werd geanalyseerd en ik was erdoor geraakt. Maar medeleven verminderde mijn schuldgevoel niet. Ik was gezond en, vergeleken met de horde bedelaars, rijk. Ik was jong, getalenteerd en of ik er in het openbaar nu wel of niet prat opging, een Amerikaanse.

De meute volgde me tot bij het hotel waar een grote, geüniformeerde portier me in het oog kreeg. Hij rende me halverwege de straat tegemoet. Toen begon hij te schreeuwen en naar de bedelende mensen te slaan. Zo nu en dan troffen zijn zware vuisten doel en klonken er doffe klappen van vlees dat bot, of bot dat bot raakte. Ik riep tegen de man dat hij op moest houden, maar hij bleef wild met zijn vuisten en armen maaien tot de bedelaars op de vlucht sloegen, terwijl hun flarden van kleren als vuile rook achter hen aanzweefden.

'Geeft niets, Mademoiselle, geeft niets.' Zijn kalmte was zo volledig dat het leek alsof die nooit verstoord was geweest. Mijn vader was tijdens de crisisjaren portier geweest in Long Beach, Californië. Ik vroeg me af of hij ooit bedelaars en zwervers voor de deur weg had moeten jagen. Waren die zwart geweest? Had hij niet meer gevoeld dan de portier van het Savoyhotel voor zijn Egyptische landgenoten voelde?

Martha zat in de foyer toen ik binnenkwam. Ze droeg nog dezelfde jurk als die ze de avond tevoren had aangehad. Het was niet te zien of ze net voor mij was teruggekeerd of dat ze de hele nacht in dezelfde stoel had doorgebracht.

'Goeiemorgen, juffrouw Ding. Heeft de eerste nacht in Afrika je van je hoofdpijn afgeholpen?'

Ik zei haar dat ze de boom in kon en ging naar bed.

24

We bleven twee dagen in Alexandrië voordat we doorreisden naar Cairo, maar ik weigerde het hotel te verlaten en gaf geen verklaring voor mijn afzondering. Mijn hechte vriendinnen dachten dat ik verliefd was geworden op de dokter en ik aanvaardde hun geplaag zonder commentaar.

We werden per bus naar Cairo vervoerd waar we een andere wereld binnenstapten. Meer zwarthuidige mensen bekleedden gezaghebbende posities. De receptionist in het Continentalhotel had de kleur van kaneel; de directeur was beige, maar had strak kroezend haar. De vrouw die de leiding van het theater had, was klein en energiek en met haar teint had ze nooit voor blank door kunnen gaan.

Bedelaars achtervolgden ons nog steeds en het publiek dat 'Bravo' riep na ons optreden, was grotendeels Europees, maar ik had het gevoel dat ik eindelijk in Afrika was – een werelddeel dat momenteel wankelde, maar bezig was te verrijzen, verlost van de last van het kolonialisme waaronder het generaties lang gebukt was gegaan.

We bezichtigden de stad en trokken en masse naar de piramides. We maakten een ritje op een kameel en lieten ons staande voor de sfinx fotograferen, maar het lukte me niet mijn verlangen om het hele land in te ademen te stillen.

Ik ging in mijn eentje terug naar de piramides. Ik gebruikte de paar woorden Arabisch die ik had opgepikt, om de kamelendrijvers en gidsen te kennen te geven dat ik alleen wilde zijn. Ik trok mijn schoenen uit en begroef mijn tenen in het hete zand.

> *Go down Moses, way down in Egypt land,*
> *Tell old Pharaoh to let my people go.*

De tombe van een farao rees boven mijn hoofd uit en ik huiverde. Israëlieten, Nubiërs en slaven uit Carthago en Mesopotamië hadden hem gebouwd, zwetend, bloedend en uiteindelijk stervend voor de enorme steenhoop die in de twintigste eeuw niet meer zou zijn dan een focus voor toeristencamera's.

Mijn grootmoeder had tot een geheim, zwart-Amerikaans vrouwengenootschap behoord en mijn moeder en vader waren allebei actief lid van de vrijmetselaarsorde en de Ster van het Oosten. De symbolen van de ordes, die ik verstopt vond in linnenkasten en nachtkastjes, waren tekeningen van de piramides van Gizeh of de tombe van Cheops.

Ik probeerde een gebed te bedenken, of tenminste een paar dramatische woorden, om voor de geesten van mijn langgestorven voorouders op te zeggen. Maar er wilde niets geschikts bij me opkomen. Toen de zon onverdraaglijk werd, nam ik een taxi terug naar de stad.

Noord-Afrika stemde me tot nadenken. Andere leden van de bezetting hadden vergelijkbare reacties op de Eyptische ervaring.

Ethel en Martha werden uitgenodigd op een privéfeest en ze vroegen Lillian en mij om mee te gaan. Een welgestelde Arabier kwam naar het hotel en toen hij zag dat de oorspronkelijke uitnodiging zich had uitgebreid tot vier vrouwen, liet hij een tweede rijtuig komen. We werden naar een grote, verlichte villa in Heliopolis gereden, maar toen we uit de koetsjes wilden klimmen, hield hij ons tegen en riep naar twee mannen die bij de brede, smeedijzeren hekken stonden. Ze kwamen buigend uit de schaduw naar voren, hun voorhoofd en borst aanrakend als figuranten in een slechte Hollywoodfilm. Ze waren zo zwart als de invallende duisternis.

De gastheer zei: 'Ik verbied u te lopen. Deze bedienden zullen u dragen.' Hij stapte opzij toen een van de mannen met uitgestrekte armen naar het koetsje toekwam.

Lillian zei: 'Maya, laat jij je maar dragen. Ik loop wel.'

Ik zei: 'Nee. Uh, uh. Ik loop wel met je mee.'

Martha riep vanuit het andere rijtuig: 'Heb je ooit zoiets stuitends gehoord? M'n beste man, ze hebben juffrouw Mooi nog nooit naar een feestje hoeven dragen. Kom op, Ethel, we gaan lopen.'

We stapten naar buiten in de modder die over de randen van onze schoenen blubberde en liepen door alsof het de gewoonste zaak van de wereld was.

We sloegen het aanbod om de zwarte huisknechten onze voeten te laten schoonmaken af, maar namen de handdoeken aan en veegden zelf de modder af, onderwijl enthousiast babbelend over de prachtige villa en de schitterende inrichting.

De gastheer en andere gasten waren geschokt door onze weigering om bediend te worden, omdat ze zich niet realiseerden dat veilingblokken en geselpalen in onze geschiedenis zo recent waren dat we ons niet op ons gemak konden voelen in de buurt van slaafs personeel. Het feest was een flop, ondanks de overvloedige champagne en het brosse gelach, waarschijnlijk omdat we onze ogen niet af konden houden van de zwarte mannen die als barrevoetse wachters, gekleed in oude djallaba's en met een onderdanige glimlach op hun knappe gezichten, bij iedere deur stonden.

Toen we naar de deur liepen om te vertrekken, kwamen we tot de ontdekking dat er planken over het natte pad naar de oprijlaan waren gelegd. Er was maar één rijtuig en we kregen te horen dat onze begeleider zijn andere gasten niet alleen kon laten, maar dat de koetsier ons veilig in ons hotel zou afleveren.

Wij waren voor dit gezelschap kennelijk een tikje al te democratisch en zij te feodaal voor ons.

In de lift van het hotel hing een bordje waarop stond:

Défrisage
MONSIEUR PIERRE
Afspraken worden gemaakt aan de balie

Martha, Ethel, Gloria en ik besloten ons haar te laten ontkroezen met chemicaliën en althans voor een poosje verlost te zijn van de zware, ijzeren kammen die verhit werden boven blikjes stearine die een stank verspreidden in onze hotelkamers.

We zaten naast elkaar in een luxueuze schoonheidssalon en kregen kopjes hete, zoete, zwarte koffie van een jongen op blote voeten. Het was Monsieur aan te zien dat hij Frans was; hij stak zijn lippen pruilend naar voren, rolde met zijn ogen en liet zijn lange, dunne vingers een pantomime dansen. Martha en Ethel werden als eersten ingezeept; vervolgens moest ik in een hokje plaatsnemen. Toen de assistente groen schuim op mijn haar smeerde, druppelde het tot op mijn schedel waar het begon te bijten. Ik deed mijn best stil te blijven zitten en niets te zeggen – tenslotte ondergingen mijn vriendinnen zonder commentaar dezelfde behandeling – maar toen mijn hele hoofd heftig begon te branden, schreeuwde ik: 'Haal 't eruit, haal dat spul uit mijn haar!'

'*Qu'est-ce que vous dites?*' Monsieur kwam aangesneld en schoof de assistente opzij.

Ik gilde: 'Haal die rotzooi uit mijn haar.'

Ethel zei vanuit het volgende hokje: 'Ooh, Maya, wees toch niet zo'n huilebalk.'

Ik draaide de kraan open en duwde mijn hoofd eronder. 'Ik verbrand.'

Aangespoord door mijn kreten, spoelde de kapper haastig de chemicaliën eruit. Mijn haar was nog nat toen ik boos de straat opbeende, achtervolgd door het gegniffel van mijn vriendinnen.

Die avond was Gloria's haar zo steil en licht dat het rond haar hoofd heen vloog telkens als ze zich bewoog. Ethel, Martha en de andere zangeressen die het proces hadden ondergaan, hoefden hun hoofden maar te schudden en hun haar sprong op en neer en opzij met een soepele gladheid.

Er ging een week voorbij en toen begon het haar dat zo los had gezwierd, helemaal los te laten van de hoofden van de vrouwen. Eerst verschenen er kale plekken op hun schedels ter grootte van een muntstuk, die plekken werden groter totdat ze niet langer konden worden toegedekt door het haar bedreven van de ene naar de andere kant van het hoofd te kammen, te plakken en te spelden.

Een paar weken later schreef mijn moeder aan mij: 'Ik heb in de rubriek van Dorothy Kilgallen gelezen dat alle jonge vrouwen in *Porgy & Bess* pruiken dragen. Wat is er in vredesnaam met je haar gebeurd?' Ik deed mijn best om niet te lachen en stuurde mijn moeder een foto uit een automaat. Ik keek in de lens en trok met beide handen aan mijn gezond kroezende haar.

Het viel niet te ontkennen dat Egypte op alle leden van de groep indruk maakte. Irving Barnes, zijn vrouw en achtjarige dochtertje, Gail, brachten hele dagen door in museums en kunstgaleries. Het kind dat zich volwassen airtjes had aangemeten en met haar nietige heupjes wiegde, in een poging het geparadeer van een uitdagende Bess te imiteren, werd weer een klein meisje, gefascineerd door het Afrikaanse speelgoed.

Paul Harris vergat voor een poosje dat hij zo buitengewoon knap was en liet zijn opgeblazen ego uit zichzelf leeglopen. Hij nam twee jonge bedelaartjes onder zijn hoede en zij hingen bij de artiesteningang en voor het hotel rond tot hij naar buitenkwam. Hij kocht kleren en schoenen voor de straatjongens en nam ze mee naar restaurants voor buikbollende maaltijden.

Earl Jackson, onze door de wol geverfde Sportin' Life, onderging de opmerkelijkste persoonsverandering. De kleurrijke vloeken die hij eerder in de mond had genomen om de academisch geschoolde en correcte zangers te choqueren, verving hij nu door vriendelijke, met zachte stem uitgesproken woorden. Zijn romantische voorkeur voor de plaatselijke meisjes van plezier verschoof en richtte zich op de nuffige sopraan van de groep. Je kon hem achter de coulissen zachtjes zien praten met Helen Thigpen, of een stoel zien zoeken voor juffrouw Thigpen in de hotelfoyer, of zich zien haasten om als eerste in de bus te zijn zodat hij een plaatsje aan het raam voor de rustige, gereserveerde zangeres vrij kon houden. Hij was zich ten overstaan van de hele wereld gaan gedragen als een man die verliefd was. En Helen Thigpen, die alleen opgewonden werd van recitals en haar eigen repertoire, bloeide op onder die aandacht.

Onmiskenbaar veranderd gingen we uit Egypte weg. De blootstelling aan extreme rijkdom en afgrijselijke armoede dwong de lichtzinnigen zich beter te beraden en spoorde de gematigden aan te genieten van wat ze als vanzelfsprekend hadden beschouwd.

Reproducties van de sfinx en de piramides werden ingepakt, samen met zes centimeter hoge bustes van Nefertiti en kleine, pluchen kameeltjes. Ned had een besneden wandelstok aangeschaft, die hij de volgende zes maanden bij de hand hield en Bey een rode fez met een kwastje eraan, die hem er samen met de gigantische congatrommel, die hij geen moment uit het oog verloor, deed uitzien als een Soedanese muzikant op pelgrimstocht naar Mekka.

We gingen aan boord van ons Griekse schip in Alexandrië en werden door de kapitein welkom geheten. Maki glimlachte toen hij me zag, maar de purser fronste nors en kwaad zijn wenkbrauwen. Hij kwam een minuut nadat ik binnen was naar mijn hut.

'Mevrouw Angelos.' Zijn stem klonk streng en beschuldigend.

'Ja?'

'Waarom hebt u tegen mij gelogen?'

'Wat zegt u? Ik heb tegen niemand gelogen.' Ik vertelde soms niet de waarheid, maar aperte leugens gingen me te ver.

'U zei toch dat u weduwe was?'

'Wanneer heb ik dat gezegd?'

'Ik heb u gevraagd hoe u Grieks had geleerd en u zei dat u het van uw gestorven man had geleerd.' Hij wees met zijn vinger naar mij alsof hij mij had betrapt toen ik het goud uit zijn mond wilde stelen.

'Ik heb u gezegd dat mijn man een Griek was.'

'Precies.' Zijn glimlach was kwaadaardig van voldoening. 'Dus hij is dood?'

'Nee. Ik bedoelde dat hij mijn man was.'

'Maar dan leeft hij nog?' Verwarring en teleurstelling veranderden zijn gelaatsuitdrukking.

'Zeer zeker.'

'Waarom hebt u dan gezegd dat hij Grieks was? Iemand die Grieks is, blijft Grieks tot de dag dat hij sterft.'

Daar dacht ik over na en ik dacht ook na over mijn echtgenoot die me had willen opsluiten in de rol van het deemoedige vrouwtje die hij geschikt achtte voor echtgenoten.

'Ja. U hebt gelijk. Hij is een Griek en zal een Griek zijn tot de dag dat hij sterft.' Ik wilde me verontschuldigen bij de purser voor het misverstand, maar kon mezelf er niet toe brengen hem om vergeving te vragen.

'Houdt Valchos nou van u?'

Mijn God, en dan beweren mannen dat vrouwen roddelen. 'Dat weet ik niet. Ik ken hem nauwelijks.'

De frons kwam terug in zijn zware wenkbrauwen. 'Hij zei dat u hem mee naar de Verenigde Staten zou nemen...'

Lillian klopte op de deur. 'Hee, Maya, ga je mee iets drinken?'

Ik opende de deur en de purser maakte een lichte buiging voor Lillian, zette zijn pet op en verliet de hut.

'Meisje, jij laat er ook geen gras over groeien, hè? Nou ze zeggen dat er niets boven het heden gaat.' Ze lachte.

Ik besefte dat het geen zin had om de scène uit te leggen en ik besefte ook dat, zelfs al week ik geen haarbreedte van haar zij, het hele gezelschap nog voor het avondeten van het voorval op de hoogte zou zijn.

'Bedankt, maar ik blijf hier wachten. De dokter zal zo wel komen en ik heb nog een paar appeltjes met hem te schillen.'

Ze blies lucht uit haar wangen. 'Poe. Jij bent een drukbezette dame.' Ze trok de deur met een grijns langzaam dicht.

Maki kwam naar de hut met een verwilderde blik in zijn ogen. 'Maya, ik heb alles aan mijn vrouw verteld.' Hij greep naar me.

'Wacht eens even,' zei ik en duwde hem weg. 'Luister eens, ik ken je niet. Jij kent mij niet.'

'Maar ik hou van je. Ik wil met je trouwen. Ik ga met je mee naar de Verenigde Staten.'

'Nee, dat doe je niet.' Ik deed de deur open. 'Je bent heus wel aardig. Denk ik. Maar ik ga met niemand trouwen. En zeker niet met een Griek.'

'Maar ik ben verliefd op je.'

'Echt? Zouden we in Griekenland kunnen gaan wonen als je met me bent getrouwd?'

'Je begrijpt het niet. Griekenland is een arm land. In Amerika zou ik geld kunnen verdienen en...'

'Meneer, ik raad je aan de vrouw te houden die je hebt.' Ik liep de gang in en hield de deur met mijn voet open. 'Ik denk dat je beter kunt gaan.'

Hij zette zijn pet op en stapte de kamer uit. Zijn gezicht stond mismoedig en hij wilde iets zeggen, maar Martha kwam langsgelopen.

'Goeiemorgen, dokter. Goeimorgen, juffrouw Ding. Nog steeds in de weer, hè?'

Ik riep haar na: 'Wacht even, Mart. Ik ga met je mee naar boven.'

Afgezien van wat ik was gaan zien als een redelijke hoeveelheid geplaag, verliep de rest van de overtocht onbewogen.

25

De opera werd goed ontvangen in Athene. We namen foto's van elkaar op de Akropolis en dronken 's avonds laat retsina in kleine cafeetjes. Ik ontliep Maki in de hotelfoyer en verscheurde de brieven die hij me stuurde, ongeopend.

Het was mogelijk dat ik me vergiste. Het zou kunnen dat hij me echt aardig vond. Maar ik wist dat ik nooit meer zou trouwen en evenmin wilde ik dat er door mij een huwelijk kapotging. Ik kon niet nog een keer met een niet-zwarte bij mijn zoon en familie aankomen (hoewel mijn moeder deze misschien met meer enthousiasme zou hebben ontvangen, omdat hij in ieder geval een arts was). Maar wat een huwelijk onmogelijk maakte was het feit dat ik het nog beschamend zou hebben gevonden zelfs al had ik van de man gehouden (wat niet het geval was). Hoe goed en hoe trouw hij ook zou zijn, het idee zou er niet door worden uitgewist dat ik een partner had gekocht met papieren die mij weinig persoonlijke bevrediging gaven: het Amerikaans staatsburgerschap.

We vlogen van Athene naar Tel Aviv. De felle zon die ons zo beviel in Egypte, scheen ook op Israël. De palmbomen, het witte zand en de tropische bloemen waren identiek, maar de straten waren schoongespoeld en bedelaars volledig afwezig. We werden afgehaald door Engelssprekende fans die om onze afzonderlijke namen geloot schenen te hebben en onmiddellijk onze metgezellen en gidsen werden.

De zeer gelovigen van ons gezelschap bezochten Jeruzalem, de Klaagmuur, de Olijfberg en de Dode Zee. De rest vond het voldoende om flesjes met zand uit het Heilige Land en agaatkralen in de souvenirwinkeltjes te kopen.

Lionel Hamptons band had net een engagement beëindigd in Tel Aviv en we ontmoetten elkaar op een feest dat werd gegeven door de Amerikaanse ambassade en de Israëlische regering. Het *Porgy & Bess*-gezelschap had in maanden niet zo'n verzameling Amerikaanse negers bij elkaar gezien. We stortten ons op de muzikanten alsof het schalen zwartoogerwten waren.

In de Verenigde Staten – of wat dat betreft, waar dan ook – zouden jazzmusici en operazangers weinig gemeenschappelijke gespreksonderwerpen hebben gevonden. Hun vocabulaires stemmen niet overeen en zelfs hun benadering van de gewone toonladders is zo verschillend als even en oneven. Maar op het buitenlandse, officiële welkomstfeest waren we onmiskenbaar bloedverwanten.

Helen Ferguson praatte met een reusachtige baritonsaxofonist. Hij boog zich dubbel om naar haar te luisteren. Lillian en Ethel lachten met de hypernerveuze drummer, die zijn woorden over en langs een dot kauwgom duwde.

Gloria Davy en Delores Swan luisterden aandachtig naar de gepunteerde opmerkingen van Hamp: 'Ja, ja. Ha, ha. Ja. Geweldig. Ja. Geweldig. Ha, ha.'

Joe Jones en Merritt vertelden verhalen aan de koperblazers. Ik had zelf mijn oog op Sonny Parker laten vallen, de zanger van de band. We kenden elkaar wel oppervlakkig, maar naar mijn zin niet goed genoeg.

'Sonny, wie had er nou gedacht dat we elkaar in Israël zouden tegenkomen?' Ik knipperde met mijn wimpers en probeerde over te brengen dat ik overal blij zou zijn hem te zien.

'Ja, baby. Zo gaat 't in het leven, hè? Ja, zo is 't leven. Hee, Maya, wie is die knappe griet?'

Ik antwoordde: 'Barbara Ann Webb,' maar was te geëergerd om erbij te vertellen dat ze zo verliefd was op haar man dat ze, wanneer haar werd gevraagd wat ze van het weer vond, reageerde met: 'Richard zegt...'

Ik liet Sonny staan en wandelde rond, mezelf neste-lend in de klanken en me verlustigend aan de smakelijke kleuren van mijn volk.

Ik ontmoette Arik Lavy die hetzelfde geelbruine haar en de luidkeelse lach had als Victor Di Suvero. Hij stelde zichzelf en zijn vriendin voor en vertelde dat ze allebei sa-bra's, geboren Israëli's, waren. Iedere avond in Tel Aviv kwamen we na de voorstelling bij elkaar op een terrasje. De sabra's leerden me Hebreeuwse volksliederen en ik zong spirituals voor hen, steeds in gedachten houdend dat de echte rivier de Jordaan maar een paar kilometer verderop was en dat mijn publiek bestond uit de Israëlie-ten, waar mijn teksten over gingen.

Ik trof een regeling met een danslerares om drie we-ken lang lessen te geven in modern ballet en Afrikaanse dans in ruil voor lessen in Midden-Oosterse dansen.

We stapten op het vliegtuig naar Marokko om er een concert te geven en vervolgens door te gaan naar Spanje. Ik was neerslachtig over het vertrek uit Tel Aviv. Ik had me emotioneel met Egypte verbonden gevoeld, maar identificeerde me intellectueel met Israël. De joden wa-ren bezig een land te ontginnen dat zijn aarde eeuwen geleden aan de meedogenloze zon had overgegeven. Ze deden me denken aan de verhalen op de middelbare school over pioniersgezinnen in huifkarren. Mijn gedachten gingen net zo min uit naar de verdreven Palestijnen in de woestijn als naar de indianen wier leven was verstikt door de trektocht van de blanken over de Amerikaanse prairies.

In Barcelona waren we moe. Te veel vliegtuigen, hotelkamers en maaltijden in restaurants eisten hun tol van de vitaliteit van het gezelschap. Maar voor de Spanjaarden was de mate van uitputting die de zangers ervoeren, niet te zien. Jaren van training schraagden de kwaliteit van hun optreden en een genegenheid die aan verwantschap grensde, beperkte de uitbarstingen van chagrijn dat bij ons allemaal dicht aan de oppervlakte zat.

We reisden naar Lausanne in Zwitserland, traden op, vertrokken weer en associeerden de witte en ijzig mooie stad met slechts nog een halte die van onze lijst kon worden weggestreept. Onze interesses verengden zich tot onbeduidende, kleine zorgjes en de steden en landen begonnen in elkaar over te vloeien.

Genua was schilderachtig met zijn nauwe straten en zeelui – maar waren truien niet goedkoper in Napels? Florence bezat beelden van Michelangelo en de Ponte Vecchio, maar waarom waren de kleren niet echt schoon als ze van de stomerij terugkwamen?

In Marseille deden Gloria Davy en ik een poging onszelf op te beuren. We waren maar twee dagen na elkaar jarig en we besloten onszelf te trakteren. We kochten een lunchpakket en namen een bootje naar het Chateau d'If. Het bleek een kerker te zijn in de rotsen ingebouwd, vanwaar, zo hoorden we, niemand ooit was ontsnapt, behalve de fictionele graaf van Monte Christo. De gids wilde ons laten zien waar de gevangenen vastgeketend aan de muren hadden gezeten. Wij weigerden en bleven treurig naar het vasteland staan turen, terwijl de andere toeristen bukten en achter elkaar door de smalle, lage opening marcheerden. Ik vertelde het verhaal niet aan mijn vriendinnen omdat ik wist dat ze te slecht gehumeurd waren om weer een bitter relaas aan te horen.

Toen we in Turijn aankwamen, was het gezelschap een morsig zootje. De vrolijkheid was uit ons repertoire weggelekt en we fabriceerden vreugde op het toneel. Somber en stilzwijgend gingen we afzonderlijk naar onze hotelkamers.

Helen Thigpen kondigde aan dat ze een verjaardagsfeestje zou geven voor Earl Jackson en dat iedereen was uitgenodigd. Deze mededeling ontstak de eerste vlam van gemeenschappelijke belangstelling die ik in maanden had gezien. We hadden allemaal opgemerkt dat Helen en Earl onafscheidelijk waren geworden en wat karaktertrekken van elkaar hadden overgenomen. Hij was meer beheerst geworden en zijn sluwe gehop had plaatsgemaakt voor een rechtere houding, terwijl haar koelheid was ontdooid en ze vaker lachte.

Lillian en ik wedden met Martha en Ethel dat de minnaars hun verloving op het feest bekend zouden maken. Ned, die weigerde zich bij een van de twee kampen aan te sluiten, beheerde de pot.

Helen had de bovenste verdieping afgehuurd van een restaurant vlakbij het hotel. Op ieder tafeltje stond een fles dure whiskey en kelners, die speciaal aan ons gezelschap waren toegewezen, brachten eten en wijn rond. Ik zat bij Martha en Ethel en haar moeder die zojuist was aangekomen om een maand met haar dochter door te brengen.

Het feest begon als elk feest; aanvankelijk koel en on-bewogen, maar naarmate de consumptie van eten en drank steeg, steeg ook het feestgedruis. Joy ging achter de piano zitten en Leslie Scott stond op en bracht met warme stem 'Blue Moon'. We klapten uitbundig. La-verne Hutchinson zong, ongevraagd, een ander senti-menteel liedje om Leslie de loef af te steken. Martha, die niet minder gestaag dronk dan wij allemaal, gaf toe aan de verzoeken en vereerde ons met een a capella gezongen lied. Toen ze klaar was, nam een andere zanger haar plaats in. Tussen de liedjes door praatten we. Mensen die wekenlang met moeite een glimlach hadden weten op te brengen, wisselden plotseling oude verhalen uit en deel-den samen de hilarische momenten. Er was dringend be-hoefte geweest aan dit feest.

Rhoda Boggs werd met haar één meter zeventig en bijna tweehonderd pond 'een van de grote vrouwen van het gezelschap' genoemd. Bij alle formele gelegenheden droeg ze een korte minkcape, hoeden waarop grote, zij-den rozen trilden en poppenschoenen waarvan de band-jes diep in haar enkels sneden. Ze had de lyrische stem en het artistieke temperament van bijna alle klassieke sopranen. Toen het feest op zijn hoogtepunt was, klem-de Rhoda haar cape tegen haar omvangrijke boezem en stak het dansvloertje over om verhalen uit te gaan wisse-len met vrienden aan een ander tafeltje. Tegelijkertijd liep de magere, kwajongensachtige en kalende Billy Johnson dwars door de kleine ruimte op weg naar een andere bestemming. Halverwege botsten ze tegen elkaar op. Rhoda wankelde onder de schok, terwijl Billy bijna viel door de klap. Rhoda herstelde zich als eerste. Ze keek op de tweede dirigent neer alsof hij een straatjochie was die hindernissen in de weg legde van haar optocht.

Ze stevende op het dichtstbijzijnde tafeltje af.

'Heb je hem gezien? Zag je dat?' Haar verbolgen stem klonk als een boos bespeelde fluit. 'Zag je dat hij Rhoda Boggs sloeg?' Snel maar elegant liep ze naar het volgende tafeltje. 'Zag je dat hij Rhoda Boggs zowaar een klap gaf? Oh, lieve deugd.' Ze klopte zich op haar borst en zong een beetje kwaadaardig: 'Waar woont hij? Oh, waar is zijn huis?' Verontwaardigd ging ze van tafel tot tafel, terwijl de rozen op haar hoed wild hun bevestiging knikten over deze belediging.

Billy Johnson stond nog steeds verbaasd midden op de dansvloer te kijken toen Earl Jackson naderbij kwam. Rhoda had haar nieuws overgebracht aan de gastheer en -vrouw en hoewel Earl onder Helens invloed wel zachter was geworden, kon je toch niet zeggen dat hij was gerijpt.

Hij pakte Billy bij zijn revers en schudde hem uit zijn verdwazing. 'Hoe haal je het, verdomme, in je hoofd om die vrouw te slaan? Wil je soms leuk zijn?' Zijn stem galmde door de zaal tot waar Rhoda zich met haar hoed koelte stond toe te wuiven. 'Dit is mijn feest, klootzak die je bent.'

En toen duwde hij Billy weg met zijn linkerhand en gaf hem een oorveeg met zijn rechter. Bij de harde klap sprongen we allemaal overeind, maar Billy Johnson tolde rond en dook achterwaarts tegen het glanzend geboende hout. Alle bewegingen en geluiden vielen een seconde lang stil en we hoorden Billy met zijn duidelijke Oklahoma-accent temen: 'Dat is de eerste keer dat een man mij echt heeft geslagen.'

Het moment duurde maar zo kort dat er geen tijd was om te beslissen of zijn woorden als klacht of als compliment waren bedoeld. Sommigen van de aanwezigen lachten uit nervositeit, anderen omdat het een komisch tafereel was en een paar sloegen haastig de laatste gratis drankjes achterover en gingen hun jassen halen.

Achter mijn stoel hoorde ik een kelner zeggen: *'Cara-binieri.'* Ik zei Ethel dat ze haar moeder moest gaan halen, dan zou ik Martha zoeken en dat we er vandoor moesten, want de politie was gewaarschuwd. Ik trof Martha aan te midden van een groepje dat met Rhoda Boggs stond te sympathiseren.

'Mart, we kunnen beter gaan. De kelners hebben de politie gewaarschuwd.'

'Wat ben jij toch slim, hè, juffrouw Ding.' Het gefuif en de opwinding hadden haar een dikke tong gegeven.

'Hier is je jas.' Ik hielp haar erin. 'Kom nou mee.'

Ik liep naar de trap en ze volgde me.

'Maya Angelou.'

Ik keerde me om. Martha stond op de overloop en ik vier treden lager.

'Maya Angelou, je bent zo'n betweter! Juffrouw Mooiding houdt niet van betweters.'

Na zo'n lange saaie periode was de spanning ons duidelijk allemaal naar het hoofd gestegen.

Ik opende net mijn mond om iets te zeggen toen ze me de inhoud van haar glas in het gezicht smeet. Alle vrome, verzoenende woorden – 'geduld', 'verdraagzaamheid', 'vergeef, want dat is het goede doen' – ontschoten me alsof ik ze nooit had gekend.

Ik had de trap op kunnen lopen om haar gezicht plat in de vloer te stompen tot het met het patroon in het parket samenviel. Maar ze was zo klein. Ze was één meter vijftig en volstrekt te klein om te slaan. Maar ik kon ook niet naar buiten wandelen terwijl de whisky langs mijn wangen omlaag in mijn kraag en nek droop.

Ik greep een handvol van de zoom van haar jas en gaf er een stevige ruk aan. Haar voeten schoten onder haar weg en ze bonsde de trap af. Toen ze tot stilstand kwam, een tree lager dan ik, zag ik dat haar pruik was losgeraakt uit de speldjes en scheef op haar hoofd stond. Lang, zwart, zijdeachtig haar hing voor haar gezicht en de rand van de pruik begon ergens achter haar linkeroor.

Toen ik onderaan de trap was aangekomen, keek ik achterom. Ned Wright stond over haar heen gebogen. 'Oh, lieve help. Heeft iemand juffrouw Mooiding van de trap af geduwd? Zal ome Ned je eens overeind helpen?'

De sopraan had beide handen aan haar pruik. In één beweging rukte ze hem recht op haar hoofd en trok ze haar gezicht in de plooi. Ze streek het haar glad op haar schouders en betastte de krullen die op haar kraag lagen.

'Niemand heeft juffrouw Mooiding geduwd,' zei ze en met haar kin omhoog gaf ze zichzelf een houding op de trap. 'Ik ben gevallen.'

De volgende dag zat ik in mijn kamer te mokken, mezelf verraden voelend en zonder vrienden. Ik zei tegen mezelf dat het tijd was om naar huis te gaan. Ik miste mijn zoon en hij had me nodig. Zijn brieven, met grote letters geschreven, kwamen regelmatig en steeds eindigden ze met: 'Wanneer kom je thuis, moeder? Of kan ik je komen bezoeken?'

Breen en Bob Dustin hadden aangeboden om hem over te laten komen en mij een toelage voor zijn onderhoud te geven. Maar er waren te veel mannelijke homoseksuelen bij het gezelschap en hoewel ik niet bang was dat ze hem lastig zouden vallen, wist ik wel dat hij op zijn leeftijd beïnvloedbaar was. Hij zou de boterzachte mannen zien die zich als vrouwen bewogen en door iedereen werden toegejuicht. Ik was er niet zeker van of Clyde hun gebaren niet zou trachten te imiteren, in een kinderlijke poging om bewondering te wekken. Iedereen heeft behoefte aan erkenning.

Ongeacht wat het me aan eenzaamheid kostte, ik gedroeg me als de goede moeder door mijn zoon thuis te laten. Zo had ik mijn schuldgevoel gesust, door nooit toe te geven dat ik genoot van de bevrijding van de constante last van kindergebabbel. Toen het reizen nog goed was, was het heel goed geweest. Ik kon geld naar huis sturen, treurige en toch ook oprechte brieven schrijven over mijn eenzaamheid en vervolgens de hele nacht opblijven en tot het ochtendgloren feestvieren met mijn vrienden. Ik hoefde me geen zorgen te maken over het ontbijt, of het klaar te maken. Ik kon mijn katers openlijk ten toon spreiden als embleem van mijn wereldwijsheid, zonder angst om veroordeeld te worden.

De waarheid was dat ik het alleenzijn gebruikt had en ervan gehouden had. Natuurlijk moest ik ook werken, maar iedere avond met zestig mensen samen dansen en zingen leek meer op een feest dan op een karwei. En ik had mijn vrienden.

Ik dacht aan Martha en wist dat ik nooit meer een woord tegen haar zou zeggen. Of tegen Lillian, of Ned, of een van de anderen. Zij waren al met elkaar bevriend voordat ik erbij kwam en ik was ervan overtuigd dat ze bezig waren de gelederen te sluiten om mij eruit te duwen op hetzelfde moment dat ik ellendig in de hotelkamer zat. Ik bestelde een lunch op mijn kamer en besloot om mijn ontslag in te dienen. Het was tijd om te gaan. Het grootste feest van mijn leven was voorbij.

Die avond gromde ik amper gedag tegen de zangers in de coulissen en toen we onze plaatsen innamen en de ouverture begon, moest ik mijn uiterste best doen mijn tranen in te houden.

Het doek ging op en onthulde Bey, Ned, Joe Jones, Joe Attles en John Curry die zaten te dobbelen. Ned, als Robbins, zong zijn lyrische tenorzin: 'Nine to make. Come nine' en won de pot. Crown, kwaad over deze uitslag, greep de hooihaak en er ontstond een gevecht. In de strijd stak Crown Robbins neer met het wapen. Robbins gaf een gil zoals altijd en draaide zich om naar het gezelschap. Er ging een zucht van verbazing over het toneel. Hij had de stervensscène altijd op de zaal gespeeld en het dramatische moment tot op de laatste druppel uitgemolken. Nu greep hij naar zijn borst waar de haak hem zogenaamd had geraakt en zei hardop: 'Hij heeft me geslagen. Oooh! Hij heeft me geslagen. Zag je dat? Hij sloeg Ned Wright.'

Hij struikelde van links naar rechts over het toneel. Hij vroeg Joy McClain en Delores Swann: 'Waar woont hij? Waar is zijn huis?' Vervolgens stommelde hij naar Freddie Marshall en Ruby Green: 'Zag je dat? Hij heeft me zowaar een klap gegeven. Ooh, wee!'

De acteurs moeten, zogenaamd geschokt door de moord, zwijgen en voor de muziek is er tijdens deze scène een generale pauze, maar toen Ned het debâcle van de avond ervoor begon na te bootsen, klonk er wat gedempt gegieber op het toneel.

Na te hebben geduwd, getrokken en gestruikeld, liet Ned zich eindelijk op de vloer zakken. Toen ging hij weer rechtop zitten, bracht een vuist naar zijn achterhoofd en de andere naar zijn voorhoofd, gaf een krachtige ruk en liet zijn handen rond glijden tot ze allebei zijn oren bedekten.

Op luide fluistertoon zei hij nuffig: 'Niemand heeft Ned Wright geslagen. Ik ben gevallen.' Pas toen ging hij liggen en sloot zijn ogen.

Het gegiechel zou misschien nooit door zijn gebroken als Ned niet met zijn gezicht omlaag in elkaar was gedoken, terwijl zijn lichaam schokte en schudde van het lachen en als Bey niet een baskreet van zulke pure vreugde had geslaakt dat we allemaal mee werden gesleept in een onbedwingbare lachbui.

De dirigent keek ontsteld op uit de orkestbak. Hij hief zijn handen ten teken dat de zangers de klaagzang in moesten zetten; niet één stem volgde zijn signaal op. Hij tilde zijn handen hoger en wees gebiedend met zijn stokje naar het toneel, maar de sopranen hadden hun gezichten in hun schorten begraven en de mannen hielden schokschouderend van het lachen hun hoeden voor hun monden.

Het gezicht van Alexander Smallens werd donker van woede. Hij hield zijn stokje als een potlood tussen zijn vingers en maakte korte, stotende bewegingen naar de zangers. Het orkest speelde de hele passage alleen uit. Bij de claus dat de bezetting links af moet gaan, in een wanordelijke poging om aan een blanke politieman te ontsnappen die rechts opkomt, vielen we struikelend over elkaar achter de coulissen.

De mensen leunden tegen de muren of omklemden elkaar – sommigen hielden zich zelfs aan het gordijn vast – en probeerden hun lachen te bedwingen. Rhoda Boggs veegde de tranen van haar ronde gezicht en tussen de lachstuipen door slaagde ze erin uit te brengen: 'Die Ned Wright. Oh, oh, die Ned Wright. Die is gek.'

Iemand pakte me beet en draaide me om. Het was Martha. Ze keek me aan en ik was er niet zeker van of haar brede grijns bedoeld was als een poging zich te verontschuldigen. Plotseling bracht ze beide handen naar haar pruik en trok hem scheef. Toen schoof ze hem weer op zijn plaats.

'Juffrouw Mooiding is niet gevallen. Iemand heeft haar geduwd.'

Ik bukte me lachend en ze sloeg haar armen om mijn nek. Geen van beiden vroegen we de ander om excuus. We pakten onze vriendschap weer op alsof die niet was gevallen, maar slechts gestruikeld. Een paar weken later deed ze haar pruik af. Een zwarte kapster in Rome krulde haar nieuw aangegroeide haar tot een hoog en weelderig kapsel en we spraken nooit meer over het incident.

26

Porgy & Bess was de eerste Amerikaanse opera die in La Scala zou worden opgevoerd. Beroemde, blanke sopranen, tenors en baritons uit de Verenigde Staten hadden solo-optredens verzorgd in de befaamde Milaanse opera en nu repeteerde een bezetting van uitsluitend negerzangers op die legendarische planken.

Fotografen en journalisten hingen rond de artiesteningang en wachtten in de foyers van onze hotels.

'Juffrouw Davy, hoe voelt het om de ster te zijn van de eerste...?'

'Ik ben natuurlijk vereerd, maar we werken allemaal hard. Ik ben slechts een van de Bessen.'

'Meneer Scott, bent u er zenuwachtig over om in La Scala te zingen?'

'Zenuwachtig? Nee, ik vind het wel spannend, maar elke keer als ik moet zingen, vind ik het spannend.'

'Juffrouw Flowers, had u ooit gedacht dat u nog eens de gelegenheid zou krijgen om in Milaan te zingen? In de meest prestigieuze opera van de wereld?'

'Zeker. Ik geloof in het arbeidsethos. Hard werken en voorbereid zijn. Vanzelfsprekend zijn we er allemaal blij mee.'

Oh, ik was zo trots op hen. Hun handen knoopten in elkaar van de zenuwen en hun voorhoofden parelden van het zweet, maar ze gedroegen zich ongeëmotioneerd.

We kregen te horen dat het publiek in La Scala op dezelfde manier op zangers reageerde als de vaste bezoekers van de Apollo in Harlem op de optredens. Die waarschuwing hoefde niet nader verklaard te worden. Het publiek in de Apollo stond erom bekend dat ze middelmatige artiesten het theater uitjouwden of bij ze op het podium sprongen om ze te laten zien hoe een dans gedanst en een lied gezongen moest worden.

Op de eerste avond was de stilte die achter het toneel hing, ongewoon en onheilspellend. De kleedkamerdeuren waren niet alleen dicht maar ook op slot. Toen het vijfminutensein werd gegeven, begaven we ons allemaal zwijgend naar onze plaatsen; er was zelfs geen gefluister op het donkere toneel te horen. Het geritsel uit de zaal verstomde door de geleidelijk dimmende lampen; er werd geklapt voor de dirigent en de ouverture begon. De zangers bleven apart staan en ik werd een beetje bang. Stel je voor dat Gloria haar stem verloor of Annabella haar hoge coloratuurnoten niet haalde. Stel je nou eens voor dat ik bij mijn opkomst over iemands voet viel. Ik was zo vast opgedraaid als een veer en realiseerde me, toen het doek opging, dat alle leden van de rolbezetting zich eveneens strak hadden opgewonden voor een vonkende ontlading.

Vanaf het moment dat het doek opging, sleepten de zangers het elegante premièrepubliek mee naar de hardheid van het zwarte, Zuidelijke bestaan. Toen Robbins werd vermoord, waren de jammerklachten echt (kenden we niet allemaal mensen die, omdat ze niet in staat waren zich tegen het gezag te verweren, een vriend om vijftig cent vermoordden?). De opkomst van de blanke politieman bracht wezenlijke angst teweeg (stond de wet niet altijd aan de kant van de machtigen en zaten de jakhalzen ons niet altijd op de hielen?). Het liefdesverhaal ontvouwde zich met zo'n tederheid dat de zangers zichtbare tranen vergoten (wie kon dit verhaal ontkennen? Hoeveel zwarte mannen waren er niet verminkt door de Amerikaanse onderdrukking en hadden vrouwen verloren van wie ze hielden en die van hen hielden, omdat ze de kracht niet hadden om te vechten? Hoe vaak hadden de vrouwen zich niet geschikt in liefdeloze verbintenissen zodat ze tenminste konden overleven?).

We lachten voor het eerst die avond bij onze buigingen. We hadden schitterend gezongen. Hoewel we naar het publiek toe stonden – dat roepend en klappend overeind was gekomen – bogen we uit wederzijdse achting voor elkaar. We hadden *Porgy & Bess* uitgevoerd zoals nooit tevoren en als de bezoekers van La Scala van ons hielden, dan was dat alleen maar passend, want we hadden zeker gespeeld alsof we verliefd waren op elkaar.

Op een middag laat in de lente arriveerden we in Rome. Ik zette mijn tassen weg in de hotelkamer en ging naar beneden om een telefoonboek te zoeken. In Parijs had Bernard Hassel me gezegd naar Bricktop's te gaan als ik ooit in Rome mocht komen. Ze was een levende legende. Hij had verteld dat Bricktop, Josephine Baker en Mabel Mercer in de jaren dertig in Europa de gevierde mulattinschoonheden waren geweest. Ze waren maatjes met de welgestelden en de adel en hoewel Mabel naar de Verenigde Staten was teruggekeerd en Josephine min of meer stil leefde, was Bricktop nog steeds eigenares van de populairste nachtclub in Rome.

Toen de avond viel, wandelde ik door de Via Veneto, langs het terras van Doney's restaurant, de volgende straat in waar een simpel bordje met BRICKTOP's erop boven een deur hing.

Ik duwde de deur open en bevond me plotseling achter een gedrongen, breedgeschouderde man en een zwaar opgemaakte vrouw van wie het bruine haar met blonde rijp was bedekt. Een kleine sproetige vrouw met een zeer lichte huid en dun rood haar stond voor het stel.

'*On dit que vous avez bu trop en Cannes*', ze zeggen dat u in Cannes te veel hebt gedronken. Ze fronste haar voorhoofd en haar Franse accent was zo Zuidelijk en zoet als pecannotentaart.

De man antwoordde: 'Alsjeblieft, Brickie. Ik beloof dat ik vanavond niet zal drinken. Op mijn erewoord.'

De strenge uitdrukking verzachtte zich toen zijn metgezellin eraan toevoegde: 'Ik laat hem niets drinken, Brickie. We zullen alleen maar naar de show kijken.'

Bricktop riep een kelner: 'Kom hier en breng koning Farouk naar een tafeltje.' Mijn oren verwierpen de naam bijna. 'Maar geeft hem geen druppel. Niet één *goutte*.'

Het stel liep achter de kelner aan en Bricktop wenkte naar mij. Haar gezicht was gesloten.

'Bent u alleen?'

'Ja,' antwoordde ik.

'Het spijt me, juffrouw. Maar ik sta niet toe dat hier dames zonder begeleiding binnenkomen.' Ze draaide zich al om.

Ik zei: 'Juffrouw Bricktop, het spijt mij ook. Ik heb er zes maanden op gewacht om hier naar toe te komen en u te ontmoeten.' Het was vleierij, maar het was ook de waarheid.

Ze kwam dichter naar me toe en rechtte haar rug. 'Wat doet u in Rome?' De vraag was cynisch bedoeld, alsof ze veronderstelde dat ik een reizende prostituee was en haar blik zei dat ze iedere versie van iedere leugen al eens had gehoord.

'Ik ben bij *Porgy & Bess*. Ik ben zangeres en danseres.'

'Uhuh.' Ik kon zien dat ze haar afweer liet varen. 'Wanneer bent u aangekomen?'

'Ongeveer twee uur geleden.'

Ze knikte, het waarderend dat haar club mijn eerste halte was. Ze keerde zich om en hief haar hand op. Een kelner kwam aangehold.

'Breng Mademoiselle naar een tafeltje.' Tegen mij zei ze: 'Ga maar zitten. Ik kom zo bij je om te praten.'

De club was ingericht met dikke tapijten en zware kroonluchters en de kelners waren even stijlvol gekleed als de klanten. Bricktop was een negervrouw die al dertig jaar uit de Verenigde Staten weg was, maar toch was haar Zuidelijke accent onmiskenbaar. Ik was nog verbaasder toen ze me naderhand vertelde dat ze helemaal niet uit het Zuiden kwam, maar uit Chicago.

Toen ze eindelijk naar mijn tafeltje kwam, vroeg ze waar ik vandaan kwam.

'San Francisco,' antwoordde ik.

'Hoe voelt het om zo ver van huis te zijn?'

Ik zei: 'Er is geen plaats waar God niet is.'

Haar gezicht kreukte in een kleine meisjesgrijns. 'Oh, jij wordt mijn baby. Wist je dat ik katholiek ben geworden?'

Ik antwoordde dat ik dat niet wist.

Ze boog zich met glinsterende ogen over het tafeltje heen. 'Ik heb vrienden die me vragen waarom. Ze hebben ontdekt dat ik iedere dag naar de mis ga en dat choqueert ze. Ik zeg, luister, dertig jaar lang heb je me iedere dag de bars in en uit zien rennen en je hebt nooit geprobeerd me tegen te houden en je was niet gechoqueerd. Waarom wil je me dan nu tegenhouden?' Ze leunde weer achterover in haar stoel en glimlachte zelfvoldaan. 'Toen hielden ze hun mond wel.'

Ze nodigde me uit naar de club te komen als ik zin had en beloofde een maal van zwartoogerwten voor me te koken. 'Ik weet waar ik ze kan krijgen in deze stad. Want ik weet alles en iedereen te vinden in Rome.'

Ik keek de club rond naar een paar beroemde Amerikaanse en Europese gezichten en naar de rij mensen die in de deuropening stonden te wachten op een tafeltje. Ik twijfelde er niet aan dat Brickie de sleutels bezat waarmee zo nodig de Eeuwige Stad kon worden ontsloten.

27

Na enkele weken in Rome kreeg ik een verontrustende brief van moeder. Wilkie was verhuisd naar een eigen studio. Lottie was op zoek naar huishoudelijk werk, want Mr. Hot Dog leed verlies. En moeder was van plan om croupier te worden in een Las Vegas negercasino – wat betekende dat er niemand zou zijn om voor Clyde te zorgen, die mij meer dan ooit miste. Hij had een ernstige huiduitslag die resistent was tegen iedere medische behandeling. Ik schreef meteen terug dat ik binnen een maand thuis zou zijn. Het bondsreglement schreef een opzegtermijn van twee weken voor, maar omdat we in Europa waren, was het niet meer dan billijk het gezelschap vier weken te geven om een andere danseres-zangeres te vinden.

Ik ging naar Bob Dustin en legde uit dat ik over een maand weg zou gaan en hoeveel plezier ik had gehad op deze tournee. Die avond kwam hij naar mijn kleedkamer, ging zitten en keek me somber aan.

'Het spijt me, maar ik heb slecht nieuws voor je. Aangezien je zelf ontslag neemt, hoeven wij geen zorg te dragen voor je terugreis. Die zul je zelf moeten betalen. En je zult voor je vervangster ook de reis moeten betalen, eerste klas, waar we haar ook vandaan zullen halen.'

De reiskosten zouden wel eens op kunnen lopen tot meer dan duizend dollar! Zoveel geld had ik sinds de oorlog, toen ik voor mijn moeder de sleutels van haar geldkist bewaarde, niet meer bij elkaar gezien.

Bob liet me alleen met mijn tranen. Ik vertelde het tegen Martha en Lillian die met me meeleefden, maar geen geld hadden om me te lenen. De wanhoop dreigde toe te slaan. Ik moest naar mijn zoon toe, maar hoe kon ik genoeg geld bij elkaar krijgen?

Ik belde Bricktop op het privé-nummer dat ze me had gegeven. 'Nou, nou, hou eens op met huilen en vertel me wat er aan de hand is.'

Ik vertelde haar van mijn zoon die ik had achtergelaten en van de tegenslag van mijn familie en dat ik nog een baan nodig had om mijn reis naar huis te verdienen.

'Daar hoef je niet om te huilen. Ik heb van dansers gehoord die huilden omdat er te veel, maar nooit omdat er te weinig van ze werd geëist. Vestig je hoop in God en kom hier vanmiddag naar toe om met mijn pianist te repeteren. Je kunt vanavond beginnen.'

Gedurende de volgende twee maanden danste ik niet alleen in de opera en zong ik in Bricktop's, maar vond ik ook nog werk voor overdag. Een paar dansers van de opera van Rome vroegen mij om hun les te geven in Afrikaanse dans. Ik rekende hun zoveel als ze konden betalen en keerde ieder dubbeltje om, zodat mijn kapitaal groeide. Bricktop voorzag me vaak van eten en op een keer, toen ik zo depressief was dat ik nauwelijks een woord uit kon brengen, vroeg ze me naar haar huis te komen. Toen ik de grote hal binnenkwam, tilde ze haar rok op en liet me haar knieën zien. De lichte huid was gekneusd en geschaafd.

'Ik ben voor jouw zoon op mijn knieën de heilige trap opgeklommen. En ik heb iedere dag een kaars gebrand en tot de Heilige Moeder gebeden voor hem. Dus wil je nu, alsjeblieft, vertrouwen hebben en er gerust op zijn dat het goed gaat met hem?'

Ik telde het geld ongelovig na, iedere cent die ik nodig had was er. Ik boekte een plaats op de Cristoforo Columbo. Martha en Ethel, Lillian, Barbara, Bey, Ned en de beide Joe's (Attles en James) gaven een overdadig afscheidsfeest voor mij.

Martha zei: 'Juffrouw Ding, waarom vlieg je niet terug? Op deze manier duurt het twee weken voor je in Californië bent.'

Ik was bang. Als het vliegtuig neerstortte, zou mijn zoon zijn hele leven zeggen dat zijn moeder op tournee in Europa was omgekomen en zou hij nooit weten dat ik het vliegtuig had genomen omdat ik bijna gek van verlangen was om bij hem te zijn.

Lillian trok een gezicht tegen Martha. 'Laat haar nou maar, juffrouw Mooiding. Ze heeft zo van die voorgevoelens en soms kloppen ze ook nog. Laten we vooral Cairo en de *défrisage* niet vergeten.' We lachten allemaal om de goede momenten in het verleden, die goed genoeg waren toen ze zich voordeden, maar die achteraf nog veel beter werden.

De overtocht van negen dagen van Napels naar New York dreigde eeuwig te duren. Het leek alsof ik een maand lang naar bed ging in de kleine hut, waar de slaap me maar zelden bezocht. Onrustige gedachten hielden me wakker. Ik had mijn zoon achtergelaten om door vreemde landen te gaan dolen en behalve de keren dat ik aan hem dacht, had ik van iedere minuut genoten. Ik had twee maanden geleden een brief gestuurd dat ik naar huis kwam en had me te schuldig gevoeld om te schrijven en de reden van mijn oponthoud uit te leggen.

Een ternauwernood adequate band speelde in de salon van de tweede klas en na de derde rusteloze nacht begon ik met hen te zingen.

Een zeer magere en broos uitziende man uit de eerste klas stelde zichzelf voor en bleef iedere avond zitten tot het laatste nummer was gespeeld en de muzikanten hun instrumenten hadden afgedekt. Zonder de band en zijn gezelschap zou de reis volstrekt onverdraaglijk zijn geweest.

Mijn vriend leed aan chronische slapeloosheid, dus speelden we gin rummy en praatten we tot de zon opkwam. Hij vertelde me dat hij een vriend was van Tennessee Williams en we discussieerden over de toekomst van het toneel. Ik zei een paar van mijn gedichten voor hem op die, volgens hem, veelbelovend waren.

In de haven gaven we elkaar onze adressen en ik nam een taxi naar het station. Na een treinreis van drie dagen arriveerde ik moe, murw, maar gelukkig in het Third en Townsend station van de Southern Pacific in San Francisco.

28

Lottie deed de deur open en slaakte een welkomstkreet. Binnen een paar tellen was ik omringd door mijn familieleden die me kusten, aaiden en omhelsden. Ze leidden me naar de bank en stelden vragen waar ze geen antwoord op verwachtten. Toen ik ging zitten, sprong Clyde op mijn schoot en nestelde zijn hoofd onder mijn kin. Om de andere minuut trok hij zijn hoofd terug om naar mijn gezicht te kijken en vlijde zich dan weer tegen mijn hals aan. Moeder streelde mijn haar en wang en veegde haar tranen weg.

Lottie zei: 'Ze heeft een kop koffie nodig.'

'De verloren dochter,' zei moeder. 'Dat ben je. De verloren dochter die thuiskomt.'

Lottie zei vanuit de keuken: 'Oh, kind. We hebben je gemist.'

'Als we op een boerderij woonden,' zei moeder, 'zou ik het vetgemeste kalf slachten. Oh, zeker, baby.' Tegen mijn zoon zei ze: 'Dat is wat de moeder doet als de verloren dochter thuiskomt.'

Clyde sloeg zijn armen om mijn nek.

'Clyde,' zei Moeder.

Tegen mijn kraag aan murmelde hij: 'Ja, grootmoeder?'

'Je bent nou te groot om bij je moeder op schoot te zitten. Je bent een kleine man. Vooruit, sta op en ga een vet kalf zoeken. Dan zullen we het slachten en braden.'

Zijn armen klemden vaster om mijn nek.

Ik zei: 'Moeder, laat hem nou maar een poosje hier zitten. Ik vind het niet erg.'

Op de eerste dag werden de cadeaus uitgedeeld en flarden van verhalen uitgewisseld. Ik vertelde over het gezelschap en over een paar van de steden waar we waren geweest. Moeder en Lottie vertelden mij hoe ze het huurcontract van het restaurant waren kwijtgeraakt, hoe Clyde me had gemist en hoe ze hem mee hadden genomen naar een dermatoloog die een dure allergoloog had aanbevolen, maar dat niets leek te helpen.

Clyde had weinig te vertellen. Het spraakzame, mooie en onstuimige kind dat ik had achtergelaten was verdwenen. Ervoor in de plaats was een ruwhuidige, verlegen jongen gekomen die zijn hoofd liet hangen als er tegen hem werd gesproken en die zijn ogen afwendde, zelfs toen ik zijn kin vasthield en vroeg: 'Kijk me eens aan.'

Die avond ging ik naar zijn kamer en luisterde hoe hij dof zijn gebedje opzei en toen ik me bukte om hem welterusten te kussen, klampte hij zich met een beangstigende heftigheid aan me vast. Heel vroeg in de ochtend hoorde ik een zacht klopje op mijn deur.

Ik knipte het licht aan en riep: 'Binnen.'

Mijn zoon kwam op zijn tenen mijn kamer in. Zijn gezicht was gezwollen van het huilen. Ik ging overeind zitten. 'Wat is er?'

Hij kwam naar mijn bed toe en voor het eerst sinds mijn thuiskomst keek hij me recht aan. Hij fluisterde: 'Wanneer ga je weer weg?'

Ik sloeg mijn armen om hem heen en hij viel snikkend tegen mijn borst aan. Ik hield hem tegen me aan, maar kon mijn eigen tranen niet bedwingen.

'Ik zweer je dat ik je nooit meer alleen zal laten. Als ik wegga, wanneer ik wegga, ga jij met me mee, anders ga ik niet.'

Hij viel in slaap in mijn armen en ik tilde hem op en legde hem terug in zijn eigen bed.

29

Desoriëntatie hing als een dikke mist over mijn geest en het leek alsof ik niet in staat was iemand of iets aan te raken. Ivonne was eindelijk gelukkig getrouwd; ze stelde me aan haar nieuwe man voor, maar mijn belangstelling was niet meer dan oppervlakkig. Thuis draaide ik mijn favoriete platen, maar de muziek klonk blikkerig en oninteressant. Lottie bereidde uitgebreide maaltijden speciaal voor mij en het voedsel lag zwaar op mijn tong – met moeite kreeg ik het door mijn toegeknepen, onwillige keel. Moeder en ik lieten elkaar de brieven zien die we van Bailey hadden gekregen. Het verdriet dat ik in Europa had gevoeld toen ik zijn post las, had ik klaarblijkelijk in het buitenland achtergelaten, want nu bleef ik onbewogen bij het herlezen van zijn aangrijpende, poëtische verhalen over het leven in de gevangenis.

Ik was me ervan bewust dat ik me niet gedroeg als de vroegere Maya, maar het deed er niet zoveel toe. Mijn reacties op Clyde verontrustten me echter wel. Ik wilde hem voortdurend vasthouden. Hem optillen en zijn negenjarige lijfje door de straten, naar de winkel en het park dragen. Ik moest mijn vuisten ballen om met mijn handen van zijn hoofd en gezicht af te blijven, elke keer dat ik naast hem zat of langs hem liep.

Clyde's huid vervelde in schilfers en zijn bed moest iedere dag worden verschoond in een poging om verdere besmetting te voorkomen. Door hem te verwaarlozen, had ik mijn mooie zoon te gronde gericht en geen van ons beiden zou het mij ooit vergeven. De tijd was gekomen om zelfmoord te plegen, om een eind te maken aan de beschuldigingen en het schuldgevoel. Maar had ik de moed om alleen te sterven? Wat zou er met mijn zoon gebeuren? Als mijn tijdelijke afwezigheid in Europa zulke verwoestingen aanrichtte in zijn geest en lichaam, wat zou er dan van hem worden als ik voorgoed verdween? Ik had hem op deze wereld gezet en ik was verantwoordelijk voor zijn leven. Dergelijke gedachten moesten door de geest van krankzinnige ouders kronkelen die eerst hun kinderen ombrengen en vervolgens zichzelf.

Op de vijfde dag dat ik thuis was, had ik een helder moment, zo helder als zuiver kristal. Ik was gek aan het worden.

Clyde en ik waren alleen thuis. Ik schreeuwde naar hem: 'Eruit. Ga onmiddellijk naar buiten.'

'Waar naar toe, Moeder?' Hij was ontzet door de agressie in mijn stem.

'Naar buiten. En kom niet terug, zelfs niet als ik je roep. Naar buiten.'

Hij rende de trap af toen ik de hoorn van de telefoon nam. Ik bestelde een taxi en belde naar 'Langley Porter', de psychiatrische inrichting.

'Het spijt me. Er is niemand hier om u te zien.'

Ik zei: 'Oh, jawel. Iemand moet me zien.'

'Mevrouw, we hebben een wachtlijst van zes maanden.'

'Dit is een noodgeval. Mijn naam is Maya Angelou. Iemand moet me zien.'

Ik greep een jas en ging op de stoep zitten. Clyde kwam uit de achtertuin aangerend toen hij de taxi hoorde stoppen. Hij kneep zijn ogen samen alsof hij op het punt stond in huilen uit te barsten.

'Ga je weg?'

Ik antwoordde: 'Ik ga even bij een vriend langs. Ga maar naar binnen. Ik ben over een uurtje terug.'

Ik zag hoe hij de taxi nakeek tot we de hoek omsloegen.

De receptioniste was niet geschrokken van mijn hysterie. 'Ja, juffrouw Angelou. De dokter is daar, hij kan u nu ontvangen.' Ze bracht me naar een deur.

Een grote, donkerharige, blanke man zat achter een bureau. Hij wees op een stoel. 'En, wat scheelt eraan?' Hij legde zijn handen op het bureaublad en haakte zijn vingers in elkaar. Zijn nagels waren schoon en kortgeknipt. Zijn degelijke pak was pas geperst. Hij zag er gespierd uit. Ik dacht, hij is vast een van die tennissers die in dure sportwagens rijden en zijn vrouw heeft zwart personeel dat haar ondergoed wast en het ontbijt op een dienblaadje naar haar toe brengt.

'Hebt u problemen?'

Ik begon te huilen. Ja, ik had problemen; waarom zou ik anders hier zitten? Maar wat kon ik deze man vertellen? Zou hij Arkansas begrijpen, dat ik had verlaten, maar toch nooit achter me zou of kon laten? Zou hij het bevatten waarom mijn briljante broer, die het genie van de familie was, een straf uitzat in Sing Sing vanwege het helen van gestolen goederen, in plaats van met schone nagels, in een maatpak, te luisteren naar hoe de een of andere arme gekkin tranen van ellende vergoot? Hoe zou hij een moeder zien die, in een wanhopig streven naar vrijheid, haar enige kind had achtergelaten dat tijdens haar afwezigheid ziek was geworden? Een moeder die zich bij haar terugkomst zo schuldig voelde dat ze niets productievers kon bedenken dan zichzelf om te brengen en misschien zelfs het kind erbij?

Ik keek naar de dokter en hij keek naar mij, zonder iets te zeggen. Wachtend.

Ik had mijn kleenex opgebruikt en pakte er meer uit mijn tas. Nee, ik kon hem niet vertellen over hoe het was te leven in een huid die door de meerderheid van je medeburgers gehaat of gevreesd werd, of over de gewaarwording wanneer je op een mooie ochtend op de bus stapte, je gelukkig voelde, maar plotseling zag hoe de passagiers hun lippen vol afkeer vertrokken of hun ogen vol walging afwendden. Nee, ik had de dokter niets te zeggen. Ik stond op.

'Dank u dat u me hebt willen zien.'

'Als u nog een afspraak wilt maken...'

Ik deed de deur dicht en vroeg de receptioniste om een taxi te bellen.

Ik gaf de chauffeur het adres van Wilkies studio. Ik arriveerde midden in een les. Hij wierp een blik op mij en zei: 'Ga maar naar mijn slaapkamer. Daar staat een fles whiskey. Ik heb nog een leerling na deze, dan zal ik de anderen voor vanmiddag afzeggen.'

Ik zat op zijn bed pure whiskey te drinken en luisterde naar de zangles in de kamer ernaast. Ik wist niet wat ik Wilkie zou gaan zeggen, maar ik wist wel dat het me meer goed zou doen om met hem te praten, dan met die dokter voor wie ik het zoveelste geval van negerparanoia zou zijn. Ik belde naar huis, vertelde Lottie waar ik was en dat ik gauw weer thuis zou zijn.

De piano zweeg eindelijk en Wilkie opende de deur van de slaapkamer. 'Oké, mijn ouwe, lieve kroeskop. Kom eens hier om met oom Wilkie te praten.'

Ik liep de studio in en liet me in zijn armen vallen.

'Wilkie, ik zie het nut van het leven niet meer. Ik ben bij een psychiater geweest en dat haalde niets uit. Ik kon niet praten. Ik voel me zo ongelukkig. En ik heb Clyde zoveel kwaad gedaan...'

Hij hield me vast tot mijn woordenstroom stokte.

'Ben je klaar? Ben je klaar?' Zijn stem klonk streng en zonder medeleven.

Ik zei: 'Nou ja, ik geloof van wel.'

'Ga aan dat bureau zitten.'

Ik ging zitten.

'Zie je dat gele schrijfblok?' Er lag een schrijfblok met geel, gelinieerd papier op het vloeiblad. 'Zie je dat potlood?'

Ik zag het.

'Schrijf dan nu op wat je hebt om dankbaar voor te zijn.'

'Wilkie, ik wil geen nietszeggende antwoorden.'

'Begin te schrijven.' Zijn stem was koud en onverzettelijk. 'En ik bedoel, nu meteen! Eerst schrijf je op dat je mij dat hebt horen zeggen. Dus beschik je over het vermogen om te horen. En dat je tegen de taxichauffeur kon zeggen waar hij je naar toe moest brengen en vervolgens aan mij kon vertellen wat er mis was met je, dus beschik je over een spraakvermogen. Je kunt lezen en schrijven. Je hebt een zoon die niets anders nodig heeft dan jou. Schrijf, verdomme! Ik meen 't. Schrijf.'

Ik pakte het potlood op en begon.

Ik kan horen
Ik kan spreken
Ik heb een zoon
Ik heb een moeder
Ik heb een broer
Ik kan dansen
Ik kan zingen

Ik kan koken
Ik kan lezen
Ik kan schrijven

Toen ik onderaan de bladzijde kwam, begon ik me onnozel te voelen. Ik leefde en was gezond. Wat had ik in vredesnaam om over te klagen? In Rome had ik twee maanden lang beweerd dat ik niets anders wilde dan bij mijn zoon zijn. En nu kon ik hem omarmen en kussen telkens als ik daar behoefte aan had. Waar zat ik in godsnaam over te zeuren?

Wilkie zei: 'Schrijf nou: "Ik ben gezegend en ik ben dankbaar."'

Ik schreef de zin op.

'Het is tijd dat je aan het werk gaat. Ik zal een taxi voor je bellen. Ga op weg naar huis bij het theateragentschap langs. Zeg ze dat je klaar bent om aan de slag te gaan. Maakt niet uit waar of wanneer, als het maar fatsoenlijk betaalt.'

Toen hij met me naar de deur liep, sloeg hij zijn arm om mijn schouders. 'Maya, je bent een goede moeder. Als je dat niet was, zou Clyde je niet zo gemist hebben. En oom Wilkie zal je nog één ding zeggen. Vraag niet aan God om je te vergeven, want dat is al gebeurd. Vergeef jezelf. Jij bent de enige die jezelf kunt vergeven. Je hebt niets verkeerd gedaan. Dus vergeef jezelf.'

Ik liet de impresario weten dat ik iedere baan accepteerde en dat mijn enige voorwaarde was dat ik vervoer en logies voor mijn zoon kreeg. Hij was verbaasd over het ongebruikelijke verzoek, maar we tekenden het contract en ik ging naar huis.

Mijn lichthartige gemoedstoestand had op allemaal invloed. Ik vertelde komische verhalen over de zangers en hield op te liegen over hoe miserabel ik me had gevoeld.

Moeder merkte op: 'Nou, ik wist dat wel dat je minstens ook plezier gehad moest hebben.'

Lottie, aangemoedigd door mijn nieuwe eetlust, plande nog uitgebreidere maaltijden om mij genoegen te doen. En Clyde begon mij weer geheimen te vertellen. Hij liet Fluke herleven en getweeën hadden ze eindeloze gesprekken in de ene badkamer die het huis rijk was. Ik hield hem een week thuis uit school en we brachten de dagen door met fietsen door het Golden Gate-park en met picknicken op het gras.

Voor mijn ogen zette een lichamelijke en geestelijke metamorfose in die geleidelijk en zo onverbiddelijk was als een seizoenswisseling. Eerst droogden de ontelbare pukkeltjes op en braken er geen nieuwe door. Toen merkte ik dat hij niet langer mijn kamer binnen kwam gestormd om zichzelf ervan te verzekeren dat ik er nog steeds was. En wanneer ik het huis uitging om te winkelen, namen we allebei heel gewoon afscheid met een achteloos: 'Tot zo.' Hij liet zijn schouders niet langer hangen en had overal een mening over, van de planning van maaltijden tot hoe hij genoemd wenste te worden.

'Moeder, ik heb mijn naam veranderd.'

Ik weet zeker dat ik hier niet van opkeek. 'Best hoor. Wat is het vandaag?'

In een maand tijd had hij aan Fluke en de rest van de familie laten weten dat ze hem Rock, Robin, Rex en Les moesten noemen.

'Ik heet Guy.'

'Dat is leuk. Guy is een leuke naam.'

'Ik meen het, moeder.'

'Goed, schat. Het is best een leuke naam.'

Toen ik hem later op die dag riep, weigerde hij te antwoorden. Ik stond in de deuropening van zijn kamer en zag hem wijdbeens op bed zitten.

'Clyde, ik heb je geroepen. Heb je me niet gehoord?'

Hij was altijd onstuimig geweest, maar nooit openlijk brutaal.

'Ik hoorde je Clyde roepen, moeder, maar ik heet Guy. Heb je me nodig?'

Hij grinnikte ondeugend tegen me.

Een tijdlang slaagden moeder, Lottie en ik er niet in om zijn nieuwe naam te onthouden.

'Tante Lottie, als u me moet hebben, roep dan om Guy.'

'Grootmoeder, ik noem mezelf Guy nou. Wilt u dat, alstublieft, niet vergeten.'

Op een dag vroeg ik hem waarom hij Clyde niet mooi vond. Hij antwoordde dat het halfzacht klonk. Ik vertelde hem over de rivier de Clyde in Schotland, maar hij was niet onder de indruk van haar kracht en soberheid.

'Voor een rivier is het een goeie naam, maar ik heet Guy.' Hij keek me recht in de ogen. 'Zeg, alsjeblieft, tegen je vrienden dat ik nooit meer Clyde genoemd wil worden. En, moeder, dat moet jij ook niet doen.' Hij was niet vergeten 'alsjeblieft' te zeggen.

Telkens wanneer iemand van de familie hem Clyde noemde, zuchtte hij, als een onderwijzer die een stel koppige kleuters probeert op te voeden, en zei hij vermoeid: 'Ik heet Guy.'

Het kostte hem slechts één maand om ons te trainen. Hij werd Guy en we konden het ons nauwelijks herinneren dat we hem ooit anders hadden genoemd.

30

Ik kreeg een telegram uit Hawaii.

ENGAGEMENT IN THE CLOUDS. $ 350 PER WEEK,
VIER WEKEN. OPTIE TWEE WEKEN. VERVOER EN
LOGIES VOOR U EN ZOON. ANTWOORD PER
OMGAANDE.

De drie vrouwen die eigenaar waren van het hotel en de nachtclub, haalden ons, gekleed in lange, kleurige Hawaïaanse jurken, van het vliegveld af. Ze waren blank-Amerikaans, maar een jarenlang verblijf op de eilanden had hun huid gebruind en hen bevrijd van remmingen. Ann, een lange blondine en ooit beroepszwemster, glimlachte warm en drapeerde verse bloemslingers om onze nekken. Verne, de kleinste van het trio, kuste ons, terwijl Betty, knap en robuust, ons op de rug sloeg, onze tassen pakte en het gezelschap een auto in loodste.

Tijdens de rit naar Waikiki stelde ik me voor hoe Bing Crosby en Dorothy Lamour in sarong onder de palmbomen 'Lovely Hula Hands' stonden te zingen. De lucht was warm en vochtig en in de wagen hing het aroma van bloemen. Guy vroeg hoe diep de oceaan was en of er haaien zaten. En hadden ze wel strandwachten?

The Clouds lag vlak aan zee, schuin naast het enorme en elegante Queen's Surfhotel waarvan de roze gepleisterde torens naast Diamond Head omhoog staken.

We werden naar onze afzonderlijke kamers gebracht die uitkwamen op dezelfde badkamer, en uitgenodigd om die eerste avond met mijn werkgeefsters te dineren.

Guy en ik gingen een eindje wandelen en hij was zo opgewonden van blijdschap dat hij onophoudelijk kwebbelde. We liepen langs het strand en hij rende vooruit en terug, lachte tegen zichzelf, greep mijn hand om me sneller mee te trekken, liet hem vervolgens ongeduldig los en holde alleen verder.

Na het eten nadat hij zijn gebedje had gezegd, deelde hij mee dat hij Fluke thuis had gelaten omdat Fluke niet kon zwemmen. Ik vroeg hem mij de volgende ochtend te wekken, dan zou ik, na het ontbijt, een reischeque inwisselen zodat ik hem wat zakgeld kon geven. Toen hij in slaap was gevallen, zocht ik Ann en Betty op. Ze lieten me de club zien en we zaten tot laat die avond te drinken en te praten.

Ik werd wakker en keek op mijn horloge. Het was halfelf. Ik vermoedde dat de lange vliegreis Guy had uitgeput, want gewoonlijk was hij voor zevenen al op. Er kwam geen antwoord toen ik op onze verbindingsdeur klopte. Ik probeerde de knop om te draaien, maar hij zat op slot. Ik ging naar buiten en probeerde de deur die van de gang naar zijn kamer leidde. Die zat ook op slot. Ik belde het kamermeisje en legde uit dat mijn zoontje nog sliep en dat ik hem niet wakker kon krijgen. Ze opende de deur. De kamer was leeg. Aanvankelijk raakte ik niet in paniek. Ik veronderstelde dat hij besloten had mij te laten slapen en dat een van de eigenaressen hem mee naar beneden had genomen om te eten in het hotelrestaurant.

Ik vroeg aan de kelner waar ik mijn zoon kon vinden. Hij antwoordde dat er die ochtend geen kinderen in het restaurant waren geweest. Betty zat in haar kantoor. Ze vertelde dat Verne en Ann nog sliepen en dat ze hem niet had gezien, maar ik moest me niet ongerust maken – waarschijnlijk was hij een ommetje gaan maken.

Ik bedankte haar en ging terug naar onze kamers. Betty kende Guy niet. Misschien had hij besloten mij niet te wekken en misschien was hij een eindje gaan wandelen, maar één ding was zeker – hij zou hebben gegeten. Zelfs toen hij ernstig overstuur was geweest en lichamelijk ziek, was mijn zoons omvangrijke eetlust er nooit minder op geworden. Zijn gewone, dagelijkse ontbijt bestond uit havermout, spek, eieren, geroosterd brood, jam, sinaasappelsap en melk. Op speciale dagen at hij er ook nog warme biscuits en gebakken aardappelen bij.

Het kamermeisje opende opnieuw de deur van zijn kamer. De kleren die hij tijdens de reis had gedragen, hingen in de kast en zijn koffer stond open, maar de inhoud zag er onaangeroerd uit. Zijn pyjama lag op het voeteneinde van het bed.

Kon hij ontvoerd zijn? Waarom? Geld had ik niet. Kon mijn mooie zoon zijn meegenomen door een seksmaniak? Hoe zou die hem naakt het hotel uit hebben gekregen? Guy zou gevochten en gegild hebben. Ik liep naar het strand, maar alle kinderen leken op mijn jongen. Ze hadden allemaal een geelbruine huid en donkere ogen. Ik ging terug naar het hotel en belde de politie.

Twee grote, oosterse mannen verschenen in de foyer. Een van hen vroeg: 'Wat had hij aan, juffrouw Angelou?'

'Oh, niets, voor zover ik kan nagaan. Zijn kleren zijn allemaal in zijn kamer.'

'Hoe ziet hij eruit?'

Ik liet ze een foto zien.

'We zullen hem wel vinden, maakt u zich maar niet ongerust.'

Niet ongerust?

Ik ging naar de bar, bestelde een gin en knikte toen Verne, Betty en vervolgens Ann vol medeleven herhaalden: 'Maak je niet ongerust.'

Dit was de manier waarop de hele wereld ten onder ging. Eén kind verdwijnt en de zon glijdt van de hemel weg. De maan smelt in bloed. De aarde golft als een duistere oceaan. Ik nam nog een gin en trachtte de krantenkoppen uit te wissen die achter mijn ogen voorbij schoten: LICHAAM VAN KIND GEVONDEN IN STEEG, JONGEN ONTVOERD ONDER GEHEIMZINNIGE OMSTANDIGHEDEN.

Ik was net in de foyer gaan zitten toen Guy, geflankeerd door de agenten, binnen wandelde. Hij droeg een zwembroek en zat onder het zand. Ik was zo slap van opluchting dat ik nog geen seconde op mijn benen had kunnen blijven staan. Hij zag me, rende van zijn begeleiders weg en kwam voor me staan.

'Mam' – zijn stem klonk luid en bezorgd – 'wat is er aan de hand? Is alles goed met je?'

Ik zei, ja, alles was goed met mij, omdat ik niet wist wat ik anders moest zeggen.

'Pfoe!' Hij blies zijn adem uit. 'Goh, ik was even ongerust.'

Ik verzamelde genoeg kracht uit de een of andere verborgen reserve om op te staan. Ik bedankte de agenten en schudde hen de hand. Ze lieten hun handen over Guy's hoofd gaan en zand dwarrelde als bruine sneeuw op het tapijt. 'Zul je je moeder niet meer zo ongerust maken?'

Ze vertrokken en ik liet me terug in de stoel vallen. 'Guy, waar zat je?'

'Ik ben gaan zwemmen, moeder.'

'Waar heb je die zwembroek vandaan?'

'Die heb ik van grootmoeder gekregen. Maar waarom was je zo ongerust?'

'Je hebt niet ontbeten. Daarom.'

'Maar dat heb ik wel.'

'De kelner zei dat je daar vanochtend niet bent geweest.'

'Ik heb ook niet hier gegeten. Ik heb in het Queen's Surfhotel gegeten.'

'Maar je had geen geld. Wie heeft het betaald?'

'Niemand. Ik heb zelf getekend.'

Ik was stomverbaasd.

'Maar ze kenden je toch niet? Ik bedoel, namen ze genoegen met je handtekening?' Dat was ongelofelijk.

Hij keek me aan alsof ik niet helemaal zo schrander was als hij wel zou willen.

'Mam, weet je dat je naam daarbuiten op dat ding staat?'

Toen we aankwamen, had ik een groot bord gezien waarop MAYA ANGELOU werd aangekondigd. Ik antwoordde: 'Ja, ik heb het gezien.'

'Nou, toen ik mijn ontbijt op had, wees ik ernaar en zei dat ik de rekening wilde tekenen en dat Maya Angelou een hele goeie zangeres is en ze is mijn moeder.'

Ik knikte.

Gedeeltelijk had hij gelijk. Hoewel ik geen hele goeie zangeres was, was ik wel zijn moeder en hij mijn fantastische, afhankelijk onafhankelijke zoon.

Isabel Allende
Liefde en schaduw

Een meeslepend verhaal over een jong liefdespaar dat vecht
tegen de verschrikkingen van een dictatoriaal regime.
Allende op haar best.

Rainbow Pocketboek 638

* * *

Marianne Fredriksson
Inge en Mira

Roman van bestsellerauteur Fredriksson over
onderdrukking, ontheemding, vriendschap en liefde.

Rainbow Pocketboek 608

* * *

Yasmine Allas
Idil, een meisje

Het eenzame gevecht van een meisje uit Somalië dat
zelf haar leven wil kiezen.

Rainbow Pocketboek 606

* * *

Rainbow